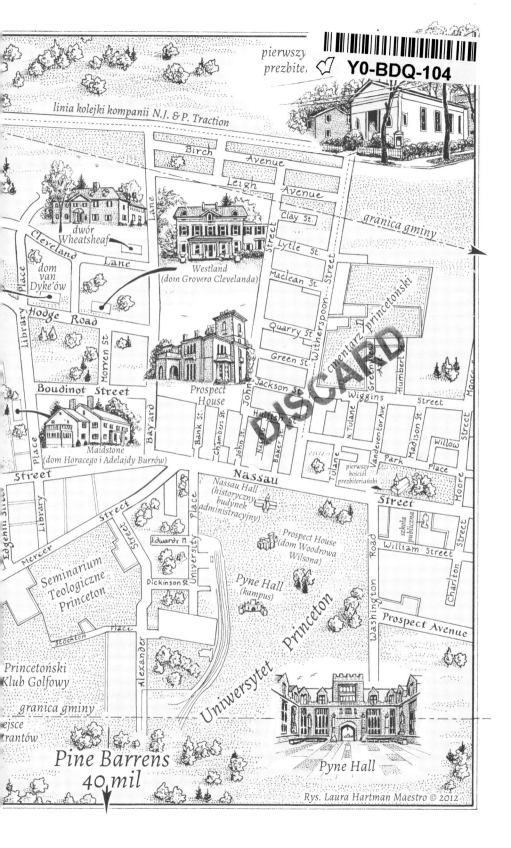

pierwszy
prezbite.

linia kolejki kompanii N.J. & P. Traction

Birch Avenue

Leigh Avenue

Clay St.

dwór
Wheatsheaf

Lytle St.

Westland
(dom Grovera Clevelanda)

Maclean St.

granica gminy

dom
van
Dyke'ów

Cleveland Lane

Quarry St.

Lane

Street

Witherspoon Street

cmentarz princetoński

Library Place

Hodge Road

Green St.

Morven St.

Jackson St.

Wiggins Street

Prospect
House

Boudinot Street

Hulfish St.

Bayard

Bank St.

Chambers St.

John Jr.

Nassau

Baker St.

N. Tulane

Vandeventor Ave.

Green St.

Humbert

Moore

Madison St.

Willow

Street

Park Place

Maidstone
(dom Horacego i Adelajdy Burrów)

Nassau

Street

Nassau Hall
(historyczny
budynek
administracyjny)

pierwszy
kościół
prezbiteriański

szkoła
publiczna

Edgehill Street

Library Street

Mercer

Street

Street

University Place

Edwards Pl.

Dickinson St.

Prospect House
(dom Woodrowa
Wilsona)

Pyne Hall
(kampus)

Washington Road

William Street

Charlton Street

Moore Street

Seminarium
Teologiczne
Princeton

Place

Stockton

Alexander

Uniwersytet Princeton

Prospect Avenue

Princetoński
Klub Golfowy

granica gminy

ejsce
rantów

Pine Barrens
40 mil

Pyne Hall

Rys. Laura Hartman Maestro © 2012

JOYCE CAROL

OATES

Przeklęci

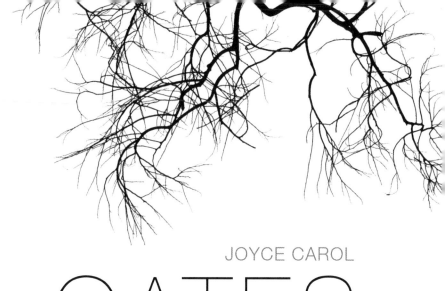

JOYCE CAROL

OATES
Przeklęci

Przełożyła
KATARZYNA KARŁOWSKA

DOM WYDAWNICZY REBIS

Tytuł oryginału
The Accursed

Redaktor
Katarzyna Raźniewska

Projekt i opracowanie graficzne okładki
Katarzyna Borkowska kb-design@o2.pl

Fotografie na okładce
© Daniel Murtagh/Trevillion Images
© bochimsang12/Shutterstock

Mapa na wyklejkach
Laura Maestro

prawolubni

Wydanie I
Poznań 2015

ISBN 978-83-7818-570-3

Dom Wydawniczy REBIS Sp. z o.o.
ul. Żmigrodzka 41/49, 60-171 Poznań
tel. 61-867-47-08, 61-867-81-40; fax 61-867-37-74
e-mail: rebis@rebis.com.pl
www.rebis.com.pl
DTP: *Akapit*, Poznań, tel. 61-879-38-88

*Dla Charliego Grossa, mojego męża i pierwszego czytelnika,
oraz Elaine Pagels i Jamesa Cone'a,
moich kochanych przyjaciół*

Z głuchej, małej wioski staliśmy się stolicą Ameryki.

Ashbel Green,
Princetońskie gawędy, New Jersey 1783

Wszystkie choroby chrześcijan trzeba przypisać demonom.

święty Augustyn

NOTA OD AUTORA

Dane zdarzenie przechodzi do „historii", gdy zostaje zarejestrowane. A jednak takich historii może istnieć cała mnogość i mogą się one z sobą nie zgadzać, gdy mnogie są i niezgodne względem siebie relacje naocznych świadków.

W niniejszej kronice tajemniczych, acz jak się zdaje powiązanych z sobą zdarzeń, do których doszło w miasteczku Princeton w stanie New Jersey, a także w jego okolicach, z grubsza mówiąc w okresie od 1900 do 1910 roku, różne „historie" są streszczane w postaci pojedynczej „historii", podobnie jak całe owo dziesięciolecie, w celu uzyskania estetycznej spójności, zostało zawężone do okresu mniej więcej czternastu miesięcy w latach 1905–1906.

Wiem, że historyk powinien być obiektywny – ja jednakowoż jestem tak mocno zaangażowany emocjonalnie w tę kronikę i tak bardzo pragnę ujawnić czytelnikom niektóre rewelacje związane z tragicznym ciągiem zdarzeń z pierwszych lat dwudziestego wieku w centralnej części stanu New Jersey, że szalenie mi trudno zachować spokojny, a co dopiero naukowy ton. Od dawna wprawiały mnie w zdumienie tandetne opowiastki, które napisano o tamtych zajściach w Princetonie – tu wspomnę na przykład *Nierozwiązaną zagadkę Klątwy z Crosswicks: Najnowsze odkrycia* Q.T. Hollingera (1949), czyli kompendium prawd, półprawd i jawnych kłamstw opublikowane przez lokalnego historyka amatora usiłującego skorygować najbardziej rażące błędy swoich poprzedników (Tite, Birdseye, Worthing i Croft-Crooke), oraz jednorazowy bestseller *Wampiryczne zbrodnie w dawnym Princetonie* (1938) napisany przez „anonimowego" autora (domniemanego mieszkańca princetońskiego West Endu), który starał się wykorzystać powierzchowny czy też „sensacyjny" wymiar Klątwy ze szkodą dla jej bardziej subtelnych i mniej oczywistych aspektów – tzn. psychologicznych, moralnych i duchowych.

Poczułbym się zakłopotany, gdybym na samym początku tej kroniki przystąpił do bezceremonialnego wyliczania tych moich kwalifikacji, które pozwalają mi podjąć ów trudny projekt, dlatego więc wspomnę tyle tylko, że podobnie jak kilka kluczowych postaci w tej kronice, ukończyłem Uniwersytet Princeton (rocznik 1927).

Jestem rdzennym mieszkańcem Princetonu, urodzonym w lutym 1906 roku i ochrzczonym w pierwszym kościele prezbiteriańskim Princetonu; wywodzę się z dwóch najstarszych rodów Princetonu, Strachanów oraz van Dycków; moja rodowa rezydencja to surowe, stare kamienne domostwo w stylu normandzkim przy Hodge Road 87, obecnie będące w posiadaniu obcych ludzi z nazwiskiem kończącym się na „stein", którzy ponoć barbarzyńsko „wypatroszyli" wnętrze i „odnowili" je w „nowocześniejszym" stylu. (Przepraszam za tę inkluzję! Nie jest to wybuch emocjonalny, lecz raczej estetyczny i moralny, który obiecuję, że się więcej nie powtórzy). I choć byłem bardzo małym dzieckiem, gdy czasy Klątwy dobiegły końca, to jednak dorastałem w Princetonie w latach, gdy wciąż jeszcze dużo rozmawiano o tamtych tragicznych, zagadkowych zdarzeniach, ze zdumieniem i zgrozą, i kiedy wymuszona rezygnacja Woodrowa Wilsona ze stanowiska rektora Uniwersytetu Princeton w 1910 roku wciąż stanowiła przedmiot zarówno żalu, jak i złośliwego rozbawienia lokalnej społeczności.

Z pomocą rozmaitych koneksji uzyskałem dostęp do materiałów niedosiężnych dla innych historyków, na przykład do szokującego, spisanego tajemnym szyfrem dziennika schorowanej pani Adelajdy McLean Burr, do intymnych (i także dość szokujących) osobistych listów Woodrowa Wilsona adresowanych do jego ukochanej żony Ellen, jak również halucynacyjnych wynurzeń „przeklętych" wnuków Winslowa Slade'a. (Todd Slade był moim starszym kolegą klasowym z Akademii Princeton dla Chłopców, którego skądinąd nie znałem blisko). Ponadto miałem wgląd w wiele innych dokumentów osobistych – listów, pamiętników, dzienników – nieosiągalnych dla osób postronnych, cieszyłem się również przywilejem korzystania z Kolekcji Rękopisów i Zbiorów Specjalnych Biblioteki Firestone'a przynależącej do Uniwersytetu Princeton. (Nie mogę się wprawdzie pochwalić, że przebrnąłem przez legendarne pięć ton materiałów, jak to uczynił autor wczesnej biografii Woodrowa Wilsona, Ray Stannard Baker, ale jestem pewien, że przejrzałem co najmniej tonę). Mam nadzieję, że nie zabrzmi to jak czcza przechwałka, kiedy stwierdzę, że ze wszystkich osób żyjących – obecnie – nikt nie posiada tylu informacji, czy to prywatnych, czy to publicznych, dotyczących Klątwy.

Czytelnikowi, najprawdopodobniej dziecięciu tego stulecia, należy się pouczenie, że nie powinien osądzać zbyt surowo tych osób z minionej epoki. Naiwnym jest wyobrażanie sobie, że my, na naszym miejscu, swobodnie oparlibyśmy się inwazji Klątwy albo że łatwiej byłoby nam stawić czoło pokusie popadnięcia w rozpacz. Nam, żyjącym siedemdziesiąt lat po Klątwie – czy też Horrorze, bo również tak ją nazywano – rozpoznanie wyłaniającego się wzorca przychodzi bez trudu, ale proszę sobie wyobrazić to zamieszanie, przestrach i panikę, jakie owładnęły niewinnymi ludźmi podczas czternastu miesięcy nieustannie się potęgującego i absolutnie niezrozumiałego kataklizmu! Tak jak pierwsze ofiary jakiejś straszliwej plagi nie potrafią się rozeznać, jaki los je czeka – jego głębia, zasięg i brak ludzkich cech, tak większość ofiar Klątwy nie mogła ogarnąć swej sytuacji – dostrzec, że pod rozlicznymi potwornościami, które je dopadły w tym ironicznie sielankowym otoczeniu, kryje się jednolite Zło.

Bo proszę się zastanowić: czy zwykłym pionkom na szachownicy przychodzi do głowy, że są tylko pionkami i że nie panują nad własnym losem? Czy zadają sobie pytanie, co dałoby im moc wydźwignięcia się ponad szachownicę, na taką wysokość, z której przebieg danej partii stałby się oczywisty? Obawiam się, że nie jest to możliwe, tak dla nich, jak i dla nas: nie dana nam wiedza, czy to my coś czynimy, czy też to z nami coś czynią; czy to my jesteśmy pionkami w grze, czy też samą grą.

M.W. van Dyck II
Posiadłość Eaglestone
Princeton, New Jersey
24 czerwca 1984

PROLOG

Jesienne popołudnie, idzie na zmierzch. Niebo na zachodzie to pajęczyna z półprzezroczystego złota. Wiezie mnie powóz – zaprzężony w dwa konie głucho postukujące kopytami – po wąskich wiejskich drogach biegnących między pagórkowatymi polami pokreślonymi przez ukośne promienie słońca, do miasteczka Princeton w stanie New Jersey. Miarowy bieg koni roztacza aurę niczym ze snu, podobnie rozkołysanie powozu, i nie widzę twarzy woźnicy, tylko jego plecy – sztywne, wyprostowane, obleczone w ciasny, ciemny płaszcz.

To pewnie moje serce kołacze coraz prędzej, a jednak to kołatanie zdaje się dochodzić skądinąd, niczym potężne wibracje samej ziemi. Jest poczucie uniesienia, które zdaje się bić nie z mego wnętrza, tylko od tego krajobrazu. Ileż we mnie nadziei! Ile ekscytacji! Z dziecięcym afektem, przeradzającym się w zdumienie, witam znajomy, a przy tym niemal zapomniany krajobraz! Łany kukurydzy i pszenicy, pastwiska, na których mleczne krowy skubią trawę jak znieruchomiałe sylwetki na obrazie Corota... wołanie czerwonoskrzydłych kosów i szpaków... płytka, acz chyżo płynąca rzeczka Stony Brook i wąski mostek z drewnianych deszczułek klekoczących pod końskimi kopytami i kołami powozu... woń żyznej, wilgotnej ziemi, żniw... widzę teraz, że wiozą mnie po Great Road, że dom tuż-tuż, że zbliżam się do tajemniczego miejsca moich narodzin. Wyprawa podjęta z takimi nadziejami nie wiedzie przez przestrzeń geograficzną, tylko przez Czas – bo moim przeznaczeniem jest rok 1905.

1905! Rok Klątwy.

Teraz, niemal zbyt wcześnie, zbliżam się do obrzeży Princetonu. Jest to niewielkie, z charakteru wiejskie miasteczko z zaledwie kilkoma tysiącami mieszkańców, ale ich liczba rozrasta się podczas roku akademickiego, bo przybywają studenci. Nieco dalej pojawiają się wieże kościołów – bo w Princetonie jest ich wiele. Skromne farmerskie domostwa ustępują już miejsca

bardziej okazałym budynkom. Im dalej biegnie Great Road, są one tym oka-
zalsze.
   Jakie to dziwne, myślę sobie – nie widzę żadnych ludzkich sylwetek.
Żadnych innych powozów ani automobili. Jakaś stajnia, długa połać płotu
z kutego żelaza przy Elm Road, za którym wśród wysokich, bujnych wią-
zów, dębów i wiecznie zielonych krzewów kryje się plebania Crosswicks.
A oto i pastwisko graniczące z Seminarium Teologicznym Princeton, przy
którym rosną kolejne drzewa, przeogromne, zdawałoby się, o sękatych ko-
rzeniach sterczących z ziemi. Na Nassau Street mijam kutą bramę wiodącą
na tereny uniwersytetu – do sławetnego Nassau Hall, gdzie w 1783 roku
zebrał się Kongres Kontynentalny. A jednak po princetońskim kampusie nie
kręcą się żadne postaci – wszystko jest puste, opuszczone. Żeby tak powieźli
mnie po Bayard Lane do Hodge Road – do mego rodzinnego domu; jakże
moje serce tego pragnie: żebyśmy pokonali podjazd, pod same drzwi z bo-
ku domu, i wtedy z moich ust wydarłby się szalony okrzyk podniecenia:
Jestem! Jestem w domu! *Ale woźnica chyba mnie nie słyszy. Albo może jest*
we mnie nadmiar nieśmiałości, więc nie zawołam na niego, nie każę się
wycofać z kierunku, który mu podano. Mijamy kościół z fasadą jarzącą się
bielą i wysokim, połyskującym krzyżem, który odbija promienie słońca; po-
wóz kolebie się, jakby jednemu z koni kamyk utknął w podkowie; patrzę na
dziedziniec przed kościołem, bo znajdujemy się teraz na Witherspoon Street,
bardzo blisko dzielnicy murzyńskiej, i wtedy poraża mnie myśl, ostro, jakby
nóż wnikał w moje ciało: No jakże, oni wszyscy już są martwi – dlatego
nikogo tu nie ma. Oprócz mnie.

CZĘŚĆ I

Demoniczny oblubieniec

rok w Seminarium Teologicznym Princeton; Wilson osobiście zatrudnił go w charakterze preceptora, bo grzeczność, obycie i inteligencja młodego człowieka wywarły na nim wrażenie. Podczas pierwszego spotkania Yaeger Ruggles wręczył mu list od pewnej leciwej ciotki mieszkającej w Roanoke, kuzynki ciotki ojca Wilsona. Owa sieć zawiłych koneksji miała typowo „południowy" charakter; mimo że ta gałąź rodziny, z której wywodził się Wilson, była bezspornie bardziej majętna i ceniona w kręgach towarzyskich niźli rodzina Yaegera Rugglesa, zamieszkująca górzyste tereny na zachód od Roanoke, Woodrow Wilson włożył moc starań w to, by okazać życzliwość młodzieńcowi, zapraszając go na ważniejsze przyjęcia i wieczorki w swoim domu, a ponadto przedstawiał go synom i córkom swych zamożnych współpracowników i sąsiadów z Princetonu. Choć starszy od Rugglesa o dwadzieścia lat z okładem, widział w młodym krewniaku kogoś podobnego do siebie, we wcześniejszym wieku, kiedy był jeszcze studentem prawa w Wirginii, niezmiennie zainteresowanym teologią. (Woodrow Wilson był synem wybitnego pastora prezbiteriańskiego, kapelana armii konfederatów, również jego dziadek ze strony matki był pastorem prezbiteriańskim w Rome w stanie Georgia, takim samym zagorzałym konserwatystą religijnym i politycznym). W dniu, w którym Yaeger Ruggles nawiedził rektora Wilsona w jego gabinecie w Nassau Hall, obaj znali się od przeszło dwu lat. Woodrow Wilson nie widywał swego młodego pociotka tak często, jak by sobie życzył, bo jego princetońskie życie towarzyskie z konieczności toczyło się pośród bogatych i wpływowych. „Prywatna uczelnia potrzebuje darczyńców. Samo czesne nie wystarcza", podkreślał często Woodrow Wilson, zarówno w swoich przemowach, jak w prywatnych konwersacjach. Żałował jednak, że nie widuje częściej Yaegera, miał bowiem trzy córki i żadnego syna, a obecnie, z powodu nieustannie złego stanu zdrowia oraz zaawansowanego wieku jego małżonki, które wywołały u niej swoistą niemoc ducha, było mało prawdopodobne, że Woodrow kiedykolwiek doczeka się syna. Ciepłe, ciemne i inteligentne oczy Yaegera nieodmiennie rodziły w nim jakieś nieokreślone emocje i pobudzały pamięć. Młodzieniec miał włosy bardzo czarne, tak jak niegdyś sam Woodrow, ale za to gęste i sprężyste, podczas gdy Woodrow miał włosy raczej rzadkie i zaczesywał je płasko przy czaszce. I było też coś przejmującego w miękko modulowanym barytonie Yaegera, coś, co tak jakby przypominało Wilsonowi czyjś ukochany głos albo głosy z jego młodych lat w Wirginii i Georgii. Woodrow miał nawet taki szalony odruch – (od dzieciństwa spędzonego w kostycznym prezbiteriańskim domostwie miewał takie niemal nieodparte zachcianki i odruchy, wszelkiego typu, którym rzadko się jednak poddawał) – że zaczął śpiewać w obecności Yaegera, licząc, że młodszy mężczyzna mu zawtóruje, gdyż sam uwielbiał studenckie chóry i uważał, że śpiewa przyzwoitym tenorem, nieważne, że niewyszkolonym i w ostatnich latach nieużywanym.

Niemniej jednak gdyby Woodrow miał już coś zaśpiewać z Yaegerem, byłaby to jakaś protestancka pieśń kościelna, coś melancholijnego, żałobnego, tęsknego i rozkosznie uniżonego – *Skało, którą rozwarł Bóg, Skryj mnie w sobie pośród trwóg! Niech Twej świętej łaski siew, Boku Twego woda, krew spłynie na mnie...*
Woodrow nigdy nie słyszał Yaegera zabierającego głos publicznie, ale w rozmowach odbywanych w princetońskich kręgach i z samym dziekanem seminarium przewidywał, że jego młody „wirginijski kuzyn" pewnego dnia stanie się znakomitym pastorem – a wtedy, cierpko dodawał w duchu, Yaeger też pojmie sens wspierania możnych kosztem własnych predylekcji.
Tego popołudnia Yaeger Washington Ruggles nie był jednak tak opanowany jak zazwyczaj. Wyraźnie brakowało mu tchu, jakby kamienne stopnie prowadzące do Nassau Hall pokonał biegiem; nie uśmiechał się tak skwapliwie i życzliwie jak zawsze. I jego pospieszny uścisk dłoni nie był ani silny, ani ciepły. Woodrow zauważył z ukłuciem niezadowolenia – (bo karcenie kogoś, kogo lubił, choćby tylko w duchu, zawsze sprawiało mu ból) – że seminarzysta ma rozpięty kołnierzyk, jakby nieświadomie zań szarpnął, bo brakło mu oddechu, i że nie ogolił się starannie, a jego skóra, zazwyczaj mająca koloryt zdrowszy niż karnacja Woodrowa, wydaje się zsiniała, jakby padał na nią cień.
– Woodrow! Ja muszę z tobą porozmawiać.
– Oczywiście, Yaeger. Rozmawiamy przecież.
Woodrow uniósł się na poły, ale ostatecznie opadł z powrotem na krzesło za masywnym biurkiem, zachowując swą urzędniczą pozę. Gabinet rektora był cały wyłożony książkami, od posadzki po sufit; okna otwierały się na wypielęgnowaną zieloną połać rozległego, malowniczego dziedzińca przed Nassau Hall, który ciągnął się aż do Nassau Street i kutych bram uniwersytetu, a także na jeszcze jeden porośnięty trawą kopiec na tyłach budynku, za którym stały Clio Hall i Whig Hall, dostojne greckie świątynie o attyckiej urodzie, zadziwiające i niedostosowane do mroczniejszej, gotyckiej architektury pozostałych budynków uniwersytetu. Na ścianie za plecami Woodrowa wisiał portret Aarona Burra Seniora w peruce, pierwszego rektora Uniwersytetu Princeton, który zaczął urzędować w Nassau Hall.
– Yaeger, co się dzieje? Wydajesz się wzburzony.
– Słyszałeś, Woodrow? O tej strasznej rzeczy, która zdarzyła się wczoraj w Camden?
– No jakże, chyba... chyba nie słyszałem... Cóż to takiego? – Woodrow uśmiechnął się z zaciekawieniem. Starannie wyczyszczone szkła jego okularów zamigotały.
W rzeczy samej Woodrow przez cały ten dzień słyszał, czy też po części słyszał, o czymś wyjątkowo nieładnym – zarówno w klubie Nassau, gdzie jadł lunch z kilkoma członkami rady powierniczej, jak i blisko frontowych

stopni Nassau Hall, gdzie do ucha wpadły mu strzępy rozmowy kilku preceptorów. (Taka już była jedna z ujemnych stron bycia rektorem, nieznana Woodrowowi w czasach, gdy był jeszcze lubianym wykładowcą uniwersytetu, że na jego widok młodsi nauczyciele w szczególności zdawali się zastygać i uśmiechać się doń z wyrazem wymuszonej grzeczności i oddania). I jemu także się zdało, tego ranka przy śniadaniu, w domu, że ich murzyńska służąca Clytie jest dziwnie milcząca; ledwie coś wybąkała w odpowiedzi, gdy Woodrow powitał ją nieodmiennym uśmiechem, ciepłym i życzliwym – „Dzień dobry, Clytie! Co dla nas dzisiaj przygotowałaś?" (Bo Clytie, mimo że urodzona w Newark w stanie New Jersey, miała przodków z Południa i potrafiła przygotować śniadanie, jakie Woodrow jako mały chłopiec jadał w Auguście w Georgii i w innych miejscach na Południu; była niezwyczajnie utalentowana i często szykowała niespodziane uczty dla rodziny Wilsonów – kukurydziany chleb na maśle orzechowym, sos z kiełbasy i biskwity, placki z jagodami i syropem klonowym, kaszę kukurydzianą z tartym serem cheddar i jajkami smażonymi na szynce, czego Woodrow ze swoim wrażliwym żołądkiem mógł skosztować tylko odrobinę, ale i tak był to dla niego miły sposób na rozpoczęcie kolejnego z trudnych, męczących, a nawet niebezpiecznych dni w Nassau Hall).

Woodrow wprawdzie zaprosił Yaegera Rugglesa, aby ten usiadł, a jednak młody seminarzysta jakby tego nie dosłyszał; co więcej, krążył nerwowo po wnętrzu w sposób, który działał na nerwy jego starszemu krewnemu, rozwodząc się przy tym mało spójnie o incydencie, do którego doszło poprzedniego wieczoru w Camden – czyli o *linczu*. (Ten termin był tak wulgarny, że Woodrow cały zesztywniał, jakby tak właśnie oponował wobec samego jego brzmienia).

I padł jeszcze jeden brzydki termin, który sprawił, że Woodrowowi zrobiło się nieswojo, jako że jego rodzice i krewni z Wirginii i Georgii nie byli nieprzychylni wobec celów tej protestanckiej organizacji, nawet jeśli nie pochwalali jej specyficznych metod – *Ku-Klux-Klan*.

– Są dwie ofiary, Woodrow! Zazwyczaj jest tylko jedna... jakiś bezradny człek... bezradny czarnoskóry... ale ubiegłej nocy w Camden, w tym piekielnym miejscu, w tym sercu supremacji białych... ofiarami padli jeden mężczyzna i jedna *kobieta*. Dziewiętnastoletni chłopak i jego dwudziestotrzyletnia siostra, która była *brzemienna*. Nie znajdziesz ich nazwisk w gazetach; gazeta z Trentonu wcale o tym linczu nie doniosła, a ta z Newark zamieściła jedynie krótki artykuł w środku. Klan poprowadził tłuszczę, nie tylko mężczyzn, ale także kobiety oraz małe dzieci, na poszukiwanie czarnoskórego młodzieńca, który rzekomo obraził jakiegoś białego na ulicy... nikt nie miał pewności, kim był ów młody czarnoskóry mężczyzna, ale tłum napotkał innego młodego człowieka nazwiskiem Pryde, który właśnie wracał z pracy do domu. Napadli na niego, pobili i zawlekli pod szubienicę, a gdy jego siostra próbowała ich powstrzymać, natarła na kilku z nich, to została aresztowana przez szeryfa okręgu Camden, skuta kajdankami i przekazana tej bandzie. W owym momencie...

– Yaeger, proszę! Nie gadaj tak głośno, jeszcze cię moje podwładne usłyszą. I proszę, zechciej przestać tak chodzić w kółko, jeśli możesz.

Woodrow wyciągnął z kieszeni chusteczkę i przetarł nią rozgrzane czoło. Ależ mu się słabo zrobiło! Nie spodziewał się usłyszeć tak paskudnej opowieści pomiędzy kolejnymi popołudniowymi spotkaniami w swoim gabinecie w Nassau Hall. Poważnie się też obawiał, że jego podwładne, sekretarka Matylda i jej asystentki, mogły usłyszeć podniesiony głos seminarzysty i część jego wypowiedzi, bez wątpienia dla nich porażającej.

– Ależ Woodrow! – zaprotestował Yaeger. – Klan zamordował nocą dwoje niewinnych ludzi, piętnaście mil od Princetonu... od tego biura! To, że byli Murzynami, nie czyni ich cierpienia i śmierci mniej strasznymi. Nasi studenci o tym mówią... niektórzy, Południowcy, dworują sobie z tego... rozmawiają też o tym nasi koledzy wykładowcy... każdy Murzyn z Princetonu wie o wszystkim, albo przynajmniej coś wie, a najbardziej ohydne jest to, że kiedy liderzy Klanu powiesili już tego młodego człowieka, oblali jego ciało benzyną i podpalili, to potem jeszcze przyprowadzili na to samo miejsce tę siostrę i ją też zamordowali. A szeryf okręgu Camden palcem nie kiwnął, żeby zapobiec morderstwom, i nie próbował nikogo ani aresztować, ani choćby później przesłuchać. Powiadają, że na przedmieściach Camden zgromadziło się siedmiuset ludzi z okładem, i to są świadkowie owego linczu. Mówi się też, że znaleźli się filadelfijczycy, którzy specjalnie pokonali most na Delaware... ten lincz był niechybnie zaplanowany zawczasu. Ciała płonęły przez jakiś czas... niektórzy z tłumu robili fotografie. Co za koszmar! W naszym chrześcijańskim narodzie, czterdzieści lat po wojnie domowej! Mdli mnie od tego... mdli mnie do żywego... Linczowanie to chleb powszedni na Południu, tam morderców nigdy się nie doprowadza przed oblicze sprawiedliwości, a teraz zdarza się to coraz częściej w New Jersey, nie dalej jak rok temu doszło do linczu w Zarepath, gdzie „głosiciele wyższości białej rasy" posiadają własny kościół – Słup Ognia się nazywa – a także w Pine Barrens i w Cape May...

– To są straszne wydarzenia, Yaeger, ale dlaczego ty mi o nich mówisz, i to akurat teraz? Ja, ma się rozumieć, też jestem zaniepokojony, gdyż jako chrześcijaninowi nie wolno mi przyzwalać na morderstwa ani żadne akty zbiorowej przemocy – powinno rządzić nami prawo, a nie namiętności – ale jeśli funkcjonariusze prawa nie chcą aresztować winnego, a lokalne zapatrywania udaremniają postawienie aktu oskarżenia i przeprowadzenie procesu, to w takim razie co my, tu, w Princetonie, mamy robić? Są w tym kraju barbarzyńskie miejsca, podobnie jak na całym świecie, bywa, że duch niesławy... zła...

Woodrow przemawiał gniewnym tonem. Stał już teraz, cały wzburzony. Nie było to dlań korzystne; jego lekarz przestrzegał, że nie powinien się ekscytować, denerwować ani nawet egzaltować – Woodrow już jako małe dziecko był nadwrażliwy i wiele chorował; nie potrafił tego znieść, gdy ktoś wypowiadał się głośno albo emocjonalnie w jego obecności, serce biło mu gwałtownie i nierówno, pompując niedostateczną ilość krwi do mózgu, który zaczynał „omdlewać" – tak więc teraz mimo woli wychylił się lekko do przodu, wspierając dłonie na suszce do atramentu, z zaburzonym widzeniem i dzwonieniem w uszach; lekarz ostrzegał go także przed zbyt wysokim ciśnieniem krwi, na które cierpiało wielu członków rodziny jego ojca, bo ta przypadłość potrafiła doprowadzić do udaru, a tymczasem jego nieroztropny młody krewniak ośmielił się przerwać mu ciągiem dalszym swojej drastycznej historii, coraz to brzydszymi i niezasłużenie oskarżycielskimi słowami:

– Ty, Woodrow, podpierając się autorytetem swojego urzędu, mógłbyś wypowiedzieć się przeciwko tym okropieństwom. Mógłbyś połączyć siły z innymi notablami Princetonu... na przykład z Winslowem Slade'em... wszak przyjaźnisz się z wielebnym Slade'em, on by ciebie posłuchał... i z osobami z kręgu twych wpływowych przyjaciół. Koszmar tych linczów polega na tym, że *nikt im nie przeciwdziała*, że nikt spośród wpływowych chrześcijan jak ty sam *nie wypowiada się przeciwko*.

Woodrow sprzeciwił się, twierdząc, że Yaeger nie ma racji:

– Wielu wypowiadało się przeciwko tym straszliwym aktom zbiorowej przemocy, przeciwko linczowaniu, przeciwko takim samosądom. Osobiście wypowiadałem się przeciwko... samo-samo-sądom. Mam nadzieję, iż jako chrześcijanin stanowiłem przykład... stanowię... wzorzec... chrześcijańskiej wiary... „Miłuj bliźniego swego jak siebie samego" to filar naszej religii... – (Psiakość! Przecież nie chciał powiedzieć „samorządom"; chyba jakiś demon sprawił, że potknął mu się język, gdy tymczasem Yaeger gapił się na niego pustym wzrokiem). – Winieneś wiedzieć, Yaeger... ale ty oczywiście to wiesz... że moje wysiłki tutaj, na uniwersytecie, zmierzają ku reformie, a więc na przykład zmianie programu nauczania, i że staram się wdrażać więcej *demokracji*, gdzie się tylko da. Klubojadalnie, ta cała utrwalona „arystokracja"... toczę z nimi boje, musisz wiedzieć, odkąd objąłem ten urząd. I mam swojego wroga: dziekana Westa! On jest tą nemezis, którą muszę pokonać albo osłabić, zanim będę mógł przejąć na siebie obowiązek... obowiązek... – Woodrow zająknął się, bo nie miał pojęcia, co chciał powiedzieć. Kiedy dawał się ponieść emocjom, często tak się zdarzało, że jego myśli wylatywały przed słowa, i dlatego właśnie przestrzegano go przed tym i sam się przed tym przestrzegał. – ...stawienia czoła Klanowi i jego niezliczonym poplecznikom w naszym stanie, których nie ma aż tak wielu jak na Południu, a jednak... a jednak... jest ich wielu...

– Poplecznicy w naszym stanie? Masz na myśli tych chrześcijańskich hipokrytów, którzy rzekomo przestrzegają prawa? Pies z nimi tańcował! Wypowiedz się wreszcie jasno i wyraźnie.

– Jasno... jasno i wyraźnie? Ale przecież... ta kwestia nie jest taka... prosta...

Woodrow przeżył wstrząs, acz niekoniecznie się zdziwił, że członkowie rady powierniczej Uniwersytetu Princeton, w liczbie dwudziestu pięciu, którzy wybrali go z całego grona wykładowców i których polecenia miał realizować, do pewnego stopnia, bynajmniej nie byli, *summa summarum*, usposobieni wrogo wobec doktryny białej supremacji, nawet jeśli bez wątpienia bulwersowały ich, jak przystało na wszystkie cywilizowane istoty, strategie siania terroru stosowane przez Klan. Celem działań „obywatelskich" patroli Klanu – jak dowodzili jego poplecznicy – było „pokazywanie czarnuchom, gdzie ich miejsce", a nie stosowanie przemocy jako takiej.

„Ratowanie czystości rasy ludzkiej przed skundleniem" – tak brzmiało jeszcze bardziej podstawowe przesłanie, z którym mało kto z rasy białej by się nie zgodził.

A jednak Woodrow nie mógł liczyć na to, że uda mu się przemówić Yaegerowi Rugglesowi do rozumu, bo seminarzysta był tak bardzo rozsierdzony.

Nie mógł też Woodrow przedłużać tej rozmowy, jako że za kilka minut czekało go ważne spotkanie z jednym z (niestety nielicznych) zauszników pośród grona princetońskich wykładowców. I co gorsza, czuł nieomylnie, że mu niedobrze, a to stanowiło sygnał ostrzegawczy przed jeszcze bardziej ekstremalnymi mdłościami, którym mogło zapobiec tylko zażycie, i to szybko, łyżeczki trzymanego w szufladzie rektorskiego biurka „uspokajającego" leku zapisanego mu przez doktora Hatcha.

– No cóż, Yaeger. Straszna, straszna historia... co mi zreferowałeś... to linczowanie... te domniemane... Coś takiego nie dziwiłoby w południowym Jersey, ale nie w Camden, nie tak blisko Filadelfii! Obawiam się jednak, że nie mogę z tobą dłużej rozmawiać, gdyż mam spotkanie o... Yaeger, co jest nie tak, na Boga?

Wstrząśnięty Woodrow zauważył, że jego młody krewny, który zawsze traktował go z najwyższym szacunkiem i podziwem, patrzy nań gniewnie jak nadąsany i zarozumiały nastolatek na swego rodzica. Niechlujnie ogolona szczęka trzęsła mu się z oburzenia albo nieskrywanej niechęci, rozdęte nozdrza przypominały dwie ciemne jamy, a te oczy nie były już takie piękne, tylko jakby wyłupiaste, niczym ślepia dzikiej bestii szykującej się do skoku.

– Co jest nie tak... z kim, Woodrow? Ze mną? Czy z tobą? – Yaeger nie przemawiał już tym łagodnie modulowanym głosem, tylko jawnie zuchwałym.

– Basta, Yaeger! – zaprotestował rozzłoszczony Woodrow. – Jesteś wprawdzie dalekim krewnym z rodziny mego ojca, ale to... to nie... daje ci prawa do okazywania mi braku szacunku i przemawiania donośnym głosem, którym zakłócasz spokój mego personelu. Ten „brzydki epizod" – jak mi go przedstawiłeś – to dobry przykład, dlaczego nie wolno nam pozwalać, by rządziły nami emocje. Naszą cywilizacją winno rządzić *prawo*, nie zaś... nie... anarchia.

– Czy zechcesz chociaż porozmawiać z Winslowem Slade'em? – napierał uparcie Yaeger. – Gdyby tak zechciał rzec słowo z ambony, w tę niedzielę. Byłaby to dobra rzecz dla Princetonu i może dostałaby się do gazet. I gdyby jeszcze rektor uniwersytetu, Woodrow Wilson, zechciał wygłosić jakiś komentarz na użytek opinii publicznej...

– Yaeger, powiedziałem ci! Nie mogę teraz o tym dyskutować. Mam spotkanie kwadrans po trzeciej i... i ani trochę nie czuję się dobrze na skutek naszej rozmowy.

– No cóż, przepraszam za to. Bardzo mi to przykro słyszeć.

(Czy Yaeger mówił sarkastycznym tonem? Woodrow nie potrafił przyjąć do siebie takiego domniemania).

Pragnął zaprotestować: był przyjacielem rasy murzyńskiej, no przecież! Był *demokratą*. W każdej swej publicznej wypowiedzi mówił o *równości*. Niemniej jednak nie wierzył w prawo wyborcze kobiet – oczywiście. Mało kto wśród jego bliskich i znajomych, jego ukochaną żonę, Ellen, wliczając, wierzył w pomysł tak radykalny i *nienaturalny*.

Woodrow byłby chętnie wyjaśnił Yaegerowi, że do kwestii murzyńskiej podchodzi zawsze z nieodmienną i nietajoną bezstronnością. Wbrew protestom niektórych członków rady powierniczej i wykładowców dopatrzył, by Bookera T. Washingtona nie tylko zaproszono na jego inaugurację na urząd, jako wrażliwego, wykształconego Murzyna promującego „gradualizm" reformy rasowej, a różniącego się od tego radykała W.E.B. DuBoisa, ale także by zwrócono się do owego murzyńskiego edukatora, by wygłosił przemowę podczas ceremonii, razem z kilkoma innymi najwybitniejszymi białymi osobistościami tych czasów.

Ponadto Bookera T. Washingtona ciepło przyjęto na uroczystym lunchu w Prospect, gdzie siedział całkiem swobodnie pośród innych gości, mimo że nie wystosowano dlań zaproszenia na sutą kolację w Klubie Nassau wydaną poprzedniego wieczoru, jako że do tego klubu nie wpuszczano Murzynów (chyba że służbę). Tego rektor Wilson nie miał możności zmienić, jako że ów klub był przybytkiem prywatnym.

Na domiar wszystkiego profesor van Dyck z wydziału filozofii często przytaczał opowieść o wielebnym Robesonie z kościoła prezbiteriańskiego przy Witherspoon Street, który zabiegał o spotkanie z rektorem Uniwersytetu Princeton, by móc zasugerować, że jego syn Paul, rzekomo wybitny uczeń i sportowiec, mógłby zostać przyjęty w poczet studentów; raczej się nie połapał, że to zuchwalstwo, bo Woodrow Wilson zareagował uprzejmością: – „Wielebny, jestem pewien, iż twój syn jest zaiste wybitny. Nie jest to jednak właściwy moment w historii, by jakiś murzyński chłopiec zapisywał się na Uniwersytet Princeton; takiego momentu, obawiam się, nie doświadczymy jeszcze bardzo długo". Dopóki Murzyni – albo „czarni", bo tak ich czule nazywano, gdy Woodrow był jeszcze dzieckiem – znali swoje miejsce i nie opuszczali się w obowiązkach jako słudzy i robotnicy, doktor Wilson żywił wobec nich niewiele uprzedzeń pod większością względów.

– Tak – powiedział Yaeger głosem jak obrót ostrza, wciąż nader podobnym do tego okrutnego tonu, z jakim dorastający chłopak odnosi się do swego ojca. – Jakież by to było tragiczne, gdybyś poczuł się zdrów jak ryba wskutek mojej niemiłej apelacji.

W jakiejś części swego umysłu albo też w sercu, które ani trochę nie było tak stwardniałe, jak Yaeger Ruggles zdawał się sugerować, Woodrow poczuł się zraniony do żywego, że młodzieniec, o którego tak się troszczył, najwyraźniej bynajmniej nie troszczy się o niego.

– Ja tu dostrzegam jakąś zagadkę, Yaeger – odparł sztywno – jeśli idzie o wytłumaczenie, dlaczego tak bardzo... tak bardzo *się przejmujesz...*

– Zagadka? Tak uważasz, Woodrow? – Yaeger mówił teraz z bezczelnym uśmiechem; cały ten czas się uśmiechał do swego starszego krewnego, uśmiechem pozbawionym wesołości, przypominającym grymas gargulca. Był przy tym tak wytrącony z równowagi, że wręcz się trząsł, ale gdy szykował się do opuszczenia gabinetu rektora, nie potrafił się oprzeć, by nie wypowiedzieć pożegnalnej riposty: – Nigdy nie przyjrzałeś mi się dostatecznie uważnie, kuzynie Woodrow. Gdybyś to uczynił albo gdybyś był zdolny do takiej analizy, to wiedziałbyś dokładnie, dlaczego ja i inni podobni do mnie w przeklętych Stanach Zjednoczonych Ameryki tak bardzo *się przejmują.*

I z tymi słowy Yaeger odwrócił się pogardliwie, ale Woodrow zobaczył nagle – spostrzegł rysy twarzy młodego człowieka, jego wargi, nos, fakturę i odcień jego skóry, nawet tę ledwie dostrzegalną niesforność włosów – zobaczył i czując przypływ mdlącego przerażenia, zrozumiał.

Rektorze Wilson! Och – rektorze Wilson!
    Dobrze się pan czuje? Skaleczył się pan? Pomożemy panu wstać... usadzimy z powrotem przy biurku...
    Czy wezwać doktora Hatcha? Czy wezwać panią Wilson?

Doktor Hatch ani też pani Wilson nie zostali wezwani. Bo Woodrow doszedł do siebie w ciągu kilku chwil.

A jednak miał dosyć Nassau Hall tego dnia.

Chwiejący się i spopielały na twarzy uparł się, że powędruje bez niczyjego wsparcia do rektorskiej siedziby, Prospect, znajdującej się w samym sercu kampusu uniwersyteckiego: surowej budowli w stylu włoskim zbudowanej przez architekta Johna Notmana, która służyła rektorowi za dom.

Woodrow uważał, że Prospect ma w sobie coś z akwarium. A Ellen i ich córki, chcąc nie chcąc, czuły się tutaj skrępowane, bo psotni studenci mogli bezkarnie chodzić po zmierzchu dookoła domu i zaglądać do środka pod żaluzjami.

A jednak była to rezydencja nad wyraz atrakcyjna, imponująca. I Woodrow czuł nieustającą wdzięczność, że zrządzeniem losu on tu właśnie mieszka, nie kto inny.

Ellen na szczęście wyprawiła się na miasto, dziewczęta były jeszcze w szkole, a Clytie i Lucinda zeszły do piwnicy, robić pranie – woń mokrych ubrań, bardziej wyrazisty, gryzący zapach detergentu i ługowego mydła obudziły u Woodrowa *bolesne wspomnienia* z dzieciństwa, które spotęgowały poczucie nerwowego niepokoju i strachu.

To było domostwo *kobiet*. Jakże często *nie mógł tu oddychać.*

Tego popołudnia było mu wszakże wolno bez przeszkód zanurzyć się w mrocznej atmosferze głównej sypialni, gdzie w prywatności garderoby mógł swobodnie wybrać jedną pigułkę, drugą pigułkę i trzecią pigułkę ze swego arsenału pigułek, preparatów i „toników", który dorównywał arsenałowi jego matki z dawnych czasów.

Droga matka Woodrowa! Jakże on za nią tęsknił, zwłaszcza w chwilach słabości.

Potrafiłaby nim pokierować. Wskazałaby właściwą drogę w kwestii jego nemezis, czyli dziekana Westa.

A co do sprawy tego ohydnego linczu i Klanu – pani Wilson nie rozmawiałaby o tak ordynarnym incydencie, nawet gdyby o nim usłyszała.

Bo bywają rzeczy zbyt szkaradne, by kobiety o nich wiedziały. A w każdym razie dystyngowane chrześcijanki.

Mężczyzna ma obowiązek je chronić. Żaden pożytek, jeśli będą wiedziały to wszystko, co my musimy wiedzieć.

Południowi krewni Woodrowa wskazaliby, że zbiorowa przemoc wobec Murzynów to skutek abolicji niewolnictwa – winą, jeżeli była tu czyjaś wina, należało obarczyć tych, którym się to należało, abolicjonistów i republikańskich podżegaczy wojennych.

Porażka Konfederacji była tożsama z porażką jednego z kierunków obranych przez cywilizację, kierunku lepszego niż jej zwycięzca.

Ohydne było to, co ujawnił Yaeger Ruggles! I to właśnie jemu, który tak bardzo lubił tego młodego człowieka i który być może pochopnie mianował go preceptorem łaciny.

Kwestię tego mianowania doktor Wilson będzie musiał jeszcze raz przemyśleć.

Być może będzie też musiał odbyć prywatną rozmowę z wielebnym Shackletonem, rektorem Seminarium Teologicznego Princeton. Niesprawiedliwe! I bardzo wulgarne! Te zarzuty, którymi obrzucił go Yaeger Ruggles.

W chwilach takiego zdenerwowania Woodrow zwykle przygotowywał sobie zimny kompres, a potem wyciągał się na łóżku i nakładał go na obolałe oczy. Chwilę potem czuł, jak jego ciało drży i dobrowolnie ulega... sam nie wiedział, co to takiego.

Bagienne Królestwo. Wzywa go, by tam wszedł. Ach, wejdź! Tu spełniają się wszelkie życzenia. Im bardziej zakazane, tym bardziej rozkoszne.

Brakowało mu sił, żeby się rozebrać. Zdjął tylko czarne, wypastowane buty. Starannie ustawił je jeden przy drugim na dywanie.

Pogrążony we śnie Woodrow leżał w takim bezruchu, że prawie nie zmiął swej białej bawełnianej koszuli, marynarki i schludnie wyprasowanych spodni. Spał tak nieporuszenie, że ani trochę się nie spocił i jego ubranie pozostało suche.

A jednak myśli szalały jak szerszenie.

Nie wolno powiedzieć o tym Ellen. Ta biedna kobieta byłaby wstrząśnięta, przerażona – podstępny młody „kuzyn" wszedł do naszego domu na moje zaproszenie; zasiadł przy moim stole w jadalni jako mój gość, rozmawiał z moimi ukochanymi córkami...

I teraz cały koszmar tego objawienia zalał Woodrowa – niebezpieczeństwo, na jakie we własnej niewiedzy naraził swoją Margaret, swoją Jessie i swoją Eleanor.

2.

Owo potajemne spotkanie, które odbyło się późnym wieczorem w wigilię Środy Popielcowej, nie zostało odnotowane w żadnych dokumentach, wyjąwszy pisany szyfrem dziennik Woodrowa Wilsona z marca 1905 roku*.

Było to, rzec można, spotkanie *konspiracyjne*. Bo tak je postrzegał Woodrow Wilson w swoim stanie duchowego tumultu.

---

* Który to dziennik, znajdujący się w Zbiorach Specjalnych Biblioteki Firestone'a, został mi dostarczony do wglądu przez uprzejmego kustosza, nieświadomego – i nic w tym dziwnego – że tylko ja jeden z licznych badaczy, którzy przejrzeli pięć ton wilsonianów, zdołałem złamać ów pomysłowy szyfr.

Będę go błagał. Upokorzę się i będę go błagał o pomoc.
Już nie ma we mnie żadnej dumy!

Właśnie to spotkanie, bardziej niż to wcześniejsze Woodrowa Wilsona i jego młodego krewnego Yaegera Rugglesa, wyznacza pierwsze prawdziwe zamanifestowanie się Klątwy, podobnie jak wczesny i z łatwością przeoczony symptom wyznacza przyszłe pojawienie się śmiertelnej choroby.

W zdarzeniach owego dnia można by dostrzec również zapowiedź załamania się, udaru i zapaści, których Woodrow Wilson doznał w maju 1906, a których nie spodziewał się ani on sam, ani jego rodzina, ani najbardziej zaufani przyjaciele.

Tamtego wieczoru bowiem, po kolacji, czując się już silniejszy, mimo że tysiąc zmartwień przypuściło atak na jego umysł, a na dworze dął silny wiatr, Woodrow postanowił przejść pieszo milę dzielącą go od plebanii Crosswicks przy Elm Road, rodzinnej posiadłości Slade'ów. Zwrócił się wcześniej do wielebnego Winslowa Slade'a, by ten spotkał się z nim w prywatności i w tajemnicy, punktualnie o dziesiątej; Woodrow, który żywił chłopięce upodobanie do takich sztuczek, jako sposobu unikania niechcianej uwagi, miał wejść do dostojnego, starego domostwa bocznymi drzwiami, które wiodły do biblioteki wielebnego Slade'a, i tym samym ominąć wielkie pokoje od frontu domu. Bo to nie było spotkanie *towarzyskie* – nie istniała potrzeba angażowania służby ani nikogo z rodziny doktora Slade'a.

Akurat najmniej Woodrow Wilson pragnął tego, żeby o nim *gadano*, żeby się stać przedmiotem *spekulacji, nieprzyzwoitych plotek*. Tak dyktowała mu godność i duma, a jakże! Nie potrafiłby znieść, gdyby jego nazwisko, reputacja i motywacje zostały skalane w podobny sposób.

A wszystko dlatego, że w Princetonie powoli stawało się tajemnicą poliszynela, że Woodrow Wilson w swym czwartym i najbardziej burzliwym roku zawiadywania uniwersytetem zderzył się z podstępną, bezlitosną i silną w swej jedności opozycją kierowaną przez politycznie przebiegłego dziekana Andrew Fleminga Westa, który swe stanowisko na uniwersytecie zaczął piastować jeszcze przed mianowaniem Woodrowa na rektora i który podobno bardzo to sobie wziął do serca, że ten urząd, mniej lub bardziej obiecany przez radę powierniczą właśnie jemu, został z jakichś niejasnych powodów zaoferowany jego młodszemu rywalowi Woodrowowi Wilsonowi, a ten nie raczył odmówić na jego rzecz.

Wszystko to przepełniało goryczą i czyniło życie Woodrowa niemiłym; dyskomfort brał się przede wszystkim z żołądka i jelit, ale niemal równie osłabiony był jego nieszczęsny, zbolały mózg, który dniem i nocą brzęczał niczym gniazdo oszalałych szerszeni. A jednak jako odpowiedzialny administrator i zręczny polityk był w stanie jako tako ukrywać swój stan, nawet w obecności samego Westa, który traktował Woodrowa z udawaną grzecznością jak przymilny obłudnik z molierowskiej komedii, który swymi ukłonami w stronę widowni przyciąga niezasłużoną sympatię ze szkodą dla bohatera-idealisty.

Niczym wielki, nieporęczny bagaż, na przykład kufer wypchany niechcianymi, za dużymi ubraniami, butami i rozmaitościami ze skrajnie zwyczajnego i niezgłębionego żywota, Woodrow Wilson postanowił zatargać brzemię niepokoju do swego mentora, zrzucić ów ciężar u stóp zdumionego starszego przyjaciela.

Nie byłby to pierwszy raz, gdy „Tommy" Wilson przyszedł po prośbie do „Wina" Slade'a, potajemnie, ale miał to być ostatni*.

– Witaj, Woodrow! Wejdź, proszę.

Wejściu Woodrowa do biblioteki starszego mężczyzny towarzyszył powiew wiatru, jakby trochę ironiczny.

Wielebny Slade uścisnął dłoń przybysza, chłodną i nieco bezwładną; dreszcz przebiegł z jednego na drugiego, wywołując u tego starszego lekki wstrząs.

– Domyślam się, że coś cię kłopocze, Woodrow. Mam nadzieję, że nie jest to coś, co dotyczy twojej rodziny.

Obaj nieraz rozmawiali – Woodrow tonem zaniepokojenia, Winslow pocieszającym i uspokajającym – o „relacjach małżeńskich" Woodrowa (acz nie o „relacjach seksualnych", żaden nie poruszyłby kwestii tak boleśnie prywatnej) – i o jego rozczarowaniu, że jest ojcem dziewcząt *wyłącznie*.

Woodrow, któremu brakowało tchu po tym spacerze po owianej wiatrem Elm Road, gdzie było niewiele latarni, dlatego drogę oświetlały mu nieliczne gwiazdy i zamglony księżyc, przez chwilę gapił się na przyjaciela, nie rozumiejąc pytania. *Rodzina?* Czyżby Winslow Slade czynił aluzję do dalekiego „kuzyna" Woodrowa – Yaegera Washingtona Rugglesa?

Do Woodrowa wreszcie dotarło, że Winslow oczywiście mówi o jego żonie, Ellen, i ich córkach. *Rodzina.*

– Nie, Winslow. Tu wszystko dobrze. – (Czy rzeczywiście? Odpowiedź padła prędko, automatycznie, bo tak często zadawano mu to pytanie). – Przyszedłem przedyskutować z tobą inną kwestię. Ale... bardzo mi wstyd.

– Wstyd ci? A to czemuż?

---

* W celu nadania kształtu mojej potężnej kronice, stworzonej na podstawie niezliczonych źródeł, zamierzam dokonywać „przeskoków w przód" w czasie za każdym razem, gdy to wydaje się pomocne. Ponadto powinienem odnotować w tym miejscu, że Thomas Woodrow Wilson, urodzony w 1856 roku, już w czasach swej młodości, powodowany ambicją, dostrzegł korzyści płynące z imienia brzmiącego bardziej dystynktywnie: *Woodrow* Wilson. Z dumą, acz nieco fantazjując, twierdził, iż jego ród wywodzi się od niejakiego „Patrika Wodro", który pokonał kanał La Manche razem z Wilhelmem Zdobywcą, i że nie znalazł się wcześniej nikt prominentny, kto by umocnił się w polityce amerykańskiej, a nie był pochodzenia szkocko-angielskiego – stwierdzenie nieco sprzeczne samo w sobie, jak się zdaje.

– Muszę odciążyć przed tobą swe serce, Winslow. Bo nie mam nikogo innego.

– Woodrow, proszę! Usiądź. Przy ogniu, wyglądasz na zziębniętego. Może zechciałbyś się napić czegoś na rozgrzewkę?

Co to to nie! Woodrow rzadko coś pił. Albo z osobistej niechęci, albo też, gdyby się nad tym zastanowił, z obrzydzenia do nadmiernego picia, które miał sposobność zaobserwować w niektórych domach na Południu.

Woodrow cały dygotał, osuwając się na krzesło stojące obok kominka, skąd patrzył wprost na swego łaskawego gospodarza. Ze zdenerwowania zdjął okulary, żeby je energicznie przetrzeć, który to zwyczaj irytował innych ludzi, ale Winslow Slade nie zwrócił na to większej uwagi.

– Tu jest tak spokojnie. Dziękuję ci, doktorze Slade, że zechciałeś poświęcić czas na rozmowę ze mną!

– Oczywiście, Woodrow. Wiesz, że jestem tu zawsze, jako twój przyjaciel i doradca duchowy, jeśli tak sobie życzysz.

W swoim stanie najwyższego wzburzenia Woodrow rozejrzał się po bibliotece, która była mu znajoma, a jednak zawsze wzbudzała w nim respekt. W rzeczy samej biblioteka Winslowa Slade'a była jednym z cudów West Endu, najbogatszej dzielnicy Princetonu, bo częściowo emerytowany prezbiteriański pastor był posiadaczem (tylko lekko uszkodzonego i niekompletnego) egzemplarza legendarnej Biblii Gutenberga z 1445 roku, ułożonego na stojaku blisko rzeźbionego mahoniowego biurka; na innym stojaku spoczywał *Oksfordzki słownik języka angielskiego* wydany w roku 1895. Były też pierwsze wydania dzieł między innymi Goethego, Kanta, Hegla, Fichtego, Schellinga, Schleiermachera, Ritschla, Jamesa Hutchinsona Stirlinga i Thomasa Carlyle'a. Doktor Slade za młodu był do pewnego stopnia badaczem kultury starożytnej, stąd tomy zawierające pisma Platona, Arystotelesa, Epikura, Ajschylosa, Sofoklesa, Eurypidesa i innych po grecku, a także teksty łacińskie – Wergiliusz, Cezar, Cyceron, Seneka, Liwiusz, Katon i (o dziwo, zważywszy na zdecydowanie pogańską naturę ich poezji) Owidiusz, Katullus i Petroniusz. Oczywiście była też klasyka angielska – oprawione w skórę dzieła Chaucera, Szekspira, Miltona, Drydena, Pope'a, Swifta, Samuela Johnsona, aż do romantyków – Wordswortha i Coleridge'a, Byrona, Shelleya, Keatsa i ponoć ulubieńca doktora Slade'a – nieszczęsnego Johna Clare'a. Biblioteka została zaprojektowana przez sławnego architekta Johna McComba Juniora, znanego z projektu domu jednego z sygnatariuszy Konstytucji, Alexandra Hamiltona: wśród innych szczególnych cech wyróżniały się zdobny kasetonowy sufit, ściany wyłożone panelami z piętnastowiecznej skóry (rzekomo wziętej z domu Tycjana) oraz portrety wybitnych przodków Slade'a, między innymi generała Eliasa Slade'a, wielebnego Azariasza Slade'a i wielebnego Jonathana Edwardsa (skoligaconego z pierwszymi Slade'ami drogą małżeństwa) – imponująco wiernie odwzorowanych przez Johna Singletona Copleya. Na ścianie za biurkiem wisiały także portrety, dagerotypy i sylwetki przedstawiające synów doktora Slade'a, Augustusa i Copplestone'a, a także wnuczęta Jozjasza, Annabel, Todda i małą Orianę, i powinny być tutaj wymienione, jako że wszyscy, z wyjątkiem Oriany, odznaczą się swą szczególną obecnością w tej kronice. (Czy jest to ujęte dostatecznie dyskretnie? Jestem historykiem, a nie literatem, dlatego muszę inkorporować takie szczegóły bardzo świadomie, by dawały się zauważyć, ale z kolei nie były zbyt natrętne, bo wrażliwy czytelnik mógłby się jeszcze poczuć urażony taką dosadnością).

W tym pięknym pokoju, którego położenie świadczyło o jego ważności, znajdował się kominek sporych rozmiarów, zwieńczony marmurową półką, na której wykuto gotyckimi literami napis HIC HABITAT FELICITAS – który teraz przykuł wzrok Woodrowa, jak zawsze zresztą, gdy odwiedzał Winslowa Slade'a. Z posępnym uśmiechem wychylił się do przodu i przejechał palcami po napisie, mówiąc:

– Nie mam wątpliwości, doktorze Slade, że tego miejsca szczęście nie opuszcza, ale nie dostrzegam go raczej ani w moim domu, ani też w moim gabinecie w Nassau Hall.

Podczas dalszej rozmowy ogień na kominku rozjarzył się i przygasł, znowu się rozjarzył i znowu przygasł, aż wreszcie, niezauważenie dla obu mężczyzn, kłody zapadły się, tworząc stertę dymiącego żaru niczym dalekie umierające słońca, w ciemność i zapomnienie, których nawet młodszy mężczyzna nie potrafił wskrzesić, gdy poniewczasie jął poruszać pogrzebaczem w palenisku.

W owym czasie, jeszcze zanim straszliwe paroksyzmy Klątwy postarzyły go przedwcześnie, Winslow Slade, długoletni pastor pierwszego kościoła prezbiteriańskiego w Princetonie, który już przeszedł na częściową emeryturę, był energicznym dżentelmenem w wieku siedemdziesięciu czterech lat, który sprawiał wrażenie najmniej dziesięć lat młodszego, podczas gdy jego gość, jeszcze nie pięćdziesięcioletni, z tym napięciem w twarzy, z oczyma ocienionymi w świetle ognia wyglądał na co najmniej dziesięć lat starszego.

Od śmierci swej drugiej żony, Tabithy, ileś lat wcześniej, doktor Slade pozostał wdowcem i czerpał swą melancholijną radość głównie z gromadki wnucząt.

Obecnie jest postacią na poły zapomnianą, znaną jedynie historykom tamtej epoki, lecz na początku dwudziestego wieku był jednym z najbardziej prominentnych obywateli New Jersey, który trzy dziesięciolecia wcześniej, w niespokojnych latach po wojnie domowej i na początku rekonstrukcji, zasłużył się jako rektor Uniwersytetu Princeton, kiedy to poziom naukowy uczelni był zagrożony i właśnie doktor Slade w jakiejś mierze podniósł ów poziom, natomiast pod koniec lat osiemdziesiątych został gubernatorem stanu New Jersey, w owych szczególnie burzliwych i buntowniczych czasach, w których on sam, dżentelmen dużego formatu, z natury zgodny, skłaniał się bardziej ku kompromisowi niż walce, i ostatecznie jako chrześcijanin w każdym calu stwierdził, że polityka jest dlań zbyt stresująca, by miał się ubiegać o drugą kadencję. W Princetonie, zamieszkanym przez społeczność dalece bardziej cywilizowaną niż społeczność stolicy stanu, Trenton, Winslow Slade był powszechnie szanowany jako ukochany pastor i lokalny przywódca – i to o wiele bardziej, niż Woodrow Wilson kiedykolwiek mógł sobie życzyć!

Co nie znaczy, by młodszy mężczyzna zazdrościł temu starszemu: nie zazdrościł. Natomiast całkiem świadomie bardzo chciał się odeń *uczyć*.

Winslow Slade, będący beneficjentem sieci lokalnych wieści zorganizowanej przez jego żonę, wiedział całkiem dużo o animozji, która wykwitła między rektorem uniwersytetu a jego najbardziej liczącym się dziekanem, a jednak taktownie spytał swego młodego przyjaciela, czy kwestia, która go kłopocze, dotyczy wykładowców czy raczej studentów.

– Nie, doktorze Slade – odparł z niechęcią Woodrow. – Myślę, że jeśli idzie o chłopców, to przełamałem początkowe lody. Lubią mnie teraz. To pokolenie jest bardziej zainteresowane swoimi doczesnymi sprawami, niżbym sobie tego życzył, ale jest między nami wzajemne zrozumienie. – Woodrow nie do końca świadomie wstał z miejsca, wziął z biurka mosiężny nożyk do listów i obrócił go w dłoniach. Jego usta rozciągnęły się w skąpym uśmiechu. – W tej chwili cieszyłbym się z chłopięcych psot, doktorze Slade, gdyby to mi oszczędziło tego drugiego.

– Tego drugiego?

Na jedną niepokojącą chwilę Woodrow stracił wątek: słyszał stłumiony, acz żarliwy głos, który ośmielał się go oskarżać. *Koszmar tych linczów polega na tym, że nikt im nie przeciwdziała.* Jego oczy ukryte za srebrzystym błyskiem okularów wypełniły się łzami rozdrażnienia. Nożyk do listów wyślizgnął mu się z palców i upadł na biurko Winslowa Slade'a.

– Mówię o... o krętactwach, którymi podważa się mój autorytet... jako rektora uniwersytetu. Ty wiesz, doktorze Slade, że traktuję swe obowiązki jako... no cóż, ustanowione przez Boga; z pewnością nie przyjąłbym tego zaszczytu, gdyby Bóg sobie tego *nie życzył*. I dlatego właśnie jestem zdumiony tymi wyrachowanymi zniewagami, złośliwymi obmowami i knowaniami pośród moich kolegów z administracji, a także ich tajemnymi konszachtami z radą powierniczą. Z pewnością musiałeś już słyszeć o tym, że moi wrogowie konspirują przeciwko mnie utarczkami wyzutymi z godności *bitwy*, a tym bardziej wypowiedzianej wojny.

Zapadło milczenie podszyte zażenowaniem. Starszy mężczyzna, przyglądający się swemu przyjacielowi z pełnym powagi współczuciem, nie wiedział, jak na to odpowiedzieć. Rodzina i bliscy Woodrowa Wilsona nie potrafili raczej utrzymać w tajemnicy faktu, że kilkakrotnie padał ofiarą tajemniczych zapaści, po raz pierwszy na progu pełnoletności; miał nawet lekki udar w wieku trzydziestu dziewięciu lat, który to wiek trudno nazwać dojrzałym. (W owym czasie wykładał na Uniwersytecie Princeton prawoznawstwo, przygotowując się do wykładów z wielkim zapałem i sumiennością, i pracował nad wielotomową *Historią narodu amerykańskiego*, które to dzieło miało pewnego dnia utrwalić jego reputację). Teraz, dziesięć lat później, nerwy Woodrowa były tak mocno napięte, że niekiedy zdawał się podobny do kukiełki, którą szarpią czyjeś okrutne, kapryśne palce. A jednak jak każdy wrażliwy, dumny człowiek za nic nie chciał, by go pocieszano.

Woodrow z kwaśnym uśmiechem wyjawił przyjacielowi, że w związku ze zwiększoną ostatnimi czasy presją cierpi na przelotne bóle w głowie i jamie brzusznej, kiedy tak leży bezsennie większą część nocy i zastanawia się, czy jego wrogowie – („Dowodzeni przez karierowicza, którego nazwiska nie mam chęci wymawiać na głos") – zżerają mu duszę tak, jak pewien złowrogi gatunek gigantycznego pająka wodnego wysysa życie z bezradnej żaby.

Winslow odpowiedział mu z krzywym uśmiechem.

– Woodrow, mój drogi przyjacielu, jak ja bym chciał usunąć z twego słownika takie słowa, jak *bitwa*, *wojna*, *wróg*, a nawet *dusza*. Masz bowiem taką naturę, że za bardzo bierzesz sobie do serca przemijające sprawy dotyczące lokalnych problemów i widzisz *spisek* tam, gdzie być może jest tylko coś niewiele więcej prócz zdrowej różnicy opinii.

Woodrow zagapił się na starszego mężczyznę z urazą i przestrachem.

– Zdrowa różnica opinii? Nie rozumiem, Winslow. To kwestia życia albo śmierci – mojego życia albo mojej śmierci jako rektora tego uniwersytetu.

– Kwestią jest wszak to, czy pobudować nowe kolegium dla magistrantów w samym sercu kampusu czy też, jak wolałby dziekan West, na skraju. Czy *to* jest ta sprawa życia albo śmierci?

– Tak! Tak, to jest sprawa życia albo śmierci. I klubojadalnie: moi wrogowie zbierają siły, żeby obalić mój plan stworzenia kolegiów w ramach uniwersytetu, kolegiów o demokratycznej naturze. Bo widzisz, ja wierzę, że najwyższy urząd wykonawczy winien centralizować władzę, czy tym urzędem jest prezydent Stanów Zjednoczonych czy też rektor wybitnego uniwersytetu. A tymczasem tutaj, na własnych śmieciach, mam *rewoltę*.

– Co też ty opowiadasz, Woodrow! Rewolta? – Winslow Slade uśmiechnął się.

– A właśnie, że *rewolta* – powtórzył Woodrow ponurym tonem. – I nie wątpię, że oni spotykają się w sekrecie dokładnie w tej chwili, gdzieś blisko.

Woodrow dowiedział się od pani Wilson, gdy ta wróciła z lunchu w Klubie Princetońskich Kobiet dwa dni wcześniej, że Andrew Fleming West ma być gościem na kolacji w FitzRandolph Place należącym do rodziny Burrów, na którą Wilsonowie ostentacyjnie nie zostali zaproszeni.

Winslow Slade mruknął, że jeśli to prawda, to nie wróży dobrze uniwersytetowi, a jeszcze mniej Woodrowowi i jego bliskim.

– To jest prawda, doktorze Slade – zapewnił go Woodrow zirytowanym tonem. – Na mieście żywią przekonanie, że do Wielkanocy zostanę osaczony, zagnany w kozi róg jak szczur i zmuszony do ustąpienia z urzędu! Proszę cię, nie zaprzeczaj, nieważne czy z dobroci, czy z litości, bo ja wiem bardzo dobrze, że w Princetonie nie plotkuje się o niczym innym, że nawet praczki, murzyńscy słudzy i wszelkiego typu lokalne szumowiny pławią się w moim nieszczęsnym położeniu.

Usłyszawszy to, Winslow Slade pochylił się i dotknął napiętego ramienia młodszego mężczyzny.

– Tommy... Chyba nie masz mi tego za złe, że nazywam cię Tommy?... Liczę, że pamiętasz, co ci poradziłem, gdy przyjmowałeś ofertę rady powierniczej: „Mądry zarządca nie przyznaje się do posiadania wrogów, a jeszcze mądrzejszy zarządca wrogów nie posiada".

– Banał, pozwolę sobie stwierdzić – odparł Woodrow z rosnącym rozdrażnieniem. – Coś takiego można było mówić o wrogach Napoleona, gdy jego wojska przejeżdżały się po nich i niszczyły ich z kretesem. Łatwo ci myśleć w taki sposób, tobie, który w życiu nie poznałeś wroga i którego Bóg błogosławił we wszelkich dążeniach.

– Miałem aż nadto wielu politycznych wrogów, gdy byłem gubernatorem stanu – odrzekł Winslow. – Myślę, że gdy tak snujesz te swoje wzniosłe alegoryczne dramaty, zapominasz o zmiennych kolejach prawdziwego życia.

Woodrow, który spacerował tam i z powrotem przed kominkiem, przemawiał teraz gwałtownie i nie ważąc słów – twierdził, że Ellen i jego córki umierają z niepokoju o jego zdrowie, że jego lekarz, Melrick Hatch, ostrzegł go, że leki, które bierze od lat na ukojenie nerwów, mogą niebawem przynieść odwrotny skutek. (Wśród leków zażywanych przez Woodrowa był syrop uspokajający pani Wycroff z domieszką morfiny, glikoheroinowe landrynki na gardło McCormicka, a także antyseptyk firmy Boehringer i Syn ze sporą zawartością opium. Woodrow był także nieco uzależniony od takich domowych środków, jak kalomel, bizmut, olejek z Olmay, *cascara sagrada* oraz środek przeczyszczający Tidwella). Znowu wziął do ręki mosiężny nożyk do listów i nerwowo obrócił go w palcach.

– Ponoć dziekan chełpi się tym, że zamierzył posłać mnie do grobu i zastąpić mnie jako rektor. I większość rady powierniczej solidaryzuje się z nim.

– Woodrow, proszę! Tak się nie godzi. Myślę, że ty i dziekan West winniście się spotkać twarzą w twarz i zaprzestać tych absurdalnych knowań.

Zgaduję, że Andrew chodzi po Princetonie, skarżąc się na ciebie i głosząc, że to ty wpędzisz go do grobu, jeśli się uprzesz.

Woodrow zesztywniał, usłyszawszy tę uwagę. Bo w rzeczy samej często przychodziło mu do głowy – nawet wtedy, gdy klękał do modlitwy w czasie niedzielnych nabożeństw, czując się jak puste naczynie, które lada chwila zostanie wypełnione łaską bożą – że *gdyby coś się przydarzyło* Andrew Flemingowi Westowi, to jakież łatwe stałoby się wówczas jego życie!

– Wszelka opozycja wobec moich idei wyparowałaby natychmiast, jak nieszkodliwy dym. *Wszelka opozycja.*

– Woodrow, do czego ty pijesz? Coś ty powiedział?

Czyżby Woodrow wymówił to wszystko na głos? Był pewien, że nie.

– Czasami myślę sobie, że ty mnie zupełnie nie znasz, Tommy – rzekł Winslow Slade, cicho, ale z żarem. – A nawet, w rzeczy samej, nikogo. Żyjesz wciąż w oparach swych urojeń! Twierdzisz na przykład, że ja w swojej karierze nie miałem wrogów i że Bóg pobłogosławił moje dążenia, ale musisz wiedzieć, że było zgoła inaczej. Kiedy promowałem swoją reformę programu nauczania i upierałem się przy wyższych standardach rekrutacji, na uniwersytecie zawiązała się bardzo hałaśliwa opozycja. W radzie powierniczej omal nie doszło do rewolty. I później, gdy byłem gubernatorem tego swarliwego, przeżartego polityką stanu, zdarzały się dni, kiedy czułem się jak sterany weteran wojenny i jedyne pocieszenie płynące z mej religii i Kościoła nie dały mi się pogrążyć w rozpaczy. A jednak starałem się nie skarżyć, nawet przed moją drogą Orianą, starałem się nie wygłaszać nieopatrznie jakichś uwag czy denuncjacji na forum publicznym. Bo coś takiego nie licuje z człowieczą godnością. Wspomnij nieszczęsnego Sokratesa z *Kritona* – publiczna postać w wieku siedemdziesięciu lat skazana na śmierć przez państwo: Sokrates twierdził, że trzeba się podporządkować prawom swego czasu i miejsca i że śmierć jest lepsza niż wyrugowanie ze społeczeństwa. Dlatego od dawna zachowuję rozsądek i nawet najbliżsi nie wiedzą o moich sekretnych zmaganiach. Dlatego też, kochany Tommy, pod koniec życia nie mogę dać się znowu wciągnąć do polityki. Wiem, że twój urząd jest dla ciebie czymś świętym, porównywalnym z amboną; jesteś pod wieloma względami synem swego ojca i przez te ostatnie miesiące napędzałeś się nadludzką energią. Jednak trzeba pamiętać, Woodrow, że uniwersytet to nie Kościół i że twoja inauguracja na urząd, jakakolwiek była świetna, nie powinna być interpretowana jako *wyświęcenie.* – Winslow urwał, pozwalając, by jego słowa dotarły. Otoczenie często popełniało ten błąd, że uważało go za człowieka niezdolnego do sarkazmu, ironii czy też podstępu, że będąc z natury dobroduszny i hojny, toleruje głupotę. – Tak więc moja rada brzmi: *kompromis*, rektorze Wilson. *Kompromis.*

Woodrow zareagował jak spoliczkowane dziecko. Oszołomiony powoli opadł z powrotem na krzesło, nie odrywając spojrzenia od gospodarza.

Dogasające płomienie tańczyły na jego napiętych rysach, zapadnięte oczy ukrywały się za połyskującymi okularami.

– *Kompromis!* – powtórzył ochrypłym głosem. – Jak możesz sugerować coś takiego! No jakże: *Słabość? Tchórzostwo?* Czy nasz Zbawiciel szedł na *kompromis? Układał się* z wrogiem? Mój ojciec mnie instruował, że człowiek albo ma rację i jest zmuszony postępować zgodnie z nią, albo się myli i powinien przekazać puchar innemu człowiekowi. Jezus rzekł: „Nie przyszedłem przynieść pokoju, ale miecz". Czy nasz Pan nie stwierdza w całym świętym Piśmie, że winno się istnieć albo dla niego, albo przeciwko niemu? Mam podstawy wierzyć, że wszelkie zło zaczyna się od kompromisu, doktorze Slade. Nasz wspaniały prezydent Lincoln nie szedł na kompromisy ze zwolennikami niewolnictwa, tak jak nasi purytańscy antenaci nie szli na kompromisy z tubylcami, których odkryli w Nowym Świecie, z pogańskimi istotami, którym nie należało ufać – nazywano ich brudnymi nieokrzesańcami. Być może nie wiesz tego, Winslow, ale motto rodziny Wilsonów od czasów klanu Campbellów z Argyll aż do dzisiaj brzmi: *Boże, chroń nas przed kompromisem.*

Ponieważ Winslow nie odpowiedział, tylko nieznacznie pokręcił głową, z nieprzeniknioną miną, Woodrow przemówił ponownie, nieco ostrym tonem:

– Nasze dziedzictwo napawa nas dumą! I byłoby to wbrew memu ojcu, a także mojemu własnemu sumieniu, gdybym osłabł w tej walce.

– Ale ostatecznie, Tommy, nie jesteś swoim ojcem, jakkolwiek byś kochał i szanował jego pamięć. I musisz pamiętać, że on już nie żyje; nie było go wśród nas nie tylko minionego roku, ale i dawniej.

Usłyszawszy te słowa, młodszy mężczyzna wbił spojrzenie w kąt pomieszczenia, jakby coś go zaskoczyło: *Jego ojciec nie żyje?*

I coś jeszcze, ktoś jeszcze, inny pastwiący się nad nim głos, kołatał do jego myśli niczym wzburzone fale: *Możesz się sprzeciwić tym okropieństwom. Tacy sami chrześcijanie jak ty.*

Woodrow niezdarnie zdjął okulary. Wzroku nigdy nie miał mocnego; kiedy był dzieckiem, litery i liczby „tańczyły" mu w głowie, utrudniając czytanie i rachowanie, a jednak nie poddawał się i stał się wybitnym uczniem, podobnie jak za młodu nieodmiennie stawał się wybitnym członkiem dowolnej klasy, w dowolnej szkole, w dowolnej grupie, w jakiej się znalazł. *Przeznaczony do wielkości. Trzeba jednak ćwiczyć pokorę, nie dumę.*

Woodrow przetarł oczy mankietem koszuli, gestem dziecka i z miną dziecka. Istotnie wychodziło na to, że nie pamiętał, iż Joseph Ruggles Wilson, jego ojciec, odszedł, odszedł do tego tajemniczego innego świata, do którego odeszła jego matka, gdy Woodrow miał trzydzieści dwa lata i ledwie co został ojcem swej pierwszej córki, Margaret.

– Masz rację, Winslow, oczywiście. Ojciec nie żyje od dobrych dwu lat. Został zagarnięty przez Wielką Ciemność, jednoczy się teraz ze swym

Stwórcą, jak jest nam powiedziane. Czy sądzisz, że jest to domena bytu są-
siadująca z naszą, nawet jeśli niedostępna? A może jest *dostępna?* Intrygują
mnie ci spirytualiści, czytałem o ich wyczynach w Londynie i Bostonie...
Często myślę sobie: ojciec podobno zmarł, ale czy odszedł cały? *Requiescat in pace.* Tylko czy spoczywa w pokoju? Czy zmarli odchodzą, czy też
spoczywają w pokoju? Czy tylko jest tak, że my im tego życzymy, aby móc
sobie wyobrażać, że ich władza nas nie obejmuje?

Na to pytanie Winslow Slade, wpatrzony w gasnący ogień, z twarzą, po
której przebiegały cienie, nie znał odpowiedzi.

Requiescat in pace to prosta maksyma wygrawerowana pod nazwiskiem
Winslow Elias Slade i datami 14 grudnia 1831–1 czerwca 1906 na rodzinnym
grobowcu Slade'ów, w starszej części cmentarza princetońskiego, nieopodal
centrum miasteczka. Powiadano, że ów udręczony dżentelmen tuż przed
śmiercią pozostawił instrukcje rodzinie, że chce, by na jego grobie wygra-
werowano inskrypcję *Ból był moim udziałem*, ale jego syn Augustus tego
zakazał. „My Slade'owie doświadczyliśmy aż nadto bólu – rzekomo stwierdził Augustus – a teraz jesteśmy gotowi zaznać pokoju".

Był to czas, kiedy Klątwa z Crosswicks, zwana także Horrorem z Crosswicks, nareszcie uwolniła od siebie Princeton i wrócił jako taki spokój.
Zdaję sobie sprawę, że czytelnik być może się zastanawia: jak wielebny
Winslow Slade, tak powszechnie kochany i szanowany obywatel Princetonu, jedyny człowiek, u którego Woodrow Wilson szukał porady i pocieszenia, na samym końcu popadł w taką rozpacz? *Jak to możliwe?*

Dysponuję jedynie mnogością faktów, które udało mi się wygrzebać
i poskładać w całość; wynika z nich jakieś wiarygodne wytłumaczenie, ale
czytelnik będzie być może musiał wyciągnąć własne wnioski.

W czasie, w którym toczy się nasza bieżąca narracja, czyli w marcu
1905 roku, kiedy potajemnie odwiedził go Woodrow Wilson, Winslow Slade
miał jeszcze całkiem władczą osobowość – tę mieszankę powagi, męskiej
godności, miłosierdzia i chrześcijańskiej wyrozumiałości dostrzeganą przez
wielu jego admiratorów. Bez wątpienia te cechy odziedziczył, bo przodków Winslowa po mieczu dawało się prześledzić aż do szykanowanych na
gruncie religijnym i wspierających się na religii purytanów, którzy szukali
wolności od tyranii Kościoła angielskiego pod koniec siedemnastego wieku, a po kądzieli aż do szkocko-angielskich imigrantów, którzy na początku
osiemnastego wieku przybyli do Kolonii Zatoki Massachusetts i prędko
dorobili się niejakiego bogactwa na handlu z Anglią. Liczni członkowie
kolejnych dwóch pokoleń Slade'ów migrowali z Nowej Anglii w okolice
Filadelfii i Trentonu, a ujmując rzecz w terminach religijnych, migrowali od
skostnienia wiary staromodnego purytanizmu do nieco bardziej liberalnego

prezbiterianizmu tych czasów zabarwionych kalwinistycznym determini-
zmem; byli to miłosierni chrześcijanie, popierający tych, którzy sprzeciwiali
się egzekucji kwakrów jako domniemanych heretyków. Jakiś czas później,
w roku 1777, generał Elias Slade zasłużył się podczas bitwy pod Princetonem, walcząc ramię w ramię ze swym ziomkiem podpułkownikiem Aaro-
nem Burrem Juniorem. (Elias Slade, w dniu śmierci zaledwie trzydziesto-
dwuletni, mężnie oddał swoje mocne stanowiska zarówno w Królewskiej
Radzie Gubernatorskiej, jak i Sądzie Naczelnym Kolonii Królewskiej, aby
wesprzeć rewolucję George'a Washingtona – rebelię, która żadną miarą nie
była tak wyrazista w latach siedemdziesiątych osiemnastego wieku ani też
tak nieuchronna, jak to dzisiaj wynika z podręczników historii. Paradoksalne w tym wszystkim jest to, że Aaron Burr Junior, bohater w niektórych
kręgach swoich czasów, został relegowany na jakieś nędzne stanowisko,
niewiele lepsze od tego, które zajmował zdrajca Benedict Arnold!)

Powszechnie występującą cechą filadelfijsko-trentońskiej odnogi rodu
Slade'ów, sądząc na podstawie ich portretów, były oczy spoglądające z wielkim żarem, osadzone głęboko w twarzach, które zdawały się wyrzeźbione;
nos Slade'ów był długi, wąski, rzymski i nieco zwężony na samym czubku.
Winslow Slade zarówno za młodu, jak i w mocno zaawansowanym wieku
był uważany za przystojnego mężczyznę: więcej niż przeciętnego wzrostu,
o włosach przedwcześnie posiwiałych i prostych, czarnych brwiach i do
tego statecznym i posępnym sposobie bycia, ożywianym czasem skwapliwym i przyjaznym uśmiechem, w oczach niektórych krytyków *nazbyt*
skwapliwym i *nazbyt* przyjaznym.

Wszystko dlatego, że Winslow Slade wpadł na taki ekscentryczny pomysł, że będzie się starał zachowywać jak chrześcijanin w każdym dniu –
godzinie! – swego życia. Pod tym względem niejednokrotnie nadwyrężał
cierpliwość tych, którzy byli z nim blisko, a jeszcze bardziej tych, którzy byli
z nim skojarzeni profesjonalnie.

„Żywię ugruntowane przekonanie, że za pośrednictwem Winslowa Slade'a obecny wiek stworzy własną *duchową autobiografię*", stwierdził sławny wielebny Henry Ward Beecher z okazji objęcia przez Winslowa Slade'a
stanowiska rektora Uniwersytetu Princeton w roku 1877.

Jako lubiany prezbiteriański pastor, absolwent Unijnego Seminarium
Teologicznego w Nowym Jorku, Winslow Slade przez długi czas doskonalił
sztukę zachwycania – w rzeczy samej magnetyzowania wielkich gremiów.

W przeciwieństwie jednak do takich kaznodziejów jak wielebny Beecher,
Winslow Slade nigdy się nie zniżał do retorycznych sztuczek ani pustych
oratorskich ozdobników. Jego teksty poświęcone Biblii były zazwyczaj
przystępne, acz nie proste; wolał nie zdumiewać, zaskakiwać, rozbawiać
ani też, jak niektórzy inni w sutannach, w tym jego niezwykły krewny Jonathan Edwards, przerażać swej kongregacji. Jego wyważone przesłanie o wy-

jątkowości wiary chrześcijańskiej – jako „niezbędnego odrostu i rozwinięcia wiary żydowskiej" – było takie, że chrześcijanin winien myśleć o sobie jako o kimś, kto zawsze i wszędzie wybiera Jezusa Chrystusa ponad szatana; ten spadek po purytańskich przodkach wielebny przekazywał w taki sposób, by nie niepokoić ani też nie zatrważać swych wrażliwych wyznawców.

Nie dziwi, że wnuczęta wielebnego Slade'a, gdy były jeszcze bardzo małe, wyobrażały sobie, że on jest samym Bogiem – kiedy wygłaszał kazania w schludnym, białym wnętrzu pierwszego zboru prezbiteriańskiego przy Nassau Street. Byli to Jozjasz, Annabel i Todd, a nieco później również mała Oriana; gdy te dzieci przymykały oczy podczas modlitwy, widziały twarz dziadka Winslowa i również do niego swą modlitwę zanosiły.

Przeklęci to kronika losów przede wszystkim wnucząt Slade'a, dlatego wydaje się, iż historyk jest tu obowiązany odnotować, że Winslow Slade kochał te dzieci nad życie, być może żarliwiej niż własne dzieci, które rodziły się w czasach, gdy był bardzo zajęty robieniem kariery, bardziej niż życiem rodzinnym, jak to często bywa z osobami publicznymi, które odniosły sukces. Gdy w wieku sześćdziesięciu lat zdrowiał po przebytej grypie, obserwując Jozjasza i Annabel dokazujących godzinami w ogrodzie przy plebanii Crosswicks, to właśnie te dzieci, a nie jakieś lekarstwo, przywróciły mu siły – jak oznajmił później swemu lekarzowi. „Niewinność takich dziatek nie stanowi odpowiedzi na nasze najdonioślejsze pytania o ten padół łez, na który jesteśmy skazani, ale pomaga w pozbywaniu się ich. *Na tym* polega tajemnica familijnego życia".

– A jak się miewa twoja córka Jessie?

– Jessie? No jakże, Jessie miewa się dobrze, tak mi się zdaje.

Osiemnastoletnia córka Woodrowa, najpiękniejsza z panien Wilson, miała być druhną na ślubie wnuczki Winslowa Slade'a, Annabel, oraz młodego porucznika armii amerykańskiej o nazwisku Dabney Bayard, z Bayardów z Hodge Road.

Winslow postanowił oderwać swego młodszego przyjaciela od myśli, które tak go wzburzały, a które jemu samemu wydawały się trywialne i ulotne, a jednak ten nowy temat niespodzianie sprawił, że Woodrow zmarszczył się i skrzywił.

– Nieodmiennie... dziwi mnie to, że moje dziewczęta... wyrastają na kobiety. Bo wydaje się, że nie dalej jak wczoraj były jeszcze rozkosznymi małymi dziewczynkami. – Woodrow powiedział to z powagą, ledwie dostrzegalnie wzdrygając się z lęku. A to dlatego, że intymne życie *kobiet* stanowiło bolesny temat do rozważań dla człowieka o jego wrażliwości, nawet z niewielkiego dystansu.

Winslow dla odmiany uśmiechnął się z czułością dziadka. Dla niego bowiem bardzo to było znaczące, że jego „czarodziejskie dziecko", Annabel, ma już dziewiętnaście lat i że lada dzień zajmie miejsce w społeczeństwie jako pani Dabneyowa Bayard.

– A, porucznik Bayard! Chyba parę razy widziałem krótko tego młodzieńca – rzekł Woodrow bez cienia przygany w głosie, chociaż jego żona i on sam zostali wykluczeni z wydarzeń towarzyskich na plebanii Crosswicks. – I sprawia na mnie wrażenie rzetelnego młodego chrześcijanina, a także patrioty: to wnuk Johna Bayarda, nieprawdaż? Solidny prezbiteriański ród, najbardziej godny zaufania.

– Zobaczymy. Chcę powiedzieć tak, oczywiście. Masz całkowitą rację.

Winslow Slade nieraz mimo woli dostrzegał przelotnie swą ukochaną wnuczkę wędrującą przez ogród za plebanią w towarzystwie porucznika, chłopca przystojnego, acz krewkiego, którego dłonie zbyt często wędrowały w stronę drobnego ciała Annabel, jej talii albo jeszcze niżej, jej smukłych bioder... Nie był to widok, który siedemdziesięcioczteroletni człowiek życzył sobie oglądać w tak krępującym czasie.

– Nasza Margaret – podjął Wilson, nadal ponurym tonem – jak wiesz, urodziła się w Georgii, nie na Północy. Moja droga Ellen blisko rozwiązania wzięła sobie do głowy, że nie zniosłaby, gdyby nasze pierwsze dziecko urodziło się na północ od linii Masona–Dixona, i dlatego oczywiście usłuchałem jej... I myślę, że pod pewnym względem to uczyniło różnicę; Margaret jest naszą najbardziej wdzięczną córką, ani trochę tak wygadaną jak młodsze dziewczęta, uparte jak muły, bo urodzone tu, na Północy.

Winslow Slade, którego przodkowie nie pochodzili z amerykańskiego Południa, tylko zasadniczo z purytańskiej północy Nowej Anglii, taktownie nie odpowiedział na tę osobliwą uwagę, przepraszającą i zarazem chełpliwą.

– Miałbyś ochotę na cygaro, Tommy? Wiem, że nie palisz... w każdym razie z pewnością nie w domu. Ale mam tu wyjątkowo przednie cygara kubańskie, ofiarowane mi przez przyjaciela.

– Dziękuję ci, Winslow, ale nie! Chyba ci opowiadałem, jak moja droga matka na zawsze wyleczyła mnie z ochoty na palenie?

Winslow Slade uprzejmie skłonił głowę na znak, że Woodrow może powtórzyć tę swoją ulubioną historyjkę. Bo Woodrow miał niezgorszą wprawę w opowiadaniu niektórych rodzinnych anegdot, jakby to były stare bajki Ezopa.

– Miałem siedem lat, gdy matka wezwała mnie, abym jej pomógł w zabijaniu roztoczy na różach. Mogło tak być, że przyglądałem się ojcu i innym mężczyznom z rodziny, jak palili cygara, i być może wyglądało na to, że ich podziwiam; matka prędko dostrzegała takie szczegóły, ja zresztą odziedziczyłem po niej tę umiejętność. „Tommy, chodź no tu: zapalę jedno z cygar ojca, a ty będzie dmuchał dymem na te przebrzydłe roztocza". I to też dokładnie robiłem, a raczej próbowałem robić. – Woodrow zaczął się śmiać, charcząco, bez jawnego rozbawienia; w jego oczach lśniły łzy histerycznej wesołości. – Ach, jaki ja byłem chory. Miałem straszliwe sensacje żołądkowe, nie tylko mdliło mnie od tego potwornego dymu tytoniowego, ale też wymiotowałem cały dzień. A jednak mądrość mej matki poskutkowała: od tego czasu nigdy nie paliłem ani też nie miałem najlżejszych inklinacji ku temu. Widok członków rady powierniczej zapalających swe cuchnące cygara, gdy właśnie mamy rozpocząć jakieś ważne spotkanie, budzi we mnie spory dysgust, acz nigdy rzecz jasna nie zdradzam swoich odczuć.

– Jakaż przemyślna matka! – Winslow schował cygara do mosiężnego humidora.

W kącie biblioteki doktora Slade'a osiemnastowieczny niemiecki zegar wybił cicho a nieomylnie kolejny kwadrans: Winslow Slade liczył, że jego młody przyjaciel niebawem sobie pójdzie, bo Woodrow najwyraźniej znajdował się w tym swoim stanie „napięcia nerwowego"; on sam powoli odczuwał już na sobie tego skutek – ze wszystkich stanów psychicznych lęk graniczący z paranoją czy histerią jest być może najbardziej zaraźliwy, nawet dla mężczyzn. A jednak Woodrow nie umiał się powstrzymać przed powracaniem do swego tematu, w pośredni sposób, lamentując, że Stany Zjednoczone mają „nieznośnego bufona" w Białym Domu: „Awanturnik i samozwaniec uważający siebie za zbawcę, który gorszy teraz swymi wygłupami w Panamie i przekabaca na swoją stronę szowinistów. Prezydent Stanów Zjednoczonych to nie jest urząd, którym należy pomiatać, tylko któremu trzeba nadawać wysoką rangę; to święte przymierze, bo nasz naród jest w całej historii świata wyjątkowy. I ja, tutaj w domu, w sielankowym Princetonie, muszę się borykać z bliźniakiem Teddy'ego Roosevelta, który tylko udaje, że interesy uniwersytetu leżą mu na sercu, bo cały czas próbuje odebrać mi władzę.

Winslow westchnął tylko, bo nie potrafił odpowiedzieć. Tak jakby wiedział z góry, z jaką prośbą przyjdzie do niego młodszy przyjaciel, ale nie chciał go zachęcać do jej wypowiedzenia, a jednak Woodrow uczynił to, z naiwną miną małego dziecka, mrugając zza wypolerowanych szkieł.

– Doktorze Slade, gdybyś tak zechciał wyrazić swoje poparcie dla mnie, czy raczej określić swoje preferencje: Woodrow Wilson czy Andrew West... Bardzo by mi wtedy ulżyło i mojej rodzinie także.

Zbolały Winslow wyjaśnił, że jego zdaniem roztropniejszym wyjściem dla kogoś takiego jak on, kto dał sobie spokój z wszelką polityką, będzie zachowanie neutralności.

– Jestem pewien, że ostatecznie wygrają roztropne umysły i mądrość. Rada powiernicza zagłosuje i wszystko się wyjaśni, już niebawem, domyślam się?

– Winslow, to jest... to nie jest... to nie do końca ta odpowiedź, na jaką liczyłem, przychodząc tutaj...

– Zaordynuję ci, mój drogi przyjacielu – trwał przy swoim Winslow – najprostsze i najbardziej fundamentalne z wszystkich chrześcijańskich remediów: modlitwę. Mam na myśli, Woodrow, dogłębne zbadanie duszy, motywów i ideałów. *Modlitwę.*

Wpatrzony w Winslowa mężczyzna zamrugał; tik w jego lewym policzku wydawał się drwiąco naśladować wymuszony uśmiech.

– Tak, masz rację, oczywiście. Jak zawsze masz rację, doktorze Slade. Ale obawiam się, że ty nic nie wiesz, nie wiesz, że od miesięcy, odkąd ta piekielna sytuacja objawiła się po raz pierwszy, spędziłem niezliczone godziny na kolanach, modląc się. Rzecz jasna to są dopiero pomruki burzy. Od samego początku uciekałem się do modlitwy, a jednak skutki były rozczarowujące, bo West nadal steruje swymi totumfackimi przeciwko mnie, nawet śmieje się za moimi plecami, a *Bóg jakoś nie raczył interweniować.*

Winslow Slade nie potrafił wymyślić adekwatnej odpowiedzi, tak bowiem się zdumiał tymi słowami. Zapadła cisza; dymiące kłody na kominku podrygiwały i czerniały, Woodrow zaś z jakimś histerycznym zaciekawieniem wyciągnął rękę, wziął ze stołu małą tabakierkę z jadeitu i przyjrzał się jej uważnie. Był to fascynujący obiekt, ale niekoniecznie piękny, pokryty patyną dziesiątków lat, z wieczkiem, w którym wygrawerowany był zwinięty wąż, miniaturowy, acz odrobiony z wszelkimi szczegółami, który wyglądał, jakby lada chwila miał skoczyć na patrzącego. W miejsce oczu miał osadzone rubiny wielkości pestek dyni.

Woodrow, pogrążony w stanie jakby oszołomienia, zafascynował się, że te rubiny tak się skrzą, z bajeczną mocą ślepiów prawdziwego węża...

– On dąży do przejęcia władzy w wybitnie odmienny sposób, musisz wiedzieć – rzucił nagle śmiało, bo przez ostatnie pół godziny właśnie to chciał powiedzieć.

– On?

– West.

– A tak. Wciąż rozmawiamy o Weście?

– To nie jest zwyczajna pogłoska, doktorze Slade, w całym mieście mówi się o tym. Ellen powtórzyła mi z niechęcią, bojąc się wzbudzić mój niepokój, że Andrew West przestaje z jasnowidzami i hipnotyzerami, że pod pozorem badań naukowych, jak jego harwardzki przyjaciel, psycholog William James, zagłębił się w coś, co winniśmy nazywać praktykami okultystycznymi, czyli absolutne zaprzeczenie nauczania chrześcijańskiego.

– Praktyki okultystyczne? Andrew West?

Winslow Slade zaczął się śmiać, bo Andrew West miał masywną, krępą sylwetkę zapaśnika; był z pewnością człowiekiem inteligentnym, z dyplomami z Cambridge w Anglii i z Harvardu, a jednak żadną miarą nie był człowiekiem wrażliwym czy też skłonnym do refleksji – człowiekiem tego typu, który mógłby brać okultyzm na poważnie.

– Tak, doktorze Slade, możesz się śmiać z tej wizji: praktyki okultystyczne. Dzięki którym West ma nadzieję wpływać na „władze", a tym samym wpływać na co bardziej podatne umysły w naszej społeczności i pośród rady powierniczej. Powiedziałem ci, to jest walka w niewypowiedzianej wojnie.

– Powiadasz, że nasz kolega i sąsiad, Andrew West, dziekan uczelni wyższej, jest okultystą?

– Cóż, powtarzam, co się mówi, co mówi wielu, że West para się okultyzmem, udając, że prowadzi badania naukowe. Jednym z jego sojuszników jest Abraham Sparhawk, od filozofii, ale nowomodnej filozofii, w której dowodzi się, że góra to dół i że czas i historia to nie są stałe punkty, jakimi je znamy, tylko coś… *względnego*, taki tu zdaje się stosują termin. Nie mam jak dowiedzieć się konkretnie, co oni tam razem klecą przeciwko mnie. – Woodrow nieprzerwanie przyglądał się jadeitowej tabakierce, jakby te połyskliwe ślepia węża go zahipnotyzowały. – I musisz wiedzieć, że za sprawą jego kampanii pan Cleveland ledwie odpowiada na moje pozdrowienia w Klubie Nassau: minionej zimy stał się ulubionym kompanionem Westa*.

– Pewnie przez tę późną porę, Tommy – odparł Winslow nieco ostrym tonem – mówisz rzeczy, które obaj będziemy musieli z rozmysłem zapomnieć w świetle dnia. Szczerze mówiąc, ani przez chwilę nie wierzę, by Andrew West, czy ktokolwiek inny na uniwersytecie, zabawiał się praktykami okultystycznymi, i proszę cię, abyś raz jeszcze się zastanowił nad tym, co mówisz.

Winslow położył dłonie na drżących dłoniach młodszego mężczyzny, zamierzając wyciągnąć spomiędzy jego palców tabakierkę, zanim Woodrow ją upuści albo skruszy, bo ten nadal ściskał ją z całej siły, nie do końca świadomie.

---

* Grover Cleveland, dwudziesty drugi prezydent Stanów Zjednoczonych, ustąpił z urzędu w 1897 roku i zamieszkał na emeryturze w Westland Mansion w Princetonie, gdzie wyróżniał się zarówno za sprawą swej reputacji, jak i tuszy; jego dom znajdował się niecały kwartał od plebanii Crosswicks, przy Hodge Road. Cleveland należał do rady powierniczej uniwersytetu i, jak słusznie obawiał się Woodrow Wilson, wspierał bardziej dziekana Westa niż jego. Ściągnięcie na dowolne zgromadzenie towarzyskie Grovera i Frances Clevelandów było dla wszystkich punktem honoru, mimo braku obycia i głupawego śmiechu Grovera, a także rozczarowania jego drugą kadencją prezydencką; co gorsza, wiedziano powszechnie, że Grover Cleveland u zarania swej kariery politycznej, będąc szeryfem okręgu Erie w północnej części stanu Nowy Jork, osobiście wykonał egzekucję przez powieszenie co najmniej dwóch skazańców, bo pożałował dziesięciu dolarów dla kata.

A jednak Woodrow nie ustępował, bo mimo neurastenicznego wzburzenia i łez pojawiających się w oczach był wszakże obdarzony potężną, nieugiętą siłą woli.

– Doktorze Slade – powiedział gwałtownie – kto jak kto, ale ty winieneś wiedzieć, że mądrze jest do pewnego stopnia rozluźnić język, jeśli wśród nas wykwita zło. Nie twierdzę... nie oskarżam Westa o przywoływanie diabła, tylko o konszachty z tymi, którzy mogliby to czynić albo wręcz czynią. Nie dalej jak ubiegłego wieczoru w mojej bibliotece profesor Pearce van Dyck długo i najlepiej jak potrafi tłumaczył mi zasady mesmeryzmu, czyli magnetyzmu zwierzęcego. Pearce, jak wiesz, jest w takim stopniu racjonalistą, w jakim może być chrześcijanin, i przyznaje, że czuje odrazę do praktyk okultystycznych tak samo jak ja, wliczając w nie nawet spirytualizm, który tak wychwalają panie. Zdaniem Pearce'a tych europejskich uczonych i lekarzy, jak Mesmer i Charcot, którzy upowszechnili owe dziwaczne pojęcia kpiące z chrześcijańskiej wolnej woli, najlepiej stawiać w jednym rzędzie z alchemikami, czarownikami i wiedźmami; prawdziwi ludzie nauki winni nimi gardzić. A jednak teoria, że wszechświat, łącznie z ludzkim ciałem, jest przepojony jakimś fluidem magnetycznym i że w jakiś sposób można by tym fluidem kierować, gdyby tylko ktoś wiedział jak... ta teoria nie jest pozbawiona podstaw, moim zdaniem. To jak trzymanie klucza do pewnych procesów chemicznych, jak poznanie przepisu na proch strzelniczy! I chociaż rzekomym celem mesmeryzmu jest poprawa zdrowia psychicznego, każdy dureń widzi, że prawdziwa może być także odwrotność: że człowiek może mieć swoją *diabelską* stronę, przeważającą w niektórych przypadkach nad *anielską*.

Ten wybuch słów pozbawił Woodrowa tchu. Jego sztywno wykrochmalony kołnierzyk, jeszcze tego ranka nieskazitelnie czysty, wyraźnie sflaczał, a na jego zmarszczonym czole lśniła cienka powłoczka potu.

– No cóż! Pozwól, że naleję ci kapkę brandy, Woodrow – rzekł Winslow opanowanym głosem, jak ktoś, kto z grzeczności udaje głuchotę. – Uspokoisz się, a potem poproszę Henry'ego, żeby cię odwiózł do domu. Moim zdaniem nie jesteś do końca sobą, a i Ellen pewnie na ciebie czeka.

– Dziękuję ci, doktorze Slade – odparował Woodrow – ale nie piję brandy, wiesz przecież. I nie jestem też po kobiecemu „w nerwach". Moja ukochana żona nie ma najmniejszego pojęcia, gdzie jestem, położyła się do łóżka o dziesiątej i pewnie zakłada, że jak zawsze pracuję w swoim gabinecie. Niepokoi mnie i zdumiewa, że ty, Winslow Slade, ze swoim dogłębnym umocowaniem w teologii kalwinistycznej i doświadczeniem praktycznym pastora prezbiteriańskiego, bierzesz tak lekko możliwość zaistnienia diabolizmu pośród nas... Zastanawia mnie, czy sam West nie dotarł aby do ciebie, żeby nastawić cię przeciwko mnie, twemu wieloletniemu oddanemu przyjacielowi, i czy nie wpłynął na twe myśli!

Woodrow wygłosił to tonem tak młodzieńczego sarkazmu, że jego przyjaciel przeżył wstrząs.

I właśnie wtedy doszło do drobnego wypadku.

Wprawdzie z pewnością nikt by ich nie opisał jako *walczących z sobą*, w dowolnym sensie tego wyrażenia, a jednak tak się jakoś stało, że kiedy Winslow Slade usiłował schwycić (wykonującą gwałtowny ruch) rękę Woodrowa Wilsona, żeby go uspokoić, młodszy mężczyzna odskoczył od niego jakby w strachu, przez co jadeitowa tabakierka wyślizgnęła mu się z palców na blat stolika, uwalniając chmurę dojrzałej tabaki, o takiej mocy, że obaj mężczyźni zaczęli kichać, i to mocno, jakby z maleńkiego puzderka umknął jakiś złowrogi dżinn.

Obaj kichali dłuższą chwilę, chcąc nie chcąc, aż wreszcie ledwie mogli oddychać; oczy zaszły im łzami, a serca rozbrzmiały chorym łomotaniem, jakby chciały wybuchnąć.

Stary i srogi zegar szafkowy stojący przy przeciwległej ścianie wybił zaskakującą godzinę: *pierwszą*. Żaden tego nie usłyszał.

POSTSCRIPTUM:

„WIGILIA ŚRODY POPIELCOWEJ, 1905"

Czytelnika zazwyczaj nie informuje się, że w danej skomplikowanej relacji sporo zostało *pominięte*. Czytelnik musi być ufny i zakładać, że tylko to, co zostało ujęte, było potrzebne, natomiast to, co zostało *pominięte*, jest zbędne.

Ja jednak czuję się zakłopotany, gdyż przy kompilowaniu poprzedniego rozdziału pominąłem bardzo dużo materiału, który mógł się okazać interesujący albo wręcz nieodzowny w stworzeniu pełnego obrazu.

Dlatego sugeruję: czytelnik, który chce wiedzieć nieco więcej o mojej kronice, powinien przeczytać to postscriptum, a także wszystkie kolejne. (Jestem pewien, że będą kolejne!) Czytelnicy, którzy są przekonani, że wiedzą dostatecznie dużo o doktorze Wilsonie i doktorze Sladzie, powinni po prostu przejść do rozdziału „Narcyz" – całkowita zmiana scenerii, zapewniam!

A oto garść szczegółów związanych z Woodrowem Wilsonem, które nie trafiły do narracji.

Wietrzna przechadzka Woodrowa do plebanii Crosswicks była w rzeczy samej męką dla zdenerwowanego człowieka, który nie otrząsnął się do końca po „niczym niezasłużonej napaści" – bo tak później miał określać ów incydent – ze strony swego (rzekomego) krewniaka z górzystych terenów na prowincjonalnym zachodzie Wirginii.

Wyjście z Prospect House bez poinformowania żony albo córek, które (tak zakładał), leżały już w łóżkach, zmusiło Woodrowa Wilsona do samotniczej wędrówki przez ciemny kampus uniwersytecki, także tuż obok burs; wprawdzie za dnia był przyjazny dla studentów, uśmiechał się szerokim rektorskim grymasem do niemal każdego, kogo napotkał, co z kolei zawsze odpłacano mu zdziwionymi minami i pozdrowieniami, ale o tej porze

Woodrow bał się, że ktoś go wypatrzy, bo taka wyprawa po nocy, pieszo, wyprawa samego rektora, mogła się wydawać podejrzana – nieprawdaż?

Dlatego więc Woodrow szedł prędko, czając się, chowając się raz po raz w jakichś drzwiach albo za domami, żeby nie dać się zauważyć studentom wracającym z nocnej hulanki w pubie Alchemik i Adwokat przy Witherspoon albo w hałaśliwym szynku w Nassau Inn.

Ciemny tunel w iglakach i rododendronach, który wiódł do wewnętrznego kampusu, był najeżony dziecięcymi strachami, zupełnie nieuzasadnionymi zdaniem Woodrowa, a jednak te głębokie, tak jakby wijące się cienie za Pyne Hall, najbardziej gotyckim z budynków, kazały mu się zatrzymać; serce nie przestało mu trzepotać na tyłach Alexander Hall z fantastycznymi wieżycami, wieżyczkami, łukami, korytarzami i ozdobnymi oknami na wszystkich piętrach, które zdawały się mrugać jakimś pozaziemskim światłem. (Czyżby jakiś głos zakrzyknął cicho z jednego z tych wysokich okien? Czy pojawiło się w nich przelotnie oblicze widma? Człowiek, który się śpieszył, nie zatrzymywał się, bo straciłby czas, i nie odważał się obejrzeć za siebie).

Dla administratorów uniwersytetu było to drażliwą kwestią, że wysoki odsetek studentów zasługiwał na miano nieuleczalnych birbantów przedkładających przesiadywanie w klubach nad studia akademickie i osoby podejrzanej konduity nad szanowanych profesorów. W istocie zastraszająca rzesza owych lekkoduchów, zgodnie ze starą i jakby nieodłączną tradycją i mimo prezbiteriańskich filiacji uczelni, utrzymywała kochanki w pokojach wynajmowanych przy ulicach Witherspoon, Bank i Chamber, podobnie jak dawniej chłopcom z Południa wolno było trzymać w bursach własnych niewolników. (Wśród tych chłopców, przynajmniej tych bardziej zamożnych, wyrósł zwyczaj „uwalniania" swych niewolników po otrzymaniu dyplomu, z takim skutkiem, że wielu byłych niewolników mieszkało potem w szopach na samym końcu Witherspoon Street i zasilało lokalną siłę roboczą jako ludzie umiejętni i gotowi pracować za całkiem przystępne wynagrodzenie. Spośród nich wywodziły się służące w domu doktora Wilsona, Clytie i Lucinda).

Woodrow poczuł niejaką ulgę, kiedy opuścił kampus i ruszył Nassau Street, zasadniczo pustą o tej porze, w kierunku południowym, a potem szedł przez Bank i Chambers, słysząc żałobne nawoływania lelków, od których przeszywały go dreszcze, i widząc zamglony księżyc niczym twarz wyłaniającą się z przeszłości. Gdy już dochodził do ciemnego skrzyżowania Nassau i Stockton, nadjechała hałaśliwie piękna, czarna czterokółka ciągniona przez starannie dobrany zaprzęg; wyminęła z gracją Woodrowa i pomknęła w głąb Bayard Lane.

Woodrow rozpoznał w powozie własność byłego prezydenta Grovera Clevelanda. Prędko wykoncypował, że Clevelandowie jedli kolację w okazałej rezydencji Morganów przy Hodge Road; wracali teraz do Westland, własnej, równie okazałej rezydencji, nazwanej tak absurdalnie na cześć Andrew Fleminga Westa, który przyjaźnił się z Clevelandem. (Kto by zrozumiał takie wynaturzenie? Woodrow nawet nie próbował).

– O Boże! A jeśli mnie zobaczyli? *Domyślą się.*

Na szczęście Frances Cleveland była tak pochłonięta swym utyskującym, leciwym i otyłym mężem, który cierpiał na atak dyspepsji po czterogodzinnej sutej kolacji, że mimo sokolego wzroku nie zauważyła ciemnej sylwetki Wilsona na chodniku; gdyby go rozpoznała, to pewnie natychmiast by zgadła, że podąża z misją na plebanię Crosswicks, i następnego dnia w porze podwieczorku całe miasto już by wiedziało.

Uwaga. Jako obiektywny i sprawiedliwy historyk uważam, że to nie moja rola wnikać w stare lokalne waśnie, wskrzeszać dawne nieporozumienia, oszczerstwa i antagonizmy z samego początku wieku, przywodzić pamięć o czasach w naszej spokojnej społeczności, w których wszyscy, nawet małe dzieci, czuli się zobowiązani do zajęcia strony w sporze między Woodrowem Wilsonem a Andrew Flemingiem Westem – w każdym razie spora część kongregacji pierwszego zboru prezbiteriańskiego postanowiła nie odzywać się do pozostałych.

Mam nadzieję, że nie narażę na szwank swego obiektywizmu jako historyka w kwestii, czy Woodrowowi Wilsonowi trzeba było okazywać posłuszeństwo, jak sobie tego życzył, w każdym szczególe ważniejszych spraw na uniwersytecie, czy też jego oponent, uparty dziekan studiów magisterskich, miał stawiać na swoim. (Moi krewni z rodziny van Dycków ponoć faworyzowali Woodrowa, natomiast krewni od strony Strachanów Andrew Westa). W każdym razie czytelnik powinien wiedzieć, że walka Woodrowa Wilsona o przejęcie całkowitej kontroli nad uniwersytetem, która jako żywo przypomina jego walkę o całkowitą kontrolę nad tym, czy Stany Zjednoczone powinny iść na wojnę z Niemcami w 1917 roku, kiedy był już prezydentem kraju, jest tutaj sprawą wtórną, gdy zestawić ją z tragediami, jakie spadły na najlepsze princetońskie rodziny.

Plebania Crosswicks, dom Slade'ów, nie została należycie opisana, wyjąwszy wnętrze biblioteki Winslowa Slade'a.

Tak jak czytelnicy płci męskiej żywią upodobanie do historii militarnej, tak czytelniczki wolą się dowiadywać o domach, umeblowaniu i dekoracjach. Mam jednak nadzieję, że obie płcie dadzą się do pewnego stopnia zaintrygować rezydencją Slade'ów przy Elm Road, zaliczającą się do najwspanialszych domów, jakie można zobaczyć w okolicach uniwersytetu, nie gorszą od posiadłości Henry'ego Morgana przy Hibben Road czy też Carlyle'ów przy Great Road.

W całym New Jersey trudno było znaleźć wspanialszy przykład wczesnej architektury georgiańskiej połączonej z nowszą palladiańską – nowość polegała na tym, że plebania została wybudowana w stylu zawierającym odniesienia do klasycznego renesansu z okresu, gdy w Anglii te wpływy były jeszcze bardzo rzadkie. Historia plebanii robi ogromne wrażenie, bo sięga początków osiemnastego wieku, kiedy niejaki Bertram Slade z Margate w Massachusetts odkupił od Williama Penna wielką połać ziemi w rejonie, który określano mianem „dzikich ostępów zachodniego New Jersey", a poza tym obejmuje czasy, kiedy w Princetonie rozegrała się jedna z największych bitew amerykańskiej wojny o niepodległość, w 1777 roku – w rzeczy samej niecałą milę od plebanii, na porośniętym drzewami terenie, który obecnie nazywany jest Błoniami Bitewnymi.

Cóż to musiało znaczyć dla naszych młodych bohaterów, Jozjasza i Annabel Slade'ów, jak to subtelnie i magicznie ukształtowało ich życie, że spędzili dzieciństwo na plebanii Crosswicks! – w domu o niezliczonych pokojach, przestronnych dziedzińcach i wspaniałych widokach na tarasy, ogrody i stawy podobne do zwierciadeł. (Jako chłopiec Jozjasz próbował policzyć pokoje plebanii, ale za każdym razem kończyło się to inną liczbą – dwadzieścia sześć, dwadzieścia dziewięć, trzydzieści jeden; Annabel, bardziej cierpliwej i dokładnej z nich dwojga, też nie poszło lepiej. „Mieszkanie tutaj przypomina sen – stwierdziła raz Annabel – ale to nie mój sen, tylko cudzy").

To na plebanii, na przykład, decydowały się losy młodej republiki, bo często spotykali się tu tacy wybitni ludzie, jak George Washington, Alexander Hamilton, generał Nathanael Greene, baron von Steuben, Juan de Miralles i wiele innych postaci historycznych. Gdybym miał więcej miejsca, niczego nie pragnąłbym tak, jak udramatyzować „niewysłowioną obrazę", która dotknęła rodzinę Slade'ów, kiedy w 1777 roku brytyjski generał Cornwallis przejął ten wielki dom na swoją prywatną kwaterę; Cornwallis pokazał, że żaden z niego dżentelmen, bo kiedy wreszcie przegnali go patrioci z Armii Kontynentalnej, zachęcał swych żołnierzy, by rabowali, bezcześcili i wreszcie podpalili ten wspaniały budynek. „Ach, gdybym ja żył w tamtych czasach!", pomyślał raz Jozjasz jako mały chłopiec. Osobiście dotarłby do tchórzliwego generała i zażądałby satysfakcji – to znaczy wymusiłby na nim pojedynek – by dać upust swemu oburzeniu.

Tak, zaiste – Jozjasz, urodzony w 1881 roku, pod koniec dziewiętnastego stulecia, naiwnie tęsknił za utraconym światem, bo wierzył, że w nim jego odwaga i męstwo zdałyby lepiej sprawdzian niż w czasie obecnym; do ulubionych lektur Jozjasza zaliczały się powieści *Waverley* sir Waltera Scotta, *Idylle królewskie* Tennysona, wszelkie wersje *Króla Artura i Rycerzy Okrągłego Stołu* oraz typowo amerykańskie dzieła jak *Szkicownik* Washingtona Irvinga i *Opowieści Skórzanej Pończochy* Jamesa Fenimore'a Coopera, a zwłaszcza jego ukochany *Ostatni Mohikanin*, którego praktycznie wyuczył się na pamięć w wieku dwunastu lat; nieco później uległ czarowi *Opowieści z Klondike* i *Zewu krwi* Jacka Londona, a także *Wirgińczyka* Owena Wistera.

„Urodzony za późno? Możliwe to? Czy raczej urodziłem się we właściwym czasie, tylko nic o tym nie wiem?"

Tak, w 1777 roku Bóg pewnie uśmiechnął się do Slade'ów: dom został uszkodzony w minimalnym stopniu. Pożar wzniecony przez ludzi Cornwallisa przygasł prędko, za sprawą jesiennego oberwania chmury, jakby zaiste Armia Kontynentalna miała tym samym uwierzyć: „Bóg stoi po stronie rebeliantów".

Slade'owie byli szczególnie dumni z faktu, że kiedy w 1782 roku, a więc za prezydentury Eliasa Boudinota, w Princetonie zebrał się Kongres Kontynentalny, spora rzesza delegatów zatrzymała się na plebanii Crosswicks i wszyscy posilali się tam właśnie przed formalnym posiedzeniem w Nassau Hall. Dlatego też hołubiona lokalna legenda głosi, że plebania Crosswicks była pierwszym Białym Domem republiki.

Nie da się zaprzeczyć, że widok lśniącej plebanii, nawet w przymglonym świetle księżyca, był zdolny nastraszyć Woodrowa Wilsona, kiedy ten szedł po żwirowanym podjeździe, pod wygiętymi konarami białych dębów; kiedy zbliżył się do bocznych drzwi, do gabinetu Winslowa Slade'a, zdenerwowany przełknął ślinę i wykrzywił usta w niemej modlitwie: *Miej dla mnie litość, o Boże: jestem Twym pokornym sługą, który tylko pragnie służyć Ci jak najlepiej.*

Do szacownych tytułów z biblioteki Winslowa Slade'a w przeddzień Środy Popielcowej 1905 roku powinny być dodane inne – nieustawione alfabetycznie, tylko leżące w stosach na stołach – które nie przykuły większej uwagi Woodrowa Wilsona: nienaukowe, ale często przeglądane *Studia frenologiczne* dra Phineasa Lutza, *Poza granicami świadomości* Stanislava Zahna, *Niebo i piekło* Emanuela Swedenborga oraz wydany in quarto, w stylu gotyckim, rzadki i ciekawy zbiór zasad jakiegoś „zapomnianego Kościoła" – *Vigiliae mortuorum secundum chorum ecclesiae maguntinae*; oprócz tego dzieła w języku francuskim autorstwa kontrowersyjnego Jeana-Martina Charcota oraz najnowszy numer „Dziennika Amerykańskiego Stowarzyszenia Badań Psychicznych" publikowanego przez wydawnictwo Uniwersytetu Cambridge w stanie Massachusetts, który zawierał esej członka-założyciela Stowarzyszenia, profesora Harvardu Williama Jamesa, zatytułowany *Czy istnieją naturalne granice świadomości?*

Owszem, czytelnik ma rację, jeśli się zastanawia, dlaczego Winslow Slade milczał i w żaden sposób nie zasugerował, że zna dzieła Charcota i Jamesa, kiedy Woodrow Wilson ich wspomniał.

* * *

Oto, czym był zaabsorbowany Winslow Slade rzeczonego wieczoru.

Miał zwyczaj jadać kolację w towarzystwie domowników, przed ósmą, po czym wycofywał się do kawalerskiej samotni swej biblioteki, do której pozostali członkowie rodziny zaglądali rzadko; doktor Slade nie zachęcał też małych dzieci, by go odwiedzały, bo te mogłyby szperać wśród jego niezwykłych przedmiotów, jak (rzekomo) malezyjska tabakierka z jadeitu, którą Winslowowi Slade'owi ofiarowała pewna przyjaciółka, dziennik podróży sprzed kilkudziesięciu lat i rzecz jasna bezcenna Gutenbergowska Biblia, jeden z zaledwie czterdziestu ośmiu egzemplarzy, które jeszcze pozostały na świecie z owego przełomowego pierwodruku. (Fakt, że egzemplarz doktora Slade'a nie był kompletny, bynajmniej nie obniżał jego wartości, bo bardzo mało egzemplarzy pozostało nienaruszonych po upływie tylu wieków).

Winslow często oddawał się przy kominku lekturze nowszych książek (jak te wymienione powyżej); ostatnimi czasy, późną zimą 1905 roku, zobowiązał się zredagować swoje kazania do zbioru, który koniecznie chciał opublikować pewien filadelfijski wydawca tekstów teologicznych. („Po cóż ktoś miałby czytać moje stare kazania?", spytał kwaśnym tonem Winslow, na co wydawca odparł: „Już samo nazwisko Winslow Slade gwarantuje niezłe wyniki sprzedaży w New Jersey i stanach środkowoatlantyckich ogólnie"). Kiedy owo zadanie okazało się nader nużące, Winslow zabrał się z większym entuzjazmem do przekładu tej czy innej księgi apokryficznej, nad którymi biedził się od lat z pomocą pewnego znawcy hebrajskiego z seminarium; szczególnie interesował go List Jeremiasza oraz Księgi Ezdrasza i Tobiasza, a z Nowego Testamentu osobliwe Ewangelie przypisywane Tomaszowi, Mateuszowi i Judaszowi.

„Ze wszystkich postaci biblijnych Judasz jest z pewnością najgorzej rozumiany, a zarazem najbardziej potępiony", uważał Winslow.

Bo jemu zawsze wydawało się oczywiste, że Jezus uwielbiał swego niewiernego Judasza bardziej niż innych uczniów.

Winslowa często nawiedzała bezsenność, ale za nic nie chciał brać rozlicznych „domowych środków", które tak chętnie przyjmował w dużych dawkach jego młody przyjaciel Woodrow Wilson; bał się, że one zaciemnią mu myśli, dlatego godziny o białym świcie rezerwował na konszachty ze swoim dziennikiem, który nie składał się z jednego tomu, lecz dobrych kilkunastu zeszytów w formacie osiem na dwanaście cali.

Czytelnik naturalnie pomyśli, że wykorzystuję dzienniki doktora Slade'a – gdybyż tak było! Tragiczny fakt jest taki, że Winslow Slade zniszczył wszystkie zeszyty, a także większość osobistych dokumentów, w ramach jakiegoś dziwacznego aktu wymierzenia sobie kary, którego dokonał, jak się zdaje, pod koniec maja 1906 roku, tuż przed swoją śmiercią.

* * *

Nieprzeliczone dolegliwości fizyczne Woodrowa Wilsona.

Nie jestem pewien, dlaczego ludzie wciąż się tak bardzo interesują bądź interesowali całą gamą chorób Woodrowa Wilsona, bardziej niż dolegliwościami innych amerykańskich prezydentów. Nie należy tego przypisywać zwykłej ciekawości, jestem pewien – może raczej chęci zaglądania w prywatne życie ludzi na świeczniku, by je potem porównywać z własną, skromniejszą kondycją.

W ramach podsumowania – do dolegliwości Woodrowa, oprócz tych, które już wymieniłem, należy zaliczyć: rozstroje żołądka, dokuczliwe migreny, neuropatię, hiperestezję na tle nerwowym, arytmię, nocne poty, koszmary nocne i tym podobne. W niektórych kręgach już w pierwszych latach sprawowania przezeń urzędu rektora Uniwersytetu Princeton podnoszono kwestię, czy ten człowiek jest całkowicie zdrów na umyśle, biorąc pod uwagę jego głębokie zaabsorbowanie i obsesję na tle prawdziwych i wyimaginowanych wrogów oraz fanatyczne przekonanie, że nie wolno chodzić na *kompromisy*.

Campbellowie z Argyll święcie wierzyli, że wojna jest lepsza od pokoju, jeśli ów pokój został zawarty drogą *kompromisu*.

Trudno powiedzieć, by bliscy Woodrowa dogadali się jakoś w tej sprawie, ale na pewno istniało między nimi niepisane porozumienie, że rozmowy o jego chorobach powinny być poufne. Woodrow jak najbardziej zasadnie uważał, że jeśli wszyscy się dowiedzą, że szwankuje na zdrowiu, to wówczas wiara w jego autorytet zostanie podkopana.

W rzeczy samej robiło to wrażenie, że doktor Wilson nie dawał sobie spętać ducha i często powstawał z łoża boleści, aby doglądać spraw uniwersytetu albo podróżować koleją do Filadelfii, Baltimore, Waszyngtonu, Richmondu, a nawet do Chicago i St. Louis, gdy miał wygłosić tam jakiś wykład. „Ciało może być mdłe – żartował sobie Woodrow – ale duch ma wolę". W młodym wieku przedwcześnie dojrzały Woodrow zamówił pocztą tabelę z postawami i gestami deklamacyjnymi klasycznego krasomówcy, chcąc się nauczyć sztuki publicznego przemawiania; rezultat był taki, że mimo woli wpoił sobie na dobre kilka takich mechanicznych gestów i w chwilach stresu lub zmęczenia zdarzało mu się odruchowo je stosować, co studenci podczas cyklu jego wykładów w Bryn Mawr oraz na uniwersytetach Wesleyan i Princeton prędko zauważali. (*Szurali* wtedy *nogami*, dając do zrozumienia, że są niezadowoleni i znudzeni. Jakże Woodrow panicznie się bał tego *szurania* i jakie czuł wobec niego obrzydzenie …jakby to były miotły wściekle zamiatające podłogę; a kiedy studenci otrzymywali reprymendę od proktorów w Princetonie za to, że *szurali nogami* podczas kazań w kaplicy, Woodrow wcale im nie współczuł i za nic nie chciał się litować nad relegowanymi).

A jednak jego audytoria żywiły wobec niego pozytywne odczucia, bo był taki *zapalony* i taki *idealistyczny*. Twierdził, że liczył dawniej, iż rzesze będą go kochały, ale wzbudzanie u słuchaczy podziwu, posłuchu, a nawet i lęku zamiast miłości nie jest wcale czymś złym. *Rozsiewaj siebie na każdym polu oddziaływania świata, wgniataj siebie w każdy jego bochenek chleba, który strawą jest dla duszy. Bądź pszenicą podtrzymującą życie, zaiste nie ukrywaj swych talentów.* Takich krzepiących rad udzielał Woodrowowi jego ojciec Joseph Ruggles Wilson.

Lincz dokonany przez Ku-Klux-Klan w Camden w stanie New Jersey 7 marca 1905 roku: czy Woodrow Wilson całkiem zapomniał o tym wydarzeniu i o roszczeniach swego porywczego krewniaka, kiedy odwiedził Winslowa Slade'a, albo czy w wirze swoich większych zmartwień zwyczajnie wyrzucił z głowy wszelkie myśli o tym straszliwym incydencie?

I czy Winslow Slade wiedział o tym incydencie?

Czy Winslow Slade *mógł o nim nie wiedzieć?*

NARCYZ

– Przepraszam... halo?

Zobaczyła go pewnego słonecznego poranka, wczesną wiosną, z niewielkiej odległości: mężczyznę w nieokreślonym wieku, z twarzą od niej odwróconą, który z początku wydał się jednym z pomocników ogrodnika jej dziadka, bo w dłoni ubranej w rękawicę dzierżył niewielki sierp, okrutnie zakrzywiony i połyskujący w słońcu, a u jego stóp leżały padłe kwiaty, zapewne już przekwitnięte, oraz sterta ubiegłorocznej trawy, zżętej dużo wcześniej. Annabel nigdy wcześniej nie widziała tego człowieka, była tego pewna. Aczkolwiek na plebanię Crosswicks przybywali z wizytą do jej dziadka rozmaici jegomoście, których nie znała.

Przypuszczała, że ów obcy, wcale nie w stroju ogrodnika, tylko w formalnym, odrobinę staromodnym ubraniu, podobnym do tych, które Winslow Slade nosił dziesiątki lat wcześniej, jest jednym z gości dziadka: może to jakiś pastor albo seminarzysta, który wyszedł z zacienionej biblioteki doktora Slade'a, chcąc odetchnąć świeżością kwietniowego poranka, i powodowany może znużeniem, postanowił spróbować tu swoich sił z ostrym, małym sierpem.

– Halo? Czy jest pan znajomym dziadka? – W głosie Annabel pobrzmiewał śmiech, bo ona często się śmiała albo była rozradowana.

Czytelnikowi nie wolno uznać, że dziewiętnastoletnia Annabel Slade miała w zwyczaju przemawiać do obcych mężczyzn, choćby nawet w ogrodzie swego dziadka; nie była śmiałą dziewczyną, a tym bardziej impertynencką, ale tego dnia, w ten cudowny kwietniowy poranek, na serdecznym palcu swej szczupłej lewej dłoni nosiła diamentowy pierścionek zaręczynowy – (szlif kwadratowy, czternaście karatów, otoczony miniaturowymi rubinami, spadek po rodzinie Bayardów) – i naszło ją jakieś dziwne, dziecięce uniesienie. Kiedy Woodrow Wilson wypowiedział się krytycznie o młodych kobietach z Północy, „upartych jak muły", którym brakowało naturalnego wdzięku jego córki Margaret, a także żony Ellen – obu urodzonych na Południu – z pewnością nie zaliczał Annabel do tej kategorii!

Annabel wydało się dziwne, acz nie alarmujące, że tajemniczy gość tak jakby jej nie usłyszał i nie odpowiedział na jej „Halo?", które z niejakim dziecięcym uporem, ale i nieśmiało jeszcze raz wykrzyknęła w jego stronę, uśmiechając się tak, jak by mogła uśmiechać się jej matka albo babka ze strony Slade'ów, przyjmując rolę kobiety, która wita gościa.

Tego kwietniowego poranka, kilka tygodni po wizycie Woodrowa Wilsona na plebanii Crosswicks, ukochana wnuczka Winslowa Slade'a, Annabel, zbierała kwiaty do jadalni. Trzymała w dłoniach żonkile, anemony i narcyzy – jakże wonne były te narcyzy! – czując, czując niemalże, jak kręci jej się w głowie. Uznała, że prawdopodobnie ten obcy mężczyzna będzie jadł z nimi lunch, a to z kolei czyniło jej zadanie tym pilniejszym.

Przypomniało jej się teraz, że przy śniadaniu wspominano, iż tego dnia z wizytą do Winslowa Slade'a przybywa emisariusz z najwyższego eszelonu Kościoła prezbiteriańskiego, by ugadać się co do jego wsparcia w niezręcznej kwestii procesu o herezję w szeregach Kościoła.

(Biedny dziadek! Annabel wiedziała, że bardzo już by pragnął całkiem się wycofać z dawnego życia, a jednak to „dawne życie" zawzięcie go ścigało!)

Annabel niewiele się znała na tych sprawach, ale rozumiała, że podczas wielu lat służenia Kościołowi wielebny Winslow Slade, mimo że to budziło w nim głębokie wzburzenie, uczestniczył od czasu do czasu w takich zamkniętych procesach, bo herezja to straszna rzecz i należy ją zwalczać u samego źródła. Jozjasz powiedział jej, że w takich przypadkach dziadek nie mógł się odcinać od innych odpowiedzialnych członków protestanckiego kleru, tylko musiał podejmować się misji ochrony „szczególnego charakteru" anglosaskiego chrześcijaństwa przed atakami „anarchistów" wywodzących się tak z łona Kościoła, jak i spoza niego.

– Oczywiście – powiedziała wtedy Annabel do swojego brata, półgłosem, by nie usłyszał tego nikt z dorosłych – to nie są prawdziwe procesy, nikt nie idzie do więzienia ani też nie zostaje skazany na śmierć, mam nadzieję!

– Nie w naszych czasach – zgodził się z nią Jozjasz. – I całe szczęście.

Annabel wiedziała, że choć protestanci potrafią zapalczywie chronić swój Kościół, to jednak nie są ani tak zapalczywi, ani tak krwiożerczy jak ich rzymskokatoliccy poprzednicy, by wziąć przykład inkwizycji, wojny trzydziestoletniej albo krucjat.

Tak więc, osądziwszy atrakcyjnego przybysza po jego odzieniu i bez wątpienia ogładzie w obejściu, niewinnie naiwna Annabel wmówiła sobie, że Axson Mayte jest dżentelmenem z jej własnej klasy społecznej: mówiąc w skrócie, przyjacielem jej dziadka.

Wielkie nieporozumienie, co wykażą zapiski historyczne.

* * *

Dziwne to było jednak, bo przybysz nadal trzymał przy boku sierp; obrócił się w stronę Annabel, zobaczył ją, ale nijak nie wyraził zdziwienia, jakby wiedział, że ona tu jest, że go obserwuje, a potem się uśmiechnął, ale milczał tak jakoś wymownie – czego, prawdę powiedziawszy, nie uczyniłby żaden dżentelmen – jakby on i Annabel Slade spotkali się przypadkiem w miejscu publicznym albo jakimś takim wymiarze, w którym dwie płcie mogą się „spotykać" bezosobowo, jak zwierzęta, bez imion, bez rodzin... bez tożsamości. W tym momencie Annabel poczuła, że jest jej zimno i zarazem gorąco, że chyba zaraz zemdleje; musiała zwalczyć odruch, by ukryć swą (rozpaloną) twarz w bukieciku kwiatów, które właśnie zerwała, by ten nieznajomy zuchwalec nie mógł gapić się na nią wprost swym przenikliwym spojrzeniem.

A było to spojrzenie oczu złotobrązowych, jak pewna odmiana rżniętego szkła.

Zaniepokoiło ją to, że nie zostali sobie przedstawieni, że on nie wypowiedział do niej ani jednego słowa, a tymczasem obcy uśmiechnął się jeszcze bardziej podstępnie, wąskimi, a jednak dziwnie zmysłowymi ustami!

Zignoruję go. Odejdę, jakby tu nikogo nie było. Może zostaniemy sobie przedstawieni przy lunchu, a jeśli nie, to już nic nie da się na to poradzić.

A jednak Annabel nie opuściła ogrodu, choć przecież mogła, tylko przeszła do innego zakątka, rozumując, że tam nie będzie obserwowana tak jawnie przez tego dziwnego impertynenta. Była tam wielka grzęda kipiąca od miotanych przez wiatr żonkili, na których widok uśmiechnęła się; w jej myślach wykwitły słowa ulubionego wiersza: „I znowu me serce w radosne uderza stany i z żonkilami znowu idzie w tany"*.

Ileż pociechy daje wiersz w chwilach niepokoju, napięcia albo trwogi!

O czym znakomicie wiedzieli poeci z dawnych czasów, bo poeci z naszego współczesnego życia, wulgarnego i atonalnego, chyba o tym zapomnieli.

Niefortunnie dla Annabel jej brata Jozjasza nie było w domu tego ranka ani też nikt z plebanii tak jakby niczego nie zauważył.

Nie potrafiąc się powstrzymać, zerknęła przez ramię na obcego z sierpem. I doznała wstrząsu, bo ów nadal ją obserwował.

Jaki on niewychowany. Nie podoba mi się. Dabneyowi też by się nie spodobał!

Jeśli jest jednym ze współpracowników dziadka, to pewnie ma więcej lat, niż na to wygląda. Nosi stare ubranie. Albo może – może jest jednym z młodszych współpracowników ojca w biznesie – jakiś broker.

Przybysz dryfował w kierunku Annabel, ale niekoniecznie z rozmysłem. Jakby z jakiegoś powodu coś go *przyciągało* do niej, może jakieś jej (nieświadome) ruchy albo ona sama były tego motywem.

---

* W. Wordsworth, *Żonkile*, przeł. K. Karłowska (przyp. tłum.).

No bo skąd ten uśmiech? Uśmiech... czyżby *rozpoznania?*

Nie chcąc zdradzać zaniepokojenia i opierając się odruchowi ucieczki, Annabel nadal zbierała kwiaty, choć wcale jej się to nie podobało, że narcyzy rozpadają jej się w palcach i że plamią je ciecz lepką jak syrop; musiała się powstrzymać, żeby ich nie obetrzeć o spódnicę. A kiedy się wyprostowała, z lekkim zawrotem głowy, jakby była bardzo głodna, zobaczyła ku swemu zdumieniu, że obcy jakimś sposobem zbliżył się do niej, że jest od niej nie dalej jak dwanaście stóp, a wszak przysięgłaby, że jeszcze chwilę wcześniej znajdował się po drugiej stronie ogrodu.

No przecież, przemieszczał się, nic nie mówiąc, nie wkładając w to jakby żadnego wysiłku.

Annabel odważyła się teraz spojrzeć na gościa bardziej otwarcie: jak przypuszczała, miał niewiele po trzydziestce, był więcej niż średniego wzrostu, równie wysoki jak jej brat. Wąski w ramionach, głowa o zgrabnym, arystokratycznym kształcie, bardzo czarne, jedwabiste, ciasno skręcone pukle. Skórę miał może tylko odrobinę chropawą, o osobliwej, ciemnooliwkowej karnacji, a jednak z domieszką bladości, jakby pod tym krzepkim, męskim zewnętrzem nie był tak do końca zdrów. Z jego dużych oczu, sennych i zarazem przeszywających, biła jaskrawotopazowa łuna, której nie skrywały głębokie, ocienione oczodoły. Czoło było wydatne, brwi gęste, tego odcienia czerni jak krucze skrzydła, zęby drobne, perłowe, niemal idealnie białe i równe – wyjątek stanowił jeden siekacz, który wystawał na pół cala poniżej pozostałych, przez co było w tych zębach coś drapieżnego.

Ubiór przybysza był bardzo gustowny – garnitur z granatowego jedwabiu i wełny delikatnie wytłaczanej, z watowanymi ramionami i marynarką dopasowaną w pasie, do tego biała koszula ze srebrnymi mankietami, pasiasty krawat, wypastowane buty – a jednak Annabel pomyślała sobie, że ów tajemniczy osobnik to ktoś z zagranicy, egzotyczny. *Może jakiś książę perski, wygnany do Ameryki, czy też ktoś z rasy hebrajskiej – bo czyż nie ma on w sobie czegoś nad wyraz szlachetnego i melancholijnego? I te oczy, no jakżeż – to oczy bazyliszka!**

---

* Mimo że zdumiewające słowa Annabel Slade niechybnie zaskoczą czytelnika, tak jak pierwotnie zaskoczyły mnie samego, jestem zmuszony odnotować, że na ile byłem w stanie się dowiedzieć, ta młoda kobieta nigdy na własne oczy nie widziała nikogo z zagranicy ani „egzotycznego", czy to mężczyzny, czy kobiety, za to pochłaniała mnóstwo książek, z bardziej romantyczną obsadą niż te, które czytał jej brat Jozjasz, a mianowicie powieści sióstr Brontë, wśród których od dawien dawna jej ulubioną były *Wichrowe wzgórza*, a także wiersze Byrona i Shelleya; wiedziała także o istnieniu sławnej kolonii rosyjskich i polskich Żydów – Alliance Israélite Universelle – założonej kilka lat wcześniej w Woodbine w stanie New Jersey. (Tej osadzie też zagrażali fanatycy w białych prześcieradłach ukrywający swą tożsamość; wielce prawdopodobne, że ci anonimowi osobnicy byli sąsiadami kolonii, a także miejscowymi stróżami prawa. Spalono krzyż

Opisy urody kobiecej są nudnawe i często nieprzekonujące. Czy dana młoda kobieta jest rzeczywiście taka piękna, jak twierdzą jej admiratorzy? Czy Annabel Slade z konwencjonalnie urodziwą buzią, na którą przyjemnie się patrzało – na te skromnie spuszczone oczy niebieskiej czy raczej fiołkowej barwy, na te idealnie wykrojone wargi, nietknięte pomadką, na ten nos, rzymski nos Slade'ów, tyle że zadarty – byłaby wychwalana jako princetońska piękność, gdyby była córką i wnuczką bardziej zwyczajnych princetończyków? Jaka w istocie rzeczy jest różnica między *pięknem* a *urodą* – czy to pierwsze jest czymś rzadkim i czystym, a to drugie powszednim? Przyznaję uczciwie, że ewokowanie delikatnego i niezgłębionego *czaru* Annabel Slade wykracza poza moje umiejętności pisarskie, chyba że przywołam obraz narcyza – najdoskonalszego z wiosennych kwiatów z jego kruchymi, kielichowatymi płatkami i miniaturowym środkiem, niewidocznym na pierwszy rzut oka, i z jego lekko gryzącym aromatem, w którym zasadza się chyża esencja wiosny: świeża, nieskażona, dziewicza.

Bo jeśli piękno nie jest *dziewicze*, to jest *skalane*. W Princetonie 1905 roku taki pogląd był traktowany jako świętość, jako miłość do protestanckiego Wszechmocnego i wyraz trwogi przed nim.

Poprzedniego roku Annabel „występowała" na kolejnych balach i przyjęciach na Manhattanie, w Filadelfii i Princetonie; mówiono o niej, jak zapewne się mówi o wielu debiutantkach, że z całego urodzaju była najpiękniejsza, a oprócz tego, mówiąc wprost, jedna z najbogatszych. (Bogactwo Slade'ów było ulokowane w liniach kolejowych, nieruchomościach, fabrykach i bankach; przez ileś dziesiątków lat pod koniec osiemnastego i na początku

---

jako ostrzeżenie, a kiedy nikt nie usłuchał ostrzeżenia, następnej nocy podpalono główny dom zrzeszenia, a jego mieszkańców wygnano na zimowy mrok, ale nie wiem, jaki ich tam spotkał los – incydent czy też incydenty nie zostały opisane szczegółowo w gazetach z tamtych czasów).

Co do nawiązania do bazyliszka – cóż za przewrotność, że młoda, niewinna dziewczyna z mocno cieplarnianego otoczenia wykorzystała tak nieprawdopodobną i ohydną wizję, jaszczurka z gatunku *basiliscus* zamieszkuje bowiem bardziej tropikalne strefy Ameryk, a nie środkowe New Jersey. A jednak któregoś dnia, gdy w swoim gabinecie przeglądałem karton pełen starych, zapleśniałych książek, natrafiłem na *Zamek Kaszmir* – książeczkę dla dzieci wydaną przez Lippincott Publishers w 1884 roku, która niegdyś należała do Annabel Slade i jej brata Jozjasza; na stronie tytułowej wpisano imiona ich obojga. (Miałem niesłychane szczęście, że na wyprzedaży pewnego majątku w Hopewell udało mi się kupić ten karton książek, oprócz innych cennych przedmiotów, za jedyne osiem dolarów!) Na okładce tej bardzo zniszczonej książeczki z obrazkami widnieje (spłowiała, ale wciąż pobudzająca wyobraźnię) ilustracja przedstawiająca młodego rycerza na rumaku, toczącego bój z legendarnym bazyliszkiem albo smokiem obdarzonym okrutnymi szponami i kłami, który zieje ogniem i którego rozjarzone ślepia mają topazową barwę: to jest takie samo spojrzenie jak Axsona Maytego, jako że Axson Mayte to ucieleśnienie tego demona – czego w owym czasie nieszczęsna Annabel zupełnie się nie domyśliła.

dziewiętnastego stulecia spore dochody generował również handel niewolnikami, aż wreszcie zbożni Slade'owie zdecydowali się na dywestycję. Nawet po podziale między wielu spadkobierców owa fortuna pozostała jedną z największych w dziewiętnastym wieku, tym bardziej że zasadniczo podwoiła się w czasach zwanych wiekiem pozłacanym. Ale Annabel, podobnie jak jej brat Jozjasz, niewiele myślała o bogactwie Slade'ów ani też o prawdopodobnej schedzie, traktowanej przez nich oboje jako rzecz zrozumiała sama przez się, podobnie jak powietrze, którym oddychali, ani trochę tak ciężkie i przepojone dymem jak w Trentonie, Nowym Brunszwiku czy Newarku).

Annabel słynąca z łagodnego usposobienia nie potrafiła znieść, gdy mówiono o kimś źle, i często pochmurniała, gdy w jej obecności wypowiedziano jakieś nieuprzejme albo nierozważne słowo; przekleństwa, a jeszcze bardziej wulgaryzmy tego typu, jakie studenci gryzmolili na murach białą kredą, by mógł je zobaczyć każdy w świetle dnie, wywoływały w niej istny wstrząs, jakby ją ktoś osobiście zaatakował. (Przy czym Annabel, na całe szczęście, miała jedynie mgliste pojęcie, co tak naprawdę te nieprzyzwoite słowa i wyrażenia oznaczają).

I będąc taka młoda i naiwna, miała też jedynie mgliste pojęcie o tym, co mogła oznaczać taka wymiana spojrzeń z obcym mężczyzną i to, że on się tak do niej uśmiechał.

Annabel była ponadto bardzo pobożna. Nie umiałaby stwierdzić jasno, co też umocniło ją akurat w wierze prezbiteriańskiej, a nie w jakimś innym odłamie protestantyzmu ani, pod jak najbardziej oczywistymi względami, jak ową wiarę odróżniać od wiary rzymskokatolickiej, odwiecznego i groźnego wroga, a jednak prędko wyrosła z dziecinnego przekonania, że Winslow Slade jest Bogiem, żywiła natomiast w sercu żarliwe przekonanie, że jej dziadek jest jednym z garstki wybrańców swego pokolenia; zaiste, dziadek był instrumentem, z pomocą którego niezliczone jednostki, w tym wielu zatwardziałych grzeszników, zostały nawrócone na Jezusa Chrystusa i doznały zbawienia. W odróżnieniu od bardziej wojowniczych, „wygadanych" kobiet – łącznie z przyjaciółką Annabel, Wilhelminą Burr – Annabel za nic nie chciałaby dyskutować z „wolnomyślicielami" ze swego princetońskiego kręgu znajomych na tak modne tematy jak to, czy Biblia mówi prawdę, czy to w dosłownym, czy to przenośnym sensie, albo czy kryje w sobie objawienie czy też fakty historyczne. Z kolei te jeszcze bardziej niepokojące nowe teorie wyrastające z darwinizmu, marksizmu, bolszewizmu, anarchizmu i innych ateistycznych ideologii wprawiały ją w najgłębsze zakłopotanie, bo Annabel nie umiała sobie wyobrazić, dlaczego ktoś chciałby agitować za takimi przekonaniami, z których nie dawało się zaczerpnąć dobroci i pokrzepienia. W jej rodzinie uważano to za coś niesłychanego, by kobiety zaprzątały sobie głowę takimi sprawami – „to nie przystoi damie", tak brzmiał surowy werdykt. Zacytuję tu słowa poety:

Bądź grzeczna, miła panno, i pozwól tym, którzy mądrością
się wykazują...

wyhaftowane na jednej z szytych ręcznie poduszek Annabel; sentencja, która
moim zdaniem nie straciła na wymowie mimo upływu lat.

Annabel uczyła się wyśmienicie w Akademii Princeton dla Dziewcząt,
a także w dwuletniej Akademii dla Kobiet w pobliskim Kingstonie, mającej
status kolegium; przedmiotami, w których celowała, były poezja, sztuka
i kaligrafia; w swoich marzeniach o karierze osoby niezależnej wyobrażała
sobie, że jest *artystką*, która na przykład projektuje okładki książeczek dla
dzieci albo tworzy oryginalną sztukę dla dzieci lub jeszcze coś ambitniej-
szego, ilustruje własne wiersze w małych, elegancko zaprojektowanych to-
mikach, jak te autorstwa Elizabeth Oakes Smith, Mary Anne Sadlier oraz cudownie tajemniczej i niezrozumiałej Emily Dickinson, która zmarła w 1886
roku, tym samym, w którym Annabel się urodziła – (Annabel najbardziej
ceniła Dickinson właśnie, acz rozumiała, że jej wiersze są uważane przez
literacki establishment za prostackie i pozbawione kobiecych uczuć). Nie
lubiła matematyki, przyrody, historii – „Takie jakieś okulałe od tych wszystkich *faktów*! A *fakty* ujawniają nam najmniej, jeśli idzie o dowolne aspekty
naszego życia".

A jednak Annabel otrzymywała dość wysokie noty z tych nielubianych
przedmiotów, bo choć brakowało jej tu zdolności, to i tak była zdolniejsza
niż większość jej klasowych koleżanek.

Owego kwietniowego poranka, w środku tygodnia, Annabel nie była
zbyt efektownie ubrana, aczkolwiek pod ubraniem, na swym już i tak smukłym ciele, miała gorset, tak mocno zasznurowany, by czynił jej wąską talię
jeszcze węższą, że ledwie mogła oddychać; owa okrutna, ograniczająca
ruchy bielizna została jej narzucona, gdy ukończyła czternaście lat i zaniepokojeni dorośli członkowie jej rodziny spostrzegli, że jej łono i biodra
zrobiły się *kobiece*.

Nie był to deszczowy dzień, a jednak Annabel miała na sobie także
spódnico-fartuch, czyli spódnicę „na deszczowe dni" uszytą z jasnoniebie-
skiej flaneli i bawełny, modną w owym czasie, która sięgała jej do czubków
pantofli, idealną na słotę, ale też nadającą się do noszenia po domu. Jej
bluzka z białego jedwabiu miała stylowe bufiaste rękawy, obcisłe mankiety
i aż dwadzieścia pięć perłowych guziczków na przedzie; kusy żakiecik skrojony jak bolerko został uszyty z jasnożółtej pikowanej bawełny; słomkowy
kapelusz, którym roztropnie chroniła się przed słońcem, był obrzeżony zieloną satynową wstążką zawiązywaną pod brodą. Annabel miała się później
zobaczyć ze swoim narzeczonym Dabneyem Bayardem, dlatego z pomocą
jednej z młodszych murzyńskich pokojówek ułożyła swe jedwabiste włosy
w gładki koczek i mnóstwo maleńkich loczków. Włosy miała jasnobrązowe;

w odpowiednim świetle mogły jednak się zdawać koloru blond czy wręcz srebrzyste; były one spięte zdobnymi grzebykami z bursztynu, niegdyś własnością jej babki Oriany, która zmarła długo przed narodzinami Annabel.

Jej jasna, delikatna karnacja nie zniosłaby nawet kwietniowego słońca, dlatego Annabel spuściła rondo kapelusza na oczy, choć należy domniemywać, że Axson Mayte, wpatrujący się w nią niczym w jakieś zamorskie zwierzę na wystawie, widział, jaka ona jest frapująco *piękna* i jaka przy tym krucha, jak te narcyzy, które trzymała w dłoni.

Znienacka spomiędzy tych targanych przez wiatr kwiatów u stóp Annabel coś zaszeptało, czy raczej zasyczało: *Annabel, Annabel!* Zmieszana dziewczyna pomyślała: *To babka Oriana. Martwi się o swoje bursztynowe grzebyki, żałuje, że to mi zostawiła je w spadku.*

(Osobliwa myśl, bo Annabel nie znała swojej babki, podobnie zresztą jak nie znała drugiej żony dziadka, Tabithy).

A jednak chwilę później zapomniała, że coś do niej zaszeptało. Niezwykle rozkojarzona obecnością nieznajomego w ogrodzie dziadka, tak jakby nie potrafiła się skupić. Nie odwróciła się plecami do mężczyzny z sierpem i nie ruszyła prędko w stronę domu, mimo że jak najbardziej miała sposobność, a jego tak jakby to ośmieliło, bo nadal się uśmiechając, oblizał wargi czubkiem języka i znowu dał krok do przodu, tylko jeden, ale bardzo długi, przez co znajdował się teraz niecałe pięć stóp od niej.

I chyba miał teraz do niej przemówić? A jednak nie przemówił.

Annabel podniosła swój bukiecik i gestem naśladującym dziecko wskazała mu, że ma pracę do wykonania, że to jest pilna praca i że nie należy jej zatrzymywać ani chwili dłużej; wymruczała głośno, by gość to usłyszał, albo i nie: „Już i tak dużo zmarnowałam czasu". Bo rozsłonecznione niebo pokryło się właśnie deszczowymi chmurami; gigantyczny kciuk i palec wskazujący ujęły w swój uścisk słońce. A jednak Annabel z jakiegoś powodu nie odwróciła się, tylko stała jak sparaliżowana i wtedy wśród płatków kwiatów wokół jej stóp targanych przez wiatr znowu coś zasyczało: *Annabel! Annabel!*

A potem – dosłownie w mgnieniu oka! – nieznajomy dżentelmen stał tuż-tuż, zaledwie dwanaście cali od niej, bo teraz zaiste przypominał jednego z tych dżentelmenów, którzy przybywali do Winslowa Slade'a jako emisariusze jakiejś kościelnej misji, utrzymywanej w tajemnicy przed resztą rodziny złożonej z samych osób świeckich wyznających wiarę prezbiteriańską. Półprzytomna ze zdenerwowania Annabel wymruczała być może „H-Hallo", być może „Dź-dzień dobry" – w każdym razie przyniosło to natychmiastowy skutek, bo dżentelmen przerwał wreszcie milczenie. Skłonił się po raz drugi, sztywno i zarazem skwapliwie, po czym się przedstawił: „Axson Mayte z Charlestonu w Karolinie Południowej" i powiedział, że „współpracuje z Winslowem Slade'em".

– Nie posiadam się z zachwytu, *chère mademoiselle*, że jest mi dane zawrzeć z panią znajomość – dodał jeszcze.

Usłyszawszy to, Annabel sama się przedstawiła, jąkając się, bo nie umiała znaleźć żadnego uprzejmego sposobu, by tego uniknąć:

– Jestem... wnuczką doktora Slade'a... Annabel Slade...

Gość schwycił drobną dłoń Annabel i zgiął się wpół, jakby chciał złożyć na niej pocałunek na niemiecką modłę – a więc niewiele więcej niż zwykły, towarzyski gest, nawet bez przyłożenia warg do dłoni, a jednak Annabel poczuła nacisk siarczystego, niecierpliwego pocałunku; była wręcz pewna, że poczuła nacisk odstającego siekacza na swojej wrażliwej skórze. I poczuła oddech nieznajomego – ostry i suchy jak popiół.

W tamtym momencie poczuła dreszcz przeszywający ją do szpiku kości, a satynowa wstążka zawiązana pod jej podbródkiem jakby się niebezpiecznie zacieśniła, podobnie jak długi, rozpłaszczający brzuch gorset, zbyt mocno zawiązany tego ranka przez Harriet, stale krzywiącą się młodą Murzynkę, która zdawała się jednocześnie lubić swą białoskórą podopieczną, jak i żywić wobec niej niechęć. Annabel była bliska omdlenia, a jednak naszła ją klarowna myśl: *Przyjdzie zapłacić za próżność! O Boże, miej litość.*

Jeśli Axson Mayte z Charlestonu w Karolinie Południowej zauważył zdenerwowanie Annabel, to nie dał tego po sobie poznać, był bowiem dżentelmenem o gładkich manierach, obdarzonym przenikliwymi, głęboko osadzonymi oczami, którymi popatrywał z ukosa – może z ironią, a może z rozmarzeniem. I który teraz zabrał się do ścinania kwiatów swym pożyczonym sierpem – (złowieszczo ostrym, zauważyła z drżeniem Annabel) – żonkili, miniaturowych irysów, gwiazd betlejemskich, narcyzów – a potem ceremonialnie wręczył je Annabel, ponownie składając głęboki ukłon.

– Och! Dziękuję panu, sir.

Annabel poczuła, że nie ma wyboru, tylko musi przyjąć te kwiaty, mimo że ze świeżo zżętych łodyg kapał sok, który zostawiał na jej spódnicy maleńkie plamki; nie miała wyboru, tylko musiała podziękować panu Maytemu, bo okazał się bardzo uprzejmy i równie rycerski, była pewna, jak każdy princetoński dżentelmen.

Bardziej rycerski niż jej narzeczony, zdecydowanie! Bo Dabney bywał szorstki i porywczy, kiedy zostawali sami, bez towarzystwa starszych, którzy mogliby go obserwować; Dabney potrafił zakłopotać Annabel paradoksalnymi stwierdzeniami, co do których nie miała pewności, czy ma w nich widzieć powagę czy drwinę: „Tak uważasz? Masz twarz jak lalka, malowana, porcelanowa lalka".

Annabel z ulgą zobaczyła, że Axson Mayte beztrosko upuszcza na ścieżkę złowrogi sierp.

Miał go tu znaleźć ogrodnik albo – być może – matka Annabel, Henrietta, która przy ładnej pogodzie „uprawiała ogród" na rabatach zawsze odchwaszczanych i nawożonych przez służbę.

Owładnięta dziwnym poczuciem szczęścia Annabel uśmiechała się. Albo może były to po prostu nerwy, niepokój. Tyle tych wiosennych kwiatów, część wypadła jej z rąk. Odruchowo wybrała narcyza o długiej łodydze, żeby go ofiarować Axsonowi Maytemu do butonierki.

– Podarunek od plebanii Crosswicks!

Mayte wydawał się autentycznie zaskoczony tym gestem; podziękował jej ciepło i wylewnie.

– Dziękuję ci z głębin mej duszy, *chère mademoiselle*, jesteś aż nadto uprzejma, nie możesz wiedzieć, jakaś ty uprzejma, rzadka to cecha u dam twego stanu, wiem z doświadczenia.

Mimo że słowa Maytego były pochlebne, albo takie miały być, mężczyzna zaraz potem zachował się w dziwny, niegrzeczny sposób: skrócił łodygę narcyza, zaciskając na niej zęby tuż przy kwiecie i przegryzając ją na wskroś, aby móc go bez trudu włożyć do butonierki – gdzie narcyz wyglądał zaiste znakomicie.

– Czy zechce pani, *mademoiselle...*

Górując nad Annabel wzrostem co najmniej sześciu stóp, Axson Mayte wyciągnął rękę i dziewczyna ujęła ją z wahaniem, a on potem odprowadził ją w stronę plebanii, gdzie na tylnym tarasie zobaczyli Winslowa Slade'a, który machał do nich i wołał naglącym głosem.

CÓRKA-UPIÓR

I oto dochodzimy do pierwszej *publicznej* manifestacji Klątwy, do której doszło w niedzielny poranek 20 kwietnia 1905 roku – z tym zastrzeżeniem, że owego epizodu nie potwierdza żadna wcześniejsza relacja historyczna, a ponadto żadna z postaci biorących udział w zdarzeniu nie wiedziała ani też nie mogła się domyślić, co takiego zwiastowała wizja córki-upiora.

Albo ujmując rzecz inaczej: co owa wizja zwiastowała dla takich, jak Slade'owie i porucznik Dabney Bayard, którzy mogli uważać siebie za zwykłych obserwatorów, za zdumionych i pełnych współczucia świadków umysłowego rozpadu byłego prezydenta, Grovera Clevelanda.

Niniejszy rozdział, w zamierzeniu krótki, odgrywa w mojej kronice kluczową rolę i wydaje się trudny do napisania – bo te poprzednie, dramatyczne sceny rozgrywały się z udziałem zaledwie dwóch osób; obecnie zaś staram się wykreować liczniejsze *dramatis personae* i muszę jakoś zasugerować czytelnikowi, nie będąc przy tym zbyt dosadny, subtelności emocji, jakich doznali młodzi ludzie, czyli Jozjasz, Annabel oraz narzeczony Annabel, Dabney Bayard.

(Zresztą i tak niektórzy czytelnicy będą mieli pretensje: kronika jest *zbyt subtelna*. A z kolei inni powiedzą: jest *mało subtelna*).

Rzeczonego ranka, tuż po niedzielnym nabożeństwie, grupa licząca ze dwa tuziny osób wybrała się do „dawnej posiadłości Cravena" przy Rosedale Road, którą Slade'owie kupili, ponieważ jej kilkuakrowe tereny graniczyły z trzystoma akrami plebanii Crosswicks, ciągnącymi się za Elm Road; niezwykłość zakupu polegała na tym, że starsi Slade'owie zamierzyli uczynić z posiadłości Cravena prezent ślubny dla młodej pary, która miała zamieszkać tam po powrocie z podróży poślubnej do Włoch.

Oczywiście widziałem fotografie domu Cravena, który wiele lat później, u szczytu boomu gospodarczego lat dwudziestych, wyburzono w celu zrobienia miejsca pod większą i wspanialszą rezydencję; w czasie opisywanych tu zdarzeń wśród Slade'ów i ich towarzystwa dom uważano za „chatkę nowożeńców", mimo że było w nim aż dwadzieścia pokoi; ponadto od frontu pysznił się dwunastoma wysokimi i wąskimi oknami, które okalały czarne okiennice, a jego spadzisty dach był wyłożony lśniącymi holenderskimi dachówkami. Większości czytelników, nieobeznanych z dziwactwami bogaczy, termin chatka w odniesieniu do tak okazałego budynku, z imponującą fasadą wyłożoną wapieniem z Boonton – (przypadkiem z kamieniołomu Slade'ów w Boonton) – wyda się zapewne nie do końca stosowny.

W późniejszych latach dom nazywano błędnie, może z ironią, a może z czystej niewiedzy, „dawną posiadłością Bayardów" – mimo że ani porucznik Bayard, ani jego oblubienica Annabel nigdy tam nie zamieszkali ani nawet nie spędzili choćby jednej nocy pod tamtejszym dachem; w czasie opisywanym w niniejszej narracji, czyli w 1905 roku, dom był nadal nazywany po jego pierwotnym właścicielu, bohaterze wojny o niepodległość majorze Dunglassie Cravenie, który jako najbliższy współpracownik George'a Washingtona wykrył spisek zawiązany przez szpiega André i doprowadził do egzekucji tego ostatniego.

Towarzystwo było rozweselone i wspaniale odziane; jechało kilkoma powozami przyozdobionymi gałązkami kwitnącego na różowo głogu, na lunch, który miał zostać podany na miejscu przez służbę z Crosswicks – do (opuszczonego) domu trzeba było przywieźć porcelanę, sztućce, stoły, krzesła i obrusy, a także wielkie ilości jedzenia i napojów. Na ile byłem w stanie to stwierdzić na podstawie rozmaitych dzienników i listów, grupę tworzyli Grover i Frances Clevelandowie, Pearce i Johanna van Dyckowie, Edgerstoune i Amanda FitzRandolphowie, Ezra i Cecelia Bayardowie (wuj i ciotka Dabneya), doktor Aaron Burr III, jego żona Jennifer oraz jego córka Wilhelmina (która miała być druhną na ślubie Annabel), wielebny Nathaniel FitzRandolph (od czasu przejścia Winslowa Slade'a na częściową emeryturę pastor pierwszego kościoła prezbiteriańskiego w Princetonie), a także pani FitzRandolph i wielebny Thaddeus Shackleton, rektor Seminarium Teologicznego Princeton, oraz liczni członkowie rodziny Slade'ów – Winslow, jego syn Augustus i synowa Henrietta, Copplestone i Lenora Slade'owie, wuj i ciotka Annabel, oraz ich syn Todd, a także Annabel i Dabney oraz brat Annabel, Jozjasz.

– Dziadku! Jesteś taki dobry! Dzięki tobie cieszymy się jak dzieci… wprost nie wiemy, co powiedzieć…

Tak zakrzyknęła Annabel na widok domu z dość surową, a nawet odpychającą fasadą z wapienia i ogromnym brzemieniem holenderskich dachówek, które wyglądały jak nadciągająca lawina, niemniej zieleniejąca już trawa, a także wiązy i dęby, które wypuszczały pierwsze liście, nadawały całej scenerii malowniczość, jakby to był domek z bajki; nawet porucznik Bayard utracił nieco ze swego zwykłego chłodu i też wybąkał jakieś wyrazy wdzięczności na widok rezydencji, która niebawem miała mu być powierzona na własność.

Później zostanie ujawnione, że negocjacje w celu nabycia domu były omawiane z ojcem, stryjem i ciotką Dabneya, zanim Slade'owie przystąpili do kupna. A jednak sam Dabney niczego się nie domyślił – wszystko trzymano przed nim w tajemnicy, podobnie zresztą jak przed Annabel.

(Aczkolwiek można podejrzewać, iż bystry młody wojskowy, który otrzymał dyplom z nagrodami, przewidział, że bogaci Slade'owie ofiarują swej ukochanej Annabel i jej oblubieńcowi podarunek wart ich miłości i bogactwa).

A jednak na widok posiadłości Cravena tego słonecznego poranka w kwietniu, w otoczeniu samych życzliwych ludzi Dabney wydawał się niejako zdziwiony i jakby odebrało mu mowę. Na jego twarz wypełzł mocny rumieniec, a oczy zaszły wilgocią, którą ukradkiem wytarł opuszkami palców.

Wyprawie towarzyszyła atmosfera beztroski, zachwytu i radości, bo ten wiosenny dzień był doskonały, a kamienny dom z witrażowymi oknami i witrażowym wypełnieniem frontowych drzwi wszystkim się wydał idealny dla nowożeńców. Annabel zaczerwieniła się, usłyszawszy słowo „nowożeńcy", a Dabney uśmiechnął się z zakłopotaniem, ale Annabel zauważyła niejaką rezerwę u swego brata Jozjasza i podobny dyskomfort Dabneya, kiedy kilka minut później cała ich trójka zeszła się przypadkiem w pokoju na dole, podczas gdy reszta grupy udała się na piętro, żeby podziwiać sypialnie i wspaniałe widoki roztaczające się z okien. (Większość pokoi była oczywiście pusta, ale matka Annabel, Henrietta, bywała w tym domu wiele razy ze świtą służących, z poufną misją przeprowadzenia tymczasowego remontu. Prawdziwy wysiłek związany z remontem i umeblowaniem wnętrz miał spaść na nowo poślubionych).

– Jakże pięknie! Jakże uroczo! Naprawdę zazdroszczę młodej parze – niósł się w dół klatki schodowej donośny sopran pani Cleveland. – Ten dom to *tablet rosea…* będą mogli uczynić go swoim własnym. Jest zupełnie inny niż ten dom, do którego weszłam jako młoda oblubienica…

(Pani Cleveland w taki zawoalowany sposób odnosiła się, jak to miała w zwyczaju, do Białego Domu: poślubiła znacznie od siebie starszego prezydenta Clevelanda we Wschodnim Skrzydle jako młoda dziewczyna, która ledwie co skończyła szkołę).

– Droga Frances! – zabrzmiał dudniący głos Grovera Clevelanda, jak jakaś żartobliwa riposta. – Poradziłaś sobie przecież ze swoją początkowo niekorzystną sytuacją, bez dwóch zdań. Wiele razy!

Być może powodowani jakąś zatwardziałą nieśmiałością młodzi ludzie zostali, gdzie byli. Dabney Bayard, wyprężony i przystojny w swoim paradnym mundurze, mężnie starał się wciągnąć Jozjasza Slade'a w pseudomęską rozmowę na ten czy inny temat: fortuny członków drużyny nowojorskich Highlanders na tle ich rywali z Cincinnati Reds i kalibru obu drużyn na tle bostońskich Americans, następnie koni – z większą nadzieją, ponieważ Dabney był poniekąd zapalonym jeźdźcem – oraz najnowszych wybryków prezydenta, czyli Teddy'ego Roosevelta fotografującego się z dumą nad rzędami zwierzęcych trucheł u swoich stóp – dzikich owiec, bizonów, jeleni i pum – po wielkiej wyprawie myśliwskiej na Zachód, Teddy'ego grożącego interwencją w Wenezueli, która nie chciała spłacać swoich długów („To pokaże tym południowcom, że trzeba się zachowywać przyzwoicie"*), Teddy'ego zasadniczo w każdym wydaniu wszystkich gazet codziennych, uśmiechającego się od ucha do ucha, w rozmigotanych okularach, w których wychwalał zalety imperialistycznego Rooseveltowskiego uzupełnienia do doktryny Monroe.

Porucznik Bayard chciał szczególnie podyskutować o „nielegalnych strajkach górników" we wschodniej Pensylwanii, które ostatnimi czasy stanowiły główny temat podejmowany przez większość prasy. Jakże Dabney się „palił", by wziąć udział w jakiejś interwencji armii amerykańskiej! (Tamtego ranka wielebny FitzRandolph czynił z ambony aluzje do „anarchistycznych i ateistycznych skandali" wywoływanych przez Związek Zawodowy Górników Amerykańskich przeciwko właścicielom kopalń i w rezultacie przeciwko wszystkim „prawomyślnym obywatelom" państwa amerykańskiego). A jednak, mimo że Slade'owie z Crosswicks posiadali udziały w pensylwańskich kopalniach oraz w przędzalniach New Jersey i Pensylwanii i w związku z tym należało oczekiwać, że Jozjasz wesprze odczucia Dabneya, ten tylko obojętnie wzruszył ramionami i zrobił wyniosłą minę, natomiast Annabel stała u boku narzeczonego z pałającą twarzą, nie wiedząc, czy powinna być zaniepokojona czy zirytowana niegrzecznym zachowaniem brata.

(Jozjasz nie wiedział, że Annabel tego ranka przypadkiem podsłuchała krótką rozmowę między nim a ich matką, Henriettą, i że zrobiło jej się przykro, bo zauważyła wystudiowaną obojętność Jozjasza wobec tej wyprawy. Jeżeli przyłącza się do towarzystwa, twierdził brat, to tylko po to, by zrobić przyjemność *jej* oraz pozostałym starszym członkom rodziny, niemniej jednak wątpi, by jego siostra, tak rozkojarzona planami weselnymi, zauważyła, czy on im towarzyszy czy też nie).

Co jest nie tak, zastanawiała się Annabel; dlaczego cała ich trójka nie potrafi zachowywać się swobodnie w swoim towarzystwie? Zanim do Jozjasza dotarło, że Dabney Bayard „jest zainteresowany" Annabel, chyba jakoś tam lubił owego krzepkiego, młodego człowieka; obaj poprzedniej jesieni oglądali mecz futbolowy Princeton–Yale z okazji zjazdu absolwentów ra-

---

* Ten cytat z listu Teddy'ego Roosevelta do jego sekretarza stanu Johna Haya nie został, mówiąc precyzyjnie, przekazany opinii publicznej w kwietniu 1905 roku i historycy mieli go poznać dopiero po jego śmierci w roku 1919.

zem z hałaśliwym oddziałem innych młodych princetończyków. Ale Jozjasz niebawem przejrzał intencje Dabneya odwiedzającego Crosswicks i zaczął się od niego odsuwać, aczkolwiek był przy tym aż nadto uprzejmy albo poniekąd zanadto nieśmiały, by zwierzać się Annabel ze swoich uprzedzeń względem porucznika.

Annabel żałowała, że jej przyjaciółka Wilhelmina nie została z nimi tutaj na dole w tak ważnej chwili. Ale Wilhelmina – inaczej Willy – była pierwszą osobą, która pomknęła na górę podczas spontanicznej wycieczki po domu.

Od początku kwietnia Annabel często przestawała się odzywać, kiedy ona i jej narzeczony znaleźli się sam na sam: ich romantyczna zażyłość zrodziła się podczas przyjęć i innych sytuacji towarzyskich, dlatego zdradliwa kwestia „intymnej rozmowy" zdawała się wprawiać ich oboje w zakłopotanie. O czym się mówi, gdy nikt inny tego nie słyszy? Poza tym Annabel zaczęła wyczuwać, że mimo przodków z Wirginii Dabney wcale nie zawsze jest taki dobrze wychowany i cierpliwy; nie bez powodu nabrała przekonania, że ma porywczy temperament, bo słyszała, jak ostro przemawiał do służących, kelnerów i im podobnych; do niej oczywiście nigdy nie przemawiał ostro, ale czasami jego uwagi były zabarwione nutą ironii, przywodząc na myśl młode, zielonkawe ciernie na bezcennych krzewach różanych jej matki, które wydawały się nieszkodliwe, a jednak potrafiły zrobić krzywdę, jeśli się nie uważało.

O temperamencie porucznika Bayarda Annabel myślała: *On tylko manifestuje swoją naturę. Jest mężczyzną i jest żołnierzem.*

Niemniej jednak mimo pozornej pewności siebie Dabney często robił się nerwowy w obecności Jozjasza Slade'a, dwudziestoczterolatka, który był odeń o dwa lata młodszy, ale z nich dwóch był wyraźnie bardziej niezależny i często popadał w milczenie, wzbudzając nerwowość w Dabneyu, który rozgadywał się wtedy tym bardziej, niekiedy uderzając w chełpliwy ton, mimo że nie uważał siebie za człowieka chełpliwego – rzecz powszechnie znana, że największy respekt wzbudzają ci oficerowie, którzy pozostają wstrzemięźliwi, gdy inni opowiadają o swych wyczynach.

Jakąś przyczyną towarzyszącego im zakłopotania było to, że Jozjasz Slade uczęszczał do West Point po otrzymaniu dyplomu na Uniwersytecie Princeton – ale tylko przez cztery miesiące. Z dnia na dzień wystąpił z akademii, po czym spędził kilka miesięcy, podróżując po zachodzie kraju, i dopiero potem wrócił do domu. (Kiedy go pytano, czemu zrezygnował z West Point, wobec którego miał wcześniej tyle entuzjazmu, Jozjasz wzruszał ramionami i mówił, że na zawsze mu obrzydło „maszerowanie w mundurze"). Podczas tamtych miesięcy był w Wyomingu, Utah, Idaho i północnej Kalifornii, a jednak nikt w rodzinie nie wiedział zbyt dokładnie, co Jozjasz tam robił – jak przystało na kochającego syna, pisał do domu co tydzień list, krótki list, żeby zapewnić rodzinę, że jest cały i zdrów.

I tak oto, w konfrontacji z bratem narzeczonej, Dabneyowi Bayardowi często brakowało słów. Jakże to wytrącało z równowagi i jakże irytowało! – bo młody Bayard, z tymi przystrzyżonymi na krótko kasztanowymi włosami, długimi rzęsami i skwapliwym, przymilnym uśmiechem, był przyzwyczajony do tego, że kobiety i starsze odeń osoby go podziwiają, i pragnął jedynie admiracji albo, przynajmniej, akceptacji młodych mężczyzn w jego wieku i z takim samym pochodzeniem, jak Jozjasz Slade na przykład.

– Czy jest jakiś powód, dla którego nie lubisz Dabneya? – spytała raz nieśmiało Annabel swego brata, ale Jozjasz odpowiedział jej z całą szczerością, na jaką go było stać:

– Nie! Ależ skąd. Liczy się to, Annabel, że ty go lubisz.

Była to wykrętna odpowiedź, której Annabel nie umiała rozszyfrować. Ale zauważyła, że z ust jej brata padło letnie „lubisz", a nie „kochasz".

A co z Jozjaszem Slade'em? Jego charakter był tak złożony, pełen sprzeczności, przysparzał tylu problemów i był, można rzec, tak „z góry określony przez los", że nie czuję się na siłach analizować go tutaj, tak jak nie czuję się na siłach analizować charakteru Szekspirowskiego Hamleta, którego Jozjasz niekiedy mi przypomina. Młody człowiek pełen głęboko tlących się namiętności przygniatanych nazbyt intelektualnymi rozmyślaniami; młody człowiek z „lepszej" rodziny, który nie czuje się swobodnie w towarzystwie; młody człowiek, który wyruszył na spotkanie ze swoim przeznaczeniem – nie wiedząc, czym owo przeznaczenie będzie.

Odkąd Augustus Slade przyjął starania Dabneya Bayarda o rękę Annabel, skutecznie podcinając w kolanach niewielki batalion innych, którzy chcieli się zadeklarować, Jozjasz zachowywał się dziwnie – impulsywnie. A jednak kiedy Annabel zadała mu swoje pytanie, był jakby wobec niej sztywny i mówił wymijająco: „Musisz iść za głosem serca, Annabel. I ojciec się zgodził – teraz zależy tylko od ciebie, czy wytrwasz w tym narzeczeństwie".

Czy wytrwasz w tym narzeczeństwie! Annabel zaśmiała się, ale poczuła się nieco zraniona – jakby poślubienie Dabneya Bayarda było czymś w rodzaju kampanii wojskowej.

Mimo że Jozjasz był o pięć lat starszy od Annabel i nie zawsze znajdował czas dla swojej siostry, kiedy dorastali, to jednak zawsze ją lubił i chronił; choć z natury był obcesowy i często byle czym rozdrażniony, Annabel zawsze się wydawało, że Jozjasz bardzo ją kocha. (Tak jak kochał albo próbował kochać ich ruchliwego i wścibskiego kuzyna Todda, obecnie jedenastoletniego). Kiedy jednak Annabel próbowała ująć dłonie Jozjasza – (Ach! Jakie one były duże, jakie silne i grubokościste). – odsunął się z marsem na czole, a kiedy błagała, żeby nie miał przed nią sekretów, jak wtedy gdy byli dziećmi, odparł z uśmiechem irytacji: „Ależ Annabel, musisz zrozumieć, że już nie jesteśmy dziećmi".

* * *

Podczas gdy liczni goście Slade'ów wędrowali radośnie od pokoju do pokoju na piętrze, Annabel, Jozjasz i Dabney Bayard nadal stali ze sporym skrępowaniem przed pustym kominkiem w jednym z salonów na parterze; na palenisku nie było żadnego popiołu, tylko jakieś bardzo cienkie kości, które wyschły na drzazgi.

– Wasz dziadek Winslow to najniezwyklejszy z ludzi – zagaił desperacko Dabney. – Wszyscy tak mówią. I jest taki *hojny*...

Annabel zgodziła się z nim, ale Jozjasz tylko burknął coś, jakby ta głupawa uwaga nie domagała się poważnej odpowiedzi.

Annabel ukradkiem dźgnęła brata pod żebra i obrzuciła go spojrzeniem z ukosa, jakby błagała: *Proszę, proszę, nie bądź niegrzeczny. Nie niszcz tego szczęśliwego dnia.*

Sześć tygodni przed swoim ślubem Annabel Slade wyglądała pięknie jak nigdy wcześniej – skóra leciuteńko rozgrzana, fiołkowe oczy wilgotne, dolna warga drżąca z emocji. Na ten sobotni brunch w dawnym domu Cravena – który niebawem miał się stać „chatką nowożeńców" – ubrała się w nową suknię z kremowej krepy zgodnie z ówczesną modą zwaną „puchatymi fałdkami", a ozdobiony suto piórami kapelusz z szerokim rondem, w kolorze sukni, nasadziła na wielki kok obwiązany przepaską, by dodatkowo podwyższyć całość. W tej połyskliwej kaskadzie namarszczeń, która drżała przy każdym zaczerpnięciu oddechu, Annabel przyciągała spojrzenia jako symbol tej cudowności – tej zagadki – jaką jest kobieta. Bo dlaczego tak było, że ta młoda dama, adorowana i najwyraźniej pobłogosławiona przez los, stała między swym narzeczonym a bratem ze spuszczonym wzrokiem i czołem porytym zmarszczkami zmartwienia?

Tylko jakiś bardziej spostrzegawczy niż Jozjasz obserwator zauważyłby, że Annabel jest rozkojarzona, że jej myśli błądzą gdzieś indziej; niewykluczone, że od strony wciąż jeszcze skatowanych przez zimę, zaniedbanych rabatek kwiatowych na tyłach domu doleciało ją ostrzegawcze syknięcie: *Annabel! Annabel!*

I mogło tak być, że myśli Annabel wędrowały ukradkiem ku wspomnieniu o sierpie połyskującym złowieszczo w słońcu... o stercie świeżo ściętych polnych kwiatów i źdźbeł traw, które niebawem miały zgnić... o śmiałym uścisku, w którym znalazła się jej dłoń, i jeszcze śmielszym pocałunku na niej złożonym... *Cherè mademoiselle! Jesteś aż nadto uprzejma, rzadka to cecha u dam twego stanu...*

Annabel wielokrotnie badała grzbiet swojej dłoni, szukając odcisku ostrego siekacza nieznajomego. Ale skóra była gładka, cienka raczej i kremowoblada, z filigranowymi kośćmi pod spodem i półprzezroczystą pajęczyną niebieskawych żyłek.

Kiedy Annabel po raz kolejny oglądała dłoń, na piętrze rozległy się znienacka jakieś eksklamacje i okrzyki, głównie kobiece, i niemal natychmiast dały się słyszeć odgłosy walki czy też szamotaniny, jakby jakieś osoby mocowały się z sobą tuż nad ich głowami.

Jozjasz bez chwili wahania pobiegł na górę, pokonując po dwa albo i trzy stopnie za jednym zamachem; Annabel i Dabney ruszyli jego śladem, ale nie biegli. Owładnięta strachem Annabel wczepiła się w ramię Dabneya, a on pochylił się nad nią, jakby chciał ją chronić.

– Och, cóż to takiego? Czy ktoś jest ranny? Tak jakby prezydent Cleveland! Czy to nie jego głos? – krzyczała Annabel.

Z kolei Jozjasz w jednej z sypialni na piętrze ujrzał najbardziej chyba zdumiewający widok w swoim młodym życiu: Grover Cleveland, nasz były prezydent, krągły dżentelmen dobiegający siedemdziesięciu lat i trzystu funtów wagi, mocno zaczerwieniony na twarzy i głośno charczący, leżał na deskach, miotając się konwulsyjnie, i kilka osób, w tym ojciec Jozjasza, Augustus, oraz wytrącona z równowagi pani Cleveland, usiłowało go niezdarnie unieruchomić. Korpulentny starszy pan, wciąż dysząc i rzężąc, budząc w nich lęk, że lada chwila trafi go atak apopleksji, nie przestawał się im wyrywać i nagle krzyknął zbolałym głosem:

– Puśćcie mnie... Proszę, puśćcie mnie... Odsuńcie się, jeśli macie serca! *Twój papa tu jest! Papa tu jest!*, powiadam! Moja najdroższa córko, nie opuszczaj nas więcej!

Jozjasz stał na progu jak zaczarowany. Co to było? Czy świat znienacka oszalał? To przypominało scenę z filmu – z *Wielkiego napadu na pociąg*, który wszyscy widzieli dwa lata wcześniej – podniecenie katastrofą, gwałtowne, nieskoordynowane ruchy, szalone, straceńcze tempo, muzyka, która burzy krew – a jednak kiedy patrzyło się na te ruchome obrazy, nie można było od razu wyłowić z nich sensu, nie można ich było spowolnić, by stały się zrozumiałe.

Grover Cleveland najwyraźniej upadł na podłogę albo może ktoś go popchnął, ratując tym samym przed wypadnięciem przez okno, które otwierało się na fragment połaci dachu; teraz wyglądało na to, że ojciec Jozjasza mocuje się z Clevelandem i że sama pani Cleveland – dorodna jak rzymska Junona, obdarzona nieokreśloną urodą i zazwyczaj taka pogodna i opanowana – próbuje przyszpilić męża do podłogi, brutalnie przyciskając jego potężny brzuch delikatnym kolanem, obnażając przy tym swą kształtną nogę w przezroczystej białej pończosze i przykuwając uwagę zdumionego Jozjasza tym widokiem niepodobnym do niczego, co kiedykolwiek widział albo kiedykolwiek sobie wyobrażał.

To prawda: moi koledzy historycy nie poradzili sobie z tym epizodem, bo nie mieli pojęcia, co się wydarzyło w dawnym domu Cravena przy Rosedale Road 20 kwietnia 1905 roku, w połowie dnia; ich zbiorową porażkę należy przypisywać gorliwości, z jaką Frances Cleveland ukrywała te ponure fakty, zapewne chroniąc leciwego małżonka przed apopleksją i śmiesznością, ponieważ była szalenie czuła na okrutne uwagi wygłaszane za (masywnymi) plecami jej męża, słusznie zakładając, że takie drwiny przenoszą się też na nią.

Kiedy Cleveland ustąpił z urzędu w 1897 roku, w atmosferze poważnych podejrzeń, i postanowił udać się na emeryturę do „sennego miasteczka" Princeton, na jego żonę spadł obowiązek osłaniania go przed nadmiarem przeżyć, jak i przed nadmiernym objadaniem się i piciem, bo podobno Grover „nie mógł się powstrzymać przed obżarstwem tak jak złota rybka w akwarium, która zjada wszystko, co jej dają, aż się jej rozpada brzuch". Mimo młodego wieku pani Cleveland prędko zaczęła kultywować wyniosłość i władcze maniery, tak w towarzystwie, jak i w miejscach publicznych; wiedząc, że ona i jej mąż są zarówno osobami *pożądanymi*, jak i *bezwstydnie obgadywanymi*, nie była z tych, którzy trawią głupoty. Nie tylko Woodrow Wilson, jak sami się przekonaliśmy, ale także niejeden obywatel Princetonu z wyższych sfer społecznych zaczął się bać błyskającego oka tej kobiety, jej sarkastycznego języka i umiejętności umacniania albo niszczenia czyjejś pozycji na drabinie społecznej, w zależności od jej kaprysu*.

Mimo zamieszania towarzyszącego incydentowi w dawnym domu Cravena niczym utalentowana, acz nieco ekscentryczna twórczyni patchworkowych kołder jakoś skleciłem mniej lub bardziej spójną narrację.

Po wejściu na piętro domu, co stanowiło wysiłek dla kogoś o takiej tuszy, Grover Cleveland pozostał w tyle za grupką podnieconych ludzi wędrujących przez kolejne pokoje, w nadziei, że złapie oddech; gdy reszta udała się do innego pomieszczenia, Cleveland wszedł do pustego pokoju, jak się okazało dziecięcego; przypadkiem minął jedno z wysokich okien, po części przesłonięte żaluzją, i wyjrzał na stromy róg dachu; zobaczył tam, al-

---

* Nawet siedemdziesiąt lat później Clevelandowie pozostają fascynującą parą. Grover Cleveland, dwadzieścia osiem lat starszy od żony, rzekomo zobaczył ją po raz pierwszy jako niemowlę; po śmierci jej ojca, który był jednym z jego najstarszych przyjaciół, Cleveland stał się opiekunem jedenastoletniej dziewczynki, której, niecałe dziesięć lat później, gdy była studentką Kolegium dla Kobiet w Wells, się oświadczył. W wieku lat dwudziestu jeden Frances była najmłodszą Pierwszą Damą w historii i pozostaje nią po dziś dzień. Clevelandowie mieli pięcioro dzieci, wśród których pierworodna Ruth zmarła na jakąś dziecięcą chorobę w 1904 roku, w wieku lat trzynastu. Dorastając w Princetonie, często widywałem panią Cleveland – to znaczy jako wdowę – bo jej korpulentny mąż nie przetrzymał długo zdarzeń związanych z Klątwą z Crosswicks, acz jak się zdaje, był niewinną ofiarą tej zmory. Moja matka znała się dobrze z panią Cleveland, zarówno w czasach przed jej drugim zamążpójściem, jak i wtedy, gdy w wieku czterdziestu dziewięciu lat wyszła za wykładowcę archeologii Uniwersytetu Princeton; żałuję, że nie mogę stwierdzić, że z nią rozmawiałem, ale mam jedynie mętne wspomnienia związane z tą piękną, ciemnowłosą i smagłą kobietą, o której plotkowano (plotkowały krytykujące ją princetonianki), że jest jakąś daleką krewną wodza indiańskiego z plemienia Czoktawów z Oklahomy!

bo jakby zobaczył, coś przerażającego, na samym skraju dachu – z początku wyobraził sobie, że to jakiś wielki, niezgrabny ptak, może czapla modra, bo takie wodne ptaki o prehistorycznym wyglądzie nie należały do rzadkości w prowincjonalnym Princetonie, ale gdy przestraszony przetarł oczy, zobaczył dziecko, małą dziewczynkę, która przycupnęła na skraju dachu – żeby figlować? dokazywać? – dziewczynka darła na kawałki pęk kalii i sypała płatki w dół; wijące się, ciemne włosy spływały jej na plecy. Sukienkę miała długą, białą i nie wiedzieć czemu brudną od ziemi, bose stopy upiornie blade – cała jej skóra była upiornie blada, jednoznaczną bladością grobu. Nie zauważywszy zdumionego obserwatora, dziewczynka jakoś wstała, wciąż na skraju dachu, śmiejąc się i podrzucając szczątki kalii w powietrze, jakby zamierzała dać krok w przestrzeń, i jak Cleveland miałby ją uratować?

– Nie! Nie! Zatrzymaj się! Nie wolno ci! – krzyknął.

Były prezydent dopadł do okna i sapiąc ciężko, podciągnął je, a potem pchnął okiennice z dzikim okrzykiem – z takim skutkiem, że ku swemu jeszcze większemu zdziwieniu i przerażeniu zobaczył, że dziewczynka obraca się w jego stronę i objawia mu się jako *jego ukochana córka Ruth* – która zmarła nie dalej jak poprzedniego roku na dyfteryt w letnim domu Clevelandów nad Zatoką Myszołowów w Massachusetts.

Ach! Co to wszystko znaczyło? Jak to się mogło stać? Ukochana Ruth Clevelanda, o której tak często śnił i po której nadal się smucił w prywatności swoich myśli – dlaczego mu się tutaj pojawiła? I co on miał zrobić?

Faktem jest, że Grover Cleveland cierpiał na wiele chorób jeszcze gorszych od dolegliwości Woodrowa Wilsona, a jednak nigdy nie cierpiał na żadną chorobę umysłową czy też halucynacje.

Chlubiący się, że jest najbardziej zdroworozsądkowym z ludzi, który prawie nigdy nie rozmyśla o „życiu pozagrobowym" ani „świecie duchów", Cleveland nie wahał się jednak ani chwili, przekonany, że jego córka wróciła do niego w taki oto tajemniczy sposób; odziana w szaty, w których złożono ją do grobu, i spozierająca na niego ponad ramieniem, z tą kokieteryjnie psotną minką, z którą za życia Ruth tak często spoglądała na swego drogiego papę, żeby się z nim droczyć i go rozśmieszać.

Nic dziwnego, że Cleveland zapomniał, że Ruth nie żyje i została pochowana; owładnięty szaleństwem podźwignął okno jak potrafił najwyżej, wychylił się, wyciągnął ku niej ręce, błagając, żeby do niego podeszła. Nie myśląc o własnym bezpieczeństwie, wbrew ograniczeniom spowodowanym wiekiem i tuszą, spróbował przecisnąć się przez otwarte okno, krzycząc:

– Ruth! Ukochana Ruth! To ty! Nie idź dalej, twój papa cię prosi, kochanie! Tutaj! Tu jest papa! Chodź do papy! O moje biedactwo! Moja maleńka! Mój aniołek! Nie idź dalej! *Chodź w ramiona papy!* Och, proszę...

Upiór na skraju dachu nie mógł być widziany przez pozostałych, to oczywiste, a jednak kiedy wparowali do pokoju, sytuacja została natychmiast zrozumiana – że Grover Cleveland cierpi na jakieś nagłe halucynacje, że próbuje przecisnąć się przez wąskie okno i w rezultacie być może zabić się przy upadku na ziemię, jeśli się go nie powstrzyma.

I tak oto wywiązała się szamotanina, której chwilę później świadkiem był Jozjasz: starszy, krągły jak beczka dżentelmen został siłą przyciśnięty do podłogi przez kilka osób, łącznie z własną żoną, która odrzuciła na bok jedwabną parasolkę, zadarła ciężkie spódnice i halki i dźwięcznym głosem nakazała Clevelandowi natychmiast przestać się opierać.

– Ale cóż to takiego? O czym ty mówisz! Najdroższy mężu, o czym ty mówisz!

– Frances, to Ruth... nasza córka, Ruth! Popatrz! Kiwa na mnie, na nas! Puść mnie, proszę...

– Ruth? O czym tym mówisz? Gdzie?

Pani Cleveland, już na skraju histerii, przycupnęła pod otwartym oknem, ale nie widziała upiora na dachu, no chyba że do tego czasu upiór zdążył zniknąć.

Niebawem przyciskany do podłogi rozszalały mężczyzna popadł w miłosierne omdlenie; jego pulchna, zaczerwieniona twarz była zlana chorym potem, a oddech stał się wymuszony i strasznie się go słuchało. Ratujący go ludzie rozdarli mu wykrochmalony kołnierzyk, a także kamizelkę i gors koszuli, opryskali jego twarz wodą i przetarli zimnym kompresem. Jednego z woźniców posłano po osobistego lekarza Clevelanda, doktora Boudinota, który mieszkał przy Lilac Lane krzyżującej się z Hodge i niedaleko od Rosedale; zanim lekarz przybył, wydawało się, że życiu Clevelanda nic już nie zagraża, aczkolwiek taki atak nie wróżył dobrze na przyszłość i pani Cleveland ze łzami w oczach błagała towarzystwo, żeby nie rozpowiadało o tych nieszczęsnych wydarzeniach.

☙

Z całego towarzystwa jeszcze tylko trzy osoby być może „zobaczyły" albo „wyczuły" upiora, na ile potrafię to stwierdzić.

Jedenastoletni Todd Slade, kuzyn Annabel i Jozjasza, syn Copplestone'a i Lenory Slade, w rzeczy samej nie był świadkiem zapaści pana Clevelanda ani też zresztą nie pozwolono mu później wejść do pokoju dziecięcego, a jednak to nadpobudliwe dziecko budziło się z koszmarów przez kilka nocy pod rząd, twierdząc, że ściga je *dziewczynka-duch*.

Mogę się też powołać na stanowcze wyznanie Amandy FitzRandolph, która po wszystkim twierdziła, że widziała na dachu jakąś „srebrzystą fluorescencję", dokładnie w miejscu, które wskazywał Cleveland, ale nie umiała jej zidentyfikować jako biednej Ruth Cleveland, bo „upiory są bardzo do siebie podobne, kiedy powracają z Drugiej Strony".

Ponadto była jeszcze wyraźna reakcja emocjonalna ze strony Winslowa Slade'a, który wszedł do pokoju dziecięcego za innymi, kiedy wstrząśnięty Grover Cleveland stracił świadomość, a jednak jakby natychmiast ogarnął sytuację: że to, co było za oknem, „wabiło" Clevelanda z takimi katastrofalnymi skutkami.

Bo podczas całego zamieszania, kiedy już wzywano pomoc, zaniepokojona pani Cleveland zaczęła głośno szlochać, a Winslow próbował ją pocieszyć, mówiąc, że wszystko będzie dobrze, skoro „duch jej córeczki najwyraźniej już od nich odszedł".

Gdy jednak Jozjasz i Annabel pytali go potem, czy widział zjawę, Winslow odparł węzłowato:

– Nie. Duchy w świecie chrześcijańskim nie istnieją.

W otoczeniu wytrąconych z równowagi ludzi Annabel mówiła bardzo niewiele, ale kiedy wreszcie znaleźli się sami, wieczorem, na plebanii Crosswicks, zwierzyła się Jozjaszowi:

– Ruth, powiadasz? Zobaczył za oknem swoją córkę Ruth? Och, biedne dziecko... Wiesz, Jozjaszu, za życia widywałam ją rzadko, ale ostatnimi czasy, już po jej śmierci, widuję ją we snach. Ruth też mnie do siebie wabiła; nie wiem *czemu* i dlatego strasznie się boję.

TRĄBA ANIELSKA ALBO „PAN MAYTE Z WIRGINII"

Zaledwie dwa dni później Jozjasz Slade przeżył w kampusie przygodę, której znaczenia w owym czasie nie umiał się domyślić, aczkolwiek dostrzegł jej niemiłą naturę i zmroziło go do szpiku kości, jakby poczuł przez skórę, co może przynieść przyszłość.

Jego celem była wizyta u profesora Pearce'a van Dycka, jego byłego wykładowcy filozofii, którego gabinet znajdował się na pierwszym piętrze nowego budynku w stylu gotyckim zwanego Pyne Hall, z czasem nazwanego East Pyne; Jozjasz bardzo potrzebował jego wsparcia czy też uczonych rad. Pamiętał te lata spędzone na uniwersytecie, kiedy tak bardzo się miotał ze swymi studiami, nie bardzo wiedząc, co chce robić: zgłębiać starożytne języki, w tym hebrajski i aramejski, by dzięki temu móc czytać Pismo Święte i odpowiadać sobie na liczne pytania nastręczane przez Biblię Króla Jakuba, z którymi dziadek Slade nie potrafił mu pomóc; a może poświęcić się naukom przyrodniczym – botanice, biologii, geologii; a może historii – przesiąkniętej krwią ziemi Europy czy też bardziej dziewiczej, ale niemal równie krwawej ziemi Nowego Świata? Tak samo jak się niecierpliwił po kilku tygodniach w West Point, tak samo się niecierpliwił na uniwersytecie, robiąc sobie przerwy w studiach, żeby „podróżować" – żeby się „błąkać", upodabniając się niemal do pospolitego włóczęgi pod wpływem czaru opowieści Jacka Londona o Klondike albo *Życia na Missisipi* Marka Twaina. (Jakimś nie do końca wyjaśnionym sposobem Jozjasz zarobił sporo pieniędzy na Zachodzie; kwota wprawdzie uległa gwałtownemu uszczupleniu, niemniej jednak nie musiał polegać na wsparciu rodziny).

Jozjasz został zwerbowany do uniwersyteckiej drużyny futbolowej, a także do drużyn hokeja i siatkówki; spędził kilka bolesnych dla grzbietu tygodni w ekipie wioślarskiej, ćwicząc chłodnymi rankami wiosłowanie przez upiorne mgły unoszące się od jeziora Carnegie, pocieszając się myślą, że taki oparty na duchu współpracy sport to riposta na ekshibicjonistycznego atletę, którego tak bardzo nie lubił, a jednak rozpoznawał w sobie. I ignorował zaproszenia z najbardziej ekskluzywnej klubojadalni o nazwie Bluszcz przy Prospect Avenue (gdzie się również piło), kwitując zdziwienie, rozczarowanie i niezadowolenie klubowej braci wzruszeniem ramion i lakonicznym: „W Bluszczu jeden wieczór zasadniczo przypomina wszystkie inne wieczory; po zakosztowaniu trzech i pół tygodnia takich wieczorów jestem przekonany, że zakosztowałem ich wszystkich".

Pośród chłopców – czy też *młodych ludzi*, jak woleli o sobie myśleć – z Princetonu panował duch wymuszonego braterstwa. Jakby nie liczyło się nic oprócz koleżków: musieli cię szanować, lubić, podziwiać, uważać za kogoś „popularnego". Noty za osiągnięcia w nauce raczej nie były ważne – jak się uczyłeś, to cię wyśmiewali, żeś *kujon*. Dżentelmen nie musiał mieć lepszych stopni od miernego C, bo przecież dżentelmen nie zarabia na życie rozumem. I dlatego należało być członkiem jakiegoś klubu albo wręcz dwóch bądź trzech. I jeszcze uprawiało się sporty, jak wszyscy, w układnym stadzie. A jednak Jozjasz prędko się przekonał w West Point, że maszerowanie *w mundurze* jest przeraźliwie nudne, w Princetonie zaś nauczył się, że wszelki wysiłek, którego cel nie sięga wyżej od głów jego kolegów, nie jest w stanie zainteresować go na dłużej.

Chcąc zadowolić swego ojca, wytrwał na Uniwersytecie Princeton, aż wreszcie po kilku latach otrzymał tytuł bakałarza. Oprawiony w owczą skórę dyplom natychmiast schował, a może i zgubił.

Taka niezależność napełniała go dziwnie beztroskim uniesieniem – ale z kolei reagował na to taką melancholią, że nie potrafił znieść samotności. I dlatego zapragnął towarzystwa swego najbardziej sympatycznego wykładowcy, Pearce'a van Dycka, który zawsze witał go z otwartymi ramionami w swoim przestronnym gabinecie z półkami na książki od podłogi po sufit, ze skórzanymi krzesłami i kanapą oraz widokiem na uniwersytecką kaplicę – okazałą i monumentalną jak kościół.

Profesor van Dyck porozmawia ze mną od serca. Właśnie on ze wszystkich ludzi, których znam, pomyślał.

I tak oto zapukał do otwartych drzwi gabinetu van Dycka i został zaproszony do środka; w Pyne Hall było przyjemnie gwarnie i studenci stadnie śpieszyli na wykłady albo już z nich wychodzili i nikt nie zauważył Jozjasza w zniszczonym tweedowym płaszczu i gabardynowych spodniach, który mógł być jednym z nich, gdyby nie to zmarszczone czoło i większa dojrzałość w oczach.

– Witaj, Jozjaszu! Co za miła niespodzianka.

Tego profesora filozofii i tego młodzieńca od dawna łączyły swobodne, towarzyskie relacje, bo ich rodziny były zaprzyjaźnione, toteż van Dyck znał Jozjasza od najmłodszych lat. Na zajęciach Jozjasz był dostatecznie dobrym studentem, by zasługiwać na wysokie noty, czasami wręcz znakomitym i kapryśnym, ale nie takim, który ulegał kłopotliwym nastrojom, a przynajmniej nie w towarzystwie van Dycka. Profesor, specjalista od Kantowskiego idealizmu, był obecnie w średnim wieku, pogodny z natury, bardziej zainteresowany nauką niż popularnością wśród studentów; Jozjasz nie czuł się tak swobodnie przy własnym ojcu jak przy Pearsie van Dycku.

Największą wartością filozofii jest to, że tu się mówi bez ogródek, że się przechodzi prosto do sedna. I dlatego też Jozjasz bez zbędnych wstępów, jeszcze zanim usiadł, powiedział:

– Profesorze, jak pan to rozumie? – I podsunął pod oczy van Dycka obie dłonie, w których trzymał garść porwanych i zmiażdżonych płatków kalii, kilka łodyg i liści, mocno zwiędniętych i cuchnących.

Van Dyck zagapił się na szczątki, które w promieniach bezlitosnego słońca wpadających ukośnie przez wysokie okno wyglądały raczej jak nędzna imitacja kalii niż prawdziwe kwiaty.

– To chyba kalie; trudno to orzec, bo zgniły. Skąd ty je masz?

– Znalazłem je.

– Znalazłeś? Gdzie?

– Pod własnymi nogami, tam, gdzie przypadkiem spacerowałem. Spojrzałem pod nogi i one tam były.

Jozjasz nie wyjaśnił, że nadepnął na szczątki kalii po wyjściu z domu Cravena po niedzielnej wizycie. Spuściwszy wzrok, zobaczył storturowane płatki i przeszył go dreszcz rozpoznania.

Ta martwa dziewczynka je tam po sobie zostawiła. To martwe dziecko chce od nas czegoś.

Jozjasz nie przyszedł do profesora van Dycka jedynie z osobistej motywacji: van Dyck słynął nie tylko z dokonań naukowych, ale także z rozległej amatorskiej wiedzy z dziedziny botaniki i ogrodnictwa; ogród van Dycka, za jego rodzinnym domem przy Hodge Road 87, należał do najwspanialszych na princetońskim West Endzie.

– Nie pamiętam, gdzie je znalazłem, profesorze van Dyck. Ale byłem ciekaw, co pan o nich powie. Jak je pan zidentyfikuje. – Jozjasz mówił wolno, wyraźnie ważąc słowa.

Van Dyck rozsypał pogniecione płatki, połamane łodygi i liście na swoim biurku. Przyjrzał im się ze zmarszczonym czołem.

– Te kwiaty sprawiają wrażenie bardzo starych. To nie jest zwykły rozkład, tylko coś innego... – Pochylił głowę, żeby je powąchać, i natychmiast ją cofnął z wyraźną konsternacją. – Co za *obydny* zapach.

– Mnie się wydał jakby chemiczny. Nie organiczny.

– Ale popatrz! One się rozkładają na naszych oczach...

Jozjasz i Pearce van Dyck obserwowali zgniłe kalie, które rozpadały się na kawałki, a potem na pył. Zostało tylko kilka suchych włókien liści, pojedynczy kielich, niemal mdlący odór zgnilizny.

– To pewnie reakcja na silne słońce. Jakiś rodzaj przyspieszonego procesu chemicznego...

Próby wyjaśnienia tego niesamowitego zjawiska wydały się Jozjaszowi samą esencją temperamentu filozofa: wyciągnąć jakiś sens z bezsensu, znaleźć logikę tam, gdzie jej nie ma. Jak z rymami w poezji – zabieg zapewniający iluzję komfortu.

– Tak. Jakiś proces chemiczny. Myślę, że tak jest.

– Ale powiadasz, że gdzie je znalazłeś? Pod nogami?

– Przy domu Cravena, profesorze. W niedzielę. – Jozjasz powiedział to naturalnym tonem, bo Pearce van Dyck i jego żona też tam byli, ale zaraz pożałował tych słów, bo wyraźnie zaintrygowały van Dycka i podsyciły jego ciekawość.

– Ale przecież nikt tam nie miał pogrzebowych kalii? I te są takie stare...

– Tylko się zastanawiałem... co pan pomyśli. Bo jest pan znawcą ogrodnictwa.

Zdenerwowany Jozjasz wstał z miejsca. Na jego twarzy malował się wyraz podniecenia i zmęczenia – jakby nie wyspał się poprzedniej nocy, tylko rzucał się i przewracał w szponach paradoksu.

Drapieżny ptak z wielkim, ostrym dziobem i złowieszczymi szponami – paradoks. Znalezienie się w jego szponach oznacza cierpienie, tak jednak wyjątkowe, że można pomylić owo doświadczenie z jakąś ekstazą.

Jozjasz potrząsnął głową, by pozbyć się takich myślowych pajęczyn. Ach, nie był on sobą tego ranka! Nie był sobą – do pewnego stopnia – od czasu epizodu w dawnym domu Cravena, kiedy Grover Cleveland miał zapaść i Annabel zwierzyła mu się, że martwe dziecko Clevelandów nawiedza ją w snach i przywołuje *do siebie.*

– Jozjaszu, może ty jednak usiądziesz? Mniemam, że donikąd się nie spieszysz...

Jozjasz, który nawet nie zauważył, że zamiast siedzieć, chodzi po gabinecie, nie wiedział, co na to rzec. Spieszył się dokądś? Tylko *dokąd?*

– Mam w głowie coś w rodzaju bijącego tętna, profesorze. Jak nieruchomieję, jest bardziej zauważalne i rozprasza mnie.

Van Dyck spojrzał na niego spod zmrużonych powiek. Do tej pory pochylał się nad biurkiem, badając szczątki kalii, a teraz przeniósł zatroskany wzrok na Jozjasza.

– Mam nadzieję, że nie od zapachu tych kwiatów poczułeś się chory, Jozjaszu. Zapach już słabnie, ale nie wydaje się *naturalny...*

– No cóż, profesorze! Dziękuję! Okazał się pan nad wyraz pomocny, a teraz... a teraz... pożegnam się już.

– Drogi Jozjaszu – zaprotestował van Dyck. – Przecież nie idziesz jeszcze, prawda? Może jednak zechcesz usiąść, porozmawiamy o tym niezwykłym niedzielnym incydencie... biedny ten Grover Cleveland, ależ on majaczył i szalał... Starzy ludzie powiadają, że tamten dom jest nawiedzony przez szalbierza André, który koniecznie chciał się zemścić na majorze Cravenie. A jednak, zdaje się, pan Cleveland nie widział ducha owego straconego szpiega, tylko swej nieszczęsnej córki Ruth. Co z tego rozumiesz? – W chrześcijańskim świecie nie ma duchów. Tak to rozumiem.

I z tymi słowy Jozjasz wyszedł, lekko machnąwszy ręką, nie do końca niegrzecznie, a Pearce van Dyck siedział pozostawiony samemu sobie, zdumiony, że jego młody przyjaciel jest w tak osobliwym stanie umysłu w związku z garścią zmiętych kwiatów pogrzebowych.

Niedbale odsunął kwietny rumosz, nie zauważając, że kilka skręconych płatków i fragmentów łodyg pozostało na rozłożonej *Etyce* Spinozy, na samym początku „Części IV: O niewoli ludzkiej, czyli o siłach afektów".

Kiedy szybkimi krokami przemierzał kampus, zgarbiony w swym tweedowym płaszczu i z lekko pochyloną głową, w pobliżu stopni wiodących do biblioteki im. Kanclerza Greena Jozjasz został przyuważony przez rektora uczelni, Woodrowa Wilsona, który zawołał doń familiarnie i uśmiechnął się ciepło, jakby chłopak należał do jego rodziny. Jozjaszowi zamarło serce i pomyślał sobie: *Wpadłem! Do diaska!*

Rzecz jasna Jozjasz nie poszedł dalej, mimo że chciał, tylko przystanął, by porozmawiać z Woodrowem Wilsonem, a raczej pozwolić, by Woodrow Wilson porozmawiał z nim.

Wilsonowi towarzyszył jakiś nieznajomy mężczyzna, któremu przedstawił Jozjasza: Jozjasz uznał, że ów jest wybitnie brzydki, bo miał obwisłą skórę, białą jak brzuch ryby, oczy osadzone blisko siebie, głębokie, acz jakby nienaturalnej, spiżowej barwy, a jego usta, gdy mężczyzna uśmiechnął się przymilnie, zachowywały się dziwnie gadzio, bo ukazał się w nich ruchliwy, zaśliniony język, co Jozjaszowi wydało się szczególnie obraźliwe. A jednak nie mógł uciec, bo Woodrow Wilson uparł się, że przedstawi ich sobie, jakby to napawało go jakąś niezwykłą dumą.

I tak oto Jozjasz Slade został zmuszony do podania ręki „Axsonowi Maytemu", zidentyfikowanemu tutaj jako prawnik z Carnahan w stanie Wirginia, związanemu z Kościołem prezbiteriańskim, którego usługi Wilson miał nadzieję wykorzystać w swojej zwadzie z radą powierniczą. Jozjasz, do którego dotarły jedynie rudymentarne plotki dotyczące wojny Wilsona z Andrew Westem, dziekanem studiów magisterskich, i który uważał całą kwestię za trywialną, uśmiechnął się grzecznie i wymruczał coś w odpowiedzi, przyjaźnie i niedbale, bardzo chcąc ruszyć w swoją drogę, ale doktor Wilson zatrzymał go sprytnie, kładąc ojcowską dłoń na jego ramieniu i wypytując o rodzinę – o zdrowie rodziców, siostry, młodego kuzyna i dziadka Winslowa.

Jakież te towarzyskie wymiany zdań były przewidywalne! Jakie odrętwiająco powtarzalne! A jednak jak od nich uciec? Jozjasza naszła wizja, w której wyrywa się na wolność i biegnie przez Nassau Street. *To szaleństwo. Nie ma odwrotu od szaleństwa.* Doktor Wilson najwyraźniej bardzo pragnął rozmowy, nie było łatwo uciec. Mimo obecności obcego człowieka z Wirginii, który wbił nachalne spojrzenie w Jozjasza, Wilson zaczął wypytywać szczególnie o Annabel, bo wiedział, że Jozjasz i jego siostra są sobie niezwykle bliscy; powiedział, że słyszał „wielce niepokojące i osobliwe" relacje z poprzedniego dnia w związku ze stanem zdrowia pana Clevelanda, i był ciekaw, czy Jozjasz wie cośkolwiek na temat tego incydentu.

Jozjasz odparł dyskretnie, że nie.

I byłby równie dyskretnie wymówił się teraz i umknął, ale Woodrow Wilson zatrzymał go, znów kładąc dłoń na jego ramieniu, cały czas się uśmiechając do młodego człowieka, z tym samym familijnym ciepłem, z jakim traktował go van Dyck, a jednak kryjącym coś silniejszego i bardziej zniewalającego, jakąś formę subtelnego przymusu. Konwersacja miotała się jak mały ptak w wielkiej klatce, bo Wilson próbował wciągnąć do niej także „pana Maytego".

(Jakiż obmierzły wydał się Jozjaszowi ów Mayte! – ta obmierzłość miała niewiele wspólnego z fizyczną brzydotą, bo brzydota rzadko raziła Jozjasza, tylko raczej z przylepnym, tchórzliwym, a jednocześnie bezczelnym sposobem bycia, a także melodyjnym głosem i nawet niestosownym, sportowym odzieniem – bo mimo iż był w wieku Woodrowa Wilsona albo i starszy, pękaty i krępy, to jednak miał na sobie ubranie, które pasowałoby na studenta pierwszych lat: marynarkę ceglanego koloru z watowanymi ramionami, do tego białą koszulę i wąski, ciemny krawat, długie pumpy i buty z zaokrąglonymi noskami, a na głowie coś na kształt czapeczki baseballowej, przekrzywionej na bakier. Jozjasza by nie zdziwiło, gdyby zauważył w klapie odznakę jakiejś klubojadalni, bo tak absurdalnie tamten starał się udawać studenta. Kiedy Axson Mayte się uśmiechał, pokazywał pożółkłe zęby, z których jeden, a mianowicie siekacz, zakrzywiał się na długości połowy cala poniżej pozostałych.

A jednak dla bystrego oka Jozjasza najbardziej odstręczający był biały narcyz w butonierce, już zbrązowiały i więdnący.

Wprawdzie Annabel podziwiała córki Wilsona, Margaret, Jessie i Eleanor, i zawsze wypowiadała się egzaltowanym tonem o Wilsonie, Jozjasz nigdy nie czuł się swobodnie w obecności tego człowieka, bo uważał go za nadętego, pazernego, zbyt ambitnego i o wiele za bardzo zainteresowanego rodziną Slade'ów. (Jozjasz był przekonany, że Wilson będzie się kiedyś ubiegać o jakieś ważne stanowisko polityczne. I że będzie w związku z tym chciał publicznego namaszczenia od Winslowa Slade'a, a także gotówki z prywatnych rąk).

Na niejasne odczucia Jozjasza względem Woodrowa Wilsona nie wpływało dodatnio to, że ileś lat wcześniej, kiedy był jeszcze małym chłopcem, mniej więcej dziesięcioletnim, i już nieźle grał w softball, posłyszał, jak Wilson mówi do jego ojca Augustusa, że bardzo mu zazdrości takiego małego mężczyzny w osobie *syna*, bo jemu los przyniósł *jedynie córki* i w związku z tym czcigodnemu nazwisku Wilson być może grozi wymarcie. („Tak, pragnąłbym takiego dziecka jak twój Jozjasz, gdyby Bóg nie zrządził inaczej").

Woodrow Wilson w obecności Axsona Maytego przywołał temat ślubu Annabel; nie umiał się oprzeć i wyznał, jaki jest zadowolony, że Jessie będzie druhną i że całe Princeton nie może się już doczekać tego wydarzenia. Usłyszawszy to, Axson Mayte rozpromienił się i rzekł z przypochlebnym, południowym akcentem do Jozjasza:

– No jakże, nie połapałem się, że jest pan bratem Annabel Slade! Proszę mi pozwolić jeszcze raz uścisnąć panu dłoń.

Jozjasz byłby odsunął się z irytacją wobec tak idiotycznej prośby, ale Axson Mayte prędko wyciągnął rękę i po raz wtóry uścisnął mu dłoń. Jozjasz poczuł, że przez całą długość ręki przebiega go zimny prąd.

Na szczęście rozbrzmiał dzwon na wieży Old North. Po kilku sekundach na ścieżkę wyroili się chłopcy, wielu w kapeluszach o dziwnych kształtach, z insygniami tego czy innego klubu; byli tam studenci drugiego roku poddający próbom tych z pierwszego, drogą przemykali rowerzyści. Jozjaszowi udało się wreszcie wymówić, mimo że Woodrow Wilson wołał za nim niemalże żałośnie:

– Przekażesz moje uszanowania swemu dziadkowi, dobrze? I... oczywiście... twojej matce...

Jozjasz spiesznie maszerował w stronę Nassau Street, po której płynął strumień konnych powozów i pojazdów mechanicznych, a jednak nie mógł się oprzeć i obejrzał się przez ramię na wysoką i chudą, pastorską sylwetkę Woodrowa Wilsona obok przysadzistego Axsona Maytego – obaj mężczyźni gapili się w jego stronę, pochłonięci rozmową – na jego temat, z odrazą stwierdził Jozjasz.

Brat Annabel Slade! – tak owa plugawa kreatura nazwała Jozjasza. Jakie on miał prawo, żeby ot tak zwyczajnie mówić o Annabel, jakby ją znał? *Znał ją?* Tylko skąd?

Jozjasz był tak wstrząśnięty tym niemiłym spotkaniem, które podrażniło jego wrażliwe nerwy jak odgłos paznokcia szurającego po tablicy, że czuł się bliski omdlenia; takie samo uczucie dopadło go w domu Cravena, kiedy przyglądał się leżącemu i przerażonemu Groverowi Clevelandowi i czuł, że włosy mu się jeżą na karku w jakby zwierzęcym współczuciu dla starego człowieka, że takie koszmary nastają na jego życie.

Znienacka zwątpił, czy ma dość sił, by wrócić na plebanię, i poczuł się zmuszony wsiąść do trolejbusu Johnsona przy Witherspoon, wtopić się w gromadkę rozgadanych kobiet, dzieci wracających ze szkoły i siedzących z tyłu czarnoskórych robotników, których część miała przy sobie pojemniki z lunchem; zerkali na niego spod ciężkich powiek, z twarzami wypranymi z wszelkiego wyrazu.

– Halo? Znajdzie się tu miejsce dla jeszcze jednego?

I tak oto Jozjasz usiadł wśród tych mężczyzn, na samym końcu trolejbusu, z nadzieją, że się wśród nich odpręży, bo gdzie indziej nie byłby w stanie, starając się nie zwracać uwagi na to, że mężczyźni gwałtownie umilkli, gdy tylko wszedł między nich.

NOTA OD AUTORA: PRINCETOŃSKI SNOBIZM

W naszym egalitarnym społeczeństwie amerykańskim *przekonanie o własnej wyższości* w stosunku do innych Amerykanów jest postrzegane jako coś niedobrego; wprawdzie dolne warstwy wszelkich ludzkich społeczności pragną *czuć się lepsze* od innych, jeszcze niższych warstw, a jednak zgodnie z uświęconym obyczajem należy udawać, że tak nie jest, bo obowiązuje przekonanie, że *snobizm*, we wszystkich swoich przejawach, jest nie tylko aberracją, ale wręcz czymś niegodziwym.

Być może jest to dla mnie dogodny moment na dostarczenie czytelnikowi jakichś informacji dotyczących subtelnych, acz ważkich rozróżnień, jeśli idzie o rangę społeczną poszczególnych bohaterów naszej kroniki, bo są wśród nich tacy, którzy wywodzą się z rodzin od dawien dawna „królujących" w okręgu, ze starych rodów i fortun, i są ci, którzy przybyli do regionu całkiem niedawno, powiedzmy w ciągu ostatniego stulecia.

Tę pierwszą kategorię współtworzą *pielgrzymi, osadnicy* albo *koloniści*, tę drugą, pojemniejszą, *imigranci*.

A zatem z jednej strony mamy stare rody Jersey dorównujące statusem Slade'om, inaczej pierwotnym mieszkańcom Kolonii Zatoki Massachusetts, które przeniosły się do Kolonii Koronnej New Jersey, kiedy Princeton jeszcze nie istniało, tylko były tam trzy małe wioski – King's Town, Queen's Town i Prince's Town – położone przy starym trakcie łączącym Nowy Jork z Filadelfią. Tak więc oprócz Slade'ów, z którymi nie do końca mogą rywalizować pod względem sławy i bogactwa, mieszkają tu jeszcze Morganowie, FitzRandolphowie, Bayardowie, van Dyckowie, Pyne'owie (ze wspaniałej posiadłości Drumthwacket, w późniejszych latach stanowiącej rezydencję gubernatora New Jersey), kilka rodzin Burrów (potomków wielebnego Aarona Burra Seniora) – oraz jeszcze inni, którzy wypadli poza obrzeża tej historii. Należy pamiętać, że owe arystokratyczne stare rody o dziesiątki lat wyprzedziły Uniwersytet Princeton, bo ta instytucja, znana w swej poprzedniej odsłonie jako Kolegium New Jersey, powstała pierwotnie w Elizabeth w stanie New Jersey, skąd w 1748 roku została przeniesiona przez wielebnego Aarona Burra Seniora do Newark, a następnie po dziesięciu latach przez rektora Samuela Daviesa na jej obecne miejsce w miasteczku Princeton, przy drodze 27, obecnej Nassau Street, w pobliże skrzyżowania z autostradą stanową 206. Od tego skromnego początku uniwersytet, silnie związany z Kościołem prezbiteriańskim, rósł i rósł – aż wreszcie przerósł sam siebie, można rzec, w granicach przeludnionego i przesadnie zabudowanego kampusu, gdzie ledwie widać zieleń i gdzie nieładne, wysokie budowle kłócą się z elegancką architekturą gotycką z wcześniejszej epoki. Princetoński West End po dziś dzień zamieszkują potomkowie owych starych rodów, niektórzy poniekąd już anonimowo, bo czas ich wyminął, jak by na to wskazywało przyjęcie w poczet studentów Uniwersytetu Princeton kobiet, „czarnych" oraz pozaparytetowej liczby Żydów, którzy na początku głośnej dekady lat siedemdziesiątych współtworzyli zaledwie strumyczek anarchii, ale teraz to już istna rzeka.

Tak więc można dostrzec wyraźny podział między starymi „osadniczymi" rodzinami a rojem „nowych osób", które przeprowadziły się na te tereny, żeby tylko zdobyć zatrudnienie na uniwersytecie, przy zdecydowanie skromnych wynagrodzeniach.

(Zdarzały się osoby, jak na przykład Adelajda McLean Burr, które wytykały Woodrowowi Wilsonowi, że będąc rektorem uniwersytetu, zbyt skromnie wynagradzanym, by móc sobie pozwolić na automobil, przez większość czasu godził się jeździć rowerem; zaiste okrutna to odmiana snobizmu. A jednak powinniśmy się śmiać razem z Adelajdą, bo ona jest bardzo dowcipna!) Naturalnie dochodziło niekiedy do swoistego nakładania się obu kategorii, jak w przypadku mojego ojca Pearce'a van Dycka, syna jednej z najwybitniejszych rodzin okręgu, który był także uczonym i filozofem znanym na cały kraj, posiadającym dyplomy z Cambridge (w Zjednoczonym Królestwie), a także z Princetonu. Z kolei Ellen Wilson – z bardziej subtelnych dowodów – była spokrewniona przez babkę ze strony ojca z Fitz-Randolphami z Wirginii, dzięki czemu mogła się przyznawać do związków rodzinnych z bogatymi FitzRandolphami z Princetonu, tyle że brakowało jej odwagi, by to czynić i ryzykować, że ktoś *utrze jej nosa*.

Co do Jozjasza i Annabel, głównych bohaterów *Przeklętych*, mimo że są to absolutnie sympatyczne i w rzeczy samej obdarzone dobrymi sercami osoby, nie da się ukryć, że to też *snoby* – choć ani trochę nie zdają sobie z tego sprawy i nie potrafią nic z tym zrobić, bo są *Slade'ami*.

COŚ NIEWYSŁOWIONEGO I

(Wyjątki z tajnego dziennika pani Adelajdy McLean Burr,
kwiecień–maj 1905)

*Ten bezcenny dziennik, sporządzony z użyciem sekretnego szyfru, którego
żaden inny historyk aż do teraz nie potrafił „złamać", został znaleziony
pośród najrozmaitszych dokumentów, domowych rachunków i innych pamiątek w Maidstone House długi czas po przedwczesnej śmierci pani Burr.
W owym czasie nie rozpoznano wartości owego dziennika – spisanego eks-
centrycznym i niemalże nieczytelnym kodem, pajęczym charakterem pisma
i lawendowym atramentem w tzw. Czerwonym Zeszycie, bo był to zeszyt
oprawiony w skórę cielęcą ufarbowaną na czerwono.*

*Jako narrator waham się, czy powinienem przedstawiać siebie jako je-
dyną żyjącą osobę zdolną odczytać dziennik pani Burr z pełnym zrozumieniem, niemniej jednak uważam, że fałszywa skromność jest tu nie na
miejscu, a ponadto pozwolę sobie przestrzec rywalizujących ze mną historyków owej epoki, że nie wolno im wykorzystywać bezprawnie mojej żmudnej
pracy, gdyż jest ona w pełni chroniona prawem autorskim.*

*(Mam nadzieję, że nie zostanie to poczytane za przesadną asekura-
cję wobec własnych praw, ale postanowiłem nie ujawniać czytelnikowi
sposobu, w jaki po wielu miesiącach frustracji udało mi się „złamać" szyfr
Adelajdy, który niewyszkolonemu oku wydawałby się wierutnym bełkotem,
pełnym dziwacznych symboli teozoficznych, a także rozmaitych esów-flo-
resów).*

*Czytelnik winien zostać poinformowany, że Adelajda McLean Burr za-
raz po swym ślubie we wrześniu 1891 roku z Horacym Hudigerem Juniorem popadła w tajemniczą „niemoc", która objawiała się rozmaitymi dolegliwościami natury fizycznej i umysłowej, łącznie z częściowym paraliżem, skrajnym zmęczeniem i dusznościami; pani Burr była najbardziej
schorowaną spośród wszystkich „inwalidek" Princetonu i często rozsyłała*

„biuletyny" do przyjaciółek, z którymi nie mogła się spotkać na gruncie towarzyskim. Nieraz bywało, że biedaczka prosiła o zniesienie na dół, by móc powitać różnych prominentnych gości w Maidstone House, na przykład pana i panią Clevelandów, kiedy jeszcze byli nowi w miasteczku, albo wybrane towarzystwo princetońskich dam głównie w porze podwieczorku – tak czy owak istniało powszechne przekonanie, że ani razu nie opuściła granic Maidstone od powrotu z podróży poślubnej na Bermudy w październiku 1891 roku.

Czytelnik powinien poznać jeszcze jeden szczegół: Maidstone House, rodzinna siedziba Burrów z Pembroke, którzy podobnie jak Slade'owie pierwotnie osiedlili się w Kolonii Zatoki Massachusetts, po czym w osiemnastym wieku przenieśli się do Kolonii Koronnej New Jersey, należy do najpiękniejszych arystokratycznych rezydencji na princetońskim West Endzie. Ów dom mieści się przy Hodge Road 164, a zbudowany został w 1803 roku w dziwacznym (i budzącym lekką grozę) stylu będącym „wypaczonym" połączeniem romanizmu i gotyku, z granitu o ponurej barwie, niekiedy świetlistego w zależności od natężenia światła. Maidstone, z ponad dwudziestoma pięcioma pokojami oraz kilkunastoma dodatkowymi pomieszczeniami urządzonymi w dawnej powozowni, a także w domkach niewolników na tyłach, rzuca osobliwy czar na obserwatora, bo tę nieco ordynarną, czworograniastą bryłę z niebotycznymi kominami oraz nadzwyczaj wysokimi, wąskimi i „ponurymi" oknami, na których okiennice często były przymknięte, otacza niezwykła żałobno-wzniosła atmosfera.

Jak czytelnik już się orientuje, dzieciństwo spędziłem przy Hodge Road 87, a to jest zaledwie pół kwartału od Maidstone House. Nasi naiwni służący, a także inne osoby zatrudnione w domu oraz często do nas przychodzący handlarze brali całkiem na poważnie infantylny wymysł, że Maidstone House jest „nawiedzony" – wymysł, który pojawił się na długo przed straszliwą śmiercią Adelajdy Burr.

_____. COŚ NIEWYSŁOWIONEGO! – incydent, o którym od rana szepcze całe Princeton.

Tylko w jaki sposób *dama* miałaby o niego wypytywać?

Nie mam pewności, kiedy to się stało – (dwa dni temu?) – i czy kobieta, której się to przydarzyło – (jakiś skandal, nieprawdaż? wyborne!) – była tego pokroju, że mogłaby się wyprawić gdzieś samotnie o zmierzchu; czy była mieszkanką samego Princetonu, czy też mieszkała w jakiejś zapyziałej wiosce nieopodal.

Jakież to niesprawiedliwe, że człowiekowi odmawiają tak ważnej informacji! – ale jeśli występek wymierzony przeciwko damie jest czymś NIE-WYSŁOWIONYM, to w takim razie jak o tym opowiedzieć damie? Horacy nie chce mi nic zdradzić. Robi zaciętą minę i milczy jak grób – nieodrodny syn swojej rodziny. Na moje przekorne pytania potrafi tylko odburknąć: „Nie stało się nic, droga Adelajdo, co dotyczyłoby <u>ciebie</u>" – i tak oto sprawa leży odłogiem, bo Horacy będzie odgradzał swoją Koteczkę od wszelkiego zła, tak jak to czynił – skarb nie mąż! – przez całe czternaście lat naszego związku.

_____. (Mój przystojny mężuś z tymi zakręcanymi wąsiskami nigdy w swej naiwności nie zgadnie, jaka nikczemna jest jego Koteczka w głębi duszy; jakie śmiałe i nieokiełznane są jej myśli!)

_____. Popołudnie przy herbatce, tartaletkach i przepysznych kawowych bajaderkach. Ale też jakie nużące dla Koteczki, która chciała słuchać tylko o tym, co zaszło wśród nas, o tym czymś NIEWYSŁOWIONYM, o czym damy wiedzieć nie powinny, a tymczasem one paplały wyłącznie o tym doktorze Wilsonie z twarzą jak śliwka suszona i o tym obłudniku Andrew Weście, kłócących się nad tą ich durną burzą w szklance wody. Wiem, jestem uważana za „niegrzeczną" – albo w najlepszym razie za „nieznośną" – bo ledwie ukrywałam ziewanie podczas plotkarskich wynurzeń pani FitzRandolph, które ta sączyła nad wyraz LENTISSIMO, a potem kuzyneczka Wilhelmina, to przerośnięte dziecko, obrzuciła mnie psotnym spojrzeniem pełnym zrozumienia, kiedy dla odmiany jej matka jęła ględzić bez końca o tym, kto z rady powierniczej jest za doktorem Wilsonem i jego końską szczęką, a kto za dziekanem Westem, który w pasie ma całe sześćdziesiąt dwa; znienacka zaczęło się wydawać, że całe miasto jest podzielone. Członkowie rady powierniczej, absolwenci uniwersytetu, ważne wdowy i oczywiście Clevelandowie ze swą *korpulencją* (Grover to przewodniczący rady, ponoć zdecydowanie faworyzuje Westa), et cetera! Koteczka pocieszyła się półtuzinem bajaderek, z dodatkowymi kleksami śmietanki – co miało taki skutek, że dziś rano byłam dość mocno chora, jak należało przewidzieć. Ale co tam! Czegóż to nie zrobi Koteczka z tej nieziemskiej NUDY.

_____. Dokuczliwie niejasne: jak się zdaje, to NIEWYSŁOWIONE coś wiąże się z jednym z domów West Endu i to z tych najznamienitszych! Jakie to okrutne i denerwujące, bo wciąż żadnych szczegółów.

_____. Krążą aluzje o kolejnym NIEWYSŁOWIONYM incydencie: brał w nim udział eksprezydent Cleveland, który jakimś tajemniczym sposobem znalazł się w dawnym domu Cravena przy Rosedale Road, w towarzystwie osób, wśród których byli liczni przedstawiciele rodziny Winslowa Slade'a – a zatem śmietanka naszych obywateli; owo zgromadzenie miało zapewne coś wspólnego ze zbliżającymi się zaślubinami Slade-Bayard. Ale Horacy jest dość rozczarowany; zdaje się szczery, gdy twierdzi, że nie wie nic o tym zdarzeniu, do którego doszło nie dalej jak w ubiegłą niedzielę.

_____. Doktor Boudinot przychodzi z wizytą. Rozstrój gastryczny po kawowych bajaderkach i 18-godzinna niemoc. Już lepsza śmierć.

Doktora trzeba przywieźć automobilem. Koteczce zostaje zapisany jeszcze jeden lek. Od 14 lat jej umysłowi brak jasności.

Nowy medykament w formie pigułek o posmaku kredy przynosi z princetońskiej apteki Abraham: najczarniejszy z chłopców, nowy na służbie u nas, krewniak Minnie, naszej kucharki i gospodyni. To znaczy ja tak myślę, że oni są spokrewnieni. Pewnie przez te ich niedorzeczne imiona.

_____. Koteczka, niewiniątko z zadyszką, leży na jedwabnym szezlongu matki Burr, targane dreszczami mimo kaszmirowego szala, ale potajemnie myśli sobie, że całe Princeton trzeba wybić do nogi! Czy szatan przyszedłby do Maidstone House, gdyby go wezwać? Jakich „czarnych rytuałów" trzeba, żeby przywołać takiego jegomościa? Czy kary – tj. drobne upokorzenia – zesłane na princetońskich wrogów Koteczki wystarczyłyby jej za powód do zaprzedania duszy?

_____. Kuzyneczka Wilhelmina! Jak ja żałuję, że ona się nie zwierza mnie, starszej kuzynce, że nie opowiada mi o (pełnych udręki?) tajnikach swego życia, bo ja sądzę, że Willy jest po uszy zakochana w Jozjaszu Sladzie, podobno razem z całą rzeszą innych dziewcząt i kobiet z Princetonu.

Czy Jozjasz Slade poświęcił tej dziewczynie więcej niż jedno spojrzenie? Choćby dlatego, że to przyjaciółka jego siostry Annabel? Wątpliwe!

Ale Willy to taka gorąca głowa przez tę swoją młodość; obie z tą nieskazitelną Annabel to papużki nierozłączki, i to od szkoły elementarnej; ależ ja im zazdroszczę!

Obawiam się, że w ich oczach jestem stara – starsza niż one; nieważne, że twarz Koteczki jest niepomarszczona, że oczy ma lśniące, czarne i bystre, skórę zawsze lekko rozgorączkowaną, a oddech zbyt prędki i że jak się tak uśmiecha jak lisek chytrusek to dostaje dołeczków jak dziewczynka – Horacy mówi, że na widok tego uśmiechu kraje mu się serce. Moje włosy też nadal są piękne i lekkie jak dym, unoszą się dookoła mej głowy – aczkolwiek są cieńsze niż w czasach, gdy byłam mała – bardzo piękne, jasnobrązowe z rudymi pasmami – i jeśli nawet zdarzają się wśród nich brzydsze, siwe i szorstkie, to moja pokojówka Hannah nabrała wprawy w płukaniu ich henną; kochany Horacy, jak wszyscy mężowie, o niczym nie wie. Czy kochasz jeszcze tę biedulkę, swoją małą Koteczkę? – spytałam tak wczoraj Horacego o zmierzchu, cała drżąca, wtulona w jego kamizelkę. – Czy raczej wolałbyś mieć silniejszą żonę, taką krzepką Junonę jak Frances Cleveland? Takie smętne pytanie zadałam, a Horacy w odpowiedzi tylko złożył pocałunek na mym rozgrzanym czole.

_____. Koteczka w sekrecie pochłania Naukę tajemną madame Heleny Bławatskiej. Choć jest to proza niejasna i mało przystępna, niczym ogród zadławiony cierniami. I tyle ginie w niepamięci, w ciągu jednej strony.

A jednak Koteczka tak bardzo pragnie towarzystwa w teozofii! Osób, które mają dość odwagi, by przysposobić prawdy nauki okultystycznej (tak to się nazywa, bo to jest nauka). Ale my tutaj wszyscy jesteśmy prezbiterianami i episkopalianami, a ci najbardziej radykalni wśród nas to unitarianie!

Amerykańskie Towarzystwo Teozoficzne ma swoją siedzibę na Manhattanie, przy parku Gramercy. Na organizowane tam spotkania wpuszczają jedynie za zaproszeniami. Serce mi skacze, mam w sobie tyle nadziei – bo wierzę, że jedynie teozofiści zrozumieją moje pragnienia, bo ja pragnę jakiegoś świata ducha, do którego dostęp mają jedynie owi wybrańcy za sprawą swego wyższego intelektu i aspiracji.

A jednak małe dziecię poprowadzi ciebie – czyż nie tak nauczają teozofiści!

(Gdyby tylko Koteczka nie była inwalidką i mogła podróżować automobilem! – ale Horacy by tego nie pochwalił).

(Nie pochwaliłby tego żaden Burr i żaden McLean, bo to są sami prowincjusze o wąskich umysłach, z których madame Bławatska śmiałaby się z pogardą).

Madame Bławatska powiedziała, że NIE MA RELIGII WYŻSZEJ NAD PRAWDĘ.

Madame Bławatska obiecała, że PRZEJDZIEMY DO NASZYCH ETERYCZNYCH CIAŁ, KIEDY OTWORZY SIĘ TRZECIE OKO, PRZYDAJĄC DUCHOWEGO WIDZENIA.

Madame Bławatska obiecała, że DEWI STRÓŻ (ANIOŁ) BĘDZIE NAS STRZEGŁ, JEŚLI WSTĄPIMY DO WYŻSZEGO WYMIARU.

Do czego Koteczka dodaje żarliwe AMEN.

* * *

_____. Więcej o kuzyneczce Willy. Mnie to się wydaje, że ona nosi w sobie jakąś szaleńczą tajemnicę.

Nie jestem w stanie rozsądzić, czy dwudziestoletnia Wilhelmina jest zaiste urodziwa, jak twierdzą niektórzy, czy raczej, jak mówią inni, ma zbyt kanciastą szczękę, a twarz zbyt hożą i rumianą jak na prawdziwą damę. Bardzo bym była <u>rada</u> się z nią zaprzyjaźnić, ale ona jest młoda i zachowuje dystans; nie przychodzi często na podwieczorki do Maidstone ze swą matką i ciotką, a jak już tu jest, to przygląda nam się sennie, jakby jej myśli krążyły gdzie indziej. Przynajmniej daje się wciągnąć w rozmowę o zbliżającym się ślubie, bo ma być główną druhną Annabel, co w rzeczy samej jest wyjątkowym zaszczytem w Princetonie, albowiem zaślubiny Slade-Bayard to wielkie wydarzenie towarzyskie sezonu.

Ponadto Wilhelmina ma nadzieję zapisać się do Nowojorskiej Szkoły Sztuk Pięknych i studiować tam pod kierunkiem znanego malarza Roberta Henriego. Wystarczy jednak, że tylko o tym napomknie, a jej matka z miejsca wchodzi jej w słowo, besztając ją, że przecież takie codzienne dojazdy pociągiem byłyby wyczerpujące i że ojciec Wilhelminy nigdy się nie zgodzi, żeby zamieszkała w mieście, dlatego więc cały pomysł jest absurdalny.

Po czymś takim spąsowiała panna milknie i mruga, walcząc ze łzami (złości?), które płyną z tych poważnych brązowych oczu. Kochana Willy jest zuchwała, prostolinijna i nie mogłabym jej znielubić; byłaby pewnie moją najserdeczniejszą przyjaciółką w Akademii dla Dziewcząt, gdzie, jak przypuszczam, byłam najszczęśliwszą z uczennic i bodajże najbardziej psotną. Ostatnio Willy miała na sobie przepiękny kostiumik – spódnica z białej piki, szykownie wykrochmalona, biała bawełniana bluzka z bufiastymi rękawami i opiętymi mankietami, ciemny, pasiasty kubraczek podkreślający smukły tors i wąskie biodra, mały słomkowy kapelusik typu „Wesoła Wdówka", to znaczy czarny i bez ozdób, buty też czarne, zwyczajne, uszyte do spacerów przez naszego szewca przy Bank Street. (Bo Willy koniecznie chce codziennie „chodzić, chodzić i chodzić"– nad kanałem i po dzikich brzegach jeziora Carnegie, <u>samotnie</u>, co tym bardziej bulwersuje). Do klapy kubraczka miała przypięty czarujący damski zegarek, z maleńką tarczką do góry nogami; zauważyłam, że moja droga kuzynka zerkała nań ukradkiem, gdy jej starsze towarzyszki ględziły bez zmiłowania. Kochana Willy, nie mogę cię winić!

_____. (Niesamowite plotki fruwają po Princetonie w związku z kłótnią Wilson-West! Przy czym ta najbardziej ekscytująca jest taka, że w niektórych kręgach oskarżają Andrew Westa o <u>paranie się czarną magią</u>. Horacy twierdzi, że w tych oskarżeniach ukryte jest ziarno prawdy, bo jak wiadomo, na uniwersytecie jest taka grupa badaczy, którzy podejmują się różnych ryzykownych eksperymentów na ludzkim mózgu poprzez jego ćwiartowanie (fuj!) i inne takie, przy czym ci uczeni utrzymują to w tajemnicy przed zarządem uczelni i większością innych wykładowców, prowadząc swe nielegalne badania w jakichś zakamarkach Guyot Hall, pod przykrywką, iż jest to biologia naturalna).

_____. Horacy nawet nie chce dać nam do zrozumienia, czym jest NIE-WYSŁOWIONE – „Nic, co by ciebie dotyczyło, kochana Adelajdo". A jednak wiem, że to coś wstrząsającego i strasznego, równie niedobrego jak ćwiartowanie. Odwiedzające mnie panie wiedzą jeszcze mniej niż ja, jak się zdaje, i są szalenie rozczarowujące, sprawiają, że mam ochotę splunąć. „To był rabunek, pobicie, morderstwo?" – uporczywie wypytywałam Horacego. „Proszę, powiedz mi, czy to było morderstwo?" (Bo nie byłam zdolna wydobyć z siebie tego, co NIEWYSŁOWIONE, tej straszliwej zniewagi, którą mężczyzna może rzucić w twarz kobiecie albo dziewczynie; wywołana przez nią odraza i trwoga już zawsze potem rzuca cień na życie tej nieszczęsnej ofiary, której ta nie może potem wysłowić, jakby wyrwano jej język niczym biednej Filomeli). Ale Horacy z zaciętą miną odpowiada, że to nic, co by dotyczyło jego kochanej Koteczki.

_____. Wpadł do nas na podwieczorek siostrzeniec Horacego, Dabney Bayard, razem z kilkoma innymi Bayardami, tak leciwymi, że przysięgłabym, iż odeszli lata temu; porucznik Bayard, bo tak go obecnie nazywamy, w swoim twarzowym mundurze oficerskim, z tymi uśmiechami spod wąsa, wirginijskim wdziękiem i osobliwym uporem (czyżby ten młodzieniec wierzył, że Koteczka ze swoim sokolim wzrokiem tego nie zauważyła?), z jakim wślepiał się w młodą Hannah, kiedy ta przyszła nakryć do herbaty, bo ta dziewczyna jest niestety nad podziw dorodna i ogólnie kształtna jak dorosła kobieta, z tą skórą barwy kawy z mlekiem, grubymi wargami i nosem, bardzo cicha, obojętna i posłuszna, ale nie „inteligentna" – to widać w braku skupienia w oczach, niekiedy. A jednak pod każdym względem młoda i niewinna, jestem tego pewna, bo Minnie tego dopatrzyła. I kiedy Hannah zniknęła z pokoju, porucznik Dabney prędko zrobił się niespokojny; coś tam zawile opowiadał o zaślubinach w czerwcu i o miesiącu miodowym – (Wenecja, Florencja, Rzym… ach, te sławne miasta, które biedna Koteczka tak bardzo pragnie zobaczyć!) – i o domu Cravena przy Rosedale Road, który zostanie scedowany na młodą parę – (choć powiadają, że to nawiedzony dom: czy porucznik Bayard nie boi się duchów?) – obrzucając mnie pustym, zawstydzonym spojrzeniem, kiedy spytałam, jakby dopiero wtedy przyszło mi to na myśl, cóż takiego zdarzyło się onegdaj w domu Cravena? – bo nikt nie chce o tym mówić? Po chwili milczenia zaskoczony

Dabney zrobił wdech i rzekł: „Ciociu Adelajdo, chyba nie wiem, o czym ty mówisz. Ja raczej plotek nie słucham".

Ale też utarł mi nosa! W moich żyłach zawrzała taka złość, że jeszcze trochę, a byłabym pożałowała, iż nie mogę się odwołać do Księcia Ciemności i jego prędkich sposobów na dokonanie zemsty; gdyby tylko Andrew West był bliskim znajomym Horacego i powiernikiem biednej Koteczki!

Oprócz tej odprawy było coś jeszcze w spojrzeniu porucznika Bayarda, co mnie przestraszyło. A i porucznik sprawiał wrażenie przestraszonego – tylko przez chwilę. I kiedy wyszedł, prowadząc swych rodziców dreptających na trzęsących się nogach, poczułam, że lada chwila zemdleję i Henrietta Slade, która litościwie nie opuszczała mego boku, zadała mi szczyptę tabaki – tak zwanej tabaki dla pań, znacznie łagodniejszej niż dla dżentelmenów, i bardzo przydatnej – z kryształowego flakonika, który trzymała w rękawie, zawinięty w koronkową chusteczkę; po napadzie rozkosznych kichnięć rozjaśniających w głowie byłam gotowa rozpłakać się, bo tak mi ulżyło.

_____. Horacy całuje mnie w czoło i mówi, że mam gorączkę. Twierdzi, że trzeba słuchać doktora Boudinota – nie wolno dopuszczać nadmiernych ekscytacji do życia Koteczki! Ostrzega mnie przed wirem lokalnych plotek, który przypomina trąbę powietrzną wypełnioną ziemią, piaskiem, sieczką, drobinami nawozu – bardzo niebezpiecznie jest tym oddychać! Kiedy wypytywałam o porucznika Bayarda, że jakoby w West Point ów młodzian został ukarany za pogwałcenie – Kodeksu Honorowego? Tak to się nazywa? – ale go nie wydalono ze względu na wpływy rodzinne – Horacy przycisnął palec do ust, krzywiąc się – Nie, Adelajdo! Ja o tym nic a nic nie słyszałem i to nie powinno się rozejść dalej.

_____. Później zapewniał mnie, że w tym domu mam znakomitą ochronę, że wszyscy mieszkańcy Hodge Road i okolicy mają znakomitą ochronę, że przecież nie jest to Camden! Na co ja odparłam prędko: *A czemuż ty mówisz o Camden?* i Horacy przez chwilę zdawał się zakłopotany, jakby wcześniej źle się wyraził. A potem, jakby chciał utemperować mą ciekawość, jął się rozwodzić na temat pana Harrisona, prawnika od naszych inwestycji, i o sprawach na Wall Street, o panu Depew i o panu Hillu, o panu Roosevelcie – (czym mnie odrobinkę ożywił, bo opisy wyczynów „Teddy'ego" w gazetach są zawsze zabawne). Ale gadanina o związkach i strajkach nadal nuży – te plugastwa mnie ani trochę nie interesują, tak jak nie interesowałyby madame Bławatskiej – mierzi mnie gadanie o tej hołocie, która zaczęła nękać społeczeństwo żądaniami WYŻSZYCH PŁAC i wulgarnie grozić STRAJKAMI. Horacy sinieje z gniewu, mówi, że to zwykli kryminaliści, że trzeba będzie nająć Pinkertona, jeśli armia amerykańska nie pomoże naszej sprawie, że trzeba wytępić anarchistów, że trzeba wymierzyć sprawiedliwość. Jakaż to małoduszna chciwość z tym żądaniem WYŻSZYCH PŁAC, jakby nie istniała WYŻSZA ŚWIADOMOŚĆ, do której wszyscy winniśmy dążyć. Czy ta hałastra i jej przywódcy nigdy się nie nauczą, że człowiek nie samym chlebem żyje?

_____. NUDA przez cały tydzień, za to w poniedziałek ambitny podwieczorek, Koteczka czuła, że jest bardzo silna i wesoła, i prawie wszystkie panie wyglądały kwitnąco.

Przyszła Frances Cleveland, bardzo miła niespodzianka; fertyczna jak nigdy, cała w piórach i klejnotach, bardzo rumiana – (bo krążą słuchy, że była Pierwsza Dama ma w sobie krztynę krwi indiańskiej, ale jak prasa brukowa o tym pisze, to Grover dostaje napadu furii); i kuzynka Mandy w znakomitym nastroju, mimo że niedomaga; i anielska Annabel Slade, nasza królowa princetońskich debiutantek i przyszła panna młoda; i jej zrzędliwa matka, Henrietta, która jest taka dobra, że niech ją; i urocza Johanna van Dyck, acz na moje oko ubrana tak jakby mizernie; i starsza pani Washingtonowa Burr, matka Horacego, choć nie pamiętam, bym ją zapraszała; i mała Ellen Wilson w niekorzystnym stroju, który ani trochę nie schlebiał jej pospolitym końskim rysom i mało subtelnej sylwetce. (Gniewam się przeogromnie, bo Willy przysłała wyrazy ubolewania! Jej wymówka była tak licha, że nawet nie słuchałam, gdy jej głupia ciotka je powtarzała).

Biedna Ellen Wilson, zaproszona do Maidstone z poczucia obowiązku i z grzeczności, a także dlatego, że jej małżonek jest rektorem uniwersytetu i nie można ich unikać. Naiwna kobieta, dała nam się wciągnąć w sprawę dziekana Westa i kolegium dla magistrantów, a potem wyjąkała, że dziekan i jego poplecznicy „będą bardzo żałowali, jeśli gniew Woodrowa wreszcie zostanie pobudzony, a jego zdrowie zagrożone" – i potem my, wszystkie panie, siedziałyśmy w milczeniu, bo tak nas zaskoczyła. Czy ta kobiecina jest wulgarna czy tylko nieobyta? Czy towarzystwo na błoniach przy Prospect rozmawia w taki właśnie sposób? Kuzynka Mandy dyskretnie zmieniła temat, zagadując Lenorę Slade o jej przepis na kokosowe bezy, które nam przyniosła, zaiste *pyszne*. Tym sposobem zażenowanie po części zostało ukrócone, a pani Wilson oszczędzono dalszych szaleństw.

Od tego momentu temat rozmowy przeniósł się na nadchodzące wesele, że suknia Annabel będzie „zjawiskowa", bo tak zapewniła pani Slade, w nowomodnym stylu dyrektoriatu, że jej druhny są takie podniecone, że wielu wybitnych gości ma zjechać na plebanię Crosswicks z różnych stron kraju, także z Waszyngtonu, że podróż poślubna obejmuje Wenecję, Florencję i Rzym, że Jozjasz planuje studiować niemiecki idealizm w Heidelbergu albo może przyłączy się do jakiejś ekspedycji polarników do Klondike! – i wszelkie inne sprawy, o których można paplać, przyjemne w danej chwili, pół godziny później zapadające w niepamięć. Szanowne panie! – chciałam zawołać, powstając ze swego szezlongu jak walkiria – Szanowne panie! Czy któraś z was wie, że NIEWYSŁOWIONA zbrodnia została popełniona tu, w Princetonie, że tu idzie o jakąś kobietę, że to jest bardzo poważna i tajemnicza sprawa, że miejscowe gazety nie poświęciły jej ani słowa, że mężczyźni sprzysięgli się, twierdząc, że o niczym nie wiedzą, bo tym samym osłaniają nas przed złem? Ale oczywiście Koteczka nic nie powiedziała, tylko spytała, czy Hannah ma jeszcze donieść herbatki.

_____. A to ci niespodzianka. Pośród wybuchów śmiechu Frances Cleveland zwierza mi się, opowiadając o najnowszych zdarzeniach z wojny Wilson–West: obaj dżentelmeni umizgują się do pani Pyne, 99-letniej wdowy z Baltimore; jej zmarły mąż, Horatio Pyne, który ukończył uniwersytet w 22 roku, przeznaczył jakieś 6 czy 7 milionów dolarów na Princeton. Orzech do zgryzienia, mówi Frances, błyskając swymi pięknymi, białymi ząbkami, polega na tym, czy te pieniądze pójdą na uniwersytet bez żadnych szczegółowych instrukcji, czy też dostanie je przebiegły dziekan West, który dzięki nim mógłby wybudować swe imperialne kolegium dla magistrantów na jakimś wysokim wzgórzu, w pewnej odległości od kampusu. (Bo na to wychodzi, że dziekan West chce ufundować własny kontrkampus rywalizujący z kampusem rektora uniwersytetu, który kierowałby adeptami bakalaureatu z Nassau Hall). Pani Cleveland donosi mi o oskarżeniach o „okultyzm" i „mesmeryzm" wytaczanych przez Wilsonów przeciwko Westowi, gdy tymczasem dziekan rozmiarów wanny twierdzi, że ostatnimi czasy doświadczył „osobliwie szkodliwych i nieżyczliwych wibracji" emanujących z domu rektora; głupota tych wieści sprawiła, że była Pierwsza Dama i ja dostałyśmy napadu śmiechu. Frances jest bardzo przystojna, bardzo krągła; Koteczka przy niej prawie nie czuje się kobietą.

Po Frances Cleveland, zniewalającej niewieście, która w oczach swych rodaków od tak dawna uchodzi za młodą, bo wzięła ślub w Białym Domu w wieku 21 lat, wreszcie widać spustoszenia dokonane przez czas, bez wątpienia skutek bolesnej straty poniesionej w minionym roku, kiedy nagle zmarła jej córka Ruth, a także dziennych i nocnych żoninych zadań – tak je sama nazywa – przy obwisłych 300-funtach starego Grovera.

Ach, jak to jest, zastanawia się nagle zdjęta strachem Koteczka, być żoną tak naprawdę?

*   *   *

_____. Jeden z tych dni, kiedy niedomaga mi umysł i nie ważę się zejść na dół. Ledwie mi starcza energii, by włożyć peniuar.

I kazać Hannah, żeby wyszczotkowała mi włosy i opatuliła mnie szalami. Już o 11 jestem bardzo zmęczona.

Wspominam dawne, upiorne dni, gdy byłam jeszcze panienką i musiałam się godzić, żeby mnie ubierano w gorset, od którego ledwie łapałam oddech i zataczałam się przy chodzeniu. Te dni dawno temu minęły, bo Koteczka nie odważa się wyjść z domu i tym samym jest jej oszczędzona tortura fiszbinów, którą inne przedstawicielki mojej płci muszą wytrzymywać, wyjąwszy plemię inwalidek.

I tego wieczoru Horacy zapukał cicho do moich drzwi, bo dowiedział się od Hannah i innych, że Koteczka nietęgo się czuje. Przyniósł mi bukiecik houstonii i orlików, a także miseczkę jagód kupionych w sklepie Stocktona. A potem napiliśmy się słabej herbaty. Wydaje się, że nigdy nie byliśmy szczęśliwsi od czasów Tragedii, przed 14 laty. Kiedy okna pociemniały od deszczu, Horacy próbował mnie rozweselić, śpiewając urywki bzdurnych melodyjek i kołysanek, a także jedną z tych uroczych pieśni z czasów naszych zalotów:

Ach, oby ta róża żyła wiecznie
Do ziemi śmiała się i niebios!
Czemuż co piękne miałoby płakać?
I niedobry miałby spotkać je los?

_____. Biedna Koteczka naiwnie pragnęła przyjaźni z panią Cleveland i teraz żałuje swojej głupoty, bo to się odbywa w wielce wątpliwym guście, te niespodziane rewelacje i niechciane zwierzenia! Od rana mnie mdli i ta migrena, połknęłam za dużo białych pigułek doktora Boudinota, bo wciąż wspominam wczorajszą rozmowę. Bo była Pierwsza Dama przeniosła naszą konwersację na temat jej (nadzwyczaj nudnego) męża Grovera i spytała mnie, czy słyszałam o „zapaści" w domu Cravena, kiedy go zwiedzali dwa tygodnie temu, licząc od ostatniej niedzieli, i co mi przekazał Horacy, i co mówią na mieście. „Adelajdo, ja muszę wiedzieć, co o nas mówią. Nie znoszę, jak ludzie szepczą za moimi plecami". Po raz pierwszy zauważyłam ciemny meszek nad jej górną wargą. Ale nie wydaje mi się przez to mniej urodziwa. Zapewniłam ją, że nic się nie mówi i że nikt w Princetonie nie jest bardziej szanowany niż pan Cleveland i ona. W to tak jakby zechciała uwierzyć, ale brnęła dalej, dopytując się, co mi doniesiono na temat „upiornej zjawy", i najosobliwsze pytanie, czy ja w swoim buduarze w ostatnim czasie, za dnia albo nocą, widziałam może nieboszczkę Ruth?

(Jakaż zdesperowana jest ta biedaczka i jakaż szpetna z tych nerwów! Jeśli tak właśnie wygląda matka w żałobie, to Bogu niech będą dzięki, że nie urodziłam dziecka i że nigdy go nie urodzę).

Jąkając się, zapewniłam zrozpaczoną kobietę, że nie widziałam jej dziecka i że nigdy nie przyszło do mnie we śnie. Słyszałam tylko, pani Cleveland, że pani córka była najpiękniejszym z dzieci, wprost anielskim. Poza tym nie wiem nic.

W tym momencie mój mały francuski zegar wybił godzinę. Miałam nadzieję, że pani Cleveland wstanie, poprawi spódnice i pójdzie sobie, bo jej powóz czekał już przy krawężniku. (Gdyby Koteczka miała w sobie dość energii, by móc chodzić, to taka krótka, sielankowa przechadzka między Maidstone a Westland, a więc ledwie ćwierć mili, byłaby wspaniałą nagrodą za duchotę tego życia, ale niestety, to nie dla biednej Koteczki). A jednak pani Cleveland nie wyszła. Zamiast tego cichym głosem wałkowała ten straszny temat – tłumacząc, że od poranka 20 kwietnia, kiedy Ruth (tak się zdawało) ukazała się swemu ojcu, kilka osób wyznało Frances, że widzieli jej biedną córkę albo ona im się śniła: jest wśród tych osób najmłodsza z panien Wilson, która twierdzi, że widziała twarz Ruth przyciśniętą do szyby na piętrze Prospect House, w samym środku nocy; oczy miała „ogromne jak u sowy" i jej wargi były rozchylone, jakby chciała zaczerpnąć oddechu, ale nie mogła. Biedna martwa dziewczynka bardzo chciała zostać wpuszczona do pokoju Wilsonówny, ale Eleanor była zanadto wystraszona, by postąpić w jakiś rozsądny sposób, i skryła się pod kołdrą. „Oczywiście to tylko sen – rzekła z goryczą Frances Cleveland – a jednak ta dziewczyna Wilsonów okazała się bardzo niemiła i nieprzyzwoita, że opowiada takie rzeczy o naszej Ruth, która za życia nie była żadną jej przyjaciółką, tak jak Grover i ja nie jesteśmy przyjaciółmi Wilsonów – ale gdzie tam! Ale skądinąd... – i tu pani Cleveland złagodziła swój ton – Annabel Slade doniosła mi o podobnych doświadczeniach w uroczym liście, który przeczytałam nie dalej jak wczoraj, ponadto Todd, syn Lenory Slade, to dziwne dziecko, utrzymuje, że podczas snu przeganiała go z pokoju do pokoju dziewczynka o wielkich, wytrzeszczonych oczach – to jest na pewno nasza Ruth! Tak sobie pomyślałam, droga Adelajdo, wiem, że to pewnie głupie i daremne, ale tak sobie pomyślałam, żeby cię serdecznie poprosić, bo wszak całe Princeton zachwyca się twą wrażliwością, że gdyby tak Ruth przyszła do ciebie, to nie odganiaj jej, tylko każ, jeśli możesz, żeby przyszła do mnie, swej zasmuconej matki, która kocha ją całym sercem i ani trochę jej nie zapomniała".

I tak dalej, i tak dalej: minęło kilka minut pełnych zakłopotania, zanim zebrałam się w sobie i wytłumaczyłam, że jestem chrześcijanką i nie wierzę w takie zjawiska jak „duchy".

* * *

_____. (Wiem, madame Bławatska byłaby mną strapiona, że odsuwam się w tak konwencjonalny sposób od kogoś, kto apelował o moją troskę, a jednak wtedy zdawało mi się, że martwe dziecko Clevelandów nie mogło nawiedzać mnie we śnie, bo ten i tak ulega zakłóceniom prawie co noc, sprawiając, że rankiem jestem półżywa z wyczerpania. Nie znałam Ruth Cleveland za życia, Clevelandów też prawie nie znam, a Horacy ani trochę nie aprobował drugiej kadencji pana Clevelanda na stanowisku prezydenta, która poniekąd okazała się klęską i skandalem).
(A właśnie: czy martwe dziecko może być dewim?)

_____. Czuję się rozstrojona i niedobra. Zbeształam Hannah, doprowadzając tę dziewczynę do płaczu. Obawiam się, że utraciłam przyjaźń Frances Cleveland, i tak rzadko widuję drogą Willy. Nikogo nie lubię. (Co do kuzyneczki Wilhelminy – dziś po południu szepnęłam do pewnego ucha złaknionego plotek, że moja młoda kuzynka jest beznadziejnie zakochana w Jozjaszu Sladzie, podczas gdy Jozjasz żywi wobec niej jedynie „braterskie" uczucia; to jest ten sekret Wilhelminy, który wykryła Koteczka swoim sokolim wzrokiem).

_____. (Kolejna princetońska plotka, przekazana mi przez Karolinę FitzRandolph, która zobowiązała mnie do dochowania tajemnicy: wychodzi na to, że podczas swego pierwszego roku jako kadet w West Point porucznik Bayard został ukarany za pogwałcenie jakichś zasad kodeksu honorowego; szczegóły nie są znane, może oszukiwał w jakiś zwyczajny sposób albo inny, bardziej dwuznaczny, może dokonał „plagiatu" przy pisaniu czegoś albo zastraszał innego kadeta czy też mu groził. Kiedy doniosłam o tym Horacemu, jego odpowiedź nie była zbyt przyjazna: Nie mów nic o tym, Adelajdo. Ten młodzieniec nie został wydalony i niebawem wżeni się w rodzinę Slade'ów).

_____. Powtórzyłam Karolinie to wszystko, co mi opowiedziała pani C., błagając, bym nikomu nie mówiła, a potem dygotałyśmy, trzymałyśmy się razem za lodowate ręce i chichotałyśmy ze strachu przez tę rozmowę o takich „fenomenach", jak upiory, duchy i zjawy, które nas otaczają. Karolina przez całą wizytę zachowywała się dziwnie – tak jakby kołysała niewidzialne dziecko w ramionach, kiedy nie patrzyłam na nią wprost – nadzwyczaj przykry widok, bo niemal widziałam to niemowlę w powijakach, z dziwnie bladymi, nieskupionymi oczyma, z obwisłymi, zaślinionymi ustami; żałosna istotka, być może pozbawiona duszy. I tym sposobem zrozumiałam, że Karolina kiedyś tam urodziła takie dziecko i utraciła je, a teraz jest tak samo bezdzietna jak Koteczka, ale ani trochę tak zadowolona z owego stanu jak Koteczka.

Mimo że śmiała się razem ze mną – bo Karolina bynajmniej nie zalicza się do zagorzałych wielbicielek naszej byłej Pierwszej Damy – po chwili umilkła raptem, przycisnęła swe (niewidzialne) dziecko do łona i rzekła tonem przygany: „Adelajdo! Jesteśmy niegodziwe, że tak drwimy, powinnyśmy modlić się o wybaczenie".

_____. Horacy, który zaczytuje się naukowymi pismami, jak „Atlantic" i „Harper's", powiedział, że niewidzialny świat duchów jest spokrewniony ze światem patogenicznym, co hipostazował Joseph Lister kilkadziesiąt lat temu, tłumacząc w ten sposób pochodzenie chorób. Człowiek nie zapuszcza się dobrowolnie w świat patogenów z obawy przed wielkim uszczerbkiem dla zdrowia, tak jak nie zapuszcza się dobrowolnie w świat duchów.

_____. O dolnym krańcu Witherspoon Street, dzikim, niezamieszkanym obszarze, gdzie ponoć są bagna, mówi się, że to złe miejsce, pełne węży, i to jest tam, gdzie znaleźli ciało. Ponoć młodej dziewczyny i to są takie straszne słowa, że bliska jestem omdlenia: Gdzie znaleźli ciało. To się stało kilka dni temu i nareszcie to ujawnili. I całe Princeton nie mówi o niczym innym, tyle że oczywiście nam, damom z West Endu i szczególnie damom, które są inwalidkami, jest to oszczędzone.

_____. Za sprawą Mandy i Karoliny dotarły do mnie wieści o „nad wyraz ambitnym, a zarazem koszarowym" podwieczorku w Pembroke House, podczas którego pani Strachan opowiadała o „nowym człowieku" w Princetonie – niejakim Axsonie Maytem – którego, jak się zdaje, wszyscy już znają, bo rektor Wilson przedstawił go ulubionym akademikom. Pani Strachan wychwalała tego jegomościa jako „czyniącego wrażenie i obdarzonego silnym intelektem" – zwłaszcza w kwestiach prawnych; pani van Dyck uważa tego mężczyznę za „zimnego, wystudiowanego, nie do końca dżentelmena", aczkolwiek moja ciotka Jennifer nieugięcie twierdzi, że to rozsądny młody człowiek, w oparciu o jego osąd pojedynku Alexandra Hamiltona i Aarona Burra Juniora – legalnego pojedynku pod wszelkimi względami, odbytego na ziemi New Jersey. (Nasz biedny antenat Aaron Junior, którego świat potępia za to, że zastrzelił z „zimną krwią" czczonego Ojca Założyciela i przywódcę federalistów, waszyngtońskiego sekretarza skarbu! A jednak to Hamilton miał nadzieję „zepsuć" pistolety, dzięki czemu chciał strzelić Aaronowi w serce; los tak zrządził, że Hamilton strzelił prędko i jako pierwszy, ale niedokładnie, dlatego obrażony do głębi Aaron nie musiał się spieszyć i oddał swój strzał akuratnie. I za co tu winić Aarona? Czy świat byłby go opłakiwał, gdyby Hamilton go zastrzelił? Uważam, że my, Burrowie, wycierpieliśmy już dość kalumni! Najwyższy czas bronić naszego dobrego imienia). Temu obcemu, Axsonowi Maytemu, który wypowiadał się całkiem rozsądnie w tej kwestii, należą się słowa pochwały, bo ponoć nie wiedział, że w towarzystwie są potomkowie Aarona Burra. Z całego serca żałuję, że nie poznałam tego człowieka, o którym powiadają, że to „najwybitniejszy prawnik" na południe od linii Masona–Dixona.

_____. Jestem schorzała, słabo mi w głowie i cierpię na palpitacje. Doktor Boudinot zapisał nowe lekarstwo, od którego zasycha mi w ustach i serce bije prędzej. Przeczytałam Troski szatana autorstwa pani Corelli i później poczułam się całkiem nieswojo – jakby rozgorączkowany głos pisarki mruczał mi w uszach, a potem zrobiłam się bardzo niespokojna od Dekoracji domów pani Wharton, nie byłam w stanie wyłowić sensu z ani jednego urywka Nauki tajemnej. BARDZO NIEGRZECZNA KOTECZKA wśliznęła się do biblioteki Horacego, gdzie schwyciła słuchawkę „telefonu" – naszego nowiuteńkiego urządzenia Bella – wykręciła numer policji Princetonu i zapytała chrapliwym szeptem, czy pojmali „mordercę pośród nas", ale potem prędko upuściła tę ciężką słuchawkę na widełki, dysząc i łapiąc powietrze – moje biedne serce waliło jak młotem. (Bo jestem raczej pewna, że doszło do morderstwa, że bez wątpienia dopuszczono się gorszych rzeczy z ciałem, że to ciało znaleziono na bagnach przy Witherspoon Street albo w tych dzikich ostępach Kingston, nad kanałem i rzeką Millstone, i że ofiarą była kobieta, ale nie jestem pewna co do jej wieku czy też innych szczegółów jej życia; siedziałam cichuteńko jak mysz pod miotłą, podsłuchując paplaniny naszej murzyńskiej służby, bo oni gadają, kiedy im się wydaje, że nas nie ma w pobliżu. Horacy nie może się dowiedzieć.

Horacy poczytał mi na głos Dżentelmena z Indiany, żeby mnie rozweselić. On i Booth Tarkington uczęszczali na studiach do tej samej klubojadalni, a także do klubów Glee i Triangle. Leżałam na szezlongu, zaśmiewając się, gdy nagle poczułam, że zaraz zemdleję, a potem nagle się zirytowałam; nie wiedzieć czemu, zmiotłam ze stolika wszystkie swoje medykamenty, a także dzbanek z wodą, który Hannah ledwie co mi przyniosła, na poły wypadek, na poły nie. Horacy dziwił się, bo nie mogłam przestać płakać, i pocieszał mnie, choć ja zauważyłam, że jest tak jakby sztywny i przestraszony, i czuło się zmęczenie w jego członkach, kiedy mnie zanosił do mojej sypialni. Gdy go zagadnęłam o Axsona Maytego, którego poznał tego właśnie dnia przy lunchu w Klubie Nassau, odpowiedział szorstko, twierdząc, że Mayte w jego oczach nie jest dżentelmenem. I że ma w swej karnacji i kształcie nosa coś nie całkiem właściwego. Ale nie chciał tego wytłumaczyć, choć zaczęłam go o to błagać. „Jesteś w nerwowym stanie, Adelajdo. Dam ci lekarstwo na sen, czas się położyć". Mój mąż przemawiał z powagą i wiedziałam, że nie należy wprawiać go w zakłopotanie. Bo w podobnych momentach tak jest mądrzej. A jednak jakie to niesprawiedliwe, że kiedy w całym Princetonie aż szumi z podniecenia od tych wszystkich plotek i wieści, biednej Koteczce powieki robią się ciężkie już o 9 wieczorem i zaraz potem gasną wszystkie iskry, które madame Bławatska nazywa boskimi.

_____. Naśladując pismo Frances Cleveland i używając ciemnofioletowego atramentu, z którego ta dama jest znana, napisałam do REKTORA WILSONA I JEGO MAŁŻONKI, PROSPECT HOUSE, PRINCETON: Szanowny Rektorze i pani Wilson, jesteście bardzo głupimi ludźmi, wierząc, że ktokolwiek z naszej zbiorowości faworyzuje Was na niekorzyść tego prężnego Andrew Westa. I nie pochodzicie z dobrych domów, a jednak uparcie stroszycie piórka. Poza tym Wasze córki są pospolite, mają końskie twarze jak ich ojciec, nieciekawe figury jak ich matka i do tego wszystkiego sterczące zęby. Szczerze oddana. Przyjaciółka.

Wsunęłam ten list do zwyczajnej koperty, nakleiłam znaczek i dałam go Hannah, żeby poszła wrzucić go do skrzynki przy Nassau Street, jak będzie coś załatwiała na mieście.

_____. Horacy jest w mieście, odwiedza naszego brokera przy Wall Street, bo są jakieś komplikacje z jego testamentem czy też naszym wspólnym testamentem, o czym ja w ogóle nie myślę, bo doktor Boudinot zakazał mi się czymkolwiek zamartwiać – „Pani przeżyje nas wszystkich, pani Burr!" – toteż kierując się ostrożnością i wstydliwością niezamężnej damy posuniętej już w latach, wypytałam Minnie i Abrahama, a także Hannah i kilkoro innych, bo każdy wie, że kiedy Murzyn okłamuje białą osobę, to widać oszustwo w jego oczach; oni w głębi serca są jak dzieci i nie potrafią oszukiwać. I tak ich indagując, wywiedziałam się, iż zamordowana dziewczyna miała zaledwie jedenaście lat – ojciec nieznany, a matka to kocmołuch, który pracuje w mleczarni przy Bank Street. No i masz! A ja tu snułam tyle spekulacji! Biedna dziecina! Biedna niewinna istotka! – bo jestem pewna, że ta dziewczynka musiała być niewinna, skoro taka młoda. A jednak była praśnego pochodzenia i (dano mi do zrozumienia) „mieszanej" krwi. Takie rzeczy przydarzają się takim ludziom, miej, Boże, litość nad ich duszami.

* * *

_____. „Pani Burr, ja proszę, niech pani więcej nie pyta, pani Burr, proszę" – błagała Minnie dziś rano, kiedy przywołałam ją do sypialni, żeby opowiedziała mi szczerze o okolicznościach tego mordu i czy ciało zostało „nienaturalnie naruszone". Bo to trzeba koniecznie wiedzieć dla dobra całej naszej społeczności. Acz jest to zbyt bestialskie i tylko się rozchoruję, jak się dowiem. „Niech ci będzie, Minnie, nie mów mi", odparłam z urazą i dodałam: „Ale jeśli ja doznam jakiejś strasznej krzywdy, to będzie to na twojej głowie". Minnie zaczęła się trząść, bo nie jest aż taką silną kobietą, jakby się wydawało, mimo że to córka niewolników z Norfolku, czyli z solidnej rasy, a jednak mówi się, że nie była ostatnio zdrowa, bo zapadła na jakąś kobiecą chorobę, o której lepiej nie mówić. Przypuszczam, że wystarczy wiedzieć, iż między nami, w gminie Princeton, jest jakaś potworność.

_____. Dzika, wietrzna noc, a nam dwojgu jest przytulnie w głównej sypialni przy płonącym kominku, do którego Abraham dołożył bierwion. I Horacy jest mniej skory do irytacji od czasu spotkania z naszym brokerem; nasze testamenty zostały spisane i ja podpisałam swój, zgodnie z poradą Horacego nie nadwyrężając wzroku przy próbach odczytania nieprzeniknionej prawniczej paplaniny. I chyba też ustąpił niepokój z powodu związków. Horacy przynajmniej nie złości się teraz przez nich. Spytałam go niewinnie, czy jest jakiś postęp z rozwiązaniem zagadki morderstwa, na co on zdawał się raczej zaskoczony, że ja wiem o jakiejś zbrodni, ale nie przyznał się do żadnej wiedzy, tylko odparł niejasno, że nie wie nic, jakoby w gminie w ostatnich latach doszło do jakiejś ciężkiej zbrodni. Potem podjął powieść pana Tarkingtona i zaczął czytać, a wtedy ja ułożyłam dłoń na jego nadgarstku i jęłam prosić, żeby nie traktował mnie protekcjonalnie, bo ja chcę znać prawdę, i poznam prawdę, bo wszyscy teozofiści tak muszą. Na co Horacy powiedział mi ze śmiechem, że jedyny powód do zaniepokojenia w Princetonie, o jakim słyszał, dali jacyś studenci kawalarze, którzy obalili część żelaznego płotu postawionego przez doktora Wilsona dookoła Prospect House, bo tych chłopców zaiste to uraziło, że rektor i jego rodzina złożona z samych kobiet szukali dla siebie prywatności w samym sercu kampusu. („Doktor Wilson jest jedną z tych osób – stwierdził z powagą Horacy – które może wywrą kiedyś wrażenie w świecie, ale których w Princetonie poważnie traktować nie sposób"). Ja potem nadąsałam się, mówiąc, że doznałam migreny, i ledwie się zgodziłam przyjąć lekarstwo z ręki Horacego, po czym on starał się mnie pocieszyć i pewnie życzył sobie przytulenia, więc pozwoliłam mu ułożyć się na kołdrze i przycisnąć do mnie swym ciężarem, ale bardzo delikatnie – bo Horacy nabrał krzepy przez ostatnie kilka lat. I może jeszcze ze strony Horacego doszło do jakichś innych wysiłków, ale ja nie zwróciłam na nie uwagi, bo Koteczce już

się kleiły oczy. „Czy ty żałujesz – spytałam szeptem i wtedy mój kochany
dżentelmen ucałował moje przymknięte powieki – czy ty żałujesz, że masz
żonę inwalidkę, która nigdy nie była i nigdy nie będzie żoną?", a on wtedy
zaprzeczył bardzo dobitnie jak zawsze i zanucił jakąś łagodną melodię, jego skręcone wąsiska mnie połaskotały, a ja rozmyślałam o zmarnowanym
dziecku na bagnach i poczułam jakiś wyborny ból w samym rdzeniu mego
jestestwa, który zaraz w następnej chwili – ustąpił...

_____. A to ci niespodzianka: w Princetonie nie zamordowano żad-
nego dziecka, ani jedenastoletniego, ani w żadnym innym wieku. Podobno
zamordowano dwoje ludzi – „stracono" – za niewłaściwe zachowanie i zniewagi wobec swoich zwierzchników – nie w Princetonie, tylko w Camden.
Owe osoby, o których czytałam w Philadelphia Inquirer, odkrytym przypadkiem w gabinecie Horacego, nazywały się Jester i Desdra Pryde. Gazeta nie
wyjaśniła, w krótkim artykule na stronie ósmej, co im zrobiono i dlaczego,
ale szeryf okręgu Camden stwierdził, że wśród 500 osób przyglądających się
egzekucji nie ujawnił się ani jeden „naoczny świadek". To brzydka historia,
ale obawiam się, iż za daleko od Princetonu się dzieje, by wywołać litość.
I można wywnioskować z treści artykułu, że Pryde'owie byli Murzynami,
a nie białymi, i że zostali ukarani za jakieś niepoprawne zachowanie, czego
by uniknęli, gdyby dokonali bardziej ostrożnego osądu sytuacji.

_____. I tak oto ostatecznie nie doszło do żadnej NIEWYSŁOWIO-
NEJ zbrodni w Princetonie, jak ostrzegał Horacy, to były tylko zwykłe plotki. Nie jestem pewna, czy czuję ulgę czy rozczarowanie. Biedna Koteczka,
dała się zwieść!
Odłożyłam gazetę na miejsce, żeby Horacy się nie dowiedział, że ktoś ją
ruszał, i teraz drzemka, potem podwieczorek późnym popołudniem i ach! –
powiewy NUDY jak eteru niesionego z wiatrem.

PŁONĄCA DZIEWCZYNKA

Popołudniem jednego z ostatnich dni maja Annabel Slade, Wilhelmina Burr i kuzyn Annabel Todd spacerowali brzegiem rzeczki Stony Brook płynącej skrajem lasu Crosswicks; młode kobiety konwersowały z zapałem, chłopiec zaś – (w owym czasie jedenastoletni, ale wyglądał i zachowywał się jak młodsze dziecko) – brykał obok nich i pokrzykiwał na psa Slade'ów Thora, który towarzyszył tej niewielkiej grupce podczas wycieczki.

– Thor, chodź tu! *Służyć*, Thor!

Głos chłopca brzmiał ostro, prowokując psa do szczekania. Był to posunięty już w latach owczarek niemiecki o spiżowoszarej skołtunionej sierści.

– Thor, *biegnij!* No już!

Jakiż ten chłopiec był hałaśliwy! A ów piękny pies, który nie miał w zwyczaju szczekać bez potrzeby, czynił to teraz z wielkim zapałem.

Chłopiec i pies biegali pod majowym słońcem, pośród plamek światła pląsających po lesie. Młode kobiety słyszały trzaskanie poszycia, jakby ktoś tam łamał z rozmysłem patyki.

– Todd? – zawołała Annabel. – Słyszysz mnie? Zaczekaj na nas.

A jednak dziecko wbiegło jeszcze głębiej w las, popędzając podążającego przodem psa. Albo też pies wpadł na trop jakiegoś stworzenia i ciągnął za sobą chłopca ku ekstazie podniecenia krwią.

– Todd! Obiecałeś...

Na próżno – ze śmiechem – Annabel wołała za swym upartym kuzynkiem.

Tak naprawdę jednak nie skarżyła się wcale na Todda, którego bardzo kochała. Jego niespożyta energia była zadziwiająca nawet dla niej, zdolnej pokonywać pieszo całe mile, w dobrych butach do chodzenia, przez las Crosswicks i brzegiem rzeczki, prawie do samego domu Cravena i z powrotem, do Rosedale Road. A Wilhelmina była jeszcze bardziej doświadczonym piechurem.

Tego majowego popołudnia młode kobiety były bardzo rozsądnie odziane na wyprawę pod gołym niebem: Annabel w krótką bluzkę w niebieskie paseczki, z wysokim kołnierzykiem i ciasno zapiętym paskiem; Wilhelmina – inaczej Willy – w stylowe szarawary i bluzkę ściąganą paskiem. Annabel wetknęła irysa wodnego w jedwabisty kok zebrany nad karkiem: nadzwyczaj delikatny kwiat o fiołkowej barwie jej oczu.

Słomkowy marynarski kapelusz nadawał jej miły i ponętny wygląd dziewczynki, a zresztą ledwie przestała być widoczna z plebanii, idąc w ślady swej śmielszej towarzyszki, uniosła szyfonowy woal z twarzy, stwierdziwszy, że ogranicza ją i nieprzyjemnie grzeje.

– Matka martwi się o moją „delikatną, angielską karnację" – powiedziała Annabel – ale jakoś nie wierzę, by słońce w godzinę dało radę zrobić ze mnie jakąś starą wiedźmę.

– Nie w godzinę, tylko w mnogość godzin. Takie niebezpieczeństwo roi się naszym rodzicom. – Willy mówiła to beztroskim, lekceważącym tonem. Szkolna przyjaciółka Annabel dawno już wyzbyła się córczynego szacunku wobec przestróg matki i zwykła wyrażać się tak impulsywnie, że Annabel, chcąc nie chcąc, się zaśmiała.

– No cóż. W takim razie poważymy się na ryzyko. Ostatecznie to stulecie jest bardzo młode i jeszcze bardzo długo potrwa.

W princetońskich kręgach wiedziano, że Annabel Slade i Willy Burr były sobie bliskie jak siostry, mimo że bardzo się od siebie różniły. O ile Annabel posiadała wdzięk księżniczki z bajki, niewystudiowany, jakby spontaniczny, a jednocześnie marzycielski, o tyle Willy stanowiła jej dramatyczne przeciwieństwo: arogancka, szorstka, obdarzona wydatnym podbródkiem i oczyma, które spoglądały na człowieka zbyt bezpośrednio i zbyt często ironicznie. Mało uważny obserwator zrazu nie mógł dostrzec sporego wdzięku Willy, za sprawą niejakiej *ociężałości* jej sylwetki, a także z winy charakteru. Była brunetką, z lekko ogorzałą i bardzo zdrową cerą, podczas gdy Annabel, biała jak kość słoniowa, miała nie tylko bardzo jasne włosy, ale także rzęsy i brwi koloru blond. Willy była bardziej dziarska, tymczasem Annabel zdawała się fruwać, a jednak obie kobiety zazwyczaj robiły się wesołe w swoim towarzystwie, dużo szeptały sobie do ucha i często się śmiały. („Gdyby tylko Dabney potrafił mnie tak rozśmieszyć jak Willy!" – powiedziała raz Annabel, wzdychając). Młodzi mężczyźni skarżyli się na Wilhelminę Burr, że ta „niesprowokowana" ulega nagłym zmianom nastroju, że nie można na niej polegać, bo potrafi nie przyjść na umówione spotkanie; gdy grała w krokieta, tenisa na trawie albo na korcie, nie można było liczyć, że *przegra z gracją* na korzyść swego przeciwnika płci męskiej, bo na ogół zanadto jej zależało na wygranej, a jak już wygrała, to miała zwyczaj okazywać satysfakcję. Willy ponadto niespecjalnie dbała o swoje włosy, stroje i schludny wygląd, w przeciwieństwie do nader skrupulatnych pod tym względem innych młodych princetońskich dam; jej „tureckie spodnie" bardziej pasowałyby na dziewczynę-cyklistkę, a jeszcze lepiej na dziewczynę grającą w hokeja, a ten zwyczajny słomkowy kapelusz sprawiał wrażenie, jakby wcisnęła go na głowę w pośpiechu, nic sobie nie robiąc z tego, czy będzie jej w nim do twarzy. Porzuciła gdzieś rękawiczki albo może je zgubiła, a na ramieniu niczym jakiś wagabunda z książkowej ilustracji niosła płócienny worek, do którego wrzuciła szkicownik, kolorową kredę i inne przybory artystyczne. Kreza przy jej bluzce z wysokim karczkiem, uszytej z białej bawełny, zdążyła obwisnąć, a mankiety były lekko, acz wyraźnie przybrudzone.

Biedna Wilhelmina, która obok swej pięknej przyjaciółki wyglądała na kogoś zdecydowanie gorszego! – pani Burr wiecznie na nią furczała i sarkała, wypominając, że nikt nigdy nie zechce jej poślubić, mimo pozycji i bogactwa rodziny. (Willy „debiutowała" w Nowym Jorku rok wcześniej niż Annabel, ale otrzymała potem zaledwie kilka ofert małżeńskich, i to nie do przyjęcia, bo od młodych mężczyzn albo bez majątku, albo bez rodziny, co tylko bawiło tę młodą kobietę, która wygłaszała uwagi, że nie może się już doczekać, kiedy odrzuci jakąś ofertę „nie do odrzucenia", niczym guwernantka w romansie, i tym samym wywoła wrzawę w princetońskich kręgach, ale los jej tego nie umożliwia). Willy do tego stopnia nie dbała o kobiece ozdoby ani o własne uczucia, że nie obraziła się, gdy Todd Slade na początku ich wyprawy ofiarował swej kuzynce pięknego irysa wodnego, a jej gałązkę białego czerńca, mówiąc: „To dla ciebie Willy, od Todda, który czuje, że go nie lubisz. Mówią, że ta roślina to trucizna". I stało się tak, że ani trochę nie urażona tymi osobliwymi, srogim tonem wypowiedzianymi słowami Willy roześmiała się, wzięła od chłopca gałązkę i zatknęła ją sobie w kok upięty nad karkiem.

Najwyższa pora zaznaczyć, że informacje pozyskane przez „biedną Koteczkę", czyli panią Adelajdę Burr, w związku z NIEWYSŁOWIONĄ zbrodnią popełnioną w okolicach Princetonu wcale nie tak do końca mijały się z prawdą, z tym że nie szło tu o nieprzyjemny epizod w Camden, tylko o zniknięcie trzynastoletniej dziewczynki, wieczorową porą 30 kwietnia, z domu jej rodziców przy Princeton Pike, mniej więcej w połowie drogi między Princetonem a Trentonem. Ciało poszukiwanej *Priscilli Mae Spags* zostało znalezione w kanale Delaware-Raritan, niedaleko jej rodzinnego domu; szczegóły zbrodni pozostały niejasne, bo policjanci nie zechcieli ich ujawnić albo sami bardzo mało wiedzieli. Nie zamieszczono też żadnej wzmianki o tej wstrętnej zbrodni w princetońskiej gazecie ukazującej się raz w tygodniu. Funkcjonariusze z Trentonu zadziałali bezprzykładnie prędko, bo aresztowali i przesłuchali mężczyznę z „nieustalonym" adresem zamieszkania, emigranta z Europy Wschodniej, który poręcznie wyposażył ich w podpisane zeznanie – podpisane niezdarnie nakreślonymi inicjałami, bo ów nędznik najwyraźniej nie umiał ani czytać, ani pisać po angielsku; nawet nie mówił spójnie w tym języku. Co więcej, nie był pewny własnej daty urodzenia!

I tak oto niebezpieczeństwo dalszych niewysłowionych bezeceństw w okolicy ustało, a przynajmniej takie można było odnieść wrażenie; z pewnością nie było żadnego zagrożenia w zalesionych okolicach majątku Slade'ów, który ciągnął się na wiele mil wzdłuż Rosedale Road. (Las Crosswicks i przyległe tereny były oczywiście zabezpieczone tablicami zabraniającymi wstępu intruzom; wiedzieli o tym wszyscy miejscowi i dlatego żaden myśliwy ani kłusownik nie byłby tak bezczelny, żeby tam wejść, ryzykując, że padnie ofiarą temperamentnego leśniczego Slade'ów, skądinąd bliskiego znajomego szeryfa okręgu).

Młode kobiety maszerowały raźnie, zgodnie ze swym zwyczajem trzymając się pod ręce i starając się nie tracić humoru pod wpływem hałasu, jaki robili biegający po lesie kuzyn Annabel i Thor; wołały na chłopca, ale nie z przyganą, bo Todd niczym nie do końca ujeżdżony młody koń nie znosił być rugany, nawet przez uwielbianą Annabel, tylko słodkimi głosikami: „Todd! Prosimy, trzymaj się w zasięgu wzroku, dobrze? Nie każ nam się martwić o siebie" – mimo że chłopiec odkrzykiwał do nich z leśnego poszycia, że on i Thor odstraszają diabły, wiedźmy, trolle i sławnego Diabła z Jersey*, a potem z szatańską przebiegłością, zgięty wpół naskoczył na

---

* Diabeł z Jersey, którego naturalnym siedliskiem są lasy Pine Barrens w południowym New Jersey, to opisywany w legendach stwór – mający rzekomo siedem stóp długości ptak drapieżny albo gad z długą szyją oraz długim, bardzo ostrym dziobem i ostrymi szponami. Według zapisków historycznych Diabeł z Jersey jest podobno trzynastym dzieckiem wiedźmy znanej jako Matka Leeds, albo Matka Spags, która mieszkała w lasach Pine Barrens w czasach wojny o niepodległość. (Z tym powtarzającym się nazwiskiem Spags to rzecz jasna zbieg okoliczności – na tego typu dziwne zjawiska historycy natykają się częściej, niż laik mógłby podejrzewać. Większość zbiegów okoliczności nie ma wszakże znaczenia i jestem pewien, że również w tym przypadku). Diabła z Jersey widziano setki razy w samym tylko dwudziestym wieku i bywa przedmiotem amatorskich poszukiwań; pozostawia ogromne odciski ptasich łap na śniegu i w błocie, a także kopce łajna cuchnącego tak paskudnie, że niektóre psy przy nich wymiotowały, a nawet dostawały konwulsji i zdychały, jeśli nieroztropnie podeszły zbyt blisko. W 1909 roku Diabła z Jersey widziano w wielu miejscach na terenie New Jersey i Pensylwanii, blisko granicy między oboma stanami, a najczęściej w Camden, gdzie zgodnie z doniesieniami prasowymi zaatakował grupę wiernych z pierwszego kościoła metodystów w Camden, a później w jeszcze innej części Camden pojawił się w pewnym klubie towarzyskim. (Czy mógł to być jakiś prywatny klub dla dżentelmenów? Albo może „klub towarzyski" to jakiś dziennikarski eufemizm oznaczający oberżę albo szynk). Policjanci z Camden rzekomo strzelali do Diabła podczas tego drugiego epizodu, ale on im uciekł, przelatując nad rzeką Delaware i wywołując taką panikę w południowym Jersey, że na kilka dni trzeba było pozamykać szkoły i budynki użyteczności publicznej, dopóki nie wyszło na to, że Diabeł umknął na bezludne bagna Pine Barrens. Kiedy to piszę, czyli w roku 1984, Diabeł z Jersey wciąż żyje w legendzie, ale od jakiegoś czasu nikt go nie widział, jeśli nie liczyć dzieci i nastolatków, którym nie można dowierzać. Szczegóły całej historii zostały opisane w *Diable z Jersey* Jamesa F. McCloya i Raya Millera Jr. (Middle Atlantic Press, 1976 r.).

nie od tyłu, razem z hałaśliwie ujadającym Thorem, z zamiarem ich nastraszenia, i w rzeczy samej do pewnego stopnia je nastraszył. Piskliwym, acz śpiewnym głosem natarł na uśmiechające się z napięciem młode kobiety: „Diabeł z Jersey pyta: Co jest okrągłe, płaskie, puste i nie kłamie?".
– Okrągłe, płaskie, puste i nie kłamie?

W odróżnieniu od swego brata Jozjasza, który miał wprawę w rozwiązywaniu zagadek, szarad i ogólnie w grach salonowych, Annabel gubiła się w takich sytuacjach i teraz próbowała poradzić sobie z natarczywością chłopca, odgarniając mu wilgotne włosy z rozgorączkowanego czoła i wybierając rzepy z ubrania; na stwierdzenie, że zagadka jest dla niej „za trudna", chłopiec zareagował frustracją – zazgrzytał zębami, podskoczył i głośno klasnął w dłonie; Annabel była przyzwyczajona do takich dziecięcych wybuchów złości i dlatego próbowała się śmiać, ale Willy odsunęła się z obawy, że błaznujący Todd zatoczy się na nią. (Bo Todd zaiste wyczuwał, że Willy raczej nie ma chęci mu pobłażać tak jak Annabel).

– Co jest okrągłe, płaskie, puste i nie kłamie, co dedykuję zwłaszcza pani? – natarł z kolei na nią.

Willy próbowała się uśmiechnąć, tak jak należy się uśmiechać do zbyt inteligentnych, denerwujących dzieci krewnych albo znajomych, i zaoferowała chłopcu baton figowy. Ten zaś przyjął go od niej i zjadł w kilka sekund, po czym niegrzecznie oznajmił, że brakuje jej „rozumu" do rozwiązania zagadki.

– To jest lustro, panno Burr – rzekł tonem dziecięcej pogardy Todd. – To jest lustro i pani o tym wie. Lustro, panno Wilhelmino, panno z głupią miną. Odwrotna strona lustra, czyli jego plecy. Tak jak *pani* plecy, nie mówi kłamstw – inaczej niż twarz. A teraz chcę jeszcze jednego batona! Thor i ja jesteśmy głodni.

– Todd! Jesteś niegrzeczny, tak nie wolno – zaprotestowała Annabel.

– To wy dwie jesteście niegrzeczne, bo udajecie, że nie znacie odpowiedzi na moją zagadkę – odparował Todd.

Todd miał usposobienie tak zmienne, że wyciszył się zaraz po zjedzeniu jeszcze jednego batona, którego przełamał na pół, żeby się podzielić z zachłannym owczarkiem niemieckim, po czym uparł się, że Annabel i Willy mają się zatrzymać tam, gdzie akurat są, bo nadszedł czas na bajkę – wszak Annabel obiecała Toddowi bajkę, jeśli będzie grzeczny podczas spaceru, a przecież na pewno był grzeczny, bo on i Thor mogli być *znacznie bardziej niegrzeczni.*

Młode kobiety nie zamierzały siadać właśnie w tym momencie ani w tym miejscu, ale Todd wskazał im drzewo, którego odsłonięte, poskręcane korzenie utworzyły coś w rodzaju siedziska, tak więc usiedli blisko cicho szemrzącej rzeczki Stony Brook i Annabel wyjęła ze swego słomianego koszyka książeczkę dla dzieci, żeby przeczytać z niej *Brzydkie kaczątko*, baśń Hansa Christiana Andersena, którą Todd lubił najbardziej, a Willy, starając się nie przeszkadzać, szkicowała swą przyjaciółkę pastelami, bo chciała sporządzić intymny portret Annabel tuż sprzed ślubu, żeby go sobie zachować na pamiątkę, bo czuła z jakiegoś powodu, że utraci swą najserdeczniejszą przyjaciółkę, gdy ta stanie się panią Dabneyową Bayard i zamieszka w dawnym domu Cravena.

(Owszem, to dziwne, że Todd w wieku jedenastu lat żądał, by mu czytano na głos, jakby był bardzo małym dzieckiem, ale po prostu miał trudności z samodzielnym czytaniem; twierdził, że litery i liczby „mieszają mu się" w oczach, kiedy próbuje wyłowić z nich jakiś sens).

Pod koniec baśni Todd zaczął klaskać w dłonie i oświadczył, że kiedy on zostanie łabędziem, to nie będzie taki dobry dla kaczątek, które z niego drwiły.

– Bo Todd zapamiętuje złe rzeczy, nie zapomina i nie wybacza swoim wrogom.

– Ale kiedy już zostaniesz łabędziem, Todd, to będziesz się zachowywał, jak na łabędzia przystało, czyli staniesz się męski i szlachetny – upomniała go wtedy Annabel.

– Ale czy Todd będzie wtedy *Toddem?* – Pytanie dziecka było podszyte niejakim lękiem.

– Ależ tak! No przecież.

Leżący na trawie chłopiec z udawaną powagą zadumał się nad słowami kuzynki, ale ostatecznie zareagował w typowy dla siebie sposób, bo przewrócił się na plecy, po czym zaczął gwałtownie wierzgać nogami i piszczeć protestująco, jakby go łaskotał albo atakował jakiś niewidzialny przeciwnik.

(Biedny Todd Slade! Sądzę jednak, że ta postać może zafrapować czytelnika, zwłaszcza w świetle rozwoju zdarzeń, bo ten mały chłopiec z pewnością był jednym z pierwszych „przeklętych").

Mając dwa lata, Todd posiadał jak najwłaściwsze umiejętności (chodził, mówił, a nawet do pewnego stopnia „rozumował"), wskazujące, że rozwinął się wcześnie, ale później z niewiadomych przyczyn tak jakby uległ „regresowi" – jakby chciał nieco dłużej pozostać niemowlęciem, i to szczególnie trudnym niemowlęciem, wykazującym przebłyski inteligencji, a nawet geniuszu, ale tak poza tym to z kretesem infantylnym. Jeśli idzie o wzrost, Todd nie wypadał poniżej przeciętnej dla swego wieku, w istocie był nawet dość wysoki, ale miał osobliwie niedorozwiniętą sylwetkę, ponadto za dużą głowę, a stopy tak źle skoordynowane, że wiecznie się potykał albo przewracał, wywołując przerażenie swych rodziców i kpiny innych chłopców. A co jeszcze dziwniejsze, często sięgał po rzeczy, które znajdowały się nie w *danym* miejscu, tylko kilka cali obok. Im bardziej daremne były jego starania, tym bardziej stawał się sfrustrowany i zniecierpliwiony.

Todd szczególnie niepokoił swego ojca, Copplestone'a, człowieka obdarzonego żyłką do interesów i odnoszącego finansowe sukcesy w handlu, człowieka, który chlubił się talentem oratorskim i literackim, ponieważ przewodniczył Princetońskiemu Klubowi Dyskusyjnemu, i był lubianym „człowiekiem z kampusu" podczas studiów, dlatego nie potrafił znieść tego, że jego jedyny syn „odmawia" (tak ujmował to Copplestone) uczenia się czytania i pisania i jest tak uparty, że trzyma książkę z boku głowy w odległości kilku cali albo wręcz do góry nogami. Takie „wybryki" były szczególnie irytujące zdaniem Copplestone'a i należało za nie dyscyplinować. „Przecież to dziecko albo jest diabłem wcielonym, albo ukrywa diabła w sobie", powiedział Copplestone łkającej matce Todda po którejś z kolejnych potyczek z synem, którą Todd wygrał za sprawą samej siły płuc i szalonego zachowania, sprawiając, że Copplestone wypadł jak burza z pokoju.

(Mówiło się, być może bezpodstawnie, że w prywatności Copplestone stosował jednak „dyscyplinę" wobec swego niesfornego syna: czy to ręką, batem czy też paskiem, tego nie wiadomo. Z pewnością nikt nigdy nie słyszał, by Winslow Slade dyscyplinował swych synów, Copplestone'a i Augustusa, czy bodaj podnosił na nich głos, gdy byli mali).

A jednak Todd nie był w stanie nauczyć się abecadła, a tym bardziej arytmetyki, mimo wysiłków ojca i licznych nauczycieli, z takim skutkiem, że nim ukończył dwanaście lat, rodzina przestała go do czegokolwiek zmuszać i pogodziła się z jego uporem czy zawziętością – jak zwał, tak zwał. (W późniejszych latach, gdy Todd był starszy, a Klątwa przestała nareszcie dawać się we znaki, wydawało się, że jakoś nauczył się czytać, a nawet pisać; twierdzono wręcz, że Todd wybiega „ponad przeciętną" pod wieloma względami, bo w 1911 roku był uczniem Akademii Princeton, kiedy ja zostałem tam zapisany do pierwszej klasy, a zatem musiał uczęszczać na lekcje). Mimo że często miewał napady złości, było go też stać na sympatyczne zachowanie; jego kuzynka Annabel od lat uważała go za swego ulubieńca i nawet za takiego od czasu do czasu uważał go Jozjasz, któremu brakowało cierpliwości siostry do ich młodszego kuzyna. (Jozjasz najbardziej irytował się tym, że w grach planszowych takich jak warcaby i szachy Todd często wygrywał, nie dlatego, że był takim znakomitym graczem, tylko dlatego, że bezwstydnie i wprawnie oszukiwał. „Będzie znakomitym politykiem w Tammany Hall*, gdzie pieniądze potrafią zniknąć jak kamień w wodę – stwierdził raz Jozjasz. – Jeśli oczywiście uda mu się dostatecznie długo unikać więzienia, jak niektórym z Tammany Hall").

---

* Potoczna nazwa Society of Tammany, organizacji politycznej od końca XVIII wieku do lat sześćdziesiątych XX funkcjonującej na rzecz Partii Demokratycznej, która odgrywała znaczącą rolę w wyborach władz Nowego Jorku i w życiu politycznym kraju (przyp. tłum.).

Wilhelmina upomniała siebie samą, że Todd Slade jest tylko dzieckiem – ledwie jedenastoletnim, a jednak bała się jego spojrzenia, w którym kryło się coś przedwcześnie dorosłego i penetrującego, i zastanawiała się nawet, czy dziecko może posiadać dar jasnowidzenia. A to dlatego, że pewnej niedzieli w Crosswicks, kilka miesięcy wcześniej, Todd przedarł się przez grupę dorosłych w stronę Wilhelminy, z powagą uścisnął jej dłoń i złożył kondolencje cichym, ale sugestywnym głosem, twierdząc, że skoro Jozjasza na tym przyjęciu nie ma, to panna Burr jest skazana na „przeżuwanie niesmacznego jedzenia" i „wsłuchiwanie się w niemelodyjną muzykę" – które to oświadczenie w ustach dziecka brzmiało tak niedorzecznie, że Willy ledwie wierzyła własnym uszom. A potem, gdy mały złośliwiec powtórzył swoje słowa, spoglądając na nią z wyrazem naśladującym autentyczne współczucie, okryła się mocnym rumieńcem i stwierdziła, że trudno jej oddychać, bo dotarło do niej, że Todd Slade wie – (czyżby całe Princeton wiedziało?) – o jej skrywanej miłości do Jozjasza Slade'a.

Ale ja nikomu nic nie powiedziałam! Nawet Annabel.

Po tym wszystkim Wilhelmina była bardzo ostrożna przy Toddzie Sladzie, a jednocześnie była mu wdzięczna, że nie podzielił się jej tajemnicą z żadną inną osobą, na ile wiedziała.

Todd nadal nie chciał sam *czytać*, tylko życzył sobie, żeby mu *czytano*, a z kolei Annabel chętnie spełniała jego zachcianki, bo to go uszczęśliwiało, jakby był trzy- albo czteroletnim dzieckiem. Po *Brzydkim kaczątku* Todd zażądał *Wzgórza elfów*, kolejnej ulubionej baśni dla dzieci, a potem *Królowej Śniegu* – co do której Annabel się wahała, z własnych powodów. Todd jednak tak uparcie nalegał, waląc piętami o ziemię i przewracając oczami, że nie miała wyboru i ustąpiła, ale teraz jej głos wydawał się słabszy i nie była już taka ożywiona, a i Todd po kilku minutach znudził się, zaczął coś nucić, wzdychać, potem jeszcze wyrywał kępki trawy i rzucał nimi w Thora. Kiedy Annabel czytała o przejażdżce Kaja na saniach w towarzystwie Królowej Śniegu, o tym, jak frunęli nad lasami i jeziorami, nad morzem i ziemią, podczas gdy pod nimi wył zimny wiatr, skowytały wilki i iskrzył się śmiercionośny śnieg, Todd nerwowo ziewał, obojętny na takie straszne rzeczy, i w końcu wybił książkę z rąk kuzynki! I zanim zdumiona Annabel zdążyła zaprotestować, poderwał się z ziemi i pobiegł w kierunku lasu, ciągnąc za sobą psa. Tak chłopiec, jak i pies poszczekiwali z dziwnym, oszalałym podnieceniem.

– Annabel, rozpuściłaś swojego kuzyna – powiedziała Wilhelmina. – Jeśli się nie opamiętasz, będzie z nim tylko gorzej.

– Ale co ja mam robić? Co ktokolwiek z nas miałby zrobić? Todd jest... jest po prostu Toddem.

– Jesteś pewna? Wiesz, że to tak, jakbyś machnęła na niego ręką; w ten sposób on nigdy nie wydorośleje, nie będzie się potrafił zachowywać stosownie do wieku w liceum albo w kolegium, jeśli mu się będzie tak pobłażało.

O dziwo Annabel nie zaprzeczyła, ale jej urodziwa twarz niemile poczerwieniała, a w oczach zalśniły łzy; zamknęła książkę i upuściła ją na trawę.

– Tak, masz rację, Willy. A ja mam za swoje.

Gdy później Willy obejrzała naszkicowany przez siebie portret Annabel, stwierdziła, że twarz jej przyjaciółki jest tak naznaczona zmartwieniem, melancholią i dziwacznym cynizmem – (widocznym w wygięciu warg) – że nie chciała go jej pokazać i uznała, że najmądrzej postąpi, jeśli go prędko zwinie i schowa do torby. Widząc to, Annabel spytała, z cichym śmiechem urazy, czy rysunek jest naprawdę taki ohydny, na co Willy odparła:

– Owszem, trochę jest, ale to porażka artysty, a nie modela. Spróbuję jeszcze raz, niebawem, ale nie teraz.

Młode kobiety kontynuowały przechadzkę, wędrując śladem Todda w głąb lasu, mimo że ogarnął je grobowy nastrój i już nie miały ochoty iść ramię w ramię.

Po kilku minutach napięcia Willy odezwała się cichym, acz nabrzmiałym emocjami głosem:

– Mam nadzieję, Annabel, że nie odsuniesz się ode mnie i innych przyjaciółek, które cię kochają, po tym jak ty i Dabney weźmiecie ślub. Czasami się boję, że ty już się odsuwasz, bo jeśli sobie tego nie wyobraziłam, bywasz ostatnio obca i rozkojarzona, przynajmniej w moim towarzystwie...

– To nieprawda, Willy! – prędko zaprotestowała Annabel. – Jesteście moją kotwicą, ty i Jozjasz. Nigdy nie odsunę się od żadnego z was, zapewniam, że nie chcę żadnego z was utracić.

Willy uśmiechnęła się, słysząc, że jej imię zostało połączone z Jozjaszem Slade'em, ale tylko wyraziła zdziwienie tymi zapewnieniami Annabel, że *nie chce utracić* brata ani najstarszej z przyjaciółek.

– I dlatego odnoszę wrażenie, że ty się czymś frasujesz, Annabel. Dlaczego nic nie chcesz powiedzieć?

Annabel znowu prędko zaprotestowała, z towarzyszeniem cichego śmiechu.

– *Nie*, Willy. Teraz to już mi dokuczasz i zamęczasz mnie. Może jednak zmienimy temat?

– Oczywiście. Uważaj temat za zmieniony.

– W głębi serca, Willy, w głębi duszy... *Nic mnie ani trochę nie frasuje. Jestem... bardzo szczęśliwa...*

A jednak głos Annabel sugerował coś innego, dlatego Willy obróciła się ku niej, obejmując ją w pasie.

– Droga Annabel, cóż to takiego? Powiedz mi, proszę.

– Jeszcze raz cię zapewniam, że nie mam nic do powiedzenia.

– Wiesz, że nie osądzam tych, których kocham. Chodzi o coś między tobą i Dabneyem? Czy to ma coś wspólnego z twoimi rodzicami? Czy nie ma takich słów, droga Annabel, abyś potrafiła wyrazić, co czujesz?

– Nie ma słów... – powtórzyła cicho Annabel. – ...Nie ma słów.

Młode kobiety szły śladem Todda i Thora w głąb lasu, zachowując niewielki dystans od nich. Rozmowa stopniowo osuwała się w nastrój harmonizujący z panującym dookoła półmrokiem, na tle którego tylko pełzały plamki słońca, bo połać otwartego nieba została już daleko za spacerowiczami. Willy wyznała, że czuje się po prostu lekko urażona, bo Annabel już jej się nie zwierza; sama przecież zwierzała się Annabel tyle razy, odkąd zostały serdecznymi przyjaciółkami w piątej klasie Akademii Princeton dla Dziewcząt.

– Z kim będziesz rozmawiać, Annabel, jak nie ze mną, twoją najlepszą przyjaciółką?

Annabel roześmiała się. Ale bez wesołości, z wyraźnym zakłopotaniem.

– Może z twoją ciotką Adelajdą, która podobno miała jakiś wypadek podczas miesiąca miodowego – powiedziała.

– Z ciotką Adelajdą? Dlaczego z nią?

– Bo... bo mówią o niej takie rzeczy. I o wypadku podczas jej miesiąca miodowego.

– Ale dlaczego ty o tym mówisz? Nikt nie wie, co się stało. Ja przynajmniej nie wiem. W naszej rodzinie nie rozmawia się o takich sprawach.

– A ja nie rozumiem, Willy, czy to był jakiś wypadek podczas podróży czy też w oberży, w której zatrzymali się nowożeńcy. I czy ten wypadek był nieodwracalny w skutkach.

– Nikt nie wie, co to było. Wedle mojej wiedzy to się zdarzyło na Bermudach albo na statku płynącym w stronę Bermudów.

– Ale Adelajda jest zarówno kobietą zamężną, jak i pod wieloma względami zwyczajną „dziewczyną", niewiele starszą od nas w istocie rzeczy. I jej figura pozostała niezmieniona, bo dotychczas nie urodziła dziecka. Podobno ona i jej mąż są z sobą bardzo blisko; ich związek wciąż jest romantyczny.

– Owszem, tak mówią. Niemniej jest mi trudno porozumieć się z Horacym, a jemu ze mną.

– A zatem nie wiadomo, czy na Adelajdę Burr spadła jakaś tragedia czy raczej błogosławieństwo – stwierdziła z zadumą w głosie Annabel. Przez cały ten czas obracała na palcu swój trochę luźny zaręczynowy pierścionek z brylantem, rodową pamiątkę.

Przez kilka minut obie kobiety szły w milczeniu, za to biegnący przed nimi Todd pokrzykiwał na szczekającego głośno Thora. Z głębin lasu płynął ku nim lekko bagienny odór, bo nieco dalej teren przeobrażał się w trzęsawisko.

– Todd? A gdzie ty jesteś? – zawołała Annabel, raczej się nie spodziewając, że jej kuzyn odpowie.

Młode kobiety szły teraz szybciej. Przez las wiodła ścieżka, która rozszerzała się stopniowo, aż w pewnym miejscu rozlała we wszystkie strony, miękka, ustępliwa i sprężysta pod ich stopami. Willy wykrzyknęła, że spacer po tych okolicach jest taki zachwycający.

– Mam wrażenie, że się unoszę, że jestem nieważka.

– Tak... nieważka – powtórzyła ze śmiechem zaskoczona Annabel.

Coś jednak szarpało za rąbek bluzki Annabel i za halki. Ku swemu przerażeniu zauważyła, że skraj jej sukni w niebieskie paski jest oberwany i powalany ziemią, że nawet spodnie warstwy frymuśnych białych halek są przybrudzone. Jęknąwszy cicho, otrzepała je, po czym opuściła spódnicę i powiedziała, jakby ta myśl właśnie przyszła jej do głowy:

– Proszę, nie pomyśl, że oszalałam, Willy, i proszę, nie powtarzaj tego nikomu, ale często się zastanawiam, dlaczego tak jest, że siostry i bracia nie mogą ze sobą mieszkać, kiedy już dorosną, nie jako ekscentryczni starzy kawalerowie i stare panny, tylko jako doskonale normalni ludzie! Dlaczego tak jest, że świat żąda od nas, abyśmy koniecznie wchodzili w związki małżeńskie? Odkąd skończyłam dwanaście lat, matka w zasadzie nie myśli o niczym innym niż o moim zamążpójściu, zresztą wszystkie kobiety w rodzinie spiskują w tej sprawie. Kiedy wyrażałam nadzieję, że zostanę autorką książek dla dzieci, ilustratorką albo malarką, to one wszystkie mówiły mi: jak już wyjdziesz za mąż i urodzisz dzieci, to będziesz się mogła zająć takim hobby. Tymczasem żadnemu chłopcu ani też młodemu mężczyźnie, który chce zostać pisarzem albo artystą... albo muzykiem czy też naukowcem, nie mówi się, że powinien traktować to jak *hobby*. Dlaczego tak jest?

– Z tego samego powodu, dla którego nam nie wolno głosować. Jesteśmy obywatelami drugiej klasy, mimo że mieszkamy w tych samych Stanach Zjednoczonych Ameryki co nasi bracia.

– Ojciec tłumaczy, że prawa kobiet są zbyteczne. Kobieta głosowałaby jak jej mąż, bo jeśli powodowana uporem zrobiłaby inaczej, to tym samym unieważniłaby jego głos. Tak czy owak głos oddany przez kobietę byłby zmarnowany.

– Ależ skąd! My pierwsze będziemy chciały spróbować!

– Ale dlaczego tak jest, że braci i sióstr nie zachęca się, żeby mieszkali razem? Całe rodziny mogłyby mieszkać razem jak w dawnych czasach. Będę się czuła taka... samotna... dziwnie samotna... z samym tylko Dabneyem, tak jak on pewnie będzie się czuł samotny ze mną. I jak wiesz, nie ma kogoś drugiego takiego jak Jozjasz, jeśli idzie o dogadywanie się z ludźmi, a w każdym razie ze mną. My nawet nie musimy rozmawiać, jesteśmy szczęśliwi, milcząc w swoim towarzystwie. Podczas gdy z Dabneyem zawsze trzeba rozmawiać... nerwowo... Dlatego się zastanawiam – dodała Annabel cicho, ale zapalczywie – dlaczego tak musi być, że pobieramy się z obcymi osobami i że potem już nie mieszkamy z naszymi bliskimi. Czy wiesz, że moja kuzynka Eleanora, która mieszka w Wilmington, wyszła za mąż kilka lat temu i omal nie umarła, rodząc wyjątkowo dużego chłopca, bo sama jako dziecko przeszła gorączkę reumatyczną i ma przez to słabe serce. Mówią, że ona i jej mąż mieszkają teraz razem *jak brat z siostrą* i nikt ich z tego powodu nie krytykuje. A jednak wychodzi na to, że gdyby prawdziwa siostra i brat, połączeni więzami krwi, ustanowili niezależne gospodarstwo domowe, to społeczeństwo patrzyłoby na nich z dezaprobatą i pogardą. Jakie to niesprawiedliwe, Willy, i jakie nielogiczne! Zgadzasz się ze mną?

Willy odmruknęła coś bez przekonania. (Bo wcale jej się nie podobał kierunek, który obrała ta rozmowa). Po czym dodała z dziewczęcym żalem:

– Pomyśleć tylko, że moglibyśmy zamieszkać we troje w takim domostwie, gdybyśmy żyli w szczęśliwszych czasach – na przykład we Fruitlands, Oneidzie albo we wspólnocie szejkersów*. Dlaczego zamiast o „siostrze i bracie" nie możemy mówić o „siostrach i braciach"? Nie byłoby w tym z pewnością nic złego.

Tak potrafiła wypowiadać się Willy: odważnie, beztrosko i z nieodwracalnym skutkiem!

Poczuła, że musi przyłożyć dłonie do swych rozgrzanych policzków, żeby je ochłodzić i uspokoić, bo zrobiło jej się nieprzyjemnie gorąco w półmroku lasu o wilgotnym, sprężystym podłożu; miała wrażenie, że tuż nad karkiem jej włosy są odstręczająco wilgotne, szorstkie jak końskie włosie. I co też ją napadło, by uznać, że szarawary są takie szykowne; były teraz całe naszpikowane rzepami i ubłocone przy rąbkach.

Kobiety zatrzymały się i Annabel zaczęła wyrywać rzepy z ubrania przyjaciółki i swojego. W leśnych głębinach roiło się od gzów, komarów i maleńkich kąśliwych meszek.

– Tak, Willy, masz rację – powiedziała zmartwionym głosem Annabel. – Ale dla mnie już jest za późno. Zakochałam się i mój los jest przypieczętowany; należę teraz do kogoś, tak ciałem, jak i duchem, i ani Jozjasz, ani dziarski porucznik mnie nie uratują. Nie uratujesz mnie nawet ty, droga Wilhelmino.

To właśnie w tym momencie młode kobiety odkryły, że Todd i Thor zniknęli z zasięgu wzroku, mimo że ze wszystkich stron lasu zdawało się dobiegać je echo pohukiwań chłopca i szczekania psa.

---

* Fruitlands – utopijna komuna agrarna powstała w latach czterdziestych XIX wieku w Harvardzie, oparta na przesłaniu transcendentalizmu. Oneida – wspólnota religijna praktykująca komunalizm, powstała w tym samym czasie w miasteczku Oneida w stanie Nowy Jork. Szejkersi – protestancka grupa religijna założona pod koniec XVIII wieku w Anglii, a później w Stanach Zjednoczonych, gdzie działała w ramach wspólnot rolniczych; szejkersi zachowywali celibat (przyp. tłum.).

Annabel poprowadziła je głębiej w las, wołając kuzyna, ale po chwili załamała się i oddała prowadzenie Willy, która ruszyła w innym kierunku, pokrzykując:

– Todd! Jesteś bardzo niegrzeczny! Dlaczego ukrywasz się przed nami? Przyjdź tu natychmiast!

Po kilku nerwowych minutach, podczas których zapuszczały się coraz głębiej w miękką, osiadającą, podobną do bagien część lasu, gdzie najwyraźniej wlewała się Stony Brook, wreszcie zobaczyły Todda na polanie zawalonej wielkimi kłodami; odnosiło się wrażenie, że te kłody skamieniały, przez co przypominały obalone monumenty. Promienie słońca, które padały ukośnie na tę otwartą przestrzeń sprawiającą osobliwe wrażenie ostoi pośrodku wielkiej puszczy, z jakiegoś powodu wydawały się nienaturalne, nie jak światło słońca, tylko raczej dziwaczna, srebrzysta księżycowa poświata, niepokojąca, ale też nie tak zupełnie niemiła dla oka.

Tam właśnie stał Todd, z pochyloną głową i pobladłą twarzą wyzierającą spod zjeżonych pukli, ale zdawał się nic nie słyszeć, gdy Annabel i Willy do niego zawołały; również Thor nie poderwał się z mchu, nie podbiegł do nich, nie zaczął merdać ogonem, jak to miał w zwyczaju.

A potem kobiety zauważyły, że Todd nie jest sam, bo stoi przed nim i chyba poważnie o czymś z nim rozmawia jakaś mała dziewczynka, której ani Annabel, ani Willy nie znały – o bardzo wiotkiej sylwetce, wręcz przypominająca zjawę, z długimi, potarganymi czarnymi włosami i krągłą śniadą twarzyczką o wystających kościach i ciemnych oczach, które jakby płonęły namiętnością. Dziewczynka była bardzo nędznie ubrana, w odzienie wyglądające na robocze, bardzo ubrudzone, podarte, a nawet nadpalone. Palce jej prawej dłoni wyglądały na zniekształcone albo powykrzywiane. A co najdziwniejsze, dookoła dziewczynki pulsowały jasno drobne płomyki: to unosiły się nad jej nieporządnymi włosami, to od jej ściągniętych ramion, to od wyprężonej ręki! – bo dziewczynka wyciągała ją w stronę Todda, jakby chciała go schwycić.

Jeszcze jednak dziwniejsze było to, że dziewczynka miała na szyi zgrzebny sznur uformowany w pętlę; ten sznur miał około dwunastu stóp długości i jego koniec był poczerniały od ognia.

I ach! Te topazowe oczy, jakże żywiołowo lśniły!

Czy ta piekielna wizja była sztuczką wywołaną przez promienie słońca? Czy raczej Annabel i Wilhelminę zwodziły ich własne oczy, zogromniałe ze zdumienia? Płomyki otaczające dziewczynkę pulsowały, marszczyły się i znikały, po czym na powrót się rozjarzały, wibrując lubieżnie, od wewnątrz zabarwione błękitem jak strumień gazu; były tak subtelne, piekielnie piękne, że mogły być iluzją albo mirażem stworzonym przez załamanie ubywającego światła.

– Todd! Chodź tutaj… – zawołała Annabel łamiącym się głosem, ale chłopiec nie dał nawet po sobie znać, że ją słyszy.

Wydawało się, że Todd uległ czarowi demonicznej dziewczynki i nie jest w stanie od niej uciec, jakby nie pojmował, co mogą oznaczać te pulsujące, niebieskie płomyki albo ten zgrzebny sznur dookoła szyi, albo że to dla niego zagrożenie, kiedy prawie już zaczęła go dotykać, głaskać płonącymi palcami, a on się od niej nie odsunął.

– Todd! To my, Annabel i Wilhelmina... przyszłyśmy zabrać cię do domu. Todd!

A jednak czy ta płonąca dziewczynka nie była hipnotyzująca? Mimo śniadej cery, płaskiego, nieco szerokiego nosa i grubych warg, potarganych i jakby nieumytych włosów spływających na plecy, tych niespotykanych świetlistych oczu, tej pętli dookoła szyi, która na pewno ją uwierała, zdawała się taka ciasna, musiała wszak utrudniać oddychanie... Todd być może uwierzył, iż dziewczynka jest w jego wieku, ale po bliższym przyjrzeniu się widać było, że chyba jest znacznie starsza, co najmniej w wieku Annabel albo Wilhelminy, że to młoda kobieta, a nie dziewczynka.

I do tego wszystkiego Thor tak dziwnie ułożył się na mchu w odległości kilku jardów od stóp płonącej dziewczynki, z wyciągniętym pyskiem, z uszami postawionymi na kształt małych trójkątów, i z uwielbieniem wlepiał w nią ślepia – dlaczego Thor nie szczekał, a tylko dyszał, bardzo głośno, jakby pokonał biegiem wielki dystans i teraz przypadł tutaj do ziemi, jakby chciał oddać jej cześć?

Kiedy Annabel i Willy, ściskając się za ręce, pobiegły do przodu, pokrzykując z zaniepokojeniem, płonąca dziewczynka obróciła się ku nim, z wyrazem wściekłości, przerażenia i udręki; spazmy płomieni jęły smagać jej ciało, zamazując ją całą, i w mgnieniu oka zniknęła, jakby jej tam nigdy nie było.

– Todd! Dzięki Bogu nic ci nie jest! – krzyknęła Annabel, biegnąc w stronę kuzyna, po czym przeżyła nie lada wstrząs, bo gdy schwyciła chłopca w objęcia, ten wyrwał się jej i utkwił w niej spojrzenie wyrażające gniew i pogardę.

– Oto kuzynka Annabel – zaczął skandować Todd, śpiewnym głosem, który tak rozwścieczał jego ojca – która tu przyszła zbyt prędko; oto panna Willy, która tu przyszła nieproszona; oto Todd, który nareszcie znalazł w lesie przyjaciółkę, ale ją stracił. Biedny, głupi Todd, porzucony na pastwę losu.

Najbardziej przerażające było to, że owczarek niemiecki, który znał Annabel od szczeniaka, a Wilhelminę Burr niemal równie długo, poderwał się z ziemi i zaczął wyć z głębi gardła, z uszami położonymi płasko przy głowie i zjeżoną sierścią, obnażając swe wielkie zęby, jakby – (czy to było możliwe?) – *nie rozpoznał swej zdenerwowanej, młodej, jasnowłosej pani i jej ciemnowłosej przyjaciółki.*

NOTA OD AUTORA: WYZNANIE HISTORYKA

Niewielu jest historyków, którzy mówią szczerze o takich sprawach, ja jednak powiem, że my wszyscy, zajmujący się relacjonowaniem przeszłości – poprzez gromadzenie, selekcjonowanie i ekstrahowanie istoty z mnogości ważnych faktów – zmagamy się na ogół z dwoma dylematami, to jest zjawiskiem jednoczesności zdarzeń i zjawiskiem autentyczności dowodów. Przy gromadzeniu moich materiałów do książki *Przeklęci: Historia tragicznych wypadków z lat 1905–1906 w miasteczku Princeton w stanie New Jersey*, która stanowi efekt pracy dziesięcioleci, jeśli nie całego życia, byłem zmuszony wiele eliminować, aby czytelnik nie rozkojarzył się nadmiarem informacji, a jednak byłoby to nieszczere z mojej strony, gdybym udawał, że w miarę jak moja narracja posuwa się do przodu, mimetyzując „baśń" i skupiając się na niektórych kluczowych postaciach, pozostałe osoby zamarły, tworząc coś na kształt fryzu, i powstrzymują się od myślenia, odczuwania, mówienia i działania – w rzeczy samej od uczestniczenia w historii. W trakcie gdy piszę o Annabel Slade, Wilhelminie Burr i Toddzie w lesie Crosswicks, Woodrow Wilson, Winslow Slade, Adelajda Burr, Jozjasz Slade, Clevelandowie, porucznik Bayard i pozostali wiodą oczywiście swe życie bez zakłóceń, nie mając świadomości, że „centrum uwagi" zostało przeniesione gdzieś indziej, bo nie zdają sobie sprawy, że są uczestnikami kroniki czasu dawno minionego i że jakiś historyk mozolnie stara się naświetlić patos ich sytuacji. Jak jednak inaczej miałbym osiągać postęp, skoro ogranicza mnie linearna chronologia i wymogi druku? I gdybym nawet zechciał ująć w tej kronice wszystko, co zaszło w Princetonie w owym czasie, to jakim sposobem miałbym wykonać pracę tak herkulesową?

Dlatego właśnie, mimo iż kusi mnie, by przyjrzeć się pewnym nadzwyczaj interesującym sytuacjom szczegółowo, nie mogę tego uczynić, tylko muszę niestety prędko przez nie przemknąć: oto częściowo ubrany Woodrow Wilson, który leży chory w swoim łóżku, na górnym piętrze Prospect; wije się w straszliwych bólach gastrycznych po wytwornym lunchu w Klubie Nassau wydanym na cześć prezydenta Teddy'ego Roosevelta; wydarzenie, które rozdrażniło, sfrustrowało i zarazem rozjuszyło wrażliwego rektora uniwersytetu, bo nie mógł znieść tej chwalby i tych krzykliwych relacji z polowań na Zachodzie, gdy tymczasem strapiona Ellen Wilson krąży nad nim, podając cierpiącemu mężowi te lekarstwa, które ów godzi się przyjąć, i modli się, żeby nie umarł! – wszystko to dzieje się niemalże w przeddzień zaślubin Slade-Bayard wyznaczonych na 4 czerwca, podczas których ich najdroższa córka Jessie ma odegrać jakże doniosłą rolę. Woodrow Wilson mruczy przez zaciśnięte zęby: „Jest prostacki. Wulgarny. To bufon. Łajdak. Nie szanuje mnie. Traktuje mnie protekcjonalnie, i to w Princetonie! *To jest nie do wytrzymania*". (Tyle rektor Uniwersytetu Princeton na temat przykrego potraktowania go przez prezydenta Stanów Zjednoczonych). Tymczasem gdzie indziej rozgrywa się taka oto niemiła scena:

– Przepraszam, panie Ruggles. Umowa została spisana na rok. Nie zostanie przedłużona.

– Ale… dlaczego nie?

Dziekan wydziału filologii klasycznej kręci ponuro głową.

Dlaczego? Dlaczego nie? Tak jakby nie sposób odpowiedzieć.

– Ale… myślałem… to znaczy pozwolono mi wierzyć…

Młody człowiek wydaje się autentycznie wstrząśnięty. Jest przekonany, że zdobył wiele praktycznych, przynoszących dobre wyniki doświadczeń w nauczaniu jako preceptor łaciny; w rzeczy samej Yaeger Ruggles poświęcił wiele osobistego czasu w roli korepetytora licznych studentów, którzy mieli poważne luki w znajomości łaciny.

– Chłopcy dużo się nauczyli. Kilku mówiło mi, szczególnie…

– Panie Ruggles, dziękuję panu.

– …nawet ich rodzice wyrażali wdzięczność i prosili, żebym…

– Niestety, kontrakt nie zostanie przedłużony, co staram się… jest nam bardzo przykro.

– Ale… jakim „nam"?

Siwowłosy dziekan nadal posępnie potrząsa głową, z wyrazem niemego bólu. Jakby chciał poinformować zdumionego i do głębi zranionego młodzieńca: *Proszę nie pytać. Nie dowie się pan. Zostaje pan wydalony z naszego wspaniałego uniwersytetu, bezpowrotnie.*

– Jak może mnie pan traktować tak niesprawiedliwie, sir? Tak bezrozumnie? Na jakiej podstawie zostaję zwolniony?

– Panie Ruggles, pan nie zostaje zwolniony. Pański kontrakt nie będzie odnowiony, a to jest zupełnie inna kwestia. Widzi pan, pojawiły się anonimowe doniesienia.

– Anonimowe doniesienia… ale…

– Panie Ruggles, proszę zamknąć za sobą drzwi, błagam pana.

Krótko potem dochodzi do kolejnej upokarzającej sytuacji; Yaeger Ruggles zostaje wezwany do wypełnionego książkami, srogiego gabinetu rektora Seminarium Teologicznego Princeton, wielebnego Thaddeusa Shackletona, który informuje go, równie posępnym i nieprzejednanym tonem jak dziekan wydziału filologii klasycznej, że uznano, iż „dla dobra wszystkich zainteresowanych" pan Ruggles winien opuścić seminarium wraz z zakończeniem semestru wiosennego, czyli w najbliższy poniedziałek.

– Ale dlaczego, wielebny Shackleton? – dopytuje się Yaeger Ruggles. – Z jakiego powodu? Zawiodłem w jakiś sposób? Musi mi pan wykazać, pod jakim względem zawiodłem.

Pierwszy rok Rugglesa w seminarium wypadł „wybitnie dobrze" – jego nauczyciel języków starożytnych Biblii nie mógł się nachwalić młodego naukowca, a wykładowca posług pasterskich przewidywał, że w najbliższej przyszłości będzie z niego „bardzo pilny i odpowiedzialny" pastor. Na drugim roku jego osiągnięcia akademickie wciąż były wysokie aż do marca, kiedy stwierdzono, że „zdecydowanie opuścił się" w swojej pracy w seminarium, wliczając w to nawet wiele niewyjaśnionych absencji.

– Do seminarium napływa znacznie więcej podań niż jest wakatów. Mamy listę oczekujących, więcej niż tuzin... zasadniczo równie „zasłużonych". Tak więc niestety, panie Ruggles.

– Ale ja nie rozumiem...

– Nie jest nam to dane, panie Ruggles, by rozumieć. Musimy wierzyć i zwyciężać.

Młody mężczyzna, zamroczony całą tą niezrozumiałą dlań sytuacją, wychodzi chwiejnym krokiem. Czuje się tak poraniony, że gdyby ktoś obserwował go z niewielkiej odległości, uznałby, że utyka.

On mnie nie zdradzi, prawda? Mój kuzyn Woodrow...

W Nassau Hall Yaeger zostaje szorstko poinformowany, że rektora Wilsona nie ma w gabinecie. I że jego harmonogram spotkań jest zapełniony do końca tygodnia, nie będzie można się z nim zobaczyć.

– Kiedy ja... jestem kuzynem pana Wilsona, z Wirginii – protestuje Yaeger. – On mnie zna. Będzie chciał ze mną rozmawiać.

Sekretarka rektora zapisuje jego nazwisko.

– Proszę przekazać panu Wilsonowi, że zaszło jakieś straszne nieporozumienie. On będzie wiedział, co to oznacza, mam nadzieję. Proszę mu powiedzieć, że Yaeger się nie podda!

Milę dalej, w Maidstone House, pani Adelajda Burr, która przysnęła przy lekturze *Nauki tajemnej,* budzi się z lekkiej, nieprzynoszącej zadowolenia drzemki i widzi, albo wyobraża sobie, że widzi, twarz przyciśniętą do okna sypialni: ciemnoskóre dziecko-zjawa, śmiałe, buńczuczne, z rysami twarzy wykrzywionymi gniewem albo głodem, nieznane pani Burr, bo nie ma w sobie żadnego podobieństwa do nikogo, kogo pani Burr w życiu poznała.

A jednak, zanim pani Burr zdąży zaczerpnąć oddechu, by krzyknąć, stworzenie znika, bezsłownie jednak dając do zrozumienia, że niebawem wróci.

Z kolei w pokoju dziecięcym w Mora House, przy Mercer Street 44, połowę mili od Maidstone, młoda kuzynka pani Burr, Amanda FitzRandolph, musi przerwać karmienie swego maleńkiego syna Terence'a, bo przeszkodził jej w tym odgłos czyjegoś stąpania albo westchnienia, albo może cień, albo – możliwe to? – przezroczysta męska postać przemykająca obok lustra na ścianie. Mandy obraca się, przyciskając dziecko do łona, ale nie widzi nic i nic nie słyszy; wie, że jest sama z Terence'em, wyjąwszy służbę przebywającą w innej części domu, a jednak cała drży tak strasznie, że musi włożyć dziecko do kołyski, żeby go nie upuścić albo mu czegoś nie zrobić, bo dzieje się teraz coś niezrozumiałego: Mandy wydaje się, że jej maleństwo to już nie jest Terence, tylko cudze dziecko – ma taki szeroki nos, zupełnie inny od kochanego noska Terence'a, jego wargi są bardziej mięsiste, a cienkie ciemne włoski są bardziej szorstkie, skóra też jest ciemniejsza. Mandy czuje, że kręci jej się w głowie. Nawiedza ją myśl: *Edgerstoune nie zrobiłby mi czegoś takiego.* Obok rzadko używanego kominka w sypialni stoi złowieszczo wyglądający pogrzebacz – palce Mandy pragną go schwycić, ale opiera się pragnieniu, będzie się opierać, pochyla się, by uspokoić łkające niemowlę, szepcząc:

– Przecież to nic takiego, małe dziecko musi *spać.*

Niewiele dalej, w starym, wytwornym, kolonialnym domu przy Campbelton Circle 99, panna Wilhelmina Burr przygląda się sobie w lustrze naturalnej wielkości, w sypialni, a tymczasem francuska szwaczka klęczy przy niej i robi poprawki przy bladoróżowej satynowej sukni, którą Wilhelmina ma włożyć na ślub Annabel; jej krytyczne oko wychwytuje niewiele z ponętnej wizji w lustrze, tylko czepia się z jakąś okrutną nachalnością *defektów* – w twarzy, w sylwetce, w osobie. Wilhelmina nie czuje się dzisiaj jak Willy – bo Willy jest zależna od innych, na przykład od Annabel i Jozjasza; jest tylko Wilhelminą, córką rodziców, którzy nie potrafią patrzeć na nią inaczej jak tylko z rozczarowaniem, bo nie jest pięknością i nie jest tą czarująco posłuszną młodą kobietą, którą brak urody mógłby z oczywistych względów poskromić. Wilhelmina nie widzi też swojej sukni, długiej, zgrabnej spódnicy obrzeżonej u dołu podwójnym rzędem namarszczeń, które na przedzie są dłuższe i łączą się z rzędem cieniutkich zaszewek, bardzo korzystnych dla jej nieco kanciastej sylwetki. Przeciwnie, ta przygaszona młoda kobieta, zmuszona wciągać oddech, by wbić się w wąski stan sukni, czuje nagle, że mogłaby wybuchnąć – że musi wybuchnąć: czuje, że zaraz się rozpłacze, roześmieje, zacznie krzyczeć z rozpaczy albo szeptać jakieś bezeceństwa. (To ostatnie Wilhelmina robi czasami przez sen, takie obrzydliwe słowa! Takie nieoczekiwane słowa! O czym w świetle dnia Wilhelmina prawie nic nie wie). Bo zbliżający się ślub jej najserdeczniejszej przyjaciółki odciska się upokarzająco na jej samotności. *Jozjasz mnie nie kocha i nigdy mnie nie pokocha.*

Jozjasz w najlepszym razie lubi Wilhelminę, którą nazywa Willy tym niedbałym tonem kuzyna albo brata; podziwia ją za inteligencję i za wprawę w krokiecie, a jednak nawet na nią tak naprawdę nie spojrzał od lat, jest tego pewna. Podczas ich ostatniej rozmowy Jozjasz opowiadał z zapałem o swoich nowych, licznych planach – (studiowanie filozofii w Niemczech, podróż na Zachód, albo może raczej na Północ, do Arktyki, wstąpienie do Ligi Młodych Amerykańskich Socjalistów w Nowym Jorku) – z których żaden nie przewidywał udziału Wilhelminy Burr.

Wilhelmina była bardzo pilną uczennicą i uczyła się na pamięć wielu fragmentów ze sztuk Szekspira, dlatego też przyswoiła sporo trafnych ocen tego wielkiego poety odnośnie do ludzkiej natury i dlatego wie, że o ile głęboka nienawiść może się przeobrazić znienacka w miłość, o tyle ze zwykłym uczuciem sympatii tak nie dzieje się nigdy. I nie jest przecież siostrą Jozjasza tak jak Annabel – nie wygrałaby z Annabel w walce o uczucia Jozjasza.

Nie usłyszawszy pytania zadanego jej przez szwaczkę, Wilhelmina nadal gapi się na siebie w lustrze, jakby zdumiona swoją wyjątkową brzydotą; może byłoby lepiej, gdyby zniknęła jak Ofelia, gdyby się usunęła z życia tego Hamleta z własnej obsesji, tego Hamleta, który nie ma żadnej obsesji na jej punkcie. Rozmyśla, z mściwością zupełnie niepasującą do jej życzliwej, wspaniałomyślnej natury, że niczego nie pragnie bardziej niż posiadać, choćby tylko przez krótki czas, tę tajemniczą władzę nad mężczyznami, która jest udziałem takich młodych kobiet jak Annabel Slade, z tą ich niewinnością i urodą, bo na cóż Wilhelminie jej rzekome talenty umysłowe i artystyczne, skoro jest taka nieszczęśliwa i nikt jej nie kocha, skoro Jozjasz Slade jej nie kocha. Serce bije jej gwałtownie pod wpływem małostkowego pragnienia, by ściągnąć na Jozjasza straszliwe męki zazdrości... gdyby tak udało jej się wpaść w oko jakiemuś dżentelmenowi. *Wtedy cierpiałby tak, jak ja cierpię. Wtedy bylibyśmy dopasowali się do siebie już na zawsze.*

Mniej więcej o tej samej porze w wielkiej sali wykładowej w McCosh Hall profesor Pearce van Dyck musi przerwać wykład o etyce Kantowskiej, stanąć bokiem do mównicy i odkaszlnąć w chusteczkę; od kilku tygodni z przerwami cierpi na tajemniczą alergię albo chorobę płuc. Dolegliwość się nie pogłębia, a jednak nie chce też ustąpić, i kiedy tak pięćdziesięciu studentów wpatruje się w niego z fascynacją i współczuciem, profesor van Dyck kaszle, kaszle i kaszle; w jego oczach ukrytych za okularami w drucianych oprawkach lśnią łzy, które lada chwila mogą spłynąć po policzkach, kiedy zdjęty rozpaczą próbuje odchrząknąć, usiłuje wykrztusić z głębin płuc albo zatok tę ropną substancję, bo inaczej ta zaraz go zadławi, aż wreszcie młody asystent siedzący w pierwszym rzędzie wstaje z miejsca i podchodzi do niego strwożony.

– Profesorze van Dyck? Czy pomóc panu jakoś?

Tymczasem na Nassau Street dziekan Andrew West spotyka ciemnobrewą, bogato ubraną panią Groverową Cleveland, która robi zakupy na mieście w towarzystwie jednej ze swych córek i murzyńskiej pokojówki; West wdaje się w kilkuminutową przyjazną pogawędkę z ową damą, podczas której oboje subtelnie z sobą flirtują; a raczej jest to coś na podobieństwo flirtu, bo Andrew West i Frances Cleveland bynajmniej nie są sobą zauroczeni, no chyba że towarzysko. Andrew West dowiaduje się, że pan Cleveland w pełni doszedł do zdrowia – Grover czuje się już tak dobrze po nerwowej zapaści, która dopadła go kilka tygodni wcześniej, że jest w stanie zasiąść do swego zwyczajowego śniadania, którego menu pani Cleveland z zachwytem recytuje, bo to taki znakomity dowód na dobry stan jej męża: befsztyk, szynka wirginijska, kotlety wieprzowe, dorsz i smażona stynka, a czasami mielonka wołowa z kapustą; co więcej, w trakcie jedzenia oddaje się zwyczajowej lekturze gazet – „Bo Grover jest bardzo O kurant, musi pan wiedzieć, ma to we krwi". Andrew West słucha tego wszystkiego z miną wyrażającą najwyższe zainteresowanie, bo będąc dziekanem, ma taki temperament, że stara się jak najlepiej wykorzystać każdą nadarzającą się sposobność.

– Tak więc – mówi pani Cleveland, obracając gałkę z kości słoniowej od swojej parasolki słonecznej – te plotki, które krążą po Princetonie, jakoby Grover nie do końca był przy zdrowych zmysłach, są absolutnie bezpodstawne i liczę, panie West, że weźmie pan udział w ich zwalczaniu.

Według zapisków z dziennika Henrietty Slade, synowej Winslowa, doktor Slade przebywa o tej porze w ulubionym zakątku swego *jardin anglaise* przy plebanii, zajmując się którymś z przedmiotów swych zainteresowań naukowych: albo pracuje nad tłumaczeniem Biblii, albo biedzi się nad swoimi starymi kazaniami, albo też wpisuje coś do swego dziennika – (ów dziennik niestety został zniszczony wiosną 1906 roku) – Henrietta nie wie, co to takiego, ale odnotowuje „niepokojącą zmianę", jaka zaszła w jej teściu, który dotychczas był zawsze zrównoważony, pogodnego usposobienia, zarówno wobec rodziny, jak i publicznie, rzadko zirytowany, zmęczony czy też rozkojarzony, a teraz nie jest sobą – jest bardzo zirytowany, zmęczony, rozkojarzony i wykazuje mniej chęci do spędzania czasu z rodziną albo z przyjaciółmi, którzy mają zwyczaj odwiedzać go w bibliotece. *Być może denerwuje się ślubem, bo zaproszono tylu ludzi. Może martwi się o pogodę, bo planowane jest przyjęcie pod gołym niebem, przy plebanii.* Oprócz tego Henrietta, matka przyszłej panny młodej, przelewa na papier własne frasunki w związku ze ślubem, bardzo mało interesujące dla historii.

Dla odmiany Jozjasz Slade podejmuje impulsywną decyzję, że przyłączy się do grupy przyjaciół polujących na niedźwiedzie w górach Pocono, mimo że za kilka dni ma się odbyć ślub jego siostry, podczas którego będzie odgrywał znaczącą rolę.

– A jeśli coś ci się stanie? – pyta błagalnie Annabel.

– Nic mi się nie stanie, przyrzekam – odpowiada jej na to Jozjasz, śmiejąc się.

– Ale wrócisz, prawda? Dzień wcześniej? Nie później? Jozjasz? – Niemal żebrze u swego brata: *Wrócisz, nie zostawisz mnie samej z tym wszystkim, prawda?*

A przystojny porucznik Dabney Bayard, który odbywa przymiarkę koszuli z egipskiej bawełny i spodni z lampasami, przypadkiem zauważa maleńkiego czarnego owada na karku włoskiego krawca, który przed nim klęczy; Dabney jest tak znudzony, że leniwie wyciąga rękę, by ścisnąć owada w palcach i zdusić go paznokciami, z takim skutkiem, że krawiec wydaje okrzyk zdumienia i bólu i odskakuje w bok – bo ta czarna plamka to nie owad, tylko znamię albo maleńka kurzajka głęboko wrośnięta w ciało mężczyzny.

WIDMO ŻONY

Parnym rankiem 4 czerwca 1905 roku, tego samego dnia, w którym miał się odbyć ślub Slade-Bayard, młody Upton Sinclair, mieszkający z żoną i maleńkim synkiem w zniszczonym farmerskim domu przy Rosedale Road, niedaleko posiadłości Cravena, pokonał pieszo kilka mil do miasta, bo bardzo potrzebował rozprostować nogi po długim maratonie pisania; młody socjalista nic nie wiedział o ślubie i nie znał młodej pary, poza tym, że nazwisko Slade obiło mu się o uszy i naturalnie kojarzyło mu się z okropieństwami kapitalistycznego wyzysku mas, a tymczasem przypadkiem zobaczył na Nassau Street potok kosztownych automobili i konnych zaprzęgów tworzących jakby królewską procesję. *To nie pogrzeb, bo jakoś nie widać karawanu. Czyżby ślub?*

   Upton Sinclair postał kilka chwil na chodniku, wpatrując się w ten ostentacyjny przepych, bo automobile przybywające pod pierwszy kościół prezbiteriański w Princetonie to były ekskluzywne pojazdy wycieczkowe od takich wytwórców, jak Pierce-Arrow, Lambert, Halladay, Buick, Cadillac i Oldsmobile – z eleganckimi, pięknie błyszczącymi mosiężnymi okuciami i równie pięknie lśniącymi szybami. Z kolei wytworne konne powozy, których z każdym rokiem ubywało, bo wypierały je pojazdy z silnikami, tutaj roztaczały atmosferę ponadczasowości i romantyzmu. Upton, który nie posiadał ani automobilu, ani konia, patrzył na to wszystko z uśmiechem zażenowania, bo przy tak przyćmionym stanie umysłu młody socjalista nie był nawet zdolny się oburzyć, tylko raczej jakby zazdrościł – nie przepychu, ale dowodów na istnienie rodzin i małżeństw. Upton przypuszczał, że to parada przedstawicieli klasy panującej nad tą okolicą, a jednak im dłużej im się przyglądał, tym bardziej widział w nich plemię złożone zasadniczo z rodzin, w których sercu były jakieś pary małżeńskie.

   Rodzina i małżeństwo w jej sercu to burżuazyjna instytucja społeczna, a jednak Upton przyglądał się tym ludziom z dużym żalem.

Jego własne małżeństwo, jego ukochana żona Meta – ach! Ileż tu było zawirowań i niepewności ostatnimi czasy. Upton nie pożyczył od sąsiada powozu z koniem, tylko przyszedł do miasta, bo chciał się wyrwać z chatki, w której pisał, i z własnego umysłu porażonego obsesją na punkcie dylematu małżeńskiego, jakże szkodliwie działającego na jego moce twórcze. Upton bardzo kochał żonę, a jednak wiedział, że to chroma miłość, miłość, która pozbawia sił i jest niegodna ideałów socjalizmu. Wiedział też, że to niebezpieczna miłość, której fundamentami są czyste emocje, a nie intelektualny rygor narzucany przez Marksa, Engelsa i innych myślicieli rewolucji.

Rozmyślał o żonie na otwartym powietrzu, może nieco za ciepłym i zdecydowanie wilgotnym: o jej nieszczęściu, o jej desperacji, o tajemniczej *zmianie osobowości* podczas ostatnich kilku tygodni. Jakim sposobem on, dwudziestoparoletni, niewyszkolony w kwestiach małżeństwa i rodzicielstwa mężczyzna, miał sobie poradzić z taką metamorfozą? Nie dalej jak minionego wieczoru, po nieudanej kolacji przygotowanej w źle wyposażonej kuchni, Meta płakała, najpierw gniewnie, a potem bezradnie, stwierdzając, że „już dłużej tak nie może, ale modli się o siłę, która by jej pomogła w tej niedoli"; ku śmiertelnemu przerażeniu męża odważyła się przycisnąć sobie do czoła lufę rewolweru i przez całe dziesięć koszmarnych minut Upton nie potrafił jej namówić, żeby oddała mu broń.

W tym czasie ich syn spał w kolebce w pokoju obok.

Kryzys niby przeminął, ale Upton po tym wszystkim czuł się ogłuszony, zniechęcony i wytrącony z równowagi; tak oszołomiony, jakby otrzymał cios w głowę właśnie tym rewolwerem, który żona wniosła do ich małżeństwa. (Wniosła go w tajemnicy; rewolwer należał dawniej do jej ojca, byłego wojskowego, którego Upton jeszcze nie poznał).

A jednak Upton zadecydował, że wypełni obowiązki domowe, że zrobi zakupy i załatwi różne sprawy w mieście, jakby nic się nie stało; nastroje żony były nadzwyczaj zmienne, dlatego więc mogło się okazać później tego samego dnia, gdy będzie z nią rozmawiał, że nie dzieje się nic złego i że Meta zapomniała już o swoim rozstroju z poprzedniego wieczoru.

Faktem było wszak, że znielubiła „sielankowe otoczenie", w którym teraz mieszkali, na wsi pod Princetonem, i każdy posiłek uszykowany w ponurej kuchni, z piecem opalanym drewnem i zlewem z ręczną pompą, był skokiem w nieznane, tak jak każdy wysiłek z karmieniem cierpiącego na kolki dziecka był podszyty potencjalną katastrofą.

– Czuję, że nie jestem dobrą matką – lamentowała Meta – tak jak nie jestem dobrą rewolucjonistką. Za rewolucji francuskiej trzeba by mnie było posłać na gilotynę.

Zdaniem Uptona ten dowcip był pozbawiony sensu. Ale ona śmiała się, chrapliwie i niepokojąco – nie tym uroczym, gardłowym śmiechem młodej kobiety, w której Upton Sinclair zakochał się ledwie dwa lata wcześniej.

Przyszłość, która Uptonowi wydawała się taka obiecująca, stała się teraz niepewna, podobnie jak rozwój socjalizmu w kapitalistycznych społeczeństwach Europy i Ameryki, niepewna i jakby ryzykowna, nieprzewidywalna niczym jakaś skomplikowana gra losowa. Było oczywiste, że na każdym polu potrzebna jest reforma, poczynając od tego bezwstydu z zatrudnianiem małych dzieci w fabrykach na terenie całego kraju, a kończąc na upadlających i dehumanizujących warunkach życia Murzynów z Południa, których egzystencja raczej nie uległa poprawie w porównaniu z czasami, gdy ich dziadkowie byli niewolnikami. A jednak jak on i inni socjaliści mieliby stanąć do konfrontacji z tak ogromnym bytem? *Czy miał w sobie dość odwagi?*

Rozmyślając o tych sprawach, Upton stracił rachubę czasu; już taką miał naturę, że niekiedy popadał w coś w rodzaju snu na jawie, z którego budził go płacz dziecka albo ostry głos żony, i wtedy ledwie wiedział, gdzie jest. Na chodniku przy Nassau Street potrącali go przechodnie, bo stał i gapił się na obecnie zamknięte frontowe odrzwia pierwszego kościoła prezbiteriańskiego po drugiej stronie ulicy; za nimi zapewne trwała już ceremonia zaślubin. Stateczna procesja automobili i powozów skończyła się; wyglądało na to, że zaproszeni wybrańcy byli we wnętrzu kościoła.

– Oby byli szczęśliwsi niż ja i Meta. Mam *nadzieję*, że to nie instytucja małżeństwa jest dylematem, tylko nasze przejściowe… przelotne… nastroje…

Z drugiej strony ulicy dobiegł go pomruk tłumu, szerokie, białe odrzwia otworzyły się raptownie, po czym na kamiennych stopniach pojawiła się młoda kobieta w sukni ślubnej oraz mężczyzna w odświętnym ubraniu – czyżby nowożeńcy? Tak prędko? Młoda kobieta miała na sobie olśniewającą suknię z białego jedwabiu, z długim trenem, który wlókł się po brudnym chodniku; dżentelmen był ubrany we frak, białe rękawiczki i cylinder, który przydawał mu wzrostu, przez co wyglądał groteskowo, jakby był na szczudłach. Mimo elegancji odzienia nowożeńcy szli tak jakby z pośpiechem, a nawet wręcz z nerwowością, jakby przed czymś uciekali; wspięli się do czekającego przy krawężniku broughama, powozu z innej epoki ciągnionego przez cztery konie – cztery! (Upton zauważył, że wszystkie te konie to doborowe okazy – jednolicie czarne, z wysoko zadartymi łbami, z grzywami i ogonami zaplecionymi w warkoczyki, nawet bez plamki bieli na przednich nogach czy pęcinach, która odwróciłaby uwagę podziwiającego). Młody socjalista był w nastroju tak posępnym, że nie zareagował na ten pokaz kapitalistycznej chciwości w swój zwykły sposób, tylko ze smutkiem się zastanowił, jak to możliwe, że taka urocza młoda kobieta, prawdopodobnie nawet nie dwudziestoletnia, została wydana za człowieka tak wybitnie odrażającego! – na oko trzykroć od niej starszy pan młody był przysadzisty i miał obwisłą ropuszą twarz.

Upton, który prowadził dziennik ukrywany pod podłogą swojej chatki do pisania, przećwiczył w głowie, co tam odnotuje, gdy już wróci do domu, bo rzadko które minuty z życia tego młodego pisarza szły na zmarnowanie – czyli nie były przetwarzane na użyteczną prozę do wykorzystania, a nawet i opublikowania w przyszłości.

Nie trzeba teorii rewolucji, by dowieść, że małżeństwo zostało zawarte pod przymusem. Panna młoda została SPRZEDANA – jak jakaś ruchomość. Hańba dla jej rodziny i całego jej rodu! Bo mimo że taka młoda i piękna jak anioł, ta kobieta niebawem pożałuje, że żyje.

Ruszył z miejsca i niebawem pogrążył się w bardzo prozaicznym charakterze swoich spraw. Wędrował po Nassau Street, mijając kolejne przecznice – Chambers, Bank, Witherspoon – i często przy tym zaglądając do notatek sporządzonych na ten ranek: mąka, cukier, owsianka, jaja, mydło, chleb, herbata, fryzjer, biblioteka – to ostatnie podkreślone kilkakrotnie, bo Upton pisał powieść o wojnie secesyjnej w ujęciu „ideologii socjalistycznej" i zamieszkał tak blisko Uniwersytetu Princeton głównie po to, by móc korzystać z archiwów historycznych uczelni. (Czy czytelnik nie dostrzega w tym ironii, że kto jak kto, ale właśnie Upton Sinclair zapragnął przeglądać zbiory biblioteki Uniwersytetu Princeton? A przecież krytykował tę instytucję, uważając ją za bastion przywilejów białej rasy. Takie postępowanie zdecydowanie zaprzeczało sekretnej zasadzie socjalizmu: Z WROGIEM NIE IDZIE SIĘ NA KOMPROMISY).

W jaki sposób Upton Sinclair, autor ambitnego *Króla Midasa* i zbłąkany twórca *Dziennika Arthura Stirlinga*, zamieszkał w okolicach Princetonu, to z pozoru skomplikowana historia, a jednak w istocie rzeczy dość prosta – bez grosza przy duszy, po porażce z pierwszymi dwoma książkami, wszedł w finansowy układ z bogatym socjalistą George'em D. Herronem, w ramach którego on i jego rodzina mieli dostawać trzydzieści dolarów miesięcznie, żyjąc w otoczeniu bardzo się różniącym od ich zarobaczywionego mieszkanka na poddaszu w Nowym Jorku, w zamian za co Upton miał pracować nad trylogią poświęconą wojnie secesyjnej, której celem było nawrócenie całych rzesz na socjalizm. Pierwszy tom, *Manassas*, został już ukończony, drugi, *Gettysburg*, był mocno zaawansowany, natomiast *Appomattox* dopiero czekał na napisanie: samo ukoronowanie, wierzył Upton, wizji socjalistycznej. Ani Upton Sinclair, ani jego sponsor, pan Herron, nie wątpili, że trylogia zdobędzie wielki rozgłos, jeśli masy się o niej dowiedzą i zostaną nakłonione do jej przeczytania, bo czyż Jack London nie odniósł znacznego sukcesu podobnymi „popularnymi", „przygodowymi" tekstami? A jednak jest to zawsze przygnębiające, gdy człowiek stara się nawrócić uciskanych trzymających się kurczowo urojeń klasy rządzącej, jakby te urojenia były ich własnymi.

Dylemat polega na tym, że w Stanach Zjednoczonych każdy obywatel bez grosza przy duszy wierzy, że jeśli mu szczęście dopisze, zostanie milionerem, i dlatego nie chce nakładać ograniczeń na wyzyskiwaczy – bo on też któregoś dnia może się stać jednym z nich! – snuł rozważania Upton z zamiarem wpisania ich wieczorem do swego dziennika.

W pierwszych miesiącach małżeństwa Upton często wykładał swej żonie takie kwestie. Szczególnie lubił cytować z *Zaratustry* Nietzschego – *Gdzie państwo się kończy, tam dopiero zaczyna się człowiek, który nie jest zbyteczny**.

Upton wiedział wprawdzie, że jest ideologicznie skonfliktowany z Princetonem, że jest tutaj kimś wrogim i obcym, a jednak on i Meta odbyli kilka wieczornych przechadzek po tonącej wśród listowia Prospect Street, bo chcieli się przysłuchać studentom śpiewającym w swoich klubach podobnych do pałaców – „Przecież ci chłopcy śpiewają jak anioły! Jak to możliwe?", wykrzyknęła raz Meta – i po jeszcze bogatszym West Endzie, gdzie stały wielkie stare domy z czasów wojny o niepodległość: Maidstone, Mora, Pembroke, Arnheim, Wheatsheaf, Westland (ponoć należący do byłego prezydenta, Grovera Clevelanda, przy Hodge Road) i wreszcie plebania Crosswicks, widoczna z daleka z Elm Road. Starali się nie poddać wpływowi architektury tych wspaniałych budowli ani społeczności, która je zamieszkiwała, bo przecież całe to bogactwo pochodziło z ciężkiej pracy innych ludzi, niewolników maszyny. To się kiedyś odwróci, zapewniał Upton, gdy „historyczna faza klas" już się dokona. A potem jeszcze Meta wysłuchała wykładu na temat potrójnej dialektyki Marksa i Engelsa, koncepcji walki klasowej Saint-Simone'a, laborystycznej teorii wartości Smitha i Ricarda, a także wybitnych prekursorów często cytowanych przez Marksa i Engelsa: Fouriera, Owena, Feuerbacha, Hegla. To nie mógł być przypadek, mówił z podnieceniem Upton, że zarówno Marks, jak i Darwin opublikowali swe rewolucyjne dzieła w tym samym roku 1859, ani też przypadek w jego własnym życiu, że kiedy miał okres zniechęcenia i z trudem przedzierał się przez Kolegium Miejskie w Nowym Jorku, przypadkiem wpadł mu w ręce egzemplarz wizjonerskiego *Tako rzecze Zaratustra* Nietzschego – „w ciągu jednej godziny moje życie się zmieniło". Bo Upton – i rosnąca rzesza jemu współczesnych – uznał to za oczywistość, że Zaratustra będzie kiedyś powitany jako prawdziwy zbawca ludzkości – „A Jezus Chrystus burżuazyjnego chrześcijaństwa będzie zdyskredytowany".

Wzruszony Upton z zamkniętymi oczyma recytował Mecie kilka wzniosłych fragmentów *Zaratustry*, które po prostu nie mogły nie wstrząsnąć ludzką wrażliwością, kończąc tymi oto budzącymi dreszcz słowami: *Otwo-*

---

* Wszystkie cytaty z *Tako rzecze Zaratustra* Friedricha Nietzschego pochodzą z przekładu Wacława Berenta (przyp. tłum.).

*rem stoi jeszcze dla dusz wielkich życie wolne. Zaprawdę, kto mało posiada,
tym mniej będzie posiadany: błogosławione niech będzie małe ubóstwo!*
Na co Meta stwierdziła: „W takim razie my chyba zostaliśmy bardzo po-
błogosławieni, bo nasze ubóstwo nie jest małe!".

Dlaczego jego młoda żona tak często płakała i popadała w rozpacz, tego
Upton nie wiedział, bo sam miał zupełnie inne usposobienie: lubił myśleć
o sobie jako o człowieku energicznym. Dlatego właśnie czuł się zmuszony
lekko ją besztać za to, że pogrążała się w *egoistycznych spazmach prywatnego życia*, gdy tymczasem rodziła się rewolucja i potrzebowała całej ich
energii. Czyż w perspektywie nie czekały ich dobre czasy, kiedy to klasa
pracująca pójdzie do urn wyborczych i obali istniejący burżuazyjny rząd,
przejmie środki produkcji, po czym stworzy bezklasowe i bezpaństwowe
społeczeństwo przewidziane przez Marksa? „Nieważne, jak biedni jesteśmy
albo ile musimy przecierpieć, dopóki znamy przyszłość, Meta, to wystarcza".
  – Ale my nie cierpimy aż tak bardzo jak większość ludzi – powiedziała
Meta z wahaniem – jak Murzyni i najbiedniejsi emigranci. I potrafimy *czytać*, zawsze jest perspektywa ucieczki, z pomocą książek.
  – Książki to nie środek ucieczki, Meta! Książki to środek wiedzy i uczenia się, jak sobie poradzić z przyszłością.
  Upton mówił to szorstkim tonem, bo mimo że często robił żonie wykłady o szczególnych niesprawiedliwościach, jakie spotykają Murzynów i biednych emigrantów, to jednak nie chciał, żeby mu zaprzeczała, kiedy on był
nastrojony idealistycznie.
  Był zdumiony i uradowany – bardzo zdumiony i bardzo uradowany –
nieoczekiwaną reakcją na jego powieść *Dżungla**, o chicagowskich rzeźniach i zagrodach dla bydła, publikowaną w odcinkach w socjalistycznym
„Apelu do Rozumu"; sam wydawca wyraził zdumienie wobec rosnącej
sprzedaży gazety i przewidywał jeszcze wspanialsze rzeczy w przyszłości.
(Upton nie chciał za mocno ekscytować Mety i podsycać w niej fałszywych
nadziei, ale kilku nowojorskich wydawców, w tym takie bastiony kapitalizmu jak Macmillan i Doubleday, wyraziło zainteresowanie publikacją
powieści w formie książkowej i wszystko zaczęło wyglądać nie jak zwykła
mrzonka, że Upton być może już niebawem będzie miał środki na reali-
zowanie upragnionych celów: wystawienie sztuki, założenie czasopisma,
zorganizowanie towarzystwa socjalistycznego na Brooklynie).

---

* Powieść Uptona Sinclaira *The Jungle* ma dwa polskie przekłady: *Bagno* z 1908
roku autorstwa osoby ukrywającej się za inicjałami SMS i *Grzęzawisko* z 1949 autorstwa
Andrzeja Niemojewskiego; tytuł *Dżungla* najlepiej jednak oddaje opisywaną w niej rze-
czywistość (przyp. tłum.).

To prawda, że „sielankowy romans" na wsi nieco przywiądł, bo życie w starym, zrujnowanym domu farmerskim nie należało do łatwych, aczkolwiek warunki były znacznie gorsze, gdy ta młoda para z nowo narodzonym synem musiała spędzić pierwszą princetońską zimę w chatce ocieplonej papą i ogrzewanej pojedynczym piecem na drewno, gdzie marzli na kość i prawie cały czas chorowali. (Gdyby nie miłosierdzie farmera i jego żony, mały David umarłby na krup. Najzimniejsze noce rodzina Sinclairów spędzała w domu farmera, gdzie przynajmniej jakoś grzano, nawet jeśli nie było tam dokładnie „ciepło"). Teraz, mimo że mieszkali we własnym domu, było to lokum bardzo prymitywne, bo dach przeciekał, podłoga gniła i w ścianach chrobotały myszy, a poza tym nerwy Uptona były szczególnie uwrażliwione na niemal bezustanne kwilenie dziecka, które nie pozwalało mu się skupić. Tak więc, gdy robiło się cieplej, Upton wracał do swej chatki obitej papą, żeby pracować w samotności nad ambitnym *Gettysburgiem*. (Upton Sinclair był tak oddany swojej pracy, że postanowił, iż będzie spędzał przy biurku co najmniej dwanaście godzin dziennie, czego mało fortunnym, acz koniecznym skutkiem było to, że Meta musiała doić krowę, którą otrzymali razem z domem, i zajmować się stadem parchatych kur, które znosiły bardzo mało jaj, a także starać się chronić nędzne owoce z ich maleńkiego sadu i ogrodu przed armiami robaków, owadów i ślimaków, które atakowały je naprzemiennie. Upton współczuł przygnębionej i wyczerpanej Mecie, ale nie akceptował tego, że tak często rozpaczała – skoro mieli któregoś dnia założyć kolonię socjalistyczną, to na pewno w otoczeniu wiejskim, i dlatego ta obecna praca na farmie była doskonałym szkoleniem,

Upton, chcąc nie chcąc, czuł się winny, ale miał żal do Mety, gdy ta skarżyła się, że jest samotna i znudzona, bo przecież miała Uptona i małego Davida, przecież mogła rozmawiać z żoną farmera, przecież mogła codziennie korespondować z socjalistycznymi, towarzyszami, podobnie jak Upton. Tymczasem Meta apelowała o zmianę scenerii, o jakąś odmianę, choćby tak niewielką jak jazda „przeżartą przez mole" bryczką do miasta, ale o dziwo często zanadto się ekscytowała, strojąc się na wyprawę „do miasta", w czasie gdy Upton niezdarnie zaprzęgał klacz, po czym oświadczała, że jednak nie może z nim jechać – bo brakuje jej tchu albo silnie bije jej serce, albo znowu odezwały się problemy z łonem. (W owym czasie Meta cierpiała na dolegliwości związane z narządami rodnymi, na skutek czternastogodzinnego porodu na cierpiącym na niedostatki personelu oddziale położniczym w szpitalu Bellevue, po którym lekarz i jednocześnie towarzysz socjalista doradził jej, by zażywała preparat Lydii Pinkham i unikała czerwonego mięsa. I żeby nie zachodziła ponownie w ciążę, dopóki nie nabierze sił).

A jednak była nadzieja, że już niebawem nadejdzie rewolucja. Prawdopodobna data została teraz wyznaczona przez teoretyków socjalizmu, których Upton Sinclair najbardziej szanował, na rok 1910.

* * *

Podczas miesięcy, które nastąpiły po przygodach Uptona w chicagowskich zagrodach dla bydła i rzeźniach, młody pisarz niejednokrotnie wspominał żywo tamte dni, które mijały z prędkością gorączkowych snów; kiedy tak załatwiał sprawy rankiem 4 czerwca 1905 roku, po raz kolejny poraziła go głupota tych *burżujów*, którzy otaczali go na ulicach Princetonu; zrozumiał, że ci wszyscy bogacze przypominają zwierzęta przeznaczone na rzeź, nieświadome swego losu. Jeszcze tylko pięć lat do rewolucji! I to nie będzie tylko tak, że *polecą głowy – całe fortuny pójdą z dymem, eksplodują plemienne urojenia.*

A jednak czuł, że między tymi osobnikami a nim istnieją wyraźne dysproporcje, bo on miał na sobie robotnicze odzienie: spodnie ze zwyczajnej, niedrogiej tkaniny, spłowiałą koszulę, a na głowie postrzępiony słomkowy kapelusz, znaleziony w stodole farmera. Tymczasem obywatele Princetonu byli tak pięknie odziani! Tylko nieliczni, najprawdopodobniej zwyczajni robotnicy, a także czarnoskórzy, nosili ubrania jak on; zatrudnieni na służbie u bogaczy byli już lepiej ubrani, w świeżo wyprane uniformy. Spędził dwa miesiące w Packingtown* w Chicago, wśród pracowników rzeźni, i bardzo teraz za tym tęsknił. *W takich miejscach piekielność walki klasowej jest oczywista dla nieuzbrojonego oka, podczas gdy w pozłacanym Princetonie trzeba się zagłębiać pod powierzchnię, by dostrzec to „niezbyt przebiegłym" okiem.*

Takie przemyślenia Upton co wieczór skrupulatnie zapisywał w swoim dzienniku. Miał nadzieję, że pewnego dnia masy będą czytały wielotomowe *Dzienniki Uptona Sinclaira.*

Szedł wśród sobotnich tłumów zakupowiczów po Nassau Street, starając się, by jego myśli były żywe i optymistyczne, a jednak przyłapał się na obsesyjnym drążeniu sceny z poprzedniego wieczoru: Meta siedząca przy rozchybotanym, kuchennym stole, z rewolwerem w dłoni, z lufą przytkniętą do głowy – w rzeczy samej przyciśniętą do bladej skóry na skroni. Jakże krucho wyglądała w owej chwili ta biedna, młoda kobieta! To było o wiele bardziej wymowne niż nagość; Upton miał ochotę odwrócić wzrok. Nigdy nie wybaczy temu wulgarnemu ojcu Mety, temu żołdakowi, że dał swej córce broń albo że pozwolił jej zabrać tę broń z domu – w jakim celu, tego Upton nie był w stanie się domyślić. (Nie dopuszczał do siebie myśli, że zdaniem ojca Meta mogła być zmuszona bronić się przed Uptonem). Jej wychudłe policzki były zalane strumieniami łez, dłoń trzęsła się wyraźnie; beznamiętnym, bezradnym głosem mówiła o pogardzie, jaką do siebie żywi za to, że jest „złą matką", za to, że nie jest w stanie pociągnąć za spust.

---

* Jedno z największych w owym czasie centrów przemysłowych w USA, gdzie mieściły się przede wszystkim rzeźnie i zakłady przetwórstwa mięsnego (przyp. tłum.).

Straszliwy widok, którego Upton nigdy nie zapomni. I który bardzo trudno będzie mu wybaczyć. *Ona jest matką mojego syna. Biedny chłopiec nie może się nigdy dowiedzieć.*

Rozkojarzony Upton zorientował się, że się wpatruje w odbicie swej wynędzniałej sylwetki w witrynie sklepowej: strach na wróble w zniszczonym słomkowym kapeluszu. Niedbanie o wygląd to jedno, zrozumienie, jak ekscentrycznie się wygląda w oczach innych ludzi, to drugie. Niczym wagabunda trzymał w rękach urządzenie, które składało się z dwóch kółek, podłużnej torby i uchwytu; w torbie były sprawunki. Zorientował się, że stoi przed sklepem ze słodyczami Josepha Sweeta przy Palmer Square, że patrzy na bogatą wystawę pałeczek miętowych, *petit fours*, karmelków, cukierków, landrynek i pralinek o najcudaczniejszych kształtach (kurczaczki, żołnierzyki, niedźwiadki, a nawet miniaturowe instrumenty muzyczne i aeroplany) – kolejna demonstracja zjawiska, które Thorstein Veblen nazywał *ostentacyjną konsumpcją*. W kimś takim jak Upton, który unikał wszelkiego kalorycznego jedzenia, w tym również mięsa, podobne widoki budziły mdłości. Ależ miał ochotę wejść do środka i zaprotestować! Wskazać właścicielowi, ekspedientkom, uśmiechniętym klientom, że te luksusy reprezentują marnotrawstwo, próżność, podczas gdy w pobliskim Trentonie i Nowym Brunszwiku, nie wspominając już o fabrykach nad rzeką Delaware, pięcioi sześcioletnie dzieci harują po czternaście godzin dziennie za grosze. Czy obywatele Princetonu nie wiedzieli o tym – czy nic ich to *nie obchodziło?*

Upton nie czytał relacji z pierwszej ręki, ale słyszał o szczególnie ponurym incydencie, do którego doszło w Camden kilka tygodni wcześniej: publiczny lincz czarnoskórego młodzieńca i jego siostry dokonany przez odziane w białe szaty z kapturami postaci należące do tego potwornego Ku-Klux-Klanu, czemu przyglądało się pięciuset ludzi zgromadzonych na polu. Przebywający w okolicach Princetonu Upton nie miał skąd się dowiedzieć więcej o zdarzeniu, jeśli nie liczyć listów od nowojorskich towarzyszy, którzy pisali do niego o innych sprawach. Dla Uptona było to znamienne, że *nikt z Princetonu i okolic, z kim o tym rozmawiał, nie wiedział nic o skandalu.* A jednak nie dalej jak poprzedniego dnia prezydent Stanów Zjednoczonych Teddy Roosevelt odwiedził Princeton jako gość bogatych popleczników politycznych. Upton żałował, że nie dowiedział się w porę o tej wizycie i że nie zorganizował pikiety pod rezydencją, w której zatrzymał się Roosevelt. Pewnego dnia stanie się męczennikiem rewolucji – zostanie aresztowany, pobity przez policjantów, oskarżony o akty wywoływania niepokoju publicznego, o których będą trąbić gazety, o czyny lubieżne, o zdradę. *Prawdziwy rewolucjonista nie czeka na wezwanie, tylko sam szuka swego przeznaczenia. Jego wiara jest jego odwagą.*

Upton się odwrócił i właśnie wtedy – w jednym z tych momentów, które potrafią zmienić czyjeś życie – nie stąd, ni zowąd zobaczył swoją żonę Metę przechodzącą przez plac – jakimś sposobem Meta jednak dotarła do miasta, zostawiwszy dziecko samo? Czy z żoną farmera? Czy to możliwe? A jednak w następnej chwili, gdy młoda kobieta szła dalej w towarzystwie jakiejś innej osoby, Upton na poły zwątpił, że to ona. Ta młoda kobieta, mimo że zaskakująco podobna do Mety, wliczając w to falujące włosy barwy miodu i zawadiacki słomkowy kapelusik, była ubrana w kwiaciastą spódnicę, którą Upton może nawet pamiętał z czasów ich zalotów, ale której nie widział na żonie od dawna. Na farmie Meta nosiła bezkształtne ubrania, czasami nawet męskie – bo w ich nowym cygańskim życiu wygląd przecież się nie liczył. To pewnie wzrok płata mi figle, pomyślał Upton. A kiedy chwilę później spojrzał zmrużonymi oczyma w stronę placu, kobiety o włosach barwy miodu już tam nie było.

Mimo to poczuł, że z emocji jest bliski omdlenia. Jeśli Meta przybyła do miasta bez niego, to w istocie popełniła akt niewierności – oszustwa. I zostawiła małego Davida samego! Zastanawiał się, jak do tego doszło, że jego małżeństwo, zawarte z towarzyszem tylu romantycznych uniesień i socjalistycznego idealizmu, tak się popsuło, stało pułapką, w nie mniejszym stopniu dla niego niż dla jego żony. A jednak była to pułapka i jej kraty tworzyły istoty ludzkie, kobieta i niemowlę, których kochał bardziej niż siebie samego. *To nie do pomyślenia, że moglibyśmy się rozstać. A jednak jak moglibyśmy nadal żyć razem? A jeśli... a jeśli popełnimy kolejny „błąd" i sprowadzimy na ten świat kolejne niewinne dziecko...*

Takie myśli kłębiły się w głowie Uptona, gdy przechodził przez rojną Nassau Street, w stronę kampusu uniwersyteckiego i biblioteki imienia kanclerza Greena, do szacownej czytelni zwieńczonej kopułą, gdzie tak jak dawniej przeszywał go radosny dreszcz – bo młody, pełen nadziei autor nie miał wątpliwości, że książki potrafią zmieniać świat: jego wzorem byli Charles Dickens, a także wielka amerykańska pisarka Harriet Beecher Stowe, której *Chata wuja Toma* była powszechnie uważana za przyczynę wybuchu wojny secesyjnej!* Dlaczego więc Upton Sinclair nie miałby zostać zaliczony do panteonu wielkich pisarzy cywilizacji zachodniej? Sekretnie nudził się już barchanowym melodramatem swojej trylogii o wojnie secesyjnej, wbrew opinii George'a Herrona, że pierwszy tom jest „elektryzujący", ale podpisał kontrakt, że ją ukończy, więc ją ukończy, bo Upton Sinclair był człowiekiem uczciwym, nawet jeśli czasami żona mu zarzucała, że to głupia uczciwość.

---

* Istnieje takie błędne przekonanie, że prezydent Abraham Lincoln, kiedy go przedstawiono (bardzo drobnej i nieatrakcyjnej) pani Stowe, powiedział: „Oto mała dama, która rozpoczęła wielką wojnę!". Tym samym czytelnik musi pomyśleć, że pojedyncza osoba, w tym przypadku pisarka, jest w stanie pozytywnie zmienić bieg historii. Tym samym czytelnik musi się uśmiechnąć, tak jak ktoś mógłby się uśmiechnąć na widok grzecznego psa, który stoi chwiejnie na zadnich łapach. Historyk to ktoś taki, kto musi obnażać i poprawiać tego typu błędne przekonania w służbie realizmu.

Najbardziej pragnął teraz napisać następną powieść podobną do *Dżungli* – „powieść, która jest bombą zapalającą", bo taką ją okrzyknęli jego towarzysze socjaliści – która pomogłaby sprawie reformy społecznej świata.

Całe Stany Zjednoczone – jeśli nie cały świat – byłyby zmuszone zwrócić uwagę na to, co on mówi: bo jego celami były trusty kontrolujące rynki wołowiny, kolei i ropy naftowej, a także bezwstyd czerpania profitów (bo tak w socjalistycznym dowcipie nazywano profetów głoszących ewangelię) w ramach religii burżuazyjnej; Upton zajmował się także hipokryzją amerykańskiego „szkolnictwa publicznego" i fikcją serwowaną przez żurnalistów, a w szczególności „żółtą" prasę brukową Hearsta. Mimo że napisał dopiero połowę *Gettysburga* i czekał go jeszcze ogrom pracy przy *Appomatoksie*, Upton już zaczął planować dwa nowe projekty powieściowe, satyryczne ataki na sztukę w kulturze burżuazyjnej, które miały być zatytułowane *Sztuka mamony* i *Pieniądze piszą*. Bo z pewnością prawdą było to, czego nauczał prorok Zaratustra: *A raczej gniewem zapłońcie, niżbyście zawstydzać mieli! A gdy was przeklinają, niechętny widzę, gdy błogosławić w zamian chcecie. Klnijcież mi raczej społem!*

Z natury Upton był osobą łagodną i nigdy nie przeklinał. A jednak teraz postanowił, że się tego nauczy.

Później, gdy przechodził przez Washington Road po spędzeniu kilku owocnych godzin w bibliotece, pośród studentów, którzy z poważnymi obliczami ślęczeli nad lekturami, znowu zobaczył, albo wydało mu się, że zobaczył, swoją żonę na przeciwległym chodniku; tym razem była ubrana w kremową suknię, której Upton nie rozpoznał, przy czym towarzyszył jej wysoki dżentelmen w lnianym ubraniu, zupełnie mu obcy. A jednak ta młoda kobieta to była z całą pewnością jego żona: miodowe loki wymykające się spod kapelusza z szerokim rondem, zawadiacki zadarty nos i „szkockie" rumieńce na policzkach, które przez te ostatnie miesiące zrobiły się blade. I przez krótką chwilę zdawało się, że też go dostrzegła.

No chyba że Upton miał jakieś omamy, bo jadł bardzo niewiele tego dnia. Dureń z niego! Ubrdał sobie, że jego oddana młoda żona zdradza go z kimś obcym.

A jednak gapił się śladem tych dwojga, gdy wędrowali w przeciwnym kierunku; młoda kobieta trzymała w jednym ręku żółtą parasolkę chroniącą ją od słońca, drugą miała splecioną z ramieniem wysokiego dżentelmena. Upton po dłuższej chwili ocknął się, po czym chwiejnymi krokami poczłapał w stronę Witherspoon Street, swego ostatniego przystanku przed powrotem do domu.

Mimo że jadanie na mieście kłóciło się z jego zasadami, bo potrawy serwowane w restauracjach były szokująco drogie i wcale nie takie pożywne jak te przygotowane w domu, Upton stwierdził, że postąpi słusznie, jeśli pokrzepi się w gospodzie Rycerski Dwór przy Witherspoon Street, bo jeszcze gotów doznać zawrotów głowy i skurczów z tego głodu. Po wejściu do nieprzyjemnie zadymionego wnętrza starał się nie zwracać uwagi na studentów, którzy obsiedli większość stołów, bo był zobowiązany ich nie lubić, a nawet nimi gardzić jako latoroślami bogaczy uczęszczającymi na uniwersytet, jakby to był klub dla śmietanki towarzyskiej i jakby im się to należało na zasadzie rodowego przywileju. (Podczas gdy Upton musiał się imać najróżniejszych prac zarobkowych, by móc ukończyć Kolegium Miejskie w Nowym Jorku, pośród rzesz głodnych wiedzy, rozgorączkowanych emigrantów i ich dzieci, wśród których wielu zasługiwało na miano ponadprzeciętnie inteligentnych, niepohamowanie ambitnych i oportunistycznych. Ale to byli synowie i córki proletariatu, na ogół, i dlatego nie czuł do nich odrazy). Upton słyszał zdumiewające rzeczy o nadziejach Woodrowa Wilsona na zreformowanie Uniwersytetu Princeton, a zwłaszcza na podniesienie standardów akademickich, które obecnie wypadały znacznie poniżej Harvardu i Yale, nie mówiąc już o sławnych uniwersytetach angielskich, na których wzorowano Amerykańską Ligę Bluszczową.

Jako student, który nie miał oparcia w rodzinie, Upton żył w niesłychanie nędznych warunkach. A jednak nie żałował tego doświadczenia, bo właśnie wtedy nawrócił się na socjalizm i poczuł silną więź z wszystkimi robotnikami, ofiarami niszczycielskiej siły kapitalizmu. Tymczasem ci princetońscy studenci, wśród których wielu nosiło na głowach bikorny symbolizujące przynależność do elitarnych klubów, byli w pewnym sensie pozbawieni tej wiedzy i nie rozumieli, że burżuazyjny styl życia chyli się ku upadkowi, że oni i ich rodziny są skazani na rychłe wymarcie, że bliska apokalipsa da początek nowej epoce. Ach, to Nowe Jeruzalem, które nadejdzie! – kiedy wszyscy mężczyźni i kobiety wszystkich ras i kolorów skóry uznają siebie za członków jednej *rodziny* i już nigdy więcej nie będą sobie *wrogami*.

Jeszcze nie było wiadome, jak potoczy się rewolucja. Ale Upton przypuszczał, że argumenty filozoficznych anarchistów są najbardziej przekonujące: społeczeństwo rozpadnie się na niezależne, samorządne wspólnoty złożone z przyjaznych sobie jednostek, które nie będą potrzebowały policji, wojska, strażników moralności i rządu. Stary Bóg umrze i zostanie zdetronizowany, do władzy nareszcie dojdzie ludzkość. I przeobrażony proletariusz będzie uczył swych byłych wrogów klasowych cnót wstrzemięźliwości, miłosierdzia, wspólnego dzielenia się i pogardy dla chciwości.

W zatłoczonej gospodzie Upton zamówił u rozbawionej kelnerki ser, czarny chleb i szklankę mleka, a potem siedział pogrążony w tych myślach, które zazwyczaj przynosiły mu pocieszenie. Jako że młode męskie głosy dobiegające go z wszystkich stron były takie głośne, wesołe i emanowały entuzjazmem młodości, nie mógł się powstrzymać i podsłuchiwał, dzięki czemu poznał ekscytujące wieści o najnowszym zwycięstwie osad wioślarskich nad Uniwersytetem Browna, wulgarne i wesołkowate komentarze na temat rektora Wilsona i jego „zniewieściałej rodziny", plotki, że „czarny jak węgiel Negr" został aresztowany jako prawdopodobny morderca młodej dziewczyny z rodziny Spagsów, tyle że poprzedni zatrzymany, emigrant z Europy Wschodniej, podpisał zeznanie na policji w Trentonie, a teraz wierzono, że ten nowy zatrzymany to rzeczywisty morderca, a nie tamten pierwszy.

(Podczas dyskusji o morderstwie, o którym Upton słyszał wcześniej tylko pogłoski, młodzi princetońscy studenci byli oburzeni i rozwścieczeni, kilku z nich zirytowało się tym, że „czarny jak węgiel Negr" miałby zbezcześcić białą dziewczynę, a mimo to podnosiły się głosy w jego obronie...)

Usłyszawszy te wieści, Upton zmarszczył czoło i odstawił szklankę z mlekiem na stół. Uprowadzenie i morderstwo dziewczyny z rejonu Trenton-Princeton mocno przestraszyło Metę i stanowiło pierwszy impuls do wyjęcia rewolweru Smith & Wesson, ukrytego dotąd w szafie, i sprawdzenia, czy jest nabity. Teraz jednak wychodziło na to, że morderca wcale nie został schwytany: najprawdopodobniej, jeśli wziąć pod uwagę rzetelność lokalnej policji, zatrzymano, przesłuchano i zmuszono do podpisania zeznań jakiegoś niewinnego człowieka, a może nawet nie jednego. Atmosfera w gospodzie, przemieszana z wonią piwa, mielonej wołowiny i ziemniaków z peklowaną wołowiną, które konsumowali chłopcy przy pobliskim stole, a także nachalnym smrodem dymu, robiła się coraz bardziej przytłaczająca. Upton poczuł, że nachodzi go fala obrzydzenia do tych mięsożerców, którzy nie mieli najmniejszej świadomości, co jedzą: nie wiedzieli, jak cierpią przestraszone zwierzęta, nie znali upodlenia, którego źródłem jest przemysł przetwórstwa mięsnego. Przetarł oczy drżącą dłonią i przez chwilę miał wrażenie, że znowu czuje przemożny, zgniły, mdlący, a jednocześnie dziwnie zmysłowy odór zagród dla bydła i rzeźni, w których żył przez dwa miesiące. Odór krwi, flaków, zwierzęcych odchodów, surowego mięsa i zwierzęcego strachu... Samo powietrze tam żyło i drżało od smrodu żywych istot przeobrażanych w mięso; wrzaski zwierzęcej paniki i śmiertelnego lęku, oczy czujących istot wytrzeszczone w obliczu śmierci, wystające języki... *Wrzask tucznika wszechświata*, tak to nazwał w swojej powieści, wrzaski wędrujące do samego nieba, które ani trochę nie zwracało uwagi na to cierpienie. I nawet jeśli ludzkość wiedziała, ile tam cierpienia, to zawsze znajdowała sposoby na wyzbycie się poczucia winy – *To tylko zwierzęta.*

Chrześcijanie z Południa dowodzili, że czarni niewolnicy nie czują bólu tak jak biała rasa.

Bliski mdłości Upton odsunął na bok swój w połowie tylko zjedzony posiłek i chwiejnie opuścił gospodę. Zastanawiał się, czy ukrył dostatecznie dobrze rewolwer w szopie na siano, by Meta nie mogła go znaleźć, a potem, nie zdając sobie sprawy, że do jego myśli wdarła się sprzeczność, czy mądrze postąpił, ukrywając pudełko z kulami pod podłogą w swojej chatce, gdzie mogły skorodować od wilgoci.

W owym czasie już prawie całe Princeton huczało od skandalicznych wieści, że podobno ktoś uprowadził wnuczkę Winslowa Slade'a, Annabel, zaledwie kilka sekund po jej ślubie, albo że młoda oblubienica uciekła z własnej woli, potajemnie, tuż po złożeniu ślubnych przysiąg porucznikowi Dabneyowi Bayardowi. Upton Sinclair nie wiedział jednak o niczym, kiedy lekko oszołomiony wędrował w stronę Stockton Street i stamtąd do Hodge Road, ciągnąc za sobą dwukołowe urządzenie wypełnione sprawunkami. Przypomniał sobie, jak on i jego ukochana Meta grali w duecie, na początku swoich zalotów: on na skrzypcach, Meta na pianinie. Najlepiej im szło z kompozycjami młodego Mozarta, które tak bardzo podnosiły ich na duchu. Wspominał, z jakim zapałem Meta czytała jego długi poemat wierszem na temat masakry z Haymarket w 1886 roku; Meta uznała to za arcydzieło, a on ją wtedy pocałował – impulsywnie, śmiało. Meta wierzyła, że Upton Sinclair będzie jednym z największych pisarzy i myślicieli swego pokolenia. Jacyż byli wtedy naiwnie szczęśliwi!

A teraz tkwili razem w pułapce – już nie jako kochankowie (bo pod tym względem związek okazał się martwy po nieoczekiwanej ciąży, która nie mogła się więcej powtórzyć), ale jako brat i siostra, skłóceni emocjonalnie. Ostatnimi czasy zwyczajne spojrzenia i czułe słowa ze strony Uptona były przyjmowane przez Metę, która obawiała się niepożądanych konsekwencji, z odrazą. Czy to możliwe, zastanawiał się Upton, że już go *nie kocha*?

Stwierdził nagle, że musi natychmiast wracać do domu. Kiedy szedł śpiesznie po niechlujnie wybrukowanym chodniku Hodge Road w kierunku Rosedale Road i otwartych terenów wiejskich, owładnęło nim przekonanie, że musi wrócić na farmę, do żony i syna – „Zanim będzie za późno".

DEMONICZNY PAN MŁODY

Annabel! Annabel!
Sam środek ceremonii ślubnej. Cichy syk dobiegający ze wszystkich zakamarków starego, ascetycznego kolonialnego kościoła.

Odgłos był niesłyszalny dla większości gości, ale słyszała go wyraźnie Annabel Slade, która cała drżąca stała obok swego przyszłego męża, porucznika Dabneya Bayarda, przed ołtarzem pierwszego kościoła prezbiteriańskiego Princetonu.

Annabel? Przyjdź.
Odgłos był niewiele głośniejszy od szeptu, a jednak biła zeń moc wykrzyczanego rozkazu. Gdy wielebny Nathaniel FitzRandolph z namaszczeniem wypowiedział słowa świętej przysięgi – *Annabel Slade, czy bierzesz sobie tego mężczyznę* – syk stał się głośniejszy i bardziej natarczywy; zauważono, że rozkojarzona panna młoda zerka w bok, odwracając głowę od porucznika Bayarda, który klęczał przy niej, a potem spogląda w stronę wejścia do kościoła. Świadkowie twierdzili później, że na jej twarzy malował się lęk i poczucie winy.

Annabel! Nakazuję ci, przyjdź.
Grobowy ton, poważny, wzniosły, a zarazem intymny. Jakby wilgotne powietrze późnej wiosny przeobrażało się w żywioł.

Annabel: chodź ze mną.
Panna młoda stwierdziła wtedy, że nie jest zdolna się opanować, i przy każdym syku, z jakim wymawiano jej imię, oglądała się przez ramię – to w prawo, to w lewo – ze spopielałą skórą i wargami, które wyraźnie drżały.

Na ten temat tyle już napisano i w tamtych okolicach przez dziesięciolecia narosło tyle emocji w związku z tym zdarzeniem, że historyk przy prezentowaniu „obiektywnego" obrazu tej sceny musi postępować wybitnie ostrożnie. A to dlatego, że większość naocznych świadków – (na przykład takich, którzy mogliby się przedstawiać jako bliscy znajomi rodziny Slade'ów) – jakby zaprzeczając własnym zmysłom, twierdziła później, że młoda Annabel została uprowadzona sprzed ołtarza, bo nikt nie potrafił uwierzyć, że panna młoda byłaby zdolna do tak szalonego i tak zbrodniczego aktu, jak *odejście z własnej woli*.

Czytelnik powinien wyobrazić sobie wnętrze kościoła tamtego sobotniego poranka, na początku czerwca 1905 roku. Białe wnętrze ozdobione z przepychem białymi kwiatami – liliami, różami, goździkami – i do tego cudowna protestancka prostota ścian bez ozdób; wąskie okna w kamiennych murach przepuszczające jakby falujący blask słońca. Przed ołtarzem stoi wielebny Nathaniel FitzRandolph, sprawny następca Winslowa Slade'a – w średnim wieku, uprzedzająco grzeczny w obyciu, ze srogą łysiną i jakby krzywym uśmiechem, świadomy uroczystej natury tej ceremonii. Z góry, na tyłach kościoła, płyną bogate, dźwięczne takty organów grających Bacha. Panna młoda w olśniewających bielach zostaje podprowadzona przez swego rozpromienionego ojca Augustusa Slade'a przed ołtarz, gdzie czeka już pan młody. Augustus siada zaraz w pierwszej ławie wypełnionego po brzegi kościoła; porucznik Bayard to staje, to klęka obok narzeczonej, w paradnym mundurze armii amerykańskiej; oczy kobiet są utkwione w pannie młodej i jej sukni z kremowobiałej satyny, ze stylowym staniczkiem, wysokim kołnierzem, karczkiem ze wstążkowych wstawek, haftem łańcuszkowym i dziewięciocalowymi namarszczeniami w talii, i długą spódnicą pozornie prostą, ale z kilkoma poziomymi szczypankami zakończonymi koronkowym trenem; z rękawami z dzielonymi bufami na ramionach i ciasno opasującymi przedramiona, ze wstążkami i haftem łańcuszkowym; na ten temat pani Groverowa Cleveland biadoliła potem w swym dzienniku, że ona *już nigdy nie da rady włożyć tak ciasnej sukni*.

Ku zdumieniu wszystkich, którzy ją znali, pani Adelajda Burr powstała ze swego łoża boleści, by wziąć udział w ceremonii, wspierana z jednej strony przez oddanego męża Horacego, a z drugiej przez starszego z braci McLeanów; Adelajda zaczęła płakać już wtedy, gdy Augustus Slade prowadził Annabel główną nawą, a potem rozszlochała się na dobre, gdy Annabel i porucznik Bayard uklękli przed ołtarzem, z pochylonymi głowami, jak piękne dzieci, które zaraz zostaną ukarane, i wielebny FitzRandolph zaczął uroczyście recytować słowa prezbiteriańskiego obrzędu ślubnego. Jeszcze tego wieczoru Adelajda zapisze w swoim dzienniku, kaskadą hieroglifów, że już sama lamówka z satynowych konwalijek przy sukni panny młodej tak ją wzruszyła, że zapragnęła na powrót stać się małą dziewczynką, głupiutką, nic niepodejrzewającą gąską, łączoną świętym węzłem małżeńskim z Horacym w innym czasie, byle tylko móc tak się ubrać! Przede wszystkim jednak, podobnie jak i inne kobiety przyglądające się ceremonii, Adelajda zauważyła zwiewny woal panny młodej, który w rodzinie Slade'ów był przekazywany z pokolenia na pokolenie od końca XVII wieku w Anglii, jeszcze przed pierwszymi awanturniczymi rejsami do Nowego Świata.

Czytelnik prawdopodobnie wie, że modna „wąska sylwetka" panny młodej, dzięki której jej talia jest nadzwyczaj cienka – około osiemnastu cali – to wynik zmyślnie uszytego gorsetu; staniczek w kształcie gołębia z 1905 roku jest zbudowany tak, by stanowił przedłużenie harmonijnej linii, przez co całe ciało kobiety pochyla się do przodu. Podobnie jak talia, także biodra są nadzwyczaj szczupłe – kontrowersyjna innowacja, jako że pełniejsze biodra u kobiet są preferowane przez bardziej konserwatywnych twórców mody, jak i ogólnie płeć męską.

Czytelnik powinien wyobrazić sobie rodzinę Slade'ów w pierwszych ławach – Winslow, stary i dystyngowany, jego synowie Augustus i Copplestone oraz ich żony, brat Annabel, Jozjasz, wyróżniający się w grupie weselników, odziany z tej okazji nie modnie, lecz twarzowo w czarne ubranie i ciemny krawat; na szczęście wrócił z polowania w górach Pocono, zaledwie poprzedniego wieczoru. I jest jeszcze kuzyn Annabel, Todd, którego zmuszono, by włożył „ubranie małego dżentelmena" (len czekoladowej barwy, ręcznie szyta kamizelka z białej satyny, białe rękawiczki, połyskliwe buty z czarnej skóry); siedzi obok Jozjasza, ale cały czas się wierci, z groźbą w oczach, którymi przewraca jak schwytany w niewolę dziki kucyk.

W pierwszej ławie siedzi też panna Wilhelmina Burr, pełniąca rolę głównej druhny, która jest przedmiotem powszechnej zazdrości; wyraźnie nerwowa w opiętej różowej sukni z falbanami i uśmiechająca się nie tak spokojnie, jak by chciała. I obok sześć pięknych druhen w identycznych sukniach, podobnych do żywych kwiatów z różowej satyny: jest wśród nich mała Oriana, siostra Todda, dziewczynka z kwiatami – małe, anielskie, blondwłose dziecko o bardzo jasnych oczach i nieśmiałym uśmiechu. Po stronie mężczyzn jedynie Jozjasz Slade liczy się w tej narracji, więc raczej nie będę się rozpisywał na temat pozostałych – przystojnych młodych mężczyzn, przyjaciół i towarzyszy porucznika Bayarda, których nazwiska zaginęły dla potomności, mimo że uważali się za świadków niezwykłych wydarzeń tamtego dnia, bo właśnie wtedy Klątwa zamanifestowała się po raz pierwszy publicznie, w sposób nad wyraz dramatyczny.

Annabel: już.

Według Adelajdy Burr, siedzącej w drugim rzędzie, tuż za Slade'ami, Todd Slade jako pierwszy zdradził swą nerwowością i pobudzeniem, że słyszy ten cichy syk; kolejną osobą był prawdopodobnie Woodrow Wilson, obdarzony znakomitym słuchem, który rozejrzał się dookoła, najpierw ze zmarszczonym czołem i zmrużonymi oczyma, potem z wyraźną dezaprobatą. I później kolejne osoby zaczęły słyszeć syk albo wyobrażać sobie, że go słyszą, tyle że nikt nie potrafił powiedzieć, co słyszy, ani też nie przysiągłby, że ten odgłos jest słyszalny, że nie są to jakieś niezwykłe wibracje powie trza, jakby ktoś zadął w gwizdek o wyjątkowo przenikliwym brzmieniu niewykrywalnym dla ludzkiego ucha.

A jednak Dabney Bayard, klęczący przed ołtarzem, tak jakby niczego nie słyszał, oprócz poważnego głosu pastora – *Dabneyu Bayardzie, czy bierzesz sobie Annabel za prawowicie poślubioną małżonkę* – i własnej, uroczystej odpowiedzi: *Tak*.

Mięśnie jego szczęk zacisnęły się jak w nagłym nerwowym skurczu, po czym porucznik obrócił się w stronę swej pięknej oblubienicy i zobaczył, z niejakim zdumieniem, że skromna Annabel prawie nie zwraca uwagi ani na niego, ani na wielebnego FitzRandolpha; jej zogromniałe fiołkowe oczy szukały kogoś albo czegoś, czegoś niewidocznego, być może gdzieś na tyłach surowego, starego kolonialnego kościoła. *Annabel: przyjdź.*

A jednak obrzęd trwał dalej: wielebny FitzRandolph wygłosił swoje ostatnie oświadczenie w imieniu Pana: *Ogłaszam was mężem i żoną*. Teraz, kiedy państwo młodzi winni byli się objąć i pocałować, cichy syk nabrał natężenia, jak wznoszące się fale, i Annabel wzdrygnęła się, a potem odsunęła od porucznika Bayarda osłabłymi ruchami, jakby go nie rozpoznawała.

W tym momencie szept brzmiał już głośno. Każdy, kto go słyszał, wpadał w konsternację – w tym dusznym, publicznym miejscu, które teraz tak jakby zrobiło się wrogie, jedni byli zdziwieni, inni przestraszeni, jeszcze innych ogarniała dziwna, odrętwiająca panika, bo nie wiedzieli, czy rzeczywiście coś słyszą, inni zaś bliscy byli omdlenia czy też szaleństwa.

Bo diabeł to właśnie potrafi, że droczy się z nami i nas zatrważa, a my nie wiemy, czy ulegliśmy jego czarom, czy też po prostu pogrążyliśmy się w dziecięcych fantazjach.

Jako że tamten niesławny epizod z historii Princetonu zmierza już ku nieuchronnemu zakończeniu, wyjaśnię w tym miejscu, że opieram się niemal wyłącznie na moim poprzedniku, Q.T. Hollingerze, a także rozlicznych listach, dziennikach i pamiętnikach spisanych przez miejscowych obserwatorów. I pragnę dodać, że owo zdarzenie wymyka się memu rozumieniu. Niemniej jedna rzecz jest oczywista: owo śmiałe wezwanie – *Annabel, przyjdź do mnie* – wygłaszał uwodziciel Annabel, Axson Mayte, który stał na tyłach kościoła, w otwartych drzwiach, nie dawszy kroku do środka.

Nie odważył się wejść do wnętrza, odnotują komentatorzy. Albowiem kościół jest świętym miejscem, do którego ani diabeł, ani żaden z jego demonów nie może wejść. A jednak, mimo że Axson Mayte nie mógł wejść do kościoła, miał moc odciągnięcia Annabel Slade, czy też pani Annabel Bayard, od boku jej męża, jakby jednak wkroczył do kościoła i przeszedł po czerwonym dywanie, po czym schwycił rozdygotaną młodą kobietę za kark i zabrał z sobą.

Annabel: już czas. Pójdziesz ze mną. Natychmiast.

I tak oto panna młoda odwraca się od pana młodego, ciska swój bukiet na dywan, nie ogląda się na boki, tylko ze wzrokiem utkwionym we władczej postaci na progu kościoła idzie spiesznie nawą, ze zbolałą gracją rannego ptaka, z ustami rozchylonymi w pozbawionym tchu poddaniu i z najbardziej subtelnym i zmysłowym z kobiecych uśmiechów.
– Annabel, najdroższa! Czyżbyś była niegrzeczna? – mówi Axson Mayte cichym, drwiącym głosem i kiedy goście weselni obracają się, gapią na to wszystko z przerażeniem, podobna do ropuchy istota brutalnie chwyta pannę młodą w ramiona i składa na jej wargach pocałunek z wielkim cielesnym żarem i męską stanowczością.

CZĘŚĆ II

Klątwa ucieleśniona

Histerycznym pannom zapisałbym małżeństwo, bo leczy je ciąża.

Hipokrates

POJEDYNEK

– Modlę się za ciebie, Jozjaszu, tak jak modlę się za twoją siostrę; obyś nie uległ barbarzyńskim instynktom.

Winslow Slade przemawiał tak tonem niewiele głośniejszym od szeptu do swego zrozpaczonego wnuka, w kilka godzin po tej obrzydliwej nikczemności, jaką było uprowadzenie panny młodej z pierwszego kościoła prezbiteriańskiego Princetonu, na oczach wszystkich zaproszonych gości, dwustu z okładem. Dystyngowany starszy pan nie po raz pierwszy wykazywał się zdolnością czytania w myślach.

– Jeśli nasi wrogowie są złem wcielonym, to miej się na baczności, bo mogą nas do owego zła z sobą wciągnąć.

Mówiąc to, Winslow Slade sięgnął do ręki wnuka, ale Jozjasz nie był już małym chłopcem i jego ręce nie były już rękami małego chłopca, dlatego nawet jego ukochany dziadek nie był w stanie ugłaskać go w taki roztropny, chrześcijański sposób.

Zrobi to, poprzysiągł sobie.

Bo czyż nie świecili mu przykładem jego antenaci (płci męskiej)? – niektórzy w rzeczy samej bardzo młodzi, młodsi od niego, którzy oddali swe życie w bitwie albo odpowiedzieli natychmiastowym wyzwaniem na pojedynek, gdy jakiś adwersarz rzucił wyzwanie ich męskości beztrosko wypowiedzianą obelgą. Był wśród nich trzydziestodwuletni generał Elias Slade, który podpisał Deklarację Niepodległości i który walczył mężnie w bitwie pod Princetonem – to w tej bitwie został ponoć kilkakrotnie dźgnięty bagnetem przez tchórzliwych brytyjskich żołdaków; zanieśli go potem na dawną farmę Clarka przy trakcie Princeton–Nowy Jork, gdzie umarł. Był też major Vreeland Slade, jeden z zauszników Washingtona, który wyróżnił się podczas pierwszej bitwy pod Springfield, i pułkownik Henry Lewis Slade, który naurągał demagogowi Andrew Jacksonowi, i Bingham Slade, który zginął w pojedynku z innym studentem prawa Uniwersytetu Wirginijskiego – ów pojedynek był konsekwencją ich sprzeczki na temat popularnego pomysłu demokratów, by anektować Kubę i Amerykę Środkową jako źródło niewolników! (Bo takie właśnie były marzenia naszej amerykańskiej demokracji w połowie dziewiętnastego stulecia). Był też Abraham Lewis Slade, który w wieku sześćdziesięciu siedmiu lat stoczył pojedynek w obronie honoru swej bardzo młodej trzeciej żony – o incydencie rozpisywała się prasa rynsztokowa, a doszło do niego w 1889 roku w Central Parku na Manhattanie; Jozjasz już jako mały chłopiec wywnioskował, że dla rodziny ta sprawa stanowi źródło zarówno wstydu, jak i dumy.

Stało się bowiem tak, że Abraham Lewis Slade, zgodnie z legendą, spokojnie odpowiedział na (chybiony) strzał przeciwnika idealnie wycelowanym strzałem – który przeszył czoło tamtego, tworząc „upiorny, zionący" otwór między zdumionymi oczyma.

Aresztowany na miejscu przez policjantów pod zarzutem morderstwa, Abraham Lewis Slade spędził zaledwie godzinę w areszcie policyjnym, po czym natychmiast został zwolniony i oczyszczony z wszystkich zarzutów dzięki burmistrzowi Nowego Jorku, politycznemu przyjacielowi i powiernikowi pewnych bogatych przyjaciół Abrahama Slade'a, członków prestiżowego Klubu Century.

Jeśli natomiast mowa o krewnych z rodziny Strachanów – (matka wywodziła się ze Strachanów, pierwotnie z Bride's Head w stanie Rhode Island) – to Jozjasz znał od tej strony mniej bohaterów i mniej heroicznych śmierci, a jednak od najwcześniejszych lat intrygowały go opowieści o Waltonie Strachanie, przodku jego matki w linii prostej, który w wieku jedenastu lat okazał się tak skutecznym szpiegiem na rzecz generała Edwarda Braddocka podczas kampanii przeciwko Francuzom w zachodniej Pensylwanii, że został odznaczony przez niego samego na oczach setek zgromadzonych żołnierzy. Zaledwie kilka lat później Walton wyróżnił się jako oficer w armii kolonialnej, w bitwie nad rzeką Monongahela w 1755 roku; dwadzieścia lat później zginął w pojedynku w Filadelfii o uwolnioną niewolnicę, którą podobno objął swoją ochroną.

Czy jestem równie odważny? Mimo że Mayte drwi ze mnie przy każdej okazji?

Jozjasz miał na myśli wspomnienie o Axsonie Maytem chwytającym jego siostrę Annabel na progu kościoła, na oczach zgromadzonych gości; piekielny obraz Axsona Maytego powielany w wyobraźni Jozjasza niczym nieskończone lustrzane odbicia.

Jak każdy młody człowiek, który koniecznie chce honorowo się zemścić, obawiał się, że inny człowiek dokona aktu sprawiedliwości, zanim on zdąży – w tym przypadku porucznik Dabney Bayard, który podobno gdzieś się ukrył zaraz po incydencie w kościele, kiedy jego nowo poślubiona wybranka została mu skradziona, przez co okrzyknięto go *rogaczem.* Można domniemywać, że gniew zdradzonego małżonka i kochanka jest potężniejszy niż gniew brata.

(Krewni porucznika twierdzili, że zdradzony mąż jest na tropie Annabel i jej „porywacza", ale już po upływie tygodnia Bayardowie dowiedzieli się, że ich pohańbiony Dabney brał udział w pijackich burdach w wyszynkach w Trentonie, Washington Crossing i New Hope w Pensylwanii, tuż za granicą stanową; w kręgach princetońskiego West Endu plotkowano, że porucznik Bayard „schodzi na psy" i że w przypływie złości podsycanej poczuciem wstydu zrozpaczony młody człowiek zerwał wszelkie kontakty z rodziną Slade'ów, których wszak powinien był uważać za sojuszników).

Jozjasz, który nie przyjaźnił się z Dabneyem Bayardem i nie miał ochoty zostać jego sojusznikiem, no chyba że pod przymusem, poczuł wtedy ulgę, bo zamierzał odnaleźć swoją siostrę sam i dokonać należytego aktu zemsty na Axsonie Maytem, niezależnie od konsekwencji. Jako uczeń Akademii Princeton dla Chłopców czytał przekłady *Iliady* i *Odysei* Homera; czytał romantyczne powieści akcji wymieniane już wcześniej w niniejszej kronice, w których wyczyny odważnych mężczyzn i chłopców uhonorowali sir Walter Scott, James Fenimore Cooper, Jack London, Owen Wister; uparcie szukał w *Huckleberrym Finnie* Marka Twaina tych fragmentów, w których Hatfieldowie i McCoyowie toczą z sobą wojnę i barbarzyńsko się wzajem zabijają, bo Twain wzbudzał w nim egzaltację, nie potrzebę lamentowania.

Gdy Jozjasz podróżował po całym New Jersey, od jednego miasteczka do drugiego, ścigając zaginioną parę, przekonał się, że jedzie śladem wściekłego męża, Dabneya Bayarda, który wyprzedzał go niekiedy ledwie o kilka godzin; i zastanawiał się, czy nie będzie przypadkiem tak, że jeśli Dabney znów wpadnie w pijacki szał i zniweczy własne szanse na zemstę, bo będzie rozpowiadał wszem i wobec gospodach i szynkach o swych zamiarach, i rozniesie się, że tym gadaniem zhańbił jego siostrę, to wtedy Jozjasz będzie musiał się *z nim* bić. W rozmowie z Winslowem Slade'em przemawiał w sposób, w jaki nie odezwałby się do swych rodziców:

– Jeśli ten „oszukany mąż" obrazi „niewierną żonę", jeśli tylko da do zrozumienia, że jest niezadowolony z Annabel, to wiesz, dziadku, co będę musiał zrobić. Nie będę miał *wyboru.*

Winslow Slade odparł na to cicho:

– Nie, Jozjaszu. Będziesz miał wybór, jak my wszyscy. Nawet ona go miała, nasza utracona Annabel.

* * *

Niebawem, w miarę nieubłaganego upływu dni i wreszcie tygodni, stało się dla Jozjasza oczywiste, że z poszukiwaniami Annabel i demonicznego Axsona Maytego wiążą się wyjątkowe problemy – nie tylko dlatego, że ta zakazana para zniknęła z kościoła przy Nassau Street, odjeżdżając wytwornym starym broughamem ciągnionym przez cztery identyczne konie, „jakby się pod ziemię zapadła na Starym Gościńcu Królewskim" (obecnie droga nr 27), ale i dlatego, że już po wybuchu skandalu bardzo niewiele osób mogło coś powiedzieć na temat Axsona Maytego na podstawie jego kilkutygodniowego pobytu w Princetonie.

Prawdą było to, że podejmowano go w kilku najznamienitszych domach Princetonu, że był gościem na plebanii Crosswicks oraz w Prospect, czyli domu rektora uniwersytetu; chyba wszyscy z West Endu znali go i ściskali mu dłoń, którą jedni wspominali jako „silną, energiczną, gorącą", a inni jako „wiotką, zimną jak martwa ryba, sflaczałą". A jednak Jozjasz miał spore trudności ze scaleniem informacji na temat tego człowieka. Dziadek Winslow nie okazał się specjalnie pomocny, powiedział tylko, że Axson Mayte, Wirginijczyk stowarzyszony z Kościołem prezbiteriańskim, w zasadzie sam się wprosił, że niby chce porozmawiać z Winslowem w jego bibliotece – „na jakiś temat teologiczny, nieciekawy dla osoby świeckiej". Spotkanie było krótkie, nie trwało nawet dwóch godzin, ale Axson Mayte nie wyjechał z miasta, tylko pojawiał się gdzie indziej, w innych domach i w Prospect, gdzie chciał uścisnąć dłoń Woodrowowi Wilsonowi. Po co przede wszystkim przybył do Princetonu, skąd faktycznie się wziął – (do tego czasu jego prezbiteriańsko-wirginijskie pochodzenie okazało się zmyślone), czy był prawnikiem, jak wierzył Woodrow Wilson, „znawcą etyki" i „edukatorem", czy był człowiekiem majętnym, jak wierzyli inni, czy wreszcie hazardzistą i karciarzem, jak wierzyli jeszcze inni; w jaki sposób związał się z żyjącą niemal w zamknięciu wnuczką Winslowa Slade'a, Annabel, i wreszcie największa zagadka: *Jak dokładnie wyglądał Axson Mayte?*

Nie sposób było znaleźć dwóch osób, które się tu zgadzały. Sam Jozjasz miał w pamięci żywy obraz budzący w nim odrazę – przysadzisty mężczyzna o ropuszej twarzy i oczach jakby wypełnionych wodą z rowu, chytry, zmysłowy, sugestywny uśmiech na robaczych wargach. A jednak inni, z których opinią Jozjasz się liczył, jak Horacy Burr, upierali się, że Axson Mayte wyglądał „zupełnie zwyczajnie: ani wysoki, ani niski, ani chudy, ani gruby, ani przystojny, ani brzydki"; kilka kobiet, w tym Johanna van Dyck i Florence Chambers, twierdziło, że Mayte to przystojniak w typie „aroganckiego południowca", tyle że „małomówny i uprzedzająco grzeczny". Nikt tu nie był zgodny: czy Mayte miał włosy „gęste i ciemne", czy „jasne i przerzedzone", czy może był łysy? Profesor Pearce van Dyck, który wciąż niedomagał z powodu tajemniczej choroby płuc i mógł mówić jedynie ochrypłym głosem, upierał się, że Axson Mayte to ktoś „taki jak golem" – (golem to stworzenie z tradycji hebrajskiej, humanoidalna istota ulepiona z gliny i pozbawiona duszy).

Spośród mieszkańców West Endu nikt nie potrafił się przyznać, że to oni poznali z sobą Axsona Maytego i Annabel Slade: w rzeczy samej nikt nie pamiętał, by ich widziano razem w dowolnym towarzystwie, pod jednym dachem.

Barman ze Znaku Hudibrasa przy Fort Street w Trentonie wspominał „przyjaznego dżentelmena z Południa", natomiast zarządca Nassau Inn wybuchł gniewną tyradą przeciwko nieokrzesańcowi, który pozostawił dowody „bestialstwa i animalizmu" w swoim apartamencie, za który nie raczył zapłacić; dorożkarz, który przewoził bagaż pana Maytego z pociągu, twierdził, że nigdy w życiu nie przenosił takich ciężkich waliz – „Było w nim tyle kamieni co na cmentarzu". Ten sam dżentelmen poskarżył się Jozjaszowi, że tych kilka dolarów, które dostał od Maytego po tym, jak go zawiózł do Nassau Inn i jeszcze pomógł mu się ulokować w apartamencie, jakimś tajemniczym sposobem zniknęło z jego kieszeni w ciągu godziny.

W Coachman's Inn w Brunswicku Mayte był „zamyślony i tajemniczy", w Nassau Inn był „nad wyraz ożywiony" i okazywał pełne szacunku zaciekawienie oberżą i jej historią; mówił z „wyszukanym" akcentem z Południa albo z „posiekanym" akcentem brytyjskim lub też bardziej monotonnym z Marylandu albo południowego Jersey. Był wysoki ponad przeciętną, szczupły i przystojny albo dla odmiany krępy, kluchowaty i miał szpetną twarz, z obwisłymi, szyderczymi wargami i „różowymi, świńskimi oczkami". Kelnerki z barów były powściągliwe, gdy o nim opowiadały Jozjaszowi, z kolei inne kobiety, dowiedziawszy się o uprowadzeniu córki Slade'ów, za wszelką cenę chciały przekonać Jozjasza i jego rodzinę, że im wmówiono, iż Mayte to nie tylko dżentelmen, ale także „bliski, serdeczny" przyjaciel wielebnego Winslowa Slade'a.

Kiedy Jozjasz wypytywał o niego, jego własne, wstępne wrażenie zaczęło groźnie blaknąć; z czasem Axson Mayte miał utracić wszelkie wyraziste cechy i w pamięci Jozjasza pozostały tylko te *demoniczne*, jak na przykład ogorzała cera i topazowe oczy.

Zdesperowany Jozjasz udał się do siedziby szeryfa okręgu Mercer, przy drodze nr 206, by spytać, czy „Axson Mayte" był przypadkiem przesłuchiwany w sprawie morderstwa dziewczyny Spagsów, ale tam go poinformowali, że skoro napaść na to dziecko była najwyraźniej dziełem jakiejś obłąkanej bestii, zastępcy szeryfa raczej nie przesłuchiwaliby w tej sprawie dżentelmena.

Jozjasz spytał, na jakiej podstawie uznano Axsona Maytego za *dżentelmena*, na co mu odpowiedzieli, że kiedy zastępcy szeryfa po raz pierwszy usłyszeli nazwisko Mayte, ów gościł w Prospect, w kampusie uniwersytec-

kim – „Osobisty znajomy rektora uniwersytetu nie mógł mieć nic wspólnego z rodziną Spagsów zamieszkałą przy Trakcie Princetońskim".
– W takim razie jesteście durniami! – gwałtownie odparował Jozjasz. – Jesteście kolaborantami diabła. Poradzę sobie bez was.

Nareszcie! Godzina sądu nadeszła.

Sceneria: Raven Rock Inn w Raven Rock w stanie Pensylwania, nad rzeką Delaware, na północ od New Hope; czas: letnia noc, około pierwszej, sześć tygodni i dwa dni po zniknięciu Annabel Slade.

Albo *pani Annabel Bayard*, bo tak ją nazywano w artykułach prasowych.

Poprzedniego dnia przypadały dwudzieste piąte urodziny Jozjasza. Zgodnie z jego stanowczym życzeniem Slade'owie ich nie obchodzili, zbyt to ponure czasy.

A zresztą urodzin Jozjasza nie dałoby się należycie świętować bez jego siostry Annabel.

I tak oto Jozjasz, w pełnym rozkwicie oburzonej i niedbającej o nic młodości, wyruszył automobilem marki Winton, z karoserią zdobioną mosiężnymi elementami, na wyprawę do doliny Delaware, przez senne miasteczka Hopewell i Lambertville, do New Hope, i stamtąd dalej na północ, po krętej River Road, do malowniczego Raven Road na rozstajach dróg, jedenaście mil dalej. Jozjasz przybył do Raven Rock sam, z misją dokonania zemsty: żeby sprowadzić swą (zbezczeszczoną) siostrę na łono rodziny i w razie konieczności stoczyć śmiertelny bój z tym, który ją uwiódł.

W tym celu zabrał z sobą futerał z koźlęcej skóry wyłożony czerwonym aksamitem, który krył dwa misternie wykonane pistolety do pojedynków, z mahoniowymi rękojeściami – najdoskonalsze wyroby warsztatu Trinity Morris Jr, cenionego rusznikarza z Filadelfii z połowy dziewiętnastego wieku.

Jozjaszowi przypomina się teraz apel jego dziadka: *Obyś nie uległ barbarzyńskim instynktom.*

Będąc młodym człowiekiem wychowanym w wierze prezbiteriańskiej, największej opoce protestantyzmu, dobrze wie, że postępuje brawurowo i niebezpiecznie, a w takim postępowaniu z pewnością nie ma nic *chrześcijańskiego*. A jednak jego przodkowie tak od strony Slade'ów, jak i Strachanów wiwatowaliby mu, gdyby wiedzieli. Bo nic nie jest cenniejsze niż honor rodziny, nawet odkupienie w duchu chrześcijańskim nie jest tak cenne.

– Jeśli za swoje zachowanie zostanę skazany na piekło, to będę się musiał z tym pogodzić. Ale jeśli piekło jest tylko tym, co ludzie robią sobie wzajemnie, to będzie mi oszczędzone. Uzyskam *odkupienie.*

Wybaczy swej zbezczeszczonej siostrze, biednej Annabel – to oczywiste. Jozjasz ma taki mglisty pomysł, że mogłaby zwyczajnie wrócić na plebanię i pomieszkać trochę w odosobnieniu, a potem, kiedyś tam, razem z nim mogłaby się wyprawić do Włoch i pobyć w Rzymie, Florencji albo Wenecji; ostatecznie, w miarę upływu czasu, oboje stworzą jeden dom dla siebie i Jozjasz zabierze się wtedy do dzieła życia z dziedziny... cóż, jeszcze nie jest pewien. Filozofii? Dziennikarstwa? Medycyny? Prawa? A może eksploracji Zachodu albo Arktyki na modłę wielkiego Lewisa i Clarka? Jakaś reforma polityczna? Socjalizm? Znakomicie zdaje sobie sprawę, że pojedynki są nielegalne – że w stanie New Jersey jest to przestępstwo kategorii A.

Już w czasach sławetnego pojedynku Aarona Burra Juniora z Alexandrem Hamiltonem, w 1804 roku, pojedynki były przestępstwem kategorii A w stanie Nowy Jork, ale jakoś nie były tak surowo zakazywane w New Jersey, gdzie odbywał się pojedynek, w Weehawken. W południowych stanach, gdzie ustanawiano prawo w imię zachowania „tradycji" – (prawo ustawowe zakazywało na przykład krzyżowania się ras i sodomii) – jego funkcjonariusze raczej nie aresztowali pojedynkujących się dżentelmenów, podobnie jak zazwyczaj nie aresztowali osób, które uczestniczyły w linczowaniu Murzynów, a przysięgli tym bardziej nie orzekali, że te osoby są *winne*.

Wie, że jeśli zrani albo zabije Axsona Maytego, to zostanie aresztowany, a ponieważ w takich kwestiach nie jest fantastą, tylko fatalistą, wie również, że sam może zostać raniony albo zabity. A jednak musi podjąć to ryzyko. Przez wzgląd na Annabel, przez wzgląd na rodzinę Slade'ów.

Tę jego podróż po River Road, biegnącej wzdłuż szerokiej i pięknej rzeki Delaware, poprzedziły tygodnie daremnych starań, tygodnie tropienia zakazanej pary za pomocą pytań, przekupstwa i niekiedy nawet uciekania się do przymusu; w końcu Jozjasz przypadkiem natknął się w pewnym pensjonacie w Camden na byłego kamerdynera Axsona Maytego. Gwałcąc wszelkie zasady odziedziczone po Slade'ach, błagał, groził i przypochlebiał się temu człowiekowi, bez skutku, dopóki wreszcie nie wcisnął mu w (niemytą) garść pięćdziesięciu dolarów, za co ku swemu zdumieniu poznał pół tuzina pseudonimów Maytego, którymi ten posługiwał się na terenie New Jersey i Pensylwanii.

Wychodzi na to, że uwodziciel bynajmniej nie nazywa się „Axson Mayte", ale jak się nazywa naprawdę, tego Jozjasz nie wie.

– Diabeł nie ma ani imienia, ani twarzy.

W Raven Rock Inn Jozjasz dowiaduje się, że „pan i pani François d'Apthorp" są tu zameldowani, dokładnie tak, jak spekulował były kamerdyner. Bo „François d'Apthorp" to jeden z pseudonimów Maytego. („Jak pan będziesz szukał wytrwale, to go pan znajdziesz – zawsze go pan znajdziesz", rzekł były kamerdyner, mrugając do Jozjasza, czym go raczej zmroził). Dowiedziawszy się tego, dzięki banknotowi dziesięciodolarowemu wciśniętemu w garść recepcjonisty, Jozjasz znienacka czuje się zniechęcony i wyczerpany; o ile podczas jazdy z Princetonu do Raven Rock napędzała go wściekle krążąca krew, o tyle teraz traci rezon; wchodzi do głównej sali starej oberży i tylko kilka minut siedzi przy odosobnionym stoliku, wspierając głowę na skrzyżowanych ramionach, ale chwilę później beszta siebie w duchu – bo co zrobiłby „przemyślny Odyseusz" w takich okolicznościach? Co zrobiłby bohater Jacka Londona w takiej bliskości człowieka, który zbezcześcił jego nazwisko? Chcąc odbudować siły, zamawia kufel gorzkiego ciemnego ale, które prędko wypija, ledwie czując jakiś smak, i tak oto po półgodzinie wspina się na piętro, gdzie puka do drzwi apartamentu nowożeńców z widokiem na rzekę, wynajętego przez „François d'Apthorpa" i jego rzekomą małżonkę. Bóg jeden wie, co się zaraz zdarzy.

Nie może mi odmówić pojedynku, myśli Jozjasz, *ale co zrobię, jeśli odmówi? Mam się na niego rzucić? Pobić go? Zabić na miejscu? A co z Annabel? Czy powinna być świadkiem?* Woli się nie zastanawiać, po czyjej stronie stanie Annabel w takiej walce.

Bo Jozjasz widział wyraźnie, że Annabel z własnej woli podeszła do Axsona Maytego. Była śmiertelnie blada, mrugała i wytrzeszczała oczy, jakby ją ktoś zahipnotyzował, ale nikt jej nie zmuszał, by pozostawiła świeżo poślubionego męża Dabneya Bayarda i wyszła poza ochronny krąg swej rozżalonej rodziny.

A jednak Jozjasz nie ma zamiaru osądzać Annabel. Nie musi się nawet zastanawiać, czy jej wybaczy – nie będzie sędzią swojej ukochanej siostry.

– To jest tak, jakby ona była chora. Trzeba ją wyratować z choroby!

W głównej sali, wypełnionej mrocznym spokojem, przy prostym stole z desek otwiera ukradkiem futerał z koźlęcej skóry i jeszcze raz sprawdza wielkie, jakby nieporęczne pistolety. Stwierdza, że ich wygląd, że ich zimny, oleisty zapach i ciężar w jego dłoni ani trochę nie są pocieszeniem, jak tego oczekiwał. One go tylko przerażają. Jozjasz nieraz polował na bażanty, gęsi, jelenie, niedźwiedzie, posługiwał się strzelbami i wiatrówkami i wiedział, że broń palną należy szanować. Ale zasadniczo nie miał żadnego doświadczenia z bronią ręczną. Wprawdzie fantazje o pojedynkach przewijały się przez lata przez jego chłopięce sny, ale nigdy raczej się nie spodziewał, że stanie do pojedynku. Ciężkie, stalowe pistolety, wspaniale rzeźbione drewno, jakże piękne srebrne okucia – na jednym wzór z *fleur-de-lis,* na drugim równie delikatny wzór przedstawiający węża. Po raz kolejny słyszy wysyczane wezwanie – *Annabel! Annabel!* – słyszy ostrzegawcze słowa dziadka i znów czuje palce dziadka sięgające na oślep do jego ręki, słabsze od jego palców, dlatego łatwo się przed nimi uchylić.

– Dziękuję ci, dziadku. Wiem, że chcesz dobrze, wiem, że masz *rację.* Ale nie mam wyboru. Muszę pomścić honor naszej rodziny, bo nikt inny tego nie zrobi.

Tylko co się stanie, jeśli naprawdę zabije człowieka?! Jakże dziadek Slade i ukochani rodzice będą się smucili z jego powodu! Przelotnie nachodzi go myśl o Wilhelminie Burr. Ona też by się smuciła z jego powodu... Ale nie ma innego wyjścia, jest potomkiem bohaterów i musi pomścić honor rodziny.

– Halo? Proszę otworzyć te drzwi.

Jozjasz puka mężnie do drzwi pokoju numer 22, czyli apartamentu nowożeńców w Raven Rock Inn. Przykłada ucho i słyszy stłumione głosy.

– Nazywam się Jozjasz Slade. Proszę otworzyć te drzwi. – Jego głos brzmi bardziej przemożnie, niżby się tego spodziewał.

Znowu słyszy wymianę słów dobiegającą z wnętrza i potem drzwi z zaskakującą prędkością otwierają się na oścież.

– Tak? Halo? A pan to kto?

Na progu stoi jegomość w średnim wieku, młodzieńczy i pełen wigoru, którego Jozjasz nigdy w życiu nie widział, jest tego pewien – osobliwe połączenie dżentelmena i awanturnika, z rumianą twarzą i oczyma, które wpatrują się weń arogancko. Biała koszula mężczyzny jest w połowie rozpięta, ukazuje krzepki tors porośnięty włosami metalicznej barwy. Prawie identycznego wzrostu co Jozjasz, dżentelmen-awanturnik nie okazuje lęku na jego widok, raczej rozbawienie.

– Pan wybaczy, *monsieur*, że spytam, *kim jesteś?*

Za plecami mężczyzny, w głębi umeblowanego z wielkim przepychem pokoju, stoi kobieta z rozpuszczonymi włosami koloru blond, z twarzą nie tylko piękną, ale i twardą; jest ubrana w kimono w kolorze pawiego błękitu, byle jak przepasane w talii, dlatego rozchyla się jej pod szyją, podobnie jak lniana koszula jej towarzysza. W palcach trzyma małą złotą papierośnicę, z której z wystudiowaną powolnością wyciąga długiego białego papierosa.

– Jestem... jestem Jozjasz Slade... szukam... mojej siostry Annabel...

Jozjasz słyszy własny głos, zażenowany, jąkający się. Czuje, że na jego policzki wypełza rumieniec. W obu dłoniach ściska futerał z pistoletami, który teraz wydaje mu się ostentacyjny i głupi, a z kolei dżentelmen-awanturnik, sądząc po spojrzeniu, jakim mierzy futerał i zakłopotaną minę Jozjasza, najwyraźniej wie, co jest w środku i dlaczego Jozjasz zapukał tak bezczelnie do drzwi.

– Jozjasz Slade... Annabel... co oni mają z nami wspólnego? Pewnie pomylił pan pokoje, panie Slade. Nazywamy się François i Camille d'Apthorp i coś mi się zdaje, że raczej się nie znamy.

Jozjasz widzi, że blondwłosa kobieta spogląda na niego z ukosa, z pogardą, jednocześnie paląc papierosa i wydmuchując obłoczek dymu, który wydaje się wręcz jadowity. Kobieta nie jest młoda, może mieć nawet czterdzieści lat, i wydaje się Jozjaszowi zarówno obca, jak i znajoma. *Ona mnie zna. Ale nie przyzna się do mnie.*

Skonfundowany Jozjasz wycofuje się od progu, żeby ta kobieta nie widziała go zbyt wyraźnie i nie wydedukowała na podstawie futerału, dlaczego zapukał do ich drzwi. Jąkającym się głosem przeprasza, tłumacząc, że szuka innej pary; dżentelmen-awanturnik uśmiecha się do niego, szelmowsko, insynuująco, i zaskakuje Jozjasza, bo nie zatrzaskuje mu drzwi przed nosem, tylko otwiera je jeszcze szerzej.

– *Monsieur,* zechce pan do nas dołączyć na kieliszeczek szampana? Wróciliśmy do tej uroczej oberży, żeby uczcić dwudziestą rocznicę naszego ślubu, i bylibyśmy zachwyceni, gdyby pomógł nam pan świętować.

I tu niemal mruga do Jozjasza.

– Dziękuję, ale ja... chyba... lepiej żebym...

– Ale czemu nie, *monsieur?* Ten, kogo pan szuka, z pewnością zjawi się tu dziś wieczorem, eh? A w międzyczasie może jednak kieliszeczek?

Kobieta, której nieuczesane włosy spływają na plecy, unosi rękę, jakby chciała ostrzec Jozjasza, że powinien sobie pójść, mimo że jej towarzysz ogląda się na nią z surowym grymasem.

– Camille mnie prosi, żebym nalegał. Zapukał pan do naszych drzwi, więc to nie może być przypadek. To jak, dołączy pan?

– N-nie. Nie, dziękuję. Dobranoc.

Jozjasz odwraca się na oślep, z mocno bijącym sercem. Z całej siły przyciskając do siebie futerał, idzie prędko korytarzem, po miękkim, wydeptanym dywanie, wśród ścian wyłożonych lekko startą tapetą, co każde sześć stóp mijając kinkiety elektryczne w kształcie świec, które oświetlają mu drogę do klatki schodowej.

Dżentelmen-awanturnik, który wciąż stoi w drzwiach apartamentu dla nowożeńców, woła śladem Jozjasza, zaśmiewając się przy tym drwiąco:

– *Bonsoir, monsieur! Chaque chose en son temps, peut-être.*

POSTSCRIPTUM:
DYLEMAT HISTORYKA

Wiele razy czytałem tę ostatnią scenę, w której Jozjasz Slade podchodzi do drzwi pokoju numer 22 w Raven Rock Inn; wiele razy zastanawiałem się nad znaczeniem enigmatycznej wymiany zdań między Jozjaszem Slade'em a „François d'Apthorpem" – i znaczeniem „ostrzegawczego" gestu blondynki w kimonie – ale bezskutecznie. Niezależnie od tego, co ta scena oznacza, dla mnie jej sens pozostaje nieuchwytny.

Czytelnik uśmiechnie się pewnie, gdy wyznam, że zdumiony tą sceną odwiedziłem Raven Rock Inn i spenetrowałem apartament dla nowożeńców, który raczej się nie zmienił na przestrzeni dziesiątków lat, ale nie doznałem oświecenia.

Chyba na tym polega dylemat historyka: możemy pieczołowicie i wiernie rejestrować, gromadzić fakty, ale interpretować je możemy tylko do pewnego stopnia. I nie możemy nic kreować.

COŚ NIEWYSŁOWIONEGO II

Spotkali się w Nassau Hall, za zamkniętymi drzwiami.
Nie zaprosili sekretarki, żeby sporządzała notatki z tego spotkania.
– Matyldo, możesz nas zostawić.
– Mam wyjść, sir?
Rektor Wilson powtórzył polecenie głosem, który lada chwila mógł się załamać. Jego twarz była bardzo blada, skóra napięta i ściągnięta. W kącikach jego wąskich ust zaschła jakaś kredowa substancja. Ci, którzy przechodzili blisko tego zdenerwowanego człowieka, powiedzmy jakieś trzy stopy dalej, zauważali, że jego oddech pachnie kamforą i popiołem.
– Matyldo, pouczyłem cię. *Zamknij za sobą drzwi.*
Bo spotkanie zostało zorganizowane pospiesznie. I w tajemnicy.
Bo spotkanie *nie należało do zwyczajnego harmonogramu.*
Zdziwieni i zaniepokojeni mężczyźni zebrali się w zewnętrznym gabinecie rektora, wokół skromnego drewnianego stołu, który wyglądał tak, jakby przetrwał od czasów kolonialnych, w rzeczy samej od bitwy pod Princetonem w 1777 roku. Kilku dziekanów, kilka głów wydziałów, uniwersytecki prawnik, administrator rzeczonego budynku oraz młody asystent administratora, Thomas Tremain (rocznik 95), który był także preceptorem studiów nad powieścią przygodową i który nigdy wcześniej przed tą pełną napięcia godziną nie był w historycznym Nassau Hall.
Spotkaniu przewodniczył nadzwyczaj poważny rektor Wilson. Stojące obok niego krzesło, na którym siadała zazwyczaj jego sekretarka Matylda, żeby spisywać protokół, było szokująco puste.
Mężczyźni zajęli miejsca z wyraźnym zakłopotaniem. Z zakłopotaniem popatrzyli po sobie i na ponurą, ściągniętą twarz rektora, który wyraźnie czekał na przyjście jeszcze jakiejś osoby, acz mogło też być tak, że po prostu pogrążył się we własnych myślach, zachowując tę samą sztywną postawę, którą zawsze prezentował publicznie, marszcząc przy tym czoło

i energicznie przecierając okulary świeżo wypraną chusteczką, a jednocześnie przywoływał z głębin swej duszy stosowne słowa, którymi należało otworzyć to wyjątkowe, bo nieprotokołowane zebranie.

Po kilku minutach, kiedy milczenie stało się nie do zniesienia, jakby coś wysysało tlen z pomieszczenia, rektor Wilson chrząknął, poprawił na nosie swoje pince-nez i zaczął mówić, sprawiając wrażenie, że jest człowiekiem, który się chwieje na krawędzi otchłani.

– Zastanawiacie się pewnie, dlaczego zostaliście wezwani w takim pośpiechu. I dlaczego otrzymaliście ostrzeżenie, że macie nikomu nie mówić – nikomu, powtarzam – o tym spotkaniu. I dlaczego spotkanie nie ma z góry zaplanowanego porządku. – Tu Wilson umilkł. Nagły, upiorny uśmiech rozciągnął jego cienkie wargi. – Zastanawiacie się, panowie, i owszem, macie powody. Ja na waszym miejscu miałbym powód, żeby się zastanawiać. Ale, o czym informuję was z bólem, sytuacja jest poważna i tak wszeteczna, iż w dosłownym sensie można uznać, że to coś niewysłowionego.

Coś niewysłowionego! Osoby zebrane przy stole w zewnętrznym gabinecie rektora wytrzeszczyły na niego oczy, a potem na siebie, ze zdumieniem, a jednak niemalże natychmiast to zdumienie stopniało, przeradzając się w jakby wspólny paniczny przestrach i głębokie zażenowanie.

– Pan Eddington, który, jak część z was wie, jest zarządcą West College, przybył do mnie z nadzwyczaj niepokojącym raportem, podobnie jak zaledwie wczoraj jego asystent, pan Tremain, przybył do niego z bardzo niepokojącym raportem.

Powiedziawszy to, Wilson przetarł oczy opuszkami palców, jakby przez krótką chwilę poczuł się bliski omdlenia. Eddington i Tremain skamienieli niczym posągi, pozostali przyglądali im się ponuro, przy czym większość siedziała z rękoma splecionymi na piersiach, przez co sprawiali wrażenie zakutych w dziwaczne zbroje.

(Należy w tym miejscu odnotować, że za plecami Woodrowa Wilsona po całej społeczności uniwersyteckiej z prędkością dzikiego pożaru rozprzestrzeniała się plotka, jakoby rektor doznał „załamania nerwowego" i że owo załamanie jest ponoć związane z jakimś tajemniczym albo skandalicznym incydentem z udziałem wnuczki Winslowa Slade'a, rzekomo uprowadzonej z własnej ceremonii ślubnej w kościele prezbiteriańskim, podczas której córka Wilsona, Jessie, była druhną. Jako że bardzo niewiele osób związanych z uniwersytetem otrzymało zaproszenie na ten ślub, spekulacji nie brakowało, ale mało kto cokolwiek wiedział).

– Panie Eddington, czy zechciałby pan coś powiedzieć?

A jednak pan Eddington, wyraźnie nieszczęśliwy, potrafił tylko niemo pokręcić głową. Wilson przyjrzał mu się ze współczuciem, z wyrazem niejakiej ulgi.

– W takim razie pan Tremain?

Thomas Tremain, dwudziestodziewięcioletni młodzian o kościstej twarzy, w niedopasowanym garniturze z rodzaju tych, które noszą asystenci przedsiębiorców pogrzebowych, wzdrygnął się tylko i chrząknął, a potem jeszcze potrząsnął przecząco głową.

– Wydaje się, że w tym byli... że tu są... zamieszani... jacyś chłopcy... znaczy się, studenci... a także, przykro mi to mówić... kilku preceptorów. – Wilson urwał, pozwalając, by zebrani przyswoili sobie tę sensację: *preceptorzy!* – A jednak fakty są dość oczywiste, tak jak mi je przedstawiono, czy raczej zaprezentowano, nie dokładnie słowami, bo jak powiedziałem, to jest *coś niewysłowionego*: istnieją podstawy do natychmiastowej relegacji i wymazania wszelkich zapisów w związku z tymi studentami, a jeśli idzie o preceptorów, to trzeba zerwać kontrakty. Dzięki temu dla świata będzie tak, *jakby żadna z tych osób nigdy nie weszła na teren naszego kampusu, a tym bardziej nie została zeń relegowana.*

To ostatnie oświadczenie zostało już wypowiedziane ze stalowym opanowaniem. A jednak ktoś siedzący blisko rektora Wilsona zauważyłby, że jego ziarniste powieki drżą i że kredowa suchość w kącikach ust lśni jak arszenik.

– Panowie, będziemy musieli postąpić zgodnie z procedurami. Czy jesteśmy tutaj zgodni? Sądzę, że będziemy chcieli zakończyć to spotkanie jak najszybciej.

– Sir? Czy wolno mi...

– Tak? Tak? O co chodzi, dziekanie Fullerton?

Dziekan do spraw wykładowców opasywał się ciasno ramionami i miał kłopoty z oddychaniem. A jednak jak na kogoś, kto sprawia wrażenie chorego, przemówił odważnie, niemal brawurowo.

– Niby sprawa jest *niewysłowiona*, bo nie potrafimy *ubrać jej w słowa*, ale prawo cywilne stanowi, że oskarżeni powinni móc się bronić, zanim zostaną ukarani. Panie Eddington, ilu chłopców to dotyczy?

Nieszczęśliwy pan Eddington wiercił się na krześle. Bez słowa uniósł dłonie – obie – i przebierał palcami, jakby coś liczył: dokładnie dziesięciu? Nie, dwunastu. *Trzynastu.*

Trzynastu!

– To znaczy... cóż, to... to jest coś wstrząsającego. To jest... nie życzymy sobie czegoś takiego. – Dziekan Fullerton, który przemawiał jeszcze chwilę wcześniej z taką odwagą, teraz jakby się pogubił; mrugał gwałtownie i miał spuszczony wzrok.

– Tu nie ma niczego, „czego byśmy sobie życzyli" – skwitował to rektor Wilson. – Zgadzamy się, że nie da się wyartykułować tego, co *niewysłowione*, a jednak tu trzeba działać prędko. Sprawiedliwość spóźniona to sprawiedliwość zaprzeczona.

– Chłopcy... to znaczy... ci młodzi mężczyźni... zostaną relegowani? Tak prędko?

– W rzeczy samej już zostali relegowani. Poproszono ich o opuszczenie swoich pokoi dzisiejszego ranka.

– *Tak prędko?*

– Sir, nie musi się pan powtarzać: usłyszeliśmy pana już za pierwszym razem.

Sprawiedliwość spóźniona to sprawiedliwość zaprzeczona, dlatego więc chłopcy, którzy wzięli udział w tej *niewysłowionej* aferze, zostali poproszeni o opuszczenie uniwersytetu i być może faktycznie już to uczynili albo czekają na przybycie rodziców, którzy im w tym pomogą. A jeśli idzie o preceptorów, którzy tak po prostacku pogwałcili zaufanie, jakie pokładała w nich uczelnia, jako młodych dżentelmenach wyróżniających się intelektualnie i moralnie, to... już ich tu nie ma.

– *Już ich tu nie ma?*

– Czy to jest jakaś komnata pogłosowa? Mam to traktować jak drwiny? Kiedy mówię, że tych nieludzkich istot już tu nie ma, to wyrażam się precyzyjnie: *już ich tu nie ma*. A dokąd się udali, to już nie jest sprawa Princetonu.

– Sir, w kwestii tej... obrony...

– *Niewysłowionego* obronić *nie sposób*. Myślę, że tu się chyba zgadzamy?

– Ale panie rektorze Wilson, czy nie może być tak, że zarzuty są... nieścisłe? Albo przesadzone? *Sfabrykowane?* Dopóki nie zorganizujemy śledztwa i nie pozwolimy oskarżonym przemówić we własnej obronie, nie możemy być pewni, że... że... sprawiedliwości stanie się zadość.

Te śmiałe słowa wpadły w otchłań milczenia. Bo w gabinecie rektora panowała martwota, nad którą pogrążyły się w zadumie portrety kilku wybitnych poprzedników Wilsona – (wielebny Jonathan Edwards, John Witherspoon, James McCosh) – i wszystkich obecnych poraziła świadomość własnego oddechu, bicia serca i procesów trawiennych; Thomas Tremain, w stanie najwyższego zdenerwowania, przełknął z trudem ślinę, z towarzyszeniem bulgotania i spazmu w jabłku Adama. Było widać, że ten przerażony młodzieniec, który wszak nie był ani trochę winien tej *niewysłowionej* afery, został zbrukany przez to, że się o nią otarł, i wszystko wskazywało na to, że jego kontrakt podpisany z uniwersytetem będzie musiał wygasnąć po zakończeniu bieżącego semestru.

Rektor Wilson kontynuował, ledwie się powstrzymując od sarkazmu:

– A w jaki sposób te osoby miałyby *przemówić?* Cóż takiego pan proponuje? To po prostu nie jest możliwe, w przyzwoitym towarzystwie i w cywilizowanych kręgach.

– Ale... może to i coś *niewysłowionego*, jednak musi istnieć sposób... Wydaje się niesprawiedliwe tak po prostu... *wydalić* te osoby, które jeszcze wczoraj stanowiły cząstkę naszej uniwersyteckiej rodziny.

– Owszem, na tym polega cały koszmar tego wszystkiego... że jeszcze wczoraj stanowiły cząstkę naszej uniwersyteckiej rodziny.

Dookoła ascetycznego kolonialnego stołu tak jakby przebiegł dreszcz, dotykając kolejno każdego z siedzących. I najbardziej widocznie Thomasa Tremaina, który musiał wcisnąć sobie kłykcie do ust, żeby nie zakaszleć jeszcze głośniej.

A jednak ktoś, jąkającym się głosem, zaprotestował:

– Skoro już relegowaliśmy i wymazaliśmy te osoby, rektorze Wilson, to dlaczego się tu spotykamy? Wydaje się, że to *ex post facto*.

– Spotykamy się, sir, ponieważ ja zwołałem zebranie głównych zarządców uniwersytetu. Bo zwracam się do was, abyście ratyfikowali działanie *ex post facto*.

– Tak, ale, sir...

– Czy wolno mi odświeżyć panom pamięć, bo być może niektórzy z was zapomnieli, że moja wielokrotnie powielana przemowa „Princeton w służbie narodu" kończyła się słowami: „Jako że my tu w Princetonie służymy narodowi, musimy być nie tylko *dobrzy*, ale wręcz *wspaniali*'. – Rektor Wilson powiódł spojrzeniem dookoła stołu. Jego okulary lśniły.

Mężczyźni zebrani w gabinecie, niczym zbesztane dzieci, nie wyrażali już więcej sprzeciwów.

– W takim razie myślę, że nasze spotkanie, które nigdy się nie odbyło i o którym nigdy nie będzie mowy, zostaje niniejszym zakończone.

Mężczyźni z wyraźną ulgą wyszli. Bez słowa.

OKRUTNY MĄŻ

(Z sekretnego dziennika pani Adelajdy McLean Burr;
czerwiec–październik 1905)

_____. Okrutnik! Wielki okrutnik! Dłoń tak mi się trzęsie, że ledwie mogę utrzymać pióro. A upłynęło już sześć godzin od tego upokorzenia, konfuzji, niezasłużonej *przykrości*. Bo jakby w złowieszczej baśni braci Grimm mój ukochany Horacy odmienił się – nie jest już sobą – w przeddzień naszej piętnastej rocznicy ślubu, podczas gdy moja miłość do niego pozostaje nieskalana jak w dniu, w którym zostałam jego żoną.

_____. Nie uronię ani jednej łzy więcej, bo nie została mi już ani jedna. Przestał mnie kochać – i dlatego muszę umrzeć.

_____. „Sama zobaczysz pewnego dnia, Adelajdo, oni się odmieniają", tak mi szeptała do ucha moja najdroższa matka, gdy jeszcze byłam dziewczęciem. Mężowie *się odmieniają*, bo taka już ich natura: nie są w stanie temu zaradzić i my im nie możemy pomóc. I potem tylko w grobie pociecha.

_____. Bo oto Horacy, przystojny, krzepki, wąsaty mąż, który zawsze adorował, nagradzał i rozpieszczał swą kochaną, malutką Koteczkę, naśmiewał się z jej zadyszek i lekceważył jej lęki, po 15 latach chrześcijańskiego matrymonium wypełnionego cierpliwym oddaniem ujawnił drugą stronę swojej natury – ten aspekt męskiej duszy, który odpowiada za jego lubieżność i nieprzewidywalność.

_____. „Horacy – zagadnęłam go, głosem tak słabym, że ledwie słyszalnym przy chrapliwym oddechu tego mężczyzny – czemu jesteś nie całkiem odziany? Czemu wtargnąłeś do mego pokoju w środku nocy i tak mnie poraziłeś swym widokiem, że moje serce jest bliskie wybuchu? I czy to możliwe, że ty pachniesz alkoholem? Horacy, proszę – nie zbliżaj się! Czy mam zadzwonić na służbę?"

_____. Albo może to był tylko nocny koszmar, dzieło krogulców ze snu, które spadają z nieba, dziobią i drapią... Od rana jestem wzburzona, bliska omdlenia, tak słaba, że nie toleruję nowego leku, na który namówiła mnie Hannah, bo ona bardzo się martwi o mnie, a potem, w połowie ranka, odważyła się zajrzeć pani Joris, nasza gospodyni, wielce zaniepokojona – bo cała służba szepcze o zapaści zdrowotnej pani Burr.

_____. (Wiele wskazuje, iż owo wulgarne zachowanie połączone z nadużywaniem napojów wyskokowych wiąże się z biznesowymi wizytami Horacego na Manhattanie, który zatrzymuje się tam na nocleg w klubie Madison. Podpowiedziała mi to pani Cleveland, twierdząc, że tam na najbardziej dystyngowanych i szacownych dżentelmenów czyhają jakieś ochocze kobiety o nędznej reputacji. I nawet jeśli mężczyzna takim nie ulegnie, to jednak w swej rozpalonej wyobraźni ulega pokusom i nie potrafi nad sobą zapanować, gdy już wraca w domowe pielesze. Byłam wtedy jeszcze tak naiwna, że powiedziałam do Frances: „Ach, ale nie Horacy! Żadną miarą on").

_____. (To nie tajemnica, że ten łotr o grubiańskich manierach, Grover Cleveland, miewał „stosunki" z kobietami przed zawarciem małżeństwa z Frances i Bóg wie, że zapewne i później. Bo w mężczyźnie drzemie bestia i jak raz ją uwolnić, to już się jej potem nie okiełzna. I świat cały wie, że pan Cleveland spłodził bękarta z jedną z tych spaczonych niewiast, ale niestety cywilizacja nasza jest tak zdeprawowana, że ów fakt nie został wytoczony przeciwko temu człowiekowi i nie stanął na zawadzie, gdy wybierano go na prezydenta Stanów Zjednoczonych – nie raz, lecz dwa razy!)

* * *

_____. Samotna, niespokojna i strasznie kołacze mi serce, dlaczego? Jestem bardzo temperamentną młodą damą, stwierdził doktor Boudinot, panią na Maidstone, „którą można przyrównać do instrumentu muzycznego, subtelnego i kunsztownego jak skrzypce Stradivariusa" – za to też chwalono i podziwiano Koteczkę, bo jako siedemnastoletnie dziewczę miałam ledwie osiemnaście cali w talii bez gorsetu, a cerę tak przezroczystą, że porównywano mnie z zachwytem do porcelanowej lalki. W tamtych szczęśliwszych latach wydawało się, że Horacy – i wielu innych – wielbi mnie za to, że jestem taka temperamentna, wrażliwa i skłonna do omdleń, że potrzebuję pieszczot, konsolacji i najdelikatniejszych karesów.

_____. (Co też się dzieje w tym domu? Którego jestem „panią" – a jednocześnie więźniem? Horacego często nie ma, bo albo przebywa w swym biurze przy Bank Street, albo w Nowym Jorku; wiem, że służba plotkuje i spiskuje za naszymi plecami; są dowody, że nas okradają, bo Horacemu nie zgadzają się rachunki. Hannah sztywnieje w mojej obecności i obraża się, gdy udzielić jej reprymendy za kłamstwa, Minnie zrobiła się małomówna, a z kolei ten młody Abraham, po tym jak urósł ileś cali w ciągu kilku miesięcy, od obżerania się w kuchni, jestem tego pewna, martwieje na twarzy w mej obecności i niegrzecznie mamrocze Pani Adlajdo, jakby robiło mu się gorzko w ustach przy wymawianiu tego imienia. Właśnie w tej chwili dzwonię i dzwonię, i nikt mi nie przychodzi usłużyć; gdybym zemdlała albo i gorzej... no więc tak sobie myślę: No jakże, mogliby powstać przeciwko mnie, i to w tym domu! Może się stać tak jak w dawnych czasach, kiedy zdarzały się masakry niewolników i robiono różne straszne rzeczy bezbronnym białym kobietom, o czym nikt nawet nie chce mówić, bo są takie NIEWYSŁOWIONE!)

_____. I tak oto upływa to przeklęte lato. Dni i noce w piekielnym ordynku i biedna Koteczka leży, skrajnie wyczerpana, a tu ją atakują krogulce ze snu – wielkie padlinożercze ptaszyska ze skrzydłami o rozpiętości dziesięciu stóp, oczyma jak rozżarzone węgle i okrutnymi szponami, którymi drapią me delikatne policzki i targają włosy. I mądrość madame Bławatskiej spoczywa we mnie odłogiem, bo nie jestem dość tęga na umyśle, by ją rozumieć; nawet najnudniejszy katechizm ze szkółki niedzielnej wykracza poza możliwości biednej Koteczki z jej napiętym stanem umysłu.

I nadal nic nie wiadomo na temat nieszczęsnej Annabel Slade, obecnie pani Annabel Bayard, ale ponoć jej brat Jozjasz poprzysiągł wziąć odwet na porywaczu i odbić ją. Biedna, kochana Annabel! To jeszcze dziecko, ani trochę tak obrotne jak Koteczka, która bardzo się teraz smuci z jej powodu i nie czuje ani krztyny satysfakcji, że ci wynieśli i potężni Slade'owie są teraz tacy słabi i poniżeni. Bo Annabel jest już stracona dla wszelkiej społeczności i wszelkiego przyzwoitego towarzystwa, tak jak jest stracona dla swej ukochanej rodziny. A mój nieszczęśliwy siostrzeniec, Dabney Bayard, popadł w opilstwo i ponoć także cudzołóstwo, o czym kobiety z nim spokrewnione nie powinny wiedzieć. To nie twoja sprawa, Adelajdo: nie myśl o tym, powtarza Horacy. Ale czy znajdzie się kobieta z Princetonu, zatrwożona uprowadzeniem Annabel Slade na oczach wszystkich, która by o tym nie myślała?

_____. Ku memu przerażeniu i obrzydzeniu Horacy składa mi coraz częstsze wizyty po nocy, zataczając się i ziając burbonem; po części roznegliżowany, rozmemłany obcy człowiek, który mamrocze, błaga, grozi mi, że muszę go „przytulić" – „jak przystało na żonę". A potem tarza się po moim łóżku, chrząka, skrzeczy, jęczy i wreszcie pada jak wór mąki, przygniatając mnie swym ciężarem, przez co bliska jestem uduszenia się. I jeszcze ten wstyd, bo następnego ranka muszę zmieniać pościel ze strachu, że służba się dowie i będzie się nade mną użalać albo, co gorsza, wyśmiewać się ze mnie – pani na Maidstone, którą szanują tyle co jakąś ladacznicę! I kiedy potem śpię niespokojnie, nawiedzają mnie coraz to osobliwsze wizje, pląsający duch Ruth Cleveland, która jest mi po śmierci o wiele bardziej znajoma niż kiedykolwiek za życia, mała Oriana Slade, która była dziewczynką od kwiatków podczas ślubu Annabel, a teraz najwyraźniej towarzyszy nocami Ruth Cleveland, oraz najstraszniejsza, bo przeobrażona postać kuzynki Wilhelminy, która uśmiecha się do mnie i szepcze niewyraźnie Kuzyneczko Addie!, choć tego nigdy nie czyniła, i wprawia swe ciało w takie kontorsje, których za dnia podobnie myśląca i cnotliwa młoda kobieta nigdy by nie robiła, jestem tego pewna. I jeszcze ten szczyt ohydy: nagie ciało Abrahama, naszego posługacza, który ma nie więcej jak trzynaście lat, nie mylę się tu raczej, a jednak w tych wizjach jest umięśnionym i „rozwiniętym" młodzianem, do tego skórę ma tak czarną jak ten mahoń, którym intarsjowana jest moja toaletka, a te pożądliwe oczy z białymi obwódkami...

_____. (A jednak poznałam odważne kobiety naszej epoki, które przeobraziły się ze zwyczajnych i uległych: poetkę i sufrażystkę Charlotte Perkins Gilman i żydowską anarchistkę Emmę Goldman, o której powiadają, że zorganizowała spisek mający na celu zabicie prezydenta McKinleya! Gdybyż biedna Koteczka miała tyle odwagi i takie sposobności; gdybyż biedna Koteczka nie była żałosną inwalidką, który to stan jest najbardziej skrajnym dla owej bardziej powszechnej dolegliwości, jaką jest kobiecość.

* * *

_____. Nie wybaczę żadnemu z nich. Moje serce jest kruche, a jednak łomocze ciężko i z dumą. Mierzi mnie ten odmieniony Horacy, okrutny, świński, który „nie jest sobą" – po wszystkim klęczy na korytarzu pod drzwiami i błaga mnie przez dziurkę od klucza: O moje kochanie, wybacz mi – bo on nie wiedział, co czyni, nie wiedział, czego się ode mnie domagał po tym, jak sobie za bardzo pofolgował z sherry, piwem i wędzonymi ostrygami w tym swoim przeklętym klubie dla panów na mieście.

_____. Dzięki Bogu za moje przyjaciółki! Dokładnie tak, jak wróżyła matka: Ostatecznie będziesz mogła polegać wyłącznie na kobietach i tylko one będą cię kochały. I tak oto Johanna van Dyck przynosi mi najsłodszy plaster miodu z uli swego zarządcy; obie z Mandy niepokoją się, że wyglądam na „nadzwyczaj bladą i schorowaną", i czytają mi na głos przezabawną Wdowę z college'u pana Ade'a i Nikczemnego epuzera pani Corelli, i jeszcze te barwne, kolorowe teksty z Eleganckiego Towarzystwa. (Kiedy te i inne panie przychodzą z wizytą, sprytna Koteczka chowa swoje teksty teozoficzne i anarchistyczne, a nawet Też z tego świata, Żółtą tapetę i inne opowiadania Charlotte Gilman; już i tak wystarcza, że przyznałam im się do lektury Świata zabawy pani Wharton, której w najlepszych rodzinach w Nowym Jorku i Newport zarzucają, że napisała wulgarną i niesprawiedliwą satyrę na ich społeczność, z heroiną, która zachowuje się w sposób ani trochę nieprzystający damie). I można też czerpać pociechę z plotek, które z niesłabnącą siłą szalały po mieście przez całe lato aż do wczesnej jesieni, jakoby rodzina Slade'ów była przeklęta, że oni są jak ten Hiob poddawany sprawdzianowi przez hebrajskiego Boga, oraz że waśń między Woodrowem Wilsonem o twarzy jak suszona śliwka i dziekanem Andrew Westem, który w pasie ma cali sześćdziesiąt dwa, robi się z każdym tygodniem coraz to bardziej zażarta. Ludzie strzępią sobie języki, jedni z uciechą, inni z niepokojem, bo mówi się, że nie jedna, nie dwie, nie trzy, ale wszystkie cztery kobiety Wilsona padły ofiarą upokorzeń doznanych przez ich ojca, a ponadto biedna Jessie, która ledwie skończyła osiemnaście lat, bardzo przeżyła utratę swej przyjaciółki Annabel Slade, którą postrzegała jako przyjaciółkę doskonałą i wzór do naśladowania. Gdzie indziej, w Wilmingtonie, leciwa pani Pyne trwa mocno przy swoich milionach dolarów, tak jak trwa mocno przy swoim spartaczonym życiu i rozgrywa Wilsona i Westa jednego przeciwko drugiemu: zapisze fortunę swego męża uniwersytetowi albo pod kierownictwem Wilsona, albo Westa – niezła sztuczka, zuch dziewczyna, zmusić tych pompatycznych „akademików", żeby tańczyli, jak im zagrasz! A jednak zdarzenia przybrały nowy obrót: jeszcze jeden podstarzały milioner daje się wciągać w tę burdę, niejaki Isaac Wyman z Bostonu, rocznik 86, o którym powiadają, że ze swoją darowizną wynoszącą cztery miliony dolarów skłania się lekko w stronę Westa. Horacy kręci głową na wieść o tym wszystkim, bo sympatyzuje zarówno z rektorem Wilsonem, człowiekiem nad wyraz rzetelnym, jak i z Andrew Westem, bo Andrew wyprzedza Wilsona o tych ileś lat więcej spędzonych na uniwersytecie, i ludzie mówią, że rada powiernicza go zlekceważyła, nie oferując mu funkcji rektora.

Najświeższe upokorzenie, jakiego doznał Wilson: okazało się, że miejsce, które zaproponował pod nowe kolegium dla magistrantów, sprzeciwiając się propozycji dziekana, nie nadaje się z przyczyn sanitarnych; rzekomo ów teren służył kiedyś za pole irygacyjne. (To mną naprawdę wstrząsnęło, że w gminie Princeton było coś takiego jak pole irygacyjne! Jestem pewna, że nigdy wcześniej o niczym takim nie słyszałam).

_____. Następnego dnia, w trakcie wertowania Świata zabawy, stwierdzam, że książka jest brzydka i szarpie nerwy, jak zresztą sugerowano, nie można się z nią pogodzić ze względu na okrucieństwo wobec tego samego otoczenia, w jakim Edith Newbold Jones się urodziła, o ile się nie mylę. Pospiesznie omiatając wzrokiem te kartki, stwierdzam, że jest jeszcze gorzej, że ten parweniusz i Żyd, pan Rosedale, powinien na końcu dowieść, że jest dżentelmenem – bo tym samym natarłby uszu chrześcijanom. Wyrzucę tę powieść do śmieci, gdzie jej miejsce, bo pani Wharton jest zaiste zdrajczynią swojej klasy, podobnie jak „Teddy", ten bufon, z którym jest na przyjacielskiej stopie.

_____. Rozkoszny dreszczyk: dowiedziałam się, że Emma Goldman jako dziewczyna spiskowała z jakimś towarzyszem anarchistą w celu zamordowania Henry'ego Claya Fricka z Carnegie Steel, a przecież Andrew Carnegie nie jest faworytem w tym domu ani też żadnym przyjacielem Burrów. Ekscytującą jest myśl o morderstwie jako o rozwiązaniu, bo tyle tych nieporozumień i zawiłości na świecie. Na przykład ci princetońscy mężczyźni, którzy tak się przejmują i sierdzą! Biedny Augustus Slade podobno od czasu haniebnego porwania jego córki cierpi na wrzody i artretyzm; moi krewni z rodziny Burrów niepokoją się sceną finansową na Wall Street, podobnie jak van Dyckowie, Strachanowie, Bayardowie i Horacy oczywiście też. Wisi nad nami groźba, że świat się wywróci do góry nogami, a tymczasem Roosevelt, ten despota, uderza we wszystko, co ma ochotę nazwać TRUSTEM, i to jego spiskowanie z Mitchellem, tym wyjętym spod prawa „prezydentem" górników, jest czymś, czemu trudno dać wiarę. Podobnie jak jego przyjaciółka, pani Wharton, Roosevelt to zdrajca swojej klasy, a jednak pręży się i puszy przed nami – to zwolennik Socjalistycznej Partii Pracy (takim mianem przedstawiają się anarchiści) i bez wątpienia wspiera zamieszki i arsonistów Patersona. Ach, nienawidzę ich wszystkich, mam dość słuchania o nich: o tym motłochu, hołocie, brudasach, analfabetach i biedocie. Pan Armour, znajomy Horacego, padł ofiarą straszliwych nadużyć w ramach serii ataków ze strony pewnej socjalistycznej gazety; po całym mieście szepczą, że jego chicagowskie kompanie, w których robią konserwy mięsne, zostały „obnażone" przez młodego demaskatora o nazwisku Sinclair, który opublikował jakiś ciąg tekstów zatytułowany Dżungla – doktor Boudinot wzdryga się i mówi, że Adelajdzie nie wolno nawet patrzeć na takie oszczerstwa, bo jej żołądek skręcą mdłości i już nigdy nie będzie mogła jeść mięsa ani też nie ścierpi, by jedzono je w jej obecności. Jeśli pani Armour przyjdzie w tym tygodniu na podwieczorek, złożę jej wyrazy współczucia, bo gdyby to Horacy został „obnażony" publicznie, to jak miałaby zareagować jego Koteczka? Musimy czerpać pokrzepienie z mądrości wieków, jak bowiem nauczał wielebny Beecher, Bóg tak sobie zamierzył, że wielcy pozostaną wielkimi, a maluczcy maluczkimi, dlatego więc robotnik, który nie jest w stanie przeżyć dnia za dolara, o chlebie i wodzie, nie nadaje się do życia.

Powiedział to chrześcijański kaznodzieja cieszący się wielkim rozgłosem i wspaniałą reputacją.

_____. Koniec września, a tymczasem wciąż parno i duszno jak w środku lata. I jeszcze nie znaleziono tej dziewczyny Slade'ów, biedny Dabney z tego wstydu zrezygnował ze swego oficerskiego patentu. I mówi się, że zostały wszczęte procedury rozwodowe, nie przez Dabneya, tylko przez Bayardów, bo te dwie rodziny, które kiedyś były z sobą zaprzyjaźnione, teraz nieodwołalnie się rozstały. A Koteczka jest często zirytowana, drażliwa i ma niewiele cierpliwości dla durniów. Wielebny FitzRandolph przyszedł na podwieczorek, a ja dość mocno go zszokowałam, mówiąc, że chciałabym się zrzec dwojga swoich podopiecznych – to jest Sary Crum z Kingstonu, która ofiarowała światu jeszcze jednego niechcianego Cruma – bodajże siódmego – i zaiste dosyć już. A także z rodziny Windvogelów, niemal równie płodnych, mimo że ojciec podobno jest kaleką, a matka diabetyczką; przenieśli się na Valley Road i trudno ich nadal uważać za członków naszej parafii. Wielebny FitzRandolph, który nigdy nie otrząśnie się z tego szoku i wstydu, że udzielił ślubu Annabel Slade i Dabneyowi Bayardowi i że w pewnym sensie jest odpowiedzialny za ten skandal, wydął na mnie wargi i wyraził obawy, że trudno będzie wyjaśnić ojcu Windvogelów, który nie miał ubezpieczenia, a został ciężko okaleczony w wyniku jakiegoś niefortunnego wypadku przy piecu w piwnicach Nassau Hall, że dobroczynność Burrów musi tu ustać, bo z kolei jego ojciec przeprowadził się kilka mil dalej od ich pierwszego domu, gdyż nie byli w stanie uiścić podatków i opłat wymaganych przez gminę Princeton. Kiedy Koteczka to usłyszała, jej temperament i dowcip rozgorzały. „Czyżby, drogi wielebny, nasza dobroczynność – mam na myśli także twoją, nie tylko naszą – miała tak się rozrosnąć, by dała radę opasać całą kulę ziemską?", zapytałam. Na co nasz szlachetny pastor wytrzeszczył oczy, nie do końca zdolny coś odpowiedzieć. Tyle z Crumami i Windvogelami. Od lat mdliło mnie od tego ich sklamrzenia i żebrania. Jestem pewna, że Emma Goldman by się zgodziła, że muszę wykreślić te istoty z listy moich podopiecznych, a także z mojego sumienia.

Ach, jestem taka osłabiona kuracją Neftela* – i doktor Boudinot, doglądający leczenia przy moim łożu, mamrocze mi do ucha, jakby taki kontrowersyjny fakt był powszechnie znany, że do tragedii Slade'ów nigdy by nie doszło, gdyby mu pozwolili dokonać „łagodnej operacji" na Annabel, gdy miała siedem lat – bo kiedy była małą dziewczynką, uznano ją za „nadwrażliwą" i obdarzoną „rozgorączkowaną wyobraźnią", ale rodzina nieroztropnie odmówiła, tłumacząc, że małe dzieci powinny się rozwijać, jak chcą, naturalnie, bez ingerencji medycznych i wkraczania osób dorosłych. Doktora Boudinota i innych medyków często się przywołuje, by wykonywali procedurę Neftela, bo dzięki temu niedorosłe kobiety mogą nabrać pewności, że nie ulegną nieprzyzwoitym objawom niektórych fizjologicznych sensacji i że będzie im oszczędzone ryzyko doznania obłędu w wyniku pewnych niewysłowionych praktyk. Doktor Boudinot gada i gada, a także wzdycha; biedak posiwiał i postarzał się w służbie licznym inwalidkom Princetonu, a teraz poklepuje mnie ojcowskim gestem po nadgarstku i stwierdza, że w moim przypadku rodzice zachowali się roztropnie. (A jednak pamiętam niewiele. Albo nic. Zdaje się chusteczka z chloroformem, a później, kiedy kazano mi „oddać wodę", mówiąc słowami mojej niańki, to uczucie, że coś mnie piecze i kłuje; ach, czyż nie jest to obrzydliwe, brzydkie – i zbyt ordynarne, by to wspominać).

* * *

* Popularna kuracja Neftela dla przewlekle chorych kobiet popadających w stany nerwowe opierała się na skomplikowanym mechanizmie elektrycznym, polegającym na tym, że do stosu pacierzowego chorej przykładano „prądy galwaniczne", wywołując u niej lecznicze wstrząsy, spazmy bądź prawdziwe konwulsje; teoria wspierająca ową radykalną kurację zasadzała się na przekonaniu, że układ nerwowy i mięśniowy człowieka „transmituje przekazy elektryczne", które muszą u pań dotkniętych chorobą zostać radykalnie przekierowane. Często się zdarzało, że pacjentka poddana terapii wykazywała jakieś oznaki ozdrowienia, ale potem znowu jej się pogarszało: w miarę upływu czasu robiła się coraz bardziej chora i jeszcze bardziej „nadwrażliwa" i ostatecznie doznawała paraliżu. Czytelnikowi pewnie ulży na wieść, że Adelajdzie McLean Burr taki tragiczny los został oszczędzony.

Jesień, a jednak wciąż ciepło. Powiadają, że przez Princeton i okolice wieją dziwne, solarne wiatry. Horacy, ostatnimi czasy dziwnie niespożyty, zainstalował elektryczny wiatrak w naszym domu, kupiony w sławnym laboratorium wynalazków doktora Schulyera Skaatsa Wheelera w Ampere w New Jersey; osobliwe, acz cudownie skuteczne urządzenie. (A jak Horacy się o nim dowiedział? Okazuje się, że dzięki kuzynce Wilhelminie, bo tych dwoje zupełnym przypadkiem usiadło obok siebie w pociągu jadącym do Nowego Jorku, Willy wertowała Post i komentowała zawarte tam rozmaite reklamy, z których jedna dotyczyła najnowszego patentu doktora Wheelera). I tak oto wisi sobie ten wiatrak w buduarze Koteczki, gdzie bardzo go doceniają. Leniwie włączam hałaśliwy silnik i wyłączam, włączam i wyłączam, zabawiając się świeżym wiaterkiem, którym on owiewa moje rozgrzane policzki i poluźnione pukle włosów. „Jaki ty jesteś dobry dla swojej Koteczki, kochany Horacy", szepczę, a Horacy na to: „Droga Koteczko, choć tyle może zrobić mąż".

_____. Zainspirowana E. Goldman, pogrążam się w nerwowej ekstazie, deliberując, czy dałoby się pozbyć ich wszystkich, tego wulgarnego, spoconego męża wliczając, gdyby zaprawić ich jedzenie arszenikiem, bo arszenik to, jak mi się zdaje, biały proszek, więc można go rozpuścić w mleku, domieszać do tłuczonych kartofli albo powrzucać kilka łyżeczek do owsianki, którą służba lubi szczególnie. I kto by coś podejrzewał? Bo biedna inwalidka pani Burr jest ledwie w stanie podźwignąć się ze swej leżanki, a co dopiero przejść na tyły domu, gdzie od lat się nie zapuszczała. I raczej nie wie, co to takiego arszenik, a tym bardziej, jak go stosować.

_____. (Dowiedziono wszakże w związku z Lizzie Borden z Fall River w Massachusetts, że „dama" nie mogłaby wziąć do ręki topora i zamordować swoich rodziców, dlatego przysięgli byli jednomyślni, choć to stado ogłupiałych baranów. I zgodnie z prawem Lizzie Borden jest równie niewinna jak ty czy ja, tym bardziej że jej niczego nigdy nie dowiedziono, a tobie czy mnie dowieść można).

_____. Boudinot i jego syn, Boudinot Junior, oraz nowy specjalista, doktor Danke z Filadelfii kręcą głowami i mamroczą coś o neurastenii, ataku reumatyzmu, hiperestezji nerwowej, neurozie kręgosłupa, zapaleniu płatów skroniowych oraz najnowszej i najbardziej jadowitej pladze z Orientu: laotańskiej śpiączce, która paraliżuje mózg i kręgosłup – i tak oto zalecają nową terapię zwaną kuracją motoropatyczną. Tak więc od Koteczki wymaga się teraz, żeby uległa i nie wrzeszczała na te sępy; one spadły na Maidstone, ponieważ pan i pani Burr to zamożni princetończycy i stać ich na te szarlatańskie remedia.

W związku z tym mój temperament zapłonął: płakałam, wierzgałam nogami pod pledem i mówiłam im, żeby sobie poszli, żeby czym prędzej sobie poszli, że nie będę się więcej poddawała eksperymentom i doznawała większego bólu, dzięki którym szarlatani się bogacą i mają rozrywkę. Doktor Boudinot, który mnie zna od małej dziewczynki, spojrzał na mnie ze zdumieniem i przestrachem – „Ależ Adelajdo, to do ciebie zupełnie niepodobne" etc. – „W takim razie, Adelajdo, musimy się zwrócić do Horacego".

_____. Chcąc rzucić im wyzwanie i zaskoczyć Horacego, wyprawiłam się dzisiaj na pierwszy podwieczorek tej jesieni; w rzeczy samej był to pierwszy taki raz, gdy opuściłam Maidstone od owego ohydnego 4 czerwca, gdy biedna Annabel została na naszych oczach porwana przez tamtą bestię. Podwieczorek nie był tu aż taki istotny, ale stanowił miłe wytchnienie od łoża boleści: naszą gospodynią była pani Wilson, przyjmowała w Prospect, tym „toskańskim dworze" uniwersyteckiego biedaka, wokół którego Wilsonowie robią tyle hałasu, pusząc się i jednocześnie narzekając, że chłopcy zaglądają im do okien! (Komu by się chciało zaglądać do *tych okien?*) Henrietta Slade była tak uprzejma i wstąpiła po mnie, dzięki czemu zostałam razem z nią podwieziona nowym i pięknym automobilem Slade'ów marki Pierce-Arrow, z mosiężnymi okuciami; droga Henrietta jest pełna troski o moje zdrowie, bo ta biedaczka naturalnie tęskni za swoją córką, a o tej córce nikt nie ma odwagi mówić. W Prospect czekało mnie rozczarowanie, bo tyle tam się zeszło żon wykładowców i żon nauczycieli z seminarium (którzy są, jak się zdaje, jeden w drugiego wyświęceni na pastorów) – bardzo sztywne, onieśmielone, kiepsko wychowane i wstrząsająco niedobrze ubrane w przestarzałe „mody" tego rodzaju, jakie damy z West Endu wydały biednym już dawno temu; Henrietta i ja byłyśmy bardzo milczące, acz pani Cleveland raczyła porozmawiać, ze swym zwyczajowym ciepłem, z panią Wilson, by dogodzić tej próżnej kobiecie, która ogłosiła swój zamiar założenia klubu kobiecego – „Klub dzisiejszego dnia" – z miejscem spotkań przy Stockton Street. (Tym samym dano nam do zrozumienia, że to zaproszenie na podwieczorek to tylko podstęp, żeby wciągnąć damy z West Endu do owego klubu – czyli dokonania mariażu princetońskiego West Endu z akademickim Princetonem, *do czego nie dojdzie nigdy*). Gdy wychodziłyśmy, pani Cleveland zaśmiała mi się ukradkiem do ucha – jakby ledwo udało nam się ujść z życiem – a już w automobilu Henrietta nie powiedziała ani słowa, tylko łkała cicho w koronkową chusteczkę. Towarzystwo kobiet – *kobiet niewłaściwego gatunku* – jest ogłuszające i męczące. I teraz pobolewa mnie głowa, jestem rozstrojona i muszę zapłacić za ten mój pęd ku wolności, wezmę trochę tego nowego leku i zdrzemnę się.

_____. Henrietta Slade, wzmocniona kilkoma filiżankami mocnej herbaty, wstrząsnęła grupką jakichś pań tragicznym i obrzydliwym epizodem, do którego doszło poprzedniego dnia w Crosswicks; otóż pies Slade'ów, Thor, dorodny owczarek niemiecki, został zaatakowany przez węża niezidentyfikowanego gatunku, o czarnych łuskach, bardzo grubego i nienaturalnie długiego: stwór wsadził swój złowrogi łeb w szczęki nieszczęsnego psa i wbił się do jego gardła jakimiś piętnastoma calami ohydnego cielska! I tenże horror zdarzył się na skraju przepięknego rozarium przy Crosswicks. Usłyszawszy to, kilka z nas, a już zwłaszcza Koteczka, omal nie zemdlało z odrazy, a Johanna to wręcz zbielała, dlatego pani Wilson pobiegła po eter z wodą, żeby nas ocucić. Nie wiedziałyśmy, co jest straszniejsze i bardziej zagadkowe: zadławienie się psa w takich okolicznościach czy też sposób, w jaki Henrietta Slade to opowiadała – biedaczka uśmiechała się bezmyślnie, kiedy relacjonowała ten horror, kilka razy powtarzając: Ale skoro my, Slade'owie, jesteśmy przeklęci, to teraz wszystko może się z nami stać. Nikt temu nie zaprzeczy.

_____. Przeklęci! To słowo targało nami jak prąd elektryczny. Bo odkąd los Slade'ów został zdefiniowany, nam, którzy woleliśmy wyobrażać sobie, że jesteśmy tylko obserwatorami, zaczęło się niebawem wydawać, że ów los jest udziałem nas wszystkich jako mieszkańców Princetonu.

_____. „W Westland nie dzieje się dobrze". Ta ponura deklaracja padła nieoczekiwanie z ślicznie ukształtowanych ust pani Groverowej Cleveland następnego dnia; biedna Koteczka zdumiała się, gdy podekscytowana Hannah ją powiadomiła, że pani Cleveland jest na dole i czeka na nią, jakby ta wizyta została zaplanowana zawczasu, a z pewnością tak nie było.

Wyobraźcie sobie moje zdziwienie, kiedy ciemnooka i obdarzona oliwkową karnacją Frances Cleveland łamiącym się głosem wyznała, przy kilku filiżankach earl greya dobrze posłodzonego miodem, że nie dzieje się dobrze w starej kolonialnej rezydencji przy Hodge Road, bo od epizodu w domu Cravena nieszczęsny Grover ledwie sypia, coś nie mogąc znaleźć właściwej pozycji dla swego brzucha, pleców czy też klatki piersiowej, dlatego więc błąka się po domu w koszuli nocnej i szlafmycy, a potem znajdują go pogrążonego w modlitwie, zalanego łzami albo wygłaszającego tyrady na temat czasów, gdy jeszcze był prawnikiem, w których obala oskarżenia wytaczane przeciwko niemu przez opryszków z Tammany Hall albo tych republikanów, którzy wszczęli okrutną kampanię, głosząc, jakoby Cleveland spłodził bękarta i tym samym nie nadawał się na prezydenta. A już najbardziej poważne ze względu na wpływ, jaki to na niego wywarło, były jego łzawe apele do McKinleya w kwestii wojny i pancernika Maine, i zapewnienia, że nie czerpał korzyści z tego zabójstwa i nie radował się nim*. „Na całe godziny zamyka się ze starym prezydentem – wyznała mi pani Cleveland i – pewnej okropnej nocy w ubiegłym tygodniu – (w rzeczy samej najgorszej nocy podczas naszego pożycia małżeńskiego!) – Grover przebudził się ze snu, krzycząc z przerażeniem, że ten skrytobójca Leon Colzigna – Czolginga? – Czolgoz-jakoś-tam – jest z nami w sypialni i ma broń palną. Cały zlał się zimnym potem, a ja nie mogłam go uspokoić, ani nawet nie próbowałam go uspokajać, bo on odpychał moje ręce i jakby mnie nie rozpoznawał. Ja tego skrytobójcy i anarchisty nie widziałam, ale Grover z pewnością go widział, tyle że ów znajdował się teraz w stanie częściowego rozkładu, bo po egzekucji na krześle elektrycznym jego ciało zostało zalane wapnem niegaszonym i kwasem. „On tu jest, Frances! Ten anarchista! Przyszli po mnie wreszcie! Moje zbrodnie były takie nieznaczne... moje potknięcia, wady... a jednak przyszli po mnie, zawloką mnie do piekła". Pani Cleveland umilkła, jakby składanie tej relacji pozbawiło ją sił, a biedna Koteczka ledwie wiedziała, co powiedzieć, zwłaszcza że dostała ataku dreszczy i mdłości. I krótko po tym pani Cleveland poszła sobie, uścisnąwszy przedtem moją chłodną, drobną dłoń – „Módl się, Adelajdo, aby to nigdy nie zdarzyło się tobie, taka zmiana w osobie twego męża".

_____. Podobno mój znerwicowany siostrzeniec, Dabney Bayard, po tym, jak zrezygnował z patentu oficerskiego, jest często widywany na torach wyścigowych w Belmont, Saratodze i Pimlico, a co gorsza, zachodzi też do zakazanych lokali hazardowych w Nowym Jorku.

(Dabney bez wątpienia odwiedza jeszcze bardziej podrzędne przybytki, których nam, damom, na szczęście nie przystoi wymieniać). Henrietcie Slade drży głos, gdy opowiada o tym nieszczęśliwym młodzieńcu, którego małżeń-

---

* To znaczy nie do McKinleya, tylko jego ducha, bo William McKinley, dwudziesty piąty prezydent Stanów Zjednoczonych, zginął w Buffalo w stanie Nowy Jork z ręki Leona Czołgosza, samozwańczego anarchisty i wielbiciela Emmy Goldman, 6 września 1901 roku; wprawdzie policja wytrwale usiłowała powiązać osobę anarchistki z zamachem, to jednak nie odkryła żadnych dowodów łączących tych dwoje; nie zgłosili się też żadni informatorzy, którzy obciążyliby Goldman, a ona z kolei za nic nie chciała zeznawać przeciwko zamachowcowi. W owym czasie wiceprezydentem był Teddy Roosevelt, którego prędko zaprzysiężono na urząd. Nie odnotowano, by ktokolwiek groził Groverowi Clevelandowi, czy to w czasie jego prezydentury, czy też w późniejszych latach.

stwo z jej córką zostało niedawno unieważnione decyzją miejscowego sądu; Dabney, jak się zdaje, bezpodstawnie stał się wrogiem Slade'ów i za nic nie chce się z nimi komunikować etc.

W każdym razie zgodnie z najczęściej powtarzaną plotką Dabney i Jozjasz Slade niebawem stoczą pojedynek i ponoć obaj ci młodzieńcy wybrali już sobie pistolety, a jednak Henrietta podkreśla z naciskiem: „Jozjasz to młody człowiek, który cechuje się chrześcijańską moralnością i hartem ducha, dlatego też nigdy nie weźmie udziału w akcie zakazanej przemocy. Współczuje Dabneyowi jak bratu".

Kiedy pani Slade wymówiła się na kilka minut z salonu w Wheatsheaf, my – to znaczy pozostałe panie – zaczęłyśmy z podnieceniem rozmawiać o tych rewelacjach i porównywałyśmy spostrzeżenia, że o dziwo nie ma znikąd żadnych wieści o Annabel, jakby ta młoda kobieta i jej porywacz zaiste rozpłynęli się w powietrzu. Jozjasz często wyjeżdża z Princetonu, bo podobno niezmordowanie szuka siostry we wszystkich zakątkach New Jersey – w większych miastach i małych mieścinach, w wiejskich osadach, leśnych ostępach i górach na północnym zachodzie, wzdłuż rzeki Delaware. (Bo Jersey to stan bardzo zróżnicowany; mieszkańcy jego dużych miast czy też goście z Nowego Jorku niewiele wiedzą o jego wiejskich terenach).

Johanna van Dyck wyznała nam, że gdy się spotka Jozjasza, to nie sposób od razu uchwycić naturę i rozmiary jego obsesji; wyglądem też nie zmienił się zbytnio, pomijając fakt, że stracił na wadze – jego urodziwa twarz jest nieznacznie wynędzniała, a oczy lśnią nieprzyjemnie; podobno też dorobił się niechlujnej brody. Mówią, że kiedy wraca do Crosswicks, to jest „bardzo cichy" – „melancholijny i zrezygnowany" – a ponadto chowa się w bibliotece swego dziadka, gdzie przetrząsa stare mapy, podobno nawet te z czasów kolonialnych, które obecnie trudno nazwać akuratnymi. „Ze wszystkich opowieści o Jozjaszu – dodała ciszej Johanna – najbardziej wzruszającą przekazali Pearce'owi jego studenci, którzy w ostatni weekend obozowali nieopodal przełęczy Water Gap; otóż ze snu wybudził ich o świcie „brodaty, młody myśliwy" przemierzający las w pojedynkę, z plecakiem i strzelbą na jelenie, który im zdradził, że poszukuje swej zaginionej siostry. Obozowicze z miejsca chcieli mu przyjść z pomocą, bo jako młodzi princetończycy mają w sobie wrodzone miłosierdzie i wiedzą, co to grzeczność, a jednak z zaskoczeniem dowiedzieli się, że ta siostra zaginęła dziewięćdziesiąt siedem dni wcześniej i po raz ostatni widziano ją na Nassau Street. Czy kiedykolwiek słyszałyście smutniejszą opowieść?"

_____. I jeszcze jest moja młoda kuzynka Wilhelmina – inaczej „Willy" – która pokłóciła się z rodzicami i zapisała się do tej szkoły sztuki w Nowym Jorku, czego oni jej zabronili; przysięgła, że niedługo wyprowadzi się z domu. Od czasu niegrzecznego odejścia Annabel Wilhelmina z pewnością nie jest sobą; bardzo rzadko mnie odwiedza, w rzeczy samej nie była w Maidstone od miesięcy. Z kolei z wieści bardziej trywialnych – Ellen Wilson poważnym tonem, ze swym miękkim, południowym akcentem, poinformowała grupę pań, że dziekan West „prześladuje" Woodrowa na najbardziej diabelskie sposoby: kiedy ci dwaj spotykają się przypadkiem, na przykład przy grze w golfa w Springdale, West, który jest znacznie wprawniejszym golfistą, staje z boku i z szyderczą miną przygląda się Woodrowowi, który usiłuje grać z opanowaniem, a jednak budzi sobą zażenowanie. Woodrow nie mógł temu zapobiec i musiał zezwolić na otwarcie Merwick House przy Bayard Lane, który ma służyć za tymczasową rezydencję kolegium dla magistrantów, z miejscem dla dwudziestu młodych mężczyzn; ów budynek niewolniczo naśladuje Oksford i Cambridge, jak stwierdził Woodrow. Pani Wilson powiedziała, że studenci są zmuszani do ubierania się w formalny, akademicki strój wyłącznie po to, by dziekan West mógł paradować w pełnym komplecie akademickich regaliów – bo ta próżna istota, jak nazywa go Woodrow, chełpi się purpurowym kapturem z Harvardu; w środowe wieczory do kolegium spraszani są mówcy i pod togami noszą wieczorowe ubrania! Jakby już samo to nie było dostatecznie oburzające, ciągnęła pani Wilson, z południowym akcentem teraz mocno spłaszczonym od zapiekłości, pod koniec takiego długiego wieczoru, podczas którego spożywa się wiele dań z ryb i dzikiego ptactwa, wirginijską szynkę, suchary, sherry, wina i Bóg wie co jeszcze, młodzi ludzie odprowadzają Westa do jego prywatnej rezydencji, nadal przebrani w obszerne akademickie togi i z wielkimi świecami w rękach – „jakby byli ministrantami, a Andrew West ich prałatem!". Ponadto Ellen Wilson opowiedziała nam, że w Merwick zużywa się sporo tytoniu, że odbywają się tam „orgie brydżowe" i że niebawem być może dojdzie do tego, że panie będą wpuszczane do wspólnych pomieszczeń znajdujących się na parterze. „Dziekan znowu się zabrał do swego przerażającego grania na klarnecie – opowiadała z żarem – nie mając na celu nic innego jak zadręczanie biednego Woodrowa, bo te zgrzytliwe dźwięki niosą się przez cały kampus, aż do gabinetu Woodrowa w wieży Prospect". Pani Cleveland zareagowała na to ostro: „Andrew West to wybitny człowiek, dżentelmen; z tego, co mi mówiono, swym doświadczeniem z dziedziny kształcenia magistrantów znacznie przewyższa pana Wilsona, jako że wiele podróżował po Anglii i Europie, podczas gdy pan Wilson ponoć niewiele podróżował po samych Stanach Zjednoczonych, jak to już bywa z prowincjonalnymi protestanckimi pastorami. Słysząc to wszystko, Ellen Wilson otwarła usta, by coś powiedzieć, a jednak w konfrontacji z posągową byłą Pierwszą Damą i czując, że widownia bynajmniej z nią nie sympatyzuje, nie potrafiła z siebie nic wykrzesać i wkrótce, mocno się rumieniąc, mrucząc jakieś wymówki, wyszła z bawialni, jakby chciała się skonsultować z kucharkami. Po jej wyjściu odezwały się głośne komentarze do niemodnego ubrania pani Wilson, jej „nieregularnych" rysów i źle uczesanych włosów, a także nad wyraz nieciekawego i tandetnego umeblowania domu rektora. „A jednak państwo Wilson, że tak powiem, znakomicie do siebie pasują", stwierdziła Frances Cleveland niefrasobliwym tonem pensjonarki i wszystkie zaczęłyśmy się śmiać. Ach, jak dobrze jest się śmiać!

_____. I oto w Princeton pojawił się ktoś nowy.

Graf English von Gneist to podobno tylko skrót pełnego miana tego dżentelmena; przebywa w gościnie w Drumthwacket przy Stockton Road, nieopodal seminarium; w rzeczy samej to wybitny teolog z Heidelbergu w Niemczech, który zaprezentował się rodzinie Mosesa Taylora Pyne'a jakimś listem polecającym i wywarł wrażenie na panu Pynie swoim obyciem i elokwencją. Wiadomo, że graf jest wdowcem; utracił całą rodzinę w jakimś tragicznym wypadku na Renie, ale wszystkich uprzedzono, że o tej stracie mówić nie należy. „Czy graf to atrakcyjny mężczyzna?", spytałam Johannę van Dyck, która poznała go już w Drumthwacket, na co ta odparła, z jakby płochym uśmiechem, „O tak! I to bardzo". Z kolei Clarice Biddle dodała z własnej woli, że w życiu nie widziała tak niezwykłego człowieka, tak „dobrze wychowanego", obdarzonego „szlachetną fizjonomią i sylwetką" – „prawdziwe towarzyskie odkrycie tego sezonu!". (Clarice Biddle! Jak to się stało, że to właśnie Clarice Biddle, która mieszka ze swym ponurym małżonkiem sędzią w tycim kamiennym domku przy Hibben Road, została zaproszona do Drumthwacket i dzięki temu poznała grafa? Czemu nie Horacy albo ja?) Niestety Pyne'owie nie są zbytnio towarzyscy, Johanna i ja zgadzamy się co do tego i raczej się nie postarali, by przedstawić grafa von Gneista sąsiadom… I w tym momencie rozbrzmiał dzwon Old North i sama nie wiem czemu, ale owładnęło mnie uczucie, jakbym popadła w omdlenie, i naraz usłyszałam, jak z moich ust wylewa się pytanie zadane najbardziej nonszalanckim tonem: „A ile lat, twoim zdaniem, ma graf?", na co Johanna odparła: „Jest dość młody, nie więcej niż czterdzieści", a Clarice Biddle dodała: „A nawet jeśli ma pięćdziesiąt, to jest bardzo jurny".

_____. Po ekscytacjach wczorajszego popołudnia bardzo jestem ospała – czyżby dopadła mnie w końcu ta zjadliwa laotańska śpiączka?

A tymczasem słyszę bardzo dalekie wołanie Hannah: „Pani Burr? Pani Burr?", bo tak jakby znajdowałam się w jakiejś innej krainie, w zamku nad Renem, w którym nie byłam „panią Burr", „Adelajdą" ani też „Koteczką". Graf zwracał się do mnie grubiańsko, zuchwale, w sposób nietolerujący oporu: Przyjdźże tu, kobieto, rozkazał ciężko akcentowanym barytonem.

* * *

_____. Tylko pomysłowy mechanizm doktora Wheelera przynosi mi ulgę, jego łopatki obracają się bez końca, wzniecając ponętny wietrzyk, który chłodzi mą rozgorączkowaną twarz.

_____. „Ja okrutny, Adelajdo? – natarł na mnie zniecierpliwiony Horacy. – Żaden człowiek pozostający przy zdrowych zmysłach nie chciałby prowokować takiej reakcji!" (Bo kiedy układał tacę na moich kolanach, z rozmysłem przycisnął ją do mego łona, które nie było obleczone w gorset; przysięgłabym). (Przebiegle skrajem tacy i swoim kciukiem. Sprawiając, że wzdrygnęłam się, krzyknęłam przeraźliwie i wszystko się rozsypało – imbryk, gorąca woda, śmietanka, cukier i łyżeczki. Nie przeprosił za to).

_____. Znudzona i bliska łez. Taka strasznie słaba, że aż Biblia wyślizgnęła mi się z rąk i łupnęła o podłogę. Wprawdzie leżę bez gorsetu na mej leżance, a jednak się zdaje, że żelazna obręcz opasuje moje żebra, brzuch i biodra; nie mogę oddychać, zaraz zemdleję. Bo Horacy przestał mnie kochać i szanować. Nic już mnie nie czeka prócz grobu.

_____. W najnowszym wydaniu <u>Vanity Fair</u> jest mowa o Princetonie, bo zamieścili artykuł o Johnie Singerze Sargencie ilustrowany jego portretem Mandy – („małżonki pana Edgerstoune'a FitzRandolpha z Mora House w Princetonie") – wyborna reprodukcja – jestem opętańczo zazdrosna! – nie, jestem szczerze zadowolona, bo Mandy to moja serdeczna przyjaciółka, warta wszelkiego podziwu. (Tylko czemu od tak dawna się nie odzywa? Mówiono mi, że graf gościł na kolacji w Mora House; Horacego i Adelajdy nie zaproszono). (Dlaczego ona nie nakłoni grafa, żeby <u>nas</u> odwiedził? Czy oczekuje, że będę ją <u>błagała</u>?) Mandy to przystojna kobieta, jeśli wręcz nie piękna; „spętana", tak to nazywają – żeby uchodzić za „Dziewczynę Gibsona"* – i nie jest taka <u>drobna</u> jak ja, pozwolę sobie zauważyć. Czy to głupie z mej strony, że chciałabym, aby Sargent namalował mój portret? A może już za późno na to?

_____. (Ach, jakże podskakuje mi serce! Ale to nic – podmuch lekko uchylił drzwi i zaraz zamarł – jakby ktoś tam czekał na korytarzu, wstrzy-

_____

* Ang. *Gibson Girl*, stworzony przez rysownika Charlesa Dana Gibsona ideał urody amerykańskiej młodej kobiety przełomu XIX i XX wieku, eleganckiej, szczupłej, noszącej gorset pod wygodne, miękkie suknie (przyp. tłum.).

mując oddech. „Tak? Halo? Hannah? Pani Joris? Minnie? Czy to ty, Horacy?
(Jednak nie, Horacy wsiadł do pociągu jadącego do Filadelfii, gdzie ma spotkanie w interesach, tak powiedział, i nie wróci do piątku). Tam nikogo nie ma i Koteczka znowu się wygłupiła, że podnosi raban z powodu takiej błahostki).

_____. Pierwszym prawdziwym anarchistą był Jezus Chrystus, a pierwsze stowarzyszenie anarchistów stworzyli Apostołowie. Bo słabi powstaną przeciwko swoim ciemięzcom i ostatni będą pierwszymi, a pierwsi ostatnimi; proletariat pokona swych klasowych wrogów, a burżuazja i cały rząd uwiędną. Do tego czasu będziemy nauczali propagandy czynu i indywidualnej reapropriacji.

Przeczytawszy to w Myślach rewolucyjnych Michaiła Bakunina (które zamówiłam pocztą, bez powiadamiania Horacego, który by się tutaj zdecydowanie sprzeciwił, i również przy niewiedzy moich mizdrzących się przyjaciółek), dreszcz przeszywa moje ciało pod wpływem takich porywających słów! Propaganda czynu oznacza destrukcję: anarchistyczne zamachy bombowe, skrytobójstwa. Indywidualna reapropriacja oznacza śmiałe, nieustraszone akty kradzieży wymierzone przeciwko burżuazji.

Gdybyż tak jakiś anarchistyczny rewolucjonista wtargnął do Maidstone House, żeby dokonać reapropriacji biednej Koteczki! Pierwszym domem, do którego bym go zaprowadziła, byłoby Drumthwacket, jeśli nie Crosswicks: bo każdy z nich jest zbyt „pałacowy", by odpowiadał wymogom dobrego smaku; każdy zasługuje, by podłożyć w nim bombę i splądrować go chciwymi dłońmi proletariatu.

_____. „Jest pośród nas co najmniej jeden święty: Winslow Slade". Te zaskakujące słowa Horacy wypowiedział do mnie tego wieczoru. Bo okazuje się, że mój małżonek ostatnimi czasy szukał porady w kwestii, która jest mi nieznana. „Najdroższa Koteczko, nie kłopotałbym cię tym tematem, bo on nie jest ważny" – mówi z uśmiechem Horacy i pochyla się, by pocałować mnie w czoło, a ja ze zdumieniem wyczuwam nowy spokój, który odeń bije, i duchową równowagę z dawnych czasów, której tak brakowało przez wiele tygodni. Mój przystojny mąż-dżentelmen powrócił do mnie: był ledwie co u golibrody przy Witherspoon Street, dlatego czuć od niego słabą, ale miłą woń cytrynowej pomady, jego zakręcone wąsy są przyprószone siwizną, ale dystyngowane, bardzo szeroki uśmiech ukazuje silne zęby, policzki są pomarszczone, oczy przepełnia miłość do Koteczki, którą ostatnimi czasy tak poniewierał. Ach, jestem kochana; już nigdy więcej nie zwątpię w Horacego.

(A jednak to dziwne i niepokojące: Horacy nie chce mi powiedzieć, jakiej to porady zasięgał u wielebnego Slade'a*, jakbym była jakąś głupią gąską, której nie należy trapić sprawami spoza jej buduaru czy też bawialni. Czy to jakaś sprawa z Wall Street? Czy to nasze wspólne inwestycje? (Bo mój spadek i fundusz powierniczy zostały przemieszane ze schedą Horacego, na znak, że szanuję jego wiedzę o takich sprawach). Ten męczący pan Lodge, który nakłania Horacego, żeby kupował i sprzedawał, kupował i znowu sprzedawał: Northern Securities Co. – Northern Pacific – Great Northern – Colorado Smelting & Mining – Panama Canal Co. – Koleje Pensylwańskie – Standard Oil – jakież to wszystko nudne! Następnym razem nawet nie będę się kłopotała podnoszeniem słuchawki, by podsłuchiwać, kiedy Horacy będzie znowu konferował z panem Lodge'em etc.

Świat mnie omija, jak się zdaje. Bo doktor Boudinot przestrzegł Horacego – nie wolno mnie poddawać zbyt wielu bodźcom, powinnam się trzymać swojej leżanki i nie „zaogniać" sobie myśli praśnymi bądź wyuzdanymi lekturami. Z tego powodu ominął mnie wczorajszy występ grafa Englisha von Gneista na polowaniu w dolinie Pahaquarra, którym wszyscy się zachwycają. Bo podobno ten wysoko urodzony dżentelmen dosiada znakomitego wierzchowca, jednolicie czarnego araba; sylwetka grafa jest szlachetna, ale zręczna, maniery podczas jazdy – nieskazitelne, kiedy galopuje pełnym tempem przez pole, to i on, i jego ogier wydają się prawie nie spieszyć, a uszyty na angielską modłę strój do konnej jazdy, jakże elegancko pasujący do figury grafa, ponoć zawstydził miejscowych mężczyzn – tak mi przekazała skwapliwie moja informatorka, Johanna van Dyck.

„Jego twarz, Adelajdo, jest zarówno śmiała, jak i poetycka: czoło wysoko sklepione, a te jego włosy szare jak żelazo cofają się już od niego, a jednak sprawiają wrażenie niezwykle gęstych – opowiada Johanna powolnie – co grafowi nadaje szlachecki, a zarazem melancholijny wygląd. Dlatego on mi się wydaje najbardziej podobny do lorda Rochestera z Jane Eyre". Von Gneistowie podobno wywodzą się z jakiejś starej rodziny szlacheckiej z rejonu Europy Środkowej zwanego Wołoszczyzną, dawniejszego księstwa Rumunii; w ich żyłach płynie krew madziarska, saska, lombardzka, bułgar-

---

* Wprawdzie Winslow Slade zniszczył większość swych prywatnych dokumentów tamtej nieszczęsnej wiosny 1906 roku, ale przetrwało trochę po części nadpalonych kartek z jego dziennika i dzięki temu wiemy, że przedmiotem kilku nacechowanych udręką rozmów Horacego Burra z nim był jeden z najbardziej zawiłych problemów moralnych chrześcijaństwa: czy akt małżeński jest czymś niewinnym, podczas gdy cielesne żądze są czymś złym, jak tego nauczał w szóstym wieku Ojciec Kościoła Grzegorz Wielki, czy też, jak to później wyważyli tomiści, zło kryje się nie tyle w cielesnych uciechach, ile raczej w ligamentum rationis (zawieszeniu używania rozumu). Tylko co Winslow Slade doradził Horacemu Burrowi i dlaczego Horacy odczuł potrzebę, żeby się go radzić piętnastu latach małżeństwa?

ska, a nawet tych niewiernych Turków. A jednak von Gneistów jest niestety niewielu i ich niegdyś znaczna fortuna uległa uszczupleniu; graf von Gneist, który określa siebie mianem „jedynego żyjącego spadkobiercy Nicości", spędził swe dorosłe życie na podróżach od jednej stolicy do drugiej. Jest wprawdzie absolwentem liczącego się Seminarium Teologicznego w Monachium, a jednak nie został pastorem protestanckim, tylko raczej autorem tekstów teologicznych; jest też poetą, dramaturgiem, powieściopisarzem i kompozytorem. A także wybitnym jeźdźcem i myśliwym. Z natury skory do melancholii, uważa siebie za kogoś „zasadniczo pozbawionego domu", „wygnańca" – podobnego wręcz do legendarnego Latającego Holendra, tyle że nie jest bynajmniej nieśmiertelny.

„A poza tym jest wdowcem, całkowicie pozbawionym rodziny".

Głos Johanny drży, kiedy dzieli się ze mną taką wiedzą.

_____. Sądzę, że poznam go nareszcie: grafa von Gneista.

Bo Amanda zaprosiła Horacego i mnie na kolację do Mora House w przyszłym tygodniu i optymizm każe mi wierzyć, że będę dostatecznie silna na taką wyprawę, jeśli Horacy się zgodzi.

_____. Dziwny incydent, o którym dowiedziałam się z drugiej ręki: pani Cleveland ofuknęła Horacego na peronie; nie mogło być pomyłki z jego strony, Horacy próbował zagadnąć grzecznie tę kobietę, ale tylko sprawił, że natarła na niego w najbardziej niekulturalny sposób. Nawet jej lokaj się zaczerwienił, twierdzi Horacy.

Nie będę broniła pani Cleveland: nie lubię jej i ona nie jest moją przyjaciółką. A Grover Cleveland, ten opasły pasibrzuch, nie jest kimś, kogo można by podziwiać.

A jednak Horacy gapi się na mnie dziwnym wzrokiem, gładząc wąsa: „Te tajemnice płci niewieściej! My, mężczyźni, nie mamy co marzyć, że przenikniemy wasze głębiny, możemy tylko mieć nadzieję, że się w nich nie potopimy".

_____. Osobliwe wrażenie, że coś mnie swędzi i piecze między oczami – i wyrywam się ze snu przestraszona, jak ktoś, kto podczas snu lekko się wyswobodził ze swego śmiertelnego ciała; podobno eteryczne ciało mieści nas w sobie, którzy jesteśmy oświeceni, i czasami podczas snu to ciało zostaje wykwaterowane z ciała moralnego. (Tak naucza pani Bławatska). Ale och! To wrażenie między oczami, w dolnej części czoła jest takie dziwaczne – czyżby trzecie oko, oświecenie? Nareszcie się otwiera?

POSZUKIWANIA KONTYNUOWANE

Po upływie wielu miesięcy od uprowadzenia Jozjasz poznał jeden ze sposobów, w jaki jego siostra i jej uwodziciel kultywowali swój potajemny romans. Pewnego chłodnego październikowego poranka, kiedy akurat spacerował po *jardin anglais* rozciągającym się na tyłach plebanii, zadręczając się rozmyślaniami, gdzie jeszcze mógłby szukać Annabel, jako że jego dotychczasowe poszukiwania nie przyniosły żadnego skutku, podszedł do niego z wahaniem główny ogrodnik – staruszek, którego Slade'owie zatrudniali od dziesiątków lat i który znał każde z ich wnucząt od niemowlęctwa.

Ów ogrodnik głosem pełnym smutku i żalu wyraził nadzieję, że do tragicznego zniknięcia siostry Jozjasza nie doszło z jego winy, bo milczał, choć mógł porozmawiać z panem Slade'em, rodzicami Annabel albo samym Jozjaszem.

Wyjaśnił, że „wiele razy" widział, jak panna Annabel przez większą część kwietnia i cały maj zostawiała zapieczętowane listy w zbutwiałej zapadlinie w pniu ogromnego prastarego wiązu górskiego na dolnym tarasie ogrodu, i mimo że zasadzał się w tym miejscu kilkanaście razy, to jednak nigdy nawet przelotnie nie zobaczył osoby, która przychodziła po te listy i pozostawiała odpowiedź zaadresowaną stanowczą dłonią do PANNY ANNABEL SLADE. (Wyraźnie starając się dowieść bystrości swego umysłu, zaznaczył, iż pewne jest tylko jedno, że ten, kto zabierał listy panny Annabel, to nie był porucznik Bayard). Ponadto trzykrotnie, o owej nieokreślonej godzinie tuż przed świtaniem, gdy był w szklarni, zauważył przypadkiem mężczyznę i kobietę idących szybko po zroszonej trawie w kierunku lasu Crosswicks – „Ich ciała były tak lekkie, że nie zostawiali niemal żadnych śladów swych stóp".

Jozjasz był tak zdumiony tymi rewelacjami, że aż zapomniał rozzłościć się na ogrodnika, aczkolwiek taki gniew poniewczasie niczego by nie zmienił.

– „Mężczyzna i kobieta". Ale czy ową kobietą była Annabel?

Ogrodnik ponuro pokręcił głową: nie wiedział, sylwetki były zbyt daleko.

– Jak byli ubrani?

Ogrodnik znowu nie wiedział. Ale jego zdaniem ich ubrania nie były ani nowe, ani też modne.

– Jak ubrania z innych czasów, może z tych, kiedy byłem małym chłopcem.

– Jakieś to dziwne, Hendrick, że mogłeś nie rozpoznać mojej siostry, nawet z daleka.

Ogrodnik zgodził się z nim prędko, ale jeszcze raz podkreślił, że nie potrafił zidentyfikować ani mężczyzny, ani kobiety, a poza tym w owym czasie uznał, że nie są to znajomi ludzie, tylko jacyś obcy.

– Wszak znalazłem w trawie papierosy, których nie powinno tam być. Jakieś zagraniczne, niespalone do końca, tylko trochę nadpalone.

– Papierosy! Ale Annabel nie pali, no przecież. Palaczem był zapewne mężczyzna. Czy to mógł być Axson Mayte?

– A kiedy przestali się tu pojawiać? Po ślubie?

Ogrodnik z powagą skinął twierdząco głową. Tak mu się wydawało. Miał nadzieję, powiedział, że Jozjasz mu wybaczy. Bo teraz żałował, tak strasznie żałował – może dałoby się zapobiec tragedii, gdyby się z kimś podzielił swymi odkryciami.

Jozjasz odparł, że tu nie ma nic do wybaczania – że oczywiście on tu nie jest nic winien.

– Nie bardziej niż ktokolwiek z nas, Hendrick. Wyobrażaliśmy sobie, że znamy moją siostrę, a wychodzi na to, że prawie wcale jej nie znaliśmy.

A więc może jednak od nas uciekła – uciekła z Crosswicks, uciekła od Slade'ów. I może rzeczywiście pali papierosy – o czym nikt z nas nie wiedział.

Z grubsza w tym samym czasie Jozjasz otrzymał osobliwy list od Woodrowa Wilsona, w którym ten, używając najbardziej pokornych sformułowań, pytał go, czy w najbliższym czasie miałby wolną chwilę, by wpaść do Prospect, żeby omówić pewną „prywatną kwestię".

Termin spotkania został uzgodniony, a jednak gdy Jozjasz przybył i został wpuszczony do domu przez samą panią Wilson, z rozczarowaniem dowiedział się, że Woodrow „czuje się niezdrów" i ostatecznie się z nim nie spotka.

Jozjasz wyraził zaniepokojenie i spytał, czy pan Wilson jest poważnie chory, na co pani Wilson, znienacka emocjonalnym tonem, odparowała:

– Ależ to chyba oczywiste, że jest *poważnie chory*, w przeciwnym razie nie wzbraniałby się przed obowiązkami.

Jozjasz przeprosił, że zakłócił spokój, i już miał się oddalić, gdy pani Wilson, łagodniejszym tonem, acz nie bez nuty przygany, powiedziała:

– Woodrow jest w nieustających nerwach od czasu... od tamtego strasznego dnia. Obawia się, że wszyscy na plebanii go obwiniacie, nieważne, że ledwie znał tego Maytego i że z pewnością nie wciągnął uniwersytetu w układy biznesowe z tym człowiekiem.

Jozjasz zapewnił panią Wilson, że nikt z jego rodziny nie wini nikogo za tamten epizod, wyjąwszy samego Maytego, i że jego rozmowa z panem Wilsonem będzie przebiegała zgodnie z takim podejściem. Dodał, że chciałby się rozmówić z Jessie, jako że Jessie i Annabel były przyjaciółkami i być może Annabel zwierzała się Jessie albo chociaż wzmiankowała o tym, jak wygląda sytuacja...

W tym momencie pani Wilson wyraźnie się zaniepokoiła i oznajmiła, że nie jest to możliwe, ponieważ Jessie również przeżywa załamanie nerwowe i nie może zejść na dół, w każdym razie Jozjasz może być pewien, że sama drobiazgowo przepytała córkę na temat uprowadzenia i z zadowoleniem stwierdziła, że Jessie nic nie wie i że jest absolutnie niewinna.

Podobnie jak Annabel, też kiedyś niewinna. Jak nam się wydawało.

Jozjasz raz jeszcze przeprosił poruszoną kobietę i odszedł, ale następnego dnia został wezwany ponownie, telefonicznie przez samego Woodrowa Wilsona, który prosił Jozjasza, by ten spotkał się z nim późnym popołudniem, kiedy on wróci z Nassau Hall do Prospect i będzie pracował w swojej „wieży", która w rzeczywistości okazała się zwyczajnym pokoikiem na poddaszu przeobrażonym w oszczędny gabinet z przepięknymi widokami na uniwersytecki kampus skryty za gąszczem wiecznie zielonych krzewów i wiązów.

Jozjasz nieraz słyszał o tej „wieży": kryjówce rektora uniwersytetu przed *kobietami, które zdominowały jego domostwo*, z czego ów niekiedy niezdarnie sobie żartował.

Jozjasz spostrzegł, że Woodrow Wilson ma twarz bardziej spopielałą niż zwykle, choć zresztą nigdy nie był człowiekiem wyglądającym „zdrowo i czerstwo" – stanowił wręcz doskonałą antytezę Andrew Westa, jego nemezis, jegomościa krzepkiego jak Falstaff, o rumianych polikach i gromkim, zaraźliwym śmiechu. Jozjasz z uprzejmości spytał starszego mężczyznę o zdrowie, wiedział bowiem, że tego się odeń oczekuje, i Wilson w odpowiedzi wygłosił tragikomiczną litanię dolegliwości, dodając, że wiele z nich wytrzymuje ze stoickim milczeniem, ponieważ nie chce niepokoić swego otoczenia ani dawać nadziei tym, którzy są mu wrogami.

Dyspepsja i nawracające spazmy nerwowe w klatce piersiowej, a także sporadyczne drżenie dłoni i okazjonalne „okluzje" widzenia – to jest dla niego szczególnie niepokojące, bo ma obowiązek pisać liczne przemowy i artykuły. (Pan Harvey, redaktor „Harper's", zlecił mu napisanie artykułu i Wilson bardzo się niepokoił, czy uda mu się wywiązać). Owe niedomagania, powiedział Jozjaszowi, jeszcze zanim poprosił go, by usiadł, są skutkiem ubocznym ogromnej presji, jaką nakłada na niego „sytuacja" na uniwersytecie – o której chyba Jozjasz wie?

– Ostatnim bulwersującym zdarzeniem jest to, że dziekan West udał się do rady powierniczej, chcąc wymusić jej poparcie dla siebie, ponieważ zaproponowano mu stanowisko rektora Massachusetts Institute of Technology w Cambridge, *z pensją ponoć wyższą od tej, którą otrzymuje rektor Princetonu.* – Tu Wilson umilkł, czekając, aż Jozjasz przyswoi sobie te nowiny. – Ale ten dwulicowy człowiek nie opuści Princetonu, wiem o tym. Z tym instytutem to jest jakiś diabelski układ; rektor Harvardu, pan Eliot, chce go przyłączyć do uniwersytetu jako wydział nauk ścisłych. Tylko jakim sposobem dziekan West miałby zostać rektorem? To wszystko jest wielce skomplikowane – diaboliczne. A jednak powiernicy mu uwierzą, zwłaszcza Grover Cleveland, który jest *kumplem* tego człowieka.

Wilson perorował tak bez zmiłowania, stoicko spokojnym głosem, a Jozjasz rozglądał się po pokoju, który był jednocześnie spartański i zagracony; niby wypełniały go tylko biurko, stół i krzesła, a jednak zarówno parapety okien, jak i stół były zawalone stosami prac naukowych i dokumentów; na niskiej szafce obok biurka zgromadzono zaskakująco dużo jakichś medykamentów i syropów; Jozjasz zauważył nawet szeroki bandaż z białej gazy oraz blaszaną flaszkę opisaną gotyckimi literami: płyn Hebesa. A także brudne łyżeczki, chusteczki i bibułki, od których bił zastarzały odór jakby z kloaki.

– Czy mógłbym otworzyć okno? Trochę tu ciasno…

A jednak nie, Woodrow Wilson skrzywił się na taką sugestię, bo właśnie walczył z bronchitem i nie mógł ryzykować, że dodatkowo przeziębi sobie płuca.

Po skargach na dziekana Westa Wilson przeszedł do trudności, jakie ma z usunięciem „zbędnego balastu" z uniwersytetu, odziedziczonego po sympatycznym, acz niekompetentnym rektorze Francisie Pattonie, a także do jeszcze większych trudności, jakie napotyka w walce o zamknięcie klubojadalni, które prawdziwie tłamszą życie studenckie i potrafią zastraszać tak grono akademickie, jak i administratorów. I jeszcze do kwestii sportu.

– Drużyny sportowe panoszą się iście grubiańsko, a ich trenerzy roją sobie, że zasługują na takie samo wynagrodzenie jak nasi wykładowcy.

Jozjasz przypomniał sobie, że Annabel broniła Woodrowa Wilsona, kiedy inni krytykowali tego człowieka, nazywając go „zimnym" – „ambitnym z wyrachowania" – „zadufanym w sobie snobem" – „bizantyjskim logotetą"; Annabel protestowała, twierdząc, że ojciec jej przyjaciółki Jessie, na ile go zna, uwielbia rozmawiać z dziećmi i zabawiać je opowiastkami, przy których wygłaszaniu komicznie naśladuje „murzyński" dialekt. Jest miły szczególnie dla małych dziewczynek, mówiła Annabel, wspominając kilka okazji w towarzystwie Jessie, kiedy pan Wilson nawet przykucnął, bo tak mu było wygodniej z nimi rozmawiać i jeszcze bardziej je rozśmieszać.

Jozjasz kilkakrotnie próbował przerwać monolog Wilsona, który ciągnął się bez końca, uporczywie i leniwie, przywodząc na myśl powolne ruchy melasy; bardzo chciał zapytać o Axsona Maytego, ale Wilson to udaremniał, sugerując, że Jozjasz powinien zrobić karierę jako prawnik, tak jak on to początkowo uczynił, bo zaplanował, że wejdzie do polityki z dyplomem z prawa.

Następnie pouczył swego gościa, że wyznawcy kalwinizmu nie wolno wycofywać się ze świata, ponieważ świat, jak jasno tłumaczy Biblia, to pole bitwy między siłami dobra i zła.

– Diabła nic bardziej nie cieszy niż to, gdy najlepsi z nas zamykają się w swoim prywatnym życiu i pozwalają światu zawisać w próżni!

– Najlepsi z nas? Ależ, sir, skąd mamy wiedzieć, którzy to?

– Skąd mamy to wiedzieć? No jakże... Bóg pozwala nam to wiedzieć. Tu nie może być żadnej zagadki.

Wilson aż się rozjarzył z irytacji jak potarta zapałka. Wyraźnie szukał zwady, bo jego skryte za chropowatymi powiekami oczy nabrały ostrzejszego wyrazu, a ociężała sylwetka wyprężyła się w jednej chwili. Jozjasz mimo to odparł, może nie całkiem zuchwale, a jednak tonem, jakim mógłby obalać twierdzenia dowolnego ze swych krewnych:

– Na ile się dowiedziałem podczas swoich studiów, tu w Princetonie, a także później, wszystkie narody, plemiona, klany i niekiedy nawet jednostki uważają siebie za „Bożych pomazańców", a swoich wrogów za wybrańców diabła. W którym to przypadku, doktorze Wilson, potrzeba zaiste aktu wiary, by wyobrażać sobie, że Bóg stoi wyłącznie po naszej stronie i myśli jedynie w naszym interesie, choć przecież na świecie żyje tylu innych. *Miliony* innych.

Wilson zamrugał powoli na Jozjasza przez wypolerowane okulary, jakby w życiu nie słyszał czegoś równie niezwykłego i niepokojącego.

– Jozjaszu, czy ja cię dobrze usłyszałem? Nie ma w Princetonie miejsca na takie wolnomyślicielskie, anarchistyczne idee i z pewnością nie należy dopatrywać się ich źródła w twoich studiach, jestem tego pewien. Wielebny Shackleton z naszego seminarium wyraził swe stanowisko publicznie, stwierdzając, że u nas nie będzie żadnych zabaw w nowe idee, w odróżnieniu od tego bastionu wolnomyślicieli, czyli Unijnego Seminarium Teologicznego, a ja ze swej strony powiadam, że zamierzam reformować Princeton w służbie tradycji. Takie idee jak ta, którą ty właśnie przytoczyłeś, mogą stanowić przedmiot żywych dyskusji, ale w prawdziwym życiu okazują się relatywistycznymi nonsensami, których nie sposób zaakceptować.

Jozjasz musiał włożyć wiele wysiłku w to, by nie przewrócić oczami albo nie zaszurać nogami po gołych deskach podłogi, idąc w ślad studentów, którzy w taki właśnie bezsłowny sposób zwykli z czegoś kpić.

– Cóż. Wiem dość, sir, by rozumieć, że wielki ze mnie ignorant – powiedział tonem, który miał udobruchać starszego mężczyznę.

Nie podobało mu się to trwożliwe spojrzenie, jakim wpatrywał się w niego Wilson, podobnie jak te rozedrgane ruchy jego warg, które były chyba oblepione w kącikach jakimś białym proszkiem. Nadal nie rozumiał, z jakiego powodu Wilson go do siebie zaprosił. Wszak chyba nie po to, by recytować swe nieodmienne gorzkie żale?

– W takim razie, sir, jeśli idzie o twego byłego współpracownika czy też znajomego, Axsona Mayte... – zaryzykował.

– Nie, nie! Ten przeklęty osobnik nie jest ani moim współpracownikiem, ani znajomym, zapewniam cię!

Na to Jozjasz nie potrafił wymyślić żadnej odpowiedzi. Bo z pewnością Woodrowa Wilsona widywano często w towarzystwie Maytego w pewnym określonym czasie; sam Jozjasz widział ich razem.

– Był grubiański, nieludzki, nie miał w sobie nic z dżentelmena, taki Jack London – Wilson mówił teraz jakby w natchnieniu, kojarząc idee – który pewnego dnia odważył się stwierdzić publicznie, że nie będzie zaprzeczał, iż socjalizm to zagrożenie! „Ma na celu wymazanie, wykorzenienie i pocięcie na kawałki wszelkich instytucji kapitalistycznych naszego obecnego społeczeństwa", tak oto obiecuje ten zwyrodnialec. To, co oni nazywają rewolucją, ma wybuchnąć przed rokiem 1910. A co z napływem rzesz imigrantów z najniższych klas Europy Południowej i Wschodniej? Bo jest tak, że silniejsze rasy z północnej Europy, Brytyjczycy, Szkoci i Irlandczycy, żyją w bezustannym zagrożeniu, bo, jak powiadają, zły pieniądz wypiera dobry.

Jozjasz westchnął, ale nie odpowiedział. Nieopodal dzwon Old North wybił miłosiernie szóstą.

– Kiedy byłem studentem Uniwersytetu Princeton i tyrałem jak koń pociągowy, w Bluszczu odmówili mi prawa członkostwa – znów zaczął Wilson, ironicznie wykrzywiając usta, jakby nic nie mogło być bardziej niewiarygodne. – Poprzysiągłem wonczas, że gdy tylko będę w stanie, odpłacę się. Odczekałem dwadzieścia lat. Campbellowie z Argyll wiedzą, co to *cierpliwość*.

Obiektywny obserwator nie dostrzegłby żadnego związku między impulsywną wypowiedzią Wilsona a jego odrazą wobec anarchii – Jozjasz jednak wszystko rozumiał.

Jozjasz, który gardził uniwersyteckimi swarami, jako jeden z najbardziej lubianych studentów ze swojego roku otrzymał – nieoficjalnie i niebezpośrednio – zaproszenie od ekskluzywnej klubojadalni Bluszcz – co zignorował w swej arogancji jako Slade. Z tego powodu podczas kolejnych lat studiów był przedmiotem zarówno powszechnej zawiści, jak szacunku, nawet ze strony niektórych wykładowców. Zlekceważył Bluszcz! A przyjaźnie, te nieliczne, nawiązywał gdzie indziej. Uważał i wtedy, i teraz, że nie po to człowiek idzie na studia, by zdobywać przyjaźnie i popularność.

W tym momencie, zobaczywszy u Wilsona tę dawną pokorę zmiękczoną częściowo nadzieją na odwet, Jozjasz zrozumiał, że oto musi teraz odgrywać rolę swego młodzieńczego „ja" w tym samym kampusie: w zasadniczo klaustrofobicznym światku, pełnym przywilejów i lęków, w którym zmusza się człowieka, żeby *przejmował się jakimiś marnościami.*

– Przykro mi to słyszeć, sir. Klubojadalnie potrafią być bezwzględne, jeśli nie weźmie się ich w ryzy.

– *Zostaną wzięte w ryzy.* Będę *do śmierci* walczył z tymi okopanymi w swych przekonaniach absolwentami, z cho… radą powierniczą i przeklętym dziekanem Westem, który ich wspiera. – Woodrow Wilson trząsł się teraz, całe jego długie, szczupłe ciało się trzęsło. Było to coś niesłychanego, że Wilson ze swymi kaznodziejskimi manierami omal użył słowa *cholerny.*

Jozjasz odruchowo zapragnął pocieszyć starszego mężczyznę, a nawet obetrzeć jego zaślinione usta chusteczką. Ale oczywiście w życiu by nie dotknął Woodrowa Wilsona – to oczywiste! Przypomniał sobie, że podczas któregoś z wykładów z historii myśli europejskiej w McCosh Hall, wiele lat wcześniej, jeden z jego profesorów oświadczył, że o ile szaleństwo u zwyczajnych jednostek jest zjawiskiem stosunkowo rzadkim, o tyle stanowi ono cechę nieodzowną u liderów politycznych pewnej specyficznej maści: „Nie jest to człowiek szalony funkcjonalnie, tylko szalony intelektualnie. Instynkt mu będzie podpowiadał, jak skrzykiwać innych pod skrzydła swego szaleństwa, udając, że im służy i że to od niego zależy ich życie – jako przykład można tu podać Napoleona".

Przynajmniej tutaj, w USA, w naszej demokracji, coś takiego jest niemożliwe, pomyślał Jozjasz.

Mówiło się na mieście, że Woodrow Wilson ma „ambicje polityczne", i to od dziecka. Któregoś razu Frances Cleveland zauważyła podczas proszonej kolacji, że „najbardziej potentnym organem męskim" w całym Princetonie są usta Woodrowa Wilsona.

Przypomniawszy to sobie, Jozjasz uśmiechnął się. I natychmiast przestał się uśmiechać, bo Woodrow Wilson piorunował go wzrokiem,

– Widzę, że jesteś rozbawiony! O ile pamiętam, *ty sam* byłeś członkiem Bluszczu.

– Nie. Nie byłem.

– A ja słyszałem, że byłeś. W przeciwnym razie znaczyłoby to, że odrzuciłeś ich zaproszenie.

– To było dawno temu, doktorze Wilson. Najlepiej uznać, że klubojadalnie „wymrą" razem z narodzinami demokracji w kampusie. Podobnie jak państwo, jeśli wierzyć przepowiedniom socjalistów i marksistów.

– Nie ma sposobu, by tak ukorzenione życie miało po prostu „wymrzeć". Trzeba mu w tym pomóc, dynamitem, jeśli trzeba. A skoro już fantazjujemy o wymieraniu klubojadalni, to w takim razie powinniśmy się spodziewać, że czarni i... i kobiety będą któregoś dnia przyjmowani w poczet studentów Uniwersytetu Princeton. – Wilson parsknął, rozśmieszony tak niedorzecznym pomysłem.

– W tej kwestii dziekan West też się panu stawia?

Wilson nie dostrzegł w tym pytaniu niestosownie poufałego tonu, tylko odpowiedział na nie z żarem, jakby Jozjasz był jego powiernikiem. – Ależ oczywiście. West stawia mi się *we wszelkich kwestiach*, bo chce mojej duszy, ujmując rzecz krótko, by zacytować jego słowa.

– Ujmując rzecz krótko? Naprawdę?

– Tak powiedział. Tak mi doniesiono.

Bardzo już podminowany Wilson podniósł się chwiejnie. Jozjasz skorzystał z okazji i sam też powstał prędko, wymawiając się, że musi już iść, bo tego wieczoru spodziewają się go na kolacji w Wheatsheaf. Wilson, uśmiechający się z osobliwym uniesieniem, położył rękę na ramieniu swego gościa i sprowadził go wąskimi schodami na parter i do hallu. (Jozjasz zastanawiał się, gdzie też są pani Wilson i córki. „Wieża" była dostatecznie oddalona od głównej części domostwa, by Woodrow Wilson mógł się do niej wymykać ukradkiem i nawet przyjmować gości niezauważenie dla innych). Gdy Jozjasz już wychodził, nie mogąc się doczekać, kiedy zaczerpnie świeżego powietrza, Wilson zbliżył usta do jego ucha i powiedział:

– Pewnie się zastanawiasz, dlaczego cię zaprosiłem. Bardzo trudno mi o tym mówić, Jozjaszu, ale moja najdroższa córka Jessie jest niezdrowa, wiesz, od tamtego... tamtego strasznego dnia... którego tak wyczekiwała jako druhna panny młodej. Doktor Hatch dogląda jej z niejakim powodzeniem. Ale muszę ci powiedzieć, że Jessie prześladują straszliwe koszmary senne. Lek na sen, który przepisuje jej doktor Hatch, powoduje wręcz ich nasilenie. Noc w noc śni o nieszczęsnej Ruth Cleveland i o zamordowanej dziewczynie Spagsów, której nikt z nas oczywiście nie znał. Te zjawy naigrawają się z niej i dręczą ją, drapiąc w jej okno i błagając, żeby je wpuścić do środka; ostatnio dołączyła do nich jeszcze trzecia dziewczyna, blondynka, która zdaniem Jessie może być twoją siostrą Annabel, tą sprzed kilku laty: młoda, niewinna, przerażona, błaga, żeby ją wpuścić, ale Jessie twierdzi, że jest zbyt sparaliżowana strachem, żeby się podnieść z łóżka. I pyta: *A jeśli to są wampirzyce?*

Głos Wilsona drżał. Jozjasz odsunął się od niego, jakby go ktoś dźgnął w samo serce.

Pragnął zaprotestować: *Moja siostra nie jest trupem. Moja siostra nie jest wampirzycą!*

Ale tylko podziękował Wilsonowi i pospiesznie odszedł.

Dzwon Old North wybijał jakąś niewiadomą godzinę.

PAŹDZIERNIK 1905

Wampirzyca! Jozjasz nie posiada się z oburzenia. W życiu nie słyszał czegoś równie niedorzecznego. Bo jest czystym racjonalistą. Jego bohaterowie to Arystoteles, David Hume, John Stuart Mill. Nie jest wszechstronnie oczytany w filozofii i logice, ale czuje wstręt do wszystkiego co *mroczne, mistyczne*. Owszem, tylko do pewnego stopnia: Jozjasz to protestant. Ale nie podporządkowuje swej wiary rozumowi; jego wiara jest ściśle związana z lojalnością względem rodziny, a tej podważać nie należy.

– Nie istnieje żaden świat „nadprzyrodzony", jest tylko ten świat, „naturalny" świat. Wszystko inne to czysty nonsens.

– Nonsens.

Pani Groverowa Cleveland, która postanowiła oderwać się od własnych problemów małżeńskich, jest w swojej bogato umeblowanej buduarowej bibliotece w Westland i wystukuje na nowej maszynie do pisania marki Underwood ostatnie strony artykułu poświęconego wyzwoleniu kobiet, który zaczął pisać jej chory mąż na zaproszenie „Ladies' Home Journal". Frances Cleveland przeredagowała tekst, stosując o wiele bardziej konwersacyjny ton, dzięki czemu jest to teraz pogawędka, a nie nudne kazanie. Frances uśmiecha się na myśl, że artykuł po opublikowaniu wywoła spore wrzenie: „Rozsądne i odpowiedzialne kobiety *nie chcą głosować i już!* Mężczyźnie i kobiecie dawno temu wyznaczono właściwe miejsca w rozwoju cywilizacji i dokonała tego inteligencja znacznie wyższa od naszej". Frances nieruchomieje, po czym zapalczywymi uderzeniami w klawisze wystukuje na finał: „Wyzwolenie kobiet to, ujmując rzecz jednym słowem, *nonsens".*

Z sąsiedniego pokoju dobiega ją wołanie nieszczęsnego Grovera. Frances może posłużyć się wymówką, że mechanizm maszyny do pisania jest

bardzo hałaśliwy i ona nic nie słyszy, ale i tak zaraz przybiegnie jakiś służący.
– Za to im w końcu płacimy.

Graf English von Gneist, ostatnimi czasy najbardziej pożądany gość w Princetonie, w ciemnym smokingu, białej koszuli z żabotem i kamizelce haftowanej srebrem, towarzyszy pani Amandzie FitzRandolph i jej babce ciotecznej Thomasinie Bayberry na wystawnej kolacji w Drumthwacket – bo Edgerstoune wyjechał do San Francisco w interesach. To właśnie podczas tej kolacji von Gneist wymienia znaczące spojrzenia z innym gościem, Wilhelminą Burr, którą nachodzi wrażenie chłodu, nawet wtedy gdy z towarzyszeniem dziewczęcego chichotu odpowiada na jakąś uwagę wygłoszoną przez współbiesiadnika siedzącego po jej prawicy. *Cóż za osobowość! I jaki przystojny, mimo tej melancholii odciśniętej w twarzy. Tylko czymże ja mogłabym zainteresować grafa?*

Wobec zniknięcia Annabel i nieprzejednanej obojętności Jozjasza względem niej Wilhelmina poprzysięgła sobie, że nie będzie się odgradzała od świata murem załamania sercowego albo inwalidztwa; widują ją często w butach do pieszych wycieczek i tweedowym ubraniu, jak maszeruje brzegiem kanału Delaware–Raritan biegnącego równolegle do jeziora Carnegie lub jak dziarskim krokiem przemierza Nassau Street w stronę biblioteki publicznej; przynajmniej raz w tygodniu wczesnym rankiem można ją spotkać na peronie stacji Princeton, ściskającą w ręku swoją teczkę malarską, w drodze do miasta i Nowojorskiej Szkoły Sztuk Pięknych, gdzie uczy ją sam sławny Robert Henri – mimo że zaniepokojeni rodzice zabraniają jej *zostawać na noc* w Nowym Jorku, nawet u krewnych.

Gdzie jak gdzie, ale właśnie w Wheatsheaf, domu stryja Copplestone'a Slade'a i ciotki Lenory, Jozjasz słyszy wieści, od których krwawi mu serce: stryj wyjawia, że Annabel i „ten Mayte" byli widziani w Nowym Jorku, w hotelu Waldorf-Astoria, i potem jeszcze na prywatnej kolacji w kamienicy Fricka przy Piątej Alei. Copplestone, prychając z niesmakiem, wręcza Jozjaszowi wycinek z „New York Herald" z fotografią, na której widać elegancki automobil marki Paige, a w nim dwoje ludzi: młoda blondynka w woalu okrywającym głowę i ramiona oraz dżentelmen w płóciennym kitlu, kapturze i goglach; pod spodem zamieszczono lakoniczny podpis: *Modne stadło przed zagranicznym wojażem.*

Owa fotografia, stwierdził Copplestone, to najświeższy dowód „infamii", której ich rodzina nigdy nie przeżyje.
– Ale czy to jest Annabel? Ten człowiek to z pewnością nie Mayte.

Jozjasz przyjrzał się uważnie fotografii. – Młoda kobieta mogła rzeczywiście być jego siostrą albo jej bliźniaczką, ale dżentelmen obok niej był szczupły i mrocznie przystojny, całkiem inny niż Mayte – przysadzisty i brzydki jak troll.

– I pomyśleć, że grałem w karty z tym kundlem – wściekał się Copplestone. – W rzeczy samej ten kundel ograł mnie na pieniądze u Andrew Westa! I to nie raz.

– Ale czy to jest Mayte? Ten nie jest ani trochę podobny do Maytego.

– Tylko pamiętaj, Jozjaszu, że ja mu od początku nie ufałem. Miał maniery ruskiego bolszewika, a w kartach coś zbyt często dopisywało mu szczęście. I na dodatek cuchnął ambrą jak jakaś durna baba.

Prawdopodobnie urażona tą uwagą Lenora, która zazwyczaj zachowywała milczenie, kiedy jej mąż wygłaszał swe tyrady, tym razem przemówiła cichym głosem:

– No jakżeż, Copplestone, pamiętam, jak mówiłeś, że Axson Mayte to dowcipniś jakich mało, że to wybitny człowiek, że bardzo udatnie naśladuje Woodrowa Wilsona i Teddy'ego Roosevelta.

– A owszem, był okrutnie zabawny – burknął Copplestone, niechętnie przyznając jej rację. – Ale ja się nie śmiałem.

– Ależ Copplestone, sądzę, że jednak się śmiałeś, i to raczej okrutnie, tak uważałam w owym czasie – odparła Lenora, pochylona nad swą robótką, jakby to ona, a nie rozmowa wymuszała na niej największą koncentrację. – Bo Woodrow Wilson zapewne wierzy, że łączy go z tobą przyjaźń, tak jak z twoim ojcem.

– On się *nie przyjaźni* z moim ojcem. To stary wyga, który pragnie tylko poparcia mojego ojca, poparcia wszystkich Slade'ów.

Jozjasz wyczuł napięcie unoszące się w salonie, między stryjem a ciotką; bardzo chciał wypytać Copplestone'a o Axsona Maytego, ale nie był to chyba stosowny moment.

A Wheatsheaf tamtego wieczoru wydawało się wilgotne i zimne jak mauzoleum.

Wheatsheaf, zamieszkiwane obecnie przez obcych ludzi, to jedno z najstarszych i najbardziej okazałych domostw przy Bayard Lane, które zostało wzniesione w 1769 roku i przez kolejne dziesiątki lat otrzymywało kolejne dobudówki. Jest to budowla w stylu georgiańskim, z „miękką" fasadą z czerwonych cegieł, wysokimi dachami, imponującym portykiem i wąskimi okiennicami okalającymi liczne okna, stojąca na rogu Bayard oraz ulicy zwanej obecnie Cleveland Lane. Jozjasz przez całe swoje dzieciństwo uważał, że w domu stryja, oddalonym o ćwierć mili od Crosswicks, oddycha się jakby swobodniej niż w jego domu rodzinnym i że Copplestone nadał mu atmosferę szorstkiej beztroski, bo nie chciał współzawodniczyć ze swym starszym bratem Augustusem o tytuł „poważnego" syna Winslowa Slade'a.

(Rodzina Jozjasza zawsze mieszkała ze starszymi Slade'ami, bo plebania Crosswicks była sporym domostwem i mogła z powodzeniem użyczyć schronienia jeszcze jednej rodzinie). Podobnie jak jego przyjaciel, Andrew Fleming West, Copplestone był podziwiany w całym West Endzie za swoją szczodrobliwość, gościnność i „męskie" poczucie humoru, przy czym nawet najbliżsi znajomi wiedzieli niewiele o jego kłopotach w relacjach z synem Toddem, bo tego tematu Copplestone raczej nie poruszał ani z nimi, ani też właściwie z nikim.

Kiedy Jozjasz był już blisko Wheatsheaf, usłyszał czyjś krzyk z okna na piętrze i podniósłszy wzrok, ujrzał swego kuzyna Todda, który gestykulował w jego stronę; podczas rozmowy z Copplestone'em i Lenorą Jozjasz słyszał podobne okrzyki dobiegające ze szczytu klatki schodowej, ale wiedział, że jeśli zacznie szukać Todda, ten schowa się przed nim – chłopiec takie miał właśnie poczucie humoru, ale Jozjaszowi brakowało wonczas do niego cierpliwości.

Tamtego roku Copplestone miał czterdzieści siedem lat, urodził się bowiem w 1858 roku, ale za sprawą łysiny, sumiastego wąsa i takiej samej tuszy, jakiej dohodował się dziekan West, wyglądał na dziesięć lat więcej. Copplestone jako dziedzic fortuny Slade'ów zawsze podchodził do życia lekko i swobodnie: nie pojmował, dlaczego inni łamią sobie głowę nad zagadkami natury Boga i boskości Chrystusa, a także tego, czy Bóg jest w naturze czy też ponad nią, dlaczego niewinni cierpią, a zło zbiera żniwa. „Rozróżnienie między wiecznością a kuflem piwa jest proste: kufel mogę obłapić dłonią i napić się zeń, a w przypadku wieczności będę czekał bardzo długo, zanim zaspokoję pragnienie".

Copplestone miał gwarantowane dochody, dlatego często dokonywał nieodpowiedzialnych inwestycji, najwyraźniej dla zabawy: na przykład kilka lat wcześniej wspólnie z Trillinghamem Bayardem dofinansował prywatną milicję, która miała być najmowana przez firmy potrzebujące ochrony przed pikietami strajkujących i im podobnych, jak na przykład głośnym w owych czasach Związkiem Zawodowym Górników czy też uczestnikami sławetnych zamieszek w Paterson, zwanym także Jedwabnym Miastem; stracił aż dwieście tysięcy dolarów, gdy wsparł rewolucyjny pomysł Thomasa Edisona na cementowe meble, który „zatonął bez śladu", jak Copplestone zwykł potem mawiać dobrotliwym tonem.

Copplestone inwestował także w rejonie kurortów wypoczynkowych Cape May-Atlantic City i szczodrze, ale nie zawsze rozsądnie obstawiał wyścigi automobilowe organizowane w Cape May. Miarą jego nawyku faworyzowania słabeuszy w takich zawodach było to, że sfinansował auto pochodzące z eksperymentalnego warsztatu Henry'ego Forda w Greenfield w Michigan, w wyścigu po piaskach Cape May – skutek był taki, że pojazd Forda przegrał z kretesem, a młody wynalazca musiał sprzedać swoje dzieło rywalowi, inaczej bowiem nie byłoby go stać na bilet na podróż pociągiem do Michigan! Wszystko dlatego, że Copplestone, któremu często zmieniał się nastrój, był tak zniesmaczony słabymi wynikami auta, że nie chciał sfinansować powrotu wynalazcy do domu. Miał dość tworów „z amerykańskiej ziemi" – „Następnym razem wesprę tego francuskiego asa, *Chevroleta*".

Rumianolicy stryj Jozjasza był osobą bardzo towarzyską, czym zdecydowanie się różnił od swego brata, a także ojca; jego obecność na kolacjach organizowanych w West Endzie zapewniała szczególnie *wesołą atmosferę*. Podobnie jak Woodrow Wilson chętnie naśladował akcent „czarnuchów", ale bił Wilsona na głowę talentem do opowiadania gwarą rozmaitych historyjek, tym bardziej że chował w zanadrzu wielką kolekcję dowcipów na temat „ruskich Żydów" i „emigrantów z Polski". Copplestone był także lubianym członkiem klubów na Manhattanie, aczkolwiek nie przepadał za wysiłkiem podróży koleją albo autem na taką odległość. I przez ponad dwadzieścia lat małżeństwa Copplestone zawsze był bezprzykładnie wierny swej żonie, na ile wszyscy w Princetonie się orientowali.

Copplestone od czasu do czasu czuł się w obowiązku karać swego hałaśliwego syna Todda, ale pobłażał małej Orianie, która bez wątpienia była jego ulubienicą. Zawsze manifestował głęboki afekt do swej bratanicy Annabel i lubił Jozjasza; wręcz się skarżył, że Jozjasz powinien być jego synem, a nie bratankiem, bo obaj zawsze się z sobą zgadzali, i wtedy mniej by mu przeszkadzało, że Todd to idiota.

(*Idiota?* Czy Copplestone rzeczywiście wyrażał się tak pogardliwie o swym jedynym synu? Obawiam się, że tak. I to niejednokrotnie w zasięgu słuchu Todda).

Ciotka Jozjasza, Lenora, z domu Biddle, dorównywała wiekiem Copplestone'owi; nie była wprawdzie pięknością, ale na pewno kobietą przystojną, nawet jeśli nieco korpulentną. Gdy zasiadła obok swego rosłego męża, osobliwie malała. Nie czesała włosów w żadnym pozostającym w pamięci stylu, zresztą na ogół skrywała je pod porannym albo popołudniowym czepkiem, beretem lub kapeluszem; wstawała wczesnym rankiem i zawsze wchodziła do wanny dwukrotnie – pierwsze zanurzenie służyło namydleniu się i umyciu, drugie spłukaniu. Uczęszczała niemal na wszystkie dostępne nabożeństwa i zawsze czytała Biblię przed udaniem się na spoczynek; nie miało to dla niej znaczenia, którą księgę czyta, czytała bowiem zaledwie kilka stron, równie pilnie z Ozeasza, Nehemiasza czy Sofoniasza jak z Ewangelii czy z Księgi Rodzaju, bo zaledwie kilka minut później nie pamiętała już, co przeczytała, tyle że uspokajała się wewnętrznie i była gotowa iść spać. Ponadto każdego dnia modliła się, by Todd zaczął się wreszcie zachowywać niczym zwykły chłopiec, tak jak wedle jej wspomnień zachowywał się, kiedy był młodszy, bo podobnie jak jej małżonek nie potrafiła uwierzyć, że złe zachowanie ich syna nie jest intencjonalne; była przekonana, że Todd nauczyłby się pisać i czytać, gdyby się bardziej postarał, ale nigdy go nie beształa i zalewała się łzami, gdy Copplestone stwierdzał, że nadszedł „czas na baty".

Spośród swych licznych zajęć Lenora była najbardziej dumna z wybitnej pozycji w Stowarzyszeniu Kolonialnych Dam Ameryki działającym w New Jersey i z roli w Stowarzyszeniu Ołtarzowym Dam Pierwszego Kościoła Prezbiteriańskiego. Najlepiej jednak znano ją za niedościgłe umiejętności w dziedzinie gotowania, a zwłaszcza w pieczeniu ciast: jej specjalnością były ciasteczka z kremem i karmelem oraz tarty wszelkich rodzajów, poczynając od pigwowej, a kończąc na jeżynowej. Twierdzono, że kiedy jakaś dama z West Endu kładzie się do łoża boleści, natychmiast na jej progu staje Lenora z pięknie przystrojonym koszykiem wypełnionym słodkościami ze swej kuchni; najbardziej dbała o chroniczne inwalidki z miasta, odwiedzając je co tydzień. „Ach, to znowu Lenora Slade – mawiała Adelajda Burr, wybuchając cichym śmiechem – a zatem wiem, że jestem chora i że mam niewielkie szanse na wyzdrowienie".

Lenora miała niejaką skłonność do bycia bardzo krytyczną względem zachowania, które odbiegało od jej własnego, a w obecności swego bratanka Jozjasza nie potrafiła się oprzeć, by nie przywołać tematu Wilhelminy Burr, której nigdy do końca nie ufała ze względu na jej „amoralny" wpływ na Annabel od czasu, gdy obie uczęszczały do jednej klasy w szkole podstawowej. Wilhelmina była „pyskata", „kapryśna" i „nie szanowała starszych"; ubierała się skandalicznie w „tureckie spodnie" i „pantalony bez spódnicy". Najbardziej niepokojące zaś było to, że Wilhelmina kłóciła się ze swymi rodzicami, bo chciała mieszkać na Manhattanie i uczęszczała na kursy z malarstwa, na których podobno pozowały nagie osoby obojga płci; Lenora słyszała również od Stocktonów, że Wilhelmina popala papierosy. W Princetonie jest tajemnicą poliszynela, twierdziła wyniośle Lenora, że ta agresywna młoda dama „zagięła parol" na pewnego młodzieńca, którego nazwiska wolała nie wymieniać.

– Masz rację, ciociu Lenoro. Nie powinnaś go wymieniać. – Jozjasz był zarówno rozbawiony, jak i zirytowany; czuł wyrzuty sumienia z powodu Wilhelminy, z którą zamierzał się skontaktować, a jednak tak jakby nigdy nie miał na to czasu albo sposobności.

– No cóż. Inni je wymieniają, musisz wiedzieć. I to całkiem często.

– Jestem pewien, że słyszałaś tylko zwyczajne plotki, wymyślane po to, by ranić uczucia, zamiast naświetlać prawdę. – Jozjasz sam wymyślił to afektowane stwierdzenie, ale słyszał w nim dalekie echo słów swego dziadka Winslowa.

– Wilhelmina być może coś wie, rozumiesz... w związku z Annabel.

– To znaczy co?

– Może coś wiedzieć albo podejrzewać... Zachowuje się bardzo dziwnie, bardzo oficjalnie i zarazem przepraszająco od... od tamtego dnia.

W tym momencie wysokie drzwi wiodące od brukowanego polnymi kamieniami tarasu na tyłach domu otworzyły się gwałtownie i do środka wparował Todd, nucąc i podśpiewując, jakby w salonie nikogo nie było, a w każdym razie całkowicie zignorował swego kuzyna Jozjasza. Lenora stężała, jakby w oczekiwaniu, aż jej elegancki stolik do herbaty przewróci się z trzaskiem, ale udawała, że nie zauważa chłopca o roziskrzonych oczach, który dorwał się najpierw do niezjedzonych sandwiczów i małych ciasteczek, a po chwili padł zuchwale na sofę obok swego rozsrożonego ojca i jadł, mlaskając, nie przestając głośno nucić *Zip Coon** i gładząc się po nieistniejącym wydatnym kałdunie, czym wyraźnie szydził z Copplestone'a.

Copplestone zachował obojętny wyraz twarzy, a jednak cały zesztywniał; patrzył uparcie przed siebie, na Jozjasza, nie dając po sobie poznać, że odnotował niepożądaną obecność syna. Gdy Jozjasz powitał Todda, Todd tylko skinął głową, nie patrząc na kuzyna i nie przestając jeść.

On jest przeklęty. Ale zawsze taki był. A jednak to mój kuzyn, dlatego kocham go.

Jozjasz już kilka minut wcześniej bardzo chciał opuścić Wheatsheaf i dzięki temu nie spotkać się z Toddem. A teraz bał się nagłego wybuchu swego temperamentnego stryja i ewentualności, że Copplestone będzie „dyscyplinował" Todda.

Od czasu wyprawy do lasu Crosswicks, wiele miesięcy wcześniej, skóra Todda zauważalnie pociemniała od słońca, bo spędzał dużo czasu poza domem i przypominał teraz „czerwonoskórego Indianina", by zacytować tu jego siostrę. Zawsze był swawolny i rozwydrzony, ale ostatnimi czasy się zachowywał tak, jakby uwierało go ubranie albo wręcz własna skóra. Zniknięcie Annabel, a także reakcja rodziny na to wydarzenie najwyraźniej go wzburzyły, bo bywał to bardziej hałaśliwy niż zazwyczaj, to niezwyczajnie spokojny – na przykład paplał coś do siebie, po czym znienacka zapadał w kamienne milczenie i wydawał się wówczas, ku zaniepokojeniu matki i zagniewaniu ojca, nie tylko niemy, ale także głuchy. (Jozjasz wiedział, że jego bratanek nie wypowiedział ani jednego spójnego zdania od czasu sobotniego poranka w czerwcu, mimo że jego rodzice woleli o tym nie mówić). Jego apetyt stał się histeryczny – jadał niestale, w nieoczekiwanych momentach, ku przerażeniu kucharki posilając się w kuchni. Mimo że wielokrotnie zabraniano mu opuszczać Wheatsheaf bez dozoru, Todd często znikał, jakby bez śladu, na zdumiewająco długi czas, po czym znowu się pojawiał, bez słowa wyjaśnienia. Zdarzało się, że jego rodzice byli o krok od zaalarmowania princetońskiej policji, bo nikt nie mógł nigdzie znaleźć Todda; nie odpowiadał na wołanie, jakby nie było go ani na terenie Cross-

---

* Ludowa piosenka, z tekstem napisanym za prezydentury Andrew Jacksona, komentująca jego administrację (przyp. tłum.).

wicks, ani w żadnym innym domu w sąsiedztwie. Służba w Wheatsheaf, Crosswicks i innych domostwach plotkowała szeptem, że Todd to *demon*; starsze kobiety na jego widok wykonywały gwałtowne ruchy niczym średniowieczny niemiecki *Hexenbanner*.

Ciotka Jozjasza, Lenora, próbowała mężnie rozmawiać z nim, jak gdyby nigdy nic, ale jego uwagę rozkojarzyła nowa psota Todda, który wyciągnął skądś starą czapeczkę Jozjasza, której ten nie widział od lat, i nasadził ją sobie na bakier na niesforną czuprynę. Kiedy wstał i zasalutował drwiąco, Jozjasz rzucił ostrym tonem:
– Dosyć tego, Todd!

Jakby sam był małym chłopcem, zerwał czapeczkę z głowy młodszego kuzyna, ryzykując, że nadmiernie pobudzi Todda, ale ten zrobił tylko urażoną minę, po czym znów zaczął pogwizdywać *Zip Coon*, i to tak pискliwie, że jego ojciec wreszcie wstał z sofy, złapał niegrzecznego syna i jął go okładać pięściami po głowie, gniewnie powarkując:
– Co ja ci mówiłem, Todd? No co? *Masz nie denerwować matki.*

Jozjasz natychmiast interweniował, rozdzielając ojca i syna, ale sam zarobił kilka ciosów w twarz od Copplestone'a, podczas gdy Todd już zaznał uszczerbku, bo leciała mu krew z nosa i wył głośno jak niemowlę. Copplestone, nie przestając burczeć i sapać głośno, wyciągnął rękę, omijając Jozjasza, znowu schwycił Todda i po raz ostatni nim potrząsnął, po czym okręcił się na pięcie i wypadł z pokoju jak burza.

Podczas tych niepokojących sekund Lenora siedziała wciąż na krześle, bardzo sztywno wyprostowana, prezydując w swoim maleńkim, połyskującym królestwie kompletu do herbaty, i łagodnie beształa syna:
– I widzisz, Todd? Znowu rozgniewałeś ojca. Boże, miej litość nad nami wszystkimi, jeśli jego gniew nie zelżeje.

Przyjdź na podwieczorek, Jozjaszu! Nie mam żadnych wieści, ale czuję, że muszę z tobą pogadać o tym, co zaszło i na zawsze odmieniło nasze życie.
Od czerwca Jozjasz unikał Pembroke, rodzinnego domu Wilhelminy przy Campbelton Circle, mimo że FitzRandolphowie kilkakrotnie zapraszali go na kolację, a Wilhelmina na podwieczorek albo żeby tylko „zajrzał". Jozjasza niepokoiła ta zmowa princetońskich plotkarzy, jakoby Wilhelmina nieszczęśliwie się w nim kochała. W to Jozjasz nie wierzył ani też nie chciał uwierzyć, bo był dżentelmenem i nie miał chęci nikogo krzywdzić, a jednak był zbyt dumny, by uważać Willy Burr za właściwą partię dla siebie – bo ona i Annabel były sobie takie bliskie, przez tak długi czas, że zaczął uważać Willy za *siostrę*.
Tymczasem Willy wciąż go zapraszała, jego zdaniem z niejakim uszczerbkiem dla własnej godności. Ostatecznie więc przyjął zaproszenie, bo współczuł jej i chciał naprawić ich wzajemne stosunki.

Pembroke, jeden z mniejszych i raczej skromniejszych domów West Endu, został zburzony w latach czterdziestych i na jego miejscu wybudowano coś nowocześniejszego; w swoim czasie stanowił znakomity przykład stylu tudorskiego, powielanego powszechnie w Ameryce, z imponującymi frontowymi drzwiami zamykanymi na oryginalne mosiężne rygle sprowadzone z Londynu, wysoko sklepioną sienią i owalną klatką schodową wiodącą na górne piętra; miał dość mroczne wnętrze z boazeriami z drewna orzechowego, ale za to na jego tyłach znajdowała się urocza oranżeria czy inaczej pokój śniadaniowy; to tam właśnie zaprowadziła Jozjasza sama Wilhelmina, która też otworzyła mu drzwi, kiedy do nich zadzwonił. W tym pokoju, wypełnionym bujnie kwitnącymi roślinami i drzewkami owocowymi, a także egipskimi wazami wypełnionymi pękami ptasich piór, bardzo dużych i bardzo pięknych, Willy najwyraźniej zwykła pokładać się na ratanowej kanapie i oddawać lekturom, bo leżał tam rozłożony cienki tomik poezji. Jozjasz spytał, co to takiego, na co Willy odparła:

– Nie jestem pewna, Jozjaszu! Czytam i czytam, i mam wyjątkowo żywe *odczucia*, ale ledwie wiem, co myśleć.

Jozjasz wziął do ręki książeczkę. *Wiersze*. Emily Dickinson. Nigdy nie słyszał o tej autorce.

– Jozjaszu! Usiądź, proszę. Jak myśmy się dawno nie widzieli. – Wilhelmina przemawiała do niego wesołym tonem, bez śladu przygany, ze swą zwykłą, szczerą życzliwością i uśmiechem, od którego w policzkach robiły jej się dołeczki.

Zaskoczyła niejako Jozjasza, bo poczęstowała go papierosem z tureckiej papierośnicy wyłożonej safianem; odmówił, tłumacząc, że pali tylko wieczorami, po kolacji i jeśli już, to cygara.

– W takim razie mam nadzieję, że ci to nie przeszkodzi, jak sobie zapalę. Uważam, że to mi koi nerwy. – Wilhelmina mówiła to, leciutko zdradzając, że brakuje jej tchu, po czym zapaliła papierosa maleńką, pozłoconą zapałką.

Jozjasz nigdy wcześniej nie widział żadnej kobiety z West Endu, która paliłaby papierosa, i niespodziewane zachowanie przyjaciółki jego siostry wręcz go zafascynowało.

– Powiedz mi, Willy. Czy Annabel paliła?

– Annabel? Oczywiście, że nie. Wiedziałbyś, gdyby paliła.

Willy była ubrana zwyczajnie, to znaczy w przypominające piżamę tureckie szarawary, nad którymi tak bolała ciotka Jozjasza, do których włożyła krótką bluzkę i ładny pikowany kitel, czy też podomkę, a do piersi przypięła sobie damski zegarek. Buty miała uszyte z ciemnej skóry, a pończochy z jedwabiu, co Jozjasz zauważył, gdy przypadkiem zerknął na jej kostki.

Plotkowano o Wilhelminie, że ma za nic modne skrajności w dziedzinie gorsetów i dlatego swą figurą ani trochę nie przypomina Dziewczyny Gibsona; w przeciwieństwie do wielu swoich dbających o styl rówieśniczek nie mogła się pochwalić talią osy; jawiła się jako krzepka, hoża dziewoja, mówiąc bez ogródek.

A jednak tamtego dnia wydawało się, że Willy spędziła więcej czasu niż zwykle nad swoją toaletą, bo jej gęste, często roztargane czarne włosy były teraz ściągnięte w gładki kok, zabezpieczony bursztynowymi grzebykami i spinkami. Tworząc wrażenie, że się bawi w *strojnisię*, a nie zwodzi kobiecością, Willy zatknęła koronkową perfumowaną chusteczkę za dekolt bluzki i wpięła we włosy herbatnią różyczkę.

– To palenie to u ciebie nowy nawyk, prawda, Willy? I kto ci dał tę wymyślną papierośnicę?

Willy uśmiechnęła się wymijająco, chowając papierośnicę do kieszeni spodni.

– Przyjaciel.

– Nowy przyjaciel?

– Tak. Nowy. Nie znasz go.

Sądząc po jej minie, Jozjasz miał teraz domniemywać, że to podarunek od jakiegoś adoratora, ale on poczuł zaledwie lekkie ukłucie zazdrości.

– Ktoś nowy w Princetonie, gość w Drumthwacket.

Jozjasz jednak uparcie nie pytał o nic.

Willy pospieszyła do drzwi, by je przed nim otworzyć osobiście, zanim uczyni to ktoś ze służby, ale teraz nie miała wyboru, tylko musiała pozwolić, by gosposia wniosła herbatę, ponieważ ta kobieta byłaby oburzona, gdyby jej na to nie pozwolono, i być może doniosłaby o wszystkim pani Burr. Za to Willy z wyraźnym zadowoleniem pokierowała ceremonią podawania herbaty i zmusiła Jozjasza do przyjęcia typowego poczęstunku, czyli kanapek z białego chleba z ogórkiem i rzeżuchą, bułeczek z masłem oraz pigwowych tartaletek z bitą śmietaną. Pod wpływem ciepła bijącego od starego srebrnego imbryka lub pary unoszącej się od jego filiżanki albo subtropikalnej atmosfery panującej w oranżerii Jozjasz poczuł, że mu gorąco, i zapragnął rozpiąć swój wykrochmalony kołnierzyk.

Willy, jakby nie miała żadnego ważnego powodu do zaproszenia Jozjasza, opowiadała ożywionym głosem o nowym przeboju z Broadwayu, czyli *Dziewczynie z Dzikiego Zachodu* pana Belasco, której jeszcze nie widziała, ale bardzo chciała zobaczyć. (Czy przypadkiem nie sugerowała, że ona i Jozjasz mogliby iść na to razem?) I były jeszcze inne, princetońskie tematy, o których Willy mówiła w otwarty, szczery, przyjazny sposób, dopóki Jozjasz, robiąc się nerwowy, nie przerwał jej pytaniem, czy słyszała coś – cokolwiek – o Annabel, na co Willy odparła z urażoną miną, że oczywiście nie słyszała.

– Gdyby tak było, natychmiast bym ci powiedziała. *Zadzwoniłabym.*

Jozjasz spytał wtedy, czy Willy pamięta cokolwiek, co Annabel mogła jej powiedzieć na temat „Axsona Maytego", choćby nawet to była błahostka.

– Chyba właśnie dlatego poprosiłam, żebyś do mnie zajrzał, Jozjaszu – odrzekła Willy, unikając jego wzroku. – Być może popełniłam straszny błąd…

– Jaki błąd?

– O tym człowieku, którego nazwiska nie jestem w stanie wymówić, Annabel nigdy ze mną nie rozmawiała. Ale sama dużo o nim słyszałam jako o nowej osobie w mieście, która zaprzyjaźniła się z wieloma naszymi znajomymi i sąsiadami, a także z doktorem Wilsonem, a potem jeszcze moja matka wbiła sobie do głowy, że on i ja musimy się poznać.

– Tak. Słyszałem o tym.

– Annabel nie było na tym krępującym spotkaniu... na tej kolacji tutaj, kiedy przy stole siedziało tylko dziesięć osób. Jeśli idzie o słowa, to Annabel mówiła bardzo mało o wielkiej zmianie, jaka miała nastąpić w jej życiu, ale jeśli idzie o uczynki, gesty i westchnienia, nagłe wybuchy nerwowego śmiechu, to była aż nader wymowna. Ja w każdym razie podczas kilku naszych spacerów i spokojnych chwil spędzonych razem widziałam, że Annabel jest, nawet jeśli nie nieszczęśliwa, to wyraźnie nie tak szczęśliwa jak powinna. Wydawało mi się, że ona odczuwa jakiś lęk przed Dabneyem, którego tak naprawdę wcale dobrze nie poznała, albo może przed samym małżeństwem... Annabel była bardzo skryta, jak pewnie sam wiesz. To osobliwa rzecz, że mężczyzna, który się żeni, musi udawać, że nie ma żadnego „doświadczenia", podczas gdy kobieta, która wychodzi za mąż, naprawdę nie ma żadnego doświadczenia. Przynajmniej kobieta z naszej klasy. I o niczym nie wolno *rozmawiać na głos*.

– Annabel bywała czasem jakby *zbyt szczęśliwa* – powiedział Jozjasz. – Na przykład na swoim przyjęciu zaręczynowym. Sprawiała wrażenie zakochanej w mundurze Dabneya albo w jakiejś idei Dabneya, ale *nie w nim*. Albo może zakochała się w naszej wizji tego, kim powinna być Annabel Slade, najpiękniejsza panna młoda, najposłuszniejsza z córek.

Willy starannie zgasiła papierosa, którego zresztą prawie wcale nie paliła, w małej srebrnej miseczce.

– Jozjaszu, ja chyba zawiodłam Annabel. Pewnego dnia, kiedy wędrowałyśmy po lesie Crosswicks, chciała chyba o czymś porozmawiać, ale ja... nie miałam śmiałości, by drążyć temat, albo po prostu byłam zbyt głupia. Od tamtego czasu obwiniam się każdej godziny.

Jozjasz milczał wyczekująco, więc Willy mówiła dalej:

– Dała mi do zrozumienia, że się zakochała i że jest potępiona. „Należę teraz do innego, tak ciałem, jak i duszą, i nikt mnie nie może uratować". Starałam się zrozumieć, jak to się ma do Dabneya Bayarda, nawet jeśli wiedziałam, że to nie ma z nim nic wspólnego. To było bardzo dziwne, że najwyraźniej wcale nie Dabney był przyczyną wzburzenia Annabel.

– I co? Wolałaś tego nie słuchać?

– Wolałam tego *nie zrozumieć*.

– Co dokładnie powiedziała Annabel? Pamiętasz?

– Wyrażała się emocjonalnie, mało spójnie. Powiedziała: „Ani Jozjasz, ani dziarski porucznik nie mogą mnie uratować" czy coś w tym guście. Stąd wiedziałam, nie mogłam nie wiedzieć, że to nie Dabney jest przedmiotem jej niepokoju.

– Biedny porucznik! Czułbym więcej sympatii do tego człowieka, gdyby nie zrobił z siebie wroga Slade'ów. – Poruszony do żywego Jozjasz wstał z miejsca, po czym pospiesznie odstawił filiżankę z cejlońską herbatą. – Gdybym tylko dopadł tego Maytego. Mógłbym pomścić zarówno Dabneya, jak i siebie. Tylko dokąd oni uciekli?

– Możliwe, że Annabel naprawdę bała się Dabneya – rzekła z wahaniem Willy. – Że bała się was wszystkich. Nie chciała rozczarować swojej rodziny ani jego rodziny. Mogła się tak zachowywać z rozpaczy, po prostu chciała uciec.

– Uciec? Dokąd?

– Mogła nie wiedzieć, co się zdarzy. Jeśli w ogóle zaangażowała się z tym człowiekiem, w tajemnicy.

– I nigdy nie widziałaś ich razem ani nie słyszałaś, by o nim mówiła?

– Powiedziałam to tylu ludziom, Jozjaszu: nie i nie! Oczywiście, że nie.

– Annabel była z natury bardzo nieśmiała. Nie miała pojęcia, jestem tego pewien, o „stosunkach małżeńskich" i jestem też pewien, że moja matka nie wyprowadziła jej z niewiedzy.

Wpatrzona w swą filiżankę Willy nie wiedziała, co na to odpowiedzieć. Jozjasz widział, jak jej twarz różowieje od ciepła.

– Powinno istnieć coś w rodzaju „wolnej miłości", mówiąc słowami rewolucjonistów, dla tych osób, które obawiają się małżeństwa. Albo jeszcze lepiej jakiś sposób, dzięki któremu kobieta mogłaby żyć bez jednego i drugiego, bez wolnej miłości i małżeństwa, tylko jako jednostka, jako człowiek, niezdefiniowana przez przeciwną płeć.

– Owszem. Masz rację. – Willy umilkła, w zamyśleniu zagryzając dolną wargę. – Ale Annabel nie była gotowa na takie życie, nie bardziej niż ja, tak naprawdę. Przy czym mi jest do niego bliżej, niż mogło być Annabel. Jak tego dowodzą sufrażystki, kobieta, która chce żyć swobodnie, powinna być niezależna finansowo. Powinna mieć przyzwoitą *posadę* i przyzwoitą *płacę*. Ani Annabel, ani ja tego nie mamy. Na razie.

– Annabel została tak wychowana, żeby wyjść za mąż. Ty, moim zdaniem, jesteś inna. Ty niemal należysz do nowego pokolenia.

– Jak ja bym chciała, żebyś miał rację! Ale będę próbowała.

– Ludzie mówią, że pragniesz zamieszkać w Nowym Jorku. Powinnaś znaleźć jakiś sposób, żeby ci się powiodło. Princeton to nie miejsce dla ciebie, zwłaszcza teraz.

– Bo tu panuje ten kościelny humbug, prawda? I mieszkają sami poczciwi, uprzejmi chrześcijanie, których trzeba kochać i których taki wyjazd by uraził.

– No cóż, Annabel wyjechała. Ale teraz jestem gotów pomyśleć, że mogłaby wrócić, gdyby zechciała.

– Gdyby Annabel odrzuciła swoje życie, nawet jeśli popełniła jakiś błąd, to czy nie powinna mieć prawa do wolności? Do swojej wolności, nawet gdyby ta wolność ją unieszczęśliwiła?

– Zabiję tego sukinsyna, jeśli unieszczęśliwił Annabel. Jeśli go znajdę i złapię.

Jozjasz usłyszał ryk w głowie i poczuł uderzenie gorąca na twarzy. Dla niego stało się teraz aż nadto oczywiste, że on i Wilhelmina Burr są sami w tym pokoju; czy nie było im wolno robić tego, co chcą, choćby nawet po to, by się wzajem unieszczęśliwić? Jakże zachwycająca byłaby taka wolność.

– Przypuszczam, że wszyscy jesteśmy egoistami; w każdym razie ja jestem egoistką, Jozjaszu. Pragnę, by Annabel wróciła do nas, bo wiem, że tu byłaby bezpieczna.

– Możemy w to znowu uwierzyć? Że byłaby bezpieczna?

– Może prawda jest taka, że Annabel nie dokonała żadnego wyboru. Mogła wszak paść ofiarą jakichś czarów, na przykład hipnozy albo mesmeryzmu. Tak myśli większość ludzi i tak ja chciałabym myśleć.

– I jak tak myślę czy też chciałbym myśleć. I jeśli uda mi się znaleźć tego człowieka, to zmuszę go, żeby zapłacił. Bo moją siostrę trzeba uratować i pomścić, nawet jeśli ona sama tego nie chce.

Owładnięty emocjami, jakby nie zdając sobie sprawy z tego, co robi, Jozjasz schwycił Willy pod łokieć, przyciągnął ją do siebie i wilgotnymi wargami pocałował w usta. A potem odsunął się od niej, z sercem bijącym tak dziko, że czuł się bliski omdlenia; tylko świeże powietrze mogło mu pomóc.

Pocałowana przez Jozjasza Slade'a, nieważne, że tak rozkojarzonego, Willy nie umiała zareagować, ale gdy on wyszedł już z oranżerii, ruszyła za nim i odważyła się szarpnąć go za ramię.

– Jozjaszu! Przyjacielu. Czy ja cię jeszcze zobaczę?

– Tak. Tak, oczywiście. Zobaczysz mnie jeszcze. Wiele razy. Do widzenia!

Jozjasz jąkał się, bardzo chcąc uciec. Kilka minut później, gdy długimi krokami przemierzał Campbelton Road w stronę Elm Road, z całej tej emocjonalnej rozmowy pamiętał tylko tę jedną uwagę: *Czy nie powinna mieć prawa do wolności? Do swojej wolności, nawet gdyby ta wolność ją unieszczęśliwiła?*

„DZIEŁO BOŻE W ŚWIETLE HIPOTEZY EWOLUCYJNEJ"

Owa intrygująca fraza to tytuł kazania Winslowa Slade'a, wygłoszonego w kościele unitarian w Germantown pod Filadelfią 19 października 1905 roku; ostatniego takiego publicznego wystąpienia, które ów sławny były pastor miał wygłosić w swym życiu.

Przez całe tamto długie parne lato Winslow Slade zasadniczo ukrywał się w swej bibliotece w Crosswicks, sparaliżowany smutkiem i (być może) wstydem po – jak o tym mówił – stracie ukochanej Annabel. Inaczej niż Jozjasz i większość Slade'ów Winslow wzdragał się przed rozmowami o sytuacji; nie ożywiały go perspektywy odnalezienia Annabel, sprowadzenia jej z powrotem, „pomszczenia" jej czci. Człowiek byłby gotów pomyśleć, że się jej wyrzekł – że owa „strata" jest nieodwracalna i ludzkie ręce jej nie naprawią.

Kiedy synowa Henrietta zalewała się łzami w jego obecności, Winslow pozwalał innym ją pocieszać, a sam wymawiał się cicho i wychodził z pokoju, by powrócić do sanktuarium swej biblioteki.

Jesienią ocknął się do pewnego stopnia i poproszony przez pułkownika Harveya zgodził się napisać esej do „Harper's" na temat delikatnej kwestii „kaznodziejstwa dla ludu" i tego, jak ono zagraża stabilności bardziej dojrzałej wiary. Przyjmował także zaproszenia do gościnnego wygłoszenia kazań tu i tam na terenie całego stanu, przy czym największym sukcesem było właśnie to wygłoszone w kościele unitarian, w Germantown, na zamożnych przedmieściach Filadelfii: „Dzieło Boże w świetle hipotezy ewolucyjnej". Tyle twarzy pełnych podziwu, tyle serdecznych uścisków dłoni! Te wspomnienia o dziesięcioleciach, które doktor Slade spędził jako pastor prezbiteriański, rektor Uniwersytetu Princeton i gubernator New Jersey – i o jeszcze innych osiągnięciach, które Winslow Slade prawie już zapomniał, jakby stanowiły one efekt działań innego człowieka, kogoś, kogo nie znał. I jeśli nawet ktoś napomknął o *straszliwym skandalu* w jego rodzinie, zostało to taktownie przed nim ukryte i zapewne spotęgowało tylko sympatię dla niego ze strony jego gospodarzy. *Taki dobry, świątobliwy człowiek! I że też musi dźwigać taki krzyż u schyłku swego żywota.*

Winslow przez wiele tygodni pracował nad „Dziełem Bożym" – nigdy nie zaliczał się do tych duszpasterzy, którzy unikają kwestii intelektualnych albo którzy sprowadzają wyzwania naukowe do wiary; przez wiele tygodni zaglądał do książek i czasopism ze swojej biblioteki, a także nowszych materiałów z Biblioteki im. Kanclerza Greena, którą nawet odwiedzał z przyjemnością, udając, że jest znowu młodym, ciekawskim naukowcem. Przedyskutował swoje kazanie z wnukiem Jozjaszem, który wśród innych krewnych Winslowa wydawał się jedynym, który coś wiedział o „hipotezie ewolucyjnej", nazwanej tak przez chrześcijańskich teologów, ale ich dyskusje bywały kłótliwe i nerwowe; Jozjasz twierdził, że poglądy na teorie Darwina prezentowane przez Winslowa są „nazbyt uproszczone i przez to błędne" i że już sama gotowość Winslowa do wzięcia pod uwagę teorii przytaczanej przez licznych teologów, jakoby diabeł rozsiał fałszywe skamieliny, by podważyć wiarę w dzieło Boże, jest „absurdem". Najbardziej jednak irytujące były sugestie Jozjasza, że jego dziadek naprawdę nie pojmuje podstawowych konceptów Darwina, to jest przetrwania najsilniejszych i przetrwania drogą doboru naturalnego.

– To wszystko jest przypadkowe, dziadku; nie ma żadnego „dzieła".

– Jozjaszu, to oczywiste, że jest „dzieło"! Popatrz na świat: ten świat jest *tutaj*.

– Ale ten świat, wszystkie światy, to tylko zbiór „akcydensów". Zdaje się to chciał powiedzieć Darwin.

– Przecież Darwin nie mógł uważać, że nie istnieje żaden plan. Bez planu powstałby chaos.

– A mnie się wydaje, że z tej teorii wynika, iż z chaosu rodzi się coś, co tylko przypomina plan, bo wszystko i tak jest przypadkowe.

Winslow, zazwyczaj łagodny i grzeczny w rozmowie, nawet z bardzo głupimi ludźmi, zaczynał już tracić cierpliwość do swego aroganckiego wnuka.

– Ale Jozjaszu, jak to możliwe?

– A skąd mam wiedzieć, dziadku? Nie jestem biologiem, geologiem ani genetykiem! Staram się być osobą racjonalną w tym irracjonalnym świecie.

– To nie jest racjonalne myśleć, że nasz świat... że sama ludzkość mogłaby wyewoluować z... z nicości. Racjonalnie jest wyciągnąć wniosek, że jeśli jest dzieło, to i jest stwórca. Jeśli znajdziesz skomplikowany szwajcarski zegarek porzucony na plaży...

– Nie ma żadnego dzieła, dziadku – przerwał mu Jozjasz. – Dałeś się pochwycić w pułapkę swojego teistycznego słownictwa.

– ...szwajcarski zegarek porzucony na plaży – ciągnął gniewnym tonem

Winslow – to wyciągnąłbyś wniosek, że ten zegarek wyewoluował sam z siebie? Że nie ma żadnych twórców zegarków i żadnego aktu stworzenia? – To nie to samo, dziadku. Jedno to zjawisko biologiczne, to drugie to „wynalazek". To głupi argument. Oczywiście jest wynalazca i jest ten, kto stworzył zegarek! Zegarek sam się nie zreprodukuje.

A jednak Winslow zdawał się nie rozumieć i uparcie wracał do głównej tezy jego kazania:
– Istnienie tak skomplikowanego mechanizmu dowodzi, że jest Stwórca, podobnie nasz złożony gatunek i ten wielki świat...
– Dziadku, nie: biorąc pod uwagę zdumiewającą różnorodność i procesy na świecie, bardziej racjonalnie jest zakładać, że nie ma żadnego Stwórcy, że to wszystko jest akcydensem i że musimy postarać się to zrozumieć.
– Nigdy! W życiu nie uwierzę, że świat powstał z przypadku, a nie jako dzieło. I ludzie, do których będę przemawiać, którzy ufają naszemu nauczaniu, też w to nigdy nie uwierzą.

Winslow przemawiał z żarem, wręcz z furią. Jego oczy, zazwyczaj spoglądające tak łagodnie, lśniły teraz z oburzenia. Jozjasz nigdy wcześniej nie widział dziadka w takim stanie i natychmiast pożałował swoich słów, bo czemu mogła służyć taka dyskusja? Starsze pokolenie musi wierzyć w to, co musi, stwierdził Jozjasz. Młodsze pokolenia zastępują starszych od siebie i litują się nad ignorancją, którą tamci z dumą nazywają wiarą*.

Mrucząc słowa przeprosin, Jozjasz wymówił się i wymknął z gabinetu dziadka.

Już nigdy więcej nie było im dane dyskutować na ów temat.

On tkwi w pułapce jak mucha zamknięta w słoju. Będzie żył, dopóki w słoju będzie tlen. Ale nie dłużej.

Zbór w Germantown, zupełnie jakby chcąc zadać kłam słowom Jozjasza i tych, których Winslow Slade nazwał w swoim kazaniu *młodszym pokoleniem quasi-racjonalistów*, wręcz chłonął jego idee, tym bardziej że zostały wyrażone w formie znakomicie zrozumiałej dla młodszych słuchaczy, a także osób gorzej wykształconych; myślą przewodnią kazania było to, że „wiara" i „nauka" zamieszkują całkowicie różne sfery i nie nakładają się, nawet wtedy gdy posługują się tym samym słownictwem. Nie było aplauzu w pięknym starym kościele, choć taki rozbrzmiałby w sali wykładowej, ale tamtejszy pastor oraz jego ścisłe otoczenie okazali swe zadowolenie i wielu

---

* Czy Jozjasz jest tutaj proroczy czy naiwny? Czyżby ta jego bezcenna *teoria ewolucji* tak go zauroczyła, że wyobraża sobie podobną progresję jeszcze bardziej złożonych idei w ludzkiej sferze? Bo rozum nigdy nie zastąpi wiary, tak długo, jak będzie istniał *Homo sapiens*.

ludzi podchodziło później do Winslowa Slade'a, by uścisnąć mu dłoń i pochwalić go za to, że wytłumaczył im ich własne przekonania w sposób, do którego sami nie byli zdolni. Jakież to było czy też powinno było być przyjemne – raz jeszcze skąpać się w takich publicznych pochlebstwach! I przyczynić się do obrony wiary chrześcijańskiej przed ateizmem. Ale Winslow czuł się zmęczony i lekko zalękniony, jak zazwyczaj czują się starsi ludzie, gdy są daleko od domu, i dlatego wymówił się z eleganckiego lunchu w domu jednego z parafian, twierdząc, że musi zdążyć na pociąg o drugiej.

Podczas powrotu do Princetonu Winslow nie potrafił nic na to poradzić, że tak mu ciążyły powieki; nie mógł się skupić na książce, którą miał nadzieję przeczytać, czyli świeżo opublikowanym *Życiu rozumu* George'a Santayany z wydziału filozofii na Uniwersytecie Harvarda. Zapadł w lekką drzemkę w swoim prywatnym przedziale, a gdy ocknął się z niej znienacka, ujrzał za oknem jakieś stworzenie – konia? jelenia? – które biegło, potykając się, obok rozpędzonego pociągu – po czym ku swemu zdumieniu zobaczył, że ta sylwetka jest ludzka i podobna do zjawy. No przecież, to była Annabel! Jego ukochana wnuczka Annabel! Biegnąca boso po gołej ziemi, żałośnie wyciągając ku niemu chude, obnażone ręce, z rozwianymi dziko długimi puklami i z jasną, dziecięcą twarzyczką dziko wykrzywioną. *Dziadku! Pomóż mi! Nie zostawiaj mnie! Wstaw się za mnie przed swoim Bogiem!* Ale pociąg nabierał prędkości, oddalając się coraz bardziej. Annabel pozostała z tyłu, desperacko brnąc przez uschłe, splątane trawy rosnące obok torów.

Stukotanie kół pociągu było hałaśliwe, dlatego nikt nie słyszał przerażonych krzyków starca, jego wołania o pomoc. Nikt go w porę nie znalazł, leżącego na podłodze przedziału, z twarzą wykrzywioną śmiertelnym przerażeniem i z oczyma zapadniętymi w głąb czaszki, dopóki konduktor nie rozsunął drzwi na stacji Princeton.

FANTOMOWI KOCHANKOWIE

Brzuch jest powodem, iż człowiek nie uznaje siebie tak łatwo za boga.

Tamtej jesieni ów cierpki aforyzm Nietzschego miał dla Uptona Sinclaira szczególne znaczenie, acz nie dlatego, że każdego dnia podobnie jak miliardy innych żyjących w ubóstwie istnień na całym świecie cierpiał z głodu ani też dlatego, że folgował sobie z obfitym pożywieniem. Upton miał taką szczególną kondycję, że brakowało mu apetytu, a czasem nawet czuł wstręt do jedzenia; rzadko kiedy bywał głodny w zwykłym sensie tego słowa i po wmuszeniu w siebie jakiegoś posiłku często wił się w niemym bólu, jakby kwasy w jego układzie trawiennym zaczęły wrzeć.

Jakże zagadkowy był ten stan i jakaż niesprawiedliwość, że akurat jego to dotknęło – skoro przecież z religijnym oddaniem trzymał się przykazań wegetarianizmu, unikając nie tylko mięsa, ale także ryb, a ponadto żył tak ascetycznie, pracując bite piętnaście godzin przy biurku i odmawiając sobie wszystkiego oprócz podgrzanego odtłuszczonego mleka, gdy czuł, że kręci mu się w głowie. Upton miał taką teorię, że post stymuluje go do pisania wielkich partii prozy, tak jak to zgodnie z jego przekonaniem było z innymi; czyż Balzac nie pracował przy swoim biurku przez trzydzieści godzin z rzędu? Skądinąd Upton Sinclair wierzył, że sam jest czystszy, zdrowszy i bardziej ascetyczny we własnych obyczajach niż Balzac i bardziej ofiarny, gdy szło o oddanie swoim ideałom.

Meta martwiła się, że Upton nabawi się anemii i rozchoruje z kretesem, ale młody pisarz odparł, że sześcioletnie dzieci trudzą się całą noc, żeby rozpalić piece w hucie Allegheny, i że jego praca, w porównaniu z ich znojem, jest doprawdy lekka.

– Nie chcę się rozbisurmanić i rozleniwić – powiedział Upton. – Rewolucja będzie potrzebowała wszystkich naszych sił.

– Ale ty nie jesteś leniwy, Uptonie. Ani trochę. Tylko jesz za mało i jesteś bardzo chudy.

– Nie taki chudy jak inni! – odparował Upton. (Mimo że sekretnie czuł lekki niepokój, że traci na wadze, zamiast na niej przybierać, że po spożyciu najłagodniejszego posiłku, jak owsianka bez soli i cukru, jedno gotowane jajko, miseczka ciepłego mleka, w którym wcześniej moczył się chleb, doświadcza bólu żołądka, naturalnie znosił ten ból w milczeniu, ze stoickim spokojem. I najbardziej było mu przykro, że przez ten ascetyzm, który narzucił swojej małej rodzinie, jego syn David nabawił się krzywicy, zgodnie z diagnozą pewnego surowego princetońskiego lekarza). Obawiał się, że Meta nigdy mu tego nie wybaczy – tych rachitycznych kości małego Davida.

A jednak brakowało jej argumentów w dyskusjach z Uptonem, który zawsze odwoływał się do swych socjalistycznych ideałów. Był przekonany, że jego wrzody żołądka i nadwrażliwość nerwowa to tylko objawy choroby, której przyczyną jest kapitalizm: „Ta wszechwładna forteca chciwości", której istnienie on i jego towarzysze socjaliści wykrywali we wszystkich zakątkach Stanów Zjednoczonych na początku dwudziestego wieku.

– Jak można być zdrowym w tak chorym społeczeństwie? – spytał Upton Metę.

Owa riposta była zbyt cenna, by ją tak sobie rzucić i potem jej nie odnotować wieczorem w dzienniku.

Czy w tak chorym społeczeństwie jak nasze jakikolwiek obywatel jest w stanie być zdrowy?

W stosunkowo mniej stresujących latach, przed samobójczą próbą Mety, młoda para często szła na przechadzkę wieczorem, niosąc swego maleńkiego synka w czymś w rodzaju eskimoskiego plecaka, który Upton mocował sobie do pleców, a ponieważ wieś była mniej gościnna dla spacerowiczów niż Princeton, bo co sto jardów stały tam tablice z napisem WSTĘP WZBRONIONY, Upton i Meta szli do miasteczka, do uniwersyteckiego kampusu; Upton stwierdzał tam, że nie jest w stanie się rozwodzić nad tym paradoksem, że owo otoczenie jest takie sielankowe i jednocześnie tak pełne przywilejów, bo jeszcze by się rozchorował. Meta wówczas pospiesznie ciągnęła go dalej, w stronę Alexander Road, gdzie przy małej stacyjce zbudowanej z kamienia Uptona nachodziło natchnienie, by mówić o tym, co te wszystkie „monopolistyczne linie kolejowe" zrobiły z amerykańskimi obywatelami; mówił jej, a także wszystkim, którzy przypadkiem tego słuchali, na peronie, że trzeba dokonać potężnej rewolucji, jeśli pokojowe przejście zawiedzie. Ściskając szczupłe ramię Mety, cytował jeden ze swych ulubionych ustępów *Zaratustry*: „Patrzcież, blady przestępca pochylił głowę: z oczu jego przemawia wielka wzgarda. *Moje „ja" jest czymś, co pokonanym być winno, moje „ja" jest dla mnie wielkim wzgardzeniem człowieka* – tak oto mówią jego oczy".

Meta słuchała tego grzecznie, jak zawsze, ale zdawała się nie rozumieć.

– Nietzsche mówi zagadkami, Meta. Ale kiedy znasz klucz, jego słowa przestają być zagadkami, są przejrzyste jak kryształ. Jestem pacyfistą, jak wiesz, ale... cóż za prorocze słowa! Pewnego dnia, jeśli czciciele mamony nie usłuchają naszych ostrzeżeń, będą strzały, bomby, płomienie strzelające ku niebu i wrzaski na ulicach.

– Obawiam się, że armia amerykańska będzie strzelała do rewolucjonistów. Albo ludzie Pinkertona, którzy już poradzili sobie ze strajkami – mruknęła na to Meta, mało pewnym głosem.

Nie bardzo zwracając uwagę na żonę, poza tym, że potrzebował jej jako uważnego słuchacza, Upton sprowadził ją z peronu na wysypane żwirem tory, na mętnie lśniące szyny i drewniane podkłady, bo akurat nie nadjeżdżał żaden pociąg. Opowiadał o swej dziecięcej fascynacji, jaką wywoływała w nim kolej: wagony, lokomotywy parowe, potwory z żelaza, stali, pędu i romantyzmu – tego samego romantyzmu, który ten niegodziwiec J.P. Morgan i jego Trust Kolejowy próbowali eksploatować w imię chciwości. Wyznał, że naprawdę kocha kolej, mając na myśli samą tę maszynerię i jej czystą cudowność – tę dumę, ogromny hałas, radosny dym, gęsty i czarny, lecący splotami w tył, tę „melancholijną muzykę" jej odgłosów w nocnym mroku, gwizd, stukot kół, ogłuszający ryk, cudowne „O" paszczy bojlera lokomotywy.

– Kiedy spotkam się z Jackiem Londonem, bo my dwaj musimy się spotkać, zarzucę go pytaniami o jeżdżenie koleją, bo wiem, że on się na tym zna. Spytam, czy kiedykolwiek był świadkiem wypadku na kolei; podobno straszny widok. Wszystko jest powiązane – mówił z podnieceniem Upton – z Nowym Braterstwem człowieka wyrwanego z rąk dawnej tyranii. Bo jak może być inaczej w dialektycznej historii walki klasowej? Życie to prosty i wyraźnie zdefiniowany *proces ewolucyjny*, w którym silni pokonują słabych i w zamian są pokonywani przez jeszcze silniejszych, proces, w wyniku którego może dojść do wyginięcia całego gatunku. Dawna wiara, że Bóg stworzył niebo i ziemię, a także wszystko, co żyje na ziemi, została dokumentnie obalona przez Darwina, Nietzschego i ich wyznawców; teraz słuchamy Marksa, Kropotkina i Bakunina jako naszych wizjonerów, a także Jacka Londona.

Upton jął potem mówić o roli przypadku w procesie dialektycznym, bo na przykład prezydent McKinley został zabity przez skrytobójcę Czołgosza, który nieświadomie działał jako agent konieczności historycznej, mimo że świat odrzucił go jako wściekłego anarchistę-szaleńca. I razem z nagłą śmiercią McKinleya Roosevelt został wyniesiony na stanowisko prezydenta.

– Drogą takiego przypadku historia podlega nieodwracalnym zmianom – powiedział – i to nie może być przypadek, że *Dżungla* ukazuje się właśnie teraz, za administracji Roosevelta. Bo istnieje znacznie wyższe prawdopodobieństwo, że taki Roosevelt to zauważy, podczas gdy McKinley pewnie by nie zauważył.

Niewykluczone, że Meta uśmiechnęła się wtedy w duchu, na myśl o tym, że jej młody, nieatrakcyjny mąż miałby zostać zaproszony do Białego Domu na dyskusję o jego demaskatorskim dziele poświęconym chicagowskim rzeźniom.

– Bo czyż artysta nie jest z natury rewolucjonistą?

Meta zgodziła się, że *jest*.

Tak jak nie może być postępu społecznego bez geniuszu, ciągnął Upton, tak nie ma geniuszu bez postępu społecznego.

– Myśl to siła, jak wierzył Wiktor Hugo, a Bóg tworzy sztukę za pośrednictwem człowieka. Tak więc Bóg wciąż dodaje światu genialnych poetów, kiedy wymaga tego postęp, i jeśli rewolucja powoduje przemoc, nawet potworną, to poeta musi służyć tej *potworności*.

– Ale czy ty wierzysz w Boga, Uptonie? – wymruczała łagodnie Meta. – Mówiłeś, zdaje się, że już nie powinniśmy.

– Oczywiście, że nie wierzę w Boga w ten dawny, skompromitowany sposób – odparł Upton. – Wierzę w Boga w ramach swoistej historii dialektycznej. Jestem wprawdzie pacyfistą, jak również wegetarianinem i abstynentem, a jednak przeszywa mnie jakiś dreszcz, kiedy się zastanawiam, co może się urodzić z *potworności* rewolucji. Może jakaś nowa odmiana ludzkości, jakaś nowa moralność. „Poza dobrem i złem", jak ujął to Nietzsche.

– Jak na przykład rewolucja francuska? – Meta zadygotała. – Gilotyna. Dla mnie to takie straszne. Wszak za jej pomocą zgładzono tylu rewolucjonistów.

– *Nie* jak rewolucja francuska, Meto – powiedział Upton z cierpliwością przemieszaną z rozdrażnieniem. – To jest całkiem nowa odmiana rewolucji, nad którą pracują nasi towarzysze socjaliści. To rewolucja, która będzie skutkowała upadkiem burżuazji, kapitalizmu. Pomyśl o wypadku na kolei, o dzikim podnieceniu towarzyszącym takiemu dramatowi, bo tu mamy do czynienia z aktem, w którym coś nad wyraz potężnego zatrzymuje się znienacka, w którym dynamiczny ruch naprzód zostaje zahamowany, w którym brutalna siła napotyka opór, w którym nieruchomieją kłęby czarnego dymu z lokomotywy, a zadowoleni z siebie pasażerowie prywatnych, luksusowych przedziałów Pullmana zostają wyrzuceni przez rozbite okna, połamani tak w ciele, jak i na duchu, roniąc krew w pospolitą glebę. Zaczynają żałować, ale jest już za późno… jakiż terror sieje taka destrukcja próżności! Potężna lokomotywa obalona, kłęby płomieni i czarny, oleisty dym… wrzaski paniki, wykrzywione twarze, ciała podobne do rannych węży, żab nabitych na pal, boska stal zmięta, jakby to był zwykły karton. Czy w takim momencie Trust Kolejowy dysponuje jeszcze jakąś siłą?

Upton przemawiał z taką pasją, że Meta musiała szarpnąć go za nadgarstek, żeby go uciszyć, bo ludzie na peronie przysłuchiwali się z wielką ciekawością. Zawstydzony Upton umilkł. Bo w ciągu następnych sekund na torach pojawił się trzywagonowy pociąg, zwany przez miejscowych Malcem, jadący od stacji Princeton do miasteczka Princeton, dziarsko wydmuchując z siebie wąską smużkę dymu. Upton Sinclair pospiesznie umknął z torów i wskoczył na peron, pomagając żonie stanąć obok siebie; zostałby i przyglądał się z pewną zazdrością, jak kilkunastu pasażerów wsiada do tego małego pociągu, gdyby nie Meta, która opatuliła się szczelniej bawełnianym szalem i mruknęła:

– Uptonie, proszę. Ja chcę tylko wrócić do domu.

Tydzień później późną nocą Upton zastał żonę siedzącą przy ich nagim kuchennym stole; trzymała przy skroni lufę rewolweru i drżącym palcem naciskała na spust. (Upton nigdy w życiu nie strzelał i nie miał pojęcia, jak mocno trzeba nacisnąć na spust; już samo myślenie o tym przeraziłoby go). Chwilę wcześniej ocknął się ze snu i odkrył, że Meta wyślizgnęła się z łóżka; z zapaloną świecą poszedł jej poszukać, zamiast zawołać, bo wtedy mógłby obudzić małego Davida i sprowokować atak płaczu, od którego puchły bębenki w uszach.

Widok był zaiste piekielny – Meta w kuchni, obok palącej się ponuro lampy naftowej. Ale jeszcze bardziej niepokoił fakt, że po oddaniu mu rewolweru zaczęła wylewać z siebie gorzkie łzy, mówiąc, jak bardzo siebie nie cierpi, bo jest złą matką, i że brakuje jej odwagi, by zrobić to, do czego namawia ją Bóg.

– Bóg nie poprosiłby cię o coś tak okrutnego – zaprotestował Upton – nawet ten gniewny Bóg ze Starego Testamentu.

Przez wiele tygodni później Uptona nawiedzały żałosne słowa żony i nie rozumiał, czym sobie zasłużył, że je usłyszał. Czy nie był wiernym mężem i ojcem mimo tak skromnych okoliczności ich życia?

Czy jego żona nie rozumiała, że on ją kocha, mimo że jest oddany sprawie socjalizmu? A jednak wychodziło na to, że kobieta potrzebuje czegoś więcej.

Odnotował w swoim dzienniku dla potomności:

Rewolucjonista nie powinien się żenić, podobnie jak męczennik.

Jakaś trucizna przesączała się do ich małżeństwa, jeśli nie do ich dusz, od czasu przyjazdu do Princetonu i rozpoczęcia „wiejskiego eksperymentu" na starej farmie przy Rosedale Road, ale młody autor nie potrafił stwierdzić, co to za trucizna. Czy mogła to być trucizna przynależna *miejscu?* Czy też – w mniej oczywisty sposób – *czasom?*

Zamieszkali wszak w całkiem pięknej części New Jersey, a samo Princeton było sielankową miejscowością, pozbawioną brzydoty większości miast. Upton zauważał w swych listach do towarzyszy socjalistów, że w publicznych miejscach tak jakby nie ma tu biednych ludzi, a z pewnością już nie ma żebraków, ponadto nawet czarnoskóra służba i robotnicy ubierają się przyzwoicie i mieszkają w szacownej dzielnicy mieszkalnej przy Witherspoon Street, którą można by omyłkowo uznać za „białą" dzielnicę. A jednak zdawało się, że to wszystko spowijają opary jakiejś *trucizny...* Dawniej jego młoda żona pałała miłością do niego i jego pisarstwa, znajdując nawet w pospiesznie płodzonych tekstach do nowojorskich gazet dowody geniuszu, teraz zaś zdradzała nimi jedynie powierzchowne zainteresowanie i tak jakby jej to nie obchodziło, że dzięki *Dżungli* sprzedawały się wszystkie wydania „Apelu do Rozumu", w których powieść się ukazywała. („Pismo płaci ci tylko zwyczajną stawkę, dlatego to nie czyni różnicy, że te wydania to bestsellery. Nadal jesteśmy biedni" – wskazywała Meta z okrutną precyzją, bez cienia sympatii, jakiej człowiek mógłby oczekiwać od lojalnej żony). Wcześniej mieli taki zwyczaj, że wieczorami Upton dawał żonie lektury do poczytania przy lampie naftowej, dzięki czemu mogli je potem wspólnie omawiać, ale Meta stopniowo traciła zainteresowanie, a nawet gubiła te teksty – w tym *Naukowe podstawy utopii* autorstwa samego Uptona, które on planował przedstawić tego lata na pierwszym spotkaniu Międzykolegialnego Stowarzyszenia Socjalistycznego.

Naszła go straszna myśl: Czyżby jego żona była zakochana w innym mężczyźnie?

Albo spotykała się z kimś w tajemnicy?

Takimi oto wizjami torturował siebie nieszczęśliwy mąż, garbiąc się nad stołem do pisania w świątyni pracy urządzonej w małej chatce za farmerskim domostwem.

Tej jesieni, mimo morderstwa dziewczyny Spagsów, do którego doszło niewiele mil dalej, i wbrew pogłoskom o innych niesłychanych zbrodniach popełnionych w okolicy, Meta wypuszczała się na samotnicze spacery, jakby na pohybel okolicznościom; ileś razy oświadczyła, że „nie obawia się niczego" w przeciwieństwie do innych kobiet, bo koniecznie chciała wymykać się od małego Davida, kiedy tylko mogła, żeby być sama ze swoimi myślami, gdzieś, gdzie nic jej w tym nie mogło przeszkodzić. W takich chwilach słabowita młoda kobieta buchała sporą, jeśli nie gorączkową energią i potrafiła pokonywać długie dystanse – co najmniej dwie mile do miasteczka i z powrotem albo do lasu i na pola za farmą, nie wiadomo jak daleko. Spacerowała po Province Line Road, po Carter i Poe, w okolicach rzeczki Stony Brook, a także po Rosedale; Upton dowiedział się przypadkiem, że potrafiła zajść aż do Pretty Brook Road, która biegła równolegle do Rosedale, po drugiej stronie potoku.

Niekiedy też odważała się zawędrować aż do lasu Crosswicks, mimo że tamtejsze grunty były gęsto naznaczone tablicami ostrzegającymi, że „wstęp wzbroniony"; przychodziła stamtąd w ubłoconych butach, jakby wdepnęła w bagno. I kiedy wracała z takiej potajemnej wędrówki, nie poinformowawszy Uptona zawczasu, że wychodzi z domu, zazwyczaj brakowało jej tchu i była opalona, jej odzienie było podarte przez kolce i miała roztargane włosy. „Gdzieś ty była, Meta?", pytał Upton z dezaprobatą, bo było nie było, musiał odrywać się od pracy, żeby zająć się dzieckiem. A Meta odpowiadała mu wymijająco, że „poszła na spacer i straciła poczucie czasu".

Upton ukrył rewolwer. A także kule. Ale gdyby Meta naprawdę chciała coś sobie zrobić, to czy dałby radę temu zapobiec? Bo mimo szczerości swych uczuć i pasji moralnych przekonań wiedział, że jest bezradny.

Zmysłowość przyspiesza niejednokrotnie wzrost miłości, iż korzenie tejże są za słabe i łatwo wyrwane być mogą*.

Upton wpisał ten aforyzm Nietzschego do swojego dziennika. Nie było to takie oczywiste, czy stosuje się do niego i Mety, ale kryła się w nim pewna niepokojąca mądrość.

Z początku, gdy Sinclairowie zdecydowali żyć w cnocie, jak „siostra i brat", żeby zapobiec kolejnej ciąży, Meta wydawała się blada, nerwowa, zalękniona i drażliwa jednocześnie, a jednak, o dziwo, w miarę upływu czasu zaczęły od niej bić zadowolenie i tajemniczość, a nawet, uznał Upton, zmysłowość.

(Czy może tylko to sobie wyobraził?)

Zdarzały się długie, niewyjaśnione spacery, za które Meta ledwie raczyła przeprosić; bywały sytuacje, gdy Meta spała sobie smacznie jeszcze po świcie, jak nie zdarzało jej się w przeszłości, sprawiając wrażenie kompletnie beztroskiej, jakby o wszystkim zapomniała, i zdecydowanie nie miała chęci obudzić się i ponownie zająć domowymi obowiązkami, nawet wtedy gdy mały David krzykiem domagał się jej uwagi matki.

Rzadziej bawiła się z dzieckiem. Gdy ona i Upton przypadkiem się dotknęli, na przykład wpadli na siebie w ciasnej izbie, natychmiast martwiała, co Uptonowi ani trochę nie schlebiało.

Sinclairowie naturalnie nie sypiali już w jednym łóżku; Meta wolała spać

---

* F. Nietzsche, *Poza dobrem i złem*, przeł. Stanisław Wyrzykowski, Nietzsche Seminarium, Łódź-Wrocław 2010 (przyp. tłum.).

na wąskiej kozetce w pokoju od frontu, zapewniwszy Uptona, że ani trochę jej to nie przeszkadza.

Kiedy jesień ustąpiła miejsca wczesnej zimie, Upton stał się jeszcze bardziej świadom dziwnej aury zadowolenia bijącej od żony – to pełganie uśmiechu na jej wargach zamiast grymasu, kiedy szykowała posiłki albo sprzątała później w kuchni, to, jak się przypatrywała swojemu odbiciu w jedynym lustrze w domu umocowanym do toaletki w sypialni, tęsknie, wyczekująco i – (no chyba że Upton to też sobie tylko wyobraził) – kokieteryjnie.

Nie był z natury podejrzliwy, a jednak wydawało mu się znaczące, że Meta potrafiła teraz pięć minut albo i dłużej szczotkować włosy, po czym z wyrazem dziewczęcej nadziei przyglądała się sobie w lustrze z różnych ujęć i układała włosy w niezwykłe fryzury – potrafił jedynie wyciągnąć wniosek, że zostały skopiowane z lśniących magazynów jak „Vanity Fair", które z pewnością nie pojawiały się w jego domostwie.

Któregoś razu Upton przyszedł bez uprzedzenia do domu ze swej chatki i zastał Metę na przymierzaniu jednego ze starych beretów, który „ożywiła" nieco kawałkiem satynowej wstążki; innym razem przy przetrząsaniu szuflady odkrył ukrytą pod różnymi elementami damskiej garderoby kosztowną z wyglądu broszkę z macicy perłowej, w której były osadzone małe, czerwone kamyczki. (Rubiny?) Meta twierdziła, że to podarunek od jej babki, ale Upton nabrał podejrzeń, bo dlaczego nigdy przedtem nie widział broszki?

Meta stwierdziła wymijająco, że to tylko „błyskotka", ale nigdy broszki nie nosiła w jego obecności.

Jednego ranka pod koniec października, gdy Upton siedział przy stole do pisania, w chatce, z której roztaczał się widok na pole zaschłej kukurydzy, stwierdził, że myśli o Mecie tak go rozkojarzają, że nie jest w stanie pisać, i przez długi czas siedział z głową w dłoniach. Pisał właśnie list do towarzysza w mieście, ale podmuch wiatru między uschniętymi łodygami kukurydzy brzmiał dla niego jak szept, mimo że nie potrafił z tego szeptu wyłowić żadnych słów.

To właśnie w tym momencie Upton zobaczył, nieco dalej, ale jeszcze w obrębie (widocznych) granic pola, konia z bryczką poruszającego się leniwym tempem, mimo że tam nie było żadnej drogi ani też ścieżki i żaden koń z bryczką nie byłby w stanie przejechać przez pole kukurydzy w tak posuwisty sposób... To była ładna bryczka, acz staromodna, a jednak w tej wiejskiej okolicy, gdzie farmerzy nie posiadali aut, jakoś nie wydawała się czymś niezwykłym, tak jak by się wydawała w Princetonie.

To chyba jakieś złudzenie optyczne, pomyślał Upton. Albo chwila słabości z przepracowania. Albo może koń i bryczka jechali drogą niewidoczną z chatki. Wrócił do listu i zmusił się, żeby przeczytać go od początku: tematem było Międzykolegialne Stowarzyszenie Socjalistyczne, które powstało na początku roku z misją sprawienia, by wykładowcy amerykańscy przestali przedstawiać Marksa, Engelsa, Kropotkina, Feuerbacha, Bakunina i innych w ignorancki i uprzedzony sposób; konkretnie zaś przedmiotem listu były nadzieje, że na prezesa stowarzyszenia zostanie wybrany Jack London. Bo Upton wielbił Londona, uważał Londona za jedną z najdumniejszych postaci socjalizmu: przystojny, mężny, rzucający wyzwania i powszechnie znany jako geniusz za sprawą „piramidalnego" sukcesu, jaki odniósł dzięki takim bestsellerom jak *Zew krwi* i *Wilk morski*. Ileż rozgłosu zdobyłoby stowarzyszenie, gdyby London został wybrany i zgodził się objąć to stanowisko! Raczkująca organizacja zostałaby zalana podaniami o członkostwo.

Dlatego Upton Sinclair dowodził, że stowarzyszenie musi wybrać Londona, a nie Eugene'a Debsa, bo wprawdzie Debs był weteranem walki socjalistycznej, ale niezaprzeczalnie borykał się z wieloma problemami – (nieumiarkowane picie, komplikacje małżeńskie, wybuchowy temperament) – i nie mógł liczyć na to, że przyciągnie powszechne zainteresowanie zarówno ze strony socjalistów, jak i „niewierzących" pokroju jakże charakternego Londona.

Czy London już się nie wyróżnił w paru starciach z wrogami socjalizmu? Czy nie przemawiał do wrogich zgromadzeń i czy nie wszczął ambitnej, acz niepotrzebnej kampanii o stanowisko burmistrza miasta Oakland w Kalifornii? Był hałaśliwy, ale wypowiadał się gładko, był porywczy, a jednocześnie „poetycki", był mężczyzną, który się wyróżniał wśród innych mężczyzn, ale kobiety go lubiły, wliczając w to damy z wyższych sfer. Zainspirowany Upton napisał: „Łowił pstrągi, był ostrygowym piratem, dokerem, żeglarzem. Przewędrował nasz wielki kraj i zna go od podszewki, mieszkał w koszmarze slumsów Whitechapel i szukał złota w Klondike. Bywał bity przez policję i trafiał do więzienia".

(Upton nie zamierzał o tym wspominać, ale London wysmażył także laudację na okładkę *Dżungli*, która niebawem miała się ukazać w sztywnej oprawie: „Oto nareszcie jest! To książka, na którą wszyscy czekaliśmy! *Chata wuja Toma* dla niewolników żyjących z pensji! *Dżungla* autorstwa towarzysza Sinclaira! Która dla dzisiejszych białych niewolników zdziała tyle samo, ile niegdyś *Chata wuja Toma* dla czarnoskórych niewolników (...). Każdy robotnik ją przeczyta. Otworzy niezliczone pary uszu, które dotąd były głuche na socjalizm. Przygotuje glebę pod ziarno naszej propagandy. Przysporzy tysięcy nawróceń na naszą sprawę. *Towarzysze, wszystko zależy od was!*").

Upton zaciekle bronił Londona w związku z „wulgarnymi i zwodniczymi plotkami" na temat jego i „kusicielki" Charmian, bo jakie to miało znaczenie dla socjalizmu, czy London pozostanie ze swoją żoną, czy też ją opuści? W każdym razie London wypierał się wszelkiej znajomości z egzotyczną „Charmian" i Uptonowi to wystarczało.

Zadarł głowę i zobaczył, albo tak jakby zobaczył, konia-zjawę ciągnącego bryczkę, tyle że tym razem koń biegł w jego stronę.

– Czy on jedzie *po mnie?*

Bryczka wydawała się całkiem materialna, a ciągnący ją gniadosz miał gwiazdkę na czole; bardziej pojemna niż zwyczajna dwuosobowa dwukółka, w rzeczy samej było to *lando*, szare, albo raczej perłowe, z czarną budą opuszczoną do połowy, obrzeżoną suknem jarzącym się bielą. Powoził jakiś dżentelmen, machający batem nad końskim zadem, a obok niego siedziała dama, która z głową wspartą o jego ramię osłaniała twarz przed słońcem jedwabnym wachlarzem.

Zdumiony Upton wytrzeszczył oczy. Po czym zamrugał i przetarł je, bo wizja znienacka zniknęła i pole na powrót opustoszało.

– Czy ja tracę rozum? *Ja?* Który zawsze się chełpiłem swą *racjonalnością?*

Upton powrócił do pisania, tak prędko i z takim zacięciem, na jakie było go stać. A jednak jego myśli błąkały się po manowcach: bo może to lando miało coś wspólnego z *trucizną* w atmosferze Princetonu? Jakiś człowiek został aresztowany w związku ze sprawą morderstwa dziewczyny Spagsów i do tej pory zapewne go już skazano, ale Upton nie wierzył, że lokalna policja aresztowała właściwego sprawcę. I krążyły pogłoski, jakoby w okręgu dochodziło do jeszcze innych aktów przemocy i wandalizmu. A także do sporadycznych demonstracji członków Ku-Klux-Klanu odzianych w białe kaptury, którzy w samym środku nocy wyskakiwali znikąd w wiejskich enklawach New Jersey niczym śmiercionośne cienie.

Dla otrzeźwienia warto było sobie przypomnieć, że zgodnie z wykładnią Marksa i Engelsa przedstawiciele proletariatu nie są nieodmiennie świątobliwi, tylko w wyniku brutalizującej, ciężkiej pracy często przeradzają się w *bestie*. Pijaństwo, prostytucja, wszelkiego typu rozpusta, rabunki, zabójstwa, morderstwa, lincze – same nieuchronne konsekwencje kapitalistycznej zbrodni przeciwko naturze ludzkiej. Dlaczego proletariat nie miałby kraść albo postępować brutalnie, nawet ze swymi braćmi i siostrami? Kto uczy niewolników płacy być dobrymi?

Któregoś razu, podczas drogi powrotnej do domu z długiej wyprawy brzegiem rzeczki Stony Brook, Meta pozwoliła się podwieźć farmerowi--sąsiadowi pospolitą furą z koniem; Upton zdenerwował się na widok żony w towarzystwie tak nieokrzesanego osobnika. Jako socjalista był obowiązany jednoczyć się z wszystkimi ludźmi pracy i wszystkimi wyzyskiwanymi osobami, a jednak, będąc dobrze wychowanym młodzieńcem z dobrej rodziny, który kochał sztukę i pragnął wierzyć we wrodzoną dobroć gatunku ludzkiego, był szczerze przerażony zdegenerowanym zachowaniem niektórych ludzi w tej okolicy. Bicie żon i dzieci, choroby weneryczne, pijaństwo, jawne obłąkanie i opętańcza przemoc panoszyły się wszędzie w promieniu kilku mil od domu wynajmowanego przez Sinclairów.

A już najbardziej szerzyła się zwyczajna głupota – Upton odkrył, że niewielu farmerów potrafi mądrze prowadzić swe gospodarstwa i że mało któremu na tym zależy; ich najbardziej lukratywnymi przedsięwzięciami była nielegalna produkcja jabłkowej brandy (sprzedawanej ponoć potajemnie w najbardziej ekskluzywnych klubojadalniach Uniwersytetu Princeton) oraz bezwstydne sprzedawanie swojego prawa do głosu jako obywateli Stanów Zjednoczonych płci męskiej – te głosy sprzedawały się w okręgu Mercer za nędzne dwa dolary! Młody socjalista, który pisał z taką pasją o niewolnictwie pracowników w Chicago, szczególnie ubolewając nad wyzyskiem dzieci, nie mógł się też nie zdumieć, kiedy odkrył, na własnym podwórku, by tak rzec, że najmniejsze dzieci farmerów z sąsiedztwa zmuszano do codziennej szesnastogodzinnej harówki na rodzinnych farmach, co było tym bardziej okrutne, że ich ojcowie obsiewali pola bez ładu i składu, przez co wszelka praca na farmie wiązała się z marnotrawstwem ludzkiej energii i ducha. A już najbardziej obrzydliwe było to, że kiedy nędzne plony zostały wreszcie zebrane, taki ojciec zazwyczaj czym prędzej je przepijał.

Upton dowiedział się, że bodaj jedynymi skutecznymi farmerami w dolinie Hopewell są tacy, którzy za sprawą wysokiej inteligencji, knowań, spisków lub jawnych oszustw nabywali spore, liczące ponad sto akrów farmy, które w pewnym sensie stanowiły repliki fabryk, ze względu na zaangażowanie masowych środków produkcji i zatrudnianie taniej siły roboczej. Ci farmerzy, mimo że sympatyczni podczas rozmowy, bogobojni chrześcijanie protestanckiej maści, nie daliby rady prosperować tak dobrze bez systematycznego i ciągłego wyzysku innych ludzi, wliczając w to własne rodziny. Wiejska Ameryka zaiste nie była żadnym rajem, a farma nie była arkadyjską ostoją, jak się wydawało niektórym socjalistom z dużych miast.

Upton był szczególnie zaniepokojony, że nawet ubodzy farmerzy mieli niewielkie poczucie braterstwa z takimi jak on i Meta albo stojącymi jeszcze niżej; on i Meta kilka miesięcy wcześniej byli wstrząśnięci żartobliwymi uwagami na temat straszliwych aktów linczu w Camden, dokonanych przez sąsiadów – „Sami sobie winni, czasami człowiek musi dostać nauczkę".

Albo: „Czarnuch musi wiedzieć, że nie jest biały. Jego kobieta też musi to wiedzieć".

A jednocześnie Upton z całej duszy pragnął wierzyć, że w najbliższej przyszłości specjalna kadra socjalistów ustanowi spółdzielczą „kolonię mieszkalną" w jakiejś odosobnionej wiejskiej okolicy jak okręg Mercer. Czy była tu jakaś sprzeczność? W co właściwie należało wierzyć? Zapalczywie odnotował w swym dzienniku:

*Jak prorok Zaratustra my też musimy pokonać własną słabość,
bo inaczej staniemy się Übermenschami.*

Pół godziny później Upton przypadkiem podniósł wzrok znad stołu i zobaczył za oknem zdumiewający spektakl: w rzeczy samej *obsceniczny spektakl*,
niecałe trzydzieści jardów od chatki, na skraju pola kukurydzy.

Dżentelmen i dama wysiedli właśnie z landa i najwyraźniej przekonani,
że w tym miejscu są sami i nikt im się nie przygląda, obejmowali się nad wyraz intymnie i namiętnie. Upton przetarł oczy: Czy ta kobieta to jego żona?

– To niemożliwe! Nie.

Mężczyzna puszył się zadziornie, miał krzepkie ciało i rumianą cerę;
na tę wyprawę na wieś włożył sportowe ubranie i czapeczkę marynarską.
Sądząc po modnym kroju jego odzienia, wywodził się z klasy *kapitalistycznych wyzyskiwaczy*, ale z kolei rumiana karnacja mówiła, że to po prostu
drapieżnik.

Zdjęty grozą Upton stwierdził, że jest mu trudno dostrzec rysy twarzy
kobiety, bo ta, jakby komicznie protestując przeciwko bezczelności swego
towarzysza, wyginała się, prężyła, młóciła piąstkami (delikatnie, dla zabawy), próbowała wymierzyć kopniaka i śmiała się dziko, podczas gdy jej
ognisty absztyfikant chwytał ją lubieżnie w objęcia, wytrącając jej z rąk
jedwabny wachlarz. Młoda kobieta była ubrana w piękną suknię z prążko-
wanego jedwabiu, ze spódnicą modnie „spętaną" na łydkach, częściowo
teraz rozpiętą; jej rudawe włosy, stylowo spięte na czubku głowy na modłę
Dziewczyny Gibsona, poluźniły się podczas tej miłosnej potyczki. Upton
z całą pewnością nigdy nie widział tej prążkowanej sukni ani też nie widział
żony w takim uczesaniu, a jednak bez wątpienia to był ten szelmowski,
szkocki profil Mety i to był ten jej dziewczęcy śmiech.

– Przestań! Natychmiast przestań! Meta!

Upton cisnął przybory do pisania i wybiegł na zewnątrz.

I znalazł się w jakimś innym czasie: Gdzie też się podziali kochankowie?
Zniknęło też perłowe lando i gniadosz z białą gwiazdką na czole.

– Meta? Gdzie ty jesteś? Gdzie się ukrywasz? *Odpowiedz mi.*

A jednak wydawało się, że pole jest równie puste jak wcześniej. Poruszały się tylko zasuszone łodygi, szepcząc drwiąco bez chwili przerwy.
Owładnięty nagłym szałem Upton pobiegł do szopy, by odszukać rewolwer
ukryty na wysokiej półce pod brezentem; potem wrócił do chatki, gdzie
pod luźną deską w podłodze ukrył kule. Trzęsącymi się dłońmi wcisnął
kule do komory, nie wiedząc zresztą, czy we właściwą stronę, bo nie bardzo potrafił ładować broń. Kiedy wybiegł na zewnątrz, wymachując bronią,
tętniło mu w głowie.

– Widziałem was! Już wszystko wiem! Zamorduję was oboje!

Mimo że w zasięgu wzroku nie było nikogo, Upton uniósł broń, wycelował ją bez udziału myśli i nacisnął na spust. Straszliwy, ogłuszający *trzask!* omal nie rozpołowił mu bębenków. A jednak ogarnęło go zdziczenie: znowu nacisnął na spust i potem jeszcze raz. Nie miał pojęcia, w co trafiają kule pomykające pomiędzy łodygami kukurydzy. Ale nie słyszał niczyjego krzyku, nie zobaczył śladu po kimś, kto się tam mógł chować.

– Gdzie jesteście! Diabły! Cudzołożnicy! Jak śmiecie naigrawać się ze mnie!

Nikt mu nie odpowiedział. A potem wreszcie coś usłyszał – znowu ten szeleszczący, drwiący szept łodyg kukurydzy i na jego tle cichy płacz osamotnionego dziecka w farmerskim domu.

W rzeczy samej na polu nie było teraz nikogo i przedtem najprawdopodobniej też nie było. Powróciwszy do syna, by umieścić go w prowizorycznym nosidle i przypasać sobie do pleców, Upton pognał znów na pole i teraz już szukał dokładniej, przedzierając się między rzędami połamanych łodyg. Znalazł resztki szkieletów – nie wiadomo po czym. Po jakichś niepozornych stworzeniach, może królikach. Kępki szarej sierści albo piór – pożarta ofiara sowy?

Przy przeciwległym skraju pola odkrył spory kopczyk końskiego nawozu, ale nie umiał stwierdzić, czy ekskrementy są świeże, czy też mają kilka dni.

– I żadnych innych cholernych wskazówek!

ઝ

Meta wróciła kilka godzin później, tuż przed zmierzchem.

W swej burej płóciennej spódnicy w spłowiały wzorek w kwiatki, która wyglądała tak, jakby została uszyta z worka po nasionach, w przekrzywionym berecie, butach pokrytych pyłem, z mnóstwem rzepów wczepionych w ubranie, Meta podeszła pod dom bez większego pośpiechu, ale też bez widomego strachu; wyglądała wręcz na rozmarzoną. Upton obserwował ją przez otwarte okno w kuchni, nadal w stanie oszołomienia, z bólem głowy i mdlącym poczuciem, że nosi w sobie jakąś chorobę.

– Meta! Gdzieś ty była, do diabła!

W tym pytaniu pobrzmiewała familiarność, która pogłębiła wrażenie, że coś mu dolega.

Meta zaprotestowała: przecież powiedziała Uptonowi, że „wybiera się na spacer". Była pewna, że powiedziała.

– Nie było mnie tylko godzinę, może troszeczkę więcej.

Godzinę! Upton ugryzł się w język, bo nie chciał się sprzeczać. Wrócił do stołu, a kiedy Meta weszła do kuchni, ziewając, zdejmując już beret, spod którego wysypały się zaraz jej roztargane włosy, zobaczyła, że Upton czyści rewolwer, że niezdarnie oliwi jego części zatłuszczonymi palcami. Upton wiedział, że jego wąska, wygolona i strasznie oburzona twarz jest spowita melancholią i że jego zapadnięte oczy są wilgotne. Stojąca przy jego łokciu lampa naftowa jarzyła się rachityczną, migotliwą łuną.

Na widok rewolweru Meta na moment wytrzeszczyła oczy, po czym swobodnie albo wręcz beztrosko spytała, dlaczego rewolwer został znowu „wpuszczony" do domu, skoro przecież Upton zakazał go tu wnosić.

– Morderstwa w New Jersey pozostają w większości nierozwiązane. Nie powinno nas zdziwić, jeśli będą kolejne.

– Morderstwa? To było więcej niż jedno?

– Chyba tak. Wiele więcej.

Meta zadygotała, roztrząsając włosy i wyjmując z nich jedwabiste kukurydziane znamię.

TURKUSOWY ZESZYT

Obrzydzenie! I konsternacja.

To właśnie czuję, szczerze powiedziawszy, kiedy zabieram się do jednego z najbardziej bolesnych epizodów tej historii, do tematu następnego rozdziału zatytułowanego „Bagienne Królestwo".

Jest to wyznanie Annabel Slade. I zarazem strasznie przykry, a także pod wieloma względami nieobyczajny dokument, który wolę przedstawić bez cenzury czy też zniekształceń, a więc inaczej niż moi poprzednicy; zaczerpnąłem go prawie słowo w słowo z notatnika oprawionego we wzór naśladujący turkusowy marmur, który nazywam po prostu Turkusowym Zeszytem. Historycy muszą się opierać na źródłach. Historykom nie wolno wymyślać źródeł. A jednak pomijanie albo zniekształcanie źródeł w celu chronienia „niewinnych" jest w równym stopniu ich wymyślaniem, innymi słowy kłamaniem.

Prawdą jest, że rywalizujący ze mną historycy podchodzili do wyznania Annabel Slade w bardzo nieprofesjonalny sposób. Wprowadzali w błąd, zaciemniali i wykazywali przesadną ostrożność; nie kierowali się uczciwością i profesjonalizmem. (Ileż w tym ironii, że oto ja, historyk-amator, miałbym oskarżać tamtych o brak profesjonalizmu, ale jest jak jest).

Fakt, materia wprawia w zakłopotanie, jeśli nie w obrzydzenie. I nie da się zagwarantować jej absolutnej autentyczności.

(Ale z kolei, co z przeszłości można potwierdzić z *absolutną pewnością*, nawet jeśli było się czegoś naocznym świadkiem?)

A jednak nic nie tłumaczy postępowania Q.T. Hollingera, historyka, który relegował „niepotwierdzoną" opowieść o «narodzinach bestii»" do zwyczajnego przypisu w *Nierozwiązanej zagadce Klątwy z Crosswicks: Najnowsze odkrycia* (1949) i który sparafrazował opowieść Annabel w tak mętny sposób, że nikt nie jest w stanie wychwycić poetyckiego posmaku tego nadzwyczaj wyrafinowanego języka. Hiram Tite postąpił zaś inaczej, bo w swojej *Niewyjaśnionej tajemnicy "Horroru z Crosswicks"* poświęcił wprawdzie ostatecznemu upokorzeniu i (oczywistej) śmierci Annabel Slade odrębny rozdział, a jednak w tym swoim goniącym za sensacją studium podchodzi tak niewprawnie do szczegółów, że ostatecznie sugeruje sceptycznemu czytelnikowi, iż nie jest to nic więcej jak tylko plotki czy też pogłoski lub brednie tego typu, które się lekceważy, nazywając "babskim gadaniem". Z kolei *Wampiryczne zbrodnie w dawnym Princetonie*, popełnione przez anonimowego autora, są zbyt godne wzgardy, by domagały się poważnego komentarza, ale też niewiele więcej można powiedzieć na temat dzieł Crofta-Crooke'a, człowieka o imponującym dorobku akademickim (bakalaureat Harvardu, dyplom magisterski Yale, długoletni dyrektor college'u w Lawrenceville), albo panny Heleny Worthing, posiadającej naukową biografię (bakalaureat Barnard, dyplom magisterski Columbii). Dla mnie jednak najbardziej przykre są te artykuły pisane z niewątpliwym pośpiechem do gazet New Jersey, w których mylono tragiczny los Annabel z losami domniemanych ofiar Diabła z Jersey. (W styczniu 1909 roku skutkiem niszczycielskich działań tego na poły mitycznego stwora wśród kobiet z regionu Pine Barrens odnotowano przypadki poronień, narodzin martwych dzieci oraz innych *anomalii* – są to niewiarygodne i niepotwierdzone incydenty, całkowicie wykraczające poza zakres mojej kroniki, którą opieram w całości na faktach).

Moim pierwotnym źródłem informacji w tej części kroniki jest dziennik o rozmiarach osiem cali na dwanaście, z okładką w turkusowy marmurowy wzór, w którym Jozjasz Slade zaczął robić zapiski zaraz po pierwszym dniu stycznia 1906 roku, przy łożu swojej siostry Annabel; wprawdzie owe zapiski nie zostały sporządzone szyfrem tak jak dziennik Adelajdy Burr, a jednak trudno je transkrybować, bo były wyraźnie sporządzane w pośpiechu i z towarzyszeniem silnych emocji, przez co są tam liczne rozbieżności, niezrozumiałe figury retoryczne, nagłe przerwy i eliptyczne stwierdzenia. I czytelnik zauważy zapewne, że wszystko urywa się znienacka – bo prawdopodobnie wtedy właśnie Annabel zaczęła rodzić, doznając bolesnych skurczów łona, które miały się utrzymywać przez kolejne dwadzieścia wyczerpujących godzin.

Na skrzydełku dziennika widnieje wzruszający wpis sporządzony ręką Jozjasza: *Boże, daj mi siłę, abym zniósł wszystko to, co moja siostra zechce ujawnić.*

Jako że jest to rozdział, który wielu czytelników przeczyta pobieżnie albo wręcz pominie, bo dotyczy rzemiosła historyka i może być dla nich tak interesujący, jak dla wielbicieli gwiazd ekranu interesująca może być relacja z kulisów produkcji jakiegoś filmu, sądzę, że postąpię zasadnie, jeśli w tym miejscu wyliczę część moich bezcennych materiałów, których nie da się znaleźć, nawet w postaci wzmianki, w większości bibliotek, zbiorów specjalnych, archiwów historycznych etc., a które zawierają informacje związane z tematem. Naturalnie najważniejsza pozycja to Turkusowy Zeszyt, którego – choć jest spisany ręką Jozjasza Slade'a – nie włączyłem do *silva rerum* listów, notatek, artykułów prasowych i innych pamiątek związanych z Jozjaszem, które znalazły się między stronicami Beżowego Zeszytu (od oprawy z beżowego safianu) – czyli dziennika Jozjasza z lat 1901-1906. (Typowo dla młodego kronikarza Jozjasz nie odnotowywał wiernie każdego dnia swojego życia, tylko wręcz przeciwnie, często przez długi czas nie zapisywał ani jednego słowa. W zeszycie brakuje też ilus kartek, które zostały zeń niechlujnie wyrwane). Ponadto, jak czytelnik wie, w sporej mierze korzystałem z Czerwonego Zeszytu pani Adelajdy Burr – obecnie tak spłowiałego i zniszczonego, że sprawia zaiste wrażenie nostalgicznego dokumentu, mimo żywego stylu owej dziarskiej inwalidki, a także z wielotomowego dziennika pani Johanny van Dyck, znanego historykom jako Księga w Kości Słoniowej, jako że znajduje się w Zbiorach Specjalnych Uniwersytetu Princeton. (Liczni historycy, którzy z niej korzystali, nie mają pojęcia, że Johanna van Dyck pisała jeszcze drugi, potajemny dziennik, który nazwałem Zeszytem w Czarne Cętki. Jest to skromny dziennik, bo zawiera zaledwie sześćdziesiąt zapisanych stron, przy czym większość wpisów nie jest opatrzona datami i nie jest specjalnie spójna, bo tak się akurat złożyło, że w lutym 1906 roku, krótko po tym, gdy Annabel Slade urodziła swoje dziecko, Johanna van Dyck wydała (przedwcześnie) na świat chłopca, a jej zazwyczaj oddany mąż Pearce cierpiał, zdaje się, na jakąś odmianę princetońskiej niemocy, której niefortunnych skutków wolałbym nie komentować). Najbardziej przydatny okazał się Zeszyt w Brązowe Cętki Wilhelminy Burr, który jest po brzegi wypełniony notatkami, osobistymi dokumentami, wycinkami, listami miłosnymi (?) od niezidentyfikowanych osobników, fotografiami, a nawet rachunkami za różne nabytki, a także obfitującymi w szczegóły zapiskami samej Wilhelminy. Posiadam ponadto szkatułę z drzewa sandałowego, w której przechowuję jeszcze większą obfitość nie do końca uporządkowanych materiałów dotyczących Woodrowa Wilsona, a także szkatułę wyłożoną różowym brokatem, w której trzymam materiały związane z Groverem Clevelandem. Mam także dostęp do Pomarańczowego Zeszytu (w oprawie imitującej pomarańczowy marmur), czyli dziennika pani Henrietty Slade, który jednakowoż rozczarowuje, jeśli idzie o szczegóły, i nie jest raczej przydatny dla historyka, oraz Zeszyt w Lilie Burbońskie pani Amandy FitzRandolph, której pogmatwane i halucynacyjne opowieści o jej „opętanym" synu są równie szokujące jak mało wiarygodne i raczej do niczego się nie przydadzą.

BAGIENNE KRÓLESTWO

Szybciej, coraz szybciej, galopowały konie po Gościńcu Królewskim, ze spienionymi pyskami, parskając – nasz powóz jak oszalały chybotał się z boku na bok... Annabel mówiła to tak słabym, niepewnym, co raz milknącym głosem, że Jozjasz miał duże trudności z usłyszeniem i spisaniem tego, co powiedziała.

Biedna Annabel! Wróciła w niełasce, umordowana fizycznie do swego dziewczęcego pokoiku na plebanii Crosswicks. W gorączce, w delirium, z ciałem groteskowo rozdętym, w odmiennym stanie.

Przy Annabel byli także jej matka, Henrietta, ogromnie zaniepokojona, oraz dziadek Winslow, cierpiący jeszcze od skutków udaru, który przebył kilka miesięcy wcześniej, a który sparaliżował mu połowę twarzy i sprawił, że lewe oko miał teraz zawsze przymrużone i prawie przestał na nie widzieć. Starzec mówił też wolniej, jakby każde jego słowo rodziło się odrębnie, podobne do ciśniętego z wysiłkiem kamyka, niezależnie od słów, które je wyprzedzały i po nim następowały. Bo stało się tak, jak Winslow Slade to przewidział, w wizji ujrzanej za oknem wagonu kolejowego: jego wnuczka wróciła do domu nie tylko samotnie, ale także pieszo; wyczerpana i złamana, niezdolna nawet do histerii. Wróciła pewnej szczególnie mroźnej i śnieżnej grudniowej nocy – *kobieta odtrącona przez kochanka*.

Poniższa scena rozgrywa się nie w świetle elektrycznym, tylko w migoczącym świetle świecy, bo choć w 1905 roku dom Slade'ów był już w całości zelektryfikowany, to jednak w pokoju Annabel nie dokonano żadnych zmian od czasu, gdy była jeszcze dziewczynką: został bardzo pięknie urządzony w kobiecym, wiktoriańskim stylu z różową tapetą w lilie burbońskie, czarującym małym żyrandolem z irlandzkiego szkła, białymi meblami i biureczkiem z wiśniowego drewna, zza którego podziwiało się rozarium, teraz martwe z powodu zimy. Był tam również kominek z sieneńskiego marmuru, rzadko używany – wiszące nad nim lustro migoczące w świetle świec przypominało leśne źródełko. Na wysokich, wąskich oknach wisiały zasłony z perkalu i adamaszku, w żywych barwach, które teraz wydawały się przygaszone i nieokreślone.

Panieńskie łóżko Annabel stanowiło wspaniały przykład osiemnastowiecznego mebla naśladującego kształtem sanie, przekazywanego w rodzinie z pokolenia na pokolenie, z baldachimem z białego jedwabiu i zazwyczaj białą pościelą; dziwnie się oglądało na tym pojedynczym łóżku młodą kobietę w ostatnim stadium ciąży, desperacko ściskającą dziewiczo biały pled.

Doktor Boudinot został pospiesznie wezwany i zaraz potem odesłany. Bo Annabel pragnęła porozmawiać otwarcie z bratem, matką i dziadkiem; obecność obcej osoby tylko by ją onieśmielała.

(W zastępstwie Boudinota przy porodzie miała pomagać długoletnia gospodyni Slade'ów, Cassandra, wyszkolona na akuszerkę. Ale w owym czasie Cassandra była na dole i czekała, aż zostanie wezwana).

(Czytelnicy powinni zostać ostrzeżeni: różne pierwszoosobowe i „naoczne" relacje narodzin ohydnego potomka Axsona Maytego, o których w poprzednich kronikach donosili Hollinger, Tite, Worthing, „Anonim" i inni, są całkowicie powierzchowne i zafałszowane. Cassandra, która bardzo kochała wnuczkę swych chlebodawców, nigdy nie ujawniła, co widziała, ani nawet że asystowała przy porodzie, aczkolwiek wielu ludzi przez całe lata uporczywie ją o to wypytywało. *Wszystko, co jest wiadome o tym epizodzie, pochodzi z zapisków Jojasza w Turkusowym Zeszycie, który znajduje się w moim posiadaniu*).

W tym miejscu, w celu dokładnego opisu scenerii, należy odnotować jeszcze jeden przedmiot, a mianowicie portret (namalowany pastelami przez Winslowa Homera, bliskiego znajomego starszych Slade'ów) małej Annabel, w wieku około jedenastu lat, w marynarskiej czapeczce ze wstążkami i z uśmiechem zawstydzenia, wiszący na ścianie blisko łóżka; wizerunek dziecięcej niewinności i ufności, boleśnie kontrastujący z młodą kobietą leżącą na łóżku z baldachimem, której delikatne rysy wykrzywiało teraz upokorzenie i ból.

Wiatr rozwiewa mi włosy i zdziera ślubny welon z mej głowy – sprawiając, że oczy zachodzą mi łzami – choć nie – (jeszcze nie!) – łzami żalu i wstydu. Czy kochasz mnie ponad wszystkich innych mężczyzn, droga Annabel, *szeptał on*, i czy zostaniesz moją małżonką i królową mego królestwa…

Jakie to dziwne, że te drzewa przelatujące obok nas, te łąki wzdłuż Gościńca Królewskiego, które powinny były jarzyć się najświeższą zielenią, stały się jednolicie szare i wyprane z koloru jak przy zaćmieniu Słońca. I co jesz-

cze dziwniejsze, zdawało się, że mijamy plebanię Crosswicks, dom, który tak kochałam przez całe swoje życie, stojący z dala od drogi pod wysokimi drzewami, i który teraz jawił się mym oszołomionym oczom jak bryła ołowianej barwy, pozbawiona jakiegokolwiek piękna, na tle nieba już nie błękitnego, tylko przezroczystego jak szkło.

Żywopłoty rosnące przy drodze zaskakiwały swą osobliwą kredową *barwą, a świeżo zaorana ziemia na polach nie przypominała żyznej gleby, lecz zmieniła tonację, dziwnie zbielała, jakby spadł na nią śnieg drobny niczym proszek, i to w pogodny czerwcowy dzień!*

On mnie przestrzegł – nie wolno mi się oglądać za siebie. Nie wolno mi nawet zerknąć przez ramię, ani razu, na to wszystko, co za sobą zostawiłam – dla jego dobra.

Ten wiatr! Ten wiatr! Szarpał mnie za włosy – a mój kochanek opasywał mnie w talii silnym ramieniem, dzięki czemu mogłam wtulić twarz w jego szyję – Czy przysięgasz mi wierność jako swemu prawowitemu małżonkowi? – *i przykładał wargi do mych powiek, po czym znienacka zacieśnił uścisk ramienia, przez co krzyknęłam z bólu.*

Ten gorący wiatr wybił mi oddech z płuc, wiatr, który nabrał woni zgnilizny, mimo że jechaliśmy przez krajobraz, który znałam od dziecka – tylko co to były za obce stwory na poboczu drogi, które podrywały się w powietrze na czarnych skórzastych skrzydłach, kiedy podjechaliśmy bliżej? Wyglądały jak ptaki, a jednak to nie były ptaki tego rodzaju, które normalnie się tu widuje, tylko raczej jakby wielkie lelki z płaskimi łbami, długimi spiczastymi skrzydłami, o ślepiach jak dymiące węgle łypiące groźnie z otworów o kształcie szpar. I te ptaszyska pokrzykiwały gniewnie, niecierpliwie, niemal jak ludzie, wyraźnie zwracając się do Axsona, jakby go znały, a on znał je.

Moja dzielna Annabel! Dla mnie odrzuciłaś swe dotychczasowe życie!

Konie galopowały coraz prędzej i coraz bardziej zawzięcie – miałam wręcz wrażenie, że parskają płomieniami – w zawierusze grzyw rozwianych na wietrze, z zadartymi wysoko ogonami, tocząc zdziczałymi oczyma, a jednak zniecierpliwiony Axson trzaskał batem nad ich zadami, jakby się bał pościgu.

Niebawem będziemy bezpieczni w moim królestwie, gdzie nikt nas nie dopadnie.

Nikt, droga Annabel, nie wyrwie cię z mych objęć.

Kredowe żywopłoty, niebotycznie wysokie, bezlistne drzewa i bezludny krajobraz z pasącymi się stworzeniami nieznanego gatunku – taki niesamowity i jarzący się światłem, a jednak chorym światłem, od którego bolały mnie oczy i nie mogłam przyjrzeć się niczemu uważnie, bo wszystko było wyblakłe jak bardzo stara rycina albo jeden z dagerotypów przedstawiających dziadka z lat młodości. Ach, ta dzika, obłąkańcza jazda! Ach, ten straszny, zmieniony świat! Napotkaliśmy nawet inny pojazd przy skrzyżowaniu z jakąś wąską drogą – farmerską furę ciągnioną przez szkapę o za-

*padniętym grzbiecie – ale ta fura, mimo iż z całą pewnością się przemiesz-
czała, zdawała się zamarznięta w ruchu, a posiwiały farmer siedzący na
koźle, w kombinezonie i zniszczonym słomianym kapeluszu, patrzył na nas
pustymi, szklanymi oczyma, jakby nas widział, a jednak nie widział; fura
toczyła się, ale jej toporne koła nie obracały się i koń nie truchtał. Skądś wiedziałam, że to przez wzgląd na Axsona: że czas najwyraźniej zatrzymał się
dla nas, żeby Axson mógł pognać ze swoją oblubienicą w siną dal.*

*Widzieliśmy opuszczony cmentarz, na którym dawniej grzebano kwa-
krów, należący do starego, zrujnowanego kościoła, i wszystkie nagrobki,
a także spustoszone wnętrze kościoła były jednolitej ołowianej barwy. Widzieliśmy grupę skazańców wlokących się obok drogi w bezkształtnych wię-
ziennych ubraniach, z kajdanami na nogach – ani jeden nie miał rysów
przynależnych białej rasie; wszystkie twarze z rozpłaszczonymi nosami
i mięsistymi wargami wskazywały na afrykańskie pochodzenie, a jednak
skóra tych mężczyzn była* biała jak kreda! *Widok tak zdumiewający, iż człowiek był gotów pomyśleć, że świat wywrócił się na nice, a niebo w pijackim
upojeniu zamieniło się na miejsca z piekłem.*

*Mijały godziny albo dni – pogubiłam się w czasie jak porwana przez falę
przyboju – ledwie wiedziałam, dokąd jestem wieziona w takim pośpiechu,
bo miłość wniknęła we mnie jak chloroform, przez nos i usta, mgłą zasnu-
wając umysł. Gwałtowne kołysanie powozu dodawało mi otuchy, bo ten
powóz był celą więzienną; moja oślepiająco biała ślubna suknia zrobiła się
brudna, zmięta i podarta. Przestałam być Annabel Slade, głupim dziew-
czątkiem, a stałam się kobietą na zawsze przypisaną swemu kochankowi;
tak dalece dałam się zniewolić, że nie poświęciłam ani jednej myśli memu
prawowicie poślubionemu małżonkowi, Dabneyowi Bayardowi, podobnie
jak ktoś mógłby nie rozmyślać o śnie zastąpionym przez nowsze, bardziej
potężne i wymagające marzenie. Powóz tymczasem kolebał się po piaszczy-
stej, porytej koleinami drodze wiodącej w głąb lasu – chyba Pine Barrens,
a zarazem w głąb naszego lasu, przy plebanii Crosswicks.* Jesteś dla mnie
wszystkim, drogi Axsonie, jesteś jak cień, który wchłania bledszy cień, jesteś jak pojedynczy, rwący strumień, który wchłania niezliczone, maleńkie
dopływy.

*Cóż za niezwykły widok – te wielkie drzewa scrzepione nad naszymi
głowami, tworzące coś w rodzaju łuku, bezlistne drzewa upiornej barwy,
bez krztyny życia, mimo że wyglądały jak dęby, wiązy, buki i kasztanow-
ce lasu Crosswicks. Minęliśmy dużą polanę, boleśnie mi znajomą, upiorną
przestrzeń wypełnioną ponurym, rozjarzonym światłem; gwałtownie pod-
niosłam wzrok ku konarowi wielkiego dębu, z którego zwisały dwa ciała,
bez życia, spalone szkaradnie, zupełnie znieruchomiałe mimo porywistego
wiatru. Moje oczy zatrwożyły się, nie byłam w stanie tego oglądać, tylko
ukryłam twarz w gorącym karku mojego kochanka, a on się śmiał. Droga*

Annabel, jesteś prawie bezpieczna... nie obawiaj się... nie doznasz takich krzywd, jakich doznają inne... twa uroda sprawi, że będzie ci oszczędzone... przysięgam ci to jako twój kochanek na wieczność.

I tak oto konie wiozły nas w stronę Bagiennego Królestwa, inaczej Wielkiego Mroku albo Królestwa Przeklętych, choć ja wonczas jeszcze tych nazw nie znałam – po wąskiej drodze, która stawała się coraz to węższa i coraz bardziej błotnista – piękne, dopasowane do siebie konie, okrutnie teraz wykorzystywane przez niecierpliwego pana, w wędzidłach oblepionych pianą i krwią; ich biedne wyprężone grzbiety lśniły jaskrawo krzyżującymi się pasami krwi. I wtedy znaleźliśmy się tam, wśród bagien, między olbrzymimi drzewami obrośniętymi cudacznymi brodami z mchu, także barwy popiołu, zewsząd otoczeni czarnymi stawami wypełnionymi bagienną wodą, których powierzchnię marszczyły niewidoczne, podobne do węży stworzenia; w powietrzu unosiła się zgniła, ostra woń, jakby smrodu bijącego z kanałów ściekowych przemieszanego z roślinnym rozkładem. Bądź cierpliwa, moja miłości, moja miła, moja oblubienico przeczysta! Bo już prawie jesteśmy na miejscu, gdzie czeka na nas ślubne łoże w najwspanialszej komnacie sypialnej mego pałacu.

Ciężkie, bagniste powietrze, takie zastarzałe, takie gęste – ledwie mogłam oddychać. Buki lasu Crosswicks ustąpiły miejsca drzewom obrośniętym mchem i innym, wysokim, prostym drzewom o gładkiej korze, nieznanego mi gatunku – no chyba że to były namorzyny z gęsto splecionymi wężowymi korzeniami. Nad nami krążyły pokrzykujące gniewnie wielkie ptaszyska – machające skórzastymi skrzydłami jak Lucyfer, który przedziera się przez nicość ku rozpaczy ludzkości. Znowu zaczęłam odczuwać strach, włosy na karku zjeżyły mi się w zwierzęcej panice, a mój protektor przycisnął mnie jeszcze mocniej do siebie. Bądź cierpliwa, najdroższa! Jeszcze tylko kawałatek drogi, już nie daję rady przymuszać tych leniwych bestii, by biegły prędzej!

Dotarliśmy wreszcie do starej, zardzewiałej bramy z kutego żelaza, z łukiem zwieńczonym stworami podobnymi do gryfów i kolcami, która zarazem przyciągała i odpychała. I ta brama była otwarta na oścież, choć nigdzie nie zauważyłam odźwiernego. Tu mój kochanek ścisnął mi dłonie z taką siłą, że zlękłam się, czy nie połamie mi palców, a potem namiętnym szeptem rzekł: Czy odrzucasz swą rodzinę i prawowicie poślubionego małżonka, czy podtrzymujesz swą decyzję, by przylgnąć na zawsze do kochanka, którego prawdziwie ukochało twe serce?

Na to umiałam jedynie wyszeptać bez tchu: Tak! Tak!

Takim oto sposobem zostałam przywieziona do Bagiennego Królestwa w mojej zniszczonej sukni ślubnej i w welonie, w hiszpańskich koronkach, z satynowymi konwaliami, tak doskonałymi, że przypominały te prawdziwe.

Zostałam przywieziona z całą moją pychą i ignorancją, taką próżną, bo wciąż jeszcze niewinną. Ukochana Annabel! Słodka Annabel! Nareszcie w moim królestwie.

Odurzona miłością, która karmiła się pałającym spojrzeniem mego opiekuna i zarazem przed nim wzdragała. Ociemniała z pragnienia, by nie czynić nic więcej, tylko wtopić się w niego.

Bo Axson Mayte był najprzystojniejszym mężczyzną, jakiego kiedykolwiek poznałam – bez cienia wątpliwości. Wysoki, zgrabny, nieposzlakowane maniery, łagodny głos, czuły.

Stąd ta ślepota, stąd te dążenia mej grzesznej, chorej natury.

Przywieziona do Bagiennego Pałacu ukrytego w odmętach mrocznego trzęsawiska, gdzie nikt nie mógł go znaleźć; gdzie nikt z tego drugiego świata *nie dałby rady dotrzeć, by zabrać zbałamuconą Annabel do domu.*

Niebawem wysiedliśmy z zabłoconego powozu; ktoś odebrał od nas zziajane konie i mruknął do Axsona, że będzie trzeba je uśpić *– bo przecież on nigdy nie wykorzystuje koni dwa razy, nie po takiej eskapadzie.*

A potem zaprowadził mnie – zbyt brutalnie zacisnąwszy dłoń wokół mego nadgarstka – do głównej sali tego przepastnego pałacu, którego widok zdumiał mnie, wręcz odebrał mi mowę, do sali z wysokim łukowym sklepieniem z ponurego granitu, przywodzącej na myśl ogromną, starą katedrę – wypełnionej tętniącą echem pustką i cuchnącej przytłaczającą wonią wilgotnej, ziemistej zgnilizny i rozkładu.

I nie mówiąc już nic więcej, mój oblubieniec powiódł mnie w górę wielkiej spiralnej klatki schodowej zaśmieconej połamanymi kostkami delikatnych zwierzątek, po których, chcąc nie chcąc, musiałam stąpać, wzdrygając się z panicznego przerażenia. Prowadził mnie, nie mówiąc nic prócz: Annabel, chodź! Do naszego małżeńskiego łoża.

I tak oto – Bagienny Pałac.
Samo wnętrze Bagiennego Pałacu.
A w nim ja, Annabel – królowa!
Królowa Annabel, z Bagiennego Królestwa.
I okrutny „Axson Mayte", obok niej jako król.

Trudno mi opowiadać o tym, jak mnie wykorzystał mój oblubieniec.
Trudno mi opowiadać już o samym małżeńskim łożu.

Główna sypialnia na szczycie bardzo wytartych, omszałych kamiennych schodów oblepionych brudem, stwardniałymi ekskrementami i szczątkami robactwa – w której za pojedynczym (okratowanym) oknem roztaczał się widok na bagnisty cmentarz z przekrzywionymi, zaniedbanymi nagrobka-

mi, cały porośnięty kolczastą trawą, z kałużami cuchnącej wody pomiędzy grobami. Tu stworzenia, jakich nigdy wcześniej nie widziałam, dokazywały swobodnie jak przerośnięte, hałaśliwe dzieci; przez wiele dni kuliłam się ze strachu, byle nie patrzeć na nie: wielkie, niezgrabne ptaszyska o gadzich cechach, z ostrymi szponami, gigantyczne jaszczurki o roztrzepotanych językach i topazowych ślepiach, miękkie, mięsiste, brzuchate stwory rozmiarów świń podobne do mięczaków bez muszli, które karmiły się w taki sposób, że wsysały pożywienie licznymi gębo-mackami. I jeszcze jeden koszmar! Gleba cmentarza była porozrywana i skłócona, bo to w niej karmiły się te stwory. Kto jest pogrzebany na tym cmentarzu, Axsonie? *Tak odważyłam się spytać mojego męża, który odpowiedział mi niedbałym, zimnym tonem:* No jakże, twoje poprzedniczki, droga Annabel. Jestem przecież wdowcem, i to wielokrotnym.

Bagienny Pałac, w którym Annabel panowała jako (pseudo) królowa – przez krótki czas.

Bagienny Pałac z wilgotnymi, omszałymi komnatami – niektóre pokoje były tak wielkie jak prywatne kaplice, inne tak ciasne, duszne i ciemne, że mogły służyć za lochy albo miejsca tortur. Wiele korytarzy wiodło w różnych kierunkach do samych trzewi pałacu i na zewnątrz, przez wyrwy w skruszałym kamiennym murze, w głąb bagien; były też spadziście sklepione pasaże, które wykrzywiały się to na jedną, to na drugą stronę, albo pozbawione okien, albo z wąskimi (okratowanymi) oknami, z których widziało się cuchnące podwórce zawalone stertami gruzu i zarośnięte bagiennymi liliami. Wiele klatek schodowych wiodło donikąd albo kończyło się ciężkimi odrzwiami, zaryglowanymi jakby od stuleci.

Bagienny Pałac! Pewnego dnia Axson ulitował się nade mną, albo tylko to sobie wmówiłam, i zaprowadził mnie do biblioteki, która była znacznie większa od sławnej biblioteki mojego dziadka Winslowa. Możesz sobie przeczytać, co tylko sobie zażyczysz, ukochana żono. Z moim błogosławieństwem.

A jednak przeżyłam szok i udrękę, bo wprawdzie na półkach sięgających wysokiego sklepienia stały oprawione w skórę księgi, ale po ich otwarciu okazywało się, że druk jest rozmazany, jakby w pałacu była kiedyś powódź; co gorsza, wiele ksiąg miało puste stronice, które badałam z rosnącym zdumieniem i ogromną rozpaczą.

Dlaczego tak jest, Axsonie, *spytałam mego oblubieńca,* co się stało z twoimi książkami? *I Axson znowu odpowiedział na to bezdusznym tonem, obojętnie wzruszając ramionami:* Wszystkie stronice, wszystkie książki są jednakowo bezużyteczne: co się tu denerwować?

* * *

Bagienny Pałac, obsługiwany przez „służących" – istoty, które sprawiały wrażenie jedynie po części ludzkich! – odrażających, a jednocześnie budzących litość. Nieodmiennie zdeformowani, niezależnie od płci, i bardzo różniący się wiekiem, ale przeważnie starsi, obdarzeni upiornie bladą skórą, jak podbrzusza żab albo węży; ich rozpaczliwe oczy były zapadnięte i puste, tchórzliwe i wstydliwe, a zarazem skryte czy wręcz podstępne. Jak oni ciężko pracowali! A przy tym jak bezowocnie. To jedna z twoich poprzedniczek, droga Annabel, jeśli jesteś ciekawa – *odezwał się raz Axson, wskazując mi przygiętą do ziemi staruchę opatuloną w coś w rodzaju całunu, która na czworakach energicznie szorowała stopnie; jeśli usłyszała, co powiedział, to nie dała tego po sobie znać, a ja ze swej strony przestałam na nią patrzeć, bo zakręciło mi się w głowie. (Jakież to wydawało się straszne, że ta biedna kobiecina harowała na próżno, bo lała brudną wodę na brudne stopnie i potem szorowała je z wielkim wigorem, a jednak one wciąż pozostawały brudne; Axson szedł po tych mokrych stopniach obojętnie, nawet nie spojrzawszy pod nogi).*

Pozwolono mi zobaczyć z daleka siostrę Axsona, Camille – kobietę o wybitnie pięknej, acz surowej twarzy, obdarzoną bardzo bladą cerą, z jasnymi włosami spływającymi na plecy i bezlitosnym spojrzeniem. Nie wolno ci podchodzić do Camille. Nie wolno ci rozmawiać z Camille, chyba że to ona zagadnie cię jako pierwsza.

Axson mówił o siostrze z podziwem. Na jego twarzy, która przeobraziła się w plamiastą twarz ropuchy, z wybałuszonymi ślepiami i obwisłymi, mokrymi od śliny ustami, malował się wyraz zdumienia, lęku i pogardy do własnej siostry.

Dzieci nocy, tak ich nazywał. Brzydkie istoty dokazujące pod oknem naszej sypialni, na opuszczonym cmentarzu. Zresztą za dnia były niemal równie aktywne: skrzeczały, darły z sobą koty, z maniakalną chciwością grzebały w rozpadających się grobach i w czarnych kałużach rojących się od pasożytów. Dzieci nocy, *mruczał Axson Mayte,* którymi ty lepiej nie gardź, moja dumna Annabel, bo niebawem poznacie się lepiej, jeszcze przed upływem miesięcy, gdy ja i moi towarzysze zmęczymy się twą kremową skórą i lenistwem.

Nie było to do końca prawdą, że poprzednie oblubienice Axsona nie żyły, bo pewna ich liczba, która stale się zresztą zmieniała – bywało, że nawet dwadzieścia – wciąż żyła, albo w zamknięciu w komnatach Bagiennego Pałacu, albo jak ta żałosna starucha, przeobrażona w robotnice, które mogły się wyłaniać na powierzchnię. Mój harem nie jest taki okazały jak harem arabskiego księcia, *zauważył Axson Mayte*, bo nasze kobiety są inne; prędko usychają z tęsknoty i umierają, albo pomaga im się umierać, jeśli nikt nie darzy ich *miłością.* W prawdziwym haremie żadna się nie spodziewa, że będzie *kochana,* to nierealistyczne. Droga Annabel, bądź rozsądna!

Byłam tak złamana ze wstydu, osłabiona okrutnym traktowaniem i tym, że mnie brutalnie wykorzystywano, a także odstręczającym jedzeniem, że nawet nie potrafiłam się modlić do naszego miłosiernego Boga (którego opuściłam w swej próżności i głupocie), tylko całymi dniami, tygodniami, leżałam bez czucia, gdy tymczasem Axson przymuszał me bezwładne, niestawiające oporu ciało do aktów tak obscenicznych, że na samo wspomnienie mdli mnie i odbiera mi mowę. To, że moje ciało było bezwładne i uległe, czasami sprawiało mu przyjemność, ale kiedy indziej budziło w nim furię. Jeszcze trochę i już nie będziesz musiała „udawać martwej", moja najdroższa żono!

Niebawem też, znudzony monotonią naszego małżeńskiego łoża, Axson Mayte zaczął do niego zapraszać swych lubieżnych kompanów od kielicha.

O równych godzinach odzywał się wielki dzwon. Brzmiał jak podwodny dzwon, jakbyśmy byli mieszkańcami jakiegoś starożytnego morza.

I czasami w tym brzmieniu odzywała się jeszcze inna głucha nuta, ciężka, ołowiana i stłumiona, jakby ten dźwięk brał się z wnętrza, ze szpiku kości.

Axson Mayte na widok mojego zdumienia i przerażenia powiedział: Droga Annabel, to, co słyszysz, to tylko muzyka czasu. Po co tak głupio się strachać, jakbyś wciąż była dzieckiem z plebanii? Opuściłaś swój raj na zawsze, nie możesz tam wrócić. Teraz przy każdej nucie, przy każdym uderzeniu dzwonu pomyśl, jak wszystko prędko przemija. Wyobraź sobie, że każda nuta to wieczność, a jednak taka ulotna, że człowiek ledwie jest w stanie zauważyć, iż w ogóle zaistniała.

Przy pełnej godzinie, co pół godziny i co kwadrans – dzwon bił i bił, drwiąc sobie z czasu.

Bo w Bagiennym Królestwie czas nie upływał.

Albo, jak z zadowoleniem stwierdził Axson Mayte, upływał tak ulotnie, że nie dawało się go ani zmierzyć, ani doświadczyć.

Tak więc owładnięta gorączką Annabel leżała tylko w swej brudnej ślubnej sukni, która służyła jej teraz za koszulę nocną albo szlafrok; czasami leżała na legowisku utworzonym ze zwykłych szmat na kamiennej posadzce w jakimś bezimiennym pokoju, wsłuchana w dochodzące z bliska okrzyki nieszczęsnych kobiet i mężczyzn, wybranych, jak to któregoś razu stwierdził Axson, na podmioty „medyczne" albo „naukowe", bo niektórzy z jego kompanów od kielicha, jak się okazało, byli ludźmi medycyny albo nauki – Annabel poznawała ich nawet, ale słabo, bo przez mgłę przerażenia, odra-

zy, dojmującego bólu. Macalaster! – Scottie! – O'Diggan! – Pitcairn! – Pitt-
-Williams! – Skinner! – *tak oto żartobliwie byli przedstawiani, gdy Axson
wprowadzał ich do sypialni.*

*Później oblewano ją wodą: letnią, cuchnącą wodą, ale rozpaczliwie
upragnioną. Była też strawa czy też coś przypominającego strawę – wrzuca-
na do pokoju, w którym leżała, albo, na oczach mocno rozbawionego Axsona i jego przyjaciół, ciskana na brudną posadzkę kuchni; Annabel i inni
byli wtedy zmuszeni jeść z tej posadzki jak zwierzęta, i zresztą jak zwierzęta
rzucali się łapczywie na jedzenie i okazywali wdzięczność za to, co im dano.
Zgniłe jedzenie, śmieci, kości objedzone do czysta – to dawano głodują-
cym, niezależnie od tego, jakie muchy i robaki to oblazły.* Gdzie twoja duma
Slade'ów, moja ukochana? – *drwił Axson ze śmiechem.*

Skąd te łzy, które tak cię szpecą? Mężczyźni gardzą łzami – słabość
płci niewieściej jest czymś, co ich najbardziej brzydzi. Czyż nie wyrzekłaś
się wszystkiego, by przylgnąć do mnie, czy nie odrzuciłaś swych bliskich
na rzecz Axsona Maytego, który ci schlebiał, czy nie wyparłaś się swojej
rodziny, niesławnych Slade'ów, którzy zrobili dziesiątki lat temu fortunę
na handlu niewolnikami i od tego czasu są uosobieniem pobożnych i pra-
wowiernych chrześcijan? Czy nie odrzuciłaś swego porucznika o dziecięcej buzi, tego żałosnego dżentelmena, by jednocześnie zwilżyć jego wargi
krwią? Czy nie złamałaś serca swym rodzicom i czy nie zniszczyłaś swego
brata Jozjasza? Czy twe głupie, dziewicze serce nadal mdleje w miłosnym
zapomnieniu w mojej obecności?

*Tak oto zimno i drwiąco wyśmiewał się Axson Mayte. Zupełnie teraz inny
od tamtego dżentelmena z Południa, którego poznałam w ogrodzie dziadka.*

Te jego oczy koloru flegmy osadzone blisko siebie w obwisłej gębie ropuchy.

*To jego niskie, poryte zmarszczkami, chorobliwie blade czoło; te jego wą-
skie wargi śliniące się lubieżnie, jak u niektórych dżentelmenów z Princetonu, nieświadomych, że Annabel albo ktoś inny akurat ich obserwował.*

W prywatności swego plugawego łoża błagała Boga, żeby jej wybaczył.

*Błagała Boga, żeby jej pokazał drogę wyjścia z Bagiennego Pałacu i Bagien-
nego Królestwa, która nie byłaby drogą ku śmierci.*

*Jakże straszliwie tęskniła za swą ukochaną rodziną – za matką i ojcem,
za dziadkiem, za bratem Jozjaszem, którego tak bezmyślnie zraniła i teraz
nie umiała sobie przypomnieć dlaczego.*

*Bo jeszcze nie była aż tak zrozpaczona, by pojąć, że chrześcijanka
o czystszym sercu i większym niż jej zdecydowaniu mogłaby wybrać śmierć
nad nieustającą grozę Bagiennego Królestwa, pojąć, że kobieta o czystszym
niż jej sercu skwapliwie powitałaby grób i oddała się obrzydliwym padli-
nożercom z cmentarza, zamiast dobrowolnie ulegać zwierzęcym żądzom
Axsona Maytego i jego kompanionów.*

* * *

Wybaczcie mi tę podłą wolę życia! Tę wolę powrotu na łono ukochanej rodziny, której serca zraniłam i której reputację zbezcześciłam.

W tamtym czasie i później, kiedy mnie jeszcze bardziej maltretowano jako służkę i odrzuconą żonę, w chwilach spokoju znajdowałam niewielką ulgę we wspomnieniach o plebanii i rodzinie, o przyjaciółkach z panieńskich lat – Wilhelminie i wielu innych dobrych twarzach z dzieciństwa, jakby czas mógł biec wstecz. Często leżałam zbyt wyczerpana i splugawiona, żeby się ruszyć czy zareagować, gdy Axson Mayte albo jeden z jego kompanów od kielicha usiłowali kopniakami przymusić mnie do działania; potem pozwalano mi leżeć w brudzie nawet przez dwa albo trzy dni, gdy tymczasem te bestie mnie ignorowały, fascynując się którymś z przedmiotów swoich eksperymentów – wstrząsami elektrycznymi, transfuzjami krwi i „przeszczepami organów" od stworzeń innego gatunku i sekcjami za pomocą przyrządów chirurgicznych, jeśli jakiś nieszczęśnik akurat umarł. (Bo w końcu się dowiedziałam, co robili, mimo że nigdy nie przyglądałam się z bliska tym koszmarom). W takich momentach miałam wrażenie, że moja dusza umyka z ciała i dryfuje po dusznej celi; moje palce odzyskiwały dawne rozigrane życie z czasów, gdy na fortepianie w bawialni w Crosswicks grałam sonaty Mozarta, Schuberta, Beethovena i Chopina albo śpiewałam razem z moją ukochaną rodziną, akompaniując jej do pieśni Stephena Fostera, Gilberta i Sullivana, a także do słów Thomasa Moore'a zestawionych z najcudowniejszą muzyką, tych słów, które Jozjasz szczególnie sobie upodobał:

Często nocną porą,
Zanim zmorzy mnie sen,
Rzuca blask wspomnienie czułe
Na inne dni wokół mnie;
Na tamte uśmiechy i łzy
Wprost z dziecięcych lat
Miłosne słowa wymówione
Oczy roziskrzone,
Zasnuły się, nie ma ich już,
A serca radosne, złamane!
I tak oto nocną porą,
Kiedy już zmorzył mnie sen,
Nie ma tych dni wokół mnie.

I tak oto krok po kroku, na różne desperackie sposoby, gromadziłam w sobie siłę, by przetrwać. I przed swymi spuchniętymi od płaczu oczyma stawiałam nadzieję, że któregoś dnia ucieknę z Bagiennego Królestwa i wrócę na plebanię i do mojej ukochanej rodziny, którą tak okrutnie skrzywdziłam.

* * *

Ze wszystkich stworzeń najbardziej godna pogardy jest kobieta: nie dostaje jej rozumu, jest odstręczająca przez swą naturę właściwą ssakom, chutliwa i „oziębła", podstępna i głupia, całkiem pozbawiona moralnej i racjonalnej motywacji, którą kierują się mężczyźni. Przez krótki czas niektóre z tych kreatur posiadają *urodę* – ale ta nie trwa dłużej niż wiosenne kwiecie, bo prędko gnije i cuchnie tak jak i ono.

Właśnie takie rzeczy mówili Axson Mayte i jego kompani, nawet się nie zacietrzewiając, tylko wręcz przyjaźnie i z rozbawieniem, a byli wśród nich nie tylko przedstawiciele „nauki", ale również przedstawiciele kleru i biznesu – tak przynajmniej wnioskowała Annabel. I Axson Mayte wygłosił oświadczenie, pod które ci mężczyźni wypili toast: A jednak musimy się godzić na wykorzystywanie kobiet, bo przecież świat trzeba bez końca na nowo zaludniać i nie chcielibyśmy wylewać naszego bezcennego nasienia do Bagna.

W owym czasie stało się oczywiste, że noszę w sobie dziecko. Co tym bardziej odstręczyło ode mnie Axsona Maytego, który zastanawiał się, czy któryś z jego kompanionów nie mógłby przypadkiem wykonać jakiegoś eksperymentu na mnie i na nienarodzonym dziecku.

A jednak Axson tak jakby o tym zapomniał albo ulitował się nade mną, bo odkąd uznano, że nie przydam się mężczyznom na wiele ze względu na brak niewieścich wdzięków, zajęłam w pałacu pozycję dziewki służebnej, dzięki czemu udało mi się dowiedzieć od innych służek, że Axson Mayte, jego siostra Camille i niektórzy z tych ordynusów goszczących w pałacu sami byli tam niegdyś sługami albo robotnikami rolnymi i jakiś czas temu powstali przeciwko prawowitemu królowi, królowej i całej rodzinie królewskiej, a także arystokratycznym rodom królestwa; bezlitośnie wymordowali większość, a pozostałych zmusili do służenia im już do końca życia.

Jedna ze znękanych służek, która niegdyś była narzeczoną Axsona Maytego, powiedziała mi: Przybywając tu, dotarłaś na sam skraj świata. Biedna dziecino, jak ty znajdziesz drogę powrotną? To przecież tak daleko.

Cóż za smutek! Jaka hańba!
A jednak byłam wdzięczna, po prostu za to, że wciąż żyję.
Bo nie potrafiłam wymusić na sobie nienawiści do tego dziecka, które nosiłam pod sercem – które odbierało mi tyle energii i wzbudzało tak przerażający głód, że niemal byłam gotowa objadać się jak ci padlinożercy z cmentarza, wiedziona rozpaczliwym pragnieniem, by żyć.
Siostra Axsona Maytego, Camille, postronnemu obserwatorowi mogłaby się jawić jako bardziej „szlachetna" z nich dwojga, bo maniery miała kró-

lowej, a jednak zdradzała swe plebejskie pochodzenie drobnymi gestami oraz odpychającym grymasem, który wykrzywiał jej jakby rzeźbioną twarz; niekiedy też potrafiła obrzucić takie nędznice jak ja spojrzeniem wyniosłym, a zarazem pełnym politowania. (To właśnie Camille, którą brzydził mój widok w odrażająco odmienionym stanie, wygnała mnie w końcu z głównej części pałacu i kazała zaprzęgnąć do pracy w piwnicach, które inni robotnicy zwali tunelem, szybem albo piekielną jamą).

Tym sposobem objawiała się przede mną stopniowo prawdziwa natura Bagiennego Pałacu i Bagiennego Królestwa: wziętych we władanie przez zbrodniczych byłych służących z jakichś zamierzchłych czasów, których szczególnej historii nikt by już nie odtworzył, bo nikt już nie pamiętał, kiedy wybuchło powstanie, kiedy doszło do publicznych egzekucji rodziny królewskiej i jej świty, a także kiedy zmuszono do niewolnictwa całe rzesze arystokratów. Większość młodszych służących była pewna, że działo się, nim przyszli na świat, a jednak kilku twierdziło, że widzieli te masakry na własne oczy i ledwie udało im się ujść z życiem. Do tych wydarzeń miało dojść przed trzydziestu albo może przed dwudziestu, albo ledwie dziesięciu laty. Starsi służący zaprzeczali tym opowieściom i dla mnie byli bardziej przekonujący.

Nie ulegało natomiast wątpliwości, że podzielali powszechną odrazę i strach wobec obecnego reżimu, jakież bowiem było to żałosne, że horda dawnych służących została wyniesiona w taki sposób i że usługiwali im teraz ich dawni chlebodawcy. Poza tym ci niegdysiejsi służby byli niewykształconymi nieokrzesańcami z bardziej zapuszczonych regionów Europy, na przykład z zachodniej Irlandii, gdzie ponoć tak zwani „ciemni" Irlandczycy pod wpływem alkoholu ulegają swym chłopskim przesądom z celtyckiej tradycji oraz obłąkańczej melancholii!

A jednak wszyscy jesteśmy wdzięczni, że udało nam się ujść z życiem – *mawiali bardziej stoiccy służący* – jeśli to rzeczywiście jest życie, w tym piekle podległości.

Modliłam się z coraz większą rozpaczą o to, by jakoś uwolnić się z tego miejsca, żeby moje dziecko mogło urodzić się gdzie indziej, bo chociaż kopało i wierciło się w mym łonie jak mały diabeł, to jednak nie mogłam go nie kochać; to był syn Axsona Maytego (wszak Mayte mógł spłodzić tylko syna), a jednak nie mogłam go nie kochać, bo taka już natura kobiety.

Co z tego, skoro brakowało mi odwagi, by próbować ucieczki, wiedziałam bowiem, że jeżeli zostanę złapana, Axson Mayte ukarze mnie przykładnie, i pewnie nawet doszłoby do tego, bo moje coraz bardziej rozdęte ciało stało się niezdarne, a kończyny zrobiły się chude, jakby pozbawione mięśni. W swojej słabości, wyznaję to ze wstydem, jakby w malignie przyłapywałam się na najbardziej absurdalnych fantazjach: że Axson tylko poddaje mnie sprawdzianowi, jak w średniowiecznej baśni o Cierpliwej Gryzeldzie, która była naszą lekturą w Akademii, w tłumaczeniu ze średnioangielskiego. Mogło przecież tak być, że Axson chciał stwierdzić, czy kocham go nad życie albo czy raczej jestem tak płytka, że wyrzekłam się swych przysiąg... W takich chwilach tak jakby wymykał się ze mnie syk Droga Annabel! Jasna Annabel!*, syk z utraconego świata, świata, który w mych gorączkowych fantazjach tak bardzo łaknęłam odzyskać, że w innym czasie zaprzedałabym duszę albo targowałabym się o nią jak szalona! A jednak i to była zwyczajna głupota, która nie liczyła się w rzeczywistym, zewnętrznym świecie.*

W tamtym świecie byłam zaiste żałosną istotą; coraz bardziej rzucało się w oczy, że jestem brzemienna, bo cierpiałam na poranne mdłości, mój brzuch był rozdęty, a nogi w kostkach spuchnięte, ponadto dopadały mnie infekcje zatok i bronchit oraz wyniszczająca grypa żołądkowa; już zwykłe podawanie do stołu tej bandzie spitych gburów było torturą, bo niby „przypadkiem" ten czy ów dźgał łokciem mój brzuch albo trącał mnie butelką czy też krzesłem, prowokując kolejne wybuchy śmiechu. Już samo przyglądanie się tym mężczyznom, którzy rzucali się na jedzenie jak zwierzęta, którzy pochłaniali surowe befsztyki, nie dbając o to, że krew im ścieka po brodach... (Ulubioną potrawą w pałacu był „sandwicz kanibala", czyli gruby surowy stek włożony między dwie pajdy prraśnego chleba). Gdy mój stan stawał się coraz bardziej widoczny, owe demonstracje barbarzyńskich manier potęgowały moje napady wymiotów, przez co budziłam powszechne obrzydzenie, również w sobie. Jasna Annabel! Krasnolica Annabel! Idź precz, schowaj się gdzieś, jesteś ODRAŻAJĄCA. *Te drwiny pobrzmiewały nieustającym echem w moim skołowanym umyśle.*

Wygnana do wilgotnej celi, przepastnego pomieszczenia przypominającego jaskinię, pośród odpadków, ścieków, szczurów i robactwa, stałam się jedną z grupy podobnych robotników; do naszych zadań należało wybieranie ścieków z kloaki i zanoszenie tego do wąwozu ćwierć mili od domu, tak więc nieustająco napełnialiśmy wiadra i potem je opróżnialiśmy, godzina za godziną, dzień za dniem, pośród smrodu i widoków budzących niewyobrażalne mdłości, z zaledwie kilkoma minutami przerwy na szaleńczy posiłek złożony z byle jak upieczonego chleba i resztek z kuchni, zaznając niewiele snu w tych samych cuchnących oparach, w których harowaliśmy. Szesnaście godzin pracy ze zgiętym grzbietem – a potem osiemnaście – dwadzieścia! – gdy tymczasem padały jesienne deszcze i podwyższały poziom wody w kloace, przez co pałacowi groziło zalanie; całe dni spędzaliśmy na takim znoju, pod groźbą śmierci z ręki Axsona Maytego, który nie zniósłby „buntu". Nasza żałosna piwniczna grupa, wśród której z całą pewnością byłam najsłabsza, musiała wczołgiwać się tam, gdzie nie dało się wejść na wyprostowanych nogach i gdzie pełzaliśmy jak węże, na brzuchu...W któ-

rych to chwilach nachodziła mnie surowa i zasadna myśl: Sama się wpa-
kowałaś w tę piekielną otchłań.

*A jednak niewykluczone, że ta skrajna udręka wyszła mi na dobre, bo
krótko potem uświadomiłam sobie, że jeśli istotnie sama się upakowałam
w tę piekielną otchłań, to również sama się z niej wydostanę, jeśli starczy mi
odwagi – rozmyślałam tak, cały czas leżąc na brzuchu, na moim rozdętym
brzuchu, w mieszaninie błota, śluzu, ścieków i wnętrzności, a także kości
innych służących z dawniejszych lat. I potem naszła mnie nowa myśl:* Jeśli
się uwolnię z piekielnej otchłani, to resztę życia poświęcę na uwolnienie
tych, którzy cierpią teraz razem ze mną. *Zdumiałam się, bo ta myśl tak jakby
wcale nie pochodziła od Boga, tylko z głębin mojej duszy, wypowiedziana
moim własnym głosem.*

*Ucieczka z Bagiennego Królestwa była możliwa jedynie pod takim warun-
kiem, że inni niewolnicy nie doniosą na mnie, czego zresztą najwyraźniej
nie uczynili; oni tylko prosili, żebym tak nie ryzykowała, powtarzali, że to
„zbyt niebezpieczne”, gdybym rzeczywiście chciała nocą przepełznąć przez
to pomieszczenie podobne do jaskini, żeby się wydostać poza teren pałacu, a potem pokonać Bagienny Las w bardzo bladym świetle księżyca. Na
wszystkim zaważył przypadek – Axson Mayte zupełnie wtedy nie zwracał na
mnie uwagi, jako że zostałam przegnana z lepszych części pałacu; mogło
nawet tak być, że wtedy już sprowadził do pałacu nową oblubienicę. I tak
oto pewnej zimnej nocy, podczas której nieustannie padał deszcz i grad, wy-
ruszyłam w drogę, powodowana nie tyle rozpaczą, ile stanowczością; który
to był miesiąc, nie miałam pojęcia, ani nawet który rok, bo w Bagiennym
Królestwie czas nie płynął tak, jak go znamy skądinąd. Tak więc – sama nie
wiem jak – wracałam tą drogą, którą tam przybyłam, i już o świcie zaczęłam
rozpoznawać otoczenie – ujrzałam zdumiona wzgórza pod Princetonem,
pokryte teraz koronką z oślepiająco białego śniegu.*

*Kiedy się słucha tak straszliwych wyznań z ust kogoś skrajnie upodlone-
go, nie sposób nie czuć odrazy, bo wielka jest głębia grzechu, degradacji,
zezwierzęcenia i nawet jeszcze gorszych rzeczy, w jakich pogrążyła się wa-
sza Annabel. A jednak modlę się, abyście wejrzeli w swe serca i wybaczyli
mi i może któregoś dnia znowu mnie pokochali. Abyście udzielili mi i memu
synowi, który niebawem się urodzi, schronienia na plebanii.*

POSTSCRIPTUM:
ARCHEOPTERYKS

Czytelnika o zainteresowaniach naukowych bądź przyrodniczych być może zaciekawi fakt, że co najmniej jeden z dziwnych okazów padlinożerców z cmentarza Bagiennego Pałacu, które opisuje Annabel – ten, który jest po części ptakiem, a po części gadem – to bez wątpienia nie żaden fantom z jej delirium, tylko prawdziwe stworzenie, które można znaleźć w odizolowanych rejonach na wschodzie Stanów Zjednoczonych.

Wprawdzie niewiele z żyjących osób twierdzi, że naprawdę widziało te przerażające ptaszyska – (bo te stwory są klasyfikowane jako ptaki, jako że posiadają ograniczoną zdolność latania) – to jednak pewien biolog uniwersytecki, z którym się skonsultowałem, stwierdził, że to bez cienia wątpliwości potomkowie archeopteryksa, wymarłego „latającego gada" z okresu jurajskiego. Owe stworzenia można w dzisiejszych czasach znaleźć przede wszystkim na bagnach Everglade na Florydzie (gdzie stanowią towarzystwo gatunku ptaka drapieżnego zwanego ślimakojadem czerwonookim), w rejonie Ogeechee stanu Georgia, na bagnach Dismal w Karolinie Północnej i bliżej nas – zarówno w oddalonych terenach Pine Barrens południowo-wschodniego New Jersey (obejmującego ponad tysiąc siedemset mil kwadratowych), jak i w mniejszym Wielkim Bagnie, czy też Bagnie Crosswicks, na południe i zachód od Princetonu.

KLĄTWA WCIELONA

Jakiż ja jestem wyczerpany i wyprany z emocji, gdy czytam relację Annabel Slade z jej koszmarnej przygody w Bagiennym Królestwie! Niby wracałem do niej wiele razy, a jednak każda kolejna lektura wywołuje we mnie coraz większe zdenerwowanie i przepełnia coraz większymi obawami, że mój obiektywizm jako historyka został być może narażony na szwank.

I ogromnie współczuję nieszczęsnemu Jozjaszowi, który spisywał ten niepokojący materiał słowo w słowo, całymi godzinami, często sam bliski utraty zmysłów z tych emocji, z taką furią, że bolała go ręka, a palce ledwie były w stanie utrzymać pióro.

Żeby jeszcze ta książka, *Przeklęci*, mogła tak się zakończyć, że Annabel wróciła do domu, gdzie wszyscy jej wybaczyli, bo im ulżyło, że ją odzyskali, a potem urodziła dziecko – *swoje* dziecko, a nie dziecko tamtego demona.

A jednak niestety, nie tak to miało być. Na ile udało mi się ustalić, Annabel zmarła w trakcie porodu albo krótko potem – pod koniec zapadła w śpiączkę i już się nie obudziła; dzięki staraniom doświadczonej akuszerki Cassandry dziecko przyszło na świat, ale żyło zaledwie kilka sekund.

Doktor Boudinot, którego wezwano na plebanię, nie potrafił nic zrobić dla młodej matki, która przestała oddychać i której skóra już się wychładzała; zrozpaczony lekarz podpisał akt zgonu, stwierdzając w nim, że Annabel zmarła w wyniku komplikacji okołoporodowych. (Ten akt znalazłem w Archiwach Gminy Princeton, natomiast nie byłem w stanie znaleźć żadnego aktu narodzin bądź zgonu nienazwanego i nieochrzczonego dziecka, prawnuka Winslowa Slade'a).

Oboje, Annabel i jej maleńki syn, zostali pochowani w grobowcu rodziny Slade'ów na cmentarzu princetońskim, z towarzyszeniem cichej ceremonii, w której uczestniczyła jedynie rodzina, bo innym zakazano na nią wstępu drogą nadzwyczajnego rozporządzenia policyjnego, o które wystarali się Slade'owie.

Tak o tych wydarzeniach mówiono i w powszechnym przekonaniu tak właśnie było.

Jak już napomykałem, Turkusowy Zeszyt nie zawiera nic oprócz słów Annabel, tak więc, żeby zrozumieć gmatwaninę późniejszych zdarzeń, historyk jest zmuszony uwzględnić różne źródła, z których żadnemu, niestety, nie można do końca ufać.

Mimo że wszyscy są jednomyślni, iż Annabel Slade zmarła w swym panieńskim łóżku po ciężkim porodzie i że krótko potem złożono ją do grobu, to jednak istnieje znaczna kontrowersja co do nowo narodzonego: czy to był potwór czy też normalne dziecko?

Beżowy Zeszyt, czyli dziennik Jozjasza, nie zawiera wpisów z tego czasu, ale z kolei kilka kartek zostało z niego niechlujnie wyrwanych.

Księga w Kości Słoniowej, własność pani Johanny van Dyck, zawiera kilka stron na ten temat, ale ponieważ ona sama nie brała bezpośredniego udziału w zdarzeniach w Crosswicks i polegała wyłącznie na pogłoskach i plotkach, jej relacja ma ograniczoną wartość. Pani van Dyck najwyraźniej przyjęła założenie, że dziecko urodziło się „przedwcześnie" w wyniku fizycznych przejść matki. *A zatem ta nieszczęśliwa opowieść zmierza ku zakończeniu,* napisała pani van Dyck. *Boże, miej litość nad tymi nieszczęsnymi duszami!*

Z kolei Adelajda Burr, notująca w Czerwonym Zeszycie, posiadała chyba więcej informacji, prawdopodobnie dzięki rozplotkowanym przyjaciółkom i gadatliwej służbie, albo przez to, że doktor Boudinot naruszył tajemnicę lekarską, bo choć ta „inwalidka" cierpiała na jakąś niezdiagnozowaną gorączkę i obawiała się, że może to być początkowe stadium *laotańskiej śpiączki,* to jednak poświęciła sprawie jakieś trzydzieści gęsto zapisanych stron, które zatytułowała: TRAGEDIA NA PLEBANII CROSSWICKS. Pani Burr jest tak zafascynowana swym nieobyczajnym tematem, że są wśród tych stronic miejsca, gdzie zapomina stosować swe kalekie hieroglify, tylko zwyczajnie przechodzi na pisownię angielską, spekulując nad „naturą zniekształceń" dziecka, o którym słyszała z wiarygodnych źródeł, że było czarnoskóre, i rozważając, czy ów wybryk natury powinien być interpretowany jako „sprawiedliwa i celowa kara boża" za grzech zakazanego „mieszania się ras", czy raczej winno się go zaliczać do naturalnych „mutantów" – jak bliźnięta syjamskie albo karły. W swych początkowych wpisach Adelajda rozwodzi się nad „najnowszym, budzącym litość faktem, który przeraził całe Princeton" – że mianowicie nieszczęsna Annabel Slade powróciła na łono rodziny i zmarła przy porodzie, wydawszy na świat *martwe dziecko,* ale zaledwie dzień później, po otrzymaniu „świeżego napływu" wieści, kronikarka dodaje, że skóra dziecka była *czarna,* po czym znowu kilka dni później pisze, że dziecko było zaiste wybrykiem natury, bo urodziło się z dwiema głowami, skróconymi, płetwiastymi kończynami i że niektóre jego najważniejsze organy wewnętrzne, jak serce, wątroba, nerki, wyrosły na zewnątrz ciała. „Jaki litościwy jest Bóg, że nie daje zaczerpnąć oddechu przy takich dolegliwościach".

(W tym miejscu Adelajda pozwala sobie na jakieś nieprawdopodobne dywagacje, pytając, czy gdyby ona i Horacy spłodzili dziecko, „to miałoby ono kształt czegoś przypominającego istotę ludzką, czy też byłoby równie komicznie zdeformowane, podobne do Horacego w jego stanie rozmemłania, przez co zostałabym dożywotnio zamknięta w domu wariatów, jak legendarna małżonka Andrew Westa?"). (Bo takie też okrutne plotki krążyły o żonie dziekana, która zmarła dwadzieścia lat wcześniej).

Wilsonowie byli oczywiście zszokowani i zasmuceni „niezasłużoną tragedią Slade'ów", ujmując to słowami Woodrowa; on sam bardzo lubił Annabel, a także Jojasza i uważał, że „utratę godności" tej młodej kobiety należy przypisywać coraz to poważniejszemu upadkowi moralnemu świeckiego świata – w samym sercu prezbiteriańskiej ortodoksji. Woodrow, zamieszkujący „przystań pod halkami" (by użyć tu drwiącego terminu obserwatorów), razem z żoną i córkami oraz często przebywającą w odwiedzinach teściową, miał rozterki odnośnie do kobiety jako takiej i uważał, że „naturalne skłonności" tej płci raczej nie dorównują moralnej i racjonalnej głębi właściwej mężczyźnie. Tak więc tajemnicze zachowanie Annabel Slade wydawało mu się jedynie potwierdzeniem pewnych wątpliwości i przestrogą dla wszystkich, że mianowicie lata chrześcijańskiego wychowania nie zawsze biorą górę nad biologicznym faktem kobiecości *ab initio*.

Jessie Wilson, szkolna przyjaciółka Annabel, była głęboko wstrząśnięta na wieść o jej śmierci, ale nie chciała o tym rozmawiać, a już z pewnością nie chciała roztrząsać plotek na temat „zdeformowanego, czarnoskórego dziecka", poza tym, że od śmierci Annabel tak jakby rzadziej nachodziły ją we śnie koszmary, za co była wdzięczna. „Nie śnię już o Annabel, już nic mi się nie śni! Jakby Annabel zabrała z sobą wszystkie moje emocje".

Suknia druhny z różowej satyny miała wisieć w szafie Jessie przez całe lata, już nigdy więcej niewłożona, bo owa młoda kobieta szczerze wierzyła, że ta suknia została dotknięta klątwą, która by ją samą dotknęła, gdyby kiedykolwiek jeszcze odważyła się ją włożyć.

Wilhelmina Burr zamieściła w swym Zeszycie w Brązowe Cętki emocjonalną relację z tego, co udało jej się dowiedzieć na temat przejść jej najbliższej przyjaciółki; początkowo odnotowuje swe zdumienie, że nie wpuszczono jej na plebanię, gdy chciała odwiedzić Annabel; pisze o swym zaniepokojeniu, że Annabel jest być może poważnie chora, po czym dodaje garść plotek: że Annabel popadła w szaleństwo i próbowała zrobić coś sobie i dziecku nadmierną dawką laudanum; że Annabel nie zmarła przy porodzie, tylko kilka dni później, podczas karmienia swego zdeformowanego dziecka; że diabeł przybył po swego syna i odebrał go Slade'om, którzy nie odważyli się nawet palcem kiwnąć, by to udaremnić... A potem jeszcze rozeszła się wieść, że Annabel umarła, w co Wilhelmina z początku za nic nie chciała uwierzyć.

Podobnie jak inni mieszkańcy West Endu, Wilhelmina była „zdumiona i oburzona", że nie zaproszono jej na pogrzeb Annabel, i popadła w melancholijny nastrój, rozpamiętując, że już nigdy więcej nie zobaczy przyjaciółki, ale później zaczęła sobie roić, że w rzeczywistości Annabel *wcale nie umarła*, że któregoś dnia, już niebawem, ona i Annabel zjednoczą się ponownie *po tej stronie grobu*.

Wilhelmina dowiedziała się ponadto, że podczas pogrzebu, gdy drzwi grobowca już były powoli zamykane, Jozjasz zaczął szlochać i ani matka, ani inni nie dali rady go pocieszyć, natomiast Todd wyrwał się z hipnotycznego stanu i dopadł do grobowca, po czym jął szarpać za drzwi i szamotać się z ludźmi, którzy je zamykali, pokrzykując gniewnie, że jego kuzynka Annabel *nie powinna umrzeć i nie umrze, bo Todd na to nie pozwoli i Todd sprowadzi ją z powrotem*.

W owym czasie pośród princetończyków krążyły już najbardziej obłąkańcze plotki, przy czym najbardziej dziwaczną przekazała Amandzie Fitz-Randolph jej sąsiadka z Edgehill Road, że mianowicie dziecko urodzone przez Annabel Slade w ogóle nie było ludzką istotą, tylko *czarnym wężem*, z płaską, krągłą głową i topazowymi oczyma, długości co najmniej dwóch stóp, grubym, muskularnym, z „diamentowymi" łuskami pokrytymi krwią matki. Amanda omal nie zemdlała z odrazy i niedowierzania; kiedy spytała, co się stało z tym ohydnym stworem, usłyszała, że *uciekł*.

Twierdzono, że wszyscy świadkowie porodu byli tym koszmarem tak oszołomieni i przerażeni, że nie zdołali ani wziąć węża w ręce, ani też czymś go uderzyć. „Dlatego więc ten okropny stwór wyślizgnął się z łóżka, spełzł na podłogę i uciekł z plebanii Crosswicks. A samą Annabel widok węża tak poraził, że zapadła w śpiączkę i już się nigdy nie obudziła".

„Niedorzeczność! Te plotki to całkowity absurd!", krzyknęła wtedy pani FitzRandolph.

I tak oto jej sąsiadka odeszła spostponowana, ale później głosiła wszem i wobec, że podczas jej opowieści o piekielnym porodzie Mandy FitzRandolph ani trochę nie wydawała się tak zdziwiona, jak należałoby się tego spodziewać.

CZĘŚĆ III

„Umysł w swej koleinie…"

*Pisarz winien apelować do medyków
i ludzi obeznanych z uśpionymi źródłami
i okazjonalnymi perwersjami ludzkiego umysłu.*

Charles Brockden Brown,
Anons powieści *Wieland*, 1798

„GŁOSY"

Zauważono powszechnie, że po śmierci siostry Jozjasz Slade „zmienił się nie do poznania" i że „dziwnie się zachowuje", a jednak obserwatorzy, którzy oceniają człowieka jedynie po pozorach, tak naprawdę wcale nie mieli pojęcia, do jakiego stopnia się zmienił i jak bardzo zdziwaczał młody dziedzic plebanii Crosswicks.

O ile przed śmiercią Annabel Jozjasz pogrążył się w wirze szaleńczej aktywności, bo szukał jej i pragnął wziąć odwet na Axsonie Maytem, o tyle teraz praktycznie przeobraził się w pustelnika zamkniętego w Crosswicks, który rzadko kiedy godził się zasiąść do stołu z rodziną. Usiłował znaleźć Bagienne Królestwo, w którym była więziona Annabel, ale bez powodzenia; nie pomogły mu mapy New Jersey z dawniejszych lat, bo nie sugerowały istnienia tak wielkiego bagnistego obszaru, jeśli nie liczyć Pine Barrens i mniejszych bagien w lesie Crosswicks, obejmujących zaledwie kilka akrów, które Jozjasz przemierzył zresztą wiele razy, ale bez skutku.

Nieraz wyobrażał sobie, że zabił Axsona Maytego tamtego dnia, gdy Woodrow Wilson przedstawił go temu człowiekowi w uniwersyteckim kampusie, ale oczywiście w życiu by nie popełnił tak szaleńczego aktu.

„Możemy interpretować swoje życie jedynie z perspektywy czasu, a jednak żyć trzeba z dnia na dzień, na ślepo. Kondycja ludzka to czysty obłęd!"

Większość czasu zimą i wiosną 1906 roku spędził w zamknięciu plebanii, rozmyślając i wyrzucając sobie porażkę – prawdziwie wierzył, że to on jest winien śmierci siostry, bo jej nie zapobiegł. Po całych nocach czytał bez końca książki, które miały mu pomóc w zrozumieniu ludzkiej natury i które potencjalnie mogłyby mu podpowiedzieć, jakie działania miałby podjąć: *Doktor Jekyll i pan Hyde* Roberta Louisa Stevensona, *Opowieści groteskowo-arabeskowe* Edgara Allana Poego, *Wieland* Charlesa Brockdena Browna, *Frankenstein albo: Współczesny Prometeusz* Mary Shelley w wydaniu z 1818 roku, poemat Miltona *Raj utracony* oraz tragedie Szekspira – *Makbet, Otello, Król Lear, Hamlet* – które wydawały się szczególnie adekwatne do sytuacji.

Zrobił się taki niespokojny, że rzadko potrafił usiedzieć w miejscu dłużej niż pół godziny, tylko albo chodził tam i z powrotem, albo wypadał z domu i pospiesznymi krokami spacerował w świetle księżyca. Nabrał nawyku czytania kilku książek naraz; ledwie zaczął jakąś książkę, natychmiast odsuwał ją na bok, żeby sięgnąć po inną – to *Siostra Carrie* Theodore'a Dreisera, to *Zew krwi* Jacka Londona, to Platon, Tukidydes, Goethe i Hegel z biblioteki dziadka, to wspaniała, choć zleżała Gutenbergowska Biblia, tyle lat chowana w bibliotece, by nikt jej nie mógł stamtąd zabrać. (W takich momentach Winslow Slade siedział milcząco w pobliżu, przyglądając się swemu wykrzywionemu wnukowi, ale rzadko wygłaszał komentarze, bo podobnie jak Jozjasz sam odnosił wrażenie, że w jakiś sposób jest winien śmierci Annabel, ponieważ jej nie zapobiegł; poza tym udar przeżyty kilka miesięcy wcześniej odebrał starszemu panu wiele wigoru i woli, z których wcześniej go znano, i teraz sprawiał wrażenie melancholika, który przeżył już swoje i tkwił tylko samotnie pośród gruzowiska dawnego życia i reputacji).

– Masz jakieś pytania, Jozjaszu?

– Pytania? Jakie pytania?

– Odnośnie do tego, co czytasz... Masz taką minę, jakbyś chciał o coś spytać.

Winslow Slade przemawiał dobrotliwym, powściągliwym głosem, bo zauważył grymas, z jakim wnuk wertował Biblię, która, jak wiadomo, zawiera wiele kwestii prowokujących grymas niezrozumienia. Ale Jozjasz tylko wzruszył ramionami.

– Mam moc pytań, dziadku. Ale nie takich, na które Biblia mogłaby odpowiedzieć.

A jednak Jozjasz, niezależnie od tego, co sobie niezłomnie postanowił, miał kłopoty z koncentracją, ponieważ własne myśli atakowały go z coraz większą siłą w formie obcych „głosów".

I co? Zrobisz to? No przecież! Zrobisz to na pewno!

Kiedy głosy nabierały takiego natężenia, że tworzyły jeden wielki zgiełk, Jozjasz musiał uciekać z domu i wędrować do lasu albo włóczyć się po bocznych drogach; nerwy miał tak napięte, że nie był w stanie znieść towarzystwa innych ludzi, dlatego przestał się widywać z przyjaciółmi z Princetonu, którzy z kolei przestali szukać z nim kontaktu po tym, jak ich wielokrotnie odtrącił. Miał ochotę odwiedzić Pearce'a van Dycka w jego gabinecie na uczelni, ale nie potrafił się zmusić do wejścia na teren kampusu. Głupkowaci studenci wzbudzali w nim zniecierpliwienie i pogardę, a z kolei ci inteligentni, poważnie myślący wzbudzali w nim zawiść i tęsknotę za utraconą młodością.

Na ile to było możliwe, unikał zamieszania Nassau Street. Wyobrażał sobie, niebezpodstawnie zresztą, że kiedy idzie chodnikiem, głowy obracają się jego śladem; z litością, sympatią, ale także z okrutną satysfakcją.

To ktoś z rodziny Slade'ów?
Że też się nie wstydzą pokazywać twarzy...
Dawniej lubił buszować po księgarni Micawbera, gdzie wpadał w przyjemny trans, gromadząc całe naręcze książek, które pragnął kupić; teraz przeciskał się chyłkiem między regałami, szukając jakiegoś konkretnego tytułu, który mógłby zaspokoić jego chwilowy kaprys i który natychmiast musiał posiąść i przeczytać, jakby od tego zależało jego życie. Tak więc przez całe tygodnie od pogrzebu impulsywnie kupował książki tak zróżnicowane, jak *Wartogłowy Wilson* Marka Twaina, którego „kalendarz" z przenikliwymi, ironicznymi spostrzeżeniami przemawiał do jego wyobraźni, i *Prywatne dzienniki* Ulyssesa S. Granta, które wydawały mu się szczere, nieustraszone, a jednak melancholijne, a także z wielkim opóźnieniem *Chata wuja Toma* Harriet Beecher Stowe, która wzbudziła w nim współczucie i oburzenie, przekonując na zawsze, że „biali" Amerykanie mają obowiązek ustanowienia takiego społeczeństwa, w którym „czarni" Amerykanie czuliby się u siebie, jako im równi.

Jedną cienką książeczkę Jozjasz zamówił wcześniej i teraz nareszcie odebrał – *Wiersze* Emily Dickinson. Mały tomik zawierający przeważnie krótkie utwory miał kilka wydań, stwierdził Jozjasz, od czasu pierwszego w 1890 roku; egzemplarz, który teraz trzymał w ręku, został wydrukowany w roku 1896. A jednak, pomijając uwagi Wilhelminy, Jozjasz nigdy nic nie słyszał o tej poetce i wątpił w wartość swego nabytku, dopóki podczas drogi powrotnej do Crosswicks, który to dystans wynosił około jednej mili, nie przewertował tych stronic i nie dał się unieść „głosowi", którego tembr był jakże niepośledni, daleki od innych poetyckich głosów, które do tej pory napotkał:

Mów całą Prawdę – lecz stopniowo – Ostrożnie i okrężnie –
Nie zniesie błysku nagłej Prawdy Nasz Zachwyt niedołężny –
Jak Błyskawica – gdy się Dziecku Naturę jej naświetli – Tak
Prawda niech olśniewa z wolna, Abyśmy nie oślepli –*

– Jeśli mają nawiedzać mnie głosy, to jakież by to było mądre, gdyby nawiedzał mnie ten właśnie!

A jednak bywały też takie chwile, kiedy Jozjasz czuł, że musi uciec z Crosswicks i z Princetonu; nie pociągiem (w którym spotkałby innych princetończyków), tylko automobilem jechał do Nowego Jorku, żeby pospacerować po ulicach, dziwując się tej ludzkiej ciżbie, wśród której było wielu emigrantów mówiących zupełnie mu obcymi językami. Wprawdzie

---

* Przeł. Stanisław Barańczak, w: E. Dickinson, *Wiersze wybrane*, Wydanictwo Znak, Kraków 2000 (przyp. tłum.).

wielu krewnych i przyjaciół rodziny mieszkało w okazałych kamienicach przy Park Avenue, a także przy Piątej Alei, z widokiem na Central Park, a jednak Jozjasz nie szukał z nimi kontaktu, tylko wolał błąkać się bez celu po ludnych ulicach Bowery, dzielnicy nazwanej tak na cześć istniejącej tam niegdyś bujnej farmy holenderskiej; równie atrakcyjne były zatłoczone ulice West Side, otwarte targowiska ze „świeżymi płodami rolnymi" i dzielnica „konserw mięsnych" w pobliżu rzeki Hudson, dzielnica „odzieżowa", dzielnica „świeżych kwiatów", całe kwartały kamienic z elewacją z piaskowca na Lower East Side pełnych życia tak jak ul jest pełen pszczół... już zwykłe przejście na drugą stronę ulicy takiej jak dolna część Piątej, Szóstej czy Siódmej Alei albo zręcznie nazwany, biegnący zmyślnymi zakosami Broadway*, po którym pojazdy mknęły źle wytyczonymi trasami w obu kierunkach – ciągnione przez konie ciężarówki z towarem, wozy strażackie, powozy i taksówki, a między nimi sunące wśród ryku klaksonów automobile – było wyzwaniem, od którego Jozjaszowi buzowała krew, jakby za chwilę miał stanąć do bitwy. Bo woźnice tak wozów towarowych, jak i strażackich brnęli przed siebie, spowalniając ruch, nie zważając na klaksony i przeraźliwe krzyki przechodniów, batożąc swe spienione konie, mimo że zatłoczona ulica powinna wzbudzić ich ostrożność. Jozjasz kilka razy omal nie został stratowany przez galopujące konie; raz omal nie przejechał go automobil z mosiężnymi elementami, a szofer w uniformie ledwie spojrzał na Jozjasza, gdy mijał go w odległości kilku cali, jakby spadkobierca fortuny Slade'ów był dla niego kimś nie lepszym niż pechowy bezpański kundel; najbardziej niebezpiecznie zrobiło się jednak w chwili, gdy na ulicę wytoczył się rozpędzony wóz strażacki ciągniony przez cztery źle dobrane konie i żeby uniknąć kolizji ze zbliżającą się ciężarówką, wjechał na chodnik pełen ludzi. Mocno wstrząśnięty Jozjasz krzyknął na woźnicę – „A niech cię! Trzymaj się jezdni!" – ale po kilku sekundach wóz strażacki pomknął dalej. Tutaj człowieka prędko ogarniała złość i ta złość równie prędko mijała, bo naturą ulicznego życia Manhattanu, zdaniem Jozjasza, była jego *rozbuchana żywotność* i *tymczasowość*.

W Princetonie Jozjasz uśmiechał się rzadko, ale na Manhattanie uśmiechał się często, bo bawiła go ta bezosobowa aktywność i ta atmosfera zuchwałości.

Jaki wielki był ten świat i jaki tajemniczy! Jakie małe, prowincjonalne i *senne* było Princeton, jaki odcięty był uniwersytet od brutalnej witalności, wulgarności i *obcości*, że zdawał się unosić niczym zaczarowana wyspa gdzieś ponad ziemią. Zwłaszcza księgarnie Manhattanu różniły się od księgarni Micawbera, z jej równiuteńkimi rzędami książek, najwyższej jakości gazetami i czasopismami, a także specjalnymi gablotami na pierwsze

---

* Dosłownie „szeroka droga" (przyp. tłum.).

wydania i antykwaryczne okazy, które sprzedawały się za wysoką cenę.
W dużym, ludnym sklepie na górnym Broadwayu, bardziej przypominającym wnętrze magazynu niż księgarnię, Jozjasz nabył kontrowersyjną *Hańbę
miast* Lincolna Steffensa, której u Micawbera nie sprzedawali, a także kilka
numerów prymitywnie wydrukowanego socjalistycznego czasopisma „Apel
do Rozumu", którego nigdy wcześniej nie widział, a którego tytuł wydał mu
się atrakcyjny. „Bo to nasza jedyna nadzieja – apel do rozumu". I później,
kiedy siedział na Union Square, nie zważając na harmider osaczający go
ze wszystkich stron, zaczął czytać wyjątek z *Dżungli*, opisującej nędzne
warunki chicagowskich rzeźni i fabryk konserw w najbardziej osobisty,
a nawet intymny sposób, który zafrapował Jozjasza, choć jednocześnie wy-
woływał w nim mdłości.

Zdjęty oburzeniem zastanawiał się, czy takie rewelacje mogą być zgodne
z prawdą. Powieściowy Durham, bogaty i pozbawiony skrupułów chica-
gowski fabrykant konserw, wydawał się niezbyt dobrze zamaskowanym
J. Ogdenem Armourem.

Ale przecież Armourowie to nasi znajomi. To przyjaciele dziadków i rodziców. Czy sami Armourowie zdają sobie sprawę z *tego wszystkiego?* – pomyślał.

Nie potrafił uwierzyć, by taka znakomita princetońska rodzina, której
synów znał z Akademii, mogła mieć coś wspólnego z chicagowską gałęzią,
na której czele stał J. Ogden Armour, acz z całą pewnością posiadała akcje
tej prosperującej firmy, a zresztą Slade'owie być może również... Podczas
strajku w Chicago dwa lata wcześniej, kiedy wynajęto tysiące murzyńskich
łamistrajków, by zastąpili strajkujących robotników zrzeszonych w związku
zawodowym, Jozjasz podróżował po Zachodzie i rzadko widywał jakąś gazetę czy też przejmował się jakimiś „newsami". Teraz natomiast, gdy czytał
o tych incydentach w „Apelu do Rozumu", wstydził się za siebie, że jest taki
niedoinformowany.

Princetońscy Slade'owie i Armourowie byli znamienitymi rodzinami
z West Endu, połączonymi sojuszami i przyjaźnią, bo tak dyktowała *tradycja*. Annabel była koleżanką szkolną Eloise Armour i obie współtworzyły
niewielki krąg przyjaciółek, do którego należała także Wilhelmina Burr.
I jeden z synów Armourów, Timothy, student czwartego roku na uniwersytecie, kiedy Jozjasz był studentem pierwszego, pomógł mu uzyskać bezcenne zaproszenie do Bluszczu, bo sam Jozjasz byłby czymś takim wzgardził. Jozjasz pragnął wierzyć, że Armourowie zareagowaliby na *Dżunglę*
podobnie jak on.

A jednak im dalej czytał, w kolejnych numerach socjalistycznego czasopisma, tym bardziej był wstrząśnięty i zniesmaczony. Fakt, że robotnicy
harowali w takich warunkach, podobnie jak jego ukochana siostra Annabel
w lochach Bagiennego Pałacu, był oburzający; ci biedni ludzie, pochwyceni

w pułapkę ekonomicznego imadła, często chorzy i okaleczeni, nie mieli innego wyboru, tylko musieli funkcjonować w warunkach, które ich zabijały: gruźlica, reumatyzm, bawełnica, sepsa i wszelkiego typu urazy fizyczne w wyniku wypadków na zabójczych posadzkach śliskich od krwi i zwierzęcych wnętrzności. A już najokropniejsze były pomieszczenia, gdzie produkowano nawozy i gdzie potrzebowano pary, bo tam robotnicy potrafili się poślizgnąć, wpaść do kadzi z wrzątkiem i rozpuścić się w kilka sekund, po czym wysyłano ich w świat jako „Czysty smalec Durhama"! (Po przeczytaniu sławnego rozdziału dziewiątego Uptona Sinclaira Jozjasz musiał zamknąć pismo, żeby się otrząsnąć).

Czy to możliwe, że nieświadomie zjadłem jakiś fragment człowieka? W Crosswicks, przy naszym stole jadalnym, moja rodzina i ja byliśmy *kanibalami*? Ta myśl była tak okropna, że już do końca tamtego dnia Jozjasz nie umiał się zmusić, żeby cokolwiek zjeść, choćby tylko chleba z serem.

Głosy! Jak piekielne ogary, w pogoni za ofiarą.

Jozjasz rzadko teraz uczestniczył w nabożeństwach. A kiedy już to robił, to nie siadał w rodzinnej ławce na przedzie, bo czuł odrazę do siebie za to, że jest Slade'em, czyli osobnikiem, którego postrzegał teraz oczyma innych ludzi, czyli kimś po równi uprzywilejowanym i zhańbionym. I tak oto Jozjasz wchodził chyłkiem do pierwszego kościoła prezbiteriańskiego, z nadzieją, że nikt go nie zauważy, nawet własna rodzina; wślizgiwał się do ławy na tyłach i ukrywał twarz w dłoniach w paroksyzmie skruchy.

Skruchy, która w takim samym stopniu brała się z tego, że nie zamordował Axsona Maytego i że się nie zorientował, jak nieszczęśliwa była jego siostra w narzeczeństwie z porucznikiem Bayardem.

Nigdy nie miał w zwyczaju modlić się otwarcie w kościele, z kolei modlitwa w prywatności nie znaczyła dla niego wiele, bo nie rozumiał, jakim sposobem Stwórca miałby wiedzieć o istnieniu każdego pojedynczego człowieka, biorąc pod uwagę fakt, że świat zamieszkiwały miliony istot. Już znacznie wcześniej porzucił nadzieję, że dostąpi tego połączenia wiary i inteligencji, jakie posiadał jego dziadek Winslow, a które sprawiały, że był taką szanowaną postacią – pośród sobie podobnych.

Ledwie słuchając następcy Winslowa, wielebnego FitzRandolpha, który wyciągał z Pisma Świętego najbardziej znane i najbardziej trywialne wnioski i przemawiał do wiernych, jakby zaiste byli *trzodą*, Jozjasz zapadał w swego rodzaju sen na jawie i zaczął się poddawać tej powodzi głosów – atakujących go niczym piskliwe i drwiące głosy cherubinów – które mieszały się z jego własnym głosem wypowiadającym modlitwę: *Ojcze nasz piekielny który jesteś w piekle niech będzie przeklęte imię twoje przyjdź królestwo twoje na wieki wieków amen.*

KUSICIELKA W NIEBIESKICH POŃCZOCHACH

– Jozjaszu! Jestem twoją przyjaciółką, proszę, przyjdź do mnie, kiedy będziesz mógł. Albo kiedy będziesz chciał. Proszę! – tak mruczy do siebie Wilhelmina, wypróbowując te ekscytujące, niedające się wymówić słowa i jednocześnie przymierzając swój nowy „wojskowy" kapelusz w lustrze albo usiłując zapiąć ciasne mankiety wykrochmalonej bluzeczki z białej bawełny, albo też przygotowując swe nieporęczne portfolio, żeby je zawieźć do miasta na lekcje z Robertem Henrim.

Pełna tęsknoty, a jednak uparta jak muł panna Wilhelmina Burr!

Wilhelmina od wiosny 1906 roku pracuje na pół etatu jako nauczycielka sztuki, wymowy i rytmiki w Seminarium dla Dziewcząt w Rocky Hill, niedaleko Princetonu, przy dawnej drodze wiodącej do Nowego Brunszwiku, czym zadręcza swoją rodzinę, bo Burrowie uważają to za deklasację, w rzeczy samej coś żenującego, że ich córka debiutantka chce w ogóle pracować, a tym bardziej – razem z (niezamężnymi) kobietami z rodzin z klasy średniej i niższej.

Jeszcze bardziej niepokojące dla Burrów są te inne dni, kiedy Wilhelmina wsiada rano do pociągu jadącego do miasta, by oddawać się swemu „nieuleczalnemu, choć niesprecyzowanemu" zainteresowaniu sztuką.

Bo Wilhelmina pławi się w tym swoim uporze, by w razie konieczności utrzymywać się sama i być niezależna od wszystkich Burrów.

„W przeciwnym razie będę musiała wyjść za mąż. Jeśli nie będę mogła wyjść za mąż z miłości, to będę musiała wyjść za mąż dla pieniędzy. *Nie zrobię tego*".

Pod tym względem Wilhelmina jest z siebie zadowolona. Albo wierzy, że powinna być zadowolona. Bo w tej nowej fazie jej życia tak jakoś się stało, że mężczyźni zaczęli się nią „interesować", czego nie czynili wcześniej, tyle że żaden z tych mężczyzn raczej nie jest ideałem. I oczywiście żaden z nich nie jest Jozjaszem Slade'em.

W rzeczy samej atencja tych mężczyzn jest dla Wilhelminy kłopotliwa i bynajmniej nie tak przyjemna, jak należałoby się spodziewać.

Na przykład jej spotkanie z grafem Englishem von Gneistem – o którym Wilhelmina woli nie myśleć. „Nieporozumienie. Pech. Nigdy więcej!" Oburzona młoda kobieta wciąż nosi na lewym nadgarstku ślad po silnych palcach grafa – przypominały żelazne imadło. I wciąż pamięta zęby tego mężczyzny wyszczerzone w uśmiechu. I te topazowe oczy patrzące na nią wilkiem. Nigdy więcej!

Jestem biografem życzliwym, czy zatem powinienem zasugerować, że ta wygadana młoda kobieta nie jest tak niewinna, jak sobie wyobraża?

Bo wydaje się, że z tych poważnych, brązowych oczu Willy wyziera jakiś podstępny kobiecy demon, który zniekształca jej uśmiech swoim uśmiechem; w męskim towarzystwie na jej policzkach pojawia się bez uprzedzenia uroczy rumieniec – nawet jeśli wzdraga się przed najbardziej niewinnym aktem kokieterii z obawy, że zostanie źle zrozumiana. Wprawdzie Willy odgarnia swe kręcone włosy z twarzy i spina je w szkolny kok, po czym szoruje twarz tak długo, aż wreszcie staje się jak ten kamień mydlany, butna w swej prostocie, to jednak jest teraz osobą, na której widok odwracają się głowy.

W te dni, w które pełni rolę nauczycielki, Willy ubiera się szczególnie starannie – w białe bluzki z wysokimi, wykrochmalonymi kołnierzykami, obcisłymi rękawami i pełnymi spódnicami, a nie „pętanymi" w łydkach. I chociaż nie cierpi uczucia, że coś ją dusi, każdego ranka obowiązuje się gorsetem z przedłużanymi biodrami, by przeobrazić swe miękkie, uległe ciało w coś w rodzaju zbroi. (Wcale nieumyślnie opięta w gorset sylwetka Willy przyciąga pełne podziwu spojrzenia, bo nawet pod najobszerniejszymi spódnicami jawi się zdecydowanie kształtnie). Willy gardzi ekstrawaganckimi fryzurami, a także kapeluszami z piórami i szerokimi rondami; nie nosi biżuterii, wyjąwszy przypinany zegarek i miniaturową broszkę z kości słoniowej w kształcie łabędzia, którą to rodzinną pamiątkę sprezentowała jej niedawno ciotka Adelajda. (Aczkolwiek przywiózł ją do Pembroke stryj Horacy Burr). Z kolei pończochy nosi z cienkiej czarnej wełny albo bawełny, a codzienne buty z czarnej skóry z ozdobnymi czarnymi guziczkami. Jest jednak coś *tajemniczego* i *występnego* w jej ruchach, gdy idzie, w tym, jak przekrzywia głowę i ukradkiem wodzi spojrzeniem. Bo z jakich innych powodów princetońscy mężczyźni, wśród których niejeden jest przysłowiowym *szczęśliwym* mężem i ojcem, gapią się tak na nią?

„To na pewno moja wina. To coś nowego, tylko co?"

W ciągu zaledwie tygodnia Willy ściąga na siebie niechcianą, niepożądaną i niemiłą uwagę ze strony tęgiego Copplestone'a Slade'a, mrukliwego Hamiltona Hodge'a, pryncypialnego Woodrowa Wilsona z uniwersytetu, wielebnego Thaddeusa Shackletona z seminarium, a nawet podagryka Grovera Clevelanda, wszystkich co najmniej w średnim wieku. Szoferzy przywożą jej do domu zapieczętowane listy miłosne i kilka pięknie zapakowanych pudełek z prestiżowego sklepu jubilerskiego Hamiltona, a także mnóstwo paczek z cukierni Edmunda – czekoladki, cukierki, torty Czarny Las, a nawet żelki. (Żelki! Willy jest zdumiona, bo przecież kto by jadł takie dziecięce cukierki, na które ona sama nie miała żadnej ochoty, odkąd skończyła szesnaście lat). Rzecz jasna najmilej widzianym prezentem są kwiaty: czyli tuziny róż od kwiaciarza przy Bank Street, a także gardenie, kalie, stokrotki, bzy i orchidee w doniczkach. Nawet w seminarium, gdzie Wilhelmina jest panną Burr, słynącą z tego, że potrafi zagnać uczennice do pracy i nie ma cierpliwości do dziewczęcej głupoty, dostaje listy, wsuwane jej potajemnie w ręce przez te same uczennice, czym jest zażenowana; z całą stanowczością nie przyjmuje podarunków, nawet od wdzięcznych rodziców tych dziewcząt, dawanych jej z „niezależnych" przyczyn.

Willy otwiera niechętną dłonią niezamówione *billets-doux* od jednego czy drugiego dżentelmena, po czym wzdycha z rozdrażnieniem na widok banalnego nagłówka – *Najmilsza panno Burr*, *Piękna panno Burr*, niecierpliwie omiata wzrokiem wyrazy miłości, ujęte językiem subtelnej, męskiej przygany, i odnotowuje podpis albo, jak się często zdarza, brak podpisu.

„To jakaś choroba, plaga. Ale czyja to wina?"

Kiedy ta niechciana atencja się zaczęła, mniej więcej wczesną wiosną 1906 roku, gdy skandal i tragedia Annabel Slade zaczęły powoli odchodzić w niepamięć i umilkły doniesienia o tym, że ktoś rzekomo zobaczył „wynaturzone dziecko" Annabel, Willy, ku swemu zażenowaniu, odczuła coś w rodzaju dziewczęcego zadowolenia. Nie była to atencja, na jaką liczyła jej matka po kosztownym debiucie Willy na Manhattanie, ale wydawała się autentyczna i pełna namiętności. Nie jest to dziwne i nie powinniśmy oceniać surowo Wilhelminy Burr za to, że schlebiało jej męskie zainteresowanie; niewykluczone, że ta młoda, zaledwie dwudziestojednoletnia kobieta, interpretowała zainteresowanie ze strony żonatych mężczyzn jako coś w rodzaju zabawy, nic poważnego. Może w Princetonie takie zachowania były na porządku dziennym i tylko ona o niczym nie wiedziała?

Przygląda się sobie w lustrze, krytycznym, acz pełnym nadziei tonem pytając: „Czy to możliwe, że jednak jestem piękna? I czy *on* wreszcie mnie zauważy?".

Bo całe to męskie zainteresowanie dla Wilhelminy jest tylko preludium do zainteresowania Jozjasza Slade'a, o którym nadal obsesyjnie myśli.

W swych najsłodszych snach czuje usta Jozjasza – ciepłe, śmiałe, a jednak czułe – przylegające do jej ust, bo tamten impulsywny pocałunek w oranżerii, sprzed wielu miesięcy, wciąż żyje w jej wspomnieniach, jakby doszło do niego zaledwie poprzedniego dnia. Przebudzona z tego słodkiego snu mogłaby rozpłakać się w głos – ale nie wie, czy z radości, czy ze smutku.

Bo Willy wie z licznych źródeł, że Jozjasz *wycofał się* z życia od czasu śmierci Annabel. Jest dla niej kimś podobnym do mnicha, do pustelnika, człowiekiem ze wszech miar godnym podziwu. Nigdy nie oceniałaby Jozjasza surowo, jako kogoś, kto wzgardził jej uczuciami, tak jak nigdy nie osądzałaby Annabel, swej najserdeczniejszej przyjaciółki.

Wilhelminie może i schlebia, że dostaje kartki i podarunki, a jednak ona wie, że musi ignorować te kartki i zwracać podarunki. (Tylko jak się zwraca kwiaty? Kwiaty Willy zatrzymuje, napełniając oranżerię pięknem i aromatami – goście ze śmiechem komentują, że w takim otoczeniu można *zapaść w trans*). Nie da się też zwracać podarunków przysłanych anonimowo ani odrzucić przepięknej broszki, którą rzekomo ofiarowała jej ciotka Adelajda za pośrednictwem stryja Horacego.

(Willy zdziwiła się, że Adelajda nie dołączyła do broszki żadnego liściku. I że Horacy koniecznie chciał jej tę broszkę dostarczyć osobiście, w niedzielne popołudnie, kiedy w domu nie było nikogo z rodziny, tłumacząc, że stara broszka jest zbyt cenna, by ją powierzać byle posłańcowi).

– Ale... jak się miewa ciocia Adelajda? Dobrze się czuje czy może... nie bardzo? – spytała Willy swego wąsatego stryja, który odparł na to ze smutnym uśmiechem:

– Obawiam się, Willy, że nie jest z nią najlepiej. Bywają dni, kiedy biedna Koteczka tak jakby nie jest w stanie w pełni się *obudzić.*

Jednakże w miarę upływu tygodni Willy zaczyna się irytować tym, co się wokół niej dzieje, tym bardziej że uganiający się za nią mężczyźni są przeważnie starsi, żonaci i z jakichś powodów niezbyt atrakcyjni.

Skądinąd zachowanie kobiet wobec niej jest jeszcze bardziej niepokojące.

Na przykład spotkawszy trzy córki Wilsonów w cukierni Edmunda, Willy uśmiecha się przyjaźnie i zaprasza te młode kobiety, żeby przysiadły się do jej stolika, na ciastka i herbatę, ale najstarsza, Margaret, zdecydowanie potrząsa głową, że nie; Jessie z Eleanor też odmawiają nerwowo, bo podobno ojciec czeka na ich powrót z jakimś sprawunkiem z apteki, a do cukierni wstąpiły tylko po kilka drobnych ciasteczek, żeby je zjeść po drodze. Wkrótce po tym zdarzeniu pani Johanna van Dyck, zawsze taka racjonalna i przyjazna, odwraca się z marsem na czole, kiedy ona i Willy spotykają się przypadkiem u Micawbera, a jeszcze później pani Cleveland, kwitnąca i elegancka w sobolowym futrze, kapeluszu, mufce i wysokich botkach z cielęcej skórki zapinanych na guziczki, tak okrutnie gasi uśmiechniętą Wilhelminę na Palmer Square, że biedna Willy jest bliska omdlenia z szoku.

Przez następne dni i tygodnie Willy jest traktowana oziębłe także przez panią Sparhawk, panią Morgan, panią Pyne, panią Armour i jej córkę Eloise;

nawet Mandy FitzRandolph (ludzie szepczą o niej coraz bardziej złowrogo), która przecież zawsze była jej przyjaciółką. *Och, Annabel, gdybyś ty mogła mi pomóc!* – myśli Willy. *Co ja takiego zrobiłam? Co mogę zrobić, żeby to naprawić?*

Najbardziej dla Willy przykre jest to, że Jozjasz Slade nie wpadł do niej z wizytą ani nawet nie nawiązał z nią kontaktu od dnia tamtego niespodziewanego pocałunku. Kilka razy wydawało jej się, że go widzi w Princetonie, ale to było z daleka; nie chciała go gonić ani ryzykować, że znowu zostanie odtrącona. A raz, ku swemu zdziwieniu, była pewna, że widzi Jozjasza idącego zatłoczonym chodnikiem u zbiegu Czternastej Ulicy i Piątej Alei, w bliskości Nowojorskiej Szkoły Sztuk Pięknych, do której właśnie zmierzała; znowu stłumiła w sobie odruch, żeby pobiec za nim i zawołać – „Bo może na Manhattanie Jozjasz nie chce, żeby go pomylono z *Jozjaszem Slade'em z Princetonu*".

„Tak! To zaczyna być *zastanawiające*".

Willy z westchnieniem rozpakowuje przesyłkę ze sklepu LaVake'a, specjalizującego się w prezentach na zamówienie, i wbija spojrzenie we wnętrze pudełka, w złoty naszyjnik-obrożę, na której środku jubiler osadził diament. Niepodpisana kartka nosi dziwną treść:

Do okrutnej i pięknej kusicielki w niebieskich pończochach
Od tego, w którym nie wrą uczucia przeciwko niej
Bo ona ugodziła go udręką miłości.
Twój wierny zalotnik

Jaki piękny jest ten naszyjnik, ale też jaki przerażający w tym swoim podobieństwie do psiej obroży.

A pismo? Mimo że znacznie bardziej rozlazłe i niechlujne niż normalnie, niezdarnie starające się ukryć rękę, która to pisała, Willy jest pewna – bierze gwałtowny haust powietrza – że to pismo stryja Horacego Burra, młodszego brata jej ojca i męża biednej Koteczki.

SZKLANA SOWA

W całym Princetonie komentowano, że podczas powszechnego smutku i zamieszania w domostwie Slade'ów mały Todd, „zidiociały" syn Copplestone'a i Lenory, przechodzi niespodziewaną zmianę, nie tyle w wyglądzie, bo chłopiec, obdarzony patykowatą, nerwową sylwetką i wiecznie rozbieganymi oczyma, wciąż był wyjątkowo niewyrośnięty jak na swój wiek; ta zmiana dotyczyła raczej jego zachowania.

Zatem w jakiś niewytłumaczony sposób Todd tak jakby sam nauczył się rudymentów *czytania i pisania*, a więc tego, czego zrozpaczeni nauczyciele i guwernantki nie byli w stanie wpoić mu przez całe lata.

Od śmierci ukochanej kuzynki Annabel Todd nie był już taki jawnie irytujący dla swej rodziny jak przedtem; nie wzbudzał gniewu Copplestone'a tak często ani też nie doprowadzał matki do łez. O ile przedtem na sam widok książki wpadał w szał, jeśli to nie była książka dla dzieci, o tyle teraz całymi godzinami wysiadywał w bibliotece Wheatsheaf House, w którym to pomieszczeniu jego rodzice nie bywali często.

Oczywiście pismo Todda było niezgrabne, gdy je zestawić z charakterem dowolnego princetońskiego dwunastolatka; stanowiło coś pośredniego między pismem odręcznym a drukiem, ponadto napisanie czegokolwiek kosztowało Todda moc wysiłku, bo skupiał się przy tym tak straszliwie, że aż mu czoło lśniło od potu, a palce ściskały czasem ołówek tak mocno, że aż pękał. Któregoś popołudnia, podczas wizyty z matką na plebanii Crosswicks, Todd ukrył się w kącie bawialni i napisał wymęczonymi literami przypominającymi gotyk –

Vammovv ivanmcct omnomomiia

– czego nikt nie potrafił odczytać, dopóki nie pojawił się przypadkiem Woodrow Wilson, który akurat chciał odwiedzić doktora Slade'a. Kiedy mu pokazano te osobliwe litery, wziął kartkę do ręki i trzymając ją ukośnie w ręku, odczytał z miejsca –

AMOR VINCIT OMNIA

– czym nad wyraz zachwycił Todda.

Zresztą wszyscy byli zachwyceni – Todd po raz pierwszy coś *napisał.* I jakże miło ze strony Woodrowa Wilsona, rektora uniwersytetu, że poświęcił swój czas na odcyfrowanie pisma chłopca i że dobrotliwym tonem zagadał do niego, opowiadając o własnym dzieciństwie i problemach, jakie sam miał z pisaniem i czytaniem.

– Moja rodzina uważała, że jestem leniwy, gdy tymczasem ja nie dostrzegałem sensu w słowach tak jak inni. Ze wstydem przyznaję, że miałem co najmniej tyle lat co ty, Todd, zanim potrafiłem z jakąś tam łatwością coś przeczytać. Zawsze byłem kiepskim uczniem, a na studiach miałem tak mierne wyniki, że zająłem *pięćdziesiątą* lokatę; do dziś nie wiem, czy powinienem ukrywać ten fakt, czy raczej go ujawniać, by inni chłopcy mogli czerpać z mojego przykładu. – Widząc, że Todd słucha go zachłannie i że wpatruje się w niego swymi niezwykłymi oczyma, czarnymi i rzewnymi, doktor Wilson dodał: – Zdradzę ci sekret, Todd: coś, co się wydaje przekleństwem, może się okazać błogosławieństwem. Bo ci z nas, którzy zaczynają życie z ułomnościami, prędko się uczą, że trzeba pracować ciężej niż ci, którym nauka przychodzi łatwo. I kiedy wyścig trwa, my zazwyczaj sforujemy się na czoło. – Ciastowata karnacja doktora Wilsona pałała teraz wewnętrznym żarem.

– Wyścig? Taki na koniach? Jeździ pan konno, panie Wilson?

– Nie, Todd! Użyłem tu metafory. Podobnej jak ta w Biblii: „To nie chyżym bieg się udaje".

– Ale czy tu chodzi o wyścig na koniach? Czy na nogach?

– Ani to, ani to, Todd. Przykro mi, że namieszałem ci w głowie.

– To pan nie wie, doktorze Wilson, czy to jest wyścig na koniach czy na nogach? A pan jak się ścigał?

– Chyba na nogach.

Todd spojrzał ostentacyjnie na nogi doktora Wilsona, na jego wąskie, czarne buty ze schludnie zawiązanymi czarnymi sznurowadłami.

– Wyścig – powiedział doktor Wilson, z niejakim żarem – który nigdy się nie kończy i w którym biegacz napotyka na swej drodze wiele przeszkód, dzięki którym jego zwycięstwo jest tym słodsze.

Tamtej nocy Todd pobudził wszystkich domowników Wheatsheaf pełnymi podniecenia okrzykami.

Okazało się, że ten nerwowy chłopiec tylko udawał, że kładzie się do łóżka; zamiast tego siedział przy swoim biurku, przy pojedynczej lampie, i pokrywał arkusze papieru beznadziejnymi bazgrołami, niezrozumiałymi nawet dla niego. Kiedy przybiegła do niego matka, powiedział jej, że to jest „wiadomość", która do niego przyszła za pośrednictwem jego palców; miał ją zapisać na papierze, ale ona uwięzła gdzieś w nim i nie może się wydostać.

Todd nie wiedział dlaczego, ale rozumiał, że musi koniecznie ostrzec panią Cleveland mieszkającą po drugiej stronie ulicy, Strachanów, van Dycków oraz przyjaciółkę Annabel, Wilhelminę Burr, że niebawem stanie się coś *bardzo złego*, w tej szkole w Rocky Hill, gdzie uczy panna Burr, tak mu się zdaje.

Przebudzona Oriana trzęsła się u boku swego brata, bo i jej się chyba przyśniło coś *bardzo złego*.

– Todd! Oriana! Jakie z was niegrzeczne dzieci, że o tej porze jeszcze nie śpicie! – krzyczała Lenora ze strachu i konsternacji.

Todd trwał przy swoim, za to Oriana zaczęła płakać tak żałośnie, że Lenora przytuliła ją i zapewniła, że wszystko będzie dobrze.

Po chwili pospieszyła obudzić męża, żeby opowiedzieć mu o tych wydarzeniach, ale Copplestone miał dla niej niewiele cierpliwości.

– Todd twierdzi, że powinniśmy ostrzec tych ludzi. W każdym razie moglibyśmy ostrzec przynajmniej Wilhelminę.

Zirytowany Copplestone bynajmniej tak nie uważał.

– Już i tak krąży dość niedorzecznych plotek na nasz temat, więc po co dopraszać się kolejnych. Zrobisz z nas durniów. Wracaj do łóżka.

Tak więc nie rozesłano żadnych ostrzeżeń. Dla historyka jest to pokusa, by wysnuwać hipotezy, w jaki sposób przeczucia Todda mogłyby oddziałać na życie Wilhelminy, gdyby ojciec chłopca nie zareagował tak lekceważąco.

Przez cały następny dzień dzieci nie rozstawały się z sobą, przygaszone i rozdygotane. Było to zupełnie niepodobne do Todda, że tolerował obecność swej o wiele młodszej siostry, zaledwie dziewięcioletniej, a jednak tego dnia zdawał się nad nią litować, bo wyglądała na taką osamotnioną i bardzo nieśmiało mu wyznała, że Annabel przychodzi do niej we śnie.

– Jest bardzo piękna, jak wcześniej. Powiedziała mi: „Oriano, jest tu dla ciebie miejsce. Musisz przyjść do mnie!". Ale kiedy próbowałam, to nie mogłam, bo na drodze było coś w rodzaju drzwi.

– Annabel jest w niebie, Oriana. Nie możesz *tam* iść.

– A właśnie, że mogę. Annabel tak mówi.

– *Nie możesz.*

– *Mogę.*

– Powiedziałem ci, głupia, że *nie możesz.*
W tym momencie Oriana zaniosła się płaczem tak serdecznym, jakby jej pękło serce.

Jeżeli Crosswicks było, jak uznał Winslow Slade, przeklętym domem, to w takim razie pobliskie Wheatsheaf najwyraźniej też dotknął zły urok. Tajemnicą poliszynela było to, że przez ostatnie osiemnaście miesięcy Copplestone coraz bardziej angażował się w pewien plan, zgodnie z którym część krajów południowoamerykańskich, a także Kuba, Haiti i Portoryko miały utworzyć sojusz militarno-wojskowy pod auspicjami pewnej (nienazwanej) amerykańskiej spółki; podstawowym problemem był – lamentowali Copplestone i jego partnerzy – „opór tych małych małpek przed cywilizacją".

Copplestone próbował apelować bezpośrednio do Theodore'a Roosevelta o wsparcie (*sub rosa*), ale prezydent zaangażował się gdzie indziej, w innych politycznych bitwach.

Lenora o niczym nie wiedziała, ale krążyły plotki, jakoby Copplestone'a kilka razy widziano w okolicach Hopewell, w jego automobilu marki Winton, w towarzystwie młodej kobiety, urodziwej, ale jakby schorowanej, młodszej od niego o co najmniej dwadzieścia lat i zupełnie nieznanej na West Endzie, ze szkockim rumieńcem na policzkach i zadziornej manierze właściwej komuś, kto wybił się ponad swoją pozycję społeczną.

Czyż nie są to przeklęte domy! Tak oto atakowały szydercze głosy Jozjasza, często znikąd, w chwili, gdy jego myśli dostrajały się do zupełnie innych tematów. *Trzeba tu przystawić pochodnię, żeby oczyścić Princeton.*

Nie zwracając uwagi na to, czym się zajmują jego dorośli krewni, Todd kontynuował swoje „studia", zasadniczo bez niczyjej pomocy; młody nauczyciel, pospiesznie wynajęty przez Lenorę, spotkał się z buntem ze strony chłopca i po paru lekcjach odszedł. Mimo że często zostawiano go samemu sobie, Todd nie sprawił wrażenia samotnego; włóczył się po majątku Wheatsheaf w ciężkiej kurcie z kapturem i wysokich butach, rzeźbiąc ze śniegu osobliwie realistyczne ludzkie postacie i zwierzęta; często też znikał na kilka godzin. Kiedy Lenora go wołała i wysyłała jakiegoś sługę, żeby go odszukał, okazywało się, że ślady Todda na śniegu urywały się znienacka, jakby chłopiec poderwał się do lotu albo został porwany z ziemi przez ptaka o wielkich szponach. Później odkryto, że Toddowi udało się uciec przez kamienny mur o wysokości dwunastu stóp i powędrować pieszo na cmentarz princetoński milę dalej, żeby odwiedzić grób kuzynki.

Odnotowałem napisy wygrawerowane pod Annabel Oriana Slade (1886--1906) – BÓL BYŁ MOIM UDZIAŁEM, JEZUS MOIM ZBAWCĄ.

I pod spodem jeszcze jedna krótka linijka – MAŁY SLADE (1906)
Po powrocie do domu Todd był milczący, zamyślony, potem zirytowany
i niespokojny. Kiedy Lenora próbowała go pocieszyć, wybuchł, z zaskakującą goryczą wyrażając się o swej kuzynce:
– Todd nie wybaczy Annabel, że go zostawiła i że poszła do tego miejsca na górze, gdzie są zamknięte przed nim drzwi. Todd chce dynamitu,
żeby je wysadzić!

CR

Pewnego dnia, pod koniec zimy, jakieś osiem tygodni po pogrzebie Annabel, Todd znalazł pod jedną z wysokich choinek rosnących za Wheatsheaf
szklaną sowę. Kopał śnieg dziecięcą łopatką, żeby rzeźbić kolejne żywe
figury, kiedy pod jego stopami coś zalśniło. Wyciągnął spod śniegu i lodu
szklaną figurkę, by przyjrzeć jej się uważnie w jaskrawym zimowym słońcu.
Miał przed sobą przedmiot wyjątkowo piękny i odrobiony w każdym
szczególe, sowę wielkości płomykówki wykonaną z mlecznego szkła
i z oczyma z agatu. Każde pióro było wyraźne, nawet puch w sterczących
uszach ptaka. Szczególnie szpony wyglądały jak żywe.
– Skąd wiedziałaś, że Todd cię znajdzie, sowo? Czy widzisz, co jest pod
śniegiem, sowo?
Tę osobliwość zaniósł do domu, żeby z wielkim podnieceniem pokazać ją
służącym, bo wierzył, że to jakiś „szczęśliwy znak", ale gospodyni i kucharka
stwierdziły, że to zły omen – być może dlatego, że sowę znalazł Todd Slade.
– Lepiej niech ją panicz stąd wyniesie, paniczu Slade. Nie trzeba jej
trzymać tutaj.
Todd zignorował te prośby, bo często ignorował prośby dorosłych.
I czarnoskóra służba zawsze tak bardzo się niepokoiła, że stanie się coś
strasznego przez Todda albo z Toddem i to oni będą za to obwiniani.
Dziecko było przekonane, że szklana sowa jest jakimś sposobem „prawdziwa" – że jest prawdziwym, żywym ptakiem, który zamarzł na mrozie –
bo przecież te pióra były tak precyzyjnie oddane, śnieżnobiałe z bladosza-
rą obwódką, i te oczy były jak żywe, rozwarte szeroko i wytrzeszczone,
z czarnymi źrenicami obrzeżonymi mlecznopomarańczowo, które zdawały
się widzieć.
Tak więc Todd zajął się przywracaniem sowy do życia, majstrując przy
niej i grucha jąc do niej w cieple kuchni, rozcierając ją energicznie w dłoniach, aż wreszcie po jakiejś godzinie „szklana" sowa rzeczywiście nagle się
ocknęła, ku śmiertelnemu przerażeniu służących. Bo teraz to był prawdziwy
ptak o ostrych szponach i ostrym dziobie; jej śnieżne pióra z szarą obwódką
zrobiły się mokre i cuchnęły. Gdyby Todd nie trzymał jej z całej siły, zama-
chałaby skrzydłami i wzbiłaby się w powietrze.

– Wynieś ją! Wynieś ją! – błagały służące, choć Todd się śmiał z ich zdenerwowania, chwaląc się, że usłyszał bicie serca sowy, gdy tylko wyciągnął ją spod śniegu.

Zanim ktoś go zdołał zatrzymać, wybiegł na dwór, bez kurtki i czapki, żeby wypuścić ptaka, który teraz szamotał się w jego dłoniach, po czym podrzucił go w górę, krzycząc:

– Fruń! Fruń! Leć *do niej* i każ jej wracać, bo Todd *na nią* czeka.

Służba nie rozmawiała o niczym innym jak o „diabelskiej sowie" panicza Todda, ale nie w zasięgu słuchu swych chlebodawców. Kiedy więc Lenora zauważyła, że dłonie Todda są pokryte świeżymi zadrapaniami, i to jeszcze krwawiącymi, zdumiała się z kretesem.

– Todd, co ci się stało? Coś ty *zrobił?*

– Kto? Co zrobił Todd?

Lenora nie potrafiła wydusić żadnej prostej czy też spójnej odpowiedzi ze swego syna, więc tylko zagnała go do łazienki, żeby obmyć jego poranione dłonie i zabandażować je, gdzie się dało, cały czas bezgłośnie łkając, bo zaiste, ból był w nie mniejszym stopniu udziałem Lenory Slade niż Annabel Slade, nawet wtedy, gdy zdenerwowany dwunastolatek wił się i śmiał z niej.

– Fruń! Fruń! Któregoś dnia Todd dołączy do ciebie!

„DEDUKCJA NASZYM ZBAWIENIEM"

Późnego popołudnia w marcu 1906 roku Jozjasz Slade odwiedził swego byłego wykładowcę, Pearce'a van Dycka, w jego domu przy Hodge Road, bo otrzymał od niego zaproszenie: *W pewnym szczególnym celu, Jozjaszu! Proszę, przyjdź.*

W związku z jego wycofaniem się z życia towarzyskiego po śmierci Annabel Jozjasz kilkakrotnie odrzucał zaproszenia van Dycków, a także innych mieszkańców Princetonu; został wprawdzie poinformowany o narodzinach syna i nawet wysłał list gratulacyjny do profesora van Dycka i jego żony, a jednak żadnego z tych dwojga od jakiegoś czasu nie widział.

(Syn! Johanna van Dyck urodziła syna! W całym Princetonie zawrzało: *Ale przecież pani van Dyck nie jest już młoda!*)

(Gwoli ścisłości Johanna van Dyck miała wówczas, czyli w lutym 1906 roku, czterdzieści jeden lat. Pearce van Dyck czterdzieści sześć).

(I również gwoli ścisłości: nie powiem już nic więcej o tych narodzinach, czy też nieoczekiwanej ciąży, która je poprzedziła. Lepiej być ostrożnym tam, gdzie ważny jest mój obiektywizm historyka).

Jozjaszowi otworzył drzwi sam profesor van Dyck; miał dziwnie ziemistą twarz i nie wszystkie guziki zapięte przy wykrochmalonej białej koszuli. Mało tego – zazwyczaj taki nienagannie oporządzony, bo jego szpakowata bródka była równo przycięta, a rzednące włosy przedzielone równym przedziałkiem po lewej stronie głowy – tego popołudnia wyglądał na lekko rozmemłanego i wyraźnie źle oddychał.

– Jozjasz! Dzięki Bogu, nic ci się nie stało!

– Nic mi się nie stało? A niby czemu miałoby mi się coś stać? – odparł ze śmiechem Jozjasz, mimo że Pearce'owi raczej nie było do żartów.

– Wejdź prędko! Proszę.

Doktor van Dyck zamknął drzwi za Jozjaszem i wprowadził go do ciemnego wnętrza domu, do swojego gabinetu, z którego roztaczał się widok na ogród z formowanymi roślinami wiecznie zielonymi, tak rozrośniętymi, że częściowo zaciemniały okna. Jozjasza uderzyła *cisza* panująca w tym surowym, starym domu, bo wszakże spodziewał się na poły, że usłyszy radosne gaworzenie niemowlęcia.

Kiedy Henrietta Slade dowiedziała się, że Jozjasz zamierza złożyć wizytę van Dyckom, namówiła go, żeby wziął prezent dla dziecka, który kupiła w sklepie Milgrima; Jozjasz nie widział przedmiotu, który krył uroczy, niebieski papier, ale powiedziano mu, że to dziecięcy kocyk z kaszmiru. Kiedy Jozjasz wręczył pakunek doktorowi van Dyckowi, mrucząc gratulacje, starszy mężczyzna przyjął go z roztargnieniem i położył na stole, na „Dzienniku Metafizyki".

– Jeśli cię zastanawia, gdzie jest pani van Dyck, to fakt jest taki, że pani van Dyck tu nie ma. Odeszła.

– Odeszła? Dokąd?

– Tam, gdzie odchodzą kobiety z nowo narodzonymi dziećmi. Żeby nie dopuścić do kontaminacji czy czego tam. – Pearce zaśmiał się niemalże wesoło. – Zechcesz usiąść, Jozjaszu? Napijesz się sherry?

Pospiesznie sprzątnął papiery, książki, monografie i arkusze sztywnej, białej tektury ze swego biurka i stojących dookoła stołów. Jozjasz zauważył, że jego dawny wykładowca filozofii zajmuje się jakimś projektem opartym na diagramach i figurach geometrycznych.

– W rzeczy samej Johanna odeszła nawet nie milę dalej, bo do swojej matki, przy Battle Road. Ale to nie będzie przeprowadzka na stałe, jestem o tym przekonany.

Jozjasz nie wiedział, co na to powiedzieć. Nie miał pojęcia, co jego byli wykładowca miał na myśli z tą „kontaminacją", ale jakoś nie potrafił o to zapytać.

Doktor van Dyck był osobliwie wylewny, mimo że miał zaczerwienione oczy, a jego cera przybrała wyraźnie niezdrowy kolor; kasłał raz po raz i przykładał chusteczkę do ust. Krążyły pogłoski, jakoby Pearce van Dyck cierpiał na bronchit albo rozedmę płuc czy też jakąś tropikalną chorobę z południowej Azji, ale Jozjasz był zbyt powściągliwy, by spytać doktora o coś tak intymnego jak jego zdrowie.

Dom van Dycków naprawdę zdawał się mroczniejszy, niż Jozjasz go zapamiętał, chyba że był to skutek chmurnego, późnozimowego popołudnia, już zresztą ustępującego miejsca zmierzchowi. Budynek ten, jeden z mniejszych przy Hodge Road, stojący za ponurym murem z kamieni polnych, został zbudowany w surowym stylu normandzkim, ze stromym dachem od frontu przypominającym wykrzywioną brew; okalały go zewsząd nieporządnie rozrośnięte drzewa i krzewy.

– Miło ci z twojej strony, że mi gratulujesz, Jozjaszu – powiedział doktor van Dyck, westchnąwszy pogodnie. – Zdaje się, że pijesz do narodzin mojego syna? Ale takie zdarzenie, o czym być może sam się pewnego dnia przekonasz, nie ma wiele wspólnego ze mną, tylko raczej z nią. O wiele mniej jestem *ojcem* niż ona *matką*.

Jozjasz uśmiechnął się niepewnie. Czyżby jego były nauczyciel chciał z nim rozmawiać zagadkami? Jak Sokrates?

– Cóż, tu się nie ma czego wstydzić. Uporałem się już z tym, przeszedłem przez to wszystko, mozolnie, ale przeszedłem. Niezależnie od pochodzenia nowo narodzonego syna, wszystko teraz to *fait accompli*. Zresztą to tylko naturalne, żeby nie powiedzieć „natura". Tomiści poszliby nawet dalej: manifestacja „prawa naturalnego".

Doktor van Dyck nalał sherry do dwóch kieliszków i wręczył jeden Jozjaszowi. Na niskim stoliku z marmurowym blatem stał srebrny półmisek ze stertą maleńkich kanapek, czekoladowych rogalików i temu podobnych przysmaków przygotowanych przez gospodynię, ze szczególnym entuzjazmem, powiedział van Dyck, kiedy się dowiedziała, że przychodzi z wizytą jego młody przyjaciel Jozjasz Slade.

– Dobrze, że Johanny nie ma, bo dzięki temu my, mężczyźni, możemy chociaż raz pogadać sobie od serca. Jest pośród nas to zjawisko Klątwy, która patrzy nam prosto w twarz jak śmiertelnie groźny bazyliszek, o tym właśnie musimy podyskutować.

– Klątwa...?

– Oczywiście, Jozjaszu. Bo cóż to jest innego, to coś, co od ubiegłego czerwca stale pośród nas wybucha, jeśli nie Klątwa? – Doktor van Dyck mówił to cicho, po czym musiał przycisnąć chusteczkę do ust, bo doznał ataku kaszlu.

Jozjasz przyjął kieliszek od gospodarza, ale nie uniósł go do ust. Nagle zrobiło mu się gorąco; czuł zarówno wstyd, jak i konsternację, myśląc, że to był wielki błąd, że wyrwał się ze swego pustelniczego odosobnienia, by słuchać czegoś takiego.

Wiele razy myślał takimi kategoriami. Że jego rodzinę dotknęła jakaś klątwa. Bez wątpienia inni też tak myśleli. A jednak nikt dotychczas nie wypowiadał się na głos na temat klątwy, w każdym razie nie w zasięgu jego słuchu. Sam teraz nie wiedział, czy mu ulżyło, czy też jest oszołomiony ze zdziwienia.

– Ale jest tu dla nas pomoc, Jozjaszu. Możliwość pomocy.

Doktor van Dyck pokazał Jozjaszowi kilka zbiorów opowiadań autorstwa Arthura Conan Doyle'a – *Przygody Sherlocka Holmesa, Wspomnienia Sherlocka Holmesa, Powrót Sherlocka Holmesa*. Oraz powieść – *Pies Baskerville'ów*. Jozjasz z początku nie rozumiał tego, co jego były wykładowca mówi mu z takim przejęciem, że mianowicie w Princetonie trzeba zastosować *dedukcję* Sherlocka Holmesa, aby zwalczyć „klątwę" czy też „horror".

– Od twojej ostatniej wizyty, Jozjaszu, wiele się zmieniło w moim życiu. Odłożyłem na bok swe spekulacje filozoficzne na rzecz Holmesowskiego pragmatyzmu, bo ten moim zdaniem przynosi znakomite owoce. Uważnie przestudiowałem wszystkie opowieści Conan Doyle'a o Holmesie, które pokrywają się do pewnego stopnia, jeśli idzie o profil biograficzny detektywa, i prezentują niezwykłą wizję świata jako lasu „wskazówek", a nie haszczy stworzonych przez filozofijki o sękatych korzeniach toczących z sobą jałowe boje. Wychodzi na to, że w codziennym życiu brakuje pragmatyzmu logiki.

Doktor van Dyck przerzucał kolejne tomy opowiadań, przemawiając do Jozjasza tonem rozkojarzonego wykładowcy, który odbiega od tematu i wraca do niego z uśmiechem zaskoczenia, gdy tymczasem Jozjasz zmuszał się, by słuchać tego z uprzejmą miną, bo wobec swego byłego, niegdyś tak podziwianego wykładowcy nie mógł się zachowywać inaczej.

On jest obłąkany. Profesor jest obłąkany. A ty? Dlaczego jeszcze nie poderżnąłeś sobie gardła, tchórzu?

To było straszne, ten głos, który ścigał Jozjasza – nawet tutaj.

Jozjasz Slade zapisał się na cykl wykładów Pearce'a van Dycka przyciągnięty osobliwym tytułem – „Krótka historia metafizyki". Był wtedy jeszcze niedoświadczonym młodzieńcem, ledwie osiemnastoletnim, nigdy wcześniej nie słyszał słowa *metafizyka* i znał tylko podstawy fizyki z lekcji przygotowawczych.

Prędko stał się jednym z zagorzałych wielbicieli doktora van Dycka, bo ten, mimo drobnej postury, zwiewnego wianka jedwabistych, szarych włosów dookoła głowy i wysokiego, zgrzytliwego głosu, wygłaszał znakomite wykłady na takie tematy, jak paradoksy Zenona z Elei, Platońska alegoria jaskini, imperatyw kategoryczny Kanta i teorie epistemologiczne Hume'a; brylował na podium niemal jak sam Woodrow Wilson. (W rzeczy samej drobny Pearce van Dyck odziedziczył pozycję doktora Wilsona pod tym względem, że przez trzy lata z rzędu wybierano go na najbardziej lubianego wykładowcę uniwersytetu). (Gwoli ścisłości dodam tutaj – tym bardziej że doktor Wilson z pewnością by sobie tego życzył – że Woodrow Wilson otrzymywał ten tytuł przez *siedem lat z rzędu*, kiedy był wykładowcą jurysprudencji i historii politycznej za administracji doktora Pattona). I wyróżnienie Pearce'a van Dycka było tym bardziej doniosłe, że cieszył się reputacją wykładowcy, który wiele wymaga i surowo ocenia swych studentów.

W owym czasie filozofia ekscytowała Jozjasza, gdyż uważał to za wybitną przyjemność, że się go *zmusza* do myślenia, podczas gdy osób religijnych do tego się nie nakłania, a ponadto doktor van Dyck, zasadniczo platonik, a także (niedogmatyczny) chrześcijanin, lubił wciągać inteligentnych studentów w dialogi i debaty na wszelkie tematy: natura wszechświata, na przykład, czy on istnieje *in aeternum* czy też nie; natura Boga – czy wszystkie zakątki wszechświata są przepełnione Jego łaską czy tylko niektóre lub żadne; wreszcie natura rodzaju ludzkiego – czy podstawową prawdą o nas jest grzech pierworodny czy raczej wizja Rousseau szlachetnego barbarzyństwa i niewinności.

Pewnego pamiętnego poranka Jozjasz Slade podniósł rękę podczas wykładu, chcąc zadać profesorowi van Dyckowi pytanie z gatunku tych, które często zadają błyskotliwi, zapaleni studenci pierwszego roku: „Jak to możliwe, sir, i dlaczego to możliwe, że Bóg dopuszcza zło do swego stworzenia?". I wtedy profesor van Dyck odparował sucho: „Młody człowieku, gdybyś tylko potrafił sformułować to pytanie precyzyjnie, nie stosując pewnych terminów błędnie, to przekonałbyś się, że już sam na nie sobie odpowiedziałeś".

Właśnie mniej więcej w tym czasie wybuchła kontrowersja w związku z doktrynalnymi kwestiami w Kościele prezbiteriańskim, w której brał udział wielebny Winslow Slade. Jozjasz raczej nie znał szczegółów, ale rozumiał, że Seminarium Teologicznemu Princeton udało się nakłonić Generalne Zrzeszenie Prezbiteriańskiego Kościoła Ameryki do wytoczenia procesu doktorowi Charlesowi Augustusowi Briggsowi z Unijnego Seminarium Teologicznego pod zarzutami *herezji*; decyzja, która wywołała ognistą dyskusję i przysporzyła moc goryczy. Doktor Briggs, twierdzono, reagował zbyt miękko na przejawy krytycyzmu wobec Biblii, a ponadto dowcipkował na temat „teologii scholastycznej" wykładanej w Princetonie – „intelektualnym zaścianku", jak szydził. (Zaiste, zarówno w uniwersyteckim seminarium, jak i na samym uniwersytecie chełpiono się, że żadne „nowe idee" nie zostaną wprowadzone do programu nauczania ani też do zarządzania nim, dopóki doktor Patton będzie piastował urząd rektora).

Jozjasz uważał, że te sprawy są nieprzyjemne, ale z kolei przekonał się, że tradycyjny sposób myślenia, czy to odnośnie do teologii, sportów międzyuczelnianych czy też klubojadalni przy Prospect Avenue, też jest dla niego przykry i że najlepiej zrobi, jak się zdystansuje od takich kontrowersji, skupiając w zamian na swoich studiach, czyli kursach z nauk ścisłych, historii, literatury angielskiej, a także matematyki i filozofii; zrobi bakalaureat, jak sobie tego życzyli rodzice, i potem będzie pogłębiał swoją wiedzę i myślał własne niesforne myśli. W rodzinie od dawna mieli nadzieję, że Jozjasz „pójdzie w ślady dziadka" – to znaczy zapisze się do seminarium i przygotuje do kariery duszpasterskiej – ale te pomysły prędko wyparowały, jako że objawił się wrodzony sceptycyzm młodego człowieka pod wpływem lektury dyskusyjnej sieczki z pogańskich obyczajów, czyli *Złotej gałęzi* sir Jamesa Frazera.

Teraz, w gabinecie profesora van Dycka, przy odgłosie nieustającego kapania wody z krokwi za witrażowymi oknami, Jozjasz słuchał uważnie słów starszego mężczyzny, bo spodziewał się wynieść coś cennego z tej wizyty, a nie narażać się na stratę czasu. A jednak ów starszy mężczyzna przemawiał teraz smętnym tonem i zupełnie niespójnie:

– Przyznam, Jozjaszu, że nie posiadałem się ze zdumienia i niedowierzania, bo to, co się zdarzyło w moim życiu, nie mogło się zdarzyć z naukowego punktu widzenia. Wprawdzie nie jest to dla nikogo w Princetonie tajemnicą, że Johanna i ja bardzo pragnęliśmy mieć rodzinę, ale teraz, kiedy jesteśmy małżeństwem już od blisko dwudziestu lat, prawie straciliśmy... no cóż straciliśmy... wszelką nadzieję. W pewnym sensie pogodziłem się z moim rozczarowaniem. Uznałem, widzisz, że będę ostatnim z mojego rodu.

Doktor van Dyck wbił zamyślone spojrzenie w rozgrzany kominek, na którym płonął niewielki, lekko dymiący ogień; Jozjaszowi wydało się, że mógł zapomnieć o jego obecności, ale po jakiejś chwili zaczął znowu mówić, bardzo słabym głosem:

– Co do Johanny, to ona też zrezygnowała, ma się rozumieć. Johanna jest taka bardzo... rozsądna. A potem tak się stało, że... chcę powiedzieć ten cud... że moja żona, by użyć tego osobliwego wyrażenia, *zaszła w ciążę*... nie wiedzieliśmy, co myśleć i czy powinniśmy nie posiadać się z radości, tak jak inni na wieść o tym, czy też... być mocno zaniepokojeni. A to dlatego, że... nie, nie chcę wzbudzać twojego zażenowania, Jozjaszu, i swojego też nie... ale minął jakiś czas, co najmniej kilka lat, odkąd żona i ja dzieliliśmy sypialnię... A jednak ten cud się zdarzył, dziecko się urodziło, Pearce van Dyck jest ojcem, co jest powodem do weselenia się, jak sądzę.

Doktor van Dyck znowu umilkł, by dopić swój kieliszek sherry.

Jozjasz z trudem przełknął ślinę. Co jego były wykładowca mu ujawnił? Że była – że mogła być – jakaś wątpliwość w związku z ojcostwem nowo narodzonego dziecka van Dycka, że zdarzyło się coś, co trzeba nazywać „cudem", mimo że było w tym coś nie tak?

Wzdragał się przed myślą: *Obie matki urodziły w odstępie miesiąca. Obie matki są dotknięte klątwą?*

Przeszył go dreszcz, mimo że w pokoju było aż za gorąco od ognia na kominku. I szczypało go w nosie od tego dymu.

– Ale co tam, Jozjaszu. „Dedukcja naszym zbawieniem". Takie jest teraz moje motto, już nie *Cogito, ergo sum*.

Na biurku doktora van Dycka leżał kawałek kartonu o wymiarach trzy na cztery stopy ze skomplikowanym diagramem wyrysowanym różnobarwnymi tuszami. I oprócz tego książka formatu folio, ze sztywnymi stronicami, między które powtykał kolekcję zasuszonych kwiatów – kalii o szczególnie zmętniałej barwie i zapachu. (Jozjasz przypomniał sobie te kwiaty: Czy to nie on dał je Pearce'owi van Dyckowi wiele miesięcy wcześniej? Kalie z dawnego domu Cravena? Zdążył o nich zapomnieć do tej pory).

– Zanim zaprezentuję ci moje odkrycia, Jozjaszu, chciałbym cię spytać, czy ty w ogóle znasz Sherlocka Holmesa? Bo wydaje mi się, że wiele miesięcy temu mówiłem ci o znaczeniu Holmesa.

– Doprawdy? Nie wydaje mi się, sir.

– A właśnie, że mówiłem, Jozjaszu. – Doktor van Dyck powiedział to z niespotykanym u niego ostrym tonem. – Uparcie tłumaczyłem wszystkim moim kolegom z wydziału filozofii i nie tylko, że detektyw Conan Doyle'a znalazł rozwiązanie dla naszego ludzkiego szaleństwa: uważna obserwacja wskazówek i przemyślna dedukcja.

– Ale Sherlock Holmes to postać fikcyjna, sir. On nie jest prawdziwą osobą...

– Spytałem cię, Jozjaszu: czyś ty czytał o niezwykłych przygodach tego człowieka? – przerwał mu z irytacją doktor van Dyck. – I o jego dedukcji?

Na studiach Jozjasz przeczytał wiele powieści kryminalnych, które krążyły między jego współmieszkańcami z West College; przysporzyły mu rozrywki i był zafascynowany genialną logiką detektywa. Powiedział doktorowi van Dyckowi, że rozumie, dlaczego wielu czytelników fascynuje się Sherlockiem Holmesem jako bohaterem i opowieściami o nim, pełnymi zagadek, intryg i barwnych postaci, które tak znakomicie się czytają, zwłaszcza dlatego, że są w nich zagadki z rozwiązaniami.

– W prawdziwym życiu zagadki często pozostają nierozwiązane. Tymczasem w przypadku Sherlocka Holmesa czytelnik ma gwarancję rozwiązania.

– Oczywiście, czytelnik ma gwarancję, Jozjaszu. Bo Sherlock Holmes posiłkuje się niedościgłą strategią polegającą na dedukcji.

– Te opowieści to fikcja, sir, wymyślona tak, by dawało się stosować dedukcję. Innymi słowy to są zagadki z gotowymi rozwiązaniami; to nie są prawdziwe tajemnice, tego typu, na które się natykamy w prawdziwym życiu.

– A ja uważam, że *są* prawdziwe. To destylaty wielkich, chaotycznych, niezgłębionych tajemnic, które nas otaczają. One są czymś *nadrzędnym*.

Doktor van Dyck marszczył się z dezaprobatą. Najwyraźniej nie takiej odpowiedzi oczekiwał od swego ulubionego studenta z dawniejszych czasów.

– Uważna lektura dowolnej z tych opowieści – powiedział Jozjasz nieco agresywnym tonem – pokazuje ich słabe punkty. Jak w *Człowieku z blizną*, na przykład, zbieg okoliczności odgrywa nieprawdopodobną rolę i stwierdziłem, że ani trochę nie można uwierzyć, że żona przebranego mężczyzny nie potrafiła go rozpoznać. W *Nakrapianej przepasce* to niedorzeczne, że złoczyńca miałby wymyślić tak skomplikowaną intrygę, by zamordować swą pasierbicę, bo przecież mieszkając z nią, mógł ją zamordować na wiele łatwiejszych sposobów – i co za absurdalny wybieg, by posłużyć się indyjską żmiją bagienną. W *Studium w szkarłacie* antymormońskie fragmenty są krzykliwe i nieprzekonujące w kontekście i zaiste, czy czytelnik nie jest nieświadomie manipulowany, kiedy mu się ujawnia *po fakcie*, że Sherlock Holmes po prostu posłał telegram do Chicago, żeby poznać pewne fakty ukryte przed czytelnikiem? – Jozjasz mówił to tonem inteligentnego, wojowniczego studenta, ale wyraz na twarzy jego byłego wykładowcy nie był zachęcający. – No cóż, sir – dodał potulnie – te opowiadania z pewnością spełniają pierwotną intencję, która za nimi stoi, czyli dostarczenie rozrywki. – Rozrywka! – żachnął się z pogardą doktor van Dyck. – Jakby w tym momencie kryzysu w życiu nas wszystkich chciałbym ci przysparzać rozrywki!

Doktor van Dyck przystąpił do zademonstrowania Jozjaszowi swego skomplikowanego „schematu tropów". Diagram był pokryty zawiłymi wielobarwnymi kreskami, a do jego powierzchni były umocowane skupiska szpilek i paciorków.

– Dzięki wprowadzeniu Holmesowskiej dedukcji w analizie zagadki princetońskiej Klątwy wyizolowałem szereg wątków z powiązaniami albo skojarzeniami, a także wiele wskazówek... wiem, sam Holmes drwiłby z moich metod, zbyt drobiazgowych i bardzo amatorskich. Wspomaga mnie jedynie wiara, że ostatecznie odniosę zwycięstwo, bo *słuszność* jest po mojej stronie i jestem gotów poświęcić wszystko, by osiągnąć ten cel... Popatrz tutaj, Jozjaszu, nie rób takiej zdziwionej miny! To wcale nie jest bardziej skomplikowane niż metafizyka Kanta. W tej kolumnie naniosłem symbolami wszystkie ważne zdarzenia z mniej więcej ostatnich dziesięciu miesięcy, z kolei wskazówki są zaznaczone paciorkami. Tu są *zdarzenia*, a tu *wskazówki*. Widzisz? Z kolei wszędzie tam, gdzie uznałem za realną hipotezę, że demon w jego pierwotnej formie naprawdę się objawił...

Jozjasz wzdrygnął się na słowo „demon". Dotąd nie słyszał, by ktoś spoza jego najbliższej rodziny użył tego słowa, by określić Axsona Maytego o którym, jak zakładał, mówił teraz doktor van Dyck.

– ...bo pewnie wiesz, Jozjaszu, że wśród nas jest demon, to znaczy albo wcielenie samego diabła, albo jeden z diabelskich szatanów. W hebrajskiej Biblii nie było jednego szatana, tylko wielu szatanów. Każdy dodaje siły chaosowi i niedoli, dlatego każdego należy zwalczyć. – Van Dyck podsunął sztywny arkusz bliżej Jozjasza, by dzięki temu obaj mogli mu się dokładnie przyglądać. – Dlatego wszędzie tam, gdzie uznałem za prawdopodobne, że objawił się demon, użyłem szpilki do krawata... o tutaj z perłą, tu z brylantem, tu z opalem. Podejrzewam, że będziesz oponować, Jozjaszu – powiedział uśmiechem. – Powiesz, że nie wiem, czy jestem w posiadaniu wszystkich wskazówek, i to prawda. Nie wiem też, czy niektórzy ze świadków nie składali sprawozdań niezgodnych z prawdą, z konfuzji, ignorancji czy też pragnienia, by zachować twarz. Bo moja metodologia jest o wiele mniej precyzyjna niż metodologia Holmesa, a to dlatego, że z prawdziwym życiu wskazówek jest więcej niż sprawach rozwiązywanych przez Holmesa.

A jednak działam z optymizmem, czy nawet tym samym entuzjazmem, jaki towarzyszył mi w czasach, gdy byłem młodym wykładowcą i pisałem swą pierwszą rozprawę poświęconą Platonowi. Niepokoję się natomiast tym, że muszę rozwiązać zagadkę, zanim demon odkryje, co robię. W przeciwnym razie memu życiu będzie groziło niebezpieczeństwo. *Przynajmniej nazwał to po imieniu: Klątwa.* Horror, pomyślał złośliwie Jozjasz. *Przynajmniej nie jest tak, że to szaleństwo dotknęło tylko jedną rodzinę.*

Było coś wzruszającego w prezentacji van Dycka, coś, co sprawiło, że Jozjasz nie palił się już tak do krytykowania. Uważał jednak, że schemat tropów to rozwiązanie desperata, i zaiste nie umiał się w nim dopatrzyć żadnego sensu, aczkolwiek robił on wrażenie swą zawiłością i precyzją, tak jak miniaturowy statek w butelce, bo czy kiedykolwiek widział coś równie genialnego poza wzorami na zajęciach z chemii i fizyki? Przecież te cieniuteńkie kreski wykonane tuszem w kilku kolorach, maleńkie symbole jak ozdoby drukarskie, łacińskie i greckie słowa, szpilki i paciorki oraz liczne notatki wykonane ołówkiem przypominały istną galaktykę. Doktor van Dyck był wyraźnie zadowolony, że jego młody przyjaciel przygląda się wykresowi tak uważnie; posiłkując się srebrnym nożem do listów niczym wskaźnikiem, wygłosił na użytek Jozjasza wykład o dedukcji jako nauce oraz o Klątwie z Crosswicks czy też Princetońskiej Klątwie.

– Jak często powtarza Holmes – i tu van Dyck zaczął przemawiać z takim przekonaniem i czułą familiarnością, że człowiek był gotów pomyśleć, iż Holmes to jakiś jego przyjaciel – coś, co jest niezwykłe i paradoksalne, dla światłego oka potrafi być bardziej pomocą niż utrudnieniem, podczas gdy rutynowa sprawa, powiedzmy jakieś proste, nieciekawe morderstwo, może się okazać nie do rozwiązania. Przy analizowaniu jakiegoś wysoce złożonego problemu, podobnego do tego, z jakim my teraz się zmagamy, koniecznie należy *rozumować wstecz*. A jednak trzeba też stosować metodę dedukcji, dzięki której tak umiejętnie rozumuje się *naprzód*. Tak więc ta niebieska kreska na schemacie tropów reprezentuje metodę *przeskoków wstecz*, a ta żółta kreska to *przeskoki naprzód*. Sytuacja jest tym bardziej skomplikowana, że Klątwa, czy też Horror, szaleje wokół nas i nie wiemy, gdzie czy też kogo zaatakuje następnym razem. Dlatego musimy rozumować *równolegle*.

Jozjasz pokręcił głową, czując, że już się gubi.

– Ta szpilka z opalem cię zastanawia? Nie? Czyli te pomarańczowe paciorki? Ach, ten skrót *Cr*, który oznacza „Cravena", czy też dawny dom Cravena, który sąsiaduje z pionowym *Marcem*, oznaczając w ten sposób pierwszą manifestację Klątwy, o której mi wiadomo. Dom Cravena, 5 marca, zapaść pana Clevelanda, inwazja *zjaw* na naszą społeczność. Z kolei ta grupka kolorowych paciorków w tym miejscu, a także szpilka z perłą symbolizują „drugorzędne oceny", jeśli odczytywać wykres pionowo, tak jak ja teraz. Jak powiedział Holmes: *Całe życie to jeden wielki łańcuch, którego istotę możemy poznać po jednym ogniwie.* Jozjasz mruknął przepraszająco, że „nie do końca to rozumie".

– Cóż, to jest trudne, Jozjaszu. Szczególnie wtedy, gdy człowiek staje w obliczu sugestii, że „detektyw" ludzkiej natury potrafi rozszyfrować czyjeś najbardziej skrywane myśli tylko na podstawie wyrazu, który przez krótką chwilę maluje się na ludzkiej twarzy, pojedynczego drgnienia mięśni czy też spojrzenia w oku. Poprosiłem u Micawbera, żeby zamówili esej Holmesa *Księga życia,* a także jego monografie na temat odcisków palców, wykrywania perfum, których zapach dawno temu wyparował, wpływu zawodu wykonywanego przez danego człowieka na kształt jego dłoni, a także klasyczną już pozycję *O różnicach między popiołami z różnych gatunków tytoniu.* Liczę, że jak już będę miał te cenne materiały w ręku, to zdołam poczynić większe postępy.

– Też mam taką nadzieję, sir. – Jozjasz powiedział to potulnie, bo czuł, że bierze nad nim górę jakaś choroba, podobna do tego zgiełku głosów, podczas gdy jego wykładowca był najwyraźniej w coraz to lepszym nastroju.

– Tak, Jozjaszu, życie to „wielki łańcuch", co zauważyli już starożytni. Holmes stwierdza butnie, że człowiek geniuszu jest w stanie na podstawie pojedynczej kropli wody stwierdzić możliwość istnienia Atlantyku albo Niagary, przedtem o nich nie usłyszawszy; podobnie wprawny detektyw może tak się wyszkolić, że jeden rzut oka mu wystarczy, by dostrzec z miejsca historię człowieka, który przed nim stoi, a także profesję, jaką ów wykonuje, jeśli nie stan jego duszy. Tyle można się dowiedzieć na podstawie odcisków palców, butów, brody, rękawa płaszcza, wyrazu twarzy, odcisków na palcu wskazującym i kciuku! Jakże cudowną jest myśl, że możemy zatriumfować nad chaosem życia. I mam taką serdeczną nadzieję, że uda mi się uratować naszą bezcenną społeczność, naszych bliskich, przed Klątwą, jeśli nie jest jeszcze za późno. Bo widzisz, już straciliśmy najpiękniejszą i najczystszą sercem spośród naszych...

Marszcząc czoło, jakby nie usłyszał tej życzliwej, acz niezdarnie wyrażonej uwagi, Jozjasz skupił się na wykresie, studiując go uważnie i wskazując doktorowi van Dyckowi kilka drobniejszych błędów.

– Obawiam się, sir, że incydent w domu Cravena zdarzył się w kwietniu, a nie w marcu, jak zostało tu zaznaczone.

– Kwiecień? Nie marzec? Jesteś pewien?

– Tak. Raczej bym nie zapomniał.

– Ale ja... ja też bym raczej nie zapomniał! Bo też tam byłem.

– Tak. I ja tam byłem.

– Ale... Marzec jest najważniejszy dla mojego schematu, bo *M* łączy się z „Mackay-Diggs"...

– Kto to jest „Mackay-Diggs"?

– Pewien mój magistrant, który przyszedł do mnie pewnego dnia z opowieścią mrożącą krew w żyłach, o tym, jak ledwie uciekł przed napaścią jakiejś złowrogiej postaci, która czyhała nań w cieniach za Alexander Hall; sądząc z opisu, to musiał być „szatan".

Mackay-Diggs to nadzwyczaj prawy młody platonik, który w życiu by nie konfabulował ani nie kłamał; wyznał mi, że ten osobnik o „indiańskim wyglądzie" zaczepił go i dotknął jego ręki z „pytającym spojrzeniem", jakby chciał go objąć, a potem, gdy Mackay-Diggs go odepchnął, zrobił się wrogi i obnażył zęby, jakby chciał „wgryźć mu się w gardło". To, jak widzisz, wiąże się ze śmiercią dziecka Spagsów, które jest zaznaczone zieloną szpilką; tu je łączy ta czerwona linia, a tu jest zaznaczone „tajemnicze zachowanie" psa Wilsonów, Hannibala, podczas kilku kolejnych nocy...

– Pies Wilsonów Hannibal?

– Przypominasz sobie tajemnicze zachowanie psa Baskerville'ów, który nie szczekał, choć należało się spodziewać, że będzie szczekał? W tym przypadku tłustawy hart Wilsonów, Hannibal – (studenci nazywają go Pudłem na łapach) – zachowywał się w bardziej konwencjonalnie psi sposób, bo wył przez kilka nocy, nie dalej jak w ubiegłym tygodniu, bardzo głośno i z niewyjaśnionych powodów.

– I dedukuje pan z tego...?

– Jojaszu, to nie ja dedukuję coś z tego, to jest łańcuch *logiczny*. Schemat tropów bardziej przypomina mapę, która opisuje rzeczywisty teren. To nie zbieg okoliczności, że pies Wilsonów wyje po nocach, w czasie gdy jacyś podejrzani „szatani" błąkają się po kampusie, szukając ofiar wśród naszych studentów. I jest jeszcze przykład córki Burrów, Wilhelminy, którą widywano w odosobnionych miejscach, jak ścieżka biegnąca brzegiem jeziora Carnegie, w towarzystwie niezidentyfikowanych mężczyzn, oby dżentelmenów!

– Wilhelmina? Z mężczyznami? Ale z kim?

Jojaszowi nie spodobała się wizja Willy przebywającej w towarzystwie jakichś mężczyzn; ta myśl była dla niego niepokojąca jak zdrada. *Bo Willy mnie uwielbia. To jest reguła.*

– Wilhelminę widziano nawet na Piątej Alei w Nowym Jorku, w towarzystwie tego czy owego *artysty* z tamtejszej bohemy – dodał doktor van Dyck cicho, dziwnie lubieżnie wykrzywiając usta. – Bo ona tam pobiera lekcje u tego sławetnego Henriego, który ponoć zamordował człowieka, gdzieś na Zachodzie.

– Ona z nimi? To chyba coś dobrego.

– Coś dobrego? Mówisz poważnie, Jojaszu? Powiadają, że w tej Nowojorskiej Szkole Sztuk Pięknych są nadzy modele. *Nadzy. Płci obojga.*

Jozjasz zmarszczył brew, zastanawiając się. Przypomniawszy sobie lekkie dotknięcie warg Willy na jego wargach i ten zapach, który bił od jej skóry, stwierdził, iż nie ma w tym nic dobrego, że Willy uczęszcza na lekcje, na których maluje się z natury – a nagimi modelami są czasem mężczyźni.

Doktor van Dyck kontynuował, stukając srebrnym nożem do listów w schemat tropów.

– A tutaj widzisz, połączony tą wykropkowaną żółtą linią, incydent opatrzony literą *T*, który wydarzył się na princetońskim cmentarzu...

Jozjasz spojrzał krzywo na żółtą linię. To jakiś obłęd!

– ...i to on jest jednym z głównych powodów, dla których poprosiłem, żebyś tu dzisiaj przyszedł, Jozjaszu. Nie zostałem zaproszony na pogrzeb twojej drogiej siostry, a jednak kilka razy odwiedziłem jej grób, żeby oddać jej cześć, bo, jak sądzę, intelekt i dowcip Annabel pozostały niedoceniane, a to dlatego, że była atrakcyjna i tak bardzo olśniewała swym widokiem. Doprawdy uważałem za niefortunne, że twoja rodzina nie nakłaniała Annabel do dalszej nauki, podczas gdy ty, jako chłopiec, oczywiście uczyłeś się, i to na pierwszorzędnym uniwersytecie. Annabel tymczasem ukończyła dwuletni college, a potem miała swój debiut w Nowym Jorku i została narzeczoną rzutkiego młodego oficera. Johanna opowiadała mi, że Annabel posiadała talent do opowiadania historii i rysowania. Niemniej jednak, wracając do bieżących spraw... – Doktor van Dyck zauważył wyraźnie zbolałą minę Jozjasza i już nie ośmielił się ciągnąć wątku Annabel. – ...Otóż mając w pamięci metodologię mego przyjaciela Holmesa, powróciłem któregoś dnia na cmentarz, do grobowca Slade'ów, z zamiarem poszukania świeżych odcisków palców...

– Odcisków palców? Ale czyich?

– ...demona, być może... w jednej z jego ludzkich form. Przynajmniej to byłaby jakaś procedura naukowa. Miałem też nadzieję sprawdzić teren dookoła grobowca w poszukiwaniu odcisków stóp w topniejącym śniegu. Jednakowoż kiedy tam dotarłem, przy grobie już ktoś był... okazało się, że to twój młody kuzynek Todd, który na mój widok przestraszył się i niczym kryminalista, który właśnie zrobił coś niecnego, jął uciekać przez labirynt między grobami, z pochyloną głową i włosami zjeżonymi jak u dzikiego zwierzęcia. Wołałem za nim: „Todd! Todd! To tylko ja, Pearce van Dyck!", ale on wtedy zaczął biec tym bardziej desperacko, jakbym to ja był demonem. – Doktor van Dyck zaśmiał się niemal wesoło. – A potem jednak odkryłem przy podstawie grobowca znaczną liczbę śladów stóp, z których tylko kilka mógł pozostawić chłopiec. Waham się z wyciąganiem konkluzji na tej podstawie, ale muszę cię poinformować, Jozjaszu, że często w takich przypadkach można znaleźć osobę bądź osoby należące do społeczności dotkniętej klątwą, które *zawarły sojusz z siłami demonów.*

Jozjasz zaprotestował, mówiąc, że wątpi, by jego kuzyn Todd, który ma tylko dwanaście lat i jest zasadniczo bardzo niedojrzały, mógł być w sojuszu z kimkolwiek.

– Todd jest wielkim samotnikiem.

– Ale niewykluczone, że na cmentarzu wcale nie widziałem Todda Slade'a, którego zobaczyłem, Jozjaszu, tylko demona rozmiarów dziecka, który go bardzo przypominał – odparował na to doktor van Dyck.

Zirytowany już Jozjasz wyrzucił ręce w górę.

– Sir! Czy my wszyscy jesteśmy impostorami? Demonami? Jak możemy to osądzić po czyimś wyglądzie?

– To bardzo mądre pytanie, Jozjaszu. Prawdziwie metafizyczne pytanie, nad którym się zastanawiam, zapewniam cię, od jakichś dziesięciu miesięcy, gdy moja ukochana żona przekazała mi swe „cudowne" wieści.

Doktor van Dyck zdążył już wypić dwa kieliszki sherry, podczas gdy Jozjasz dał radę upić tylko jeden łyk zbyt słodkiej i zbyt lepkiej cieczy. Jozjasz zauważył, że twarz jego byłego wykładowcy jest zaczerwieniona, a oczy dziwnie błyszczą, tak jakby brakowało mu tchu, jakby owładnęło nim wielkie podniecenie, i jeśli Jozjasz się nie mylił, głowa van Dycka wydawała się odrobinę zniekształcona: wśród zmarszczek na czole powstało wybrzuszenie i jeszcze coś, co przypominało małe, wykrzywione usta. Kiedy Jozjasz wstał i jego gospodarz wstał razem z nim, wydało się, że starszy mężczyzna jest jakby niższy niż normalnie i że jego grzbiet, ukryty pod luźną tweedową marynarką, jest bardzo nieznacznie zdeformowany. Między skrzydełkami rozchełstanego kołnierzyka było widać rozgrzane tętnice pulsujące pod spoconą skórą.

Teraz już w rubasznym nastroju, doktor van Dyck odprowadził Jozjasza do wyjścia i na pożegnanie uścisnął mu rękę, prosząc, by przekazał jego najserdeczniejsze pozdrowienia Winslowowi Slade'owi i wszystkim pozostałym Slade'om, których widywał teraz jakże rzadko.

– Przekaż im... cóż, może to jeszcze za wcześnie, by komukolwiek o tym mówić... że „van Dyck wpadł na trop", że „van Dyck prowadzi poszukiwania"... co może nie będzie dla nich pocieszeniem, ale mam nadzieję, że ich pokrzepi na duchu.

Dawny wykładowca Jozjasza był teraz bez cienia wątpliwości niższy niż zawsze, miał wyraźnie krótsze nogi, a jego oczy skryte za okularami w metalowych oprawkach lśniły nienaturalnym blaskiem.

– Musisz znowu do mnie zajrzeć któregoś dnia, Jozjaszu! Sam *to* zobaczysz.

– *To?*

– Wybacz. Oczywiście chciałem powiedzieć *go*.

SANIE Z OCHROWYMI PŁOZAMI

Jozjaszu? Jozjaszu? Przyjdź do nas, no przyjdź!
Jakże osobliwa była ta wizja i jakże nieoczekiwana – Jozjasz zatrzymał się jak wryty, wytrzeszczając oczy.

Po wyjściu z rezydencji profesora Pearce'a van Dycka Jozjasz ruszył nerwowym krokiem w stronę Błoni Bitewnych, nieogrodzonego, po części zalesionego terenu niedaleko Stockton Street i jakieś półtorej mili od Crosswicks; w jednakim stopniu pod wpływem zaduchu w gabinecie byłego wykładowcy, jak i od przebywania w towarzystwie tego rozgorączkowanego człowieka owładniętego teoriami na temat *dedukcji* Jozjasz miał teraz wrażenie, że się dusi, że w głowie ma watę, i dlatego straszliwie łaknął świeżego powietrza.

– A to co jest? Śnieżna powódź...
Jozjasz nawet nie zauważył, że podczas jego wizyty u doktora van Dycka zerwała się śnieżyca. Tłuste deszczowe chmury zniknęły, ustępując miejsca rozdętym chmurom śniegowym; powietrze wprawdzie nie było mroźne, ale padał gęsty śnieg, z wolna, a te płatki, każdy z osobna zapalczywie się iskrząc, wyglądały jak ornamenty tego powietrza.

Jozjasz podjął wcześniej zamiar, że pospaceruje po dawnym polu bitwy, jak to często czynił, gdy jeszcze był studentem i potrzebował samotności; nie robił sobie wiele ani z tych wirujących bez pośpiechu płatków, ani też z wilgotnego wiatru od północnego wschodu, ani z nadpełzającego zmierzchu.

I tak oto, podczas przechadzki po inkrustowanym śniegiem polu, na którym wiele pokoleń wstecz jego sławny antenat, Elias Slade, walczył mężnie z ludźmi Cornwallisa, Jozjasz ujrzał przypadkiem, niecałe sto stóp dalej, niezwykły widok: piękne, stare sanie z wysokimi, wygiętymi płozami, ciągnione przez parskającego czarnego konia.

– A to kto? Jacyś obcy ludzie...
Saniami powoziła zgarbiona postać w ciemnym płaszczu i kapeluszu naciągniętym nisko na czoło; postać podobna do gnoma, trzaskająca z bata nad końskim zadem. A w samych saniach siedziała grupka kobiet, a właściwie *młodych dam*.

Te sanie, ciągnione przez ośnieżone pole, za kurtyną z padającego śniegu, jawiły się tak romantycznie, że Jozjasz aż przystanął, żeby się napawać, z uśmiechem, bo przecież te damy były mu na pewno znajome, nawet jeśli nie woźnica... A jednak ich rozradowane twarze były odeń odwrócone – pasażerki sań nie zwracały na niego uwagi. Jedna była opatulona we wspaniałe czarne futro i kapelusz do kompletu, z soboli albo norek, inna, drobniejszej postury, miała na sobie futro z gronostajów, trzecia zaś wystroiła się w wysoką czapę z karakułów i do tego stosowny płaszcz – Jozjasz uznał, że to futro o ciasnych skrętach jest nadzwyczajnie piękne. Dziwne, że one nie zawołały do niego, żeby zaoferować mu przejażdżkę, bo przecież w saniach było wolne miejsce obok damy w futrze z karakułów. Również podobny do gnoma woźnica, o obliczu mocno pomarszczonym, nawet nie spojrzał w jego kierunku. Jozjasz starł śnieg z rzęs, przysłuchując się wesołej paplaninie pań i z ciekawością przyglądając się saniom, bo płozy, mimo że gładkie, zaokrąglone i delikatnie wyostrzone na końcach, rzucały dziwne, ochrowe czy też rdzawe błyski i tak jakby wcale nie rozcinały śniegu, tylko raczej muskały lekko jego kruchą skorupę.

No co tak sterczysz jak niemowa i nie zawołasz do nich? Jesteś dziedzicem Crosswicks, wystarczy, że podniesiesz rękę i zaraz odwiozą cię do domu z szykiem pasującym do twego urodzenia.

Jozjasz stał jednak bez ruchu, jak sparaliżowany, lecz po chwili znowu usłyszał:

Jozjaszu! Jozjaszu! Przyjdźże do nas, przyjdź!

W samą porę zorientował się, że to jeden z tych niechcianych głosów tak prześmiewczo go uwodzi.

Pozostał na miejscu, rozglądając się tylko czujnie, w samym środku sennej zamieci, gdy tymczasem sanie na ochrowych płozach przemknęły cicho, w odległości mniejszej teraz niż trzydzieści stóp. Bardzo delikatnie rozbrzmiały dzwonki. Oddech konia parował, a jego szorstki czarny ogon podskakiwał dziarsko. Zdjęty podziwem na widok gracji zwierzęcia, które biegło truchtem, unosząc wysoko kończyny, zagapiony Jozjasz dostrzegł także urodę tych starych sań. I wzruszył się, bo w tym afektowanym, srebrzystym śmiechu jadących nimi pań usłyszał, albo mu się wydało, że usłyszał, beztroski śmiech swej siostry Annabel, ale porażony nagłym dreszczem nie umiałby powiedzieć, która z tych młodych kobiet, z twarzami teraz skrytymi w cieniu, to Annabel.

I tak oto sanie minęły go, a potem znikły wśród śnieżnej zawieruchy.
Pozostawiły po sobie jedynie echo dzwoneczków i śmiechu dam, który
Jozjaszowi przywiódł na myśl szkliste dźwięki wietrznych dzwonków roz-
brzmiewających w letni wieczór na werandzie albo w altanie.
No co tak stoisz i nic nie mówisz? Brak ci męskości jak eunuchowi?
Czyż nie nazywasz się Slade i nie jesteś gotów do przejścia na drugą
stronę?

„WĘŻOWY SZAŁ"

Wkrótce potem, w pewien poniedziałkowy poranek na początku kwietnia 1906 roku, doszło do wybuchu kobiecych nerwów czy też histerii w Seminarium dla Dziewcząt w Rocky Hill.

Historycy ciekawiący się tą (pomniejszą, pomijaną) nagłą manifestacją Klątwy mogą zajrzeć do lokalnego tygodnika „Princeton Packet" z 3 kwietnia tamtego roku, który donosił o incydencie rzucającymi się w oczy nagłówkami na pierwszej stronie:

DONIESIENIA O „WĘŻOWYM SZALE"
W SEMINARIUM W ROCKY HILL
28 UCZENNIC I 3 CZŁONKÓW GRONA PEDAGOGICZNEGO
ULEGŁO OMDLENIOM I ATAKOM EPILEPTYCZNYM

Wilhelmina Burr miała tego pecha, że znalazła się w samym środku owego dziwacznego epizodu, którego nigdy nie wyjaśnili zadowalająco ani neutralni obserwatorzy, ani też uniwersyteccy naukowcy; sprawa została zepchnięta na bok jako *kobieca histeria*.

Wilhelmina prowadziła właśnie zajęcia chóru w szkolnej auli muzycznej – (budynek wzniesiony w stylu neoklasycznym na występie terenu, z którego roztaczał się widok na rzekę Millstone i bagnisty obszar) – gdy nagle Penelope van Osburgh, dziewczyna o niewyraźnej urodzie, umilkła znienacka w trakcie solowego wykonywania utworu *Wiejska samotnia* –

> *Cieniste gaje i wartkie strumienie,*
> *Ścieżki, gdzie księżyca promienie igrają,*
> *Osłoną są, gdy świat boleje,*
> *Troski zafrasowanego dnia ukoją.*

– ze zogromniałymi oczyma wbitymi w coś ponad głową swej nauczycielki, po czym zrobiła się śmiertelnie blada i wskazując ręką ozdobny gzyms
obiegający sufit, zawołała:
– Ach! On żyje! Wąż! Tam! Obudził się! Rusza się! Idzie po nas!

Przez kilka przepełnionych zdumieniem chwil w sali panowała cisza;
Wilhelmina może nawet słyszałaby cichuteńkie tykanie swego zegarka,
gdyby zachowała przytomność umysłu, ale nagle przerażona dziewczyna
zaczęła oddychać chrapliwie i płytko, szepcząc jednocześnie:
– Wąż! Wąż! – Po czym, wciąż wskazując sufit, padła zemdlona w ramiona koleżanki stojącej obok niej.

W tym momencie wszystkie dziewczęta zaczęły krzyczeć wniebogłosy
i mdleć – w całej auli wybuchł chaos.

Wilhelminę od dawna intrygowało to, że elegancki, neoklasyczny budynek jest udekorowany tak osobliwymi gzymsami; zauważyła, po raz pierwszy, odkąd weszła do auli, że na suficie znajdują się jakieś powykręcane
białe kształty, nie do końca wyraźne: może winorośle w stylu włoskim,
greckie pnącza, „zamarznięte fale" albo wręcz sennie rozciągnięte węże.
Nazywanie ich białymi było pewnym nadużyciem, bo z upływem czasu
sztukaterie pokryły się nierówną warstwą kurzu dającego sugestię cieni,
a nie jednolitej barwy. Przy grze światła, w normalnych okolicznościach,
sztukaterie zaiste zdawały się niemal ruszać. Wilhelmina sama to zauważyła,
ale odrzuciła to złudzenie optyczne jako zjawisko świetlne, które nie miało
żadnego znaczenia.

Teraz jednak wydawało się, że „węże" ocknęły się z długiej drzemki i ru-
szają się. Ależ te dziewczęta krzyczały! Już druga z kolei osunęła się na podłogę, zaraz potem trzecia, i Wilhelmina, która chciała jej pomóc, zderzyła się
z dwiema przerażonymi dziewczynami rzucającymi się w jej ramiona, jakby
były małymi dziećmi, bo węże się teraz wiły i już spełzały ze ścian i po
framugach okien, ze wszystkich stron, ledwie widoczne, a jednak straszne.

Wilhelmina, jedyna dorosła osoba w pomieszczeniu pośród około trzydziestu dorastających dziewcząt, całkiem spanikowała i już zupełnie nie
wiedziała, co myśleć, bo chociaż sama nie mogłaby powiedzieć, że węże
rzeczywiście spełzają ze ścian, to jednak sądząc po niezwykłym podnieceniu i okrzykach przerażenia uczennic, należało wnioskować, że coś jest nie
tak; coś było bardzo nie tak i to ona była odpowiedzialna za to, by uchronić
przed tym dziewczęta.

W tym momencie jeszcze jedna uczennica zaczęła krzyczeć wniebogłosy, wskazując ręką coś, co znajdowało się za plecami Wilhelminy:
– O! Tam! Czarny wąż! Obudził się, jest zły, idzie po nas!

Ten okrzyk dodatkowo spotęgował powszechne przerażenie; dziewczęta miotały się i biegały w kółko, skomląc i popłakując, ze zbielałymi twarzami, nie mając pojęcia, jak uciec przed wężami, choć (jak się wydaje) węży

właściwie nie dawało się *zobaczyć*. A jednak było oczywiste, że pełzły do nich ze wszystkich stron, po wypastowanej drewnianej podłodze.

Panna Burr zaczęła krzykiem nawoływać do spokoju, ale one jej nie słuchały, również wtedy, gdy zaczęła je pospiesznie uspokajać, potem besztać, tłumaczyć, a nawet grozić. Spanikowanych dziewcząt było zbyt wiele, a ich emocje rozszalały się jak nagły, dziki ogień w wietrzny dzień; nauczycielka nie mogła już zrobić nic więcej, jak tylko starać się nie dopuścić, by jej uczennice się wzajemnie zadeptały i okaleczyły, kiedy usiłowały czym prędzej uciec z auli.

– Uważajcie! Proszę! Tu nie ma żadnych węży! Gdzie są te węże? Nie widzę żadnych węży! Priscilla! *Marian!* Proszę, nie pchajcie się, panujcie nad sobą, *proszę*. Dziewczęta!

Wilhelmina sama była bliska płaczu, z frustracji i narastającego strachu. Starając się dopilnować, by dziewczęta się nie poraniły, Wilhelmina potknęła się i nagle osłupiała, bo u jej stóp... coś tak jakby... wiło się i pełzło; śliski, muskularny kształt, jakby ten relief rzeczywiście ożył...

Wspaniałe stworzenie, nie blade, tylko opalizujące czernią, porośnięte srebrzącymi się łuskami, ciemną czerwienią i ochrą, z podbrzuszem delikatnie żebrowanym, kremowobiałym i gładkim jak cera najurodziwszej dziewczyny w Rocky Hill; jego szeroki, płaski, inteligentny łeb sterczał wysoko, język migotał, a brązowe, podobne do klejnotów ślepia jarzyły się, jakby kogoś *rozpoznały*.

A potem Wilhelmina nie widziała już nic więcej, bo osaczona histerią swoich uczennic sama też zemdlała; jej halki zatrzeszczały głośno, a wykrochmalony wysoki kołnierz wbił jej się w gardło, gdy padła całym ciężarem na podłogę.

Gdzieś indziej na terenie szkoły rozległ się alarm pożarowy. Po kilku minutach przybył wóz strażacki z Rocky Hill z kilkoma pełnymi zapału strażakami. Niestety, to tylko spotęgowało histerię, jako że syreny pożarowe były ogłuszające, i wkrótce wydawało się, że uczennice w całej szkole, nie tylko członkinie chóru, uległy tajemniczemu obłędowi – wrzeszczały na widok (niewidzialnych?) węży, które wiły się, sunęły, pełzły, skręcały się i skakały, atakując je z wszystkich stron. Strażacy byli zdumieni i skonfundowani, bo ani nie znaleźli pożaru, ani też nie widzieli żadnych węży, mimo że rozkrzyczane dziewczęta je pokazywały i rozpaczliwie chcąc się uratować, uciekały przed nimi, w chłodzie wczesnego kwietnia ubrane jedynie w krótkie bluzki, spódnice z granatowej wełenki i harmonizujące z nimi pończochy, błocąc sobie buty, a niektóre nawet zapadając się w odmarzającą ziemię. Kilkoro nauczycieli próbowało przywrócić porządek; był wśród nich młody człowiek, matematyk o nazwisku Holleran, nerwowego usposobienia, któ-

ry zachowywał się tak, jakby sam widział węże albo ich *ruchome odciski*
w mokrej glebie, a w końcu zemdlał lub, jak późnej doktor Boudinot opisał
to zjawisko, doznał *ataku epileptycznego* na nieznanym podłożu.

W sumie najgorszy etap „wężowego szału" trwał ledwie godzinę, bo
węże zaczęły się stopniowo dematerializować; może uciekały do bagnistego trzęsawiska za budynkiem auli muzycznej, może zwyczajnie znikały, by
następnego dnia ponownie się objawić, ale już jako niegroźne, dobrotliwe
kształty na starej sztukaterii w auli. A jednak skutki histerii nie zatarły się
tak łatwo. Objawy różniły się znacznie w przypadku każdej z dziewcząt
i każdego z nauczycieli; jedne osoby do końca dnia nie mogły odzyskać
równowagi, inne nie potrafiły wrócić do seminarium przez cały tydzień,
a były też takie, w tym nauczycielka łaciny, panna Cowper, oraz biedny pan
Holleran, które już do końca życia nie uwolniły się od *wizji węży.* Dyrektor-
ka seminarium, panna Singleton, fizycznie zdrowa kobieta tuż po pięćdzie-
siątce, twierdziła, że nie widziała ani jednego węża, a jednak ją incydent też
rozstroił nerwowo – zauważono, że utraciła opanowanie i pewność siebie,
z których dotychczas była znana.

Penelope van Osburgh, która pierwsza zauważyła ofensywę stworów,
była poważnie chora przez kilka dni, a potem przez wiele tygodni trzeba
było rozpieszczać ją i się nad nią użalać. Wilhelmina Burr, nauczycielka
sztuk plastycznych, wymowy i rytmiki, chorowała przez tydzień, o dziwo,
a kiedy wyzdrowiała, to zaskoczyła swoich kolegów i pannę Singleton, bo
zrezygnowała ze swego stanowiska w seminarium, z zawstydzeniem składając takie oto wyjaśnienie:

– Jako że uległam najbardziej niedorzecznej kobiecej histerii i nie potrafiłam uchronić swych uczennic przed napadem obłędu, obawiam się, że nie
jestem dojrzalsza niż najgłupsze z nich i dlatego nie mam prawa ich uczyć.

POSTSCRIPTUM:
BRZEMIĘ NATURY

Wprawdzie o „wężowym szale" w Princetonie i okolicach mówiono przez dziesiątki lat, to jednak epizod został prędko zlekceważony przez władze, a także doktora Boudinota i jego kolegów spośród lekarzy i naukowców jako godny politowania przykład *kobiecej histerii*. Na łamach „Packet" pojawił się ważny artykuł, w którym wielu dżentelmenów z lokalnej społeczności wygłosiło komentarze na temat zdarzenia – wszyscy zasadniczo się zgadzali, że była to „epidemia halucynacji o nieznanym podłożu", która zaatakowała szkołę dla dziewcząt, i że węże to było tylko dzieło wyobraźni.

Pośród dżentelmenów, z którymi robiono wywiady, było kilku naukowców uniwersyteckich, a także sam rektor Wilson. Kilku z nich niestety użyło tonu rozbawienia, ku ubolewaniu seminarium i jego grona nauczycielskiego; kilku zasugerowało, że te „nadpobudliwe dziewczęta" i ich nauczyciele potrzebują lepszej, bardziej władczej administracji, a mianowicie dyrektora płci męskiej. Ale Woodrow Wilson, świadomy swojej pozycji głównego administratora uniwersytetu, nie chciał krytykować dyrektorki seminarium ani też żadnego z nauczycieli; był łaskaw zauważyć, że na początku dziewiętnastego wieku z pewnością dochodziło do „licznych emancji «demonicznego zachowania»" na Uniwersytecie Princeton, gdy chłopcy buntowali się „regularnie jak w zegarku", i dlatego postanowił nie wydawać osądu na temat seminarium; dodał też, że nie zabrałby z niego swoich córek, gdyby były zapisane w poczet uczennic. Doktor Wilson zakończył swą wypowiedź apelem o współczucie, zrozumienie i cierpliwość: „Albowiem kobieta, którą natura obarczyła brzemieniem znacznie cięższym niż mężczyznę – a mianowicie obowiązkiem wydawania na świat potomstwa – winna być oceniana z tolerancją i wybaczeniem w tych obszarach życia, gdzie, nieintencjonalnie, w poważnej mierze nie dostaje mężczyźnie".

"PORAŻKA W CHARLESTONIE"

– Nie dam się rzucić na kolana. Przysięgam.

Na rozmaite sposoby odnotowywano, że zimą na przełomie 1905 i 1906 roku Woodrow Wilson, podziwiany i obsypywany zaszczytami „na obczyźnie" – (innymi słowy poza Princetonem) – padał ofiarą wzgardy, lekceważenia i okrutnego politykierstwa w ramach społeczności własnego uniwersytetu. Ta sytuacja działała na jego wrażliwe nerwy i skazała go na niejedną bezsenną noc, a także potęgowała „zamęt w Ameryce Środkowej" – (innymi słowy wywoływała poważne zaburzenia gastryczne w „równikowych rejonach" ciała rektora) – jak żartobliwie skarżył się swej żonie Wilson, zdeklarowany stoik. Początkowa sporna kwestia, czyli umiejscowienie kolegium dla magistrantów, skomplikowała się z powodu prawdziwej wojny między biurem rektora a niektórymi jego administratorami na tle tego, co nazwano „żelaznym łańcuchem dowodzenia" na uniwersytecie, a także kampanii doktora Wilsona przeciwko ekskluzywnym klubojadalniom przy Prospect Avenue, do których odczuwał osobistą niechęć podszytą goryczą. Były jeszcze inne, codzienne utarczki.

– Nie dopuszczę do insurekcji. Wyniesiono mnie na ten urząd, bym *kierował uniwersytetem*, i będę to czynił.

I tak było, o ironio: poza Princetonem, w niektórych kręgach reputacja Woodrowa Wilsona nie mogła być wspanialsza. Na przykład pod koniec marca, na kolacji zorganizowanej dla członków Partii Demokratycznej w klubie Lotos na Manhattanie, George Harvey, „twórca królów", w trakcie przedstawiania doktora Wilsona jego słuchaczom (dżentelmenom palącym cygara) „nominował" go na przyszłego prezydenta Stanów Zjednoczonych! Wprawdzie doktora Wilsona owo stwierdzenie zawstydziło i robił, co mógł, by wyprzeć ową wizję z umysłu, a jednak był poruszony do głębi, wręcz podekscytowany. Nie potrafił się oprzeć i podzielił się tym z ukochaną żoną Ellen, gdy tylko wrócił do domu.

Najwyższy urząd w kraju! Choć oczywiście to miało być tylko pochlebstwo.
Nie, Woodrow – wcale nie. Jesteś materiałem na prezydenta! Wiesz, że
Bóg przewidział dla ciebie lepszy los niż tylko Princeton.

Dla odmiany w Princetonie doktor Wilson był traktowany z niewielkim szacunkiem; jedynie studenci pierwszych lat go podziwiali, nawet jeśli z daleka; wielu podległych mu administratorów przeniosło swe poparcie na towarzyskiego Andrew Westa, podobnie spora część grona wykładowców, a stosunki z radą powierniczą były tak nadwyrężone, że powodowały u rektora wyjątkowo poważny rozstrój gastryczny. Doktor Wilson oburzał się na „protekcjonalność" członków rady powierniczej, którzy traktowali go jak zwykłego „najemnika, lokaja"; nie wymieniał nazwisk, ale jeden z tych dżentelmenów okrutnie obnosił się ze swoją władzą jako „emerytowany główny administrator rządu federalnego". (Doktor Wilson tak bardzo się denerwował osobą pana Clevelanda, że nie chciał słyszeć ani nazwiska tego człowieka, ani nawet imienia jego pięknej żony Frances). Zimą i wiosną 1906 roku jego wrogowie stali się mu wyjątkowo niechętni; zdawało się wręcz, że zaczęli systematycznie podkopywać jego autorytet wśród najważniejszych stowarzyszeń absolwentów, zwłaszcza tych z Południa, i doktor Wilson stwierdził, ze sporą goryczą, że jego dawny przyjaciel, Winslow Slade, z pewnością by go wsparł, gdyby nie postanowił zamknąć się w samotności na plebanii i nie widywać więcej z przyjaciółmi pokroju doktora Wilsona.

– Ale ja będę z nimi walczył, Ellen. Możesz być tego pewna!

Im więcej wrogów, tym bardziej zmobilizowany potrafi być człowiek. Szkoccy przodkowie Woodrowa Wilsona byli wojownikami, a nie płaczkami o słabej wątrobie.

I tak też się stało, że doktor Wilson rozpoczął zaciekłą kampanię mającą na celu poprawę jego reputacji pośród princetońskich alumnów, którzy w owym czasie tworzyli zamożną i politycznie silną część populacji z wykształceniem uniwersyteckim; zdecydowany walczyć z pewnym fałszywym obrazem, że zarządza uniwersytetem dogmatycznie, sztywno, bezwzględnie, dyktatorsko, postanowił spotykać się z grupami absolwentów ze Wschodu i Południa, w tak liczących się miastach, jak Baltimore, Waszyngton, Richmond i Atlanta, i dyskutować z nimi na takie lubiane tematy, jak „Demokracja a uniwersytet", „Religia i patriotyzm", „Princeton w służbie narodu", „Urodzeni przywódcy" itp. I odnosić na tych spotkaniach sukcesy.

A potem był Charleston w Karolinie Południowej, 13 kwietnia 1906 roku.

Widowisko było tak okropne, a rektor Uniwersytetu Princeton okazał się tak „dziwaczny", że spora rzesza zaniepokojonych absolwentów pisała listy do rady powierniczej z wezwaniem do rezygnacji doktora Wilsona!

* * *

Historycy zasadniczo ignorują lub też umniejszają rolę owej osobliwej aberracji w karierze doktora Wilsona, po części dlatego, że istnieje niewiele wiarygodnych dokumentów dotyczących „porażki w Charlestonie" (sam Woodrow Wilson tak nazwał ów epizod). Na ile jestem w stanie tego dowieść, doktor Wilson rozpoczął swoją przemowę do charlestońskich absolwentów ze swoim zwyczajowym „autorytetem" i „swobodą"; wiedział, że dobrze będzie „rozkrochmalić" południową widownię ulubioną anegdotą o tym, jak „trzech czarnuchów" – przywiezionych do Princetonu przez młodych paniczów w dawnych czasach jeszcze przed wojną – wytrzeszczyło oczy na widok *śniegu* i uznało, że to *bawełna spada z nieba*. (Owa anegdota rzekomo wywołała salwy śmiechu wśród audytorium doktora Wilsona, złożonego w całości z dżentelmenów. Wesołości dodatkowo przysporzył fakt, że doktor Wilson posłużył się swym bardzo śmiesznym „dialektem murzyńskim" i do tego wywracał oczami i komicznie gestykulował).

Po tym obiecującym początku doktor Wilson zaczął przemowę, którą mógłby wygłosić przez sen – („I w rzeczy samej często to robię!", żartował w obecności pani Wilson) – zatytułowaną „Człowiek uniwersytetu, chrześcijanin i patriota", ale po kilku minutach poczuł niewielki lęk, a nawet mdłości, a jego głos, zazwyczaj opanowany i starannie modulowany, zaczął się załamywać. Wina spoczywała albo po stronie kolacji, na którą spożył czerwone mięso, by uchodzić za „swojego chłopa", albo mdlących obłoków dymu z cygar i fajek, kłębiących się w źle wentylowanym pomieszczeniu. Nie przestając mówić, chociaż czuł, że na czole zbierają mu się kropelki potu, Woodrow Wilson doznał ukłucia śmiertelnego przerażenia, bo kiedy omiótł wzrokiem swoją widownię, wydało mu się, że widzi na tyłach rozdęty przód koszuli, bladą łysinę i rumianą twarz sybaryty należącą do jego nemezis – dziekana Westa. Jego wróg siedział pośród zasłuchanych ludzi, udając, że jest jednym z nich.

Nie. To niemożliwe. Nie ośmieliłby się jechać za mną do Charlestonu. *Nie zrobiłby tego.*

A jednak dobrze wyćwiczona przemowa, z której słynął rektor Princetonu, została jakby nieodwołalnie zakłócona; niczym samotny wagon kolejowy, który w wyniku jakiegoś okrutnego wypadku odłącza się od swych towarzyszy, zsuwa na żwirowane torowisko, zaczyna mknąć i w końcu wymyka się spod kontroli, tak doktor Wilson uderzył w histeryczny ton i często przerywał w połowie frazy.

Ogólny sens jego przemowy, jak potem donoszono, gdzieś się zagubił: doktor Wilson mówił zniecierpliwionym głosem to o *sojusznikach* i *wrogach*, to o *demokracji* i *zagrożeniach z zagranicy* – „Setki tysięcy wrogów protestantyzmu zmierzają tłumnie do brzegów Nowego Świata, umysły i duch spętane despotyzmem, nietolerancją i prymitywnymi przesądami, które panują nad włościami papieża Rzymu i dominują w całej katolickiej Europie". Od tego doktor Wilson przeszedł znienacka do znajomego tematu przywództwa chrześcijańskiego i wyznawców chrześcijaństwa: „Bo Jezus Chrystus jest naszym wzorem, on, który uznawał «siebie za rybaka ludzi» i nakazał, by wszyscy, którzy pragną zbawienia, poszli za nim – tak, nawet do bitwy". Po czym, bez żadnego zrozumiałego przejścia, wymruczał coś żartobliwego o bratobójczych wojnach na uniwersytecie, czym wywołał niepokój na widowni, falę pokasływań, pochrząkiwań i innych dźwięków tego typu, które sygnalizują mówcy, że jego czas dobiegł końca. Ale doktor Wilson jakby tego nie zauważył i nadal mówił, gwałtownie, a zarazem bezładnie, alarmując, że „arystokratycznej spuściźnie" wielkiego uniwersytetu zagrażają „wewnętrzni wrogowie". W którymś momencie oburzył się nagle i zaczął ostrzegać przed „czcicielami mamony", a także „zdziczałymi, zbrodniczymi anarchistami oraz ich koleżkami ze związków", po czym dodał, że Stany Zjednoczone nigdy nie staną się prawdziwą demokracją i w końcu – (tu Woodrow Wilson wyprężył się, prezentując dumnie swą szczupłą sylwetkę, nabierając kaznodziejskiej powagi i błyskając okularami) – „i w końcu, panowie, w Białym Domu zasiądzie jakaś negresa".

Powiedziawszy to, doktor Wilson umilkł znienacka, jakby w jego mózgu coś nagle przeskoczyło. Mrugając i uśmiechając się ze skrępowaniem, czekał na zwyczajową serdeczną falę oklasków – która owego wieczoru, 13 kwietnia 1906 roku, w Charlestonie jakoś nie bardzo chciała rozbrzmieć.

Później, gdy doktor Wilson poprosił swego gospodarza z Charlestonu, by ten powtórzył, co on właściwie mówił, bo jakoś nic nie pamięta, tamten, unikając wzroku gościa, odrzekł:

– Wiesz, Woodrow, nie słyszałem dokładnie, albo może słyszałem, ale nie pamiętam, co dokładnie mówiłeś.

– Ale co ja mówiłem? Opowiedziałem jakiś dowcip? I ten dowcip wypadł blado?

– Tak. Być może.

– Ale nikt się *nie śmiał.* Nie było *oklasków.* Co ja, u licha, powiedziałem, że tak zraziłem sobie widownię?

– Woodrow, nikt nic nie słyszał. *Ja* nie słyszałem. Nic się nie stało. Wszystko pójdzie w niepamięć. Wszyscy z tobą sympatyzują.

– Ale, mój Boże... *co ja takiego mówiłem?*

Doktor Wilson wrócił pociągiem do domu i tam dopadł go rozstrój tak gastryczny, jak „psychoneurologiczny", na który jego lekarz zalecił natychmiastowe wakacje na Bermudach, przez co najmniej dwanaście dni, dzięki czemu przygnieciony zmartwieniami Wilson miał odzyskać spokój umysłu i dawne dobre samopoczucie. W rzeczy samej powiedziano mu, że musi natychmiast uciekać z Princetonu, by w ten sposób się uchronić przed całkowitą zapaścią, tak umysłową, jak fizyczną.

„SKARBIE MÓJ NAJDROŻSZY..."

W niniejszym rozdziale zamieszczam wyjątki z intymnych listów Woodrowa Wilsona do jego ukochanej żony Ellen, pisanych podczas „wymuszonego wypoczynku" na Bermudach, między 16 a 27 kwietnia 1906 roku. Szokującym odkryciem jest to, że w czasie, gdy pisał te żarliwe, z całą pewnością szczere listy miłosne do żony, Woodrow Wilson jednocześnie uległ uwodzicielskim zakusom pewnej tajemniczej przedstawicielki socjety znanej historykom jako Cybella Peck – które to nazwisko jest obecnie uważane za fikcyjne.

Admiralty Inn, Bermudy
Niedziela rano, 17 kwietnia 1906

Skarbie mój najdroższy!

Jakże ja za Tobą tęsknię! Bez cienia wstydu przyznam, że *myślę o Tobie bez ustanku*, że często przymykam oczy na werandzie oberży i wyobrażam sobie, że jesteś tuż przy mnie, że mógłbym Cię schwycić za rękę i zaczerpnąć od Ciebie otuchy, spokoju i pocieszenia, które wynagrodziłyby ból i upokorzenia, które ostatnimi czasy muszę znosić. A jednak *wytrwam i zwyciężę.*

To przyrzekam.

Proszę, nie mów nikomu, najdroższa, że wyjechałem „z przyczyn zdrowotnych" – ani nawet tego, że to „urlop z przepracowania". (Aczkolwiek Bóg wie, że to prawda!) Nie wolno Ci nic im mówić, prócz tego jedynie, że „Woodrow wróci do swego gabinetu w Nassau Hall rano w poniedziałek 1 maja".

Ach, Bermudy to z pewnością najlepsze miejsce na świecie, jeśli się chce zapomnieć o Princetonie, ale oczywiście będę tu pracował – będę

pracował bardzo ciężko – (mam teksty wykładów do napisania) –
i będę tęsknił za moją żoneczką.

Mojaż ty szlachetna, malutka Ellen, nie ma godziny, bym nie
wznosił modłów dziękczynnych do Boga, że zesłał mi Ciebie i Twoją
wielką, bezgraniczną, życiodajną miłość! To był Jego plan, że inna,
znacznie pośledniejsza od mej drogiej Ellen, odrzuciła mnie jako męża
wiele lat temu, Jego plan, abyśmy związali się na całe życie. Wiedz,
proszę, słodka Ellen, że nie dodawaniem do naszej męskiej wiedzy,
lecz przez rozumienie za sprawą swych niedoścignionych darów,
czyli współczucia i intuicji, kobiety są naszymi wspomożycielkami...
Kiedy widzę te szydercze twarze, twarze infamii, które chciałyby
mnie zniszczyć i jego, W***, ośmielającego się mnie torturować
w Charlestonie... to natychmiast myślę o *Tobie* i Twej nieustającej
i niezachwianej miłości i uniwersum całe zmienia się w mych
oczach, i jest niemalże tak, jakby *wszyscy ludzie i aniołowie* słuchali,
tak doskonale moja myśl odbija się w świetle Twych cudownych,
brązowych oczu!

Niedziela, 4 po południu

Niebo nad Atlantykiem jest takie porcelanowoniebieskie – to
zdumiewające. Ty i dziewczęta dokuczacie mi czasem, że ja *nie
przyglądam* się różnym rzeczom, ale teraz mam przed sobą widok
godzien raju, wielkie pasmo plaży za moim hotelem, gdzie piasek jest
prawie biały i bardzo gładki, bo każdego ranka wygładza go służba.
Wszędzie taki spokój, spokój! Ruch fal, którego na poły się obawiałem
po burzliwej przeprawie przez morze, że będzie mi działał na nerwy,
wprost przeciwnie, jest taki kojący... hipnotyczny... uzdrowicielski.
W Princetonie panuje chłodna, zasmucająca wczesna wiosna – nocami
wciąż z posmakiem zimy – ale tu, na tej rajskiej wyspie, wiosna na
całego i wszystko kwitnie purpurowymi, żółtymi, pomarańczowymi
i śnieżnobiałymi kwiatami wielkości ludzkiej głowy, które zdają się
kiwać na mnie, kiedy je mijam.

Tam walka i wrogość. *Tu* cisza i spokój.

Ale nie! Błagałaś mnie, bym nie rozmyślał o swych strasznych
problemach, więc nie będę.

Zaraz tu podejdzie grzeczny mały Murzyn, wzrostu karła (w liberii!),
by mi usłużyć i zapytać: *Czy mój pan będzie życzyć drinka, sir?*

Niedzielny wieczór

Przebudziłem się z niespokojnej drzemki przed kolacją – zdumiony
koszmarem mych potknięć w Charlestonie – to fiasko, ten *wstyd*, na
jakże publicznej arenie – *obawiam się, że jednak tego nie przeżyję.*

Moje myśli są chmurne, chore, stanowią wielki kontrast wobec promieniejących zdrowiem twarzy innych wakacjuszy, wśród których są zarówno Amerykanie, jak i Brytyjczycy. A co do mego trawienia... (Nie martw się, najdroższa, bo jestem w pełni zdolny do opiekowania się sobą w razie potrzeby i nabrałem sporej wprawy w stosowaniu pompy – acz wstyd mi wyjawiać prawdę o jej odrażającym użytkowaniu, moja najdroższa!)* Powiadają, że dzisiaj, w środku dnia, z Miami przybył tu łodzią Mark Twain i pewna amerykańska dziedziczka nazwiskiem Peck natychmiast go zagarnęła. Oto dżentelmen cieszący się wielką sławą, który odziewa się na biało – białe płótno, biała bawełna, biały jedwab! – i którego nikt nigdy nie widział bez cuchnącego kubańskiego cygara zaciśniętego w poplamionych zębach. Raczej będę go unikał – albowiem jest powszechnie wiadome, że *Samuel Clemens* umacnia Antychrysta w swoich satyrycznych utworach i nie może być przyjacielem Woodrowa Wilsona.

Powiem Ci teraz dobranoc, droga Ellen! Czuję się bowiem nieco samotny i ogarnięty melancholią, a ponadto obawiam się, że rebelia w „Ameryce Środkowej" została stłumiona jedynie tymczasowo. Ale pokrzepię się pracą przy mojej przemowie o chrześcijańskim patriotyzmie, którą mam wygłosić w maju dla Towarzystwa Filadelfijskiego, zanim zaaplikuję sobie dawkę tartarusa i błogosławionego snu!

Twój kochający mąż
Woodrow

Admiralty Inn
18 kwietnia 1906

Skarbie mój najdroższy!

O świcie włóczyłem się boso po plaży, w moich „bielach" – (dziękuję Ci, kochanie, że tak starannie spakowałaś moje rzeczy i że dołożyłaś te słodkie karteczki, które odkrywam wśród bielizny w miarę upływu dni!); usłyszysz z ulgą, że moja noc nie była taką torturą, jak się obawiałem od czasu fiaska w Charlestonie, bo na szczęście

---

* Pompa żołądkowa. Kiedy Woodrow Wilson cierpiał na szczególnie ostry rozstrój żołądka, stosował własną pompę żołądkową, ulubiony środek domowy (jak lewatywa) aż do 1913 roku, gdy lekarz z Białego Domu zabrał mu przemocą ten przyrząd tuż po jego zaprzysiężeniu na dwudziestego siódmego prezydenta Stanów Zjednoczonych.

przywiozłem z sobą spory zapas medykamentów w celu zwalczenia bezsenności, a także zwyczajowego rozstroju żołądka.

A jednak kiedy tak wędruję na otwartym powietrzu, stwierdzam, że mój umysł rozprasza się od myśli o walce gdzie indziej i słowa przemówień śmigają mi w głowie jak miecze. *Nie pozwolę, by moi wrogowie mnie pokonali.* Nie pozwolę. Takiego spowitego w mgłę rozkojarzenia zatrzymał mnie inny gość Admiralty Inn, gdy już miałem wejść na lwią grzywę – to taka obrzydliwa meduza, którą ocean często wyrzuca na piasek. (Murzyńscy słudzy wiecznie spieszą, by je uprzątać, ale nie zawsze są dostatecznie prędcy). „Sir! Niech się pan pilnuje, by na taką nie nadepnąć!" – przestrzegł mnie ów dżentelmen, puszczając do mnie oko. Zaiste, lepiej nie: podziękowałem mu, przedstawiliśmy się sobie i po chwili pogawędki ruszyliśmy każdy w swoją stronę.

Ach, Ellen! Nie uwierzysz – o ja nieszczęsny! – Amanda FitzRandolph i jej mąż Edgerstoune są tutaj na wakacjach, w domu pani Peck – ten dom nazywa się Sans Souci, ponoć to najokazalsza willa na wyspie. Spotkałem przypadkiem panią FitzRandolph w hotelu, gdzie odwiedzała znajomych. „No jakże, Woodrow! Cóż za miła niespodzianka!" – etc., etc. Mam nadzieję, że wykazałem się należytą uprzejmością i dobrze ukryłem swoje przerażenie. Rozmawianie tutaj o princetońskich sprawach to ostatnia rzecz, jakiej pragnę, nawet oglądanie princetońskich twarzy, kiedy mam od nich odpoczywać...

Owładnięty melancholijnym nastrojem na moim balkonie, droga Ellen, napisałem dla Ciebie wiersz; moja miła, *tak bardzo za Tobą tęsknię.* Bo Ty jesteś moim *aniołem* – chronisz mnie przed rozpaczą i wszelkimi pokusami mroku. Nie mogę mieć nadziei, by te liche słowa wyraziły mą bezgraniczną miłość do Ciebie. Kiedy spowija mnie mrok, zdaje mi się, że łaknę Cię *z jeszcze większą pasją.* Wybacz swemu głupiemu Woodrowowi, Twemu admirującemu Cię mężowi:

Byłaś pieśnią, na którą czekałem
W tobie widok ten uroczy znalazłem
Tę grację, wątek brzmień szlachetnych
Kształt, umysł, oblicze, serce
Których mi brakło, a myślałem, że będą
W jakimś źródle pośród myśli moich
Gdzie znajdę je jak ktoś ze snu wybudzony
Przez błogosławioną światła wspaniałość.

(Gdybym miał dodać tu muzykę, wyobrażam sobie dudy – my Campbellowie z Argyll jesteśmy bezwstydnymi sentymentalistami, a także krzepkimi wojownikami!)

Jutro pani Peck wydaje lunch w Sans Souci – Amanda FitzRandolph wymusiła zaproszenie dla mnie, abym poznał pana Marka Twaina – ale raczej się wymówię, bo wolę samotność, spokój i ciszę i mam mnóstwo pracy do wykonania w związku z nadchodzącymi przemówieniami etc. Jak ja bym chciał, by moja droga, maleńka Ellen była tu ze mną, przy moim boku! Bo bez Ciebie spowija mnie mrok, mimo że światu prezentuję uśmiechniętą twarz...

Twój kochający mąż
Woodrow

Admiralty Inn
19 kwietnia 1906
7.40 rano

Skarbie mój najdroższy!

Bogu dziękujmy, moja droga – mam za sobą umiarkowanie spokojną noc i tego ranka wstałem o świtaniu, by pospacerować po plaży przy ostrym wietrze; o tej porze panuje chłód, a nie to lepkie ciepło jak przez większość dnia. Odczuwam przyjemny zawrót głowy na myśl o poranku wypełnionym niezakłóconą pracą nad moją przemową dla Towarzystwa Filadelfijskiego i artykułem do pisma „Atlantic". Rozstanie z moją ukochaną jest dla mnie mniej bolesne, gdy pogrążam się w pracy i udaję przed sobą, że lada chwila owa ukochana przywoła mnie do siebie, aby rozmasować mi kark, który zaczyna już sztywnieć bez jej „magicznego" dotyku*.

Pod czystą, błękitną kopułą nieba, w tym rajskim miejscu, narody i wszystkie „znaczące" zdarzenia na świecie wydają się odległe i teoretyczne – a nie jakby absurdalne. Kraina Liliputów istnieje, a ja jestem Guliwerem.

Grono zebrane przy lunchu w „pałacowej" willi pani Peck z widokiem na ocean okazało się liczniejsze, niż się spodziewałem,

---

* Odkąd pewien lekarz z Georgii powiedział jej któregoś razu, że „Mężczyzna dopóty będzie się cieszył zdrowiem, dopóki jego kark jest nabity, jędrny i silny", pani Wilson ustanowiła taki zwyczaj, że co wieczór, przed udaniem się na spoczynek, masowała kark Woodrowa, badając przy tym, czy nie ma na nim jakichś wyprysków, bolesnych znamion, opuchlizn, nienaturalnych wklęśnięć itp. Nigdy nie było żony równie przejmującej się zdrowiem swego męża jak Ellen Wilson; mam nadzieję, że nie wybiegnę zanadto w przód z moją opowieścią, jeśli nadmienię, że leżąca na łożu śmierci w sierpniu 1914 roku pani Wilson nadwyrężała resztki sił, wypytując lękliwie o kondycję zdrowotną męża, jako że sprawowanie urzędu prezydenta Stanów Zjednoczonych było dlań ciężkim brzemieniem i niepomiernie potęgowało jego dolegliwości.

i był wśród gości pan Samuel Clemens, odziany w biel, z sumiastymi
wąsami i najeżonymi brwiami, który siedział niczym król na tarasie,
w otoczeniu wielbicieli, acz zgodził się łaskawie uścisnąć mi dłoń
i rzucić kilka żartów na temat uniwersytetu, bo jak lubi powtarzać,
sam nie ukończył żadnych szkół, wyjąwszy te najbrutalniejsze,
w Missouri, gdy był małym chłopcem, i na rzece Missisipi jako kapitan
parowca. A jednak po chwili zadziwił mnie jeszcze raz, bo wyznał, że
czytał *Historię narodu amerykańskiego* oraz moją biografię George'a
Washingtona, wyrażając się o nich z szacunkiem – i to w zasięgu
słuchu innych. Pani Peck jest także bardzo przyjazna. „Ach, więc to pan jest
Woodrow Wilson! Wiele się o panu mówi", na co ja spytałem
uprzejmie, cóż takiego się mówi, na co owa dama odparła z powagą:
„Rzeczy odnoszące się do przyszłości – przyszłości naszego kraju".
Jej oczy wpatrywały się we mnie tak badawczo, że poczułem się
nieledwie jak ogłuszony i zdaje się nie byłem specjalnie wymowny
pośród tej wesołej atmosfery i potentnej woni hibiskusów... Droga
Ellen, jakże ja za Tobą tęsknię! Jestem strasznie, strasznie samotny
pośród tego plemienia birbantów z krainy lotosu!

Będziesz zaskoczona, moja droga, ale przecież nie wyrazisz chyba
dezaprobaty na wieść, że napisałem szkice kilku listów, to jest: do
naszego onieśmielającego przewodniczącego rady*, do Davida Jonesa
i jego brata Toma, do Cyrusa i Edwarda, do Mosesa, do doktora
Pattona, a także (przede wszystkim) do samego W***, w których
ujawniłem, że przemyślałem swoje stanowisko i zastanawiam się,
czy ten poczwórny plan może zostać jakoś zmodyfikowany i czy
umiejscowienie kolegium dla magistrantów może się stać przedmiotem
kompromisu... Nie myśl, że słabnę, droga Ellen! Wiem wprawdzie
w głębi serca, że mam rację, a jednak jestem (w rzeczywistości)
Guliwerem otoczonym przez Liliputan i muszę sprawować swą władzę
stosownie do tego. (Pearce van Dyck mnie pocieszał, twierdząc
jednocześnie, że nie wolno mi stawiać swoich ideałów ponad dobro
uniwersytetu; wprawdzie rozgniewałem się wtedy na profesora van
Dycka, ale widzę, że rozsądek przez niego przemawiał). A teraz muszę

---

* Doktor Wilson ma tu na myśli Grovera Clevelanda, którego nazwiska nie był w stanie wymówić i którego nie cierpiał tak bardzo, że kiedy Cleveland zmarł, w Princetonie
w 1908 roku, doktor Wilson zarządził, że w princetońskim kampusie nie będzie w związku z tym żadnych uroczystości, że nawet flaga nie zostanie opuszczona do połowy
masztu, chociaż w całym miasteczku, a także w sporej części Stanów Zjednoczonych tak
uczyniono z flagami.

się przebrać do kolacji, aczkolwiek po lunchowej orgii w Sans Souci mam apetyt mizerny i brak mi ochoty na towarzyskie pogawędki, tym bardziej że nie ma przy mnie mej żoneczki.

Twój kochający mąż
Woodrow

Admiralty Inn
20 kwietnia 1906

Skarbie mój najdroższy!

Dziękuję Ci, moja droga, za Twój uroczy list! Wprawdzie, jak sama mówisz, nie masz mi do przekazania zbyt wiele treści – Twoje wieści o naszym domu i o Princetonie są „jedynie pośledniej wagi" – to jednak ten list jest dla mnie czymś bezcennym, bo mi tak daleko do mej ukochanej, że Twój kochany głos z listu jest jak muzyka dla mych osamotnionych uszu.

Tu gra się w golfa i tenisa! – (do czego Twój mąż ma talent niewielki) – i są też objazdy po wyspie „wozem elektrycznym" – na to wychodzi, moja miła, że czekają mnie obowiązki towarzyskie. Gdy przechadzałem się po obrzeżonym rabatą trawniku przy hotelu, usłyszałem czyjś głos – „Woodrow Wilson? Czy to możliwe?" – i oto zobaczyłem Francis Pyne w otoczeniu kilku innych osób; raczej nie miałem jak umknąć przed naszą sąsiadką i donatorką uniwersytetu i tak oto zmuszono mnie do kolejnych spotkań towarzyskich w Sans Souci. Prezes Sądu Najwyższego Bermudów, pan Gollan, gawędził ze mną dziś po południu, w serdeczny, acz mało czytelny sposób; moja przyjemność płynąca z kontaktów z tym siwowłosym starszym panem jest taka, że on ani trochę się nie zna na polityce kontynentu (i nic go ona nie obchodzi) – w rzeczy samej to obywatel brytyjski, i Uniwersytet Princeton to dla niego tylko „bardzo przyjemne" miejsce, gdzie kilka lat temu uczył się jakiś jego krewny. Pojawił się też pan Sam Clemens w olśniewającej bieli i słomkowym kapeluszu na bakier, znowu ze szkodliwym cygarem zaciśniętym w zębach; zaprosił pana Gollana i mnie, żebyśmy „dowalili" mu w bilard, które to zaproszenie pan Gollan przyjął ze śmiechem, podczas gdy ja się wymówiłem, powołując się na konieczność pisania przemówienia. „No to może innym razem, doktorze Wilson, kiedy nie będziesz się zajmował ratowaniem świata?" – mruknął pan Clemens typowym dla siebie tonem, dla jednych niegrzecznym, dla innych zabawnym.

Przyznaję, że to mi schlebia – pan Clemens chyba mnie lubi.

Jakże mnie męczą, droga Ellen, te komplementy i tym podobne! Muszę jeszcze napisać ostateczną wersję moich listów do rady, ale uczynię to jutrzejszego ranka. Chyba lepiej iść na kompromis z moimi ideałami, niż „niszczyć" uniwersytet, a zresztą kompromis jest lepszy niż niszczenie sobie zdrowia i zagrażanie zdrowiu mojej najdroższej małżonki, którą tak kocham, że żadne słowa tego nie opiszą...

Twój kochający mąż
Woodrow

Admiralty Inn
21 kwietnia 1906

Skarbie mój najdroższy!

Jakaż to wspaniała niespodzianka, że oto znowu otrzymałem list od Ciebie, a także pakiet bardzo miłych odpowiedzi od absolwentów! – co w jakimś stopniu ujmuje rozgoryczenia z powodu epizodu w Charlestonie. (Dawano mi do zrozumienia, że kilku charlestońskich absolwentów napisało do rady powierniczej *z żądaniem mojej rezygnacji*. Nawet bym nie zaszczycił takiej zuchwałości jakąś reakcją). Dzisiaj będę pisał listy do wielu wpływowych osób, w tym Corneliusa Cuylera, Henry'ego Bayarda, Jacka Hibbena, Mosesa Pyne'a, Winslowa Slade'a – czy przychodzi Ci do głowy jeszcze ktoś ważny? – oprócz tych, których wymieniłem wczoraj. W tym rajskim miejscu mój mózg tętni ze względu na konieczność *przystosowania się*. (Wzdragam się tu przed użyciem słowa „kompromis", bo nim gardzę).

Drugie śniadanie podają tutaj na otwartym, pełnym słońca powietrzu, a ja garbię się nad tym posłaniem do mej ukochanej, by żaden z pozostałych gości hotelowych nie zechciał dołączyć do mnie na werandzie i „ratować" mnie z samotności. (Pewnie ubawisz się na wieść, że rozeszło się już, kim jestem; jedna z najbardziej ekscentrycznych plotek głosi, że jestem monarchą z jakiegoś małego europejskiego księstwa, na wygnaniu lub odsuniętym od łask! Tak mi powiedziała pani Peck, zanosząc się przy tym perlistym śmiechem).

Wstałem dziś wcześnie i grałem w golfa; moimi towarzyszami byli Francis Pyne i jej gość graf English von Gneist, o którym zapewne słyszałaś w Princetonie, bo tej zimy gościł w Drumthwacket. Graf mówi z silnym akcentem, ale angielski zna dobrze; jego pełne miano brzmi: *graf English Rudolf Heinrich Gottsreich-Müller von Gneist*. Z pewnością dobrze urodzony, z jakiegoś starego wołoskiego rodu. Zaczynam rozumieć, dlaczego Pyne'owie i kilka innych rodzin z princetońskiego

West Endu go polubili. Gdyby nie te europejskie korzenie, można by
go sobie wyobrazić jako Campbella z Argyll! Czyli człowieka lepszego
od innych. Jego włosy unoszą się szlachetnie znad wysokiego,
porytego bruzdami, zamyślonego czoła; nos posiada orli, a uszy
długie i wąskie, z kolei jego oczy mają uderzającą brązową barwę,
która zmienia się razem ze światłem. Mimo że jest utytułowanym
szlachcicem, który przyznaje się do więzów krwi z większością
arystokratycznych domów Europy, graf twierdzi, że „nie posiada
ojczyzny" i że „jest wdzięczny za gościnność i dobroczynność swych
amerykańskich przyjaciół". W nadzwyczaj czarujący sposób powiedział
mi: „Panie Wilson! Patrzysz na jedynego żywego dziedzica nicości".

Jak się okazuje, graf też czytał *Historię narodu amerykańskiego*;
miał całkiem pochlebne o niej zdanie i twierdził, że dowiedział się
wiele z tej lektury, bo w Europie, jak powiedział, „zazwyczaj nie myślą
o Amerykanach jako o narodzie, tylko raczej o zbieraninie aroganckich
kundli".

Szczególne wrażenie zrobił na nim mój komentarz do niesławnego
bojkotu wagonów kolejowych Pullmana z 1894 roku, a także
populistycznych zagrożeń ogólnie: agitacji wśród robotników, strajków
i jawnych zbrodni, by tu wymienić ostatnie oburzające zdarzenia
w Patersonie. Zarówno graf, jak i Francis Pyne uważają, że moje
spostrzeżenia odnośnie do konieczności dyskryminacji inteligentnych
białych, w kwestii Murzynów, Azjatów i rzesz z niższych klas
przybyłych z Europy, poczytują za jedne z najlepszych, bo wsparte
są nad wyraz rzeczowymi argumentami. „Zawsze uważałem to za
nieszczęście – powiedział graf – że takie opinie, doskonale oczywiste
dla każdego jasno myślącego człowieka, są często wygłaszane
w prasie albo publicznie przez demagogów, kanalie lub bredzących
szaleńców! Co jest, jak pan wie, wysoce zawstydzające dla naszej
sprawy". Jedyny sprzeciw, jaki wyraził ten łaskawy dżentelmen,
wiązał się z wyrażonym przeze mnie przekonaniem, że naród
amerykański jest pobłogosławiony przez Boga, wyniesiony ponad
zwyczajną kondycję ludzkości swym „przeznaczeniem do stania na
straży" oraz zamierzony – nie, zobowiązany – do szerzenia naszych
ideałów na całym świecie. Czyli chrześcijaństwa i demokracji.

Do naszej debaty, którą wiedliśmy w klubie, dołączyli inni,
w tym Edgerstoune FitzRandolph. Uważam, że wypowiadałem
się przekonująco, droga Ellen – byłabyś dumna, jak sądzę – bo
ostatecznie w 1906 roku wiadomo już powszechnie, i zresztą jest
tak od czasów McKinleya, że Stanom Zjednoczonym Bóg powierzył
ewangeliczną misję szerzenia demokracji chrześcijańskiej na całym
świecie, a także otwarcia rynków wschodnich – drogą dyplomatyczną

tam, gdzie to możliwe, a gdzie indziej siłą. „Jesteśmy czymś w rodzaju czystego powietrza wdmuchiwanego do świata polityki, które niszczy zadawnione złudzenia i czyści te miejsca, w których nagromadziły się różne chore miazmaty", wyjaśniłem dżentelmenom.

Spieraliśmy się, czy to zobowiązanie „amerykańskie" czy raczej „anglosaskie", które pozwala nam rozważać ową kwestię przy lunchu i ściskać sobie ręce z obopólnym szacunkiem, i teraz czuję zaiste, że niezły ze mnie despota... *Ci ludzie są po mojej stronie. I jest wielu innych, tyle że ci jeszcze się nie zadeklarowali.*

Pani Peck uparcie zaprasza mnie na kolację! Wręcz mi schlebia, bo powiada, że *Mark Twain się domaga, żeby pan przyszedł, panie Wilson!*

„Dziękuję, ale obawiam się, że muszę odmówić", odparłem dokładnie tymi słowami, a jednak – (jakimś sposobem) – owa gładkolica amerykańska dziedziczka musiała odnotować tę antytezę, bo z zachwytem obróciła parasolkę w dłoniach. „Dziękuję panu, panie Wilson. Przyślę mojego kierowcę, aby odebrał pana o siódmej wieczorem, przy tej właśnie werandzie; mam nadzieję, że do tego czasu odłoży pan te wszystkie swoje papierzyska i książki i że podniesie pan głowę, aby móc użyć oczu do patrzenia".

I tak oto, mój skarbie najdroższy, będę jednak musiał wyjść, choć zupełnie nie mam chęci – ani trochę! Bo nie ma ze mną mojej kochanej żony, która zawiązałaby mi krawat i dopatrzyła, czy jestem „odpowiednio odziany", by zadawać się z porządnym towarzystwem.

Jedyna dobra rzecz jest taka, że nakleję znaczek i wyślę ten list w hotelowym holu, aby go czym prędzej dostarczono mojemu najdroższemu skarbowi, już jutro wczesnym rankiem!

Twój kochający mąż
Woodrow

Admiralty Inn
25 kwietnia 1906

Skarbie mój najdroższy!
Ależ mi się kręci w głowie, tak silnie do zmysłów przemawia to rajskie miejsce!

Wybacz mi, moje kochanie, że nie pisałem od kilku dni – *po uszy pogrążyłem się w pracy*, zabarykadowany w tym hotelu jak mnich!

Czując, że nieco brak mi tchu, moja droga żono, bo większą część tego dnia przygotowywałem *oświadczenie zamiast rezygnacji z urzędu rektora* – najważniejszy dokument w całym moim życiu!

Powiesz pewnie: Woodrow, tylko znaj miarę, bo jeszcze sprawisz, że serce będzie ci biło prędzej i że zacznie ci gorączkować mózg. Znaj miarę! Oczywiście masz rację, skarbie mój najdroższy. Ty zawsze masz rację. Na tym polega geniusz Kobiety, że ona zna nas LEPIEJ NIŻ MY SAMI. Jak ja bym chciał, droga Ellen, odczytać Ci to oświadczenie, w którym bynajmniej się nie „płaszczę" – (jako potomek wielkiego klanu z Argyll raczej nie jestem „Uriaszem Heepem") – tylko tłumaczę, i to całkiem spokojnie, powody mojego poprzedniego, niezłomnego stanowiska w sprawie kolegium dla magistrantów i oferuję przeprosiny – (owszem, SZCZERE) – dziekanowi Westowi w szczególności, wobec którego w ciągu ostatniego roku zachowywałem się *złośliwie*.

Tak więc praca się posuwa, ale muszę przygotować jeszcze jedną wersję i myślę, że będzie najlepiej, jeśli sam wystukam na maszynie wszystkie listy i nie będę polegał na hotelowej sekretarce do wynajęcia, strasznie tęskniąc za moim najdroższym skarbem w takim czasie. Ale – NAPISZĘ TE CH...E LISTY SAM – i wyślę je za dzień albo dwa.

Miałem wrażenie, że mój mózg trawi gorączka, dlatego pomyślałem, że terapią na to będzie spacer po plaży, na wietrze, bo podczas lunchu było *dużo paplaniny*, a później dwa auta wypełnione gośćmi zostały zawiezione do siedziby tutejszego rządu na podwieczorek u gubernatora – który (wedle wyjaśnień pani Peck) jest bratem szacownego generała Kitchenera. Towarzystwo tworzyli Samuel Clemens, który zaiste olśniewa swymi białymi ubraniami, śnieżnobiałymi włosami i zjeżonymi czarnymi brwiami, FitzRandolphowie, Francis Pyne, graf English von Gneist oraz oczywiście pani Peck, bo jak się zdaje, Cybella (tak każe mi się zwracać do siebie) zna wszystkich i wprost nie posiada się ze szczęścia, gdy uda jej się „przemaglować swoich gości", jak mówi ze śmiechem. I tak oto zostaliśmy *przemaglowani...*
Gubernator Kitchener to szacowny starszy człowiek i wyborny przykład *splendid isolation* – nawet w tej maleńkiej domenie Bermudów. Bo ten wyspowy raj, nieważne, że czarujący, pod dobrotliwym protektoratem brytyjskim jest jednym z tych rejonów świata, które *nie liczą się dla historii*. Jaką ja zazdrość czułem wobec tego dżentelmena! Włada swoim imperium na wyspie bez żadnej opozycji, czego jest świadom, populacją wykształconych

i dystyngowanych białych, w tym wielu zamożnych turystów i gości, którzy nigdy nie sprawiają żadnych problemów politycznych, jako że są przyjezdni i obojętni dla polityki wyspy, a poza tym ludność murzyńska, dobrze wyszkolona i mówiąca bardzo poprawnym angielskim, inaczej niż nasi amerykańscy Murzyni, służy im wprawnie. (Byłabyś zdumiona, gdybyś ich usłyszała, droga Ellen! Wydaje się niemal, że ktoś tu stroi sobie żarty, bo oto taki bardzo czarny Murzyn mówi poprawnym brytyjskim angielskim jak nakręcana lalka i w żaden sposób nie daje do zrozumienia amerykańskiemu turyście, że jest w tym cokolwiek dziwacznego, bo tutejsza służba jest nadzwyczaj dobrze przyuczona i nieodmiennie kompetentna. Ach, żebym tak mógł przetransportować niektórych do domu, do naszego domostwa przy Prospect!)

„Najmocniej przepraszam, sir" – po raz drugi, gdy maszerowałem przez plażę, snując takie rozważania bez butów i skarpet, omal nie nadepnąłem na skupisko meduz, i jestem bardzo wdzięczny pewnemu młodemu człowiekowi, uśmiechającemu się z rozbawieniem, który usłużnie przyszedł mi na ratunek. I jestem też wdzięczny, droga Ellen, że nie ma Cię tu ze mną, bo nie posiadałabyś się z odrazy, przerażona i zniesmaczona tymi półprzezroczystymi kluchami galaretowatej materii, z obrzydliwymi, wlokącymi się mackami, które przypływ wyrzuca na plażę, aczkolwiek podczas lunchu, mimo że byłem rozkojarzony rozmową innych, posłyszałem, jak Francis Pyne komentuje, że to „niezwykłe" zjawisko, by owe szczególne meduzy, zwane lwimi grzywami, pojawiały się tutaj o tej porze roku.

Ach, niepokojąca pogłoska, również posłyszana przy lunchu, że ten samochwała „TR" i jego rodzina być może nawiedzą Bermudy; Sam Clemens wytchnął chmurę niezmiernie cuchnącego dymu z cygara i sprawił, że towarzystwo lunchowe skręcało się ze śmiechu, słuchając jego uciesznej uwagi, iż nasz prezydent porównujący się do samca łosia jest *bardziej samcem niż łosiem*, i wyznaję, że śmiałem się ze wszystkimi, gdyż pan Clemens jest bardzo zabawny, nawet jeśli okrutny i uszczypliwy. Cybella Peck spytała mnie, co sądzę o prezydencie, ale dyplomatycznie wymówiłem się od odpowiedzi, sprawiłem jednak, że towarzystwo znowu zaczęło parskać śmiechem, gdy podzieliłem się z nim „fantastyczną wizją" anarchistycznego skrytobójcy, udającego się na sielankowe Bermudy, by cisnąć bombę na wyszczerzonego w uśmiechu prezydenta – tu nie byłoby dlań skutecznej ochrony policyjnej... Za ów uszczypliwy dowcip Twój biedny małżonek został przykładnie ukarany pod koniec tego dwugodzinnego lunchu nagłym atakiem gastrycznym w okolicach równikowych, który wymusił jego nagłe odejście od stołu.

Skarbie mój najdroższy, obawiam się, że ci nowi przyjaciele szepczą
za moimi plecami, że „nie wyglądam dobrze" – pan Clemens bywa
często nad wyraz uszczypliwy, dopatrując się tych słabostek i wad
u innych, które bardziej dobrotliwe oko mogłoby przeoczyć, a Cybella
wygłosiła najbardziej okrutne spostrzeżenie, odnoszące się do *baronowej
o sterczących zębach* z pobliskiego stolika i wtedy zrobiło mi się
przykro na myśl, że nasze kochane córki poczułyby się zranione, gdyby
posłyszały takie niebaczne uwagi. (Pani Peck przyjmuje często gości
brytyjskich i amerykańskich, często też widywana jest w towarzystwie
grafa von Gneista i pana Pyne'a – jest to opinia mniejszości, a jednak
ja jakoś nie dostrzegam pogodnej urody Botticellego u tej kobiety,
komplementowanej w ten sposób przez pana Clemensa, i tym bardziej
nie opowiadałbym się za „wyrobionym" i „umyślnym" wdziękiem!
Dobrze jest przypomnieć sobie, że Jezus każe nam wejrzeć w duszę
i nie dać się omamić przez zewnętrzne ja, tym bardziej że pani Peck jest
jedną z tych osób, których (domniemana) uroda, dobre wychowanie
i bogactwo nie przydały jej dobroci i szlachetnego serca, tylko raczej na
odwrót – bo podobnie jak jej kompanion, pan Clemens, Cybella jakoś
nie potrafi się oprzeć i chłoszcze podstępnie albo uszczypliwie, by
sprowokować swych słuchaczy do śmiechu)*.

Wybacz mi, najdroższa żono, ten nieco niezborny list. Moje myśli
wirują jak zdenerwowane ćmy, które rzucają się tutaj na ekrany na
oknach, najwyraźniej gotowe dokonać aktu samospalenia w gorącu
i świetle! Nie chciałem Cię zatrważać, ale ostatni atak rwy kulszowej,
a także „równikowego buntu" zwarzyły mi nastrój i muszę teraz zażyć
Pinkhama i tartarusa (które mieszają się z sobą tak, że mogą wzbudzić
u pacjenta lęk przed wymiotami). Mam nadzieję, że zasnę, a jeśli
nie, to nie będę miał innego wyjścia, jak sięgnąć po pompę, choć Ty
błagałaś, abym jej nie używał, kiedy Ciebie nie ma pod ręką.

Twój kochający mąż
Woodrow

---

* Historycy są w tej kwestii mocno i nieodwołalnie podzieleni: kiedy też zaczął się
„intymny związek" pani Peck i doktora Wilsona? Czy wszystko się zaczęło 25 kwietnia,
czy też następnego dnia, gdy doktor Wilson tak nagle zrezygnował ze swej (opłaconej
z góry) rezydencji w Admiralty Inn, by spędzić kilka nocy w Sans Souci? Uważa się, że
między panią Peck i zauroczonym doktorem Wilsonem doszło do obfitej wymiany listów,
ale niestety żaden się nie zachował. (Najbardziej zdumiewające jest to, że w owym czasie
pani Peck podobno zadawała się także z Samuelem Clemensem, który to związek nie
był aż taki skandaliczny, jako że pan Clemens był wdowcem, a mąż pani Peck tak jakby
w ogóle nie istniał. Możemy zakładać, że o tym tajemnym związku Woodrow Wilson
nie miał pojęcia).

Admiralty Inn
26 kwietnia 1906

Mój skarbie najdroższy!

Dziękuję Ci za Twój cudowny, cudowny list; podziękuj też dziewczętom w moim imieniu za ich jakże mile widziane liściki – nie masz pojęcia, jaki byłem wzruszony po mojej burzliwej nocy; nosiłem moją kochaną rodzinkę na sercu przez cały ten długi i męczący dzień.

Z przykrością przeczytałem Twoje „kłopotliwe" wieści z Maidstone, a ponieważ postanowiłaś nie podawać żadnych szczegółów, chcąc nie chcąc, martwię się, że Adelajdzie Burr, tej wieloletniej inwalidce, pogorszyło się. Tutaj, mimo że staram się unikać kontaktu z princetońskimi twarzami, na ile pozwala na to grzeczność, po raz kolejny przyjąłem zaproszenie, tym razem od FitzRandolphów, którzy wydają kolację w Sans Souci; moją karą będzie przywdzianie w ten wieczór surduta i sztuczkowych spodni, a także najsztywniej wykrochmalonego kołnierzyka, jaki posiadam. Pani FitzRandolph była tak uprzejma, że obiecała przysłać ich kierowcę, by zabrał mnie automobilem Pierce Arrow „Srebrny Obłok". (Acz bardzo mi się to nie podoba, że nasi princetońscy znajomi i sąsiedzi uważają, iż nie jestem w stanie sam siebie transportować, ponieważ ze względu na skromne pobory ustanowione dla mnie przez radę powierniczą nie stać mnie na automobil, nie mówiąc już o szoferze, który by ten automobil prowadził). Mimo jej uprzejmości pani FitzRandolph jest poniekąd skłonna do stosowania przymusu, którą to skazę charakteru często spotyka się u niewiast bogatych i stojących wysoko w towarzystwie; jej ubrania są stanowczo zbyt „stylowe" jak na mój gust – niemal równie wykalkulowane, by przykuwać oko, jak ubrania pani Peck, rzekomo szyte dla niej przez jej paryskiego projektanta wielkiej renomy, człowieka, który ponoć tworzy ubrania dla Pierwszej Damy Francji. Tak pani FitzRandolph, jak i pani Peck to kobiety, które upodobały sobie najbardziej delikatne „pastelowe" barwy; spódnice ich sukien są bardzo pełne, a linia ramion dziwnie obniżona, w stylu, który nazywają japońskim – (bo pani Peck zauważyła, że się przypatruję, i wyjaśniła to ze śmiechem). Kapelusze tutaj nosi się *ogromne* – ani trochę niepodobne do skromnie przystrojonych kapelusików mojej ukochanej żony – i obficie przystrojone trzepoczącymi strusimi piórami. Pan Clemens docina: *Ileż to strusi trzeba poświęcić, by próżność naszych pań mogła rozbłysnąć*, na co ja mruknąłem w duchu: AMEN!

Zamierzałem Ci powiedzieć, droga Ellen, że poprzedniego dnia ujrzałem przelotnie dziecko FitzRandolphów, widziane przez niewiele osób w Princetonie – Terence mu na imię – grubo opatulone w dziecięce ubranka i w wózku okrytym woalami, które chronią je przed silnymi promieniami słońca, a także, jak powiada Amanda FitzRandolph, przed wszelkimi „osobliwymi wpływami", jakim dziecko mogłoby ulec, ze strony dorosłego, który pochyla się, by spojrzeć w jego maleńką twarzyczkę!

Nareszcie! Przygotowałem ostateczną wersję listów do rady powierniczej et al. – i będę się zmagał z jutrzejszym dniem jak Trojanin, żeby je wysłać, w nadziei, że odbiorcy przyswoją wagę tych listów przed moim powrotem do Princetonu. Nie martw się o mnie, droga Ellen – *zdrowie dopisuje mi nawet.* (Nie musiałem używać pompy więcej niż tylko jeden raz!) Wprawdzie kończy mi się rycynus, ale mam nadzieję kupić go na tej wyspie, bo bez niego, obawiam się, popadnę w rozpacz!

Moja Ty najdroższa żono, muszę już kończyć, bo czas przemknął tak prędko i pojazd pani Peck przybędzie po mnie niebawem niczym rydwan z nieba. Tęsknię za moją najdroższą, maleńką Ellen tak bardzo, że słowa tego nie wypowiedzą.

Twój kochający mąż
Woodrow

Admiralty Inn
26 kwietnia 1906
11 rano

Skarbie mój najdroższy!

Wyobraź sobie taką niemiłą okoliczność: ledwie co umościłem się przy tym małym stoliku ponad plażą, a tymczasem nieopodal jakieś nieludzkie zamieszanie; przeraźliwe wrzaski i pokrzykiwania jakby z ust niesfornych dzieci. Bardzo to denerwujące, bo właśnie *wygładzam i udoskonalam* swoje listy; pulsuje mi w głowie i trzęsie mi się ręka.

Zdaje się, jest rozwiązanie zagadki na plaży: jedna z obrzydłych meduz oparzyła dziecko brodzące w wodzie pod opieką niedbałej niańki. Wczoraj też oparzony został dziesięcioletni malec. Głupie to bardzo, że te dzieci bawią się tutaj i że ich rodzice na to pozwalają. (Kiedy wygłosiłem uwagę w stronę bardzo dobrze wychowanego i jasnoskórego Murzynka, który mocował mój stolik w piasku, ten uśmiechnął się i przewrócił oczami, wysyłając widomy sygnał, że zdaniem Murzynów z tej rajskiej wyspy turyści i goście postępują *nad wyraz niemądrze,* brodząc w wodach oceanu, ale ma się

rozumieć, nigdy by takiej opinii nie wygłosili na głos. Sądzę, iż to moje
południowe korzenie wiążą mnie z czarną rasą, nasze poczucie *więzi*
pośród głupców z Północy!)

Według grafa von Gneista, który, jak się zdaje, jest kimś w rodzaju
przyrodnika i nawet podróżował na odludne wyspy Galapagos
cieszące się rozgłosem dzięki Darwinowi, niektóre stada meduz
wyrzucanych przez ocean na plaże Bermudów to gatunki większe
niż przeciętna, z galaretowanymi workami i mackami niemalże
nadnaturalnej wielkości, pełne nie lada jadowitej toksyny. Na
nogach chłopca wystąpiły brzydkie czerwone szramy, więc popłakał
się z ogromnym lękiem... Sam bym płakał, gdybym nadepnął
przypadkiem na takie lśniące protoplazmowe bydlę, które z daleka
przypomina zwyczajny odpadek naniesiony tu przez ocean albo kępę
wodorostów!

Pani Peck zaprosiła mnie, abym przeniósł się do Sans Souci
i był tam już do końca pobytu na Bermudach – bardzo to uprzejmie
z jej strony, bo Admiralty Inn i jej goście, podstarzali Brytyjcy,
zaczynają mnie już nużyć, a tu tymczasem atrakcje, bo goszczą
w Sans Souci i graf von Gneist, i Sam Clemens, ponadto zachwyca
mnie uroda i gościnność tej willi na południowym cyplu wyspy,
otoczonej wysokimi, rozkołysanymi palmami i wspaniałą bugenwillą
dorastającą na wysokość dwudziestu stóp. Służba w Sans Souci to
podobno nie zwyczajni Murzyni z zachodnich Indii, tylko potomkowie
pierwotnych sług „wziętych do terminu" – (o niektórych powiadają,
że kiedy przybyli na wyspę, to czas ich terminowania został wydłużony
z siedmiu do *dziewięćdziesięciu dziewięciu* lat) – dlatego prezentują
wyższą jakość i są znacząco inteligentni.

Jak ja bym chciał, abyś Ty była u mego boku, droga Ellen – tak
bardzo jestem zależny od mojej drogiej żony, która mnie „ubiera"; tu
jestem skazany na miłosierdzie dam, które czynią mnie przedmiotem
swego rozweselenia, niczym *purytańskiego pastora z Princetonu*, bo
czują się w obowiązku poprawić mi krawat, kołnierzyk albo mankiet,
które zdradzają jakby, że toalety dokonywał kawaler.

Ubiegłego wieczoru, gdy jeden ze sług przyszedł z maleńkimi
filiżankami z bardzo czarną „haitańską" kawą, pan Clemens między
jednym a drugim dowcipem rzucił w moją stronę taką uwagę: „Ach,
luksus! Pokrzepienie! Wygoda! Bogactwo! Obfitość jedzenia i napitków,
a także ludzie, którzy razem z nimi się pojawiają! Wszystko to takie
ogłupiające i nudne, czyż nie, panie Wilson?". A kiedy uniosłem
brwi wobec takiego stwierdzenia, wypowiedzianego w bliskości

Cybelli Peck, która znajdowała się ledwie kilka kroków dalej, pan
Clemens dodał prędko: „A jednak byłoby najlepiej dożyć tak kresu, to
oczywiste. Trzeba *to* uwzględnić".

(Pan Clemens tak jakby się znacznie postarzał od czasu, gdy
widziałem go poprzednio, i to jest dziwne. Twierdzi, że gra w bilard
tak, jak pali swoje cygara – „Jak demon z piekła rodem". A jednak
jego włosy nadal są śnieżne i gęste, wąsy też nie mniej nonszalanckie.

Jego cygaro cuchnęło tak potężnie, iż obawiałem się, że będę musiał
pospiesznie opuścić pokój, żeby się gwałtownie nie pochorować, ale
wiedziałem, że moje odejście wzbudzi rozbawienie u innych gości,
a tego ryzykować nie mogłem. Wyobraź sobie moje zdumienie,
kiedy pani Peck zapala swoje cygaro – nazywa się chyba *cigarillo* –
i wypuszcza kłęby dymu na mężczyzn, na szczęście na otwartym
powietrzu).

Jeśli nie liczyć nocnych zmagań z bouillabaisse pani FitzRandolph,
trawię swoje jedzenie całkiem nieźle, co chyba dobrze wróży
w związku z mym powrotem do Princetonu! A co ważniejsze, odbyłem
kilka wybornych konwersacji z osobami patrzącymi z niezwykle
zdrowym rozsądkiem na przyszłość Ameryki i jej „unikalną" politykę –
na skłonność mas do niegłosowania we własnym interesie, czy
też niegłosowania w ogóle, dzięki czemu wytrawny polityk może
dokonywać rozmaitych manipulacji z korzyścią dla siebie. Zwłaszcza
cenię sobie rozmowy z grafem von Gneistem, którego inteligencja
i dowcip współzawodniczą z tymi u pana Clemensa, tyle że on nie
jest taki uszczypliwy. Jak już zwracałem Ci uwagę, graf mówi po
angielsku z wyraźnym akcentem; chwilami jego mowa jest tak płynna,
że przypomina muzykę. Oto dżentelmen, który jest także *mężczyzną*,
w przeciwieństwie do naszego twardogłowego prezydenta.
Nieustająco demonstruje wrodzoną galanterię i swobodną obojętność
wobec władzy; odbiera mnie, jak powiedział, jako *przedstawiciela
amerykańskiej arystokracji, urodzonego, żeby sprawować władzę* –
typ, twierdzi graf, natychmiast rozpoznawalny dla Europejczyka.
Ma oczy osobliwej, cytrynowo-brązowej barwy, przypominającej
pewien gatunek dobrze wypastowanej skóry. Jego włosy to lwia
grzywa z siwiejących pukli. Wyznaję, że poniekąd mnie uwiódł,
i tak sobie myślę, że może dałby się namówić na wygłoszenie wykładu
na uniwersytecie na dowolny, wybrany przez niego temat – historia,
polityka, wyspy Galapagos! Kiedy dopiero co się poznaliśmy,
ów dżentelmen wykrzyknął: „Ach, sławny doktor Wilson! Ten
sam, który ponoć narobił sobie tylu wrogów z rozmaitych
princetońskich tchórzy, że wyczuwa się, iż jego przeznaczeniem jest
wielkość", a innym razem, przy innym temacie, mruknął do mnie na

stronie, niemal przepraszająco: „Żaden człowiek nie jest prorokiem w swojej prowincjonalnej społeczności, panie Wilson. Trzeba się tym pocieszać".

To taka rzadkość, najdroższa Ellen, znaleźć sobie takiego kompaniona w drugim człowieku, i to obcym!

3.10 po południu

Wędruję po Sans Souci – jakże tu jest inaczej niż w Prospect! Bo w Prospect nigdy tak do końca nie czuję się u siebie, jako że właścicielem gruntu jest uniwersytet, a studentom się wydaje, że mają prawo gapić się i podglądać przez płot o dowolnej godzinie w środku nocy. Tutaj natomiast wszystko jest otwarte na światło i ocean, bo nikt nie odważyłby się wejść na ten prywatny teren, tak odgrodzony przed osobami postronnymi i tak udatnie obsadzony sługami, którzy są nad wyraz lojalni wobec swoich panów. Jak ja bym chciał, żeby moja kochana żoneczka mogła się ze mną przespacerować, przyjrzeć tej pałacowej willi, jej gładkim białym tynkom i czerwonym okiennicom; pani Peck nazywa ją jakże osobliwie „chatką", a przecież ta budowla składa się z dwu skrzydeł i jakichś czternastu sypialń; jest równie wielka jak letni dom gubernatora New Jersey w Sea Girt czy dowolny dom w Cape May, skoro już o tym mowa.

Jakże snobistyczny West End princetoński – (nie wykluczając naszego bezwstydnego, epikurejskiego eksprezydenta) – gapiłby się i podglądał, widząc, jak łaskawie mnie tu traktują! Ich bardzo źle traktowany i niedoceniany Woodrow Wilson jest tu przyjmowany jak człowiek królewskiego rodu! Sama Cybella Peck mi nadskakuje, starając się, by mój apartament był idealny i aby każda usługa w Sans Souci była dla mnie dostępna.

Jest, czy raczej była, tylko jedna łyżka dziegciu w tej beczce miodu – zaledwie dzisiaj rano, gdy stałem na swoim balkonie, patrząc w stronę oceanu, moją uwagę przykuło jakieś poruszenie na plaży – jeden ze służących z willi, wprawdzie o bardzo jasnej skórze, a jednak niepokojąco podobny do tego chłopaka Ruggles'ów, o którym z Tobą rozmawiałem – tego, który kłamliwie twierdził, że jest moim krewniakiem, co być może zapamiętałaś – preceptor na uniwersytecie i seminarzysta – który musiał zostać pozbawiony obu funkcji – z powodów zbyt niepokojących, by o nich mówić... A jednak później wydało mi się, że widziałem tego właśnie sługę pogrążonego w rozmowie z grafem von Gneistem na skraju szerokiego kamiennego tarasu; coś czerwonego upadło na ziemię i sługa pochylił się prędko, aby to podnieść, jakby nie chciał dopuścić, by uczynił to graf; owo coś – gałązkę wspaniałej bugenwilli – młody zuchwalec umieścił

w klapie marynarki grafa, który skwitował to śmiechem... Wyobraź
sobie moje przerażenie, kiedy obaj spojrzeli w moim kierunku, ale
na szczęście mnie nie zobaczyli, przycupniętego nieruchomo za
parawanem. Pewien jestem, że ten sługa z Sans Souci to nie Yaeger Ruggles.
To było tylko jakieś złudzenie optyczne, któremu uległem w wyniku
nadmiernego pobudzenia i źle przespanej nocy.

Podobno jeszcze jedno dziecko zostało oparzone przez meduzę.
Powiadają, że ta biedna mała dziewczynka utraciła przytomność na
kilka minut i potem zanieśli ją do szpitala. Co za szkoda – ledwie
osiem albo dziesięć lat. Człowiek myślałby, że jej opiekunka albo
matka winny bardziej jej strzec... Czuję taką ulgę, droga Ellen, że jest
Ci oszczędzony widok tych paskudnych wybryków natury, urodzonych
bez szkieletów, łagodnie lśniących, a jednak śmiertelnie groźnych.
Dzisiaj pan Clemens wygłosił sprośny żart, który do pewnego
stopnia mnie obraził, na temat „lwiej grzywy" z jej mnogością macek
i parzących toksyn. (Dość przydatnie graf von Gneist wspomniał, iż
Arthur Conan Doyle, brytyjski autor powieści kryminalnych, napisał
utwór o tytule *Lwia grzywa*, o którym pan Clemens nie słyszał, bo
jak się wyraził niedbałym tonem, nie marnuje czasu na czytanie
zwyczajnych wymysłów, skoro w twarz zagląda mu świat pełen *bólu
i cierpienia*).

Szampan, białe wino i kordiały po kolacji – od których się
wymówiłem, czego chyba nie muszę mówić, bo wtedy nie zmrużyłbym
oka, tak wielka byłaby rebelia w „rejonach równika"...

Północ

Ach, jak ja tęsknię za moją kochaną połowicą! Wprawdzie
sypialnia w Sans Souci jest wybornie umeblowana i dalece za duża
dla samotnego kawalera, a odgłosy nocnych fal bardzo koją, niczym
wnętrze jakiejś gigantycznej dłoni, które gładzi i pociesza. Mój
kark, zesztywniały od nadmiernego wyciągania się przez większość
wieczoru, bym dobrze słyszał dowcipy przerzucane ze strony na stronę
jak badmintonowe lotki, straszliwie pragnie kojących palców mojej
drogiej Ellen, które przeganiają ból i te irytujące, głupie zmartwienia,
gnieżdżące się w przegrzanych fałdach mego mózgu...

Przebudzony nocą przez straszliwą wizję, a może było to coś,
co dostrzegłem wcześniej, co jednak nie zarejestrowało się wonczas
w moim rozkojarzonym umyśle, ale teraz zobaczyłem z niepokojącą
wyrazistością – otóż nasza przyjaciółka i sąsiadka, Amanda
FitzRandolph, przyjęła ofertę złożoną przez grafa, czyli *szczyptę tabaki*

z maleńkiej tabakiery z kości słoniowej! Ze wszystkich princetońskich dam właśnie pani FitzRandolph, *świeżo upieczona matka*, pozwoliła grafowi włożyć sobie tabaki do jednego z nozdrzy, po czym wciągnęła oddech i kichnęła – jakby żywe srebro pofałdowało jej twarz i do oczu nabiegły łzy.

To oraz incydent na tarasie z młodym murzyńskim służącym spowodowały, że spojrzałem odrobinę inaczej na mojego nowego przyjaciela, grafa Englisha von Gneista; wprawdzie wybitny to człowiek i z pewnością dżentelmen, a jednak nie mam pewności, czy jego maniery nadają się na Prospect – do „halkowego portu" doktora Wilsona!

Co do nieobecności Edgerstoune'a, to pojawił się chwiejnie pan Clemens, z niezapalonym cygarem w grubych palcach, zauważając na użytek każdego, kto słuchał: „Człowiek może się przyzwyczaić do nieprzyjemnej sytuacji w kilka miesięcy. Z sytuacją nie do przyjęcia może to potrwać trochę dłużej".

Twój kochający mąż
Woodrow

Sans Souci
27 kwietnia 1906
12 w południe

Skarbie mój najdroższy!
Ponownie bardzo dziękuję Ci za kochany liścik z jakże słodkimi wieściami o naszym domu, który wczoraj mi przyniesiono z Admiralty Inn, ale z jakichś niewytłumaczonych przyczyn źle położono w mojej sypialni i dopiero co odkryło je bystre oko mego oddanego sługi, młodego Izajasza.

Ch...ra jasna! Kiedy ja tu bazgroliłem, część moich papierów – szkice bezcennych listów do Cuylera, Hibbena, Slade'a, Pyne'a et al. – wiatr zwiał z balkonu na plażę i tak mnie to wytrąciło z równowagi, moje kochanie, że poczułem pokusę, by pozwolić, aby je wywiało na ocean... gdyby nie wysiłki drogiego Izajasza, który, jak sam kilka razy rzekł, służyłby mi „nawet na końcu świata".

(Do Sans Souci dotarły wieści o nad wyraz tragicznym zdarzeniu, choć bynajmniej nie zadziwiającym: w końcu jakieś dziecko zostało tak mocno oparzone przez meduzę lwią grzywę, że doznało paraliżu mięśnia sercowego i zmarło. Cóż za ohydne zakończenie bermudzkiej idylli dla jakiejś rodziny! I jaki ja jestem wdzięczny, moja najsłodsza, że Ciebie i naszych drogich dziewcząt TU NIE MA).

Błagam, wybacz to opóźnienie, z jakim odpowiadam na Twój ostatni list – czy też listy – bo jak zapewne wiesz, jestem ogromnie zajęty pracą, w tym artykułem do „Atlantic", wykładem dla Towarzystwa Filadelfijskiego, a ostatnio także przemową dla Towarzystwa Mayflower. Żadne z powyższych jeszcze nie jest ukończone, ale wszystkie zasadniczo *in medias res*. I moja przeklęta rwa daje mi się we znaki tak boleśnie przez całą noc, a poza tym tyle się tutaj dzieje: czy to improwizowane wyprawy automobilami po wyspie, czy to posiłki na klifie nad plażą, czy to szarady (w których zesztywniały w stawach rektor Uniwersytetu Princeton jest zdumiewająco gibki, ku zachwytowi pań), także zawrotna wyprawa jachtem okrążającym wyspę połączona z oglądaniem rekinów oraz liczne podwieczorki i kolacje. Ja oczywiście uczestniczę w tym wszystkim niewiele – aczkolwiek, jak wyraziła się pani Peck: „Rektor uniwersytetu to najlepsza reklama dla uniwersytetu i nie powinien ukrywać swych zalet". I żeby zacytować niedoścignionego Sama Clemensa: – „To miejsce jest pełne milionerów tak jak ser casu marzu* jest pełen larw".

(Droga Ellen, wybacz mi! Jeśli mój język staje się nieokrzesany, to nie dlatego, że tego chcę, ani też w ogóle z mojej winy, tylko to wpływ takich wygadanych osób jak pan Clemens; takich pijackich wpływów pozbędę się niebawem całkowicie, kiedy wrócę do naszego przytulnego gniazdka w Prospect).

A jednak jeszcze jedno słowo o Samie Clemensie – „Marku Twainie" czy też „Świętym Marku", bo tak czasami o sobie mówi. Jest to istota tak *diabelska*, jak i *anielska*. Jego zewnętrzny postarzały wygląd pasuje do wewnętrznej erozji ducha, bo niedawna śmierć córki (co do której ten biedak czyni niejasne, acz częste aluzje) zdaje się spowodowała, że skurczyło mu się serce. Wręcz obsesyjnie się wypowiada – dla niektórych nużąco – o *linczach* w Stanach Zjednoczonych – i o tym, że Kongres, naczelnik państwa i Sąd Najwyższy pozostają obojętne. Pisze, powiada, „wybuchowy" esej do „Harper's" – „Stany Zjednoczone Linczownictwa" – i poprosił, abym go przeczytał, ale ja się waham z powiedzeniem mu tak, bo temat jest dla mnie obraźliwy, a poza tym czas goni mnie jak nigdy. Pan Clemens stwierdził, że chciałby się podzielić ze mną swą najbardziej rzucającą się w oczy wadą – paleniem „najwspanialszych, przeżerających płuca hawańskich cygar" –

---

* Gatunek sera produkowanego na Sardynii, który swój smak zawdzięcza larwom wprowadzanym do niego celowo dla wywołania fermentacji (przyp. tłum.).

których on pali dziennie rzadko kiedy mniej niż *czterdzieści.* (Jak to możliwe?) Kiedy pewna Brytyjka goszcząca u pani Peck wyraziła zdumienie i trwogę wobec tej zaskakującej statystyki, ostrzegając Marka Twaina, że kopie sobie przedwczesny grób, ten elegancki siwowłosy dżentelmen przybrał przepraszający wyraz twarzy i poinformował ją, że raczej *nie jest w stanie wypalić więcej niż czterdzieści cygar dziennie,* mimo że próbował. Podobnie imponujące czy też konsternujące są ilości whisky Old Gran-Dad, które ten człowiek konsumuje, a jednak jest to jedyny środek, zwierzył mi się, dzięki któremu ma nadzieję „pogrążyć się w kojącym, pustym zapomnieniu przez trzy albo cztery błogosławione godziny w nocy". Nieszczęśnik! Starałem się porozmawiać z nim o krzepiącej sile modlitwy, ale on tylko zaciągnął się swym wstrętnym cygarem i zaśmiewając się, stwierdził, że tego towaru jeszcze nie próbował, i zastanawia go, jak on się ma w porównaniu ze „starym, poczciwym Gran-Dad". Nie powinienem opowiadać Ci tego wszystkiego, droga żoneczko, jako że jest to oczywiście dość wulgarne i nieprzyjemne, tym bardziej że ten humorysta udziela ripost tak zabawnych, że trudno powstrzymać się od śmiechu.

(Wyobraź sobie moje zdumienie, kiedy pan Clemens przy kolacji uraczył towarzystwo nieprawdopodobnie zabawną historią o trzech Murzynach z Georgii, którzy podróżowali koleją do Nowego Jorku, zobaczyli pierwszy śnieg i nabrali przekonania, że to pewnie *bawełna spada z nieba!*)

Innym razem, gdy pan Clemens właśnie zamierzał ponownie zająć miejsce przy stole bilardowym, gdzie podobno zdołał już stracić jakieś pięćset dolarów w potyczce z grafem von Gneistem, rzekł do mnie, ściskając mnie przy tym chłodnymi palcami: „Kiedy osiągnie pan sam szczyt, panie Wilson, bo nie mam wątpliwości, że się to panu uda, tak jak mnie się udało – pozostanie panu już tylko jeden kierunek: jeden gwałtowny krok w przepaść".

5 po południu

Droga Ellen! Waham się z besztaniem mojej ukochanej żony, a jednak wydaje się, że mnie omamiłaś i być może wprowadziłaś w błąd.

Wzdragam się przed rzucaniem takich oskarżeń. A jednak przeczytałem wielokrotnie te kilkanaście listów, które do mnie napisałaś od czasu mojego wyjazdu z Princetonu, i nie potrafię znaleźć dowodów, że jest inaczej.

Pani Peck twierdzi, że nie powinienem wydawać pochopnych ani zbyt surowych sądów.

Pani Peck jest bardzo opiekuńcza wobec mojej udręki i zwróciła się do swojego lekarza, by ten mnie zbadał – za co jestem jej bardzo wdzięczny.

Doktor Dodge już mi dostarczył sześciouncjową butlę rycynusu, dotarło też nowe lekarstwo z dziurawca, które należy wkładać pod język w porze kładzenia się na spoczynek.

A jednak, moja miła Ellen, kwestią tutaj jest rozmowa między grafem Englishem von Gneistem i twoim zaniepokojonym mężem, która trwała godzinę. „Panie Wilson, czy mogę z panem porozmawiać otwarcie?" – tak zaczął mój powiernik, informując mnie, iż dotarły do niego pewne „niepokojące plotki" z Princetonu za pośrednictwem jego tamtejszych korespondentów; jeden z nich odnosi się do „rychłego zapisu" od niejakiego pana Proctora (to pewnie William Cooper Proctor, rocznik 66, admirator Andrew Westa) i graf poczuł się zobowiązany do uhonorowania przyjaźni, która niedawno między nami wykwitła, poprzez poinformowanie mnie o tym fakcie, dodając, że w Princeton jest to tajemnicą poliszynela, iż moi oponenci zajmują się pisaniem złośliwych listów do absolwentów, powtarzając oskarżenia o „nieprofesjonalne zachowanie" w Charlestonie i gdzie indziej, agitując za moją rezygnacją, *podczasie gdy ja marnuję czas w krainie lotosu.*

„To się wydaje bardzo dziwne, panie Wilson – rzekł graf von Gneist, tonem szczerego żalu – że wszyscy w Princetonie mieliby rozprawiać o takim rozwoju sprawy, gdy tymczasem rektor jest utrzymywany w niewiedzy na temat tego, co się tam dzieje. Nie ma pan żadnego lojalnego, zaufanego korespondenta w domu, który mógłby pana informować?"

Na to, droga Ellen, nie byłem zupełnie zdolny odpowiedzieć. *Po prostu nie mogłem odpowiedzieć.*

Oddaliłem się chwiejnymi krokami, bardzo poruszony, i dopiero teraz, droga Ellen, miła Ellen, potrafię wyrazić, co mam na sercu, moje rozczarowanie Tobą, bo ufałem, że jesteś mi pomocna, że przekażesz mi takie wieści; nie mogę ufać swoim współpracownikom, podobnie jak personelowi biura. Wiem, że chcesz mnie po prostu osłaniać i dać mi czas na wypoczynek od nieustającego nadmiaru pracy i moich ciągłych objawów braku zdrowia; wiem, że nie chcesz mnie oszukiwać ani też podważać mojego autorytetu na uniwersytecie.

A jednak wszystkie moje namiętności znajdują się na takiej strasznej szali władzy, Ellen, musisz wiedzieć, że mojego *ducha walki* odziedziczonego po Campbellach nie da się stłamsić bez zadania gwałtu duszy...

Załatwiłem w mieście, że jutro o 9 rano parowiec zabierze mnie na kontynent; wsiądę potem do pociągu i wrócę do Princetonu jak najprędzej – nie z takim opóźnieniem jak Odyseusz, ale za to z wielkim mieczem wprowadzonego w błąd wojownika, który z nim rzuci się na swoich wrogów!

To prawda, nie będę próbował tego ukryć – jestem zasmucony i rozżalony Twoim postępowaniem, droga Ellen; ta sprawa spowodowała poważne napięcie w naszym małżeństwie, którego nie chciałbym wszak nazywać nieuchronnym zerwaniem. Cybella Peck powiedziała mi, że w takich momentach nie należy działać w pośpiechu; ostrzega mnie, bym zachował spokój, bo „małżeńska więź" to zarówno delikatny „węzełek", jak i „pętla wisielca", między którymi ona sama nauczyła się lawirować, i to przy niejednej okazji. A jednak Cybella wskazuje mi, że jeszcze nie jest za późno, że jeszcze nie wysłałem swoich „kompromisowych" listów, które by podważyły mój autorytet; jeszcze zdążę je zwyczajnie spalić i wymazać z pamięci upokorzenie, że je układałem. Jak Campbell z Argyll mógł wpaść na tak tchórzliwą myśl – że chce, by go lubiano!

Liczę teraz, że to już mam za sobą – o czym moi wrogowie niebawem się przekonają.

Zaraz się spakuję, najdroższa Ellen, i potem będę musiał powiedzieć *adieux* gubernatorowi, panu Clemensowi, grafowi von Gneistowi (którego mam nadzieję widywać jeszcze w Princetonie, i to często, już niebawem) i wyrazić swe kondolencje biednej pani FitzRandolph (bo właśnie się dowiedziałem, że również Edgerstoune, nie tylko syn jakiegoś turysty, został zabity przez meduzę – ponoć tym razem nie była to „lwia grzywa", tylko gatunek zwany „morską osą") – ach, jeszcze będziemy o tym pewnie słyszeli w Princetonie! – bo to bardzo smutne i bardzo głupie, że dorosły mężczyzna mógł się snuć po bermudzkiej plaży bez butów i skarpetek i wdepnąć prosto w stado obrzydłych *meduz.*

Wybacz mój kwaśny ton, najdroższa żono. Naprawdę nie jestem zły na Ciebie, tylko raczej na siebie, że Ci zaufałem jako swej pomocnicy. Ale to tylko moje nerwy, mój najdroższy skarbie, i nagły, porywisty wiatr targający okiennicami, gdy pospiesznie się pakuję, żeby się pożegnać z Sans Souci, gdzie moje życie zostało tak niezwykle odmienione i z powrotem ustawione na torze triumfu.

Twój kochający mąż
Woodrow

„TEN WĄSKI KTOŚ – PRZEZ TRAWĘ..."

(Z sekretnego dziennika pani Adelajdy McLean Burr)

_____. Oni się odmieniają, sama się przekonasz pewnego dnia. Mężowie się odmieniają i potem tylko w grobie pociecha. _____. Stało się. Nic sobie nie wyobraziłam. Zostałam oszukana. Byłam oszukiwana od wielu miesięcy. Ale już nie jestem oszukiwana. Ach – Horacy! Moja miłości! Jak mogłeś zdradzić swoją kochającą Koteczkę? _____. Jest wczesna wiosna. Rok 1906. Obawiam się, że nie doczekam następnego dnia. Posyłam liściki do Mandy, która ponoć wróciła już z Bermudów. Błagałam, żeby wpadła na podwieczorek i może jeszcze przyprowadziła z sobą grafa, bo tyle słyszałam o tym szacownym dżentelmenie, ale teraz jestem przykuta do łóżka i tak czy owak już go nie zobaczę. Mój mąż zdradza mnie nocną porą z różnymi ladacznicami, pod tym właśnie dachem, więc zwrócę się do grafa jako do dżentelmena, żeby mnie chronił. Mój mąż gardzi mną teraz i życzy mi śmierci; nie jestem już bezpieczna we własnym łóżku. _____. Zapach kamfory, oczaru, belladonny i mięty. Gryzący smak dziurawca, który ma „rozjaśnić" melancholię, jak obiecuje doktor Boudinot. Słaba woń z klozetu, znowu go trzeba wyszorować. Ta nowa dziewczyna, Griselda, powinna wreszcie paść na czworaka. _____. Tak się boję, że włosy mi stają dęba. Jestem jak kotka i jej ogon – kiedy kotka jest przestraszona albo rozzłoszczona, jej ogon rozdyma się do podwójnych rozmiarów i kiwa jak obłąkane wahadło. Pojawiają się pazury i ostre, lśniące zęby. _____. On mnie nie udusi, tak jak Otello udusił Desdemonę. _____. Na moim stoliku przy łóżku pod nudnymi Poematami wierszem pani Fern są ukryte Wiersze Emily Dickinson – (choć nie wierzę, że ta poetessa tak się istotnie nazywa, jej zgoła niewykończone wiersze budziłyby jawne zażenowanie na świecie), <u>Źdźbła trawy</u> Walta Whitmana – (tu już jestem absolutnie pewna, że ten poeta tak się nie nazywa! – te jego wiersze są przepełnione jawną sromotą, perwersją, inwersją!) – oraz kilka tomików autorstwa madame Bławatskiej, przed którą Horacy mnie przestrzegał i zdaje się kazałam dziewczynie je wynieść. _____. A jednak czuję, że powinnam poczytać swoją Biblię. Jak moja matka i matka mojej matki. Na tych cienkich, pożółkłych stronicach widać plamy po kobiecych łzach. O Boże, chroń mnie przed tym demonem. Jak to się stało, że mój przystojny, prawy, wąsaty mąż Horacy, wychwalany przez wszystkich z West Endu jako najbardziej oddany i skrzętny ze wszystkich mężów, tak się odmienił? Moje usta wyschnięte od oleju rycynowego szepczą modlitwę: <u>Choćbym nawet szedł ciemną doliną, Zła się nie ulęknę, boś Ty ze mną</u>*. _____. Deszcz ze śniegiem, bardzo dziwny jak na tę porę roku. Twardy i połyskliwy jak piach ciskany na szyby. W kominie pomrukuje wiatr. Jestem sama. Zostanę zamordowana we śnie. Służący przycisną dłonie do uszu jak te małpy, które nie słyszą, podobnie jak nie widzą ladacznic, które on sprowadza do tego domu. Nie wiem, czy to dzień czy noc. Wszystko przez to niebo, słońce nie chce świecić. Pochłonęłam tabletki, które zostawił mi doktor Boudinot, przykładając palec do ust – <u>To nasz sekret, Adelajdo!</u> Nie wiem, co ten człowiek chciał powiedzieć, to idiota. Podobno zastrzykuje sobie morfinę do żył i od tego stał się imbecylem. A jednak tylko jego mamy. Musimy ufać doktorowi Boudinotowi. <u>Och, Horacy! Dlaczego ty mnie oszukałeś? Dlaczego odwróciłeś się od swej oddanej żony, dlaczego wybrałeś ramiona tych bezwstydnych dziwek?</u> _____. „Czemu pani płacze, madam?", pyta mnie ta nowa dziewczyna, Griselda, wpatrując się wytrzeszczonymi oczyma w Koteczkę ukrytą pod kołdrami, i czmycha na dół, opowiedzieć w kuchni o „dziwnym nastroju" pani – że się z nią „porobiło jak ze wszystkimi paniami białych ludzi". I potem plotka przefruwa z jednej kuchni do drugiej, po całym West Endzie: od Maidstone po Pembroke, z Arnheim do Wheatsheaf, z Westland do Drumthwacket, z Crosswicks do... (Nie wiem, co jest za Crosswicks, piekło pewnie). A ja po wyjściu dziewczyny biorę swoje lusterko i wpatruję się w to widmo. Ach, te niegdyś różane policzki, teraz obwisłe i zaplamione gorzkimi, słonymi łzami! – i nikt nie zauważy, i nikogo to nie obejdzie. Moje włosy sterczą we wszystkie strony: dzikie i barwy dymu, a teraz jeszcze pojawiła się ohydna, śmiertelna dawka *szarości*, bo musiałam odprawić tę paskudną, małą Hannah, która z taką wprawą robiła płukanki z henny (bo ta murzyńska ladacznica była zwyczajną złodziejką, ukradła mi miniaturową broszkę z kości słoniowej w kształcie łabędzia, którą miałam po babci Burr,

---

* Ps 23,4; Biblia Warszawska (przyp. tłum.).

i nie chciała się przyznać, mimo że krzyczałam na nią i groziłam, że każę ją wtrącić do więzienia) – a nie chcę, żeby ta nowa dziewczyna mnie dotykała. Nie, idź sobie! Idź sobie, daj mi spać. Bo mój Horacy przestał mnie kochać i już nie czeka mnie nic oprócz grobu.

_____. Wieczna kaźń mej duszy, jeśli nie kocham cię! A gdybym przestał, świat by się zmienił w chaos*.

_____. Znudzona i zniecierpliwiona, ale kiedy z dołu zawołała na mnie Lenora Slade, posłałam wiadomość, że nie mogę się z nią zobaczyć. A później tego samego dnia pani Wilson. Kto jak kto – Ellen Wilson! Wilsonowie nawet nie mają automobilu, ale pewnie wożą ich lepsi od nich, a zresztą doktor Wilson podobno ma zwyczaj jeździć rowerem po ścieżkach kampusu i chłopcy chowają roześmiane twarze na ten widok. A następnego dnia zajrzała Frances Cleveland, pewnie chciała sprawdzić, czy z Adelajdą rzeczywiście tak źle, jak wszyscy mówią.

_____. Nie mogę swobodnie oddychać. Nie mogę spać, mimo laudanum.
Nie mogę nic jeść, co najwyżej odrobina galaretki z jabłkowego geranium – (którą usłużnie podrzuciła mi Johanna van Dyck) – na grzance i do tego filiżanka earl greya ze śmietanką i miodem, a na południowy posiłek pudding chlebowy posypany cukrem pudrem – tylko tyle toleruje mój żołądek, mimo połajanek doktora i Horacego. (Tyle że ten pudding jest taki dziwny w smaku; choć to stary przepis Minnie, zastanawiam się, czy nie został posypany trucizną; może ten cukier puder to ARSZENIK).

_____. Ta ladacznica i złodziejka rozpowiada wszystkim naokoło, że pani ją odprawiła, bo nie chciała kupić ARSZENIKU w aptece. I to jest oszczerstwo i potwarz, zbyt oburzające, by coś z tym robić. We śnie pojawił mi się graf. Błagałam, żeby nie podchodził blisko, bo jestem mężatką bezgranicznie lojalną wobec swego męża. Ognista moc jego brązowych oczu i jego szlachetne, pobrużdżone czoło, „lwia grzywa" i nagle zniknął – jak wszyscy inni.

_____. Nareszcie po wielu tygodniach nalegań przychodzi z wizytą kuzynka Mandy. Nieszczere przeprosiny, podobnie jak nieszczera jest jej

---

* W. Szekspir, *Otello*, przeł. J. Paszkowski, PIW, Warszawa 1958 (przyp. tłum.).

żałoba, i ten uśmiech nierządnicy: Graf przesyła wyrazy ubolewania, Adelajdo, ale jest bardzo zajęty pospiesznymi przygotowaniami do podróży na Zachód. Nie zbeształam kuzynki, tylko uśmiechnęłam się z rozbrajającą słodyczą. Powszechnie jej zarzucają, że otruła biednego Edgerstoune'a na Bermudach, aczkolwiek inni twierdzą, że to był tylko niedorzeczny wypadek – ten dureń nadepnął bosą stopą na trującą meduzę! (Też pomysł: nadeptywać na meduzę, trującą czy nie, bosą stopą czy nie). Amandzie zarzucają też, że jej mały Terence ani trochę nie przypomina zmarłego Edgerstoune'a, tylko samego grafa – (aczkolwiek przeważają trzeźwiejsze głowy, które zauważają, że graf von Gneist pojawił się w Drumthwacket dopiero po narodzinach dziecka). Niebawem śmiałyśmy się i trochę też sobie popłakałyśmy, bo Edgerstoune był najzacniejszym z mężczyzn i najbardziej oddanym mężem. Moja kuzynka pięknie się odziała, jak zawsze, bardzo z niej modna wdowa; na szyi ma szal z japońskiego jedwabiu barwy sewastopolskiego błękitu i do tego nowe skórzane botki na szykownych obcasikach od nowego włoskiego szewca z Guyot Street, o którym wszyscy gadają.

_____. On jest w City. Tak je nazywa – City! Wszyscy mnie zostawili, bo ich przegnałam, ale nie dbam o to. Jestem chora, znudzona, mam ochotę mordować i nie potrafię pojąć, o co chodzi pani Bławatskiej, gdy mówi o temporalnym półcieniu, który trzeba transcendować. Nachodzi mnie jakaś dzikość, podpalę aksamitne draperie w tej izolatce, będę podrzucała lekami, a potem je podeptam, będę zatapiała zęby w jednej czekoladce za drugą, aż wreszcie całe pudełko zrobi się puste, tak, i będę wypluwała śmietanki, wisienki, trufle, orzechy, karmel, czy co tam jeszcze, na dywan. Ba! Gardzę wami wszystkimi. Graf przesyła wyrazy ubolewania, Adelajdo, znalazł sobie prawdziwą namiętność gdzie indziej. Pani Biddle ośmiela się przysłać kartkę! Pani Armour i pani Pyne! Będę się gapiła na wasze błagalne białe twarze, kiedy anarchiści zaczną strzelać, i nie będę czuła litości, powiem, że was nie znam, nikogo z was.

Otwarcie trzeciego oka to, twierdzi się, najcudowniejszy ból – i najcudowniejsza przyjemność.

Może zostanę dewi. Wstąpię w moim eterycznym ciele do wyższego półcienia.

_____. Tego ranka w sypialni jest zbyt zimno. Przeciąg z wypaczonego okna. W połowie dnia zrobiło się za gorąco. Dziewczyna babrze się i paprze, zagryza dolną wargę, gdy ustawia mój wiatrak, bo jest przygłupem, który się boi elektryczności. Widzę, że ma ciemną skórę jak Indianka, do tego wargi nie do końca murzyńskie, bo z pochodzenia jest kundlem, oczywiście. I jej włosy są szorstkie i proste jak u Indian Delaware. Boi się włączyć wiatrak, ale ja się upieram, że ma to zrobić, więc wreszcie szerokie, gładkie, ostre, wdzięcznie zakrzywione łopatki zaczynają się obracać, z początku powoli, potem z kojącym skutkiem dla mojej rozgorączkowanej twarzy.

_____. Nie mogę zasnąć, bo Horacy wrócił z City; nigdy nie wiem, czy powie mi dobranoc, czym będzie pachniał jego oddech, jaki chwiejny i niepewny będzie jego krok. Czytałam przy świeczce Zdradziecką narzeczoną pani Corelli, aż mnie rozbolały oczy. Nie potrafię stwierdzić, czy ta opowieść to arcydzieło literatury, ale jest boleśnie prawdziwa. Potem mój tomik z wierszami Dickinson, które przeglądam po nocach, i kilka stron z Whitmana, dla pobudzenia krwi, a potem mój „zakazany" tom z wiedzą medyczną, który muszę ukrywać przed Horacym i doktorem Boudinotem, Dociekania i obserwacje medyczne chorób mózgu dr. Benjamina Rusha. (Jeden z rozdziałów zatytułowany „Chorobliwy stan apetytów seksualnych" jest dość przerażający, a taki obsceniczny, że to wprost niewysłowione. Nie wiedziałam, że człowiek jest w stanie pisać takie słowa i że jakikolwiek wydawca potrafi je wydrukować. Bo po prawdzie to nie wiedziałam, że w cywilizowanym świecie istnieją takie potworności).

_____. Dlaczego nie zabrałaś z sobą małego Terence'a, chciałam spytać kuzynkę Mandy. Dlaczego tak niewielu twoich sąsiadów i przyjaciół widziało Terence'a? I czy to prawda, że biedny Edgerstoune często bywał w City przed waszą wyprawą na Bermudy?

_____. „Czy dla mnie już za późno, żebym miała własne małe dziecko?" – tak oto wstrząsnęłam doktorem Boudinotem któregoś dnia, a on wyjąkał odpowiedź tak dla mnie obraźliwą, że ukradkiem przewróciłam tacę, sprawiając, że imbryk z wrzątkiem poleciał w tego dżentelmena, a właściwie to w jego_____.

_____. (Jakie to przyjemne uczucie, pisać takie obscena: _____. W tym moim diabolicznym szyfrze nikt tego nigdy nie odcyfruje, a już z pewnością nie Horacy, który do szarad ma taki talent jak kozioł do szczudeł).

_____. Wpadła Johanna van Dyck, powiedziała, że bardzo mnie chce zobaczyć, bo niebawem wyjeżdża do majątku Quatre Face, skąd roztacza się widok na wąwóz Delaware, na bardzo potrzebny wypoczynek; tylko ona, dziecko i kilku służących, ale nie Pearce, który oczywiście musi pozostać na uniwersytecie i któremu zdrowie nie pozwala na podróżowanie. Wprawdzie chciałam zobaczyć Johannę, a jednak z jakiegoś powodu krzyknęłam na Griseldę, że ma ją odprawić, bo jestem zdruzgotana, biedna Koteczka jest uważana za niegodną posiadania dziecka, gdy tymczasem Johanna, która jest o wiele starsza, ma dziecko. To niesprawiedliwe! A mój Horacy jest ciągle w City albo ukrywa się w swojej sypialni na drugim końcu korytarza, gdzie – (wydaje mi się, że go słyszałam) – płacze i zgrzyta zębami.

_____. „Koteczko? Kochana Koteczko! No spójrz na swojego Horacego, spójrz, proszę, on się o ciebie boi!"

Horacy przysuwa sobie krzesło do mojej leżanki, zaiste z zalęknioną miną, i moje niezłomne serce topnieje, bo chyba oszukałam mojego męża albo w tym pomieszaniu laudanowych snów to Horacy mnie oszukał. Skarży się na duchotę w pokoju i „dziwaczne" zapachy, „ciężki mrok" draperii i moją przyciemnioną lampę. Jest, zdaje się, świeżo ogolony, jego oczy płoną pragnieniem; nie mogę się powstrzymać i zauważam, że tak mocno obgryzł paznokieć lewego kciuka, że otaczająca go skóra krwawi. Nie dotykaj mnie, nie podchodź blisko, nie cierpię być dotykana – tak właśnie błagam; Nie opuszczaj mnie, nie porzucaj mnie, jestem twoją prawowitą małżonką, która bardzo cię kocha – błagam takimi słowami.

_____. (W książce doktora Rusha niewysłowione żądze, do których jest zdolne zwierzę w mężczyźnie, zostały opisane z wszelkimi szczegółami. Te kartki, jedna po drugiej, będą wrzucane do niewielkiego ognia płonącego w moim kominku, który rozpali dla mnie mały Abraham; te obrzydliwe rewelacje, jedna po drugiej, będą wkładane w płomienie. Koteczka-chytruska ugryzie się w język i nie piśnie ani słóweczka. Bo strasznie by ją ukarali, gdyby się dowiedzieli, co ona teraz wie – wielebni i złe duchy Princetonu.

_____. Tego popołudnia wpadła z wizytą kochana ciocia Prudencja. Albo może to było wczoraj. Serce mi podskoczyło z nadzieją na widok tej słonecznej i niczym niezmąconej twarzy, mimo że zmiękczonej wiekiem i porytej licznymi zmarszczkami, a jednak widzę, że ciocia Pru uśmiecha się radośnie, bo obeszła kolejne domy, od Wheatsheaf do Pembroke, od Drumthwacket do Mory, od Westland do Crosswicks, dając tamtejszym paniom domu, jak twierdzi, próbkę białej magii – (rogownica, jastrzębiec, barwinek, Atropa belladonna, szarotka, mandragora, herbata z maliny moroszki, herbata z toiny i pryszczyrnica) – i wszystko to traktuje z wielką beztroską. Ciocia Pru mruga do mnie, obiecując: „Będzie, co ma być. A my może tylko lekko coś przyspieszymy".

_____. (Okazuje się, że w Wheatsheaf moja kochana ciocia Pru napotkała syna Slade'ów, Todda, który powiedział jej, cicho, żeby nie usłyszała go matka, że te jej „wygłupy z białą magią" nie mogą mieć trwałego wpływu na Klątwę).

_____. Dla Horacego, żeby odzyskać jego miłość: szarotka, Atropa belladonna i tycia szczypta toiny; tę mieszankę, wedle sugestii cioci Pru, trzeba rozpuścić w jego herbacie. A dla Adelajdy, która jest kłębkiem nerwów, proszek z pryszczyrnicy i maliny moroszki – (tę ostatnią Indianie Delaware z tego rejonu New Jersey stosowali przy trudnych porodach).

Kiedy spytałam ciotkę, czy mogę jeszcze mieć dziecko, czy też już dla mnie za późno, zdumiała się, jakbym powiedziała jej szeptem jakąś sprośność z kompendium horrorów doktora Rusha, ale potem opanowała się i odparła z tajemniczym uśmiechem – „Będzie, co ma być".

_____. Skrobnę liścik do wielebnego Slade'a, którego zresztą nazywamy teraz „Winslowem Slade'em"; to człowiek, który mnie utwierdził w wierze i nie zapomnę go, choć jest już w kwiecie wieku. Wybłagam u niego duchowe pocieszenie tego typu, które w dawnych czasach zaspokajało naszych starszych i naszych przodków; napiszę też do grafa, list, który każę chłopakowi wysłać pocztą, bo ten europejski arystokrata jest wciąż gościem Drumthwacket, jak sądzę, mimo że podróżuje po Zachodzie. (Jeśli Mandy mówi prawdę). Ach, czegóż to ja nie zrobię! Bo nie jestem słaba; jestem nadal stosunkowo młoda, wszak dopiero w czwartej dekadzie życia. Mogłabym bez trudu zadzwonić na moją pokojówkę, dać się ubrać, kazać sobie odpowiednio ufryzować włosy, odziać się zgodnie z najnowszym stylem dyktowanym przez Wortha, kazać przywołać sobie powóz i już sama nie wiem, co jeszcze: bo przecież mogę sobie wyobrazić wyprawę pociągiem do McLeanów z Filadelfii albo wyprawę pociągiem do Nowego Jorku w towarzystwie mojej upartej młodej kuzynki Wilhelminy, albo wyprawę parowcem White Star do Londynu, Paryża, Gibraltaru, Stambułu... Jest wiosna, skacze mi puls! Czy nie wywołałabym zdumienia na wyniosłych, pomarszczonych twarzach Princetonu, gdybym popłynęła takim smukłym statkiem pocztowym w rejon bieguna południowego, który niedawno zbadał wielki

Robert Falcon Scott; a może wrócę do swego powołania artystycznego i zabiorę swój wielki szkicownik, i wykonam serię rysunków przedstawiających kolonię pingwinów cesarskich, by zdumieć i zachwycić świat?*

(Aczkolwiek przypuszczam, że byłoby rozsądniej zaplanować wyprawę do Indii Wschodnich, gdzie stacjonował mój stryjeczny dziadek Reginald Kirkpatrick McLean, generał major w artylerii bengalskiej – tak bardzo daleko od zła Klątwy, że pewnie poczułabym się tam dość bezpieczna. Bo biali ludzie są traktowani z wielkim szacunkiem w Indiach, jak rozumiem, zwłaszcza ci z nas, którzy są pochodzenia angielskiego. I jaki zdumiony i zazdrosny byłby Horacy, gdyby otrzymał fotografie swojej kochanej Koteczki, którą słoń niesie na swym grzbiecie!)

(A oto znowu osobliwość, po pewnej przerwie: ciocia Pru powiedziała mi na boku, że Lenora Slade wypytywała ją któregoś dnia o bardzo dziwną sprawę. Zaczęła od wygłaszanych żartobliwym tonem pytań o to, które „napoje miłosne" byłyby najbardziej skuteczne dla odzyskania miłości i oddania Copplestone'a, ale w trakcie rozmowy przeszła do pytań o czerńca grubopędowego, psiankę czarną, psiankę słodkogórz i klintonię: które z tych ziół można „zemleć najdrobniej" i sprawić, by były „niewykrywalne" w gorącym napoju albo w cieście z cukrem. (A to dlatego, mówi mi ciocia Pru, że wszystko to są trucizny, ciekawe, gdzie Lenora Slade je poznała!) Tak więc ciocia Pru zastosowała „łagodną perswazję" wobec pani Slade, na co ta odparła, z cichym, ale urażonym śmiechem, że jej zainteresowanie jest „absolutnie naukowe" i „lepiej o wszystkim zapomnieć").

Obudziłam się dziś rano z uczuciem, że strasznie tęsknię za moją kochaną, upartą jak muł kuzynką Wilhelminą, którą (podobno) rodzice „prawie wydziedziczyli" za jej upór z tymi przenosinami do Nowego Jorku, do jakiejś plugawej dzielnicy w pobliżu Washington Square Park, gdzie mieszka sama cyganeria, i co najbardziej szokujące, do miejsca, w którym nie ma żadnej przyzwoitki. Mimo to posłałam list do Pembroke, zaadresowany do niej, z nadzieją, że starsi Burrowie prześlą go dalej, a nie wyrzucą ze złośliwości.

---

* Wydaje mi się, że przyda się tutaj jakaś nota. Bo Adelajda Burr z pewnością czytała dziennik kapitana Scotta, którego wyjątki drukowano w Atlantic prenumerowanym przez Horacego Burra, i najwyraźniej poruszyły ją zręczne szkice przedstawiające pingwiny wykonane przez Edwarda A. Wilsona, jednego z oficerów wyprawy statku Discovery w latach 1901–1904. Dla historyka jest to wstrząsające odkrycie, gdy znajduje numery czasopisma Atlantic, niegdyś należące do Horacego i Adelajdy Burrów z Maidstone House, w wielkim kartonie pełnym książek i innych czasopism, który udało mu się nabyć w 1952 roku, za dwadzieścia dwa dolary!

_____. (W Princetonie nadal się mówi o „wężowym szale" w Rocky Hill i niewyjaśnionej roli mojej kuzynki w tym wszystkim. W niektórych kręgach litują się nad biedną Wilhelminą, że jest ofiarą zarówno inwazji węży z rzeki Millstone w porze wiosennych roztopów, jak i dezaprobaty dyrektorki seminarium, która bezzwłocznie ją „wylała" za to, że nie zareagowała odpowiedzialnie na histerię uczennic; w innych kręgach istnieje przekonanie, że to sama Willy przywołała węże, bo w jakiś niestosowny i karkołomny sposób usiłowała wywrzeć wrażenie na głupiutkich uczennicach swymi zabiegami emancypantki w niebieskich pończochach*. I dlatego mam nadzieję, że pogadam z Willy i dowiem się, co tu jest prawdą albo czy jest jakieś trzecie wytłumaczenie).

_____. Satyna w kolorze złamanej bieli, z opadającą spódnicą i nielicznymi, bardzo subtelnie wykonanymi zakładkami z tyłu oraz podwójnym rządkiem ślicznych, jedwabnych konwalijek, które Annabel Slade miała na sobie w dniu ślubu. A także „śliniaczek" na przedzie, z głębokim owalem, z cieniutkiej, portugalskiej koronki, obrzeżonej warkoczem z paciorków. I jeszcze gorset wydłużający talię, bo ten styl jest skromny, modny i odpowiedni dla mojej drobnej figury.

Tren ślubny chyba będzie mój własny, ten stary – zdaje się starannie zapakowany w szafie, w tym pokoju. Nietykany, podobnie jak moja suknia ślubna, od piętnastu lat.

_____. Płonie już ogień na moim małym marmurowym kominku, jakże rzadko wykorzystywanym, jest tu Horacy, obok mojego szezlongu, i czyta na głos z czasopisma The Smart Set, żeby rozerwać swoją Koteczkę. W diabelsko roztańczonym blasku ognia jego skóra wydaje się nienaturalnie dziobata i cętkowana; i często z jego oczu wyziera ktoś obcy, to już raczej oczywiste. Ale nie mogę zdradzić, że to wiem. A potem, kiedy zaczynam ziewać, Horacy ukradkiem odkłada tekst i ośmiela się wyciągnąć jeden z cienkich tomików poezji z mojego stolika, spod pani Fern; ku mojemu zdziwieniu wertuje Wiersze Emily Dickinson, z szyderczym grymasem, zwilża wargi prędko pomykającym językiem i ośmiela się wyciągnąć rękę, z początku po omacku, a potem bardziej władczo, jakby te wersy bynajmniej nie były mu całkiem obce, tylko znajome –

_____

* Niebieskimi (lub Błękitnymi) Pończochami nazywano od połowy XVIII wieku wyemancypowane kobiety (od Blue Stockings Society powołanego w Wielkiej Brytanii przez Elizabeth Montagu, prowadzącą salon literacki pisarkę i patronkę artystów) (przyp. tłum.).

Ten wąski Ktoś – przez Trawę
Przesmyknie się czasami –
Spotkaliście go pewnie – zawsze
Bez uprzedzenia się zjawi –

Mignie plamisty pręt – Grzebyk
Trawie czyniący Przedziałek –
Rozstęp w niej zwiera się u stóp,
Rozwiera coraz dalej...

Obywateli Natury
Znam paru – i oni mnie znają –
Na ich widok serdeczność
Ogarnia mnie zawsze – całą –

Ale z tym Kimś ilekroć
Trafi mi się spotkanie –
Zawsze ten sam Mróz w Kościach
Ten sam nagły Skurcz Krtani –*

– jego dziwnie drżący głos urywa się tak nagle, widać, że spodziewał się
dłuższego wiersza. Napięcie w sypialni rośnie, te enigmatyczne wersy Dickinson mają skutek podobny do naprężania drutu, drutu, który już jest dość
napięty, a teraz jeszcze bardziej; Ten wąski Ktoś tak jakby uniósł się nade
mną, trzepocząc swym demonicznym językiem, i nagle nie wiem dlaczego,
ale zaczęłam się śmiać, a potem płakać, i Horacy prędko odłożył tomik,
i próbował ująć moje dłonie, żeby mnie uspokoić. I po kilku minutach już
udawałam spokojną; wprawdzie serce biło mi jak oszalałe, a jednak ukryłam
zdenerwowanie, czy raczej nie chciałam bardziej niepokoić Horacego, bałam
się temperamentu tego mężczyzny i obcości jego nieprzeniknionej duszy.
Później, kiedy zbliżała się już 9 wieczór, czyli pora, kiedy kładę się spać, Horacy skierował uwagę na tacę z łakociami, którą przygotowała dla nas Minnie,
i dwie szklanki z podgrzanym mlekiem; zaczął wsuwać mi do ust kąski jago-
dowej tarty, która była przepyszna, a jednak, jak mi się zdawało, nienaturalnie
słodka. Natychmiast zadudniło mi w skroniach, a oczy zwilgotniały od ataku
migreny i nie zawahałam się, tylko śmiało natarłam na Horacego – „Czy to
są rzeczywiście jagody, a nie owoce psianki? Bo wiesz, psianka to trucizna".
Usłyszawszy tę uwagę, mój prostolinijny mąż wytrzeszczył oczy, zamrugał,
skubnął nerwowo wąsa, po czym wychylił się do przodu, jakby się obawiał,
że dostanę jakichś konwulsji, spadnę z leżanki i coś sobie zrobię. Ja na to,

---

* Przeł. S. Barańczak; w: Emily Dickinson, op. cit., s. 203 (przyp. tłum.).

zdaje się, zasłoniłam się pięściami i łokciami, krzycząc: „Próbujesz mnie otruć! Ty i ona! Myślisz, że o niej nie wiem? Czuję ten zapach wiwery na twoich ubraniach...". Horacy zaprotestował, nie miał pojęcia, o czym mówię; podniósł się chwiejnie, odsunął od leżanki i już nie wiem, co stało się potem – bo chyba zemdlałam, a potem znów zobaczyłam Horacego, który podsunął mi fiolkę z pachnącymi solami pod nos, żeby mnie ocucić. „Najdroższa Koteczko! Kocham tylko ciebie. Przecież wiesz".

_____. Wilhelmina wreszcie zgodziła się odpowiedzieć na mój bardzo miły list, w którym bez przygany, tylko lekko się z nią drocząc, pytałam, kiedy raczy wpaść i zobaczyć się ze swą biedną, opuszczoną kuzynką; jej odpowiedź jest pospieszna, opryskliwa i Wilhelmina raczej nie straciła na nią czasu, bo po prostu dopisała ją do byle jak wydrukowanego plakatu nagłaśniającego WIOSENNĄ WYSTAWĘ MŁODYCH ARTYSTÓW Z NOWO-JORSKIEJ SZKOŁY SZTUK PIĘKNYCH KWIECIEŃ–MAJ – chełpliwy gest, bo daje do zrozumienia, że Wilhelmina Burr, inaczej „W. Burr", dała kilka swoich rysunków na tę wystawę, która została zaaranżowana na zbiegu Dziesiątej Ulicy i Piątej Alei w Nowym Jorku. Jakbym ja mogła się zdecydować na taką niemiłą wyprawę na Manhattan w celu obejrzenia jakiejś wystawy, wulgarnej i amatorskiej! Horacy też nie chciałby mi towarzyszyć w wyprawie do takiego miejsca, jestem tego pewna.

_____. Bardzo teraz uważam na to, co przechodzi przez moje usta. W swojej przebiegłości poproszę Griseldę, żeby próbowała wszystkiego, co mi przyniosła na tacy, aczkolwiek supozycja jest taka, że tamto ciasto przygotowała Minnie. I nagle czuję się taka strasznie zmęczona, jakby jakiś chór złożony z greckich minstreli paplał i gęgał, jak to oni się martwią o swoją panią Adelajdę. Gdyby tylko graf zechciał przyjechać i zabrać mnie stąd! Jestem pewna, że już najwyższy czas.

_____. Psalm 71. W Tobie, Panie, ufność pokładam, Niech nigdy nie będę zawstydzony! W sprawiedliwości swojej ocal mnie i ratuj! Nakłoń ku mnie ucha swego i wybaw mnie!*

(NOTA OD AUTORA: Oto list napisany pospiesznie przez Adelajdę Burr, niezaszyfrowany, adresowany, jak czytelnik sam się przekona, do Winslowa

* Ps 71, 1-2; Biblia Warszawska (przyp. tłum.).

Slade'a: list, który znaleziono między stronami tajnego dziennika pani Burr po jej śmierci, bo nigdy nie został wysłany ani nawet włożony do koperty, która powinna być zaadresowana i opatrzona znaczkiem).

5 maja 1906
Północ

Drogi doktorze Slade!

Pragnę przestrzec przed tą Klątwą i dlatego przystępuję teraz do objaśnienia, czym jest ta Klątwa, bo to sekret, który muszę ujawnić i z którym uderzam do Ciebie, jako mego duchowego doradcy – (mimo że od lat nie widzieliśmy się twarzą w twarz w jakkolwiek intymnej atmosferze, drogi Wielebny) – abyś Ty coś zrozumiał i podzielił się ze mną tym zrozumieniem; Ty nas musisz wyratować przed tą Klątwą i musisz modlić się do Boga, żeby nas przed nią zbawił, bo TYLKO TY, DOKTORZE SLADE, możesz nas uratować, teraz jestem winna to przyznać. Przez wiele miesięcy uganiałam się za „obcymi bogami" – bez skutku. Bo wiem teraz mniej, niż wiedziałam jako młoda dziewczyna, która uklękła przed Tobą, by otrzymać pierwszą komunię z Twoich świętych palców, tak jak pewnego dnia, wiele lat później, uklękłam, aby złożyć swą ślubną przysięgę obok mego drogiego oblubieńca Horacego Burra. To jest ostrzeżenie, które chciałabym, aby rozbrzmiało po całym Princetonie i całym kraju, że coś się z nami dzieje, coś, co działo się od naszych narodzin, ale my o tym nie wiedzieliśmy. To Cień, który na nas pada, który nas oślepia; nie widzimy, co ten Cień przysłania. Tę opowieść muszę przekazać pospiesznie, bo Horacy może zauważyć mdłą łunę świecy przesączającą się pod drzwiami mojej sypialni. Może wydedukować, że jego żona obnaża swoją duszę przed innym mężczyzną, tak jak nigdy nie obnażyła swojej duszy przed nim.

Jest już po północy w Princetonie, zabił dzwon Old North i trzeba wyjaśnić, czym jest Klątwa, czym jest ta obecność tych pośród nas, którzy stoją w cieniu, ukryci, nienazwani i niegodziwi w swej cielesności, na wskroś przesiąknięci złem, którzy nie wiedzą, że ja im się dobrze przyjrzałam, choć być może ta Bestia to rzeczywiście wie, to podobne do nich, że wiedzą takie rzeczy. Zapaliłam świecę pewnymi dłońmi i powstawszy z łoża boleści, zdeterminowana, choć na trzęsących się nogach, opatuliłam się szczelnie swoim szalem z kaszmiru. To jest Klątwa, to jest Horror Klątwy, musisz się modlić do Boga, żeby nas uratować. Wymknęłam się z pokoju i bezszelestnie przeszłam korytarzem w stronę (ciemnej) sypialni

Przypomina mi się, jak kilka lat temu podczas niespokojnej
popołudniowej drzemki przypadkiem usłyszałam człapanie,
mamrotanie i coś, co dla mnie brzmiało jak stłumiony śmiech, na
korytarzu przed moją sypialnią i pomyślałam wtedy: Te dziwki sobie
wyobrażają, że ich pani jest zbyt słaba na umyśle, żeby je nakryć,
więc odrzuciłam narzutę, podeszłam prędko do drzwi, na palcach,
otworzyłam je na oścież i poraził mnie widok MOJEGO WŁASNEGO
MĘŻA, KTÓRY KLĘCZAŁ PRZED DZIURKĄ OD KLUCZA i okazało się,
że to, co uznałam za śmiech, to jest płacz i niemęskie szlochanie, i to
jest ta Klątwa, przed którą muszę przestrzec, to jest ten nawyk, który
mężczyzna ma we krwi i szpiku, przed którym ostrzega nas Biblia,
i módl się tej nocy do Boga, żeby mnie zbawił, jak to jest obiecane
w Psalmie, i przypomnij sobie, Wielebny, że i Ty obiecałeś, bo ten
mąż, o którym mówię, ten prawowicie poślubiony chrześcijański
małżonek, który przysiągł, klęcząc przed Tobą przed ołtarzem, że
będzie kochał i szanował swoją żonę Adelajdę w zdrowiu i chorobie,
musiał zostać nakryty w objęciach jakiejś dziwki w powozowni, przy
świetle księżyca, księżyca jak zsiadłe mleko, obrzydliwego księżyca,
i ja, w nocnej koszuli, szalu i cienkich, jedwabnych papuciach, na
chłodnym powietrzu pierwszych dni maja, w tej pierwszej godzinie
po północy, nie miałam czasu na modlitwę, nie miałam czasu,
żeby uzbroić się przed piekielnym widokiem, który zobaczę, gdy
zajrzę między przegrodami dla koni, a zobaczyłam drżący płomień
mojej świecy odbijający się w wielkich, wytrzeszczonych końskich
oczach, które mnie nie zaskoczyły, nie przestraszyły, podobnie jak
te obłapiające się wzajem lubieżne istoty mnie nie zaskoczyły, tylko
wzbudziły obrzydzenie; ohydne, niewysłowione cudzołóstwo, mój mąż
obsypujący gradem pocałunków moją ukochaną kuzynkę Wilhelminę
Burr, która mogłaby być córką tego mężczyzny albo krewną tego
człowieka, ta szkolna przyjaciółka twojej wnuczki Annabel, która
została zawiedziona do piekła, myślę, że to właśnie muszę powiedzieć,
myślę, że właśnie dlatego zwracam się do Ciebie: moja kuzynka Willy
jest skazana na potępienie za przyjaźń z Twoją wnuczką, która jest
skazana na potępienie; widziałam wszystko i nie mogłam się odwrócić,
widziałam wszystko i wiem, że muszę to rozgłosić; ohydne uściski
omdlewających, nagich ciał, wściekłe pocałunki, bezwstydne, męskie
pomrukiwanie O MOJA MIŁOŚCI MOJA MIŁA OKRUTNA WILLY –
KOCHANA, CO JA BYM DLA CIEBIE ZROBIŁ, ZA TO WŁAŚNIE –
niecierpliwe pieszczoty tego mężczyzny i słabe protesty tej młodej
kobiety; oczy zamknięte w upiornym świetle księżyca, ze wstydu;
och i te zassane wargi! To jest zbyt potworne, mdli mnie na samo
wspomnienie. To, co nas dopadło, to Klątwa Horroru, Wielebny. To,

co wybuchło w naszym odosobnionym świecie, to Klątwa Horroru.
Nie wiemy, jakiego grzechu się dopuściliśmy – jesteśmy niewinni
i pogrążeni w niewiedzy. A moja mała kuzyneczka nie powstrzymała
tratujących ją rąk mojego męża i nie potrafiła się opędzić od jego
kąsających ust i wystającego języka, podobnego do jakiejś straszliwej
morskiej ryby albo robaka; to jest Klątwa Horroru, Wielebny, że ten
owładnięty żądzą człowiek chce udusić biedną Koteczkę w jej łóżku,
żeby się pozbyć biednej Koteczki, mimo że ona go kocha i zawsze
była mu wierna. Och, ona jest histeryczką, potraktujmy ją lekami,
otulmy ją jej łóżkiem jak całunem, zduśmy jej krzyki poduszką
wypełnioną gęsim puchem najlepszej jakości, przewróćmy tę świecę
z lichtarza na jej łóżko, potnijmy ją na kawałki jej wentylatorem, och,
jej nie można wierzyć, ona kłamie, ona jest przeklęta, jest potępiona:
Pani na Maidstone.

Ale to nie Horacy się zbliża, otwiera drzwi do mojej sypialni –
ku mojemu zdziwieniu i zachwytowi widzę dżentelmena, którego
znam, choć nigdy go nie widziałam nawet przelotnie, i on też mnie
zna; wysoki mężczyzna, z lwią grzywą; pofałdowane czoło i ciężkie
powieki, orli nos, hipnotyczne, topazowe oczy... Oto nareszcie
widzę mojego przyjaciela grafa Englisha von Gneista. No i masz.
Ostatecznie nie zostałam odtrącona, jakby sobie tego życzyła Mandy.
I princetońskie damy wcale nie muszą się śmiać z pani Adelajdy Burr,
zasłaniając się rękawami. „Proszę, wejdź, drogi grafie, czekałam na
ciebie. I wybacz mi, proszę, jeśli jestem nerwowa albo zalękniona –
nie te uczucia chowam w swym sercu, musisz zrozumieć". I oto
graf podchodzi do mojego łóżka, pochyla się nade mną, ujmuje me
chłodne palce i składa na mej dłoni pocałunek tak lekki, że w rzeczy
samej wydaje się wręcz światłem, a jednak piecze i pali jak rozgrzany
miedziak wciśnięty w ciało. „Droga pani Burr, nareszcie".

NAJNOWSZY PATENT
DOKTORA SCHUYLERA SKAATSA WHEELERA

List do Winslowa Slade'a najwyraźniej nigdy nie został ukończony i podpisany; naturalnie nigdy nie został wsunięty do koperty, która potem zostałaby zaadresowana, opatrzona znaczkami i wysłana. Zamiast tego został znaleziony między kartkami (zaszyfrowanego) dziennika Adelajdy, już po jej śmierci.

Nie jest wiadome ani też za nic nie potrafię sobie wyobrazić, co zaszło tamtej nocy 5 maja 1906 roku na piętrze Maidstone House przy Library Place w Princetonie. Rzecz jasna wiele pisano na ten temat. Nie mam jednak pomysłu na streszczanie tego tutaj. Tak bardzo współczuję drogiej, acz irytującej Adelajdzie – czy też biednej Koteczce, jak sama siebie nazywa. Tak mi żal tej „inwalidki", nad wyraz mi smutno z jej powodu.

Póki trzymała w ręku pióro, była pełna wigoru – psotna, wesoła, rozdarta rozpaczą, skazana – a jednak żywa. A potem wyrwano jej to pióro z ręki i została uciszona na zawsze.

Musiało to być wczesnym rankiem następnego dnia, może około 8, kiedy pokojówka pani Burr, Griselda, podeszła ostrożnie pod drzwi pokoju inwalidki, zgodnie z tym, jak ją poinstruowała pani Burr, by nasłuchiwać i stwierdzić, czy pani Burr jeszcze drzemie, czy też jest już „na nogach" – (nie że byłaby „na nogach" w dosłownym sensie, tylko po prostu, że się już obudziła) – i potrzebuje wyręki. Griselda rzeczywiście usłyszała jakieś dźwięki dochodzące z sypialni, ale nie umiała orzec, co właściwie słyszy, aczkolwiek później opowiadała, że dostała gęsiej skórki, bo poczuła znienacka wielki strach przed tym, co zastanie w środku: pan, nie całkiem ubrany, leżący na łóżku swojej żony, w pościeli nasiąkniętej krwią – kołysał w ramionach bezwładne, pozbawione życia, zakrwawione ciało żony i nucił coś czy też cicho śpiewał i śmiał się łagodnie niczym wniebowzięty kochanek.

Kto zobaczył wtedy pana Burra, widział człowieka obłąkanego, tyle że przygaszonego i uległego – jakby wiedział, że najgorsze już przyszło i jest już za nim.

Griselda wrzasnęła przeraźliwie i upuściła tacę ze śniadaniem, po czym zbiegła do kuchni w stanie takiego zdenerwowania, że pozostali służący wypadli za nią na ulicę, nie rozumiejąc, co ona takiego mówi. Krótko potem jednak podniosło się larum i wezwano policję.

Zapewne nie później niż po kwadransie do sypialni weszło dwóch zdumionych i wstrząśniętych funkcjonariuszy policji gminy Princeton; na ich widok pan Burr nie okazał ani przestrachu, ani irytacji; mimo że w jego domu, w sypialni jego żony, pojawili się intruzi, przy czym on i żona byli niekompletnie ubrani, to jednak wydawał się spokojny i nadal obejmował straszliwie pokiereszowanego trupa żony i śpiewał fragment pieśni Stephena Fostera:

Ach, oby ta róża żyła wiecznie
Do ziemi śmiała się i niebios!
Czemuż co piękne mia-ło-by płakać?
I niedobry miał-by spotkać je los?

Horacy Burr ze sporą godnością oderwał się od żony i od zakrwawionej pościeli, w której, jak sądzono, mógł przeleżeć co najmniej dziesięć godzin, i jakoś udało mu się wstać; sprawiało to takie wrażenie, jakby zachęcał tym policjantów, by weszli do środka, bo ci zastygli jak słupy soli na progu sypialni, z ustami rozdziawionymi z przerażenia. Pan Burr bez zbędnego wstępu przyznał się do popełnienia czynu „o niezaprzeczalnych konsekwencjach". Później jeszcze wyjaśnił funkcjonariuszom, że *uwolnił żonę z tej niedoli w akcie miłosierdzia* i że ma nadzieję, iż Bóg oszczędzi jego duszę, choć zdaje sobie sprawę, że otoczenie osądzi go surowo, bo tak należy.

Nie mam pewności co do tego, jak zostało popełnione to upiorne morderstwo. Nie chcę też pochopnie spekulować – wystarczy, jak odnotuję, że razem z zakrwawionym Horacym Burrem zabrany został, traktowany z należytą pieczą i jednocześnie sporą odrazą, pewien zmyślny mechanizm, składający się z ostrych, wirujących łopatek, zakupiony świeżo dla inwalidki zamkniętej w dusznej i przegrzanej sypialni.

QUATRE FACE

1.

– Żeby stawić czoło tej Klątwie, która zagraża nam wszystkim.

Ta niewysłowiona sprawa – morderstwo Adelajdy Burr popełnione przez jej oddanego męża – do tego stopnia wstrząsnęła Princetonem, że Pearce van Dyck zaczął szaleć ze zmartwienia o swoją żonę Johannę i ich maleńkiego syna, którym w dziczy Raven Rock mogło coś zagrażać, i dlatego postanowił zerwać swoje zobowiązania wobec uniwersytetu na kilka tygodni przed końcem semestru i przenieść się do Quatre Face.

– Bo z Klątwą musimy się po prostu zmierzyć, stosując ten fortel, jakim jest *racjonalność*.

Wstępnie częścią planu doktora van Dycka było to, że mógłby porozmawiać z Percym Boudinotem, synem doktora Boudinota, też lekarzem, by przez jakiś czas pomieszkał w starym wiejskim majątku, jeśli stan zdrowia Johanny po urodzeniu dziecka się nie poprawi.

Tak się bowiem stało, że pani van Dyck „nie miała się najlepiej" – cierpiała na jakieś „tajemnicze bóle" i stale „dokuczała jej niemoc", a dziecko, które ważyło zaledwie pięć funtów i sześć uncji zaraz po przyjściu na świat, nie przybierało na wadze w normalnym tempie.

W Princetonie wiedziano mało o tym, co się dzieje z Johanną van Dyck, bo zamieszkała w Quatre Face. Niewiele osób z miasteczka, wyjąwszy najbliższych przyjaciół rodziny van Dycków, kiedykolwiek odwiedziło tę wiejską posiadłość nad rzeką Delaware, zbudowaną sto lat wcześniej i bynajmniej niecieszącą się mianem architektonicznej perły doliny Delaware. Krewne i przyjaciółki Johanny nie zostały zaproszone do złożenia jej wizyty, a jej odpowiedzi na ich listy z pytaniami nie były zachęcające; Johanna często pisała tylko kilka słów na odwrocie listu, że ona i dziecko *może nie czują się wspaniale, ale mają się bardzo dobrze, że bardzo im się przydaje ten spokój, cisza i oddalenie Quatre Face zamiast męczącego rozgardiaszu Princetonu.*

Niektóre przyjaciółki Johanny wątpiły, czy to prawda: bo Johanna wcześniej za nic nie chciała się przenieść na wieś, nawet wtedy gdy nie całkiem odzyskała siły po trudach porodu; nie chciała też, by jej dziecko w razie konieczności znajdowało się tak daleko od porządnej opieki lekarskiej. Ale Pearce się uparł. Pearce stał się nietypowo dla siebie emocjonalny w tym uporze. Tak więc Johanna, chcąc nie chcąc, ustąpiła.

– Wyjazd z Princetonu posłuży dobru dziecka, a także tobie, Johanno. Musisz być racjonalna.

Johanna przytaknęła, bo tak istotnie było. Jej mąż w swojej nowej „fazie" – (jako „świeżo upieczony" ojciec?) – przemawiał z takim żarem, a jego spojrzenie tak bardzo lśniło niechęcią, gdy ktoś mu się sprzeciwiał, że po prostu nauczyła się ulegać, bo tak było najlepiej. A potem się wymawiała; zamykała się w pokoju dziecięcym, gdzie zapewne bawiła się z dzieckiem, gdzie kąpała i karmiła dziecko, gdzie mu śpiewała, jak przystało na matkę, bo Pearce robił się niespokojny, gdy Johanna „oporządzała" dziecko w jego obecności.

Niewiele osób wiedziało – zwłaszcza że Johanna nie chciała, by ktoś o tym wiedział – że Pearce rzadko kiedy godził się, by dziecko przebywało w jego obecności, i trzymał się na dystans od jego pokoju, do tego stopnia, że wchodził na piętro domu bocznymi schodami, by nie zbliżać się do pokoju dziecięcego, którego drzwi zazwyczaj stały otworem.

Pearce nawet nie pytał o dziecko, które dla odmiany stanowiło główny temat wszelkich wypowiedzi Johanny, aż zagadnęła go pewnego wieczoru przy kolacji:

– Pearce, czy ty nie lubisz... czy ty *nie kochasz...* naszego synka?

– Owszem, tak. Oczywiście – odparł na to Pearce. – Jako jego ojciec jestem obowiązany go lubić... *kochać.* Tak jak jestem obowiązany wobec *ciebie* jako twój mąż.

Krótko po tej rozmowie Pearce poczynił przygotowania, by Johanna, dziecko oraz niewielka grupa służących mogli zamieszkać w Quatre Face.

Po tragedii w Maidstone House, w rzeczy samej po upływie doby od rozejścia się straszliwych wieści, mocno wstrząśnięty Pearce van Dyck pojawił się w gabinecie rektora w Nassau Hall, mimo że nie był umówiony, i poprosił doktora Wilsona, by ten udzielił mu nadzwyczajnego urlopu od uniwersyteckich obowiązków, dzięki czemu mógłby zamieszkać w Raven Rock razem z żoną i synem, którzy tymczasowo się tam przenieśli.

Doktor Wilson był zaskoczony, bo profesor van Dyck wydawał się nad wyraz pobudzony, a poza tym nie ogolił się zbyt starannie; miał na sobie wyraźnie nieświeżą koszulę i przy jednym bucie rozwiązało mu się sznurowadło. (Taki był skutek nieobecności pani van Dyck). Ponadto doktor Wilson zdziwił się samą prośbą, bo to było dziwne, że tak odpowiedzialny i tak szanowany princetoński profesor, który skądinąd zazwyczaj wspierał Wilsona, nie wystąpił z nią wiele miesięcy naprzód, jak należało.

– To już raczej nie tajemnica, Woodrow, że nie tylko na Crosswicks, lecz na całej naszej społeczności ciąży Klątwa. Zło pojawia się znienacka, czy to pod postacią roju jadowitych węży w Rocky Hill, czy to, jak ostatnio, w formie niesłychanego mordu w Maidstone House. Nasz sąsiad z Hodge Road! *Potrafisz w to uwierzyć?* Horacy Burr! Praprawnuk Aarona Burra seniora, którego pamięć tak czcimy! Horacy, który dawał takie hojne datki na uniwersytet... Przypuszczam, że już ich teraz nie będzie. Burrowie nie mieli potomstwa, dlatego cały majątek przejdzie na krewnych.

Pearce van Dyck mówił to wszystko gwałtownie, nerwowo. Woodrow Wilson słuchał go ze zwyczajowym beznamiętnym spokojem, który tak wytrącał z równowagi niektórych jego współpracowników i adwersarzy, skarżących się potem, że ten człowiek jest opętańczo wręcz *nieprzenikniony*. Chyba że przemawiał do nich w taki sposób, że nazywali go opętańczo *przezroczystym.*

– Najbardziej problematyczną kwestią w tym wszystkim, Woodrow, jest, jak wiesz, to, że nie da się orzec, kto był „jednym z nas", a kto jest „jednym z nich".

– Z nich?

– Z demonów.

– Z demonów!

Usłyszawszy to, doktor Wilson zdradził jednak jakieś ulotne emocje, które na krótką chwilę zniekształciły jego pociągłą i wąską twarz o wydatnych szczękach: wyraźny przestrach i niewątpliwe zrozumienie.

– Przecież wiesz, że tu się pojawiły demony. Jeden to ten cały Axson Mayte. Były też inne.

Doktor Wilson przytaknął z powagą. Z niejakim wysiłkiem postarał się już wcześniej wyprzeć z pamięci swą kilkudniową przyjaźń z charyzmatycznym Maytem i ulżyło mu teraz, że profesor van Dyck najwyraźniej nic o tej przyjaźni nie wie.

– A teraz w Drumthwacket zamieszkał jakiś graf van Gneist. Kto to jest, do diabła? – Van Dyck zadał to pytanie ochrypłym głosem i na końcu się zaśmiał.

– O ile wiem, on się nazywa *von Gneist* – odparł sztywno Woodrow Wilson. – Ten człowiek to znany europejski teolog i bodajże politolog. Raczej nie jest demonem, Pearce! W rzeczy samej zaprosiłem go, by wygłosił wykład inauguracyjny.

– Wykład inauguracyjny! To wielki honor, sir.

– Cóż, English von Gneist to honorowy człowiek.

Pearce van Dyck, bezwiednie gładzący się po podbródku, miał taką minę, jakby chciał powiedzieć coś więcej na ten temat, ale rozmyślił się pod wpływem tonu, jakim przemawiał do niego doktor Wilson.

Woodrow Wilson spytał surowym tonem, czy Pearce rozmawiał o urlopie z dziekanem swego wydziału, czy zainteresował się, kto z preceptorów i innych kolegów poprowadzi jego zajęcia, egzaminy, będzie wystawiał oceny itd. Bo tak jakby już się dogadali, że doktor Wilson udzieli zgody na tę niezwyczajną prośbę o natychmiastowy urlop, którą skądinąd dziekan do spraw wykładowców odrzuciłby z kretesem jako skandaliczną i nieprofesjonalną.

Pearce w liście wysłanym pospiesznie do żony do Quatre Face jeszcze tego samego popołudnia miał stwierdzić: *Spodziewałem się większych oporów ze strony Wilsona, bo wiesz, jestem bardzo ważną osobą dla wydziału filozofii. A tymczasem on od razu ustąpił! To dobra wiadomość! Już jutro będę u Twego boku.*

– Złamię ten cholerny szyfr. Bo ten szyfr *da się złamać*.

Uwolniony od kieratu obowiązków akademickich i naukowych Pearce van Dyck, którego wyobraźnia wreszcie wydostała się na swobodę za sprawą romantycznego odizolowania w majątku Quatre Face, uwierzył prędko, że już dostrzega wzór, na podstawie którego uda się rozpoznać Klątwę. Bo z całą pewnością, tak jak wszystkie zagadki, również ta da się rozwiązać przy użyciu chłodnego i systematycznego myślenia analitycznego, byle bez pośpiechu.

W czasie gdy Johanna i niańka „oporządzały" dziecko – (które to zajęcie pochłaniało nieskończenie wiele czasu) – Pearce ukrywał się w swoim gabinecie albo wyprawiał się na piesze wędrówki brzegiem rzeki Delaware, po wąskiej ścieżce biegnącej wśród zarośli. Jednego razu, w pewnej odległości od domu, Pearce spojrzał zmrużonymi oczyma krótkowidza na tę mocno już zniszczoną konstrukcję z wapienia z ciężkimi spadzistymi dachami i szczerniałymi kominami – *Przecież to już ruina! Kazałem swojej ukochanej rodzinie zamieszkać w ruinie! –* ale szybko się odwrócił i podjął znowu marsz, bo całą uwagę zamierzał poświęcić rozszyfrowaniu zagadki Klątwy z Crosswicks, a nie jakimś trywialnym problemom domowego życia.

– Jeśli to się okaże konieczne, poświęcę domowe życie. Jeśli to moje powołanie i niczyje inne... jeśli to ja jestem *wybrańcem*...

Bo taka jest skuteczność logiki, rozumował Pearce. Nieważne, czy jest to abstrakcyjna logika Arystotelesa albo Spinozy, czy też bardziej pragmatyczna logika Sherlocka Holmesa – to, co jest zagmatwane, staje się jasne, i ten, komu zabito ćwieka, śmieje się później. Ale oczywiście trzeba *pracować*, żeby osiągnąć ten cel.

I tak oto Pearce zabrał się do rozwiązywania zagadki Klątwy. Nie sypiał po nocach i opierał się usilnym prośbom Johanny, żeby się kładł do łóżka i żeby jadał posiłki bardziej regularnie. A jednak był przekonany, że lada dzień zgłębi zagadkę, bo z pewnością kluczem była tu „metodologia" śmierci Adelajdy Burr – „Prawdopodobnie zagląda nam wszystkim w twarz".

Pearce rzadko rozmawiał o takich sprawach z Johanną, a kiedy już rozmawiał, to ta kobieta nieodmiennie odpowiadała mu bez udziału myśli albo niekompetentnie, albo w taki sposób, jakby chciała go (umyślnie?) sprowokować, czego przykładem byłaby taka oto sytuacja:

– Ależ Pearce, Horacy nie jest *demonem*. On jest... był... naszym sąsiadem i naszym przyjacielem. Prawdopodobnie doznał jakiegoś napadu szaleństwa. We wszystkich listach z Princetonu piszą do mnie, że ostatnimi czasy dużo pił i...

– Tylko dlaczego – przerwał Johannie, ostentacyjnie ignorując jej naiwność – ten demon poddał tę biedną kobietę takim strasznym *torturom?* Było nie było, inwalidkę, która budziła litość. I z jakiego powodu posłużył się tak ekscentryczną bronią? W żadnym z annałów zbrodni i zagadek kryminalnych, które zgłębiłem, nikt nigdy nie użył *elektrycznego wiatraka* w takim celu.

– ...powiadają też, że Horacy pisywał listy do Wilhelminy Burr, i to nadzwyczaj szczere, wręcz szokujące! Wilhelmina przekazała je bezzwłocznie policji. I jeszcze jest ten podarunek, broszka z kości słoniowej, która należała do Adelajdy... on ją posłał Wilhelminie anonimowo. Wyobraź sobie tylko! Nasi sąsiedzi i znajomi, zachowujący się w taki sposób...

– Oni nie są naszymi sąsiadami i znajomymi, Johanno, jeśli pozostają pod wpływem demona. Tak jak nieszczęsna Annabel Slade nie była już oblubienicą Dabneya Bayarda, odkąd demon odcisnął *na niej* swe piętno.

– Nie wiem, czy wiesz, Pearce, ale ludzie w Princetonie mówią, że *Wilhelmina go w to wciągnęła.* Bo dzięki temu mogliby się pobrać i Willy odziedziczyłaby fortunę.

Usłyszawszy to, Pearce zaiste się zastanowił, bo wpadł właśnie na nowy pomysł, który należało dodać do schematu tropów.

– Węże, no przecież! „Wężowy szał". To Wilhelmina je przywołała, a potem nie była zdolna nad nimi zapanować.

– Ależ Pearce! Wilhelmina niczego takiego nie zrobiła. I też *nie ona nakłoniła Horacego do morderstwa*, jestem tego pewna. To są tylko jakieś zbłąkane odpryski plotek, które mi przekazano, i nie należy ich traktować poważnie.

– W śledztwach kryminalnych, w których najważniejsza jest „zaszyfrowana zagadka", niczego nie należy traktować poważnie.

– Reputacja młodej kobiety pokroju Wilhelminy Burr jest sprawą wielkiej wagi. Przynajmniej w Princetonie. A jeśli ona przeniesie się do Nowego Jorku i zacznie nowe życie, być może nie będzie to miało takiej wagi.

– Mam nadzieję, że po tym, jak ledwie co została zamordowana Adelajda, to nie będzie kwestia zwykłego czekania na następny horror. Gdybym tylko potrafił zgłębić ten *gąszcz wskazówek*...

– Drogi mężu, myślę, że w tym momencie ważniejsze jest, żebyś dokończył swój posiłek, bo ostatnio źle się odżywiasz i sporo schudłeś.

Pearce nieledwie zapomniał, że to pora kolacji: oboje siedzieli w mętnie oświetlonej jadalni Quatre Face, wyłożonej zakurzonymi francuskimi tapetami z jedwabiu; widok na rzekę był tam zaciemniony przez rozrośnięte krzewy, jakby okna w tym pokoju cierpiały na kataraktę. Johanna miała rację, Pearce bardzo źle się odżywiał. Zasadniczo nie kosztował posiłków, tylko dla wzmocnienia nerwów rankami pijał mocną kawę, a w drugiej połowie dnia wino i sherry.

– Johanno, doceniam twoją dbałość o mnie, ale nie jestem przecież rozkapryszonym dzieckiem, które trzeba oporządzać. Sam znakomicie potrafię o siebie zadbać, dlatego ci podziękuję.

Pearce nie dokończył kolacji, tylko zabrał swój w połowie jeszcze pełny kieliszek z winem, po czym rozstał się z żoną, by poszukać prywatności i otuchy swojego gabinetu.

W związku z przenosinami do Quatre Face, około trzydziestu mil od Princetonu, Pearce spakował kilka sztuk odzienia i przedmiotów osobistego użytku, ale zasadniczo skupił się na książkach, czasopismach oraz coraz to większym majdanie rzeczy związanych ze schematem tropów, który rozrósł się znacznie od czasu wizyty Jozjasza Slade'a i zajmował obecnie większą część jego gabinetu na parterze wiejskiego domu. Pearce nie wziął z sobą żadnych książek filozoficznych – te pozostały w jego uniwersyteckim gabinecie – ale za to przywiózł komplet zagadek Sherlocka Holmesa, a także notesy, gdzie wyliczył pierwszorzędne, drugorzędne i trzeciorzędne, a także „prawdopodobne" czy też „możliwe" wskazówki służące do rozwiązania zagadki Klątwy, które jednocześnie starał się odnieść do przypadków opisanych przez Conan Doyle'a, bo między nimi istniały wyraźne paralele, był tego pewien. Erupcja zła w Princetonie była pojedynczym przejawem wielokrotnej Klątwy, czyli erupcji zła na całym świecie należącym do gatunku ludzkiego, od którego musiał nas uratować ktoś silniejszy, bardziej odważny i bardziej „natchniony" niż my sami.

– Jakie to oczywiste! Tylko co robić dalej, zanim kolejna niewinna ofiara zostanie zamordowana?

Któregoś popołudnia na początku maja Pearce siedział w gabinecie, zajmując się pilnie tymi właśnie kwestiami, kiedy do Quatre Face przybył nieoczekiwany gość – Jozjasz Slade!

Młody mężczyzna przejeżdżał akurat tamtędy, na północ od New Hope, swym dwuosobowym, nisko zawieszonym automobilem marki Winton, kiedy na obrzeżach Raven Rock dostrzegł Quatre Face i nagle zapragnął jeszcze raz się spotkać ze swym byłym wykładowcą i rzecz jasna z panią van Dyck, obejrzeć wreszcie ich dziecko, które wedle jego obliczeń musiało mieć już trzy miesiące.

– Jozjaszu! Cóż za niespodzianka! Wejdź, mój chłopcze. W samą porę! – powitał go jowialnym tonem Pearce.

Również Johanna, kiedy już przezwyciężyła zdumienie z powodu jego przybycia, była nad wyraz uszczęśliwiona widokiem młodego przyjaciela.

– Mam nadzieję, że zostaniesz na noc, Jozjaszu. Albo na dwie noce, jeśli masz czas. Bylibyśmy tacy wdzięczni za twoje towarzystwo, nieprawdaż, Pearce?

Zaiste wydawało się, iż nastrojony jowialnie Pearce powitał z ulgą możliwość oderwania się od pochłaniającej go bez reszty pracy i podzielenia się jej owocami z młodym przyjacielem, dla którego owe owoce oznaczałyby bardzo wiele.

(Pearce wziął Jozjasza na bok, żeby ostrzec go przed poruszaniem w obecności Johanny tematu *nawrotu licznych kłopotów w Princetonie.*

– Troszczę się o jej samopoczucie, bo ostatnimi czasy jest rozkojarzona i melancholijna; od czasu narodzin... no wiesz, *naszego syna...* źle jada i schudła bardziej niż to normalne. Miałem nadzieję, że przyjedzie tu ze mną syn doktora Boudinota i zbada Johannę, ale nic z tego. Ona się skarży na ten *spokój* panujący w Quatre Face, a jednocześnie zdenerwowała się wieściami o tym, co zaszło w Maidstone... Ale pewnie wiesz, jakie są kobiety, nieprawdaż, Jozjaszu?)

Wprawdzie Pearce zadeklarował Johannie, że bardzo mu się przydało to oderwanie od politykierstwa i obmawiania za plecami na uniwersytecie, a także od tych wszystkich wybiegów, które stosował Woodrow Wilson w swej walce z dziekanem Westem, a jednak teraz, gdy pojawił się Jozjasz, wydawał się mocno zainteresowany wieściami; przy kolacji zadręczał gościa wszelkiego typu pytaniami. Najbardziej smakowita wiadomość, jeśli to nie była plotka, dotyczyła nadzwyczajnej dotacji od Proctera, ponoć większej niż milion dolarów – tyle że przeznaczonej dla urzędu dziekana Westa, a nie rektora. Pearce był tak zdziwiony tą anomalią, że kazał Jozjaszowi powtórzyć sobie wszystko.

– Dla Woodrowa to pewnie wygląda jak działanie sił nieczystych, że taki wybitny absolwent miałby obrazić rektora uniwersytetu przez wyróżnienie jego wroga podobną kwotą!

Jozjasz odmruknął, że to byłaby hańba, gdyby taki szanowany naukowiec i edukator jak Woodrow Wilson miał zostać uwikłany w prowincjonalne wojenki, gdy tymczasem w życiu jest tyle innych wartościowych spraw, ale Pearce wszedł mu ze śmiechem w słowo:

– William Cooper Procter, dobroczyńca od mydlin... Procter & Gamble, cóż za fortuna! I tak potrzebna kolegium dla magistrantów. Czy to są siły nieczyste? Czy Andrew West opowiedział się po stronie diabła? Co za łotr! Woodrow będzie bezradny, bo nie jest w stanie odrzucić takiej kwoty; będzie szkalowany z wszystkich stron za swoją próżność, będą powtarzać, że jest psem ogrodnika, ale doprawdy jak on miałby to zaakceptować? Jak myślisz, Jozjaszu, *zaakceptuje to?*

Jozjasz wzruszył ramionami; skąd mógł to wiedzieć?

– Nie angażuję się w takie sprawy, sir. Nawet mój dziadek Winslow się od nich zdystansował.

– I te zdarzenia w Maidstone, cóż za szok, jaka wielka tragedia. Johanna wolałaby, abyśmy o nich nie rozmawiali, ale ja czuję, że musimy.

Jozjasz nic nie powiedział, ale nie podobało mu się, do czego zmierzał Pearce.

– Powiadają, że twoja przyjaciółka, Wilhelmina Burr, jest w jakiś sposób z tym związana. To znaczy z osobą Horacego. Biedny, obłąkany Horacy! Może ona jest całkiem bez winy, może jest niewinna, ale wiesz, jakie uparte potrafią być młode damy w dzisiejszych czasach, nawet z dobrych rodzin... Podobno została *artystką*. Czyś ty widział jakieś jej prace, Jozjaszu?

– Nie, nie widziałem.

– Często się spotykasz z panną Burr?

– Prawie wcale.

– Ale wiesz, że w sypialni Adelajdy Burr znaleziono pewne materiały.

– Materiały?

– Materiały do czytania. Lektury.

Pearce mówił to wszystko ponurym tonem, ale pełnym satysfakcji. Powiedział, że te lektury to była dziwna zbieranina, którą Adelajda najprawdopodobniej nabywała samodzielnie, bez wiedzy czy też zgody Horacego: pisma mistyczne sławetnej madame Bławatskiej, wiersze pewnej dzikookiej poetessy, a także sławetnego „odmieńca", Walta Whitmana, broszury socjalistyczne i anarchistyczne, kobiece powieści sensacyjne, a nawet podobno egzemplarz Kabały.

– Kabały? Tej średniowiecznej żydowskiej księgi? Komentarza do Biblii hebrajskiej? – Jozjasz był pełen wątpliwości, bo wydawało mu się niedorzeczne, że jedna z dam z West Endu, i to na dodatek inwalidka, mogłaby mieć w posiadaniu takie książki.

– Owszem, choć to się wydaje nieprawdopodobne – odparł Pearce. – A jednak tak, zdaje się, jest. Adelajda pozostawiła też po sobie dziennik, czy też pamiętnik, pisany szyfrem... Niewykluczone, że kiedy zostanie on odszyfrowany, to wtedy wyświetli się tajemnica, dlaczego Horacy na nią napadł. – Pearce mówił to ze smutkiem, wyraźnie odnosząc się do tej perspektywy, że ów dziennik zostanie *odszyfrowany.* Już zwrócił się do princetońskiej policji, a także do krewnych Burrów, oferując swe usługi jako człowiek, który wprawnie łamie szyfry, ale nikt mu nie odpowiedział.

Jozjasz, który spisał rozpaczliwą opowieść swej siostry o Bagiennym Królestwie, samą w sobie brzmiącą jak opowiedziana szyfrem albo jak obłąkańcza poezja, milczał, wdzięczny, że nikt spoza rodziny Slade'ów nie wiedział o wyznaniu Annabel. Pearce natomiast nie przestawał kręcić głową powoli, z wyrazem nieopisanej tęsknoty.

W migotliwym świetle świecy jego skóra nie wyglądała tak chorobliwie jak w Princetonie, przy ich ostatnim spotkaniu, a w cienistym wnętrzu jadalni te pozorne zniekształcenia czaszki nie były takie widoczne. W rzeczy samej przez kilka chwil Jozjasz odnosił wrażenie, że ma przed sobą dawnego profesora van Dycka, uprzejmego, ojcowskiego, a jednocześnie młodzieńczego, człowieka autorytatywnego, a jednak pełnego czaru, który zapoznał go z życiem umysłu, kiedy był studentem pierwszego roku. Pod koniec posiłku van Dyck powiedział konfidencjonalnym tonem:

– Zachowaj to dla siebie, Jozjaszu... to znaczy Johanna już to słyszała, ma się rozumieć... ale zaledwie kilka tygodni temu, przed swym pospiesznym wyjazdem na Bermudy, Woodrow popadł w taką desperację, że konsultował się z tabliczką ouija... czy raczej to się nazywa koło ouija?... wykorzystując jeden z tych niedorzecznych rytuałów okultystycznych, które skłaniają duchy do mówienia, dzięki czemu można poznać przyszłość. Woodrow oczywiście to bagatelizował, twierdząc, że to pomysł Ellen, a jednak na poły był poważny. Uzyskał mianowicie pojedyncze przesłanie, i to od samego Jamesa McCosha, wspominanego z wielką wdzięcznością rektora naszej uczelni: *Dziekan West będzie smażył się w piekle i tłuszcz będzie skapywał z jego kości.* Kiedy mój informator spytał Woodrowa, czy istotnie może tak się stać, czy to aby nie jest jakiś żart, Woodrow rzekomo miał się dumnie wyprężyć i odrzekł: „Ja nie żartuję na temat piekła, sir, ani też Andrew Westa". – Powiedziawszy to, Pearce zaczął się cicho śmiać, z takim rozbawieniem, że okulary zsunęły mu się z nosa, a potem jeszcze zaczął charczeć i kaszleć, równie mocno jak przy ich ostatnim spotkaniu.

Johanna spojrzała na swego młodego gościa z wyraźnym zaniepokojeniem.

(W tym miejscu należy ujawnić, że ta nagła wizyta Jozjasza w Quatre Face nie była przypadkowa, tylko raczej stanowiła reakcję na list, który tydzień wcześniej otrzymał od pani van Dyck, w którym ta zaniepokojona żona i matka wyznała, że „bardzo się martwi" o stan umysłu swego męża, a także o jego kondycję fizyczną, i zastanawiała się, czy Jozjasz, którego Pearce bardzo lubił, mógłby w najbliższym czasie wpaść do Quatre Face – udając, że przypadkiem. Jozjasz nie wahał się ani chwili, tylko natychmiast poczynił plany wyprawy do Raven Rock, na spotkanie ze swym dawnym wykładowcą).

Wprawdzie pora była już późna i Pearce sprawiał wrażenie zmęczonego, a jednak uparł się, że zabierze Jozjasza do gabinetu, by tam porozmawiać z nim szczerze i szczegółowo o swych ostatnich odkryciach związanych ze schematem tropów. Podstawił Jozjaszowi pod nos arkusz papieru, na którym swym profesorskim, pajęczym pismem napisał:

Istnienie Zła – bezwzględnego i nieokiełznanego z winy kruchej kondycji ludzkiej –

nawet duma.

Zło tak ogromne, że nawet najpotężniejszy Rozum śmiertelnika go nie ogarnie.

Zło – Diabeł – nie(prawość) – Demon – Gniew Boży – Jahwe z racicami – Grzech i Śmierć oddające się wiecznej kopulacji, by wydać na świat – gatunek ludzki.

Czas poprzedzający Chrystusa – kiedy Krzyż był tylko Śmiercią i szyderstwem.

Czas poprzedzający Ziemię – kiedy Bóg był tylko Chaosem i Wieczną Nocą.

Czy straszliwy sekret Klątwy polega na tym – że osacza nas i karmi? Czy to jest tlen, którym oddychamy, nic o tym nie wiedząc?

Jak uciec przed Demonem –

Jak uwolnić się od Klątwy –

Przez co najmniej kolejną godzinę Pearce van Dyck wykładał młodemu przyjacielowi, który słuchał go z autentycznym podziwem i zainteresowaniem; od czasu do czasu, za każdym razem z wielkim szacunkiem, Jozjasz oferował sugestie i (pomniejsze) poprawki do schematu tropów, za co Pearce wyrażał mu wdzięczność.

– Myślę, że razem stworzymy znakomitą drużynę, Jozjaszu, jak Holmes i Watson, gdyby Watson był młodszy i bardziej bystry, niż opisał go Conan Doyle. Możemy, rozumiesz, stać się nawet znanymi...

– Być może, profesorze van Dyck. W każdym razie jest to coś, o czym można pomyśleć.

– Wcale nie coś. – Pearce spojrzał srogo na młodszego mężczyznę, odsuwając schemat tropów i zamykając już notesy. – W rzeczy samej *tylko o tym trzeba myśleć.*

– Myślisz, że on jest chory, Jozjaszu? Czy tylko wyczerpany od nadmiaru pracy? Johanna van Dyck zadawała te pytania swemu gościowi, zaciskając dłonie w klasycznym geście wyrażającym zaniepokojenie. Oboje stali na podeście schodów, nad ciemnym parterem Quatre Face przypominającym wielki zbiornik wypełniony wodą.

– Moim zdaniem jest strasznie zmęczony, pani Johanno. Gdyby tylko udało mu się odpocząć...

– Gdyby tylko pozwolił swemu umysłowi odpocząć! Gdyby przestał tyle myśleć! Nabawił się istnej obsesji na punkcie tego czegoś, co nazywa Klątwą albo Horrorem... Czasami wręcz się zdaje, że on połknął to coś jak truciznę, że to coś wsączyło weń swój oddech. To wręcz wyziera z jego oczu w takich chwilach... – Johanna umilkła, cała dygocząc.

– Cóż zrobić... Mam nadzieję, że rankiem zobaczę waszego syna – zagadnął Jozjasz, chcąc zmienić temat.

– Ależ tak! Oczywiście. Tak rychło, jak tylko zechcesz, bo on się budzi *skoro świt.* – Johanna uśmiechała się z zachwytem. Temat dziecka wyparł temat męża pochwyconego w szpony obsesji.

– A jak on ma na imię, pani Johanno? Na pewno mi mówiono, ale obawiam się, że zapomniałem.

– Imię? Aaa... jego imię! Cóż... mówimy na niego „dziecko" albo „malutki"... To znaczy niania i ja tak mówimy. Pearce odłożył kwestię nadania imienia na jakiś czas.

– Odłożył? Ale dlaczego?

– Myślę, że chyba... chyba po prostu nie ma takiego imienia, które byłoby godne syna Pearce'a. – Johanna powiedziała to wesołym tonem, ale nie była zbyt przekonująca. – Obiecał, że już niedługo wybierze jakieś imię. Teraz, kiedy dobił do nas w Quatre Face. Obiecał!

– A czy nie zastanawialiście się, by nazwać go Pearce Junior? To byłby niezły kompromis, skoro tak trudno coś wybrać.

– Owszem. Wzięłam to pod uwagę. Ale Pearce... no właśnie Pearce nie jest pewien! Może trzeba go nazwać Edyp, żartuje sobie Pearce, mało zrozumiale, jak to on. Sam zresztą będziesz mógł jutro go spytać, Jozjaszu. Spytasz?

– Spytam, skoro pani tego sobie życzy...

Kiedy Jozjasz napomknął swojej matce, że wybiera się z wizytą do van Dycków, do ich wiejskiej posiadłości, Henrietta poprosiła, żeby przekazał

Johannie te oto słowa w jej imieniu: *Pierwsze miesiące są ciężkie. Musisz utrzymać się przy życiu dla dobra dziecka.* Jozjasz nie zamierzał jednak przekazywać tak dziwnego posłania.

Przy drzwiach skąpo umeblowanego pokoju gościnnego, który został dla niego przygotowany, Jozjasz życzył pani van Dyck dobrej nocy. Po tej rozmowie czuł się zakłopotany, ale uśmiechnął się do swej gospodyni, jak gdyby nigdy nic; miał dopiero dwadzieścia kilka lat, ale odkąd w jego rodzinie zagościło tyle smutku i niepokoju, nauczył się, że szczery uśmiech to najlepszy podarunek, jaki można przekazać drugiej osobie, kiedy za sprawą okoliczności słowa brzmią pusto, banalnie i raczej nie pomagają.

– No to dobranoc, pani Johanno! Dziękuję za uroczą kolację.

– A ja ci dziękuję, że przyjechałeś, Jozjaszu. Myślę, że... że uratowałeś nam życie. – Twarz Johanny, która nieustająco odzwierciedlała jej wewnętrzne napięcie, na krótki moment się odprężyła.

W lodowatym wnętrzu pokoju gościnnego, z tapetami, które wyglądały jak osmalone, oraz wysokim, twardym łożem z baldachimem, Jozjasz odkrył po chwili wielki, obfity bukiet świeżo zerwanego bzu, który Johanna przyniosła tam zapewne ukradkiem. Aromatyczna woń kwiecia wypełniała jego nozdrza przez całą noc. I jego burzliwe sny.

2.

Podczas gdy wszyscy inni spali – Johanna w sypialni, z której można było wejść do pokoju dziecięcego, dziecko w kołysce, a Jozjasz w jednym z pokoi gościnnych – Pearce van Dyck pozostał w gabinecie i marszczył się nad schematem tropów. Był osobą nastrojoną do innych serdecznie, dlatego udawał wdzięczność, a jednak ani trochę mu się to nie podobało, że ten młody arogant Jozjasz Slade coś mu doradzał. Pragnął powiedzieć, z wyćwiczoną ironią wykładowcy uniwersyteckiego: *Dziękuję ci bardzo za wygłoszenie opinii, nieproszonej i niekompetentnej, mój chłopcze. Bardzo to wspaniałomyślne z twojej strony.*

Podczas rozmowy z Jozjaszem wpadło mu wszakże do głowy kilka pomysłów. I w rzeczy samej naprawdę był wdzięczny Jozjaszowi, że ich nawiedził w tym ponurym domostwie, w którym za całą rozrywkę – i to dla zmysłów jedynie – służył płacz dziecka, który nadzwyczaj drażnił wrażliwe nerwy Pearce'a, mimo że rozbrzmiewał kilka pokoi dalej.

Bynajmniej nie dopatrywał się niczego dziwnego w tym, że Jozjasz pojawił się w Quatre Face, choć nikt go nie zapraszał ani się go nie spodziewał. Czuł pod wpływem napięcia związanego z prowadzeniem śledztwa, że wszystko, co się z nim dzieje lub go otacza, wiąże się z jego kampanią na rzecz pokonania Klątwy i że Jozjasza Slade'a, z tych przeklętych Slade'ów, w naturalny sposób ciągnie do Pearce'a van Dycka jako jego obrońcy, mentora – zbawcy.

Odnosił też wrażenie, że młode życie Jozjasza „przyhamowało" – nie podjął studiów prawniczych ani też medycznych, nie próbował zrobić dyplomu magisterskiego, mimo że tak wcześniej planował, a Slade'owie prawdopodobnie go do tego nie zachęcali. Dawna *witalność* jakby została z nich wyługowana od czasu, gdy objawiła się Klątwa.

– Pomogę im. Ja jestem ten jedyny, nie wolno mi ustawać w wysiłkach.

A jednak często bywało tak, że kiedy Pearce zamykał się w gabinecie późnym wieczorem – (w rzeczy samej zamykał się na zamek, bo jego zaniepokojona żona w przypływie śmiałości potrafiła otworzyć drzwi o trzeciej w nocy i nagabywać go tym swoim błagalnym: *Pearce? Dlaczego ty jeszcze nie śpisz?*) – to tracił poczucie czasu; potrafił nagle zauważyć, że jest gdzieś indziej na terenie domu, że błąka się w mroku z zapaloną świecą. Mało tego – kilka razy przekonał się ni stąd, ni zowąd, że wywędrował na zewnątrz, na dość zimne nocne powietrze, że cały dygoce, bo wiatr wiejący od rzeki omiatał go swą okrutną pieszczotą. I stał tak, poszczękując zębami, w ruinach starego ogrodu różanego zalanego księżycową poświatą, nie mając pojęcia ani jak, ani dlaczego tu przyszedł.

– Żeby powymiatać pajęczyny ze swojego mózgu. Na pewno taki jest powód.

A zatem człowiek wymyśla sens dla tego, co bezsensowne. Jest racjonalistą wbrew irracjonalnym okolicznościom. Bardzo trudno mi się pisze ten rozdział – powiem szczerze, choć przecież historycy rzadko kiedy są szczerzy – *bo przecież piszę o własnym, nieżyjącym ojcu i mimo że współczuję mu całym sobą, podobnie zresztą jak mojej drogiej matce, to jednak jest w tym coś bardzo niestosownego, że to czynię – jest w tym jakby pogwałcenie czegoś pierwotnego, podobne niemal do straszliwych grzechów Edypa.*

Tamtej nocy, po intelektualnie stymulującej kolacji ze swym byłym studentem, Pearce zamierzał pracować co najmniej do czwartej nad ranem, a potem przespać się na leżance w gabinecie, pod starym, nadżartym przez mole, a jednak ciepłym pledem, bo musiał być blisko, fizycznie blisko swego schematu tropów; bardzo się bał, że coś się stanie z wykresem, a także z setkami kartek ze zgromadzonymi notatkami – na przykład spłoną. W tej części okręgu Bucks w Pennsylwanii elektryczność często szwankowała i dlatego niezbędne były lampy naftowe, świece i ogień na kominku; Johanna ze swym dziewczęcym optymizmem, który wszakże nie do końca pokonywał przepełniający ją lęk, często mawiała, że majątek Quatre Face jest bardzo *romantyczny* – „W tym miejscu jesteśmy podobni do bohaterów jakiejś powieści gotyckiej!". (Pearce wiedział bardzo dobrze, że jak każda dama z princetońskiego West Endu wolałaby zamieszkiwać raczej którąś z powieści Jane Austen).

Tak więc tamtej nocy, z nerwami napiętymi do granic nie tylko z podniecenia, ale także niepokoju, Pearce ocknął się znienacka nie przy swoim biurku, nie w swoim gabinecie, tylko poza domem. Powietrze było bardzo zimne jak na maj, promienie księżyca odbijające się w wodach szerokiej i czarnej rzeki Delaware, niecałe sto jardów od zapuszczonego ogrodu, w którym stał teraz Pearce, marszczyły się i srebrzyły. Pearce miał na sobie tylko koszulę z rozpiętym kołnierzykiem, bo podczas pracy się spocił, ale teraz zęby mu szczękały od tego chłodu.

Na całe szczęście Johanna nie będzie o niczym wiedziała! Jojasz też się nie dowie.

Nie wiedział, jak bardzo jest późno. Może dochodziła już trzecia, w każdym razie jeszcze się nie miało na świtanie. Za jego plecami wznosił się przysadzisty, czterokątny dom ze zwietrzałego wapienia, z ciemnymi oknami. Wiatr szeleścił w dzikim winie, które obrosło te mury; pnącze jeszcze nie ożyło razem z wiosną, tylko było martwe i w sporej mierze uschnięte; te odgłosy brzmiały jak ludzkie szepty. A jednak Pearce nie potrafił rozszyfrować, co one szepczą. Nieopodal stało kilka posągów, jarzących się mętną bielą w świetle księżyca, sprawiających wrażenie żywych i martwych jednocześnie: smukła, wysoka Diana, a tuż obok jej szlachetne ogary, którym z zębatych paszcz wystawały języki, cnotliwie objęci Amor i Psyche oraz Adonis stojący na czubkach palców. Johanna często śmiała się z tych posągów, tak mocno, że aż jej łzy nachodziły do oczu, i mówiła, że ten spadek w postaci Quatre Face od prapradziadka Pearce'a to zaiste obosieczny miecz, bo żeby wskrzesić dom i sprawić, by chociaż na poły nadawał się do zamieszkania, musieliby wydać wiele tysięcy dolarów i pozbyć się tej wybitnie brzydkiej kolekcji posągów, wykonanych przez jakiegoś rzeźbiarza zaprzyjaźnionego z przodkiem Pearce'a; musieliby pewnie niemal w całości poświęcić się temu celowi i porzucić swoje princetońskie życie – „Quatre Face pożarłoby nas żywcem".

Pearce poczuł się zirytowany czy wręcz obrażony mało taktowną uwagą żony. Quatre Face było *jego własnością*, nie jej.

Kobieta nie mogła odziedziczyć takiej posiadłości – tak stanowiło prawo. W dzisiejszych czasach kobieta może iść do sądu, za to żyjące wówczas sufrażystki podnosiły krzyk, że potrzebna jest reforma, która by zabezpieczała prawa kobiet, ale taki dzień nie chciał nastać i kobiety miały praw niewiele – głosować też nie mogły. Jako uniwersytecki liberał, skory do wdrażania reform jak każdy princetoński profesor, Pearce van Dyck popierał zmiany społeczne tego typu, ale prywatnie był zadowolony, że działo się niewiele, a jak już, to powoli.

Liczył wręcz, że może wcale do niczego nie dojdzie – że kobiety nigdy nie będą miały *żadnych praw*.

– Są pilniejsze sprawy. Przede wszystkim jest „problem zła".
Pearce powiedział to szeptem. W nocnej ciszy słychać było tylko wiatr
i gdzieś w tle odgłosy rzeki, które w spokojniejsze noce potrafiły docierać
aż do wnętrza domu. Pearce postanowił nie przyglądać się posągom, które
zdawały się na niego gapić; nawet ogary Diany tak jakby wpatrywały się
w niego z niedocieczoną psią wzgardą.

– Następnym razem porozmawiam z tymi kamiennymi istotami. Zapytam, czego *ode mnie* chcą.

Johanna miała rację: posągi były brzydkie, komiczne i co najgorsze,
pretensjonalne. Nie mogli zapraszać swych princetońskich znajomych do
Quatre Face, dopóki ten stary majątek nie zostanie *wskrzeszony do życia*,
jak wyraziła się Johanna.

– Ale niczego nie zrobimy z naszym życiem, dopóki Klątwa nie zostanie
z nas zdjęta.

Rozmyślając o tym wszystkim, Pearce obrócił się, by wejść do domu –
zauważył, że drzwi wiodące do jego gabinetu stoją otworem; najwyraźniej
w somnambulicznym transie tamtędy właśnie wyszedł – po czym na szczycie kilku kamiennych stopni zatrzymał się, bo zobaczył... możliwe to, by
o tej porze do Quatre Face zbliżał się jakiś powóz?

– Jeszcze jeden gość? Nie do wiary! Kolejny niespodziany, niezaproszony gość?

Pearce mimo wszystko pospieszył powitać powóz – który przemknął
gładko po frontowym podjeździe i zatrzymał się przed granitowym portykiem – rozumując, że żadne z jego nielicznych służących nie będzie na nogach o tej porze i dlatego obowiązek okazania gościnności spadał na niego.

– Jestem pewien, że nikogo się nie spodziewamy. Johanna nie odważyłaby się nikogo zaprosić bez zwrócenia się do mnie o zgodę.

Tak więc możemy sobie wyobrazić zdumienie Pearce'a van Dycka, które
powoli przeobraziło się w lęk czy wręcz zgrozę, gdy z powozu tanecznym krokiem wysiadł wysoki dżentelmen o orlim nosie, ubrany w pelerynę
w szkocką kratę – dżentelmen, którego sława, nie mówiąc o uderzającej
fizjonomii i sylwetce, były lepiej znane naszemu filozofowi niż własne odbicie w lustrze.

Bo tym niespodziewanym i nieproszonym gościem był sam Sherlock
Holmes, *najlepszy detektyw* na świecie.

Motyw tej późnonocnej wizyty, równie doniosły i zagadkowy jak ona sama,
został Pearce'owi prędko wyjawiony.

Rozpierając się z arystokratyczną nonszalancją na skórzanej kanapie
w gabinecie Pearce'a, Anglik opowiedział swemu wniebowziętemu amerykańskiemu gospodarzowi, że Conan Doyle, kompan z czasów w szkole

medycznej, przekazał mu listy od profesora van Dycka, listy pełne podziwu, a także prośbę o kilka monografii, i wprawdzie „Sherlockowi Holmesowi" nie brakowało klientów w Londynie, to jednak nie mógł się oprzeć sytuacji w Princetonie i okolicach, jak to zostało wyłożone w listach.

– Tak więc, profesorze, podjąłem decyzję, że wypłynę z Liverpoolu najszybciej jak się da, wiedziony być może egoistyczną nadzieją – rzekł Anglik z uśmiechem, unosząc starymi żelaznymi szczypcami rozjarzony węgielek z kominka, by zapalić fajkę – że nie rozwiążesz tej zagadki sam, zanim ja tu dotrę!

Usłyszawszy to, Pearce van Dyck mocno się zarumienił i mruknął z zażenowaniem, że niestety, jeszcze *nie rozwiązał* zagadki, a właściwie to utknął w impasie.

– Zatem, panie Holmes...
– Pan wybaczy, profesorze: nie jestem Holmesem.
– Nie... nie jest pan?
– Ani trochę. Sherlock Holmes to postać fikcyjna i pseudonim. Moje nazwisko to sprawa prywatna i nigdy nie zostanie ujawnione, zgodnie z obietnicą Conan Doyle'a.

Anglik zaczął jakby apatycznie tłumaczyć, że jest i zarazem nie jest „Sherlockiem Holmesem" z popularnych opowiadań kryminalnych. W odróżnieniu od oszałamiającego Holmesa on sam mocno stąpa po *terra firma*, poza tym ma obowiązki małżeńskie; posiada odziedziczoną po angielsko-szkockich przodkach starą, nieledwie zrujnowaną posiadłość ziemską w Craigmire w zachodnim Dorset, niedaleko Lyme Regis, a także „raczej spartańskie *pied-à-terre*" przy Baker Street.

– Moje dochody jako prywatnego detektywa są tak nieregularne, że muszę je zasilać zarobkami pozyskiwanymi w roli patologa w niepełnym wymiarze godzin na wydziale medycznym Uniwersytetu Londyńskiego, bo nigdy nie ukończyłem studiów medycznych i nie zdobyłem dyplomu, przez młodzieńczą lekkomyślność, którą postrzegam obecnie jako zamierzchły błąd. W 1906 roku żaden z nas nie jest już taki młody i tak idealistycznie nastawiony jak ongi... – Z rozbawieniem kręcąc głową i zaciągając się fajką (prostą fajką, jak zauważył Pearce, a nie kalebasą, jak się spodziewał), Anglik rzekł z westchnieniem: – Jak ja bym chciał żyć z taką swobodą jak Sherlock Holmes! Nic nie przysporzyłoby mi większego zadowolenia niż bycie pełnowymiarowym koneserem zbrodni, który łamie sobie głowę nad czynami najgenialniejszych przestępców na świecie, niczemu innemu moje talenty nie posłużyłyby lepiej. Bo ja czuję, podobnie jak bohater mojego przyjaciela, Conan Doyle'a, że dedukcja to najwyższa ze sztuk i że w porównaniu z nią inne ludzkie czyny i *divertissiments* jawią się dość blado. Zdrowy umysł naprawdę buntuje się przeciwko stagnacji, a ja jestem tak kiepsko uposażony do zwyczajnej egzystencji, że z tych nudów niebawem pewnie popadnę w obłęd albo gardło sobie poderżnę. Gdyby nie moja prywatna profesja, jak miałbym żyć? Wielbię, podobnie jak ty, profesorze, stymulację mentalną i pogoń za prawdą w ramach najgłębiej absorbujących procesów dedukcyjnych. I mimo że jestem żonaty od paru lat – w rzeczy samej zawarłem małżeństwo „prywatnej" odmiany, o którym świat nic nie wie – jestem skłonny wierzyć, razem z moim mitycznym alter ego, że życie małżeńskie – w tym miejscu Anglik wskazał protekcjonalnym gestem wnętrze domu, ogarniając jakby całą małżeńską i domową historię Pearce'a van Dycka – czyli życie przepełnione emocjami i sentymentami, jest w sporej mierze godne pogardy i oznacza zwykłą stratę czasu.

Szokujące słowa! Pearce poczuł, że jego już rozgrzana twarz robi się jeszcze gorętsza, i mimo że zaczerpnął oddechu, gotując się do obalenia powyższej tezy, to jednak nie umiał znaleźć adekwatnych słów na poparcie swego stanowiska.

Bo czy to była prawda? Prywatne życie, życie przepełnione emocjami i sentymentami, jest czymś godnym *pogardy? Zwykłą stratą czasu?*

Z jakim zażenowaniem przyznałby się temu eleganckiemu Anglikowi, że niedawno został ojcem... Czy raczej, że jego żona niedawno urodziła dziecko, po wielu latach nieudanych prób zajścia w ciążę...

Anglik, jaśniepańsko cedzący głoski, ciągnął swoje w tym samym guście, acz wyraźnie był czuły na braki w towarzyskim obyciu swego amerykańskiego gospodarza oraz lęk wywołany jego obecnością: wytłumaczył, że o ile jego dawny kolega z klasy, Doyle, w sporej mierze go idealizował i obdarzył go „niemal nadprzyrodzonymi mocami", jak to zresztą mają w zwyczaju pisarze, o tyle w większym bądź mniejszym stopniu wyłożył istotę osobowości detektywa – „w rzeczy samej w przedziwny sposób". Autor obnażył nawet pewne jego nawyki, które, miał wcześniej nadzieję, były znane tylko jemu... (Tutaj „Holmes" zaskoczył nieco Pearce'a, bo podwinął rękawy i pokazał szczupłe, żylaste i pokryte wieloma bliznami przedramiona).

– Nałóg kokainowy, rozumie pan? Wstrzykuję sobie do żył płynną kokainę i od tego te bardziej sprawne już zaschły. Patrzę na to z większym przestrachem i żalem, niż sugeruje to Doyle, zdaje się niezbyt odpowiedzialnie. Autor winien prezentować *moralnie spójny świat,* bo w przeciwnym razie może zdeprawować słabszych czytelników, łatwo ulegających wpływom. – Tu Anglik ze sporym ukontentowaniem zaciągnął się fajką. Było widać, że dobrze się czuje w towarzystwie Pearce'a van Dycka, i może nawet, pomyślał Pearce, rozmiary i styl Quatre Face – które w świetle księżyca wydawało się mniej zniszczone, a jego pokoje, tonące w naturalnym mroku, mniej obskurne – wywarły na nim wrażenie. – Każdy człowiek racjonalny oczywiście chętnie wyzbyłby się nałogu, zgadza się pan, profesorze? Zdaje się, wskazał pan, że jest kantystą, a Kant był bardzo moralnym i pobożnym germańskim filozofem.

Pearce łamał sobie głowę nad właściwą odpowiedzią, którą mógłby mu wyrazić współczucie, a zarazem inteligentnie go skrytykować, bo Anglik wyraźnie tego oczekiwał – tak jak przyjaciel mógłby oczekiwać od przyjaciela. Ale nie zdążył nic powiedzieć, bo tamten w dalszym ciągu budował paralele i różnice między sobą a fikcyjnym detektywem, przekonany, że to może zainteresować jego amerykańskiego wielbiciela.

Anglik zapewnił, że pod względem wyglądu zewnętrznego on i Holmes są zasadniczo bliźniętami: obaj mają po sześć stóp i trzy cale wzrostu, ponadto każdy waży sto sześćdziesiąt funtów – tak więc są „tak chudzi, że niemal wynędzniali". I owszem, również jego podbródek jest dość wyraziście zarysowany, a nos długi i wąski, ale już co do oczu, to nie umiał orzec, czy też są „niezwykle przenikliwe i przeszywające". Ale z kolei dłonie również są zaplamione atramentem i chemikaliami, być może już na zawsze, a ponadto ubiera się mniej więcej tak samo, jak to opisywał Doyle.

– Aczkolwiek moja małżonka, czy raczej „partnerka", próbuje mnie ubierać bardziej modnie, choć musi korzystać z naszego ograniczonego budżetu. Pod innymi wszakże względami – rzekł Anglik, krzywiąc się – mój domniemany hagiograf raczej mnie oczernił. Wie, że od dziecka fascynuję się funkcjonowaniem Układu Słonecznego, a jednak dla żartu wywrócił moje zainteresowanie do góry nogami, dzięki czemu Holmes jest znany jako geniusz, który chełpi się nieznajomością teorii kopernikańskiej i twierdzi wręcz, że ona nic go nie obchodzi! Mało tego, wyniosłym tonem odrzuca najnowsze odkrycia naukowe, chyba że odnoszą się do jego dziedziny. Ten fikcyjny Holmes jest zresztą do tego stopnia ograniczony, że gardzi sztuką, historią, polityką, a nawet muzyką, wyjąwszy jego własne, sporadyczne rzępolenie na skrzypcach; sprawia wręcz wrażenie po prostu jeszcze jednego ekscentrycznego Anglika, a ja takich raczej nie znoszę.

Poruszony tym szczerym wyznaniem Pearce van Dyck potrafił tylko uprzejmie wymamrotać, że się zgadza. Po czym nieśmiało, bo ten gest wydawał się spóźniony, zaoferował gościowi kieliszek brandy, który został przyjęty z krótkim skinieniem głowy i opróżniony jednym haustem.

Pearce, chcąc naśladować gościa, też wychylił swój jednym haustem, ale zakrztusił się i zaczął kaszleć; kaszlał tak długo, aż tamten spytał go, czy dobrze się czuje.

– Pański kaszel jest, jak mi się zdaje, bronchitowy. Czy chorował pan na coś ostatnio?

Zawstydzony Pearce zapewnił go, że nie był chory.

– Pana skóra jest dość blada. Czy w minionym roku podróżował pan w jakieś tropikalne albo subtropikalne miejsca?

– Nie...

– Nie dokucza panu jakaś dziwna gorączka? Dreszcze? Wydaje mi się, że pańskie oczy są lekko zażółcone.

– Moje oczy...?

– Nie inaczej. Lekarzem nie jestem, nie mam dyplomu z medycyny. Nie powinienem stawiać diagnoz.

Pearce znowu się rozkaszlał, bo nie był w stanie dobrze odchrząknąć.

– Kaszle pan jak walijski górnik po latach pracy pod ziemią. Ten odgłos przypomina ich kaszel. Czy był pan w takim miejscu, gdzie w powietrzu mogły się unosić jakieś cząsteczki? Na przykład w fabryce azbestu albo nawozów sztucznych?

– Nie. Nie byłem.

– Czy *wdychał* pan coś bardzo gryzącego? Na przykład stężone opary bagienne?

– N-nie...

Zrozumiawszy, że jego gospodarz jest skrępowany tymi pytaniami, Anglik niechętnie, ale jednak przestał je zadawać. Nie mogąc kontynuować swego zaimprowizowanego przesłuchania, dolał sobie brandy i natychmiast ją wypił, po czym tak jakby popadł w odrętwienie, gapiąc się bezmyślnie na dymiący ogień, przez co pozwolił, by zgasła mu fajka. Pearce z wahaniem zaryzykował opinię, że dla Arthura Conan Doyle'a liczyło się tylko to, co w skondensowanej formie zaprezentował w swych opowiadaniach. Sherlock Holmes dał się poznać światu za sprawą swojego geniuszu, a nie jakichś ekscentrycznych błahostek.

– To nie będzie przesadą, sir, jeśli stwierdzę, że Sherlock Holmes w raptownym tempie staje się jedną z heroicznych postaci naszych czasów.

– Co też pan powie! Cóż za osobliwość. – Anglik powiedział to tak przeciągłym tonem, że nie dawało się osądzić, czy chciał zadrwić czy raczej być szczery. Jeszcze raz ujął szczypce, żeby zapalić fajkę, śmiejąc się cicho pod nosem. – W tej kwestii, profesorze van Dyck, dręczy mnie własna ambiwalencja. Bo choć wydaje mi się oczywiste, że sztuka dedukcji jest, czy raczej powinna być, nauką ścisłą, uwolnioną od ludzkich emocji, to jednocześnie szczerze mnie ciągnie do romantycznej natury portretu sporządzonego przez Doyle'a. Watson, na przykład, nie istnieje naprawdę, no chyba że jest nim sam Conan Doyle, który wciąż włóczy się za mną, tak jak czynił to w czasach szkolnych; cóż za ulga, nie byłem w stanie zdzierżyć go nawet godzinę.

Nie ma żadnego Watsona! – pomyślał Pearce ze sporym rozczarowaniem.

Anglik pykał fajkę, wypuszczając kłęby cuchnącego dymu. Niefrasobliwym tonem snuł spekulacje, że gdyby nie był detektywem-patologiem, to chciałby zostać pisarzem, jak jego przyjaciel Doyle, tyle że przewyższałby go powagą.

– Wymyślałbym niestworzone baśnie, precyzyjne jak wnętrze zegarka, ale nie takie przewidywalne, bo ukrywałbym w prozie staromodne angielskie sentymenty i przesłanie moralne, ograniczając się jednak z ozdobnikami, jakby to była jedynie dziecięca zabawa. Byłaby to dla mnie przygoda oparta na wyzwaniach. Bo ja uważam, że twórca fikcji to *najlepszy detektyw*, wnikający nie tylko w zawiłości faktu, ale także w motywacje, jak psycholog; eksplorujący pojedynczych ludzi i jednocześnie objaśniający cały gatunek ludzki. W każdym razie, profesorze van Dyck, nie mam prawa protestować przeciwko przedsięwzięciu Doyle'a i muszę się nauczyć akceptować swój los jako bohatera w cudzej wyobraźni. Co sprowadza nas, profesorze, do *pańskiego* problemu.

Pearce skwapliwie pokazał gościowi kilka wykresów współtworzących schemat tropów, teraz tak gęsto wypełnionych drobnym, pajęczym pismem i mnogością pinesek, szpilek, paciorków i tym podobnych przedmiotów, że nawet oko Anglika się na nich potykało. Pearce usiłował objaśnić Klątwę, jej historię oraz (możliwe) pochodzenie; próbował wytłumaczyć się z tego impasu, w którym utknął. Mówił to jednak z takim podnieceniem, że Anglik poprosił go, by się zatrzymał i zaczął wszystko od początku.

– Nie ma to jak chronologia, mój amerykański przyjacielu, wyhamowanie odruchu duszy, by lecieć na łeb, na szyję.

I tak oto Anglik leżał wygodnie na kanapie, z oczyma ukrytymi pod ciężkimi powiekami, i cicho pykał fajkę, a Pearce spędził całą godzinę na próbach opowiedzenia o tych kilku manifestacjach Klątwy, które były mu znane. Opowiedział o „wizytacjach" zmarłej córki byłego prezydenta Clevelanda i niemal jednoczesnym pojawieniu się demona zwanego Axson Mayte, a także prawdopodobnym wprowadzeniu w trans Annabel Slade na jej własnym ślubie... Opowiedział o kilkumiesięcznym zniknięciu Annabel, jej powrocie i wreszcie śmierci przy porodzie; opowiedział o „fantastycznych, acz niedających się obalić" pogłoskach, jakoby Annabel urodziła ohydnego, czarnego węża, który potem zniknął. I o przestępstwach – morderstwach...

Na wzmiankę o czarnym wężu Anglik poruszył się i otworzył oczy, jakby właśnie się obudził.

Stopniowo coraz bardziej podniecony Pearce rozłożył przed Anglikiem schemat tropów i jednocześnie wygłosił improwizowany wykład na temat jego zawartości; opowiedział o „wężowym szale" i o zagadkowym zachowaniu młodej kobiety z dobrej rodziny, która najwyraźniej wdała się w romans z żonatym mężczyzną, z sąsiadem van Dycków, Horacym Burrem, który niedawno zamordował żonę inwalidkę w jej własnym łóżku...

Anglik do tego czasu rozprostował swoje długie, szczupłe ciało i wziął w poplamione palce schemat tropów, by mu się przyjrzeć z bliska. Pearce poczuł dreszcz dumy na widok najbardziej czczonego detektywa na świecie, który teraz przyglądał się jego amatorskim odkryciom; to wysokie, kształtne czoło było teraz pofałdowane, a oczy barwy wymytego szkła jarzyły się zimną łuną. Ile minut Anglik spędził w taki sposób, marszcząc się, krzywiąc i mrucząc coś pod nosem, tego Pearce nie potrafił ocenić, ale na podstawie następnych zdarzeń można szacować, że mogło to być nawet pół godziny. Cały ten czas Pearce stał przy łokciu Anglika, wytrzeszczając oczy i mrugając, oniemiały z lęku i nadziei.

W końcu, gdy to napięcie stało się nie do zniesienia, Anglik wziął z biurka jedno z piór wiecznych Pearce'a i wyrysował kilka szerokich kresek na wykresie, łącząc pojedyncze punkty z innymi, po czym obrócił się w stronę wstrząśniętego gospodarza ze swawolnym uśmiechem.

– To elementarne, drogi przyjacielu. Widzi pan? Pearce, mimo że się starał, nic nie widział. I czuł się głęboko zraniony tym, że angielski detektyw tak apodyktycznie pokreślił jego skomplikowany wykres, zamazując zawiłe notatki. Widząc wyraz bladej twarzy profesora, Anglik położył dłoń na jego ramieniu pocieszycielskim gestem.

– Pańskie talenty dedukcyjne, profesorze, mimo że imponujące jak na amatora, nie mogły przynieść panu odpowiedzi, bo omieszkał pan połączyć wszystkie ważne wydarzenia. Odkrycie, że Axson Mayte to demon, było genialne, ale z powodów, których nie potrafię zrozumieć, a które może mają coś wspólnego z amerykańskim bałwochwalstwem względem europejskich roszczeń, nie udało się panu dokonać identycznego odkrycia w kwestii grafa Englisha von Gneista. W rzeczy samej, posiłkując się logiką brzytwy Ockhama, mam taką teorię, że tych *dwóch mężczyzn jest tylko jednym*. Dlaczego pan robi taką zdziwioną minę? Grafa, jak się zdaje, pan nie dostrzegł, a wszak hołubią go wszystkie panie i niektórzy dżentelmeni. I pański nowo narodzony syn, któremu nie nadał pan jeszcze imienia, to – przykro mi mówić – ani trochę pański syn, tylko pomiot demona, ale domniemywam, że na poły zdaje pan sobie z tego sprawę, nieprawdaż?

Oszołomiony Pearce gapił się na swego gościa w milczeniu. Sprawiał wrażenie, jakby nie dosłyszał ostatnich słów Anglika.

Anglik tymczasem niefrasobliwie, jakby przed chwilą bynajmniej nie ugodził swego gospodarza w samo serce, żwawym gestem wziął do ręki część wykresów i zręcznie wskazał główką fajki „diaboliczne zawiłości" powiązań zaznaczonych na wykresach i to, że między punktami A i E można nakreślić pojedynczą, śmiałą linię bez konieczności zaznaczania punktów między nimi, a tym samym unieważnił całe tygodnie żmudnej, dedukcyjnej harówki Pearce'a. Podobnie logicznie połączone zostały szpilki oznaczające 4 czerwca 1905 roku, 24 grudnia 1905 roku oraz 24 lutego 1906 roku, wskazując na (niepotwierdzony oficjalnie) potrójny związek między Axsonem a Annabel, Adelajdą i Amandą, a także związek między „JS" (Johanną Strachan) a „JS" (Jozjaszem Slade'em). Również grafa Englisha Rudolfa Heinricha Gottsreicha-Müllera von Gneista dawało się połączyć – poprzez przestawienie niektórych liter i figur – z kilkoma osobami zaznaczonymi na wykresie, w tym z „WW" (Woodrow Wilson) oraz – niestety ze względu na kontekst – z „JS" (pani van Dyck).

I tak to szło – Anglik krok po kroku „rozwiązywał" zagadkę w taki sposób, w jaki ktoś mógłby demonstrować drugiej osobie, niedorównującej mu bystrością umysłu, jak się rozwiązuje krzyżówkę, tu dorysowując nowe kreski, tu wykreślając całe partie schematu, oddzierając jeden z rogów i wyrzucając go beztrosko do kominka.

Jego ciekawość pobudziło to, stwierdził Anglik, że na wykresie brakuje siostry demona, Camille – był to jeden z elementów, które Pearce przeoczył – i to ważny element, bo Camille zaliczała się do najbardziej „żarłocznych" demonów, które przybrały kobiecą formę.

– Widzi pan, przyjacielu – rzekł Anglik do wstrząśniętego Pearce'a van Dycka – ja znam te piekielne stwory z dawnych czasów, bo zmagałem się z nimi na kontynencie w osiemdziesiątym dziewiątym roku, a potem jeszcze w Mous'hole w hrabstwie Surrey w dziewięćdziesiątym trzecim. Pierwszy przypadek mój dawny kolega Doyle ujął w opowiadaniu *Zatruty pokój dziecięcy*, drugi jako *Lwia grzywa*. Pamiętam grafa bardzo wyraźnie, bo on i ja chętnie grywaliśmy w bilard, kiedy akurat nie wiedliśmy jakichś sporów, często też spożywaliśmy razem kolacje, na koszt naszych dobroczyńców, osób, które mnie utrzymywały, oraz takich, które będąc nieodmiennie właścicielami domów z „wieku pozłacanego", brały demony w gościnę i zapraszały je na kolacje. Pan pozwoli, że zajrzę do swej encyklopedyjki genealogii w celu upewnienia się, że...

Tu Anglik wyjął z kieszeni oprawiony na czerwono, niewielki tomik, dość zniszczony, który przewertował prędkimi ruchami, aż wreszcie znalazł to, czego szukał, a potem odczytał niskim, dramatycznym głosem potok nazwisk i nazw, które zrozpaczony filozof, niczym stary i zdenerwowany pies truchtający za młodszym, tryskającym zdrowiem psiakiem, ledwie był w stanie konotować.

– *D'Adalbert, d'Apthorp, zamek Szekeley, wielki książę Bystel-Kohler, baron Eger Frankstone, zamek Gottsreich-Müller, ród von Gneistów z Szurdokpuspoki na Wołoszczyźnie. Herb: srebrna tarcza dzielona w krzyż trójlistny błękitny, między czterema wrończykami; wąż kroczący przez środek, wspięty.* Klejnot: *dzielony w słup w barwach zmiennych biało-niebieskich i niebiesko-białych półwąż z obrożą wspięty, uzbrojony.* Tak więc sam pan widzi, profesorze van Dyck, jest, jak podejrzewałem – rzekł ospale Anglik, kierując przeszywające spojrzenie swych bladych oczu na zdumionego Amerykanina. – Zaiste niemiła sprawa, acz da się naprawić, dzięki Bogu. Tego stworzenia na górze trzeba się natychmiast pozbyć. Jeśli pańska żona nie jest w stanie się z nim rozstać, jeśli będzie się opierała, to wobec niej też będzie pan musiał podjąć odpowiednie kroki. Tylko dlaczego tak pan na mnie patrzy, profesorze? To wszystko bardzo pana dziwi? Nie rozumiem – dodał, wsysając się w fajkę z jakby obłąkańczym zadowoleniem – wszak pański przemyślny schemat tropów cały czas zawierał odpowiedź, mimo że pan jej nie dostrzegał.

Anglik obrócił się w stronę kamiennego paleniska, wziął do ręki pogrzebacz i przez kilka minut trzymał go w ogniu, który teraz płonął dość słabo, jednocześnie nadal mówiąc, tyle że głosem bardziej dobrotliwym:

– Zdarza się niekiedy, że naruszenie prawa jest nie tylko dopuszczalne, profesorze van Dyck, ale wręcz konieczne; pański ukochany Kant na pewno by się zgodził. (Jak mi się zdaje Doyle odnotował w kilku sytuacjach, że dzięki temu zapobiegłem większemu złu). Albowiem zło to termin relatywny: bywa pomniejsze, bardziej pragmatycznego rodzaju, którego pozbywamy się jak uprzykrzonej muchy, a także wielkie, ogarniające wszystko, można rzec uniwersalne, które należy powstrzymać wszelkimi dostępnymi środkami. Wiem, że nic z tego nie może być ci obce jako filozofowi moraliście o międzynarodowej renomie, a jednak nie spieszyłeś się raczej z zadbaniem o sytuację pod własnym dachem. Bo jakimś sposobem umknęło twej uwadze, że twoja żona, którą pragnąłeś uważać za wierną ci, dała się uwieść komuś obcemu późną wiosną ubiegłego roku, komuś, kto był pośrednikiem demona, i że ów niedający się obalić sylogizm manifestuje się tutaj, w murach domu twoich przodków. Innymi słowy: zło należy pokonać, to zło, które mieszka tutaj, w swojej kolebce w pokoju dziecięcym. Nie istnieje żadne inne remedium: musisz bezzwłocznie zabrać się do jego *usuwania.*

Pearce van Dyck, mrugając powoli, przyglądał się wytrzeszczonymi oczyma wysokiemu, szczupłemu Anglikowi i przez kilka sekund stał nieruchomo jak słup soli. A potem niepewnymi ruchami zdjął okulary, jakby chciał przetrzeć ich zaparowane szkła. Próbował coś powiedzieć, bo jego zbielałe wargi zadrżały, ale nie wydusił z siebie ani słowa. A „Sherlock Holmes" wykazał się szacunkiem, bo pozwolił swemu wstrząśniętemu gospodarzowi przeżuwać wszystko w milczeniu.

Pogrzebacz przez cały ten czas tkwił w palenisku, stopniowo zmieniając barwę z czerwonej na białą, i jarzył się nienaturalnym światłem.

I kiedy wreszcie był należycie rozgrzany, Anglik schwycił go mocno i wręczył Pearce'owi van Dyckowi, który zachwiał się ledwie dostrzegalnie, jakby ciężar pogrzebacza był większy, niż się spodziewał. Jego gość podszedł wtedy do schodów, ostentacyjnie serdeczny i braterski, zgoła więc inny niż znacznie bardziej wyniosły fikcyjny Holmes.

– Jestem pewien, że pamiętasz ten moment, profesorze – mruknął Anglik – gdy w jednej z ostatnich ksiąg *Państwa* jest dowiedzione, że „despota" podniesiony trzykroć do kwadratu, a potem jeszcze do sześcianu jest *bardziej nieszczęśliwy* niż król filozof, to znaczy siedemset dwadzieścia dziewięć razy. Pomyśl tylko! Platon był najgenialniejszym z filozofów, jeżeli nie należy mu przypisać jawnego szaleństwa, tak jak wielu jego następcom. A jednak za mężny czyn, którego niebawem dokonasz pod własnym dachem, zostaniesz trzykrotnie podniesiony do kwadratu i potem jeszcze do sześcianu, dzięki czemu w nagrodę otrzymasz większą *radość*, niżbyś odczuwał w innej sytuacji – jako quasi-ojciec horroru, powiedzmy to sobie. Tak więc na górę! Do pokoju dziecięcego i do małżeńskiego łoża.

I tak oto Pearce van Dyck, dzierżący rozjarzony pogrzebacz niczym królewskie berło, jął się wspinać po ciemnej klatce schodowej, w stronę tego, co go czekało na piętrze.

3.

To wcale tak bardzo nie zaboli. Ból da się znieść. Zdobądź się na odwagę, Johanno! I nie opieraj się, bo tylko jeszcze bardziej go rozzłościsz.

Chrapliwy szept, który wybudził Johannę ze snu, zdawał się dobiegać z cieni zalegających dookoła sofy, na której spała, i mieszał się z kapryśnym wiatrem potrząsającym framugami okien.

Wiesz, że jestem dla ciebie siostrą, Johanno. Nie uprowadzałabym cię w błąd. Radzę ci: nie stawiaj oporu, tak jak ja to czyniłam. To potęguje ich gniew, jeśli nie godzisz się z ich życzeniami. I potem będziesz cierpiała – tak jak ja cierpiałam.

Johanna znajdowała się w pokoju dziecięcym, bo po tym, jak wieczorem nakarmiła i utuliła cierpiące na kolkę dziecko, zmęczona zasnęła na wyłożonej poduszkami sofie; leżąc tam, cała zesztywniała. Z początku myślała, że ten szept to gaworzenie dziecka, ale potem dotarło do niej, że dźwięk ma zupełnie inne źródło; dziecko spało niezmąconym snem w kołysce.

– Pearce? Czy to ty?

Johanna spojrzała w stronę skupiska cieni, za którymi kryły się otwarte drzwi do jej własnej sypialni; drzwi wychodzące na korytarz wydawały się zamknięte.

W głębi korytarza, w części domu zamieszkiwanej przez służących, spała czarnoskóra dziewczyna, której obowiązkiem było doglądanie dziecka; spała tam, bo Johanna nie mogłaby tego znieść, gdyby ktoś inny wdzierał się między nią a jej maleńkiego syna. Uważała to za niezwykle ważne, by pierwszą rzeczą, jaką dziecko zobaczy tuż po przebudzeniu, była twarz matki.

– Czy to ty? Ale gdzie ty jesteś?

Chyba się pomyliła: Pearce'a nie było w pokoju dziecięcym.

Pearce znajdował się najprawdopodobniej na dole, w swoim gabinecie. Zachęcił Johannę i Jozjasza, żeby położyli się już, sam się wymawiając, że musi jeszcze kilka chwil popracować, ale podejrzewała, że pracował wiele godzin nad schematem tropów i pewnie zasnął na kanapie w gabinecie.

Drżącymi palcami pospiesznie zapaliła zapałkę; widziała teraz całkiem wyraźnie, że dziecko z całą pewnością śpi w swojej kołysce, bo kiedy już spało, to zawsze głęboko, a kiedy się budziło, to zaczynało się zanosić przeraźliwym płaczem. *To wcale bardzo nie boli. Nie wprowadzałabym cię w błąd, moja droga siostro. Nie wolno ci się opierać, to bardzo ważne. Bo razem z upadkiem Ewy wszystkie zgrzeszyłyśmy. A teraz zbieramy nasze żniwo, z rąk naszych panów.* Johanna słyszała te dziwnie spokojne słowa dobiegające z cieni pokoju. A przecież wiedziała, że jest tu tylko z dzieckiem. Cała dygocząc, ustawiła knot w lampie, wstała z sofy i rozejrzała się dookoła przestraszonym wzrokiem.

Były stare, głupie opowieści o tym, że Quatre Face jest nawiedzone. Na jednym z przystanków kolei podziemnej przejeżdżającej przez wschodnią Pensylwanię usłyszała jakąś niejasną, brzydką historię o murzyńskich niewolnikach, których nakłoniono podstępem, by weszli do tego domu i ukryli się w zatęchłym tunelu za kominem; zostali rzekomo wydani przez pana posiadłości łowcom niewolników, którzy zawlekli ich skutych łańcuchami na Południe.

Cóż za straszna opowieść, Pearce! Czy to może być prawda? Czy twój prapradziadek zrobiłby coś takiego bezsilnym ludziom?

Owszem! Czemu nie? Twój dziadek też mógł robić takie rzeczy, odparował Pearce, ugodzony do żywego wypowiedzią Johanny.

A jednak Johanna nie wierzyła w duchy. W pokoju nie było nikogo oprócz niej i dziecka.

Od czasu, gdy mąż wysłał ją do Quatre Face, Johanna popadła w obezwładniającą melancholię. Zniechęcenie i brak energii nie leżały w jej naturze, a jednak odosobnienie tego domu działało na nią przygnębiająco, podobnie zresztą jak jego opłakany stan; całą swoją uwagę skupiała na dziecku i na chaotycznych, często przerywanych lekturach książek, które przywiozła z sobą. To zupełnie do niej niepodobne, pomyślała, że *coś jej się roi*; nie była znerwicowaną inwalidką jak biedna Adelajda Burr i inne princetońskie kobiety, a jednak w Quatre Face osaczyła ją wielość bezpodstawnych strachów, a także ten największy lęk, że z jej mężem i z ich małżeństwem dzieje się coś bardzo niedobrego.

Z całą pewnością się nie myliła, że Pearce zmienił się radykalnie. Utracił swe dawne poczucie humoru, a zamiast tego zrobił się nieprzewidywalnie drażliwy; jego oczy czasami jarzyły się żółtą barwą, jakby jej nienawidził. (Johanna nie mogła tego zdradzić nikomu, nawet drugiej kobiecie: mąż jej nienawidził!) Było też oczywiste, że nienawidził i bał się ich niewinnego dziecka, że wręcz nim gardził i że za nic nie chciał nadać mu imienia.

Johanna popatrzyła z czułością na śpiące niemowlę. We śnie wydawało się takie maleńkie! I takie całkowicie bezradne.

— Mam nadzieję, że ty się o tym wszystkim nie dowiesz. Że nie będziesz wiedział o tym, co cię teraz otacza, tak jak my nic nie wiemy o otaczających nas galaktykach.

Kołyska, w której leżało niemowlę, była rodową pamiątką, pamiątką po rodzinie Strachanów. Biała siatka rozpięta na mocnej sosnowej ramie, obrzeżonej białą satyną i białymi satynowymi wstążkami. Piękna kołyska, a jednak Pearce na jej widok wzdrygnął się z obrzydzeniem i zaśmiał się ironicznie – „Wygląda jak niemowlęca *trumienka*. Ten mebel jest nie do przyjęcia".

Ale Johanna uparła się. I pamiątkowa kołyska została.

Stojąc boso, we flanelowej koszuli nocnej sięgającej kostek, z włosami opadającymi luźno na ramiona, Johanna rozejrzała się niespokojnie po ciemnym pokoju i nagle zobaczyła, jakby przypadkiem, jakąś postać, która siedziała czy też półleżała na szezlongu w przeciwległym kącie. I w tym momencie usłyszała te same ciche, a jednak alarmujące słowa – *To wcale bardzo nie boli. Próżno stawiać opór. Będzie zły, jeśli stawisz opór. Nie wprowadzałabym cię w błąd, moja droga siostro Johanno!*

Johanna wytrzeszczyła oczy, tłumiąc krzyk; nawet w stanie skrajnej paniki nie chciała zbudzić i przerazić śpiącego dziecka.

Czy to możliwe?

Ta cienista postać to była *Adelajda Burr*.

Biedaczka uniosła poranione, zakrwawione, nagie ręce w stronę Johanny – na jej spopielałej twarzy, też zakrwawionej, malował się ból i błaganie; jej oczy były mokre od łez, a ta plątanina krwawiących ran w miejscu, gdzie przedtem znajdowały się jej małe, płaskie piersi...

Johanno, nie odwracaj się. Jestem twoją siostrą. Czekam na ciebie. Nie zostawiaj mnie tu samej...

Johanna obróciła się, nic teraz nie widząc; owładnięta śmiertelnym strachem zderzyła się z kołyską i obudziła dziecko – sylwetka jej dawnej przyjaciółki Adelajdy Burr zdawała się migotać i blaknąć, jakby z rozczarowania albo z poczucia odrzucenia, bo Johanna była bardzo tchórzliwa i nie umiała się zmusić, żeby przemówić do Adelajdy, która zwracała się do niej z takim uczuciem. Bo jest w nas ten lęk – moim zdaniem lęk podyktowany rozsądkiem, że jeśli raz przemówimy do zmarłego, to on przylgnie do nas w swej rozpaczliwej samotności i już nigdy nie da nam spokoju.

Po chwili Johanna zaczerpnęła powietrza, żeby krzyknąć przeraźliwie, bo nie była w stanie się powstrzymać, i byłaby krzykiem wołała o pomoc, całą mocą swoich płuc, ale widziadło zniknęło, a ona sama z wielkim wysiłkiem usiadła, budząc się dopiero teraz z koszmaru sennego.

Lampa wcale się jednak nie paliła. I Johanna cały ten czas spała na sofie w pokoju dziecięcym, zbyt małej, by można było się na niej dobrze wyspać czy choćby tylko zdrzemnąć, przez co bolały ją teraz kark i plecy. Ten przerażający epizod tylko jej się przyśnił.

Mocno drżącymi rękoma zapaliła lampę, która intensywnie pachniała naftą, jakby ktoś bezmyślnie napełnił ją po brzegi, i potem z ulgą stwierdziła, że w pokoju nikogo nie ma, że na szezlongu nie ma nic oprócz zapasu pieluszek, kocyka i miękkich białych ręczników, schludnie złożonych. To stąd był ten koszmar, stwierdziła Johanna: sztuczka nerwu ocznego, w jakiś sposób widzialna przez przymknięte powieki. A dziecko wcale się nie obudziło, tylko – to zakrawało na cud! – nadal spokojnie spało.

Johanna mimo wszystko była nadal podminowana, uznała więc, że próby zaśnięcia spełzną na niczym i tylko ją dodatkowo przygnębią, kiedy więc do pokoju krótko potem, około trzeciej, wszedł Pearce, Johanna leżała na sofie obok kołyski, opatulona pledem; lampa dawała liche światło, ale jakoś udawało jej się przedzierać przez kolczastą prozę pana Henry'ego Jamesa, swego czasu faworyta wypożyczających w bibliotekach, którzy koniecznie chcieli czytać *Daisy Miller* i *Portret damy*, ale Johanna czytała teraz, czy też usiłowała czytać *Złotą czarę*, dotarła już do dwusetnej strony i nadal ledwie wiedziała, o czym opowiada ta fabuła. Zdziwiła się wprawdzie, że jej mąż wchodzi do pokoju dziecinnego, który za dnia omijał, ale postanowiła go powitać mimo nietypowej pory.

– Pearce? To ty? Idziesz wreszcie spać?

A jednak oddech uwiązł jej w krtani i zogromniały jej oczy, bo zobaczyła, że mąż zbliża się do niej nie tylko z dziwnie zaciętą miną, ale także z jakimś prętem w ręku – pogrzebaczem? – uniesionym wysoko; czubek pogrzebacza jarzył się z gorąca, jakby ledwie co został wyjęty z ognia.

Pearce van Dyck, człowiek o znakomitych manierach, przeobraził się w mordercę o wykrzywionej twarzy: zdeformowana głowa, kosmyki ciemnych włosów sklejone potem z gorączki, afektowany, okrutny uśmiech przypominający grymas gargulca. Co on robił, dlaczego szedł do kołyski? W której przecież spało dziecko? Z uniesionym pogrzebaczem – żeby się nim wściekle zamachnąć?

Oczy jej męża mieniły się topazową łuną.

– Nie próbuj mnie powstrzymać, Johanno. Ten akt się dopełni, bo został przepowiedziany.

Johanna skoczyła na swego męża i próbowała wyrwać pogrzebacz z jego ręki. A jednak jakże silny okazał się Pearce, jaka też furia zasilała jego ciało! Żar bijący od pogrzebacza dotknął jej skóry, skóry na twarzy i rzęs okalających oczy – i dopiero teraz przerażona na śmierć kobieta jęła krzyczeć wniebogłosy.

4.

Jozjasz Slade w pobliskiej sypialni już nie spał, w rzeczy samej niewiele spał od czasu rozstania z Johanną van Dyck kilka godzin wcześniej. Niewygodny materac, osobliwy kwasowy odór wnętrza przypominający woń grobu, a do tego jeszcze odurzający zapach bzu; gra plam *księżycowego światła* na suficie niczym odbicia na wodzie; i dziwny pomruk, głos, a może głosy, dobiegający z dołu, choć Jozjasz wiedział, że w domu jest ciemno i że nikogo nie powinno tam być – wszystko to nie pozwalało mu zapaść w sen, nieważne, że jak zawsze niespokojny, męczący. I nagle usłyszał krzyk Johanny.

W jednej chwili poderwał się z łóżka i pobiegł do pokoju dziecięcego. Instynktownie wiedząc, że zaraz wydarzy się coś strasznego, coś, czemu będzie musiał zapobiec. *Śpiesz się! Śpiesz! Ich życie zależy tylko od ciebie* – chociaż ten jedyny raz to nie był głos demona.

W pokoju dziecięcym w świetle lampy Jozjasz zobaczył dwie walczące z sobą postacie, jedna trzymała w ręku pogrzebacz. Nie mając czasu na przetrawienie tego zdumiewającego widoku, schwycił szaleńca i wyrwał pogrzebacz z jego uścisku, parząc sobie przy tym palce; w przypływie młodzieńczej siły rzucił tamtego na podłogę – i dopiero teraz zobaczył, że ten człowiek to jego przyjaciel i były wykładowca, Pearce van Dyck.

– Przecież to się nie dzieje naprawdę! To się nie może dziać…

Johanna, łkając, tłumaczyła Jozjaszowi, niezbyt zrozumiale, co się stało albo prawie stało; dziecko w kołysce obudziło się i zaczęło kwilić, ale brzmiało tak to, jakby po dorosłemu wiedziało, na czym polega groza sytuacji.

Profesor van Dyck leżał na podłodze, cały dygocząc. Jego twarz, jeszcze chwilę wcześniej wykrzywiona małpią wściekłością, była teraz martwa i obwisła; z gardła dobywało się chrapliwe rzężenie, jakby tam w środku były jakieś ciernie i osty, które udaremniały mu oddychanie. Jozjasz ukląkł przy nim i rozchylił mu szerzej kołnierzyk koszuli, żeby mógł lepiej zaczerpnąć oddechu, a jednak cios w głowę przy zderzeniu z podłogą, na którą Jozjasz rzucił go tak gwałtownie, a może paroksyzm wściekłości, wywołał w nim rozpacz, która z kolei zablokowała pracę serca albo jednej z tętnic mózgu, i po kilku minutach, mimo wysiłków Jozjasza starającego się go cucić, doktor van Dyck przestał oddychać i bez większego wzburzenia czy strachu zapadł w śpiączkę, a potem jeszcze, po kilku godzinach, osunął się w objęcia śmierci.

Pogrzebacz, którego śmiercionośny czubek już stygł, leżał kilka stóp od upadłego człowieka, całkiem nieszkodliwy.

„TRĄBA ANIELSKA" – WYJAŚNIENIE

Historycy pomijają to „załamanie psychotyczne" oraz „usiłowanie zabójstwa dziecka" w Quatre Face, jakby tamte zdarzenia nie miały bezpośredniego związku z Klątwą, jakby nie należało ich brać pod uwagę, gdyż doszło do nich na terenie Raven Rock w Pensylwanii, czyli zbyt daleko od Princetonu. A jednak tragedia van Dycków to fakt szalenie ważny dla całej tej historii.

Jozjasz Slade został uznany za człowieka, który uratował zarówno życie niemowlęcia, jak i jego matki, ale nie trzeba chyba tłumaczyć, że ten młody człowiek zadręczał się straszliwym poczuciem winy i był jeszcze bardziej przybity i zrozpaczony niż przedtem.

Bo czy jego profesor nie kochał go w jakimś stopniu, czy nie ufał mu i nie powitał z otwartymi ramionami we własnym domu, czy przed dziwacznym wybuchem morderczego szaleństwa nie miał zasadniczo racji w kwestii Klątwy? Czyż ten biedny człowiek, heroiczny ponad miarę, nie wyłonił schematu tropów łączących odrębne zdarzenia i niepowiązane z sobą osoby? Pearce, jak się zdawało, wiele powierzył Jozjaszowi, więcej niż komukolwiek innemu, bo ufał mu jak własnemu synowi.

– Teraz on nie żyje, a ja zostałem całkiem sam. Kiedyś jego uczeń, pełen dlań podziwu, a teraz kat.

(Było też jedno podnoszące na duchu wspomnienie związane z desperackim czynem Jozjasza. Zapamiętał ten serdeczny głos, który kazał mu pospieszyć do pokoju dziecięcego – *Ich życie zależy tylko od ciebie, Jozjaszu.* Nie głos demona, tylko głos jego drogiej siostry Annabel, którego nie słyszał od jej śmierci).

* * *

– Nie zabiłeś tego człowieka, bo to była obrona innych osób.

I:

– Nie zrobiłeś tego umyślnie. To w rzeczy samej był akt ofiarności, odwagi, heroizmu.

A także:

– Dziecko Johanny van Dyck zawdzięcza ci życie, tak jak Johanna zawdzięcza ci życie. Musisz to zrozumieć.

Tak mówiono Jozjaszowi. Ale on w to nie wierzył.

Jego wyrzuty sumienia nie rozproszyły się nawet wtedy, gdy krótko po pogrzebie profesora van Dycka wyjaśniono przyczyny owego „załamania psychotycznego". Stało się to przy okazji fortunnej wizyty pani Prudencji Burr, która przybyła do Quatre Face, by wspomóc rodzinę Johanny w tym smutnym czasie.

Starsza pani Burr przyjechała pomóc Johannie spakować się i wrócić do Princetonu; tak jak inni była zdumiona i porażona „niewyobrażalnym rozgardiaszem" w gabinecie profesora, zupełnie nietypowym, wszyscy się zgadzali, dla zazwyczaj schludnego Pearce'a van Dycka, który pracowicie układał swoje książki w porządku alfabetycznym, zarówno w uniwersyteckim gabinecie, jak w rezydencji przy Hodge Road, i który rzadko zostawiał książkę na stole zamiast na półce. Tutaj natomiast, w Quatre Face, było mnóstwo jakichś wielkich, nieporęcznych wykresów czy też tabel oraz licznych notesów i luźnych kartek, w tym również walających się pod nogami – wszystko to stanowiło jakby niemy dowód obłędu tego człowieka. Pani Burr i jej czarnoskóra służka znalazły kilkanaście kartek z diagramami analizującymi opowieści A. Conan Doyle'a, wypełnionych niecierpliwym, krzywym pismem profesora.

Najwięcej jednak mówiącym odkryciem była z pozoru niewinnie wyglądająca zakładka do książek sporządzona z zasuszonych kwiatów, w egzemplarzu *Etyki* Spinozy, który leżał na biurku profesora, pod schematem tropów; pani Burr otworzyła książkę, zobaczyła zakładkę, pochyliła się, by powąchać kwiaty, i prędko odrzuciła od siebie *Etykę*, jakby to był jadowity owad.

– Cóż za tragedia! Pearce pewnie myślał, że to jakiś kwiat, może zasuszone kalie. A tak naprawdę to cuchnące coś to trująca „trąba anielska", inaczej brugmansja, jeden z najbardziej śmiertelnych dziko rosnących kwiatów.

Trąba anielska była tak toksyczna, że nawet w stanie zasuszenia jej owoce i nasiona po zjedzeniu wywoływały u ludzi gorączkę, rozszerzenie źrenic, zmącenie umysłu, delirium, konwulsje i niekiedy śmierć. Jeśli profesor van Dyck wdychał słaby, a jednak przemożny zapach bijący od tej zakładki codziennie, całymi godzinami, od wielu miesięcy, to było całkiem możliwe, że jego mózg ulegał stopniowej deterioracji skutkującej paranoidalną podejrzliwością i napadami szału.

Przemyślna pani Burr, która skończyła już co najmniej siedemdziesiąt osiem lat, miała ten praktyczny zmysł, że kazała swej pomocnicy owinąć starannie toksyczną zakładkę w kilka warstw gazet, zawieźć to do Princetonu i przekazać policji.

Kiedy Jozjasz usłyszał o tym, na nowo owładnęły nim wyrzuty sumienia. Jakieś trujące zielsko! Wcale nie połamane i zmiażdżone kalie, znalezione na ziemi przy dawnym domu Cravena! *Co, nie przyznasz się?* zadręczał go jakiś głos, głuchy i nosowy jak głos Axsona Maytego. *Nie powiesz, skąd się wzięły trąby anielskie w gabinecie profesora?*

„ARMAGEDON"

– Czy to możliwe? Tak *prędko?*

Usłyszawszy o takich niepokojących sprawach – (czyli serii straszliwych i niewytłumaczalnych incydentów wśród prominentnych rodzin princetoń-skich) – Upton Sinclair zaczął się zastanawiać, czy Armagedon nie jest przy-padkiem bliżej, niż wierzyli prorocy socjalizmu. I snuł spekulacje, czy jemu i jego żonie może coś zagrażać, skoro mieszkają tak blisko niewątpliwego serca oddziaływania Klątwy.
– Kto by mógł sobie wyobrazić, że taka oaza spokoju jak Princeton stanie się tarliskiem Diabła z Jersey! – Upton mówił to beztroskim tonem, a jednak na poły poważnym. Nie mógł nie myśleć, że te straszliwe przejścia wielkich bogaczy są zasłużone i usprawiedliwione z perspektywy histo-rycznej, a jednak bardzo wątpił, czy spadły na nich z jakiegoś nadprzyro-dzonego źródła.
A jednak zaiste czuł, że w powietrzu, nawet w wiejskim New Jersey, wisi jakaś zmiana rozmiarów kataklizmu.
– No bo sama pomyśl, Meta – rzekł pewnego wieczoru Upton do swojej żony, która krzątała się w kuchni i doglądała małego Davida siedzącego na wysokim krzesełku – podczas ostatnich wyborów w Chicago na socjalistów oddano pięćdziesiąt tysięcy głosów, w dniu, w którym *Dżungla* ukazała się w formie książkowej, przyszło dwanaście tysięcy zamówień, w takim Prin-cetonie stoi kamień upamiętniający Mateczkę Jones i dzieci pracujące w fa-brykach, no i jest oczywiste, że mój artykuł wstępny o *Krucjacie dziecięcej* odpowiada za to, że majowy numer „The Nation" wyprzedaje się w całości ze stoisk!* I jak to jeszcze połączyć z tragediami starych rodów princetoń-

---

* Upton odnosi się tutaj do marszu strajkujących dzieci pracujących w fabrykach we wschodniej Pensylwanii pod przywództwem Mary Harris Jones. Te dzieci, niektóre za-ledwie dziewięcioletnie, w tym takie, którym brakowało palców u rąk i nóg albo miały

skich, Slade'ów, van Dycków i Burrów, a mogą wszak być jeszcze inne, to można nie całkiem bezpodstawnie podejrzewać tu coś więcej niż zwykły zbieg okoliczności, zgadzasz się? Kropotkin powiedział, że nic w historii nie jest dziełem przypadku.

Zdjęty nagłym uniesieniem Upton schwycił za ramiona zdumioną żonę i odciągnął ją od małego Davida, którego karmiła właśnie przetartą rzepą.

– Wydaje się oczywiste – oznajmił podnieconym głosem – że żyjemy w ostatnich dniach kapitalizmu, bo dusza ciemiężonego człowieka zrywa okowy, by powstać przeciwko niszczycielskiej sile chciwości i *dokonać zemsty tam, gdzie należy*. I dzieje się to na wiele lat przed tym, zanim to przepowiedzieliśmy, i w odległości zaledwie kilku mil od chatki z bali, w której niejaki Upton Sinclair napisał *Dżunglę*. Czy mogło się zdarzyć coś bardziej zdumiewającego, bardziej zakrawającego na cud?

Meta wyplątała się delikatnie z uścisku męża i zabrała się z powrotem do karmienia małego Davida.

– Tak, to cud – tylko tyle mruknęła.

---

inne obrażenia powstałe podczas pracy, „maszerowały" z Filadelfii do miasteczka Oyster Bay na Long Island, do prywatnej rezydencji Theodore'a Roosevelta. Marsz, mimo że wyszydzany w prasie jako „anarchistyczna inwazja", mocno nagłośnił kwestię trudnego położenia małych robotników z przędzalni jedwabiu i kopalń. Celem strajku było wywalczenie pięćdziesięciopięciogodzinnego tygodnia pracy. Roosevelt nie zgodził się spotkać z „Mateczką Jones" i setkami obdartych, najwyraźniej padających z nóg dzieci. Jakiś pensylwański sędzia wygłosił przeciwko nim następujące oświadczenie: „Strajkujecie przeciwko Bogu".

CZĘŚĆ IV

Zdejmowanie klątwy

ZIMNA WIOSNA

– Słodkie, niewinne dziecię! Jest już teraz aniołem.

Pewnego nietypowo dla pory roku zimnego poranka na princetońskim cmentarzu po raz kolejny zebrała się zasmucona rodzina Slade'ów, by pogrzebać kogoś ze swoich: w trumience ozdobionej macicą perłową, długości zaledwie czterech stóp. Serce się krajało na widok tak niewielkich rozmiarów.

– Jest już z aniołami.

– Dołączyła do swej ukochanej kuzynki.

Zmarłą opłakiwaną przez Slade'ów i nie tylko była dziewięcioletnia Oriana Slade. Nad wyraz szokująca i nieoczekiwana śmierć – najwyraźniej wypadek.

Drobne ciało Oriany, ważące ledwie sześćdziesiąt funtów, zostało znalezione nie w jej małym łóżku w pokoju dziecięcym w Wheatsheaf, w którym jak zawsze utuliła ją matka, Lenora, tylko w brudnej i rozdartej koszuli nocnej na zewnątrz domu, pod kwitnącym, acz wciąż jakby bezlistnym tulipanowcem *za murem otaczającym posiadłość od północnego wschodu.*

Ciało dziewczynki było posiniaczone i połamane, jakby spadła albo została zrzucona ze sporej wysokości, a nie z tego muru z kamieni polnych mającego zaledwie sześć stóp.

Z najwyższego punktu dachu nad Wheatsheaf? Czy to było możliwe?

A jednak wszyscy, którzy ją widzieli, zeznali, że dziewczynka nie wyglądała, jakby cierpiała w chwili śmierci. Jej oczy były częściowo otwarte, podobnie usta; na jej twarzy malował się wyraz zaskoczenia i spokoju, a nie strachu czy też zdenerwowania.

Nikt nie umiał wytłumaczyć, jakim sposobem Oriana, która nigdy nie okazywała nieposłuszeństwa ani rodzicom, ani swej niańce, wymknęła się z pokoju dziecięcego w środku nocy; jakim sposobem wspięła się gdzieś bardzo wysoko, na boso, odziana w samą bawełnianą koszulę nocną; i dlaczego?

Todd, bezgranicznie zdumiony śmiercią siostry, która ani trochę nie wydawała mu się realna, powiedział, że Oriana kilka razy opowiadała mu o swoich snach z udziałem Annabel i o „przywileju nieba" – (wyrażenie brzmiące w ustach dziewięciolatki tak dziwnie, że wątpiłbym w nie, gdyby nie to, że cytowano je kilkakrotnie w protokołach ze śledztwa) i że któregoś dnia pofrunie do „lodowej krainy na północy", gdzie teraz mieszka Annabel. Oriana mówiła też Toddowi, kiedy nie mógł tego słyszeć nikt dorosły, że umiejętności fruwania uczy ją jakaś bardzo śliczna siwowłosa pani o „ostrych oczach". Todd śmiał się z takich nonsensów, bo nie umiał traktować słów siostry poważnie; pogodnie stwierdził, że już wielkim wysiłkiem dla niego było traktowanie poważnie *własnych nonsensów*.

(W następnych dniach po śmierci siostry Todd był niestosownie pogodny, a nawet wręcz rozbrykany. Ale też czasami popadał w kamienne milczenie, nie płacząc i nic nie mówiąc).

Twierdził, że próbował raz opowiedzieć matce o „fruwających" snach Oriany, ale matka była czymś rozkojarzona i tak jakby nie słuchała.

Kiedy innym razem próbował opowiedzieć o tym matce, ta, krzywiąc się, stwierdziła, że on i jego siostra nie powinni „opowiadać sobie tylu bajek".

Z nieba niespodzianie lunął zimny deszcz, dlatego żałobnicy zbili się w ciasną gromadę przy grobowcu rodziny Slade'ów, zbudowanym z granitu i wapienia i ozdobionym portykiem z włoskiego marmuru; przekazywali sobie banalne wyrazy współczucia i kondolencje najlepiej jak potrafili, aczkolwiek ci, w których śmierć małej Oriany wywołała pewną dozę przerażenia, a także smutku, mieli niewiele do powiedzenia. Z pewnością w tym, co twierdził Pearce van Dyck, nie było żadnej przesady: na społeczność Princetonu spadła Klątwa i nawet najbardziej niewinnym jednostkom, a więc również dziewięcioletniemu dziecku, nie mogło być oszczędzone.

Wielebny Nathaniel FitzRandolph, który postarzał się bardzo tamtej zimy, intonował dobrze znane chrześcijańskie modlitwy i w pewnym momencie rzekł tonem wymuszonego optymizmu, że jeśli droga mała Oriana naprawdę sobie wyobraziła, że potrafi fruwać, to w takim razie pewnie pofrunęła do nieba.

Stojący blisko niego Todd Slade wsadził pięść do ust, żeby stłumić napad śmiechu.

Jego rodzice wpatrywali się w małą trumnę połyskującą bielą, jakby to była jakaś zagadka, której nie potrafili rozwiązać. Twarz Copplestone'a, twarz podstarzałego sensualisty, była obwisła i obrzmiała; popękane naczynka tworzyły czerwoną siateczkę na jego szerokim nosie, a od małych, zielonoszarych oczu tchnęło jakby obrazą i irytacją, których adresatem była przede wszystkim żona, ponieważ, jak powiadano, Copplestone winił przede wszystkim ją za śmierć ich córki i nie zamierzał jej wybaczyć. Bo ta kobieta wciąż „włóczyła się po mieście" ich nowym automobilem marki Pierce Arrow, kierowanym przez „bezczelnego czarnucha" w „małpim uniformie", który został uszyty na specjalne zamówienie Lenory; wiecznie też „zadawała się" z jakimiś inwalidkami, organizacjami charytatywnymi i damskimi komitetami powstałymi na rzecz odnowienia tych czy innych ruin albo wysyłki używanych ubrań do jakiejś „dziczy zapomnianej przez Boga", jak na przykład Etiopia.

(Nieposiadająca się ze smutku Lenora nic nie mówiła; nie zamierzała się bronić, przynajmniej nie w tym czasie, aczkolwiek zwierzyła się swej szwagierce Henrietcie, że często myśli z rozpaczą o przyszłości – o tym, jak to się któregoś dnia może „skończyć" miedzy nią i Copplestone'em. „On zupełnie nie przypomina swego ojca Winslowa. On w ogóle nie jest taki jak inni Slade'owie, nie jest dobrym człowiekiem. Wybacz mi, Boże, ale zastanawiam się, czy nasza biedna córka nie dlatego chciała pofrunąć, że uciekała przed swym ojcem tyranem").

Zrozpaczeni rodzice stali w pewnej odległości od pozostałych żałobników, tuż przed wielebnym FitzRandolphem. Kilka osób zauważyło, że nie dotykali się ani też nie patrzyli na siebie podczas ceremonii przy grobie.

Powszechnie zauważono, że obecny był *cały princetoński West End*: wszyscy ci, którzy kilka miesięcy wcześniej nie zostali zaproszeni na pogrzeb Annabel Slade.

(Czyli członkowie rodzin Burrów, Sparhawków, Pyne'ów, Armourów, Strachanów, FitzRandolphów, van Dycków, Biddle'ów, Bayardów, Washburnów – by wymienić choć kilka bardziej wybitnych nazwisk).

(Rzecz jasna było też kilka rzucających się w oczy nieobecności, przede wszystkim Horacego Burra i Pearce'a van Dycka. Wilhelmina Burr trzymała się z daleka z przyczyn osobistych).

Od czasu, gdy został zamieszany w śmierć Pearce'a van Dycka, w związku z którą powstało wiele różnych opowieści krążących po Princetonie i okolicach, Jozjasz Slade zdawał sobie sprawę, że całe miasto go obserwuje i ocenia. Pod względem prawnym orzeczono, że jest niewinny. I Johanna van Dyck – (na pogrzebie tego ranka spowita w czarny len, z głową nakrytą kapeluszem z czarną woalką i szerokim rondem, w towarzystwie swych ponurych krewnych z rodziny Strachanów) – nigdy nie przestała obwieszczać całemu światu, że Jozjasz heroicznie uratował życie dziecku i jej. A jednak nawet w Nowym Jorku, do którego zagnał go niespokojny duch, wyobrażał sobie czasami, że jakieś obce osoby mu się przyglądają. *I dokąd tu uciec i gdzie tu się ukryć? Jesteś mordercą człowieka, który ci zaufał, nosisz Kainowe piętno na czole.*

O dziwo, po wielu miesiącach przygnębienia i melancholii Jozjasz zaczął być zirytowany i drażliwy; przede wszystkim łatwo wdawał się w sprzeczki ze swym ojcem Augustusem, czego wcześniej raczej nie robił. Świeżo po lekturze wszystkiego, co mu wpadło w ręce, autorstwa Uptona Sinclaira – (który podobno mieszkał w okolicach Princetonu i Jozjasz bardzo chciał go poznać) – a także *Hańby miast* Lincolna Steffensa oraz powieści Franka Norrisa i Theodore'a Dreisera, Jozjasz zadziwił swego ojca, bo podważył wiarygodność J. Ogdena Armoura w jego odpowiedzi na *Dżunglę* opublikowanej w „Saturday Evening Post", a także szczerość intencji większości biznesmenów, którzy gniewnie obalali zarzuty „demaskatorów"* w prasie. Augustus początkowo odpowiadał z godnością, kiedy jednak syn drążył sprawę, odważając się nawet poruszać ją przy kolacji, bo odczytywał na głos najbardziej odrażające fragmenty z *Dżungli* i powieści Norrisa, reagował tak, jakby został zaatakowany personalnie:

– Dosyć tego, Jozjaszu! To są socjaliści i anarchiści, nie wolno im ufać! Wolnomyśliciele, sufrażystki, ateiści to ludzie, którzy obalą naszą cywilizację i ją podpalą. Nie będziesz niepokoił swojej matki, dziadka i mnie w takim momencie naszego życia.

– A kiedy moment będzie lepszy, ojcze? Skoro świat chwieje się w posadach, co jeszcze innego możemy robić, jak nie chwiać się razem z nim?

– Gdybyś ty wiedział, co mówisz, Jozjaszu, to nie przemawiałbyś do mnie w tak lekkomyślny sposób.

– Gdybyś to ty wiedział, co mówisz, ojcze, to nie przemawiałbyś do mnie tonem takiego samozadowolenia.

– Ledwie wierzę, że to ty, mój syn i wnuk Winslowa Slade'a, mówisz takie rzeczy – odparł rozjuszony, zaczerwieniony Augustus – a nie jakiś zły duch, który wgryzł się w twe serce.

Zły duch! Ta niesprawiedliwa uwaga uciszyła Jozjasza i sprawiła, że wymówił się mrukliwie od stołu. Na jego miejscu pozostał talerz z pieczoną wołowiną z chicagowskiej rzeźni pana Armoura. Nietknięty.

Jozjasz stał teraz sztywno wyprostowany przy grobowcu Slade'ów. Nie towarzyszył rodzicom, bo udało mu się wcisnąć między swoją załkaną ciotkę Lenorę a dziadka Winslowa, który wsparł się na jego ramieniu; z początku lekko, potem coraz większym ciężarem. Pobożny pomruk modlitw wprawiał jego mózg w odrętwienie. Jozjasz pragnął poruszyć żałobników pytaniem, kto spośród nich wierzy, choćby tylko przez ułamek chwili, że jego mała kuzynka Oriana jest już wśród aniołów w niebie, a kto nie wierzy, że dopadła ją rodzinna Klątwa, tak jak z czasem dopadnie ich wszystkich.

Jeden z jego głosów dopytywał się chytrze: *Skoro Annabel umarła, to czemu nie Oriana? Równowaga między Crosswicks i Wheatsheaf została przywrócona i teraz pozostali tylko Jozjasz z Toddem.*

---

* Mowa o „muckrakers", publicystach i pisarzach amerykańskich, którzy na przełomie XIX i XX wieku komentowali nieprawidłowości systemowe w Stanach Zjednoczonych. Zob. przypis autorki na str. 529 (przyp. tłum.).

Wprawdzie wiedział lepiej, bo był racjonalistą, człowiekiem, dla którego historia to kwestia podlegająca naukowemu dochodzeniu, a jednak wydawało mu się, że profesor van Dyck był bardzo przekonujący, kiedy argumentował, że Klątwa objawiła się naprawdę, nawet jeśli w szczegółach już taki przekonujący nie był.

Jozjasz nie potrafił uznać, że jakiś demon rzeczywiście wszedł do duszy Pearce'a, ale wydawało mu się zaiste prawdopodobne, że profesor filozofii zatruł się trąbą anielską bezmyślnie wciśniętą do książki; nie zdradził nikomu, że to on dał przyjacielowi ową toksyczną roślinę, pod mylnym wrażeniem, że to kalia – upiorna kalia.

Koroner okręgu Mercer odkrył, że kora mózgowa Pearce'a van Dycka rzeczywiście uległa wyraźnej deterioracji, ale nie umiał stwierdzić, z jakiego powodu się to stało. Nie wykluczył, że mógł to być wpływ trąby anielskiej, ale też nie stwierdził, że akurat to jej wpływ.

Podobnie nie istniały podstawy, by sądzić, że jakiś demon wniknął w obłąkanego Horacego Burra, obecnie znajdującego się w Szpitalu dla Chorych Umysłowo Przestępców w dzielnicy Otterholme miasteczka Summit Oaks w New Jersey, gdzie poddano go kontrowersyjnej kuracji wodą wymyślonej przez Thornhursta*. Powiadali, że Horacy Burr zmienił się nie do poznania. (Miarą jego szaleństwa było to, że Horacy, tuż po aresztowaniu, odebraniu od niego zeznań i przewiezieniu do Otterholme, zaczął zmieniać swoją historię: że niby rzeczywiście zamordował Adelajdę, żeby ją „uwolnić od tej niedoli", a jednak uczynił to za namową panny Wilhelminy Burr, swojej młodej krewnej. W tej zmyślonej opowieści Horacy Burr mówił o *kusicielce w niebieskich pończochach* jako o prawdziwej przyczynie morderstwa, bo ona „dała mu pewne nadzieje, że któregoś dnia być może się pobiorą, jeśli on odzyska wolność". Przerażające, a dla Jozjasza dodatkowo obrzydliwe, było to, że wielu w Princetonie powoli zaczynało wierzyć

---

* Wodna kuracja Thornhursta dla osób chorych nerwowo, nazwana tak od wybitnego lekarza Silasa Thornhursta z Wydziału Medycyny Uniwersytetu Harvarda, była jedną z licznych „wodnych terapii" stosowanych w owych czasach. Pacjent był sadzany na krześle o patentowanej wytrzymałości i przypinany do niego przy głowie, torsie i nogach specjalnymi rzemieniami (w bawełnianym oplocie, by uchronić go przed obrażeniami), a potem z wysokości mniej więcej sześciu stóp wylewano mu na głowę określoną ilość zimnej wody z kilku węży. By uchronić pacjenta przed przypadkowym utopieniem, połknięciem języka czy też pęknięciem strun głosowych w wyniku przeraźliwego krzyku, wkładano mu do ust czystą ściereczkę albo gąbkę, po czym po kilku godzinach takiej kuracji pacjenta zabierano natychmiast do pokoju i umieszczano tam w ciepłym łóżku, gdzie mógł spać bez przeszkód nawet i dwanaście godzin. Wprawdzie Horacy Burr zmarł na udar w 1911 roku, wciąż jako pacjent Otterholme, to jednak istniało powszechne przekonanie, że kuracja Thornhursta wyleczyła go z majaczeń i urojeń, bo w dokumentacji medycznej odnotowano, że pacjent w ostatnim roku swego życia był „posłuszny, bardzo spokojny i pogodny".

w oszczerstwa szaleńca i w rezultacie Wilhelmina była nawet przesłuchiwana przez princetońską policję, co ją bardzo zawstydziło).

Na samym skraju grupy żałobników z West Endu znajdowała się osobliwa para – zwalisty Grover Cleveland, który stał z obwisłymi ramionami i pochyloną głową, tak otyły, że kark mu się wylewał na kołnierz, oraz Frances Cleveland, z oczyma grubo obrysowanymi arabskim kohlem i błyszczącymi ustami; ubrana przesadnie modnie jak na tak ponurą okazję. Krążyły plotki, że ostatnimi czasy pan Cleveland wciąż miewał się „kiepsko", wprawdzie spożywał każdego ranka obfite śniadanie, a wieczorem jeszcze obfitszą kolację, ale rzekomo wykazywał się „niewielkim apetytem" podczas lunchu i często zasypiał w towarzystwie, czasami nawet wtedy, gdy sam coś mówił. W związku z nagłą śmiercią Oriany Slade pan Cleveland z pewnością przeżywał raz jeszcze śmierć swej ukochanej Ruth – wszak zawsze podczas wizyt w Wheatsheaf koniecznie chciał porozmawiać ze śliczną, blondwłosą dziewczynką i pohuśtać ją na tłustym kolanie; mówił ze śmiechem swoim gospodarzom, że byłby „wielce zachwycony", gdyby mógł spędzić cały wieczór w pokoju dziecięcym razem z ich piękną córeczką zamiast przy stole nakrytym do kolacji, gdzie się po nim spodziewano, że będzie się „wykazywał swą elokwencją". (Tak naprawdę to przy żadnym stole na West Endzie nie spodziewano się, że Grover Cleveland będzie się wykazywał elokwencją). Nawet teraz, gdy boleśnie mała trumna ozdobiona macicą perłową była umieszczana w grobowcu, pan Cleveland wciągnął oddech i przełknął z trudem ślinę, bo tylko to mógł zrobić, żeby nie zemdleć, a to dlatego, że zobaczył małą blondyneczkę i swą ukochaną Ruth bawiące się wśród zwietrzałych nagrobków – ubrane całe na biało, z włosami rozpuszczonymi i skręconymi w loki, tańczyły na bosych, delikatnych stopach. Kiedy tak przyglądał im się z uśmiechem, dziewczynki ukryły się za marmurowym aniołem stojącym jakieś piętnaście stóp dalej i popatrywały na niego stamtąd, przykładając palce wskazujące do pięknie wykrojonych usteczek. *Tatusiu, przyjdź się z nami pobawić! Pobaw się z nami teraz! Nie mów nikomu, ale przyjdź tu do nas się bawić!*

(– Grover, przestań wydawać takie dźwięki – szepnęła z irytacją Frances do ucha męża. – To brzmi tak, jakbyś pochrząkiwał, a nie płakał. Proszę, przestań, *ja się wstydzę*).

Również na skraju zgromadzenia, jakby niepewni swego towarzyskiego statusu wśród żałobników z West Endu, stali Woodrow Wilson i jego żona Ellen; pierwsze z małżonków wysokie, purytańskie i sztywno wyprężone, to drugie niskie, jakby nieatrakcyjnie ubrane, bo w mały kapelusik z czarną woalką, który w ocenie pań z West Endu wyglądał tak, jakby go wepchnięto w głąb szafy wiele lat wcześniej i dopiero teraz wyciągnięto, odkurzono i przywrócono do życia. Ponadto czarny sukienny płaszcz pani Wilson, z błyszczącymi, czarnymi guzikami, wyglądał podejrzanie podobnie do czarnego sukiennego płaszcza, który kiedyś należał do Frances Cleveland i który niedawno został ofiarowany przez nią na Fundusz Pomocowy Princetońskich Kobiet, wspierający najuboższe mieszkanki okręgu Mercer.

Powszechnie komentowana, zdrowa opalenizna, której Woodrow Wilson dorobił się podczas wakacji na Bermudach, zbladła z niezwykłą prędkością, bo tamta wiosna 1906 roku w New Jersey była mokra, chłodna, często mglista i smutna, a wiosenne kwiaty i kwitnące drzewa były zalewane potokami bezlitosnego deszczu. A jednak doktor Wilson zachował jeszcze sporo wigoru i determinacji. Bardzo chciał wierzyć, że „porażkę" w Charlestonie" ma już za sobą, ale też bardzo się smucił z powodu straty swego wieloletniego przyjaciela i poplecznika Pearce'a van Dycka, którego mózg zdaniem Wilsona po prostu „rozpadł się" pod ciężarem napięcia towarzyszącego uniwersyteckim waśniom: tym wielu miesiącom konfliktu, podchodów i niezmordowanego politykierstwa wśród wrogów Woodrowa Wilsona. A jednak śmierć Pearce'a miała jeden pozytywny skutek: dzięki niej bitewny zapał Campbellów w doktorze Wilsonie został po raz kolejny obudzony i tydzień po pogrzebie przyjaciela rektor Uniwersytetu Princeton przemówił do swej niemal zbuntowanej rady powierniczej tak przemożnym tonem i tak przekonująco, iż owi dżentelmeni, z niejaką niechęcią wprawdzie, dokonali czegoś, co było nie do myślenia, a mianowicie odrzucili datek Proctera wynoszący milion dolarów, datek, który miał być przekazany do dyspozycji nie rektora, tylko dziekana kolegium dla magistrantów. Po całym Princetonie rozeszła się wieść, że Woodrow Wilson odniósł niespodziewane zwycięstwo nad Andrew Westem, który został pokonany z zaskoczenia – wcześniej chodził po mieście, chełpiąc się beztrosko, że to on będzie następnym rektorem uczelni. Jaka szkoda, powiedział Woodrow swej żonie, gdy dotarły do niego wieści o decyzji rady, że Pearce van Dyck nie jest w stanie cieszyć się tą wygraną, która stanowiła pierwszy krok w odzyskiwaniu autorytetu przez doktora Wilsona.

Doktora Wilsona coraz częściej nawiedzały ponure, obsesyjne myśli, że Pearce van Dyck był ofiarą wojny, że nieledwie był „męczennikiem", ale wolał z nikim o tym nie rozmawiać.

– To takie smutne, Woodrow, no powiedz! Biedna *dziecinka*.

– Tak. Takie przypadki zawsze napawają smutkiem. Ale „z prochu powstałeś", w proch się obrócisz". To pokój, który przewyższa wszelki umysł. – Wargi doktora Wilsona poruszały się zwinnie. Ale był taki jeden dziwny moment, kiedy jakoś nie potrafił sobie przypomnieć, czyj to pogrzeb.

W pewnym oddaleniu od swoich rodziców stał Todd Slade, odziany w ubranie z czarnej popeliny: dopasowana marynarka, krótkie spodnie ściągane w kolanach i czarne skarpetki zabezpieczone podwiązkami. Brata zmarłej dziewczynki ubrała w ten sposób, ze sporym, ale też stoickim wysiłkiem, niania obojga dzieci; matka Todda nie dotknęła go nawet ani nie umiała się zmusić, by na niego spojrzeć rankiem, z obawy, że zobaczy w jego oczach oskarżenie kierowane *do niej.*

Podczas ostatnich kilku miesięcy Todd tak jakby wydoroślał: nie miał już takich patykowatych kończyn i nie dokazywał tyle. Jego twarz nabrała kanciastych rysów, skośny podbródek zrobił się bardziej spiczasty i uparty, lśniące czarne oczy pod wygiętymi pytająco brwiami przemykały po otoczeniu z ruchliwością małych rybek. Miał pięć stóp i cztery cale wzrostu – tyle, ile powinien mieć chudy dwunastolatek. Ludzie szeptali, że nie płakał po śmierci siostry. (Niektórzy, w tym służba, szeptali, że ten „dziwny" chłopiec wie więcej o śmierci siostry, niż przyznaje). Kiedy trumna spoczęła już w grobowcu i na głowy wszystkich, a także na starą, granitową płytę nagrobną, zaczął padać lekki, zimny deszcz, Todd stał bardzo nieruchomo; miał zamknięte oczy i poruszał ustami. *Będę grzeczny. Będę łabędziem, bo teraz potrzeba łabędzia, a nie kaczątka.*

Kiedy ceremonia na cmentarzu miała się już ku końcowi i ciężkie żelazne odrzwia rodzinnego grobowca były zamykane i zabezpieczane, Winslow Slade stanął twarzą w stronę Todda. Siwowłosy starszy pan ujął wnuka za ramię i powiedział, że musi go chronić.

– Moi wnukowie Todd i Jozjasz są jedynymi, którzy pozostali z tego pokolenia. – Mrugając z zakłopotaniem, ale za to z pełnym nadziei uśmiechem, Winslow zwrócił się także do Jozjasza: – Bo moje dawne grzechy was obarczają, dlatego muszę się wytłumaczyć i zadośćuczynić, co się da, aby Bóg oszczędził moich jeszcze żyjących wnuków.

Synowie Winslowa, zdumieni słowami ojca, podeszli prędko, jakby chcieli go uciszyć, ale Winslow oparł im się, splatając ramiona z ramionami wnuków i przyciskając ich do siebie na oczach wszystkich.

– Pozwólcie, że przemówię teraz, przy grobie Oriany – rzekł Winslow błagalnym tonem – bo przy grobie Annabel mówić nie chciałem. O to błagam was wszystkich, jeżeli mnie kochacie, a jeśli nie, to chociaż zlitujcie się nade mną.

I tu oto załączam, w skróconej formie, niezwykłą relację Winslowa Slade'a stworzoną z materiałów znajdujących się w szkatule z lakierowanego mahoniu – relację, czy raczej jego „spowiedź"; nadzwyczaj emocjonalną, a zarazem całkiem spójną opowieść o pewnym zdarzeniu z 1855 roku z udziałem młodej kobiety znanej jedynie pod imieniem „Perła". Te spontanicznie wygłoszone rewelacje były czymś bezprecedensowym w Princetonie i nad wyraz zdumiały wszystkich świadków, których późniejsze słowne bądź pisemne reminiscencje różniły się drastycznie. Jako że Winslow Slade mówił, wielokrotnie się zacinając albo wręcz milknąc, nie jestem w stanie przytoczyć tu wszystkiego słowo w słowo; nie potrafię też stosownie wyróżnić tych momentów, w których jeden czy drugi z jego poruszonych i zażenowanych synów nastawał na niego, by przestał i wrócił do domu, bo wydawało się, że starszy pan jest na skraju zapaści nerwowej.

Ów „niefortunny epizod w jego życiu" – bo tak owo zdarzenie nazwał Winslow Slade – rozpoczął się pewnego popołudnia w marcu 1855 roku, w dniu zupełnie niepodobnym do tego majowego dnia, bo wtedy zachmurzone, zimowe niebo uległo znienacka obietnicy wiosny – tymczasowe wytchnienie, a jednak jakże pożądane. Winslow Slade miał wówczas dwadzieścia cztery lata i ledwie co zaręczył się (owe zaręczyny zostały później zerwane) z córką i dziedziczką fortuny Jarrella LaBove, republikańskiego senatora z New Jersey; mieszkał ze swoimi rodzicami w Crosswicks i uczęszczał do Seminarium Teologicznego Princeton, gdzie studiował hebrajski, grekę, Stary i Nowy Testament, teologię niemiecką oraz takie przedmioty praktyczne, jak „przygotowywanie i głoszenie kazań" oraz „posługi duszpasterskie". Jak większość seminarzystów Winslow podjął studia w seminarium tuż po uzyskaniu dyplomu college'u, nie podejmując ostatecznej decyzji, czy zostanie duchownym, prywatnym biblistą czy raczej będzie szukał swego przeznaczenia w bardziej świeckich sferach życia publicznego. (Jednym z bliskich kolegów Winslowa był Henry van Dyck, który miał zostać znanym pastorem i oratorem, a także z czasem wykładowcą literatury angielskiej na uniwersytecie – i gwoli uzupełnienia także ojcem Pearce'a van Dycka). Trzy lata wcześniej, podczas ćwiczeń poprzedzających inaugurację roku akademickiego, Winslow Slade, młody magistrant, wygłosił orację na cześć *belles lettres*, w której mówił z wielkim entuzjazmem o Miltonie, Goethem i Szekspirze, a także o tym, że studenci powinni poświęcać siebie zarówno Bogu swoich ojców, jak i losowi swego narodu; kilkakrotnie przerywano mu oklaskami, a wtedy przepełniało go ogromne uniesienie, że słowa potrafią wywołać taką reakcję u słuchaczy. (W „New York Herald" z 25 czerwca 1852 roku odnotowano, że oracja młodego pana Slade'a była elokwentna, pełna pasji i nadzwyczaj inspirująca, że została wygłoszona z udziałem rozumu i wrażliwości, że być może stanowiła ukoronowanie porannych ćwiczeń).

Tak więc wydawało się, że czeka go godna pozazdroszczenia kariera, że odtąd będzie już tylko zbierał owoce tego, co wcześniej zasiał.

A jednak po roku studiów w seminarium, którym towarzyszyło swoiste napięcie – smalił wówczas cholewki do dziewiętnastoletniej kobiety, atrakcyjnej wprawdzie, ale za to bardzo rozkapryszonej – Winslow czuł się bezgranicznie zmęczony; miał wrażenie, że jego mózg w dosłownym sensie wyczerpał się od przyswajania sobie tylu języków obcych i od głoszenia kazań w pustych kościołach. Krótko po tym młody człowiek uległ dolegliwości, którą diagnozowano rozmaicie – jako tyfus, gorączkę mózgową, względnie neuropatię – i która spowodowała, że na pewien czas zwolnił się z seminarium i ponownie nabierał sił w spokojnej atmosferze Crosswicks.

Po dwóch tygodniach od wyzdrowienia z tej dziwnej gorączki niewiadomego pochodzenia zły los sprawił, że młodzieńca spotkała pewna niefortunna przygoda, która miała go potem nawiedzać przez całe życie...

W owym czasie Winslow był świeżo zaręczony i w związku z tym musiał, chcąc nie chcąc, uczestniczyć w ciągu przyjęć zaręczynowych organizowanych w Princetonie, Nowym Jorku i Filadelfii; w seminarium usiłował mężnie nadrobić stracony czas, pracując po kilkanaście godzin dziennie, bo postawił to sobie za punkt honoru, że uzyska dyplom razem z kolegami z roku, a nie kilka miesięcy później. Bywało, że błąkał się późną nocą po terenach Crosswicks, debatując sam z sobą na rozmaite nierozwiązane od niepamiętnych czasów kwestie związane z kalwinizmem i wolną wolą, które dopadały go – twierdził – jak dłonie dusiciela.

Jego przodek, Jonathan Edwards, nie wątpił nawet przez chwilę, że ludzkie życie jest rygorystycznie *zdeterminowane* przez Boga – gardził „infantylnym wymysłem”, jakim jest wolna wola. A jednak pozostawała do rozwiązania zagadka: skoro nie znamy przyszłości i nie wiemy, co dla nas zaplanował Bóg, to czy nie mamy prawa wyobrażać sobie, że dysponujemy „wolną wolą”? I czy w takim razie nie jesteśmy odpowiedzialni za nasze czyny?

Jonathan Edwards i inni współcześni mu purytanie wierzyli, że większa część gatunku ludzkiego jest skazana na piekło. Ale Winslow Slade nie potrafił się zgodzić z tym, że Bóg chciałby posyłać większą część swego stworzenia do piekła.

Będąc młodzieńcem skromnym, który łatwo się zawstydzał, ale równocześnie kimś, kto nie chciał uchodzić za nadmiernie pobożnego, pretensjonalnego czy też naiwnego, nie zwierzał się z tych swoich myśli starszym od siebie, a już na pewno nie swojej pięknej narzeczonej, Ewangelinie.

I oto pewnego marcowego popołudnia Winslow uczył się w bibliotece seminarium, przy oknie, które zostało na kilka cali podciągnięte w górę, dzięki czemu do środka wpadała odrobina świeżego powietrza; wyznaczył sobie zadanie dokończenia jednego wycinka gramatyki hebrajskiej, a także naszkicowania artykułu do czasopisma „Prezbiterianin”, którego napisanie zlecił mu jego doradca, wielebny Frick. Ponadto starał się pozbierać myśli związane z kwestią wiecznego potępienia niemowląt, w ujęciu wielebnego Lancelota Price'a z jednej strony i wielebnego Fredericka Ettla z drugiej. Przez kilka godzin pracował wytrwale, razem z kilkoma innymi równie zaangażowanymi studentami, kiedy nagle wydało mu się, że płomień liże jego dłonie oraz ciężki tom, który akurat studiował: płomień, który był niebieski, pomarańczowy, bladozielony i bladożółty, a jednocześnie przezroczysty.

I ów płomień w tym samym momencie podskoczył do jego oczu i wniknął do mózgu.

Winslow nie był człowiekiem, który ekscytuje się byle czym: od razu się zorientował, że płomień to złudzenie optyczne, jakaś patologia nerwu wzrokowego osłabionego przepracowaniem i niedawną chorobą, dlatego nie okazał zdenerwowania. (Nie wierzył, by miał z tym coś wspólnego diabeł: nie był prezbiterianinem tego pokroju). I dlatego stłumił okrzyk i opuścił pomieszczenie tak, by nie przyciągnąć niczyjej uwagi – a jednak inni studenci uznali to za coś dziwnego, że wyszedł, pozostawiając książki, notatki i kosztowne pióro wieczne. Winslow opuścił pospiesznie budynek z czerwonej cegły, otoczony zwarzonym przez mróz trawnikiem już budzącym się do życia wraz z nadchodzącą wiosną; prędko przeszedł ten trawnik, unikając spotkania z innymi seminarzystami, a także z wykładowcą-pastorem; równie prędko podszedł do Mercer Street i powędrował na południe, w stronę otwartych terenów, aż wreszcie znalazł się na łące, gdzie poczuł, że stąpa po mięknącej, odmarzającej już glebie, nie mając pojęcia, dokąd zmierza, ale wiedząc, że musi gdzieś dojść – gdziekolwiek! – byle z dala od seminarium i Princetonu.

Winslow Slade nigdy nie zrozumiał, jak to się wtedy stało, że idąc na południowy zachód, dotarł do wioski Cold Spring w gminie Hopewell, jakieś dwadzieścia mil od Princetonu, gdzie znajdowała się gospoda o jakby złowieszczej nazwie Lis i Zając. Prawdopodobnie było to tak, że szedł z większym niż zwykle wigorem i uporem, prędko pokonując Mercer Street, potem Stockton, następnie Rosedale, a później Province Line, aż wreszcie zupełnie porzucił wszelkie wytyczone drogi i wędrował po polach i lasach. W tym dziwnym czasie zawieszenia myśli Winslowa nie krążyły wokół teologii czy choćby zadań, które miał niebawem wypełnić, ani też narzeczonej czy rodziny w Crosswicks, która się po nim tyle spodziewała – jego myśli przypominały raczej rój uprzykrzonych, głośno bzyczących much.

Ani Winslow Slade, ani nikt inny z rodziny Slade'ów nie znał gospody Lis i Zając; okazało się, że jest to przybytek praśny, tłoczny i hałaśliwy, ale też sympatyczny. Mimo „miejskiego odzienia", a także mocnych, skórzanych butów Winslow nie poczuł się tu zahukany, niemniej był tak nierozsądny, że wychylił duszkiem kufel ale, naśladując krzepkich robotników zebranych w tym wnętrzu: ludzi w najrozmaitszym wieku, którzy nie wylewali za kołnierz i rozmawiali donośnymi głosami, zaśmiewając się przy tym z wielkim rozweseleniem. (Kim oni byli? Zapewne pracownikami przędzalni znajdujących się nad rzeką Delaware w odległości mili, w małym miasteczku Lambertville). Jakże dziwił się młody seminarzysta, że ci osobnicy *wyraźnie cieszyli się życiem i swoim towarzystwem*. Bo czy było się tu z czego cieszyć? Czyż nie byli ludźmi z samego dołu drabiny społecznej, obdarzonymi ordynarnymi rysami, źle ubranymi i zaniedbanymi, a ponadto nie dość, iż było po nich widać, że pracują rękoma i grzbietem, to jeszcze u niektórych Winslow dostrzegł blizny albo i gorse obrażenia, jak brak palców czy też wydatny garb. W swym rozweseleniu nieraz uciekali się do bluźnierstw i wulgaryzmów – (On sam nigdy wcześniej takich nie słyszał) – dlatego Winslow uznał, że Bóg ich sobie nie ukochał i że Jezus Chrystus nie przeniknął do ich serc. Gorzej: oni nie tęsknili za Bogiem ani Jezusem Chrystusem. *Oni chyba nie rozumieją, że są skazani na potępienie*, pomyślał. *Ktoś powinien im to powiedzieć!* Tę duszpasterską myśl odrzucił jednak prędko jako tym razem niepożądaną.

I tak oto, pochwycony w wir wesołości w gospodzie w Cold Spring, Winslow Slade wychylił drugi kufel ale, co przyszło mu teraz z jeszcze większą łatwością, a potem i trzeci; niebawem tak mu się kręciło w głowie, tak bardzo nie panował nad zmysłami, że nie zauważył rudowłosego mężczyzny o grubych rysach, nieco odeń starszego, który naparł na niego przy barze, jakby go wyróżnił z tego tłumu, i niebawem zaczął namawiać Winslowa, czy wręcz usilnie prosić, żeby wyszedł na zewnątrz, bo czeka tam *ktoś, kto o niego pyta.*

Albo może mężczyzna o grubych rysach powiedział, że czeka tam *ktoś, kto jest w potrzebie.*

Tak więc Winslow, niezbyt to wszystko ogarniając, opuścił Lisa i Zająca, po czym przeszedł kawałek dalej, czy raczej został poprowadzony (bo w owym czasie młody seminarzysta, nienawykły do alkoholu, nie bardzo się już trzymał na nogach) – do innego budynku, nie do gospody, tylko jakiegoś prymitywnego domu, czy też chaty, gdzie w gęstych oparach dymu i nafty została mu przedstawiona młoda kobieta, a dokładniej dziewczyna, młodsza od Winslowa może nawet osiem czy dziesięć lat. A właściwie to chyba nawet nie przedstawiona, tylko pchnięta w jego stronę przez rudowłosego mężczyznę i jeszcze jednego, którego twarzy Winslow nie zobaczył dokładnie. Dziewczyna miała na imię „Perła" – a w każdym razie tak mężczyźni poinformowali Winslowa, który w świetle lampy zobaczył, że była bodajże *rasy mieszanej,* nie „kolorowa", nie „czarna" ani nie wyraźnie „negroidalna" – to wszystko się u niej zmieszało z europejskimi przodkami; nos miała krótki o szerokich nozdrzach, a skórę chropawą, lekko dziobatą i odbarwioną, przywodzącą na myśl coś, co zostało wystawione na słońce i od tego spłowiało. Na włosach nosiła brudną chustkę, jak wiele kolorowych kobiet pracujących w Crosswicks. Winslow został popchnięty na Perłę, a Perła na Winslowa i naraz oboje sczepili się z sobą w niewielkiej wolnej przestrzeni ciasnej chaty; była tam podłoga z gołych desek, pojedyncze łóżko z brudnym materacem i zgrzebnym kocem, tak ciężkim jak końska derka. Dziewczyna cuchnęła intensywnie wonią kobiecego ciała, rzadko pranych ubrań i włosów tak przetłuszczonych, że aż sztywnych. I z ust wionęło jej alkoholem, tak samo jak Winslowowi.

W czasie gdy Perła usiłowała skupić spojrzenie i rozchylić mięsiste wargi na podobieństwo uśmiechu, żeby zadowolić swych porywaczy – (bo ci mężczyźni zaiste wyglądali na porywaczy) – Winslow starał się oderwać od niej i uciec, ale dziewczyna położyła dłoń na jego ramieniu i z ogromną stanowczością utkwiła w nim spojrzenie ciemnych oczu, przez co tak jakby sparaliżowało mu duszę. Winslow Slade niewiele zapamiętał z tego, co zdarzyło się zaraz potem.

Ale zapamiętał pewien krótki moment obrzydzenia, bo nie mógł nie zauważyć, że Perle brakowało kilku zębów w żuchwie i że palce jej prawej dłoni, którymi odważyła się go „pieścić", były straszliwie zniekształcone. Poniewczasie poczuł też, że coś mu zabierają – (portfel? mocne skórzane buty?) – ale chociaż wiedział, że powinien się temu przeciwstawić, to jednak nie dał rady, bo ta przebiegła dziewczyna wtuliła się w jego ramiona albo raczej zagarnęła go w swoje ramiona, mocno je zaciskając; jej oddech, którym dmuchała mu w ucho, cuchnął nie tylko piwem, lecz także czymś mroczniejszym. Rudowłosy i jego kompan zaśmiali się, a potem zostawili seminarzystę z Perłą, zatrzaskując za sobą drzwi.

Upłynęło nieco czasu, acz nie wiadomo ile; Winslow być może stracił świadomość i wszelką wiedzę o otoczeniu; ktoś tam raz wtargnął, było słychać donośne (męskie) głosy, w tle płynęła woda, zapewne rzeka Delaware, której Winslow nie widział i nawet nie próbował zobaczyć, bo brakowało mu przytomności umysłu.

Później okazało się, że rudzielec nazywał się Henri Selincourt. Za to Perła nie miała nazwiska.

Ach, biedny Winslow Slade! Przeżył prawie ćwierć wieku, znał łacinę, grekę, hebrajski, francuski i niemiecki, znał Biblię hebrajską i Nowy Testament, najnowsze i najbardziej modne pojęcia teologiczne, a jednak Selincourt pozostał dla niego nieodgadniony. I nie rozpoznał też powagi sytuacji, w jakiej się znalazł. Był *zaręczony*, a nie znał się na podstępnych sztuczkach przeciwnej płci...

W swoim pomieszaniu i narastającym strachu Winslow zauważył, że jasny płomień omiata wykrzywioną twarz kobiety, bladoniebieski, ale też pomarańczowo-czerwony i przezroczysty, w jej oczach i na czubkach palców jarzyła się zgniła, żółta luna – i wtedy popadł w omdlenie, bo zrozumiał, że dostał się w objęcia demona i że jego życie będzie odtąd zniszczone.

A jednak uległ takiemu paraliżowi, że nie był w stanie wyrwać się na wolność, mimo że czuł, jak te kobiece usta wciskają się w jego usta i wysysają się, jakby ona mogła wyssać jego duszę. I jej ostre paznokcie wpijały się w niego, jakby bawiąc się i prowokując, tak jak ktoś mógłby się droczyć z psem albo małym dzieckiem. Jakież mięsiste było to kobiece ciało! Zupełnie nie takie delikatne, kościste i szczupłe w talii jak u wszystkich młodych kobiet, które Winslow poznał do tej pory, tylko umięśnione i twarde pod warstwą tłuszczu. I jeszcze ten wstrząs na widok nagiego niewieściego łona, tych wielkich, poduszkowatych piersi ukrytych pod odzieniem... Winslow cały ten czas, narażając się na wulgarny rechot, błagał, by go puściła, bo musi iść, musi wracać do rodziny, do Princetonu, musi odzyskać buty... Tamci zdążyli już odkryć, że Winslow Slade ma w wewnętrznej kieszeni złoty zegarek; w rzeczy samej ów zegarek, z wygrawerowanymi inicjałami WS, był pamiątką otrzymaną w spadku i dlatego zasługiwał na miano bezcennego. Chciwe ręce natychmiast go porwały, w czym Winslow nie umiał im przeszkodzić, natomiast Perła zaśmiewała się do rozpuku, ukazując szczerby w uzębieniu. Niewykluczone, że Winslow usiłował jej się wyrwać, że może naparł na rudowłosego mężczyznę i drugiego napastnika, którzy wrócili do chaty, bo jakimś niewiadomym sposobem wywiązała się szamotanina i było słychać kobiece wrzaski, a także głos, który nie należał ani do kobiety, ani do tamtych, tylko jakby dochodził z samego powietrza wypełniającego to ohydne, wilgotne miejsce – *Wywodzisz się ze Slade'ów, chełpisz się przed całym światem, że jesteś Slade'em, ale my sprawdzimy, ojcze wielebny, czy nie da się ciebie zaciągnąć do piekła.*

Czy te proroctwa snuł sam diabeł? Czy raczej był to Bóg przodków Winslowa Slade'a, przemawiający do niego z odrazą?

Znienacka zaczęło się wydawać, że dziewczyna jest wściekła na Winslowa. Albo – ktoś.

Bo szamotał się teraz zawzięcie, walcząc o życie. A dziewczyna wbijała w niego paznokcie jak oszalałe zwierzę.

Zdesperowany Winslow uwolnił się z jej objęć i udało mu się uciec z chaty; jego napastnicy pozwolili mu uciec, być może rozbawieni czymś, bo zaśmiewali się jak opętani, kiedy uciekał, kuśtykając...

A przy drodze, w mroku wiejskiego krajobrazu...

Za jego plecami ktoś krzyczał. Kobieta albo kobiety, ale te krzyki stopniowo cichły.

Bo Winslowowi udało się uciec i teraz przedzierał się mozolnie przez zalesiony teren, kuśtykając i zataczając się, w samych skarpetkach, co jakiś czas przewracając się, po czym odzyskiwał siły i znowu szedł, mętnie wyobrażając sobie, że gdzieś tam jest wytyczona droga, być może trasa Lambertville–Trenton, która krzyżowała się ze Starym Gościńcem Królewskim, a ten z kolei z Princeton Pike, po której nareszcie dotrze do domu, bliski łez i pełen skruchy.

– Pomóż mi, Boże! Bo ja sobie pomóc nie mogłem.

A jednak seminarzysta znowu się przeraził i zawstydził sromotnie, gdy kilka dni później dowiedział się, że w lesie koło Cold Spring, w gminie Hopewell, jakieś ćwierć mili od pewnej *znanej tam gospody,* znaleziono *nagiego i mocno obitego trupa młodej Murzynki;* wiedział od razu, że to była Perła i że rudowłosy mężczyzna ze swym kompanem zapewne pobili ją i zamordowali.

Niemniej za bardzo się bał, że zostanie zdemaskowany, i dlatego nie potrafił się zmusić do mówienia; nie mógł, *nie chciał* dobrowolnie pomóc w zidentyfikowaniu morderców.

A zatem Bóg nie wyposażył Winslowa Slade'a w wiedzę, co dokładnie powinien uczynić, tylko raczej odebrał mu siłę, dzięki której byłby to uczynił. *Nie mogę. Wiem, że muszę, a jednak nie mogę. Bo inaczej zrujnuję sobie życie i ograbię swoją rodzinę z nadziei.*

Wiedział, że zostałby wciągnięty w sprawę, zmuszony zeznawać przed sądem przy udziale publiczności i że kazano by mu ujawnić, pod groźbą kary za krzywoprzysięstwo, wszystko to, co się wydarzyło tamtej pechowej nocy. Zaiste jego życie ległoby w gruzach, bo jego kariera jako pastora byłaby zniszczona w zarodku, a zaręczyny zostałyby zerwane. I Winslow Slade nie mógłby nigdy więcej podnieść głowy w żadnym przyzwoitym towarzystwie ani też spojrzeć swym rodzicom w oczy, bo było prawie tak, jak przewidział tamten gniewny głos: *Zostaniesz zaciągnięty do piekła.*

Bóg wszakże nie tylko pozwolił Winslowowi uciec przed kobietą i jej towarzyszami, a potem desperacko wrócić do Princetonu na zakrwawionych stopach, ale i interweniował raz jeszcze, bo morderca Selincourt został zatrzymany po tygodniu i zmuszony do przyznania się; w Cold Spring znalazło się wielu świadków chętnych zeznawać przeciwko niemu, że miał zwyczaj okradać, bić i zastraszać tych, którzy mu się przeciwstawili, a także o jego związku z dziewczyną z przędzalni, której ciało znaleziono w lesie.

W prasie nie było słowa o złotym szwajcarskim zegarku, który na pewno znalazł się w którejś kieszeni Selincourta. Ani też o mocnych skórzanych butach od princetońskiego obuwnika, które nie mogły należeć do kogoś takiego jak Selincourt ani żadnego z jego kompanów.

Ostatecznie tamta wstrętna sprawa znalazła swój koniec: Henri Selincourt został powieszony publicznie w Trentonie i cały epizod poszedł w zapomnienie.

Zapomnieli o nim wszyscy oprócz młodego Winslowa Slade'a, który niebawem miał zostać wielebnym Slade'em, wspaniale wyróżnionym, bo kazano mu wygłosić orację na uroczystości wręczania dyplomów w seminarium. Zaraz potem upoważniono go do wykonywania posług duszpasterskich w kościele prezbiteriańskim w Lawrenceville. Oklaskiwano go, podziwiano i składano mu gratulacje, mówiono o nim ciepło i stawiano go za wzór chrześcijańskiej prawości przez tych kilka burzliwych dziesięcioleci końca dziewiętnastego stulecia: wspinał się coraz wyżej po szczeblach kariery publicznej i w oczach swego pokolenia, wspinał się i wspinał – w bardzo młodym wieku, bo zaledwie czterdziestu jeden lat, został, rektorem Uniwersytetu Princeton, a trzynaście lat później mianowano go gubernatorem stanu New Jersey.

– Ku mojej chwale i hańbie. A teraz stoję przed wami całkiem obnażony i dopraszam się waszej łaski.

Winslow Slade zakończył swą opowieść głosem pewnym, ale tak cichym, że wszyscy musieli wytężać słuch. Nie opierał się już na ramieniu Jozjasza, tylko stał nieco dalej od niego, patrząc na zgromadzonych żałobników, wszystkich bez wyjątku głęboko poruszonych; wielu ocierało łzy z oczu.

– Moja droga rodzino, drodzy przyjaciele – dodał jeszcze – przez wiele lat, aż do tej godziny, nosiłem w sercu bliznę po tamtym dawnym grzechu. Modliłem się do Boga o wybaczenie tyle razy, że Bóg w swej łaskawości może nawet już mi wybaczył, ale ja sam sobie nie wybaczyłem, a w ostatnim roku zrozumiałem, że Klątwa, która rozszalała się w naszej społeczności, wywodzi się z Klątwy, która zawładnęła tamtą młodą dziewczyną, Perłą, oraz z mego tchórzostwa, do którego nareszcie niniejszym się przyznaję, oczekując kornie na osąd i potępienie ze strony całego świata.

Gdy Winslow skończył mówić, Slade'owie nakłonili go, by dał się odwieźć do Crosswicks jednym z rodzinnych pojazdów, ale jego słuchacze pozostali na miejscu, jakby owa nadzwyczajna opowieść sprawiła, że nie spieszyli się z odejściem.

Wszyscy z początku milczeli, a potem wszyscy zaczęli mówić. Amanda FitzRandolph, olśniewająca w swym wdowim odzieniu, podniosła głos niczym śpiewaczka operowa, pragnąc zagłuszyć innych:

– Winslow Slade to święty człowiek, o czym od dawna wiemy. Kto inny stanąłby przed nami i tak się ukorzył? Kto byłby takim *chrześcijaninem*? Wybaczanie takiemu człowiekowi to niedorzeczność. Szkoda tylko, że utrata wnuczek tak bardzo wpłynęła na osąd Winslowa Slade'a, że aż wyobraził sobie, iż to *on* właśnie powinien się tłumaczyć za tak zwaną klątwę...

W czasie, gdy pani FitzRandolph to mówiła, na cmentarzu powiało powietrzem jakby bardziej wiosennym; zachmurzone niebo zaczęło się przejaśniać i pojawiły się cienkie promienie słońca, podobne do wahających się palców. Żałobnicy poczuli – albo im się tak wydawało – że przez ziemię przebiegają dziwne drgania – jakby Klątwa nareszcie zaczęła ich opuszczać.

– Módlmy się, żeby tak było – mruknął doktor Wilson do swojej żony, kiedy już oddalali się od cmentarza, wędrując w kierunku Nassau Street i kampusu uniwersyteckiego, zasadniczo sami, bo tylko oni tu przyszli pieszo. – Módlmy się, bo z pewnością wszyscy ponieśliśmy już dostateczną karę.

21 MAJA 1906 ROKU

– To niemożliwe. Mój własny stryj mordercą swojej żony. *I bezwstydny łgarz.*

Wilhelmina, która prawie w ogóle nie spała od czasu, gdy przekazano jej przez telefon straszliwe wieści o tym, że jej stryj, Horacy Burr, *zamordował brutalnie* jej kuzynkę Adelajdę Burr – (w rzeczy samej były kuzynkami trzeciego stopnia, a więc niezbyt blisko spokrewnionymi) – znalazła się w samym środku ohydnego melodramatu, równie nieprawdopodobnego jak te wymyślone przez Mary Elizabeth Braddon, Louisę May Alcott i Wilkiego Collinsa: jej obłąkany stryj Horacy twierdził, że zamordował swoją żonę, bo *podżegała go do tego Wilhelmina Burr, kusicielka w niebieskich pończochach.*

Żadne zaprzeczenia, protesty czy też próby obrony jakby nie czyniły różnicy, gdy idzie o tak zwany sąd opinii publicznej, mimo że policyjni detektywi badający sprawę odnosili się raczej z sympatią do zrozpaczonej panny Burr, której zeznanie brzmiało znacznie bardziej wiarygodnie niż majaczenia Horacego Burra.

W rzeczy samej Wilhelmina posłyszała, jak jeden z policjantów mówił do drugiego, kiedy myślał, że ona nie słyszy: „Czy taka jak *ona* mogła się zadawać z kimś takim?".

W tym wszystkim wstrząsające było to, że Wilhelmina zawsze lubiła swego stryja i uważała go za najbardziej cierpliwego, dobrotliwego i tolerancyjnego z mężów zaliczających się do kategorii „mąż inwalidki", których w Princetonie nigdy nie brakowało.

I jeszcze jedna wstrząsająca rzecz: Horacy ukradł Adelajdzie broszkę – łabędzia z kości słoniowej – i ofiarował go Wilhelminie, która trzymała ten misterny przedmiot w szufladzie, niezdolna się z nim rozstać i niezdolna go nosić wśród ludzi.

Po śmierci Adelajdy Wilhelmina wyjęła jednak broszkę i postanowiła, że właśnie zacznie ją nosić: „Bo wydaje mi się, że Adelajda by sobie tego życzyła. Adelajda nie chciałaby, żeby ta broszka tkwiła w zamknięciu szuflady".

Nawet śmierć naturalna, w pełni „legalna", ma reperkusje dalece wykraczające poza to, czego się można spodziewać, a co dopiero śmierć będąc skutkiem morderstwa, i to w rodzinie.

Były też liczne komplikacje prawne bo majątek Adelajdy McLean Burr w normalnych okolicznościach otrzymał by w spadku jej mąż, tymczasem ów mąż był nie tylko jej mordercą, al także człowiekiem niespełna rozumu osadzonym w Otterholme.

Tak wię sporo roboty mieli lokalni prawnicy, ku swemu zachwytowi zresztą, a Wil helmina poczuła się zobowiązana powrócić do Princetonu, do Pembrok House, by zaoferować emocjonalne wsparcie kobietom ze swojej rodziny które potrzebowały jej towarzystwa i porady. Rodzice nawet przez chwil nie wierzyli w ohydne plotki, jakoby Wilhelmina „podżegała" swego stryja bo akurat oni wiedzieli najlepiej, jak bardzo ich córka pragnęła mieszka w Nowym Jorku i zostać artystką. To właśnie było miarą ich współczuci dla niej, że po całym tym strasznym incydencie wypowiadali się o niej z po dziwem, nawet jeśli wiedzieli niewiele o tym, co ona właściwie robi albo c przekazują jej „dzieła", bo im wydawały się ciemne i rozmazane, zbyt zwy czajne, gdy szło o dobór tematów, by je zaliczać do jednej klasy z wielkim mistrzami albo postawić na równi z amerykańskim pejzażystą Frederikien Churchem, którego obraz olejny *Burza o północy* przedstawiający dolin rzeki Hudson wisiał w ich jadalni na poczesnym miejscu.

Tak więc Willy wróciła do Princetonu, w sam wir skomplikowanych fa milijnych obowiązków, tymczasem jednak nie potrafiła się zmusić do wyjści między ludzi; nie poszła nawet na pogrzeb Oriany Slade, której śmierć sprawi ła, że wciąż krwawi jej serce. „Zobaczyłabym tam Jozjasza, a jednak nie mogę" Zamiast tego pisze listy kondolencyjne do wszystkich Slade'ów, nie tyl ko do Lenory i Copplestone'a. W liście adresowanym do Jozjasza dodaje *Straszne rzeczy przydarzyły się Twojej rodzinie, a także nam wszystkim którzy Cię kochamy.*

A potem prędko – zanim zmieni zamiar i wykreśli słowa *kochamy* – za kleja kopertę i opatruje ją znaczkami.

Wiele mil dalej, w Bostonie, dziekan Andrew West, zakończywszy rozcza rowującą rozmowę w rezydencji Beacon Hill należącej do bogatego star ca, Isaaca Wymana (Princeton rocznik 1843), przygotowuje się powoli d odejścia, wodząc jednocześnie spojrzeniem po bibliotece starszego pana – przechwytując i odrzucając kolejne pozycje: księgi w języku łacińskin (z całą pewnością nigdy nieotwierane), przycisk do papieru w kształcie słonia z kości słoniowej (może z Indii, ale Andrew West nie wie nic o tyr barbarzyńskim miejscu), korzystnie namalowane portrety przodków Wy mana, wypchaną głowę wielkouchego koziołka skalnego, gapiącą się z ża łosną rezygnacją z mosiężnej tabliczki osadzonej nad kominkiem (dziekar West nie jest myśliwym), oraz – tylko co to takiego? – obiekt prowokujący do rozmów albo pamiątka rodzinna – staroświecki muszkiet i bawoli róg służący do przechowywania prochu strzelniczego powieszone na ścianie w widocznym miejscu.

Dziekan West zręcznie i nienachalnie, jak przystało na doświadczonego administratora i człowieka pozyskującego donacje, komentuje te wszystkie przedmioty tonem podziwu, wiedząc, że jego leciwy gospodarz zareaguje entuzjazmem. Wprawdzie ostatnimi czasy został spostponowany przez radę powierniczą uniwersytetu i najwyraźniej zabrnął na manowce w swej walce z Woodrowem Wilsonem, niemniej jednak dziekan West nigdy nie spotyka się z oznakami zniechęcenia czy irytacji drugiej strony, tylko zawsze ze szczerym, chłopięcym *entuzjazmem*. (Stwierdził, że takie manifestacje temperamentu pozostawi Wilsonowi skazanemu na ostateczną porażkę przez „dziecięcy egotyzm"). Dlatego więc nie ma w tym nic dziwnego, gdy Isaac Wyman zaczyna mu opowiadać szczegółowo o swoim pradziadku kapitanie Horatiu Wymanie, jednym z najbardziej zaufanych adiutantów generała Washingtona, bohaterze, który poległ w „wielkiej chwale" w bitwie pod Princetonem.

W oczach Andrew Westa pojawia się błysk, a jego szerokie usta rozciągają się w uśmiechu zachwytu.

– Bitwa pod Princetonem, powiada pan? Widzi pan, panie Wyman, ja niezależnie od pogody, dzień w dzień, chodzę przez Błonia Bitewne. I według moich planów kolegium dla magistrantów zostałoby zbudowane blisko tego parku, z widokiem na Mercer Street, natomiast pan Wilson wolałby, by powstało ono na terenie kampusu, pośród tej zbieraniny innych budynków, które połknęłyby kolegium.

Usłyszawszy to, zamożny absolwent, który jeszcze kilka chwil wcześniej wyraźnie chciał się pozbyć dziekana, każe mu usiąść i oferuje szklaneczkę swojej najlepszej szkockiej whisky.

– Musi mi pan powiedzieć coś więcej na temat tych planów, dziekanie West. Z widokiem na park, powiedział pan?*

* * *

* Nie taka jest strategia historyka, że przytrzymuje czytelnika jakimś tandetnym suspensem, bo historia to *przeszłość*, dlatego nie widzę powodu, by ukrywać przed czytelnikiem, że staroświecki muszkiet i róg na proch, niegdyś należące do kapitana Wymana, zdobią obecnie jedną ze ścian w Wyman House, czyli rezydencji dziekana studiów magisterskich – sygnalizując symbolicznie, jak zakończyła się waśń miedzy Wilsonem a Westem. Retrospektywnie możemy się dziwić, jak do tego doszło, że natchnione słowa dziekana „Bitwa pod Princetonem, powiada pan?" zaowocowały z jednej strony triumfem princetońskich wrogów Woodrowa Wilsona, a z drugiej triumfem samego Wilsona, który jesienią 1912 roku został kandydatem demokratów na prezydenta, a potem jeszcze Czternastoma Punktami, Paktem Ligi Narodów, Ustawą o szpiegostwie z 1917 roku oraz Ustawą o podżeganiu z 1918 roku.

W połowie dnia, odwióżłszy matkę na lunch do domu krewnych z rodziny Sparhawków w Kingstonie – (niecała mila od Seminarium dla Dziewcząt w Rocky Hill, gdzie wybuchł sławetny „wężowy szał") – były porucznik Dabney Bayard ukradkiem porzuca towarzystwo i maszeruje prędko zarośniętym brzegiem rzeki Millstone, ponury, pogrążony w myślach, odczuwając wielką ulgę, że nareszcie jest sam. Jaki zmęczony jest Dabney tymi „kulturalnymi" rozmowami, swoją matką, której miłość do niego jest równie dusząca jak oplot z mokrej bawełny, i jej nudnymi krewniakami, z których żaden nie jest od niej młodszy. Dabney ze szczególną ulgą ucieka od wyczerpującej dyskusji na temat *Klątwy z Crosswicks*, której to kwestii nie ma w ogóle w zwyczaju komentować i zawsze zachowuje wobec niej milczenie przepełnione godnością i urazą. Bo nie ma pojęcia, jak się właściwie czuje: czy boleje po stracie Annabel Slade, która była jego żoną przez niecałe pięć minut, czy też w rzeczy samej cieszy go, że ona zmarła i że Slade'owie noszą niekończącą się żałobę. Nie wie też, czy chciałby dopaść Axsona Maytego i zamordować go gołymi rękoma, czy raczej też mu ulżyło, że nigdy nie znalazł się blisko uwodziciela swej żony i przez to nie miał okazji go zamordować i zniszczyć sobie własnego młodego życia.

„Do diabła z nimi. *Z wszystkimi* bez wyjątku".

Pokonuje jeszcze kawałek ścieżki nad rzeką, po czym wspina się na wzgórze nad Starym Gościńcem Królewskim i idzie teraz ścieżką wzdłuż kanału, którego pewien odcinek graniczy z jeziorem Carnegie*, gdzie nagle dostrzega młodego, na oko dwudziestoletniego mężczyznę na bicyklu, w ciemnoczerwonym swetrze, w którym rozpoznaje sweter „klubowy" – stwierdza, że to może być klub Wiejski Domek. (Bluszcz i Wiejski Domek były w owym czasie elitarnymi klubojadalniami). Dabney, absolwent West Point, teraz już niesłużący w wojsku, czuje ukłucie niechęci wobec studenta uniwersytetu, który przejechał się bicyklem do Kingstonu; zgaduje, że chłopak to syn kogoś zamożnego, i sądząc po jego nijakich, „anielskich rysach", wnioskuje, że jeszcze nie zdarzyło mu się cierpieć z żadnego powodu. Chłopak – ucieleśnienie studenta z ilustracji w „Collier's Weekly" – patrzy marzycielskim wzrokiem na jezioro, *nie zdając sobie sprawy z obecności*

---

* Jezioro Carnegie! To tam doszło do pierwszej i raczej nieostatniej z „rektorskich porażek" Woodrowa Wilsona. To piękne jezioro jest sztucznym zbiornikiem utworzonym przy tamie na rzece Millstone, podarunkiem od przemysłowca wieku pozłacanego, Andrew Carnegiego, dla osady wioślarskiej Uniwersytetu Princeton z 1906 roku. Woodrow Wilson miał mieszane uczucia wobec tego daru i nie potrafił się nim cieszyć jak inni, ponieważ Andrew Carnegie spiskował z absolwentami za plecami rektora w dziele nabywania terenu i tworzenia jeziora, wbrew życzeniu doktora Wilsona, wielokrotnie przezeń powtarzanemu, by ów bogaty przemysłowiec pokrył koszty budowy nowej biblioteki. Zagniewanemu darczyńcy rektor Wilson miał rzekomo powiedzieć: „Potrzebowaliśmy chleba, panie Carnegie, a pan dał nam ciastka".

Dabneya; jest coś aroganckiego w jego sylwetce, kiedy tak kontempluje marszczącą się wodę.

Dabney widzi, że chłopiec nie nosi klubowego kapelusza, co należy zaliczyć mu na korzyść; jego włosy barwy pszenicy są gęste i falujące, *kuszą*, żeby je dotknąć. Ubrany jest zwyczajnie, ale stylowo – oczywiście. Spodnie opasują ciasno jego szczupłe ciało i tchnie od niego optymizmem i otwartością; nie pogwizduje, czym niszczyłby spokój panujący nad kanałem, ani też nie biegnie, udając, że rozkoszuje się naturą – którą to postawę u swojej własnej płci Dabney uważa za szczególnie odstręczającą.

Dabney odwróciłby się, ale coś mu nie pozwala: chłopiec o falujących włosach rozprostowuje teraz ramiona i ziewa: nadal niepomny, że ktoś go obserwuje; wciąż mu się wydaje, że jest sam. Upuszcza bicykl na ziemię i podchodzi do jeziora; kuca nad samą wodą nadal w marzycielskim nastroju.

Po spokojnych wodach jeziora sunie flotylla hałaśliwych gęsi kanadyjskich. „Oczywiście odejdę stąd. Nie będę go zagadywał".

A jednak w tym momencie Dabney zostaje (niemile) zaskoczony, bo tuż obok niego staje ktoś trzeci; zaskoczenie jest podwójne, bo to jest ten graf – rzekomy teolog z Europy, którego niedawno przedstawiono Dabneyowi na jakimś proszonym wieczorze w Drumthwacket; nazwisko tego człowieka jest zbyt długie, by warto je zapamiętywać, a poza tym pobrzmiewa w nim jakaś fałszywa nuta; pochodzi z Wołoszczyzny albo Rumunii, Bawarii, nieważne. Wprawdzie między grafem a byłym porucznikiem praktycznie nic nie zaszło na przyjęciu u Pyne'ów – ot tylko się poznali – a jednak teraz wysoki, elegancki mężczyzna uśmiecha się do Dabneya, ukazując lśniące zęby i być może drwiąco, a może wcale nie, składa przed Dabneyem półukłon, jak przystało na europejskiego szlachcica – w jego wypadku takie zachowanie, nawet wobec młodych Amerykanów, którym u zarania życia coś się nie powiodło, jest wyrazem *noblesse oblige*. Graf podchodzi do Dabneya spacerowym krokiem, zerkając raz na chłopca przykuniętego nad wodą kilka jardów dalej, i mówi:

– Pan zobaczył tego chłopaka pierwszy, poruczniku, dlatego sprawiedliwość nakazuje, by należał do pana.

– Meta? Chodź posłuchać.

Odczyta jej to, co napisał – mozoląc się przez dwadzieścia godzin ciurkiem, wyjąwszy kilka pospiesznych przerw. A napisał miażdżącą replikę na zadufaną i jawnie kłamliwą obronę Armour & Co opublikowaną w „Saturday Evening Post" pod nazwiskiem „J. Ogden Armour" – (jakby ta tłusta kapitalistyczna świnia była rzeczywiście w stanie napisać bodaj słowo samodzielnie). Ów esej Uptona nosi tytuł: *Potępienie przemysłu mięsnego*.

i zawiera podsumowanie treści zawartych w *Dżungli* i dużo więcej; numer „Everybody's Magazine", w którym go wydrukują, wyprzeda się natychmiast ze stoisk z gazetami we wszystkich większych amerykańskich miastach. Młody Upton Sinclair został *autorem bestsellerów.* Kiedy zatapia się w pracy, ledwie zdaje sobie sprawę, co się dzieje wokół niego. Nawet kiedy czyta na głos żonie, absorbuje go własny głos, nie jej obecność; jej komentarze są zazwyczaj pełne podziwu, nawet jeśli wygłaszane bezgłośnie.

Upton, jako socjalista oddany zasadom racjonalizmu, nie chce ulegać lękom i wymysłom, choć byłby skłonny uwierzyć w „klątwę", jaka rzekomo spadła na stare princetońskie rodziny. Na przykład podczas szału pisania, to ręcznie, to na maszynie, *Potępienia przemysłu mięsnego* jego uwagę przykuwały niekiedy oddalone sylwetki na polu rozciągającym się za jego oknem, a co najmniej raz jakaś upiorna twarz, która zajrzała do samego okna, ale młody socjalista zgarbiony nad stołem do pisania teraz już w ogóle nie podnosi wzroku. *To zwykły wymysł fantazji. Dobrze wiesz, że to nic prawdziwego.* Meta przestrzegła go, że ucierpi na tym jego zdrowie, jeśli będzie nadal stosował swą rygorystyczną wegetariańską dietę, z której – dla zasady – ostatnio wykluczył jaja. „Bo kury to są najbardziej eksploatowane z pracujących stworzeń! Najpierw odbiera im się i pożera jaja, a potem pożera się je same".

Meta jednakowoż protestowała, że kurze jaja to najtańsze jedzenie; jeżeli Upton nie będzie ich jadł, to ona i tak będzie je przygotowywała dla siebie i Davida.

Ona kwestionuje twój autorytet. Ona jest buntowniczką.

Ona nie jest wierną żoną. O czym pewnie wiesz.

Upiorna twarz zaglądająca do okna ma drwiącą minę. Upton nie podnosi wzroku, a jednak ją widzi.

I słychać radosne skrobanie paznokci po framudze.

Upton obala stwierdzenia „J. Ogdena Armoura" systematycznie, punkt po punkcie. Napisał już piętnastostronicowy list do wydawców popularnego „Saturday Evening Post", w którym wymienił te punkty, ale tamci odpowiedzieli mu impertynencko, odmawiając publikacji listu. (Było tajemnicą poliszynela, że magnaci przemysłu mięsnego, a także kolejowego i ciężkiego posiadali akcje najważniejszych czasopism i dzienników amerykańskich, dlatego więc kontrolowali prasę). Wynajęty przez Armoura autor ośmielił się stwierdzić, że „ani jeden atom" żadnego chorego zwierzęcia czy też truchła nie trafia do produktów żywnościowych Armoura, i pisał dalej w obrzydliwy, szyderczy sposób:

Wiecie oczywiście, jakiego pokroju ludzie pracują w zakładach przemysłu mięsnego – obcokrajowcy o niskim stopniu inteligencji – i wiecie, że nie da się upilnować każdego człowieka z osobna. Jeśli te osoby mają ochotę splunąć, to plują, a jakże; niedorzecznością jednak jest domniemywać, że to się dostaje do mięsa, a nie do trocin na posadzce, gęsto usypanych w tym właśnie celu.

Pierwszy i ostatni akapit tego oburzającego artykułu szkalował „wywrotowe elementy socjalistyczne w Ameryce" – stawiając w jednym rzędzie socjalistów i anarchistów, jak to zresztą często czyniono na łamach prasy, jakby nie istniała różnica między Partią Socjalistyczną a niezorganizowaną, bezrozumną i skorą do przemocy Partią Anarchistyczną, z którą współpracował skrytobójczy morderca prezydenta McKinleya.

Jeszcze bardziej niepokojąca niż ten oszukańczy artykuł jest groźba pozwu przeciwko Uptonowi Sinclairowi i jego wydawcy, z którym prawdopodobnie wystąpi Armour & Co za „oczernianie" i „zniesławienie", a także „zawiązanie spisku w celu zrujnowania firmy". Upton nie powiedział o tym Mecie, jeszcze, niemniej uważa, że to będzie coś dobrego, jeśli „powietrze zostanie oczyszczone", jeśli sąd ustali, kto tutaj mówi niczym nieupiększoną prawdę, a kto łże jak pies. Wyobraża sobie, że on sam będzie się bronił, i to przed amerykańskim Sądem Najwyższym.

– I wtedy wszystko się okaże. Rozgłos będzie wielki, co na pewno nie zaszkodzi naszej sprawie.

Tak więc Upton odczytuje swój artykuł Mecie, która jest wyjątkowo cicha. Czyta na głos, jednocześnie redagując rękopis, bo Upton Sinclair to krewki pisarz, dlatego wydaje się czasami, że jego wirujący umysł wyprzedza palce.

– Meta? Co ty na to?

Upton podnosi głowę, marszcząc czoło. Myślał, że Meta jest w pokoju, że siedzi na krześle za jego plecami albo jest nieopodal w kuchni, za otwartymi drzwiami. (Upton pracuje teraz w domu, bo dach chatki mocno przecieka, a ta wiosna jest mokra i zimna).

Z przepracowania nadwyrężył sobie wzrok. Powinien iść przebadać sobie oczy, wziąć receptę na nowe okulary. Często jest tak, że nie tyle widzi jakieś upiorne postaci, ile nie widzi prawdziwych postaci, co jest jeszcze bardziej przerażające.

– Meta?

Zirytowany Upton wstaje. Z rękopisem w ręku, dwadzieścia pospiesznie wystukanych i zredagowanych stron, idzie do kuchni, a potem do ciemnego „saloniku" w poszukiwaniu żony – ale tam nikogo nie ma.

– Meta, *choroba jasna*! Gdzie ty...

I dopiero w tym momencie mu się przypomina, z wielkim żalem, że Mety naprawdę tu nie ma: zabrała Davida i wróciła do Nowego Jorku, by „pobyć tymczasowo" z rodzicami, którzy mieszkają na Staten Island.

Rodzice żony nigdy nie aprobowali Uptona Sinclaira i sukces *Dżungli* nie wywarł na nich wrażenia; zauważyli jedynie, że ich córka i mały wnuczek będą mogli dzięki temu zamieszkać w lepszych warunkach, ale do tego jeszcze nie doszło.

Rozczarowany, ale niezniechęcony Upton wraca do pisania. Jego rękom brakuje pewności: musi wymyślić sposób na pisanie na maszynie z łokciami wbitymi w stół, dla dodania im siły. Myśli jak Zaratustra: „Zacząłem *się zniżać* do rzesz nieoświeconej ludzkości".

Pochodnia! Pochodnia! Powietrze tego grobu chce być ogrzane. Najbardziej natarczywy z głosów, które słyszy Jozjasz. Jeśli przyciska dłonie do uszu, głos jest jeszcze donośniejszy.

Ojciec i syn spierają się teraz tak często – o politykę, religię, idee – że Jozjasz unika kolacji z rodzicami, wymawiając się, że musi być gdzie indziej. Zwłaszcza od czasu wrzawy, jaka się podniosła w związku z *Dżunglą* i odpowiedzią na nią w „Saturday Evening Post", o której w Princetonie wszyscy gadają, szczególnie ci wspierający Armourów; Jozjasz i Augustus z wielkim trudem zachowują wobec siebie grzeczność; nawet Henrietta, najbardziej zgodna i łagodna z kobiet, próbuje przemówić Jozjaszowi do *rozsądku.*

– Wiesz przecież, ile twój ojciec wycierpiał od czasu... od czasu, gdy Annabel... Jeśli go kochasz, nie powinieneś bardziej go martwić.

– To, czy kocham ojca, nie może być usprawiedliwieniem dla tego, bym się stał takim samym hipokrytą jak wszyscy w Princetonie! Jeżeli on tego nie zaakceptuje, to będę musiał się wyprowadzić.

– Wyprowadzić? Dokąd?

Henrietta powiedziała to nerwowo; Jozjaszowi nie podoba się ten dziwny, błagalny wyraz jej twarzy.

– Dlaczego nie możesz tego zrozumieć, matko, że jesteśmy kanibalami? My i ludzie tacy jak my? Nie tylko jemy mięso, ale ci... ci wykorzystywani pośród nas... którzy są dla nas niewidzialni... – Jozjasz zaczyna się zacinać, bo widzi, że matka jest bliska łez; wymawia się prędko i idzie do swojego pokoju na piętrze. A tam krąży w kółko z niepokojem; zdaje sobie sprawę, że w wieku dwudziestu pięciu lat nie powinien już mieszkać w domu z rodzicami, ale nie jest pewien, dokąd dokładnie mógłby pójść, by to nie oznaczało, że porzucił Annabel i że uciekł przed „klątwą", która zaciążyła na jego rodzinie. O ileż łatwiejszą decyzję do podjęcia miał szekspirowski Hamlet: zabić króla czy nie. Bo król Klaudiusz był mordercą ukochanego ojca Hamleta i człowiekiem, który uwiódł jego matkę Gertrudę; w oczach Hamleta król Klaudiusz *istniał.* Tymczasem Jozjasz szukał swego wroga w wielu miejscach – demon tak jakby nie istniał.

Niepokojące dla Jozjasza jest to, że po upływie zaledwie kilku miesięcy ludzie, z którymi rozmawiał, bardzo słabo pamiętają Axsona Maytego i trudno znaleźć dwie osoby, które zgodziłyby się co do tego, jak on wyglądał. Jozjasz przestudiował dokładnie schemat tropów profesora van Dycka, ale od tego ma w głowie jeszcze większy zamęt, bo profesor najwyraźniej umieścił tam – obok bez wątpienia akuratnych elementów – również takie, które były owocem spekulacji. Na przykład ta obsesja, że jego własny syn nie jest jego, to zdaniem Jozjasza czyste urojenia, bo widział to dziecko w ramionach Johanny – już wtedy miało imię i zostało ochrzczone – i to było *doskonale normalne, zdrowe dziecko,* niewyróżniające się niczym szczególnym. (Aczkolwiek jest o wiele bardziej podobne do pani van Dyck niż do Pearce'a. I jego oczy są w kolorze błękitnoszarym, jakiego żadne z małżeństwa van Dycków nie miało).

A może tak przystąpić do socjalistów i przeprowadzić się do Nowego Jorku? Albo może powinien powierzyć swój los ekspedycji polarnej, która niebawem wyrusza na wyprawę na biegun południowy?

Zamierzył sobie, że odszuka Uptona Sinclaira. Słyszał, że ten młody socjalista mieszka w jakimś zrujnowanym farmerskim domu przy Rosedale Road, w pobliżu torów kolejowych Province Line, niecałe cztery mile dalej; któregoś razu wyprawił się autem na wieś i nawet skierowano go do domu wynajmowanego przez tego „gołowąsa socjalistę", ale jakby nikogo nie było w domu, który skądinąd wydawał się niezamieszkany.

„Musimy się poznać. Musimy połączyć siły. Może tak!"

Kiedy Jozjasz krąży tak po pokoju, cały czas zadręcza go ten głos. *Pochodnia! Pochodnia! Powietrze tego grobu chce być ogrzane.*

Czasami ten głos nabiera zwodniczo melodyjnej barwy, przez co Jozjasz przysiągłby, że to Annabel, gdyby nie wiedział, jak jest naprawdę.

Nassau Hall. Sekretarka doktora Wilsona puka z wahaniem do jego drzwi.

– Tak, Matyldo? To ty? – odpowiada cierpliwym, a jednocześnie zirytowanym tonem doktor Wilson, siedzący za swoim biurkiem; na jego twarzy o kanciastej szczęce maluje się wyraz powagi osoby nad wyraz zapracowanej.

– Telegram do pana, sir, z Western Union. To chyba coś pilnego.

Coś pilnego! Woodrow Wilson ma ochotę zbesztać tę głupią kobietę, że w życiu rektora nie ma nic, co *nie byłoby pilne.*

Co za męczący dzień! Doktor Wilson ma za sobą wiele umówionych spotkań, w tym kilka ważnych, a nawet *kluczowych.* Uważa siebie za kapitana wielkiego, ale zbłąkanego statku. I wie, że jego przeznaczeniem będzie „tworzenie historii"; ojciec wielokrotnie mu wróżył, że jego życie stanie się porównywalne z życiem Jezusa Chrystusa, że będzie musiał znosić sprzeciwy i wzgardę, że może nawet czeka go „męczeństwo" – do pewnego stopnia. „Tak jak zło ma tysiące twarzy, tak i ukrzyżowań są tysiące. Ale ty się będziesz podnosił, Woodrow, za każdym razem, gdy twoi wrogowie cię poniżą. «Jam jest światłością, która w ciemności świeci»".

Po prawdzie to Woodrow nie zawsze się czuje jak światłość, która w ciemności świeci, tylko raczej jak nędzne światełko, które walczy o to, żeby nie dać się zgasić. Ostatnimi czasy jednak odniósł wiele zwycięstw na uczelni. Dlatego teraz, kiedy jego wrogowie już wiedzą, że nie ulegnie ich żądaniom i sprzeciwom, tylko wręcz przeciwnie, że rośnie dzięki nim w siłę niczym szkocki wojownik w przebraniu purytańskiego nauczyciela, możliwe, że zmienią taktykę. Poza tym śmierć Pearce'a van Dycka, zdaniem Wilsona będąca konsekwencją wrogiego postępowania dziekana Westa, musiała ich przecież otrzeźwić i sprawić, że poczuli skruchę.

„Przez wzgląd na siebie! Biedny Pearce. Nazwę oddział preceptorów filozofii jego imieniem".

Przez twarz Wilsona przemyka rzadko goszczący na niej uśmiech, kiedy przypomina mu się mina na świńskim obliczu Andrew Westa, zdumionego wynikiem ostatniego głosowania rady powierniczej – rada odrzuciła milionową donację, która miała powędrować do urzędu dziekana. W całym Princetonie huczało o tym zwycięstwie, Wilson jest tego pewien. *Bezprecedensowe w historii Uniwersytetu Princeton. Bezprecedensowe (być może) w historii wszystkich amerykańskich uczelni.*

Jeżeli jego propozycje związane z kolegium dla magistrantów i kampania na rzecz zamknięcia klubojadalni nie zostaną uwieńczone sukcesem – (powtarzał to sobie wiele razy) – to ustąpi ze stanowiska.

Jakże zdumieni będą wtedy członkowie rady powierniczej! Jacy zdumieni i skruszeni będą ci członkowie grona wykładowców, którzy uparcie mu się sprzeciwiali!

Podjąłem decyzję i to jest decyzja ostateczna.

To będzie kwestia dumy i godności. Albo jesteś z Woodrowem Wilsonem, albo przeciwko niemu – nie ma tu żadnej drogi pośredniej.

Oczywiście nie może tego powiedzieć. Musi znaleźć inne, bardziej godne słowa dla wyrażenia swoich przekonań. Jeszcze zanim przyjął ten urząd i stał się osobą na świeczniku, wiedział, że w demokracji manipuluje się opinią publiczną. Wie, że jego osobowość nie przemawia do wszystkich – nie przemawiała do wielu takich, którzy podziwiają tego towarzyskiego bufona „TR" – ale rozumie, że jego kartą atutową może być szczerość. *Jak Chrystus. Nastało nad światem królowanie...!*

Moi wrogowie będą zdruzgotani...

Woodrow musi sobie przypominać, że ostatnimi czasy odnosił zwycięstwa. Na dwóch ostatnich posiedzeniach rady Grover Cleveland był nieobecny, dlatego najbliższe głosowanie może mieć przebieg korzystny dla doktora Wilsona; powoli, uparcie tłumił wpływy Clevelanda stanowiące skrywany wyraz woli Andrew Westa. *Gdyby tak on umarł. Albo doznał udaru, został kaleką i już nigdy więcej nie wrócił na uniwersytet, żeby wyprawiać swe bezeceństwa.* I tego dnia majowy chłód jakby zelżał. Woodrow dopiero co pozwolił Matyldzie, by podciągnęła okno za jego biurkiem i wpuściła przez wąską szczelinę cieniuteńki strumyczek powietrza, który to go rozpraszał, to budził w nim ducha. A teraz wręczyła mu telegram, który tak jakby domagał się natychmiastowego działania, jeszcze przed przeczytaniem stosu listów czekających na drucianej tacy – listów związanych z obowiązkami, które raczej nie zasilają duszy. Woodrow czuje kryjącą się w tym niesprawiedliwość, że telegram jest ważniejszy od zwyczajnego listu, a jednak bierze go z rąk Matyldy, ekscytując się jak mały chłopiec.

– Dziękuję, Matyldo. Może pani iść i zamknąć drzwi.

Skwapliwie otwiera kopertę i czyta; oczy zachodzą mu mgłą, a serce bije prędko...

Drogi Tommy mieszkasz wciąż w mym sercu i myślach. Proszę powiedz jest takie miejsce gdzie mogłaby w twym życiu zamieszkać twa przyjaciółka
Cybella Peck

Doktor Wilson jest tak wzruszony, że musi odczytać ten telegram po raz drugi i trzeci.

Todd Slade, dwanaście lat. W maju 1906 roku chłopca spotyka dziwny los. Od wyznania wygłoszonego przez jego dziadka Winslowa Slade'a na cmentarzu, skierowanego pierwotnie do Todda i Jozjasza, chłopiec jest nadzwyczaj milczący i zamknięty w sobie. Podobnie jak Jozjasz unika swoich rodziców. Unika zresztą wszystkich dorosłych. Mimo że nadal ma kłopoty z pisaniem i czytaniem, już nie doznaje takich nagłych wybuchów gniewu, kiedy próbuje tych czynności i coś mu nie wychodzi.

„Ale dlaczego to takie ważne, czy słowa są pisane poprawnie i używane poprawnie, skoro to są kłamstwa? Nikt mi tego nie potrafi wytłumaczyć".

Todd przestraszył się publicznego wyznania dziadka. Nie chciał być zmuszony do wyobrażania sobie człowieka, młodego człowieka, który zachowywał się tak, jak zachowywał się jego dziadek pięćdziesiąt lat wcześniej, i nie chciał sobie wyobrażać, że ten młody człowiek jakimś sposobem był jednocześnie dziadkiem Winslowem.

Od tamtego czasu Todd przychodzi czasem do Crosswicks nieproszony. Błąka się po ogrodzie i zauważono – (zauważyła to Henrietta) – jak rozmawiał z ogrodnikami. Ciągnie go w stronę lasu Crosswicks. Już mu nie towarzyszy Thor, owczarek niemiecki, bo Thor zdechł pod koniec zimy na jakąś tajemniczą chorobę. I Annabel oczywiście też nie ma. A także Wilhelminy Burr, jej przyjaciółki.

Henrietta widzi Todda to z jednego, to z drugiego okna i macha do niego, ale bez odpowiedzi; gdy na niego woła, to on udaje, że nie słyszy. Kiedy się nie błąka po Crosswicks, to najczęściej jest na cmentarzu, w pobliżu grobowca Slade'ów.

Dozorca cmentarza widuje Todda, wie, kim on jest, ale nie podchodzi do niego. Są tacy, jak żywe duchy włóczący się po tym starym cmentarzu, który powstał jeszcze przed wojną o niepodległość – dozorca wie, że lepiej zachować dystans, bo to są żałobnicy, którzy nie chcą, by ktoś koił ich ból.

A jednak jest w tym coś niezwykłego, że jeden z tych żałobników jest taki *mały*.

Todd rozmawia na cmentarzu z Annabel. Przeważnie zachowuje się niczym dziecko, tak jak dawniej w obecności kuzynki; lubił, jak go beształa, lubił ją troszeczkę zaskoczyć i nastraszyć. A teraz nie ma już nikogo, kogo by na tyle lubił, by go nastraszyć.

– Ale dlaczego ty odeszłaś? Dokąd ty odeszłaś?

Todd przywiera twarzą do granitowej krypty i nasłuchuje, czy Annabel mu przypadkiem nie odpowiedziała, ale nigdy nic nie słyszy, oprócz szelestu liści w górze, ptasich treli i odgłosów ruchu ulicznego na pobliskiej Witherspoon Street.

– Annabel! Dokąd ty *odeszłaś?*

Todd musi sobie przypomnieć, że jego młodsza siostra Oriana też jest pochowana w tym grobowcu. Ale do niej nie ma żadnych pytań – Oriana jest za mała, więc mu nie pomoże.

A jednak któregoś razu, gdy Todd przemówił do Annabel i jak zwykle nie dostał żadnej odpowiedzi, usłyszał, albo tak jakby usłyszał, głos Oriany – *Idź sobie, Todd! My cię nie chcemy.*

Todd nie ma jednak ochoty iść do domu. Często sypia na cmentarzu, pod marmurowym portykiem grobowca. Czuje na twarzy dotyk, lekki jak piórko – skrzydełka jakiegoś małego ptaka? Czuje delikatny dotyk na dłoniach – pospieszne łapki polnej myszy? Ku rozpaczy matki i zagniewaniu ojca Todd spędza coraz więcej czasu na cmentarzu, aż wreszcie pewnego poranka pod koniec maja dozorca dokonuje niezwykłego odkrycia: do towarzystwa aniołów, krzyży i rozmaitych ponurych nagrobków przybył nowy posąg przedstawiający małego chłopca.

Tylko kto postawił tam ten posąg? Rzeźba przedstawiająca chłopca siedzącego na trawie w pobliżu grobowca Slade'ów: znakomity, prawie jak żywy przykład sztuki kamieniarskiej – chłopiec wyrzeźbiony tak akuratnie, że ma nawet drobniutkie żyłki na czole i fałdy w ubraniu. Nawet jego rzęsy są jak żywe, nawet ten upór emanujący z twarzy.

Dozorca udaje się spiesznie do Wheatsheaf, donieść o tym, co znalazł; mniej więcej w tym samym czasie niania stwierdza, że Todda Slade'a nie ma w jego pokoju.

PORUCZNIK BAYARD NOCĄ

„Dlaczego zrezygnowałeś ze służby? Czemu tak nagle? I czy już na zawsze wyzbyłeś się marzenia, by zostać żołnierzem?"

W głębi serca wciąż jest *porucznikiem*. Zrezygnował ze służby, wbrew życzeniom rodziny, gdy skutkiem upokorzenia na oczach wszystkich w dniu własnego ślubu owładnęła nim rozpacz i wściekłość, a potem, kiedy zaczął czuć się inaczej, było już za późno, by się wycofać. A może jeszcze nie było za późno? Były porucznik Dabney Bayard zadręczał się takimi myślami, często tłumiąc je z pomocą whisky.

Była to chmurna noc pod koniec wiosennego semestru na uniwersytecie, kiedy młody człowiek o nazwisku Tempe Kaufman wyszedł z Biblioteki imienia Kanclerza Greena później niż zazwyczaj, bo w związku z nadchodzącą sesją egzaminacyjną godziny otwarcia biblioteki były wydłużone. Tempe, który wracał teraz na swoją stancję przy Mercer Street, minął ciemny kampus, dotarł do Mercer Street i szedł teraz w stronę skrzyżowania z Alexander Street, bo to tam wynajmował pokój; nie czuł się samotnie, ale pogwizdywał cicho dla dodania sobie animuszu, bo martwił się o kilka przedmiotów – co najmniej dwa wykładali profesorowie, którzy tak jakby go nie lubili albo może nim gardzili i dlatego nie oceniali go tak wspaniałomyślnie jak jego kolegów z roku. Podobnie jak inni studenci Tempe Kaufman nie czytał lokalnych gazet, bo nie interesowały go tutejsze wieści; pochodził z Nowego Jorku i trudno mu było traktować taką mieścinę jak Princeton poważnie – było to tylko miejsce, w którym mieszkali jacyś ludzie niezwiązani z wszechdominującym tu uniwersytetem.

Czytelnik pewnie się zastanawia, dlaczego Tempe Kaufman mieszkał przy Mercer Street, a nie z kolegami z roku w którejś z burs w kampusie.

Otóż wychodzi na to, że ów dwudziestolatek był wyznania żydowskiego i uznał, że będzie najbardziej politycznie, jeśli dostosuje się do wymogów administracji uniwersyteckiej i życzeń większości kolegów poprzez wynajęcie pokoju poza kampusem. (Chyba nie trzeba dodawać, że żadna klubojadalnia nie przyjmowała Żydów w poczet swoich członków). A jednak Tempe nie czuł się osamotniony, bo był przyzwyczajony do bycia samemu. Niewiele też poświęcał myśli pogłoskom szerzącym się po całym Princetonie – o jakimś „zabójcy" czy też „demonie", który zamordował kilka osób i jeszcze nie został zatrzymany.

Kiedy Old North wybił dźwięcznie kwadrans po dziesiątej wieczorem, Tempe przypadkiem zauważył osobliwą, pomykającą szybko sylwetkę przy jednej z lamp nieopodal (był to róg Mercer i Alexander); ta sylwetka przypominała kształtem nietoperza, ale była większa; wydawało się, że unosi się w powietrzu, nie machając skrzydłami, na wysokości mniej więcej ośmiu stóp nad chodnikiem. Coś duży ten nietoperz, pomyślał Tempe, jeśli to nie zwyczajny lelek – ptak niewystępujący powszechnie w rodzinnym mieście Tempego, o jarzących się czerwono oczach i szponach przypominających pazury.

„No więc co to takiego?"

Tempe wytrzeszczał oczy i mrugał; wahał się podejść bliżej, po czym z ulgą zobaczył, że to coś zniknęło – może to po prostu był tylko obłok pary. Tempe zbeształ się wewnętrznie za to, że ulega jakimś strachom, bo przecież znał dobrze ten odcinek Mercer Street: bruk, migoczące lampy gazowe, stare, nobliwe domy z okresu kolonialnego z wymuskanymi fasadami z białych deszczułek i ciemnymi oknami.

Dom pani Donovan, w którym najmował stancję, znajdował się przy Mercer Street 77.

Tempe nie miał ochoty poznawać drastycznych szczegółów morderstwa popełnionego niedawno nad jeziorem Carnegie, mimo że ofiarą był student drugiego roku, który nazywał się Heckewalder, a Tempe uczęszczał z nim na zajęcia z dwóch przedmiotów; był jednym z tych chłopców należących do klubu, który miał gdzieś naukę i zachowywał się arogancko, a jednak otrzymywał wyższe noty niż Tempe Kaufman. W rzeczy samej, gdy Tempe po raz pierwszy usłyszał, że Heckewalder został zamordowany w jakiś tajemniczy sposób, naszła go podła myśl, że tamten *zasłużył sobie na to jak mało kto*, ale natychmiast tę myśl ocenzurował, bo ani trochę nie pasowała do jego charakteru.

A jednak Heckewalder zachowywał się wobec Tempego Kaufmana jak przystało na nonszalanckiego arystokratę, a więc ani trochę przyjaźnie; mówiono, że jego ojciec był jeden z najbardziej zaufanych doradców prawnych DuPont & Co, firmy specjalizującej się w produkcji prochu strzelniczego, i że zrobił fortunę, bo zainwestował w akcje DuPonta. Naturalnie rodzina nie ujawniła szczegółów śmierci młodego człowieka, podobnie jak miejscowe władze i administracja uniwersytetu, z obawy przed histerycznymi reakcjami i „złą prasą", a jednak Tempe słyszał, czy raczej podsłuchał, że nie tylko ktoś lub coś przegryzło młodemu nieszczęśnikowi gardło, ale także nietykalność jego ciała została naruszona w jakiś jeszcze inny, „niewysłowiony" sposób.

Tempe nie potrafił nie pomyśleć, że Heckewalder sam sobie na to zarobił, bo stale się puszył i jeszcze paradował w kobiecym przebraniu podczas najnowszego spektaklu Trójkąta*, które było bardzo śmieszne, a zarazem w bardzo złym guście – zdaniem Tempego. Ludzie takiego pochodzenia jak on nigdy by nie dokazywali w taki sposób, nigdy nie uprawialiby publicznie takich jawnych błazeństw o podłożu seksualnym.

I tak oto Tempe szedł dalej Mercer Street, czując, jak prędko bije mu serce, chociaż nie było tam nic, co powinno go zaalarmować, zwłaszcza że w większości domów paliły się światła, a w każdym razie przynajmniej te na wyższych piętrach. I wbrew sobie rozmyślał o tym, że Heckewalder był sportowcem, który uprawiał lacrosse'a – szczupłym, ale zwinnym młodzieńcem, którego niełatwo było onieśmielić. A jednak wychodziło na to, że nie był w stanie sam siebie uratować.

A poza tym nad domem pani Donovan przy Mercer Street 77 zawisła jakby jakaś dziwna „aura", już kilka lat wcześniej, gdy Tempe Kaufman był uczniem liceum Erasmus Hall na Brooklynie, bo wtedy właśnie jeden z mieszkańców stancji u pani Donovan, rzekomo genialny student matematyki, również Żyd, tyle że z Filadelfii, popełnił samobójstwo przez powieszenie się. (Młody człowiek w liście pożegnalnym obwiniał kluby, które go nie chciały do siebie przyjąć ze względu na pochodzenie, a także sam uniwersytet, gdzie nie mógł liczyć na *ani jednego przyjaciela* wśród braci studenckiej. Tak bezmyślnego zarzutu nie należało brać poważnie i nie wolno było ujawniać go publicznie, tak prędko postanowił nowo mianowany na urząd rektora Woodrow Wilson i w związku z tym owa tragiczna sprawa została „wyciszona"). Twierdzono potem, że młodzi żydowscy dżentelmeni, których w każdym roczniku było po dwóch albo trzech i którzy byli nieodmiennie obdarzeni niepoślednim intelektem, mogli policzyć na palcach swoich przyjaciół czy też przyjaznych im znajomych; obecnie, w 1906 roku, wśród bakałarzy i magistrantów w liczbie kilku tysięcy było pewnie sześciu albo nawet siedmiu młodych Żydów, którzy najwyraźniej woleli utrzymywać kontakty tylko z sobą i unikać życia towarzyskiego Prospect Street, z którego ów prestiżowy uniwersytet słynął.

Tempe niewiele myślał o takich sprawach. Bo o nim też krążyły słuchy, że jest „geniuszem" matematyki. I też miał niewielu przyjaciół.

---

* Mowa o jednym z przedstawień Princeton Triangle Club, najstarszej z istniejących (od 1891 roku) trup teatralnych na amerykańskich uczelniach wyższych (przyp. tłum.).

– Halo? Halo...

Nagle na oczach zdumionego Tempego zmaterializowała się jakaś postać, przyklejona do jednej z latarń niczym lelek, który znienacka się rozrósł.

Tempe stwierdził z ulgą, że to młody człowiek mniej więcej w jego wieku albo kilka lat starszy, odziany w mundur armii amerykańskiej. Jego stopień był dla Tempego tajemnicą, bo słabo się znał na insygniach wojskowych, ale zauważył, że tamten ma miłą, chłopięcą twarz i że uśmiecha się do niego, jakby chciał mu dodać otuchy. Znali się? Czy ten młodzieniec był kimś, kogo Tempe powinien znać? Żartobliwym gestem, który miał zamaskować jego zdenerwowanie czy też zawstydzenie, przyłożył dłoń kantem do boku głowy, salutując tamtemu:

– Tak jest, sir!

Niestety młody oficer z jakiegoś powodu odebrał to jako obrazę, bo jego uśmiech znikł, ustępując miejsca gniewnemu grymasowi. Oderwał się od latarni, przez co okazało się, że jest wyższy, niż się wydawał, po czym dał kilka kroków, stanął naprzeciwko Tempego i schwycił go za prawe ramię z zaskakującą siłą.

– Drwisz ze mnie? – spytał podniesionym tonem jasnowłosy mężczyzna, głosem, w którym pobrzmiewał cień akcentu z Południa. – Okazujesz pogardę oficerowi Armii Stanów Zjednoczonych?

Cóż to takiego? W Obozie Raleigh, gdzie stacjonował, porucznik odkrył przypadkiem, w ręcznym lusterku, bruzdę między swymi brwiami, której z całą pewnością wcześniej tam nie było. Najpierw rozgorzała w nim panika, potem gniew, a wreszcie podjął posępny zamiar, że się zemści. Był taki jeden rekrut, nieśmiały z wyglądu chłopiec o bystrym spojrzeniu i kędzierzawych włosach z górskich okolic za Norfolk – nemezis porucznika Bayarda od ostatnich kilku tygodni, a mimo to udający niewiniątko.

Trzeba pokiereszować tę śliczną buzię, stwierdził porucznik Bayard, *bo inaczej moja własna twarz ucierpi.*

„Gdyby tylko oni się tak nie opierali. Byłoby lepiej dla nas obu i prędzej by się wszystko skończyło".

Porucznik Bayard wiedział to od samego początku: jego przyszły szwagier, Jozjasz Slade, mu nie ufał.

Nie lubił go, gardził nim, nie ufał mu. Jak on śmiał!

Wszyscy Slade'owie traktowali go ciepło, podobnie zresztą jak jego rodziców i wszystkich krewnych z rodziny Bayardów, a piękna Annabel wstydliwie okazywała mu wdzięczność, tymczasem Jozjasz trzymał się wyraźnie na dystans – Dabney skądinąd zauważał niekiedy, w sytuacjach, w których towarzystwo było czysto męskie, jak podczas gry w futbol czy lacrosse'a, albo podczas pływania na łodziach, że niektórzy niezbyt za nim przepadali, mimo że on bardzo chciał się przypodobać. *Nie jesteś jednym z nas. Jesteś oszustem!* Dabney Bayard oczywiście nie dawał po sobie nic znać. Ani śladu, że dostrzega chłód Jozjasza. W rzeczy samej ignorował ten chłód i tak reagował na Jozjasza, jakby tamten był wobec niego przyjazny, i między nimi nie wyczuwało się żadnego napięcia.

– Wyprawimy się któregoś dnia na polowanie, Jozjaszu? W okręgu Hunterdon jest moc zwierzyny.

– Może. Może kiedyś.

Tak mu odpowiadał Jozjasz, uśmiechając się krzywo i uciekając wzrokiem. *On nie potrafi udawać. Nie zna się na wybiegach.*

Dabney wiedział, że Jozjasz dostał się do West Point, ale został tam tylko przez kilka miesięcy. A więc żołnierskie życie nie odpowiadało temu princetońskiemu arystokracie.

Jak on nienawidził Jozjasza Slade'a! To był snob, zadowolony z siebie drań, wyniosły sukinsyn – któregoś dnia zapłaci za te wszystkie obrazy, stwierdził porucznik Bayard.

Remedium jest zawsze takie samo, poruczniku. I bardzo proste, dziwię się, żeś z niego nie skorzystał.

Graf uśmiechał się, jego ciemno-blada twarz mieniła się w blasku słońca. Głęboko osadzone, inteligentne i rozbawione oczy, żar jego oddechu na policzku Dabneya, woń popiołu mieszająca się z silniejszą wonią alkoholu i tabaki.

Remedium, mój miły, młody poruczniku, jest...

– Uważa się, że chłopca zaatakował wściekły nietoperz. Zdrowy nietoperz nie zaatakowałby człowieka, a już nigdy za dnia. Cała reszta, ta histeria z wampirami, to jakieś głupie wymysły. Być może rzadko się tak dzieje w New Jersey, że nietoperz napada na człowieka, ale w Europie takie zjawiska nie należą do rzadkości. No więc skąd ten przesadny popłoch ze strony władz okręgu? I w kampusie? Młody, wysportowany student powinien przecież być w stanie obronić się przed zwyczajnym *nietoperzem.*

Tak oto przemawiał graf English von Gneist do gości zebranych w salonie w Mora House, ledwie dostrzegalnie omiatając spojrzeniem Dabneya Bayarda. Było to zaledwie w kilka dni po morderstwie Juliana Heckewaldera dokonanym na ścieżce nad kanałem.

* * *

Był jeszcze ten drugi, ten „młody Żyd", pierwszy taki ktoś w doświadczeniu porucznika – w cieniach na ścieżce między domami przy Mercer Street: ciemne pukle, semicko wykrzywiony nos, sławetny sensualizm rasy, starożytnej rasy wygrzanej na słońcu, zagadkowej jak żadna inna! *Nie, mówi on, ale ja na to, że tak. Nie, proszę, nie, błaga on, na co ja mówię, że tak. Och, pomóż mi, Boże, modli się on, a ja wtedy na to: O tak, dobry Boże. Ale proszę, mówi on. Ale tak, mówię ja. Nie, powtarza on, pomocy, krzyczy. Nie, mówię mu, nie będzie pomocy. Chodź tutaj, mówię, przestań się szamotać, nic ci nie będzie, tak mu mówię, tak mu mówię, i...*

– Nie! O mój Boże!

Obudził się z jednego ze swych ohydnych snów. Zlany lepkim potem.

Z bijącym dziko sercem i gwałtownie mrugającymi powiekami, z ustami wyschłymi na papier, podobnymi do ryby wyrzuconej na ląd, z trudem chwytającej powietrze.

– Ale to tylko sen. Dzięki Bogu!

Przez kilka minut sparaliżowany w skotłowanej pościeli. Niezdolny przypomnieć sobie, gdzie jest: w kwaterze oficerskiej w Norfolku albo Raleigh, albo Pendletonie, albo w swoim dziecięcym łóżku, albo w Atlantic City, albo w Nowym Jorku, albo... znowu w przeklętym Princetonie?

Usychając z pragnienia i głodu, rozdzierał zębami gardło chłopca, bo dzięki temu mógł wyssać tę zdrową, gorącą krew niezbędną do życia; był tak pochłonięty namiętnością, że nie mógł się oprzeć i chciał tego dokonać natychmiast, w zaiste barbarzyński sposób. Ale czy to jego wina? Apetyt jest silniejszy od woli, a z kolei jedno i drugie silniejsze od przekonania, iż nie należy zadawać bólu i wyrządzać krzywdy. A poza tym ten żydowski chłopiec najwyraźniej drwił z niego swoim salutem, patrząc porucznikowi w oczy – śmiertelny błąd.

Czy nie lepiej, poruczniku, zaspokoić swój apetyt i przyznać, że się czerpie z tego rozkosz? A nie, jak większość tych, którzy nas otaczają, codziennie uprawiać świątobliwą hipokryzję?

O ileż bardziej godnie jest spełniać kaprysy swojej tajemnej duszy, niż udawać proboszcza, bo czyż jeden z tych waszych praśnych amerykańskich bardów nie głosi, że powinno się wypisywać na progu słowo KAPRYS?

A jednak ten sen był bardzo niepokojący. Nad wyraz realistyczny pod względem szczegółów – jak na przykład te ciemne, trzepoczące rzęsy w twarzy chłopca, jego gabardynowa marynarka, lampy gazowe na Mercer Street wędrujące gęsiego ku północy, w stronę mroku panującego za granicami Princetonu... albo to chłodne, przepojone aromatycznymi woniami majowe powietrze... Tak realistyczny, że Dabney bał się zamknąć oczy i dać się znowu wciągnąć w to wilgotne i cuchnące piekło.

Tak więc leżał tylko, ciężko oddychając, w ciemnym pokoju, który mógł być pokojem hotelowym albo i nie – nie znał tego miejsca, bo wszystkie miejsca wydawały mu się nieznajome, odkąd odbył nocą tak daleką podróż. Otarł wyschnięte wargi kłykciami, cały czas przełykając ślinę, która jakoś nie chciała oczyścić wnętrza jego ust. Nie mógł nawet pozbyć się tej skorupy z warg, która lekko smakowała krwią.

POSTSCRIPTUM:
W KWESTII „NIEWYSŁOWIONEGO" W PRINCETONIE

Trudno ubrać w słowa coś, co jest „niewysłowione", dlatego historyk podlega niejakim ograniczeniom przy prezentowaniu niektórych swoich materiałów; w tym wypadku historyk w rzeczy samej jest ignorantem w kwestii „niewysłowionego", mimo ogromnych wysiłków badawczych, jakie podejmował przez dziesięciolecia.

Jako że poniższy rozdział zawiera sporo treści, które zainteresują jedynie tych, których ciekawi Uniwersytet Princeton oraz jego „niewysłowiona" historia, sugestia jest taka, by pozostali czytelnicy prędko go tylko omietli wzrokiem albo wcale go nie czytali, tylko przeszli do następnego rozdziału, który jest bardziej bezpośrednio związany z kolejnymi odsłonami historii opisanej w *Przeklętych*.

ᗉᔆ

Całe Princeton było wstrząśnięte i przerażone: pewnego majowego poranka, zaledwie kilka dni przed końcem semestru, w bagnistych ostępach między miasteczkiem a stacją kolejową Princeton znaleziono ciało dwudziestoletniego studenta jakby wyrzucone z pociągu, bo leżało blisko torów.

I było to już drugie ciało studenta znalezione w podobnym otoczeniu i z podobnymi obrażeniami w ciągu zaledwie tygodnia.

Ten pierwszy był studentem drugiego roku oraz członkiem klubu Wiejska Chata, ten drugi, dwudziestolatek, który uczęszczał na zajęcia pierwszego roku, mieszkał poza kampusem, na stacji przy Mercer Street 77.

Tym, którzy wierzyli, że „klątwa" jest związana przede wszystkim z Crosswicks, ze Slade'ami i innymi prominentnymi rodzinami, te śmierci jawiły się jako wyraźne odstępstwa od normy: zarówno Heckewalder, jak i Kaufman zostali najwyraźniej zaatakowani i zabici czystym przypadkiem, bo znaleźli się w niewłaściwym miejscu o niewłaściwym czasie – pierwszy na brzegu jeziora Carnegie, na słabo uczęszczanym terenie, w środku dnia, a ten drugi na ścieżce lub tuż przy ścieżce, która odchodziła od Mercer Street, po dziesiątej wieczorem w środku tygodnia. Żaden nie był princetończykiem z urodzenia i ich zgony nie miały nic wspólnego z przodkami ani z żadnym fatum.

Tak samo jak Heckewalder Kaufman podobno również doznał „straszliwych", „bestialskich", „barbarzyńskich" urazów krtani, torsu i dolnych partii ciała; jego śmierć nastąpiła na skutek znacznej utraty krwi, ale należy tu także nadmienić, iż jego nietykalność została naruszona w „niewysłowiony sposób".

Wprawdzie nie jestem teologiem ani też filozofem, a jednak tutaj właśnie przydadzą się chyba nauki świętego Tomasza z Akwinu, których ten udziela przy omawianiu „tego bezecnego i nienawistnego występku przeciwko Naturze, którego chrześcijanie przywoływać nie powinni".

Czujny historyk zgłębiający dzieje Uniwersytetu Princeton jest w stanie wychwycić pewien ciąg czy też łańcuch rozmaitych „niewysłowionych" incydentów, a więc nagłe relegacje niektórych wykładowców, preceptorów i studentów i ich równie natychmiastowe ucieczki z miasta, akty ostracyzmu wobec studentów podejrzanych o to, że uczestniczyli bądź potencjalnie mogli uczestniczyć w czymś „niewysłowionym", sporadyczne, zasadniczo niewytłumaczalne akty okrucieństwa popełnianego wobec osób „nieortodoksyjnych", zwłaszcza podczas inicjacji studentów pierwszego roku. Ulubioną porą takich aktów, przybierających najczęściej formę chłopięcych żartów, była „jatka", czas powszechnej nerwowości, kiedy na przykład młodemu studentowi, który bardzo chciał należeć do jakiejś klubojadalni, wmawiano, że otrzyma zaproszenie, a jednak musiał zmierzyć się z faktem, że *ani jeden klub go nie chce*. (Nie znaczy to zresztą, że takich żartów dopuszczali się wyłącznie chłopcy, których można było podejrzewać, że są zdolni do „niewysłowionych" czynów, bo działo się to oczywiście na szerszą skalę).

Z powyższym wiążą się także niefortunne przypadki samobójstw: młodych mężczyzn, których odraza wobec samych siebie dorównywała odrazie odczuwanej do nich przez rówieśników, skłaniając ich do (niewybaczalnego wedle chrześcijańskich norm) grzechu samozgładzenia. Zagadka tym większa, że ów grzech jest także na swój sposób „niewysłowiony".

Na przykład mówiło się po cichu o odosobnionych „niewysłowionych" epizodach za administracji Jamesa Carnahana (1823–1854), w którym to czasie powstawały spontanicznie klubojadalnie; rodziły się stąd, że studenci musieli przecież coś jeść, a uczelnia nie była w stanie zapewnić odpowiednich miejsc do przygotowywania posiłków dla rozrastającej się populacji studenckiej. (Kadencja rektora Carnahana przebiegała tak burzliwie, że

iekiedy dochodziło do anarchii; administratorzy i wykładowcy nie dawali
ady zapanować nad gangami włóczących się chłopców, którzy wywoływali
ożary, rozbijali okna i niszczyli kampus; znękany tym wszystkim rektor
astanawiał się nawet, czy nie zamknąć uniwersytetu, dopóki nie odradził
nu tego James Madison, lojalny absolwent tegoż). W owym czasie powsta-
y takie klubojadalnie, jak Rycerze Okrągłego Stołu, Rycerze Hudibrasa,
Królewski Dwór, Knickerbockerzy*, Epikurejczycy, Aligatory (był to klub
wybrany przez Woodrowa Wilsona, w zastępstwie tego, który w 1879 roku
wybrał sobie pierwotnie – Bluszczu – i do którego go nie przyjęto). Później te nazwy były zmieniane i klubojadalnie zyskiwały na randze, jako że
znajdowały siedziby w nowo budowanych przez bogatych alumnów, bar-
łzo pięknych, przypominających wielkie posiadłości domach przy Prospect
Avenue. U swego zarania były to przybytki dość skromne i dopiero później,
za czasów pierwszych lat studiów Woodrowa Wilsona, sytuacja zmieniła
się radykalnie, wzbudzając u przedstawicieli z marginesu braci studenckiej
szaleństwo nerwowości podczas „jatki" czy też „tygodnia kandydackiego",
bo nikt nie wiedział, kto do którego klubu zostanie zaproszony, a kto nie
otrzyma żadnego zaproszenia – (to znaczy większość studentów).

Stąd owo niezłomne postanowienie Woodrowa Wilsona, że pozamyka
klubojadalnie, i stąd powstanie opozycji wobec niego wśród absolwentów.

Niezależnie od tego, czym było lub nadal jest „niewysłowione", owe incydenty nasilały się w okresie inicjacyjnym i podczas „jatki". Można sobie wyobrazić nieuchronne konsekwencje owego gorączkowego okresu „zalotów",
„dokazywania", „dyscyplinowania", „inicjacji". (Nie należało to wcale do rzadkości, że chłopców z pierwszego roku „dyscyplinowano" tak gwałtownie,
że musieli opuścić uczelnię albo niektórzy nawet trafiali do szpitala, żaden
jednak nie zeznawał przeciwko starszym kolegom, którzy ich nękali. Oczywiście rzadko kto umierał w wyniku „inicjacji" i „dokazywania", ale o takich
przypadkach zgodnie z uniwersyteckim dekretem nie mówiło się głośno).

Przez dziesiątki lat, za kolejnych administracji, liczba klubojadalni ro-
sła: najpierw było ich pięć, potem dziewięć, później jeszcze trzynaście,
a w końcu aż dwadzieścia. Alumni zaczęli z sobą współzawodniczyć przy
budowaniu siedzib przy Prospect Avenue i przez to jadalnie uniwersytec-
kie, mimo że ulokowane w pięknych „gotyckich" budowlach naśladujących
Oksford i Cambridge, wydawały się w porównaniu z tymi nowymi marne.
Niebawem wśród studentów powstał podział: na tych, których można było

---

* Przezwisko wywodzące się jeszcze z czasów istnienia kolonii holenderskiej Nowe
Niderlandy, a spopularyzowane przez Washingtona Irvinga, który swoją *Historię Nowego Jorku* (1809) podpisał pseudonimem David Knickerbocker. Bywa stosowane m.in.
w odniesieniu do arystokracji Manhattanu wywodzącej się z najdawniejszych czasów tej
dzielnicy (przyp. tłum.).

przyjąć do klubu, i tych, którzy się nie nadawali. Bo do klubu przyjmuje się zaledwie garstkę studentów i dlatego wiąże się z tym taka satysfakcja pozostali zaś, nawet jeśli może nie do końca zasługiwali na pogardę, trafiał poza tę linię graniczną oddzielającą kumpli od tych, z którymi *nie mamy ochoty jeść kolacji*.

Nie będę opowiadał o swoich doświadczeniach z Princetonu, który ukończyłem z wyróżnieniem w 1927 roku, poza tym, że były to doświadczenia kształcące i oświecające, niemniej wolałbym już się powiesić, niż jeszcze raz do tego wracać.

Podczas corocznego tygodnia „jatki", kiedy odbywały się nabory do klubów, uniwersytet opanowywała istna epidemia takich zjawisk, jak „nerwy w strzępach", nieprzespane noce, podminowanie, lęki, stany uniesienia, rozpaczy i gniewu, a nawet odruchów morderczych i samobójczych; wykładowcy nie znali sposobu na odciągnięcie studentów od „jatki", tak jak nie da się zmusić małych dzieci, by siedziały spokojnie i grzecznie, kiedy na niebie rozbłyskają fajerwerki.

Owa sytuacja Woodrowowi Wilsonowi całkiem zasadnie jawiła się jako całkowite przeciwieństwo celu istnienia uniwersytetu, bo przecież doszło nawet do tego, że pośród studentów drugiego roku powstawały agresywne „kluby kapeluszowe" (nazwane tak od kolorowych nakryć głowy), dzięki którym mogli kontrolować wybory do elitarnych klubów w ten sposób, że łączyli się w stronnictwa, a te mogły akceptować bądź odrzucać wyniki tych wyborów. Skutek był taki, że zaczęły powstawać kluby studentów pierwszego roku, które miały kontrolować „kluby kapeluszowe" – co odbywało się w atmosferze przypodchlebiania się, zastraszania, umizgiwania, grożenia, grania na dwa fronty, dokazywania, zadręczania, łamania serc i opuszczania się w nauce skutkującego często relegacją. Najbardziej rażącym zjawiskiem było to, że o członkostwie studenta pierwszego roku niekoniecznie decydowano w Princetonie, tylko podczas ostatnich lat nauki w prestiżowych szkołach z internatem jak Lawrenceville i Groton; tak więc zdarzało się, że piętnastoletni chłopak odczuwał antycypacyjny lęk przed „jatką" na wiele lat naprzód, zanim jego „los" zostanie przesądzony. Tak czy owak wielu wspaniałych studentów, nierzadko wywodzących się z „dobrych" rodzin, niewyobrażalnie cierpiało, że nie są w stanie wejść do tak zwanej elity, do której należeli jedynie nieliczni.

Podczas sympatycznej, ale nieco opieszałej administracji doktora Pattona doszło do pewnego niezrozumiałego skandalu, który wiązał się z procedurami inicjacyjnymi stosowanymi przez trzeci z „najpotężniejszych" klubów kampusu; ów klub o nazwie Ballarat mieścił się w budynku w stylu Tudorów, którego postawienie kosztowało ponoć ponad dwieście tysięcy dolarów, co w owych czasach było znaczną kwotą – przy Prospect Street powstała dzięki temu perła architektury. Do Ballaratu należał faworyzowany bratanek J.P. Morgana i dlatego ów klub cieszył się licznymi przywilejami i agresywnie współzawodniczył z innymi klubami o pozycję w kampusie, a jednak w 1899 roku wyszły na jaw związane z nim smutne fakty, że mianowicie nowych członków traktują tam nad wyraz brutalnie „rózgami inicjacyjnymi" oraz rozgrzanym żelazem. I tak oto Ballarat został rozwiązany, a jego wspaniałą siedzibę sprzedano innemu klubowi. Nikt jednak nie wypowiedział się nigdy wyraźnie na temat „niewysłowionych" występków w Ballaracie ani też jaka dokładnie była ich natura.

Uważam jednak, że nieporównywalny z tym wszystkim był okres anarchii na początku dziewiętnastego wieku, kiedy zbuntowani studenci podjęli okupację Nassau Hall i podłożyli ładunki wybuchowe w całym budynku. Doszło nawet do porwania pewnego pastora pomocniczego, którego gang chłopców odzianych w czarne szaty z kapturami wywlókł z jego mieszkania w kampusie, po czym wytarzał w smole i pierzu na trawniku przed domem rektora, który w owych czasach mieścił się przy Nassau Street, w samym środku miasta – rzeczony pastor został oskarżony przez tych chłopców, że zmuszał ich do „niewysłowionych", „plugawych" aktów.

Skądinąd studenci prawdopodobnie zaczęli zachowywać się niewłaściwie jeszcze wcześniej, to znaczy za administracji wielebnego Samuela Stanhope'a Smitha (1795–1812); wnioskuję to z faktu, że w 1802 roku ponad stu zostało relegowanych w związku ze straszliwym pożarem – będącym, jak stwierdzono, skutkiem umyślnego podłożenia ognia – podczas którego Nassau Hall spłonął doszczętnie! Wśród tych chłopców był adoptowany syn prezydenta nowo powstałych Stanów Zjednoczonych, George'a Washingtona (chłopak, o którym wiadomo niewiele prócz tego, że został wydalony z uczelni za „marność i nieprawidłowość charakteru"). A później, za administracji powszechnie podziwianego wielebnego Aarona Burra Seniora, na uczelni dał się wszystkim poznać jego przedwcześnie dojrzały – miał ledwie trzynaście lat! – syn Aaron Junior, chłopiec inteligentny, a jednak cechujący się skłonnością do rozpusty.

W owym czasie, należy odnotować, Uniwersytet Princeton jeszcze nie istniał: wszystkie tu wymienione postacie z dawnych czasów żyły w epoce Kolegium New Jersey.

UZUPEŁNIENIE

Niniejsza część mojej kroniki zawiera, mimo straszliwych treści, swoiście „pozytywne" zakończenie, ponieważ po ponurych i nigdy niewyjaśnionych morderstwach Heckewaldera i Kaufmana Klątwa w swej pierwotnej czy też upiornej formie nigdy więcej się nie objawiła.

Mniej więcej w tym czasie Dabney Bayard dowiedział się, że dzięki wstawiennictwu wpływowych krewnych z Waszyngtonu został ponownie przyjęty do armii amerykańskiej w stopniu porucznika; po roku miał zostać awansowany na kapitana. Niebawem spotkał go ten zaszczyt, że miał towarzyszyć wiceprezydentowi Williamowi Howardowi Taftowi podczas jednej z jego licznych ekspedycji „naprawczych" na egzotyczne Filipiny, gdzie zamieszki wśród ludności i rozmaite komplikacje polityczne wymusiły na Stanach Zjednoczonych interwencję w imię demokracji. „Musimy zaprowadzić porządek pośród tych chuligańskich małpek – stwierdził prezydent Roosevelt – i przysięgam na Boga, że dopilnuję, aby to nam się udało!" Ostatecznie stało się tak, że kapitan Dabney Bayard dostosował się tak dobrze do swego nowego położenia, że po kilku latach znowu został awansowany, tym razem do stopnia majora, i wspólnie ze znakomicie wyszkolonym batalionem żołnierzy pozostających pod jego dowództwem utrzymał porządek wśród filipińskiej ludności, jak się tego domagał prezydent Roosevelt. I już ani jedna Bogu ducha winna istota w Princetonie nie padła ofiarą upiornego apetytu demona.

„TU MIESZKA SZCZĘŚCIE"

Wprawdzie zostało to odnotowane w publicznych annałach, że dwunastoletni Todd Slade „obrócił się w kamień" na princetońskim cmentarzu i jego szczątki złożono do rodzinnej krypty, obok siostry Oriany i kuzynki Annabel, a jednak wydaje się także prawdziwym fakt, że Todd *żył nadal*, aczkolwiek w domenie, która dla niżej podpisanego historyka jest niewytłumaczalna, a którą jestem zmuszony opisać na podstawie relacji z drugiej i trzeciej ręki.

A oto przygoda Todda Slade'a.

Jakże często teraz jego sen zakłócały słowa mu nieznane, a jednak męcząco znajome – HIC HABITAS FELICITAS – HIC HABITAS FELICITAS. Todd budził się z takich snów zalękniony i zdezorientowany, przekonany, że ten „głos" jest albo w jednym pokoju razem z nim, albo dudni echem w jego głowie.

Zanim uległ przeobrażeniu w kamień – stwierdzono, że zmarł w wyniku jakiegoś niedającego się określić urazu cielesnego – Todd nabrał nawyku błąkania się po Crosswicks, o czym już wspominałem, ale nie dopuszczał do siebie Jozjasza, ciotki Henrietty ani wuja Augustusa i unikał dziadka Winslowa, którego wyznanie wstrząsnęło nim, mimo iż go zupełnie nie zrozumiał. Bo Winslow Slade przyznał się do prawdy, czego w przeszłości nigdy nie czynił, czy zatem należało mu teraz wierzyć? W każdym razie poczucie wstydu, które dzielili między sobą wnuk i jego dziadek, sprawiało, że Todd wolał unikać Winslowa, chociaż ciągnęło go do plebanii, która jawiła mu się teraz jako główny ośrodek aktywności Klątwy. A kiedy nachodziła go dawna chęć do wyrządzania psot, ta sprzed zniknięcia Annabel, nawiedzał korytarz biegnący przed gabinetem dziadka i podśpiewywał cicho:

Skłamał raz, to i skłamie znowu
Skłamała raz, to i skłamie znowu
Skłamali raz, to i skłamią znowu
Ale Thor kłamał nie będzie
Tylko Thor kłamał nie będzie
Bo biedną psinę złożyli do grobu
Oto cały powód.

(Winslow Slade miał to szczęście, że rzadko kiedy obecnie przebywał w bibliotece, bo wolał się zamykać w swych prywatnych pokojach, w bardziej oddalonym skrzydle plebanii).

A Todda, który stawał się coraz bardziej „trudny", wciąż nawiedzał ten uporczywy głos, który mruczał HIC HABITAS FELICITAS szyderczym tonem, jakby chciał mu dokuczyć i zmusić, by wreszcie gdzieś tego poszukał i rozwiązał zagadkę.

I oto stało się tak, że gdzieś w połowie dnia 28 maja 1906 roku chłopiec zawędrował do biblioteki dziadka, pomieszczenia, do którego wstępu od dawna mu wzbraniano, zwłaszcza gdy nie było tam nikogo z dorosłych, i najpierw poszperał tu i ówdzie, ale w końcu zauważył przypadkiem słowa wyrzeźbione na kominku: HIC HABITAS FELICITAS.

Todd natychmiast zrozumiał, że stoi w obliczu wielkiej zagadki, którą być może uda mu się rozwiązać samodzielnie. Tylko co miał robić?

Bardzo to było dziwne, że znalazł się w sławnej bibliotece Winslowa Slade'a z wysokim kasetonowym sufitem i ścianami pełnymi oprawionych w skórę książek, podobno bardzo starych i cennych, nie mówiąc już o Biblii Gutenberga leżącej na stojaku oraz skrytych w cieniu portretach autorstwa sławnych artystów amerykańskich (Gilbert Stuart, John Singleton Copley, Thomas Eakins) przedstawiających przodków rodziny Slade'ów, którzy zdawali się przeszywać go srogim spojrzeniem. Todd mógł tutaj wyrządzić jakąś psotę: przejechać się drabiną na kółkach wzdłuż regałów i wspiąć się jak małpka do sufitu albo wykraść stąd własną podobiznę, to znaczy wykonany pastelami portret niewinnego, dwu- albo trzyletniego dziecka, na tle trawy, na której leżała też biała damska parasolka, być może własność jego matki... Todd zawsze się fascynował tym rysunkiem przedstawiającym małe, anielskie dziecko, którym prawdopodobnie był on sam, tak jak fascynowały go portrety Oriany, Jozjasza i Annabel, wykonane przez tego samego artystę. „Czy to był Todd?" – spytał ponuro swoją matkę, na co Lenora odparła ze śmiechem, musnąwszy wargami jego czoło: „Ależ oczywiście! Ten anielski mały chłopiec jest tu teraz z nami, choć może zaćmiony przez inne osoby".

Todd uznał, że matka odpowiedziała mu bardzo sprytnie. Żyjemy w sporej mierze w *zaćmieniu.*

Todd przyjrzał się uważnie namalowanemu przez Copleya portretowi generała Eliasa Slade'a, naturalnej wielkości, który zaczął już pękać i tchnął łziwną, mroczną aurą; był też wielebny Azariasz Slade, sportretowany oleami przez Stuarta, który wyglądał tak, jakby był ulepiony z wosku, a oczy niał twarde i bezlitosne jak wykute z kamienia. Przez chwilę Todd odczuwał straszliwą pokusę, by powydzierać kruche stronice z Biblii Gutenberga i zrzucić ją na podłogę... Potem jednak, jakby dotąd odwlekał ten moment, podszedł znowu do marmurowego kominka i do wyrzeźbionych na nim słów: „Hic habitat felicitas". Nie znał łaciny, a jednak domyślał się, że o musi oznaczać „Tu mieszka szczęście" czy też coś podobnego. Szczęście musi mieszkać w domu, w rodzinie – albo nie mieszka nigdzie.

Z początku bezmyślnie, a potem z coraz większym zaciekawieniem Todd zaczął szperać we wnętrzu kominka, który był tak ogromny, że mógł wejść do niego cały, jeśli się lekko zgarbił. Czuł tam zapach popiołu i widział pajęczyny w kominie; gdy tak stał w środku i wyglądał na zewnątrz, czuł, że kręci mu się w głowie z dezorientacji, jak komuś, kto patrzy z drugiej strony lustra. Po kilku minutach wymacał luźną cegłę i wyszarpnął ą; cegła upadła na podłogę, a wtedy Todd wyszarpnął następną i jeszcze edną – aż wreszcie ku swemu zdumieniu spojrzał w głąb komina, czy też przez komin, jakby przez małe okienko otwierające się na jasne światło. Tam, gdzie miało być ciemno, wcale nie było ciemno, tylko jasno – tam był jakiś tunel czy też sekretne przejście.

Todd zaczął wyrywać cegły jedną po drugiej i układać je ostrożnie na palenisku. Nie chciał, by ktoś z domowników go usłyszał i mu przeszkodził. Aż wreszcie okazało się, że jest dokładnie tak, jak się domyślał: przejście prowadziło na zewnątrz biblioteki, nie do innej części domu, tylko do całkiem innego krajobrazu, zupełnie mu nieznanego.

Jak to było możliwe? Todd wiedział, że otwór w kominie mógł prowadzić jedynie do jakiegoś znajomego otoczenia, a jednak wcale tak nie było; kiedy pogrzebał głębiej i wyjął kolejnych kilka cegieł, zobaczył, że ma przed sobą las, teren pełen splątanych z sobą drzew wypranych z wszelkiego koloru, a jednak podświetlony jak kinowy ekran. Chociaż ze strachu dostał gęsiej skórki, dalej wyjmował cegły, bardzo już poobcieranymi i brudnymi rękoma, aż wreszcie zrobił szczelinę o przekroju mniej więcej dwunastu cali, przez którą był w stanie przecisnąć głowę i ramiona.

Tym sposobem Todd Slade zniknął z gabinetu dziadka i w rzeczy samej z naszego świata.

NORDYCKA DUSZA

Dochodzimy już do spotkania Jozjasza Slade'a z Uptonem Sinclairem. Nie odbyło się ono jednak w okolicznościach, jakich ci dwaj młodzi idealiśc byliby sobie życzyli. Podobnie można powiedzieć o rezultacie spotkania

Postanowił, że odtąd będzie działał ze zdwojonym wysiłkiem. Bo historia rewolucji podpowiadała, że czas już nadszedł. Jego oddanie sprawie było coraz większe. Coraz silniejsze miał przekonanie, że kroczy w awangardzie zmiany. Pobyt w Princetonie dobiegał końca, albo prawie. Niebawem czekały go triumfalne przenosiny do Nowego Jorku, a stamtąd do... jeszcze nie wie dział dokładnie dokąd: może do wielkiej Kalifornii albo do jakiejś komuny socjalistycznej na wiejskich terenach New Jersey. A tam najważniejsze będą socjalistyczne zasady wspólnej własności, pracy i pożywienia.

Nie będzie błagał Mety, żeby mu towarzyszyła. Ale wierzył, że jeśli wytłumaczy jej to dostatecznie starannie, to ona będzie chciała z nim być i już więcej w niego nie zwątpi.

Upton Sinclair miał nadzieję ukryć niektóre fakty ze swojego życia. Nie wyjawił Mecie ani grupie towarzyszy – Florence Kelly, Clarence'owi Darrowi, Jackowi Londonowi, z którymi w 1905 założył Międzykolegialne Stowarzyszenie Socjalistyczne – że ojcem jego matki był John S. Harden, „wysoki urzędnik" niesławnych linii kolejowych Western Maryland, i co jeszcze bardziej rażące, że mianowicie dziadkiem jego ojca był Arthur Sinclair komodor floty amerykańskiej i bohater wojny 1812 roku, który ponoć „czerpał znaczne profity" dzięki swoim koneksjom w wojsku i chełpił się, że *Nie ma takiej wojny, która nie wiąże się z bogatymi żniwami – dla niektórych.*

Takie brutalne prawdy kryjące się za duchem kapitalizmu, takie fakty – z jakiegoś niewytłumaczalnego powodu nie odstręczały większości Amerykanów, wbrew oczekiwaniom. Młody Upton Sinclair bardzo chciał się dowiedzieć, dlaczego tak jest.

Sam miał doświadczenia z pierwszej ręki, jak to jest być bogatym – mieszkał niby w podniszczonym domu w Baltimore, razem z ojcem, kiepskim komiwojażerem i alkoholikiem, oraz bezradną, zahukaną matką, ale jeździł często do swoich dziadków Hardenów, którzy się nad nim litowali; nie miał złudzeń co do wyższej inteligencji bogaczy, a także ich kondycji moralnej, bo niby to prawda, że bogacz potrafi być hojny, skory do pomagania innym, ale jest w tym równie ostentacyjny jak bogate chrześcijanki w niektóre szczególne święta, jak Boże Narodzenie czy Wielkanoc, kiedy to los biednych ludzi szarpie je za serce! *Kiedy własność prywatna zostanie zniesiona, zapanuje prawdziwy duch chrześcijaństwa. Dopiero wtedy, nie wcześniej.*

Sinclair wstydził się, iż jego słaba, chorowita matka chełpiła się przykrym faktem, że jej przodkowie, Hardenowie, byli protestanckimi posiadaczami ziemskimi w północnej Irlandii; jej zdaniem zaliczali się do najwyższych sfer pod względem urodzenia, bogactwa i znaczenia. Z jakim zażenowaniem tego słuchał i znosił ten karcący uścisk dłoni: „W twoich żyłach płynie ich krew, nawet teraz! Krew arystokratów".

Te bolesne fakty biograficzne! Jeśli uda mu się temu zapobiec, nigdy nie zostaną ujęte w żadnym jego „rysie biograficznym".

Ale rzecz jasna wszelka cenzura budziła w nim namiętny sprzeciw. Był gotów poświęcić życie w walce z dowolnymi ograniczeniami wolności, także wolności słowa – nieważne czy mówionego, czy pisanego – bo wolność to naturalne prawo każdego człowieka.

CR

– Dziękuję, ale nie. Znam tylko jednego człowieka, który nadaje się na ten urząd, i jest nim Jack London.

Było w tym coś bardzo pochlebnego i kuszącego, że jesienią 1905 roku zaproponowano mu objęcie stanowiska przewodniczącego Międzykolegialnego Stowarzyszenia Socjalistycznego. A jednak Upton Sinclair uśmiechnął się z powagą do komitetu organizacyjnego i odmówił na rzecz daleko bardziej znanego, młodego pisarza socjalisty z San Francisco.

– Wprawdzie nie znam go osobiście, ale czytałem jego niezwykłe dzieła, *Zew krwi, Wilka morskiego, Wojnę klas* i przede wszystkim mistrzowską kronikę życia w slumsach, czyli *Mieszkańców otchłani*, i ręczę za jego geniusz. Ponadto z tego, co słyszałem o naszym towarzyszu, o jego wysiłkach dla sprawy socjalizmu, postawiłbym na to własne życie, że Jack London przedstawi naszą sprawę światu znacznie wspanialej niż jakakolwiek jednostka z nam współczesnych. Mówił to absolutnie szczerze! To nie była fałszywa skromność – to w ogóle nie była skromność.

Wizja socjalizmu wyłożona przez Karola Marksa i dopracowana przez Fryderyka Engelsa była bezosobowa, odarta z indywidualnego „ja"; wszystko to, czym jest „ja", należało już do przeszłości, skazane na rozkład, zwiędnięcie i zanik; w to Upton Sinclair wierzył z ogromnym przekonaniem i zamierzał to wdrażać w swe codzienne, moralne życie jako najskuteczniejsze antidotum na swoje quasi-burżuazyjne pochodzenie.

Upton Sinclair miał wtedy dwadzieścia sześć lat – lada dzień miał opublikować najtrudniejsze dotąd dzieło w swej karierze, czyli *Dżunglę*, a był już autorem licznych artykułów, sztuk i książek, które powstały od czasu jego pierwszej powieści *Wiosna i żniwa* z 1901 roku. Jack London był o dwa lata starszy i nie opublikował nawet tyle – a jednak *Zew krwi* i *Wilk morski*, bestsellery wydane w kilku językach, uczyniły go sławnym – równie znanym jak legendarny Mark Twain, który już zdecydowanie nie był młody.

A teraz nastała wiosna 1906 roku i Upton jeszcze nie poznał Londona. Jeszcze nie uścisnął mu ręki i jeszcze nie spotkał się twarzą w twarz z bohaterem przygód na Jukonie, aczkolwiek widział fotografie Londona w wielu miejscach, w tym nawet na łamach „New York Sun", którego kolegium redakcyjne obłożyło tego „socjalistę i wichrzyciela" anatemą.

Jakiż przystojny był London! W tajemnicy – bo Meta nie zrozumiałaby takich jego predylekcji – Upton przyglądał się fotografiom pisarza-awanturnika, w nadziei, że dojrzy w tym uśmiechniętym spojrzeniu coś w rodzaju... mistycznej jedności czy też pokrewieństwa dusz... Upton nie umiałby wyartykułować, czego właściwie szuka, ale wiedział, że to musi być to samo uniesienie, którego doświadczył, kiedy czytał po raz pierwszy *Wędrówki Childe Harolda* Byrona i *Zaślubiny Nieba i Piekła* Blake'a; intelektualnie najbardziej podziwiał Marksa, Engelsa, Feuerbacha i Nietzschego, ale nie potrafił poczuć równie żarliwej pasji wobec tych myślicieli, jaką czuł wobec tych poetów i wobec Jacka Londona, który nie tylko był jemu współczesny, ale także jakby był bratnią duszą... Przepełniony poczuciem winy, bo wiedział o sobie, że jest uprzywilejowanym synem szacownej rodziny, fascynował się szczegółami całkiem odmiennego pochodzenia Londona, który był nieślubnym dzieckiem wędrownej wróżki, urodził się w San Francisco w biedzie, musiał porzucić szkołę w wieku lat czternastu i potem nie tylko pływał na statku, ale był także poszukiwaczem złota i zwyczajnym robotnikiem; w młodym wieku zaczął pisać do gazet i miał w sobie dość śmiałości, by jako socjalista kandydować na burmistrza Oakland w 1901 roku. (London oczywiście przegrał, ale w gazetach pisano o „socjaliście gołowąsie", który potrafił porwać tłumy gromadzące się, by go posłuchać). W snach Uptona London nie przybierał postaci widma, tylko był materialny, ziemski, muskularny, żywy i miał wściekłe oblicze; zresztą mówiono o nim, że w prawdziwym życiu jest swarliwy, acz pełen wdzięku, do tego stopnia, że nikt nie potrafi się od niego odwrócić ani nie ulec jego osobowości... *Oto moje najgłębiej ukryte „ja"*, pomyślał Upton, *znacznie głębiej, niż potrafię to ogarnąć rozumem.*

Bo Upton wierzył, w oparciu o przenikliwą analizę kulturową Nietzschego, że jest coś takiego jak *głębokie, prawdziwe, prymitywne „ja"* – zdradzane najczęściej w wyniku moralnego tchórzostwa człowieka publicznego.

Z inicjatywy Uptona obaj rok wcześniej zaczęli do siebie pisywać – sążniste listy – boleśnie szczere ze strony Sinclaira, ze strony Londona żarliwe i kwieciste – w których potępiali zbrodnie kapitalizmu i wychwalali cnoty socjalizmu. Upton nakłaniał Londona, by ten przyjął stanowisko pierwszego przewodniczącego Międzykolegialnego Stowarzyszenia Socjalistycznego, i London pierwotnie odmówił, ale pozwolił się nadal namawiać i ostatecznie uległ. Ponadto obaj wymieniali się podpisanymi egzemplarzami swoich książek – Upton był tak jakby pod większym wrażeniem, bo pochłonął żarłocznie *Wilka morskiego*, najnowszy bestseller Londona, który ledwie został opublikowany, a już miał ósmy dodruk; napisał do Londona do San Francisco – „Jesteś prawdziwym pisarzem, a ja tylko demaskatorem. Ale mam nadzieję, że przynajmniej potrafię rozpoznać geniusza literatury, gdy mam z takowym do czynienia".

Mijały tygodnie, a London nie odpowiadał. Wreszcie Upton otrzymał kartkę z jego bazgrołami i zdumiał się dosadnością sformułowań: „Wiara w socjalizm w Twoich dziełach jest bez zarzutu, ale obawiam się, że Twój temperament, brak potrzeby dotyku – Twoje nastawienie do seksu – jest całkowitym przeciwieństwem moich poglądów na ów temat".

Temperament! Dotyk! Nastawienie do seksu! Upton za nic nie rozumiał, co to wszystko oznacza, ale nie miał kogo zapytać – bo z pewnością nie żony.

Jakie pracowite były te pierwsze miesiące 1906 roku w życiu Uptona Sinclaira! Najpierw agitował za Jackiem Londonem, którego widział w roli przewodniczącego stowarzyszenia, potem poczuł się zobowiązany, by pomóc zorganizować posiedzenie plenarne w Carnegie Hall w Nowym Jorku; inni współzałożyciele, czyli Clarence Darrow i Florence Kelly, wspierali te wysiłki, ale nie mieszkali w okolicach Nowego Jorku i byli zbyt zajęci innymi sprawami, by uczestniczyć w pracach. Upton ledwie co otrzeźwiał po mękach z pisaniem odpowiedzi na ataki, które na niego spadły w związku z publikacją

Dżungli oraz nadzwyczaj ważnego, jego zdaniem, artykułu do wpływowego czasopisma „Everybody's" – *Ewangelia według świętego Marksa* – ukończonego w rekordowym czasie, nawet jak na niego. (Bo jakkolwiek szybko Upton by pisał, stukając w klawisze maszyny tak sprawnie, że nowa taśma z tuszem potrafiła się zużyć w ciągu tygodnia, a jego dłonie chwytały skurcze, to jednak wiedział, że Jack London potrafi pisać szybciej i na dodatek z większym powodzeniem – bo chociaż zaczął publikować dopiero w 1900 roku, to w 1905 roku miał już na koncie dziesięć książek, z których każda niezwykle wręcz poruszyła opinię publiczną). Ponadto Upton był zmuszony kilka razy w tygodniu dojeżdżać pociągiem do Nowego Jorku; miał wtedy okazję spotkać się z Metą i Davidem, a także dogadać się wreszcie z rodziną, ale z jakiegoś powodu zobowiązania wobec socjalizmu brały górę nad zwyczajnym, osobistym życiem i Upton nigdy nie znajdował czasu.

Odkąd Meta wyprowadziła się z domu przy Rosedale Road, Upton jadał jeszcze rzadziej. Dlatego wręcz czuł ból na widok własnej sylwetki odbitej w witrynach sklepowych w Princeton, bo miał dwadzieścia kilka lat, a przypominał nastolatka; pod wpływem niezliczonych godzin garbienia się nad stołem do pisania zaokrągliły mu się plecy, jak u tych nieszczęsnych dzieci z przędzalni, które Mateczka Jones prezentowała przerażonym widzom jako przykłady straszliwego wyzysku. „Cóż, nikt mnie nie wyzyskiwał. *Sam* to sobie zrobiłem!" Oczy Uptona, który cierpiał na krótkowzroczność, często łzawiły; jeszcze nie znalazł czasu, by odwiedzić okulistę i wziąć receptę na nowe okulary. Zdrowie stało się przedmiotem jego nieustającego zmartwienia, mimo ścisłej diety i przestrzegania higieny osobistej; pewien socjalistyczny specjalista od odżywiania doradził mu, by pościł jak najczęściej, unikając mięsa, ryb i jajek, bo obecnie było już wiadomo, że taka dieta przyspiesza metabolizm czy też dodaje energii – aczkolwiek Upton musiał przyznać, że nie czuje się bardziej energiczny niż zazwyczaj, że często czuje się wręcz osłabiony albo zniechęcony – z którym to stanem musiał dziarsko walczyć. Na tle swego bohatera, Jacka Londona, Upton widział siebie jako pseudo-mężczyznę albo mężczyznę skarlałego – bo jak niepokojąco zauważył London, Uptonowi brakowało temperamentu, żeby łaknąć *dotyku* – ludzkiego kontaktu.

A jednak Upton ożenił się z atrakcyjną młodą kobietą, który to fakt często go zdumiewał. *Jak* i *dlaczego*? Powiedziałby, że kocha swoją młodą żonę i że ma nadzieję, iż jest dla niej całkiem dobrym mężem, a jednak kiedy się rozstawali, dość często skądinąd od czasu opublikowania *Dżungli*, Upton miewał trudności z przypomnieniem sobie, jak wygląda Meta, a jego maleńki syn był nieodróżnialny, ku zawstydzeniu Uptona, od innych małych dzieci...

Znienacka w nowojorskim życiu Uptona pojawiło się tyle młodych kobiet – tylu ludzi! I wielu z nich to byli ci, którzy dopiero co trafili do Stanów Zjednoczonych albo byli synami i córkami wcześniejszych imigrantów, jak ci Litwini, z którymi Upton zrobił wywiad w Chicago w ramach opracowywania tła *Dżungli*; w Nowym Jorku mieszkańcy imigranckich dzielnic Lower East Side – „ludnych" i „bezprawnych", jak nazywała ich gazeta Hearsta – dali się przekonać do sprawy socjalizmu i wywarli wielkie wrażenie na Uptonie swą witalnością i pasją. To byli Niemcy, Włosi, Polacy, Węgrzy, Litwini i Rosjanie, którzy mówili tak zniekształconym angielskim, że często ich nie rozumiał, mimo że ich emocje były oczywiste i bezpośrednie, jakże inne od skrywanych i niejasnych emocji tej klasy, w której urodzili się on i Meta.

– Nie pójdziesz ze mną na wiec, Meto? Chciałbym tego, to będzie wydarzenie historyczne.

Ile razy Upton apelował do żony, która, jak mu się zdawało, wyznawała prawie te same poglądy polityczne co on i której metodyczna, skrupulatna praca redakcyjna nad jego rękopisami – często linijka po linijce, całymi godzinami – była dla niego bezcenna, a jednak w jego głosie pobrzmiewał smutek i dziecięce rozżalenie.

– Poznałabyś Jacka Londona! To będzie niezwykła okazja, wszystkie gazety będą o nas pisały. Mamy nadzieję później zgromadzić całą kolekcję, to będzie wyjątkowa sposobność. „Rewolucja już teraz!": tak brzmi tytuł przemowy Londona, przysłał telegram.

Meta mruknęła coś niejasnego w odpowiedzi. Bo Upton prosił ją wiele razy, żeby przyszła na ten „historyczny" wiec – wiele razy, wiele razy wychwalał przed nią przymioty Jacka Londona, a także innych towarzyszy. Ostatnimi czasy wszakże odmawiała, nie podając żadnego innego usprawiedliwienia prócz tego, że jest zmęczona.

Któregoś razu, tuż przed tym, jak Meta zabrała Davida i pojechała z nim do rodziców na Staten Island, młoda para odbyła bolesną rozmowę.

– Ależ Meto, sposobność poznania Jacka Londona...!

– Ależ Uptonie, już miałam sposobność poznania Uptona Sinclaira. I co z tego?

Nerwowy śmiech Mety dźwięczał w jego uszach jeszcze przez jakiś czas, wprawiając go w bezbrzeżne zakłopotanie.

W swoim dzienniku, pod datą 28 maja 1906 roku, czyli w przeddzień wiecu organizowanego w Carnegie Hall, Upton Sinclair odnotował z pasją:

> *Podczas rewolucji życie prywatne nie ma znaczenia. Małżeństwo, rodzina, tradycja – wszystkie burżuazyjne obyczaje propagujące hipokryzję i wyzysk kapitalistyczny – są skazane na wymarcie.*

CR

– Przyjedzie. Nie zawiedzie nas.

A jednak był już kwadrans na ósmą wieczorem 28 maja, a Jack London jeszcze nie dotarł do Carnegie Hall, by wziąć udział w programie, który miał się rozpocząć o siódmej. Upton wiedział z doświadczenia, że wiece socjalistyczne nierzadko rozpoczynają się z opóźnieniem, że są organizowane chaotycznie i że niekiedy odwołuje się je w ostatniej chwili, a jednak widownia oczekująca Jacka Londona była nad wyraz niespokojna; w powietrzu wisiało napięcie jak przed burzą. Sporo uczestników wiecu za nic nie chciało usiąść, tylko kręciło się po foyer i w przejściach między siedzeniami – byli to pobudliwi, buńczuczni mężczyźni, którzy prawie wcale nie przypominali młodych studentów z uniwersytetów i college'ów, dla których powstało stowarzyszenie.

Do organizatorów poniewczasie dotarło, że duża część publiczność przybyła przede wszystkim po to, by posłuchać Jacka Londona nie jako przewodniczącego raczkującego stowarzyszenia socjalistycznego, tylko jako przystojnego młodego autora nadzwyczaj popularnego *Zewu krwi*, który sprzedał się w nakładzie ponad miliona egzemplarzy; mimo sławy Londona jako autora opowieści przygodowych na widowni było wiele dobrze ubranych kobiet, które bynajmniej nie sprawiały wrażenia socjalistek.

Przy Pięćdziesiątej Siódmej Ulicy, pod Carnegie Hall – jakby nie miel ochoty płacić drobnej kwoty za wstęp, dopóki się nie upewnią, że Jack London istotnie przybył – zgromadzili się mężczyźni, którzy sądząc po zgrzebnym odzieniu i postawie znamionującej gotowość do okazania agresji, mogli zostać żywcem wyjęci z *Wilka morskiego*, najnowszej, znakomicie się sprzedającej powieści o despotycznym kapitanie pokroju Nietzscheańskiego Übermenscha – powieści, która ku wielkiej zazdrości zdumionego Uptona Sinclaira rozeszła się w pierwotnym nakładzie czterdziestu tysięcy egzemplarzy jeszcze *przed publikacją*.

W całym tym zamieszaniu i przy rosnącym niepokoju organizatorów wiecu Upton Sinclair nie mógł się nadziwić – cóż to za zjawisko, że pisarz jego pokolenia tak prędko zdobył takie znaczenie wśród mas, znaczenie, o jakim nawet nie mógł marzyć, mimo że jego oddanie wobec mas było bezgraniczne, nie mówiąc o tym, że w swych najbardziej prywatnych fantazjach marzył, że zostanie męczennikiem sprawy jak Eugene Debs, brutalnie pobity przez policję pacyfikującą strajkujących, wtrącony do więzienia... z którego wyjdzie z postanowieniem, że jego oddanie będzie odtąd jeszcze większe... „Sprawa socjalizmu znalazła swego wielkiego poetę-wizjonera, który jest w moim wieku albo prawie! Mój brat i przyjaciel".

Dochodziła już ósma, a Jacka Londona wciąż nie było. Gdy tymczasowy przewodniczący stowarzyszenia przemówił do zgromadzonych, apelując o jeszcze kilka minut cierpliwości, został potraktowany szyderczymi okrzykami, buczeniem i znikomymi oklaskami. Na sali najwyraźniej panował rozdźwięk między zaprzedanymi socjalistami – którzy tego wieczoru przyszli przede wszystkim na wiec – oraz tymi, którzy przyszli posłuchać Jacka Londona i dla których wiec, a zapewne też sprawa socjalizmu były bez znaczenia. Niektórzy ze zgrzebnie ubranych mężczyzn tłoczących się na chodniku wdarli się teraz do środka i przepychali się między ludźmi w przejściach. – Grozi nam chaos! Katastrofa! Jak to się mogło stać? – mruknął Upton Sinclair.

W rzeczy samej winą można było obarczać samego Uptona – to on zawzięcie agitował przed komitetem organizacyjnym, upierając się, że Jack London to ich człowiek, a potem usiłował kilkakrotnie, w listach i telegramach, przekonać Londona, żeby przyjechał do Nowego Jorku w przeddzień wiecu albo chociaż wczesnym popołudniem 28 maja. A jednak z powodu, którego Upton nie pojmował – bo zakrawało to na jakieś niezrozumiałe, beztroskie zadufanie w sobie – London zapewniał go, że nie będzie miał absolutnie żadnych trudności z przybyciem do Carnegie Hall dokładnie na czas – jeśli jego wyprawa statkiem z San Francisco do Miami nie opóźni się o kilka godzin albo przejazd pociągiem z Miami do Nowego Jorku... który miał przybyć na dworzec Grand Central o szóstej trzydzieści pięć wieczorem – odkrył z przerażeniem Upton. Upton wysłał jeszcze jeden telegram, w którym błagał Londona, żeby przyspieszył podróż o co najmniej połowę dnia; przybywanie do Nowego Jorku na zaledwie dwadzieścia pięć minut wcześniej, niż przewidziano jego wystąpienie, wydawało się bardzo ryzykowne – „Wszyscy będziemy się bardzo niepokoili, Ty sam również. Proszę, przemyśl to!". London odpowiedział mu niefrasobliwie, z rozbawieniem: „Oszczędź sobie tego niepokoju, towarzyszu – Jack London gwarantuje, że to będzie *Juggernaut*, a nie zwykły występ*".

Upton był tak dobity tą wymianą telegramów, że nie potrafił się zmusić i powiedzieć szczerze pozostałym organizatorom wiecu, o której dokładnie przyjeżdża pociąg Londona. Poczucie winy i zawstydzenia doskwierało mu zresztą tak bardzo, że nawet Mecie nie powiedział o Londonie. Naczelną zasadą przyświecającą jego socjalistycznym zapatrywaniom – która skądinąd stanowiła wcześniej podstawę jego chrześcijańskiego kręgosłupa – było myślenie o wszystkim *pozytywnie* czy też zdecydowane *unikanie negacji*, bo negacja to inaczej skazywanie się z góry na porażkę. Od wielkiego filozofa pragmatyzmu Williama Jamesa nauczył się, że tam, gdzie wiara słabnie, należy ją symulować – dzięki temu właśnie wiarę można ożywić

---

* Słowo to we współczesnym angielskim oznacza w sensie dosłownym i przenośnym niszczycielską siłę, której nie da się zatrzymać. Termin wszedł w użycie w połowie XIX wieku; stanowi odniesienie do pojazdu świątynnego, który podczas hinduskiego Święta Rydawanów wiózł wizerunek boga Dźagannatha, niejednokrotnie miażdżąc pod kołami wiernych (przyp. tłum.).

i wskrzesić. Świeżo po ukończeniu kolegium uznał, że nie ma lepszego filozofa nad Jamesa w kwestii „pragmatycznego pojęcia prawdy" – *Prawda to nie jest coś, co tworzy zasadę. Prawda to coś takiego, co dzieje się z zasadą.*

To Upton usiłował wytłumaczyć swojej żonie, której znajomość filozofii ograniczała się do „wielkich myśli" zapamiętanych z kolegium Sweet Briar – „Jak naucza nas Darwin, gatunki, żeby przetrwać, nieustannie ewoluują. I tak samo prawda musi ewoluować – nie może być ustalona raz na zawsze".

– Prawda musi *ewoluować*... jakie to wygodne dla kłamców.

Upton skrzywił się, usłyszawszy niepoważną uwagę Mety. Za każdym razem, gdy usiłował porozmawiać z nią poważnie, ona żartowała sobie; za każdym razem, gdy to on próbował z nią pożartować, ona reagowała obojętnym tonem.

Ale kiedyś było inaczej – zwłaszcza gdy dopiero się poznali, zaledwie kilka lat wcześniej. W owych czasach Meta może nie zasługiwała na miano ponadprzeciętnie pięknej czy atrakcyjnej, a jednak była bardzo miłą, łagodną i poczciwą dziewczyną – która śmiała się z żartów Uptona, sympatyzowała z jego poglądami i chętnie go słuchała, kiedy wypowiadał się długo na temat *Ewangelii według świętego Marksa* i jej wariantów.

Naiwnie sądził, że ta kobieta to jego bratnia dusza.

Burzliwe wiwaty! Przyjechał Jack London.

– Jest tutaj! Nareszcie! Dzięki Bogu...

Była ósma dwanaście. London spóźnił się dobrą godzinę. A jednak rozwścieczona publiczność, która jeszcze chwilę wcześniej była na skraju anarchii, natychmiast dała się ugłaskać, jak wielka bezmózga bestia. Upton, który krążył w kółko na tyłach sceny w stanie ogromnego podniecenia, poczuł falę bezbrzeżnej, ekstatycznej ulgi – że nie tylko sprawa socjalizmu została uratowana, ale także on sam i inni organizatorzy, którzy zaczęli się już obawiać o swoje zdrowie, ale jeszcze nie potrafili się zmusić, by uciec z Carnegie Hall.

Upton pospieszył powitać Londona, który z atrakcyjnie rozwianymi ciemnymi włosami przedzierał się głównym przejściem przez salę jak polityk albo sławny zapaśnik; był w wyśmienitym nastroju, bardzo przyjaźnie nastawiony, bo zatrzymywał się co raz, by ściskać dłonie admiratorów i łowców autografów. Wcześniej było dogadane, że dotrze do tylnego wejścia, przy Siódmej Alei, dzięki czemu taka sytuacja zostanie mu oszczędzona, a jednak rzucało się w oczy, że London znakomicie się bawi i podobnie jego towarzyszka – drobna kobieta o cygańskiej urodzie w kolorowym odzieniu, która szła uwieszona na jego ramieniu.

Pospiesznie, przekrzykując rwetes powstały na sali, Upton przedstawił się zarumienionemu i ożywionemu Londonowi, od którego bez cienia wątpliwości wionęło alkoholem; London uścisnął mu rękę z taką siłą, że Upton aż się skrzywił, po czym jak dawno utracony krewny pochwycił go w niedźwiedzi uścisk, od którego Uptonowi zabrakło tchu.

– Upton Sinclair! Towarzyszu! Wyglądasz dokładnie tak, jak sobie wyobrażałem. – Tu London zaśmiał się serdecznie, bo w tym, co powiedział, pobrzmiewał ton żartobliwej krytyki, jeśli nie jawny sarkazm.

Upton też się roześmiał, nerwowo, bo przestraszył się, czy od uścisku Londona nie popękało mu przypadkiem kilka żeber.

– Moja kobieta: panna Charmian. Moja lojalna połowica.

London znowu się zaśmiał, acz istotnie sprawiał wrażenie dumnego ze swej towarzyszki; w pewnej gazecie brukowej pod jej fotografią zamieszczono podpis: „Zew krwi: druga małżonka Jacka Londona". Charmian! Ta kobieta najwyraźniej nie miała żadnego nazwiska. Upton zdziwił się na jej widok, bo sam London dawał mu do zrozumienia, że nie przywiezie jej z sobą do Nowego Jorku, a tymczasem była tu i puszyła się: zaskakująco przysadzista osóbka o krzykliwie wymalowanej twarzy mopsa, w jedwabnym turbanie na głowie, która nie zaszczyciła Uptona Sinclaira swoją uwagą, jakby uznała, że jest tu bileterem i ma obowiązek doprowadzić ją do pierwszego rzędu, gdzie było dla niej zarezerwowane miejsce.

Kolejny raz Upton się zdziwił, gdy London nie chciał, by on go przedstawił widowni.

– Nie, nie! Ci ludzie nie przyszli tu słuchać, jak ty gadasz o Jacku Londonie. Oni tu przyszli słuchać Jacka Londona. I ja zaraz spełnię ich życzenie.

Miarą znakomitego nastroju tego człowieka i niespożytej wiary w samego siebie było to, że wyszedł na scenę bez wahania i stanąwszy na mównicy niczym sławny zapaśnik, potrząsał obiema pięściami w górze, zarówno odpowiadając na ogłuszający huk oklasków, jak prowokując, by nabrały jeszcze większego natężenia. Publiczność potrzebowała kilku chwil, żeby jako tako przycichnąć i pozwolić, by London był słyszany, a wtedy on, z ustami bardzo blisko mikrofonu, bez zbędnych wstępów zakrzyknął:

– Rewolucja już teraz! Rewolucja już teraz! I jeszcze raz powiadam wam: *Rewolucja już teraz!*

Na sali znowu wybuchły salwy oklasków; tupano też nogami i wiwatowano – London znowu musiał zaczekać, aż to wszystko choć trochę przycichnie.

Nieco oszołomiony Upton zajął miejsce obok Charmian. W skroniach mu pulsowało i łzawiły mu oczy. Przez ostatnie czterdzieści osiem godzin tak bardzo się denerwował, że zasadniczo zapomniał, by cokolwiek zjeść, dlatego teraz kręciło mu się w głowie i uginały się pod nim kolana. Naprawdę groziło im pandemonium, gdyby London nie przybył w samą porę! Uptona przeszywał dreszcz, gdy słyszał, jak jego bohater przemawia donośnym, dramatycznym głosem, wychylając się do przodu i zaciskając dłonie na mównicy. Widownia, do tej pory tak niespokojna, teraz przycichła w pełnym czci wyczekiwaniu.

– „Żadnego kompromisu" oto istota ruchu organizowanego przez proletariat… Kapitalizm to jedyny wróg… Jeśli jeden towarzysz socjalista zwerbuje jeszcze jednego, który z kolei zwerbuje kolejnego, to do roku 1912 całe Stany Zjednoczone zostaną zdobyte… Jesteśmy świadkami walki na śmierć i życie pomiędzy dwoma wielkimi armiami chciwości, między szefami trustu wołowinowego i szefami trustu Standard Oil o to, kto będzie właścicielem Stanów Zjednoczonych Ameryki… Hasło dla Stanów wymyślone przez „Wielkiego Billa" Haywooda „Godziwa płaca albo nędzna praca" niebawem zostanie zastąpione mottem „Bogu ufamy"…

London mówił głośno, dobitnie akcentując kolejne sylaby, jak ktoś, kto tylko powtarza wykute na pamięć frazy, a jednak ze znakomitym skutkiem. Wprawdzie wszyscy te słowa doskonale znali – przynajmniej Upton i inni socjaliści zebrani w sali – a jednak reagowali na nie oklaskami. Upton siedział w pierwszym rzędzie, pod mównicą, i wpatrywał się w swego bohatera ze szczerym podziwem, jak skopany pies w swego pana, który na moment przestał się nad nim znęcać i jest dla niego dobry, bo taki ma akurat kaprys.

Kiedy zarumieniona twarz Londona wykrzywiała się szelmowsko niczym u małego chłopca, było od razu wiadome, że zaraz powie jakiś dowcip.

– Jako wzgardzony „gołowąs socjalista", bo tak mnie ochrzcili moi krytycy, nieustający w wysiłkach, by zdyskredytować sprawę, w której imieniu staję, daleki jestem od tego, by zaprzeczać, że socjalizm zaiste jest zagrożeniem, bo wszakże naszym ustanowionym z góry celem jest wymiatanie, wykorzenianie i rozsadzanie wszelkich kapitalistycznych przedsięwzięć w naszym społeczeństwie.

I tu wszyscy wybuchli śmiechem, Uptona wliczając, a tymczasem London spoważniał lub też udawał, że poważnieje.

– A my chcemy tylko wystąpić z prostym apelem do poniżanych i eksploatowanych robotników w Ameryce i na całym świecie: *Organizujcie się! Organizujcie się! Organizujcie się!*

W tym momencie sala przycichła, jakby London wypowiadał słowa modlitwy. I niczym refren jakiejś ballady te słowa zaczęły wybrzmiewać ponownie, za każdym razem z coraz to większym żarem:

– *Organizujcie się! Organizujcie się!* I raz jeszcze wam to powiem: *Organizujcie się!* To wtedy świat będzie nasz! Przeznaczenie człowieka będzie należało do nas! *Rewolucja już teraz! Rewolucja już teraz! Rewolucja już teraz!*

Zmordowany i zarazem podniecony Upton siedział bez czucia, jak ktoś, kto grzeje się w cudzym cieple. Mówiono o nim, że jako mówca jest „szczery", „inspirujący", ale nie było jak porównywać go z Londonem, bo Upton wygłaszał swoje przemowy nachalnie monotonnym głosem, często zaglądając do notatek, tymczasem London był wymowny, żywy, gestykulował rękoma, sam sobie przerywał wybuchami śmiechu – „To ich uziem! To ich uziemi!" – i żywiołowo zacierał ręce. Swą zdumiewającą charyzmą byłby w stanie porwać cały Nowy Jork, gdyby mieszkańcy miasta zechcieli go posłuchać; porwałby całe Stany Zjednoczone... Taki *Juggernaut, a nie występ* zasługiwał na stadion wypełniony po brzegi wiwatującymi widzami, a nie tylko na tych tysiąc dwustu czy pięciuset, którzy tego wieczoru przyszli do Carnegie Hall.

Upton nie potrafił pojąć, jak to się stało, że Jack London uzyskał tak kiepskie wyniki, kiedy kandydował na burmistrza Oakland kilka lat wcześniej. Czyżby jego socjalistyczne przesłanie było wówczas przedwczesne? Czy raczej jego osobowość nie była wtedy tak dojrzała?

A jednak przemawiając, London zaczął powtarzać niektóre sformułowania, a nawet z pozoru spontaniczne gesty, i Upton zauważył, że w bezlitosnym świetle reflektorów Carnegie Hall przystojny „gołowąs socjalista" w rzeczy samej wygląda starzej niż na okładkach swoich książek. I czy przypadkiem nie jest niższy? Niższy, niżby się można spodziewać? Jego rysy, męskie i zarazem romantyczne, stały się bardziej zwyczajne, umięśnione ciało wyraźnie nabrało tłuszczu i stało się dziwnie niezdarne. Jego przemówieniu towarzyszyła maniera polegająca na udawaniu, że zwierza się z czegoś widzom – jakby dzielił się z nimi tajemnicami, a jednocześnie miał też taki retoryczny chwyt, że znienacka dramatycznie podnosił głos – dlatego jeśli widz akurat siedział wychylony do przodu, wsłuchany w jego słowa całym sobą, to prawdopodobnie gwałtownie opadał na siedzenie, jakby otrzymał właśnie potężny cios w twarz. I był jeszcze ten serdeczny, donośny śmiech, w którym pobrzmiewała nuta... drwiny? Czy po prostu – Upton w to wolał wierzyć – był w tym wyraz *wybujałej męskości,* którą ledwie dawało się okiełznać na mównicy, na konwencjonalnej scenie?

Upton nie chciał myśleć, że pierwszy przewodniczący Międzykolegialnego Stowarzyszenia Socjalistycznego przybył do Carnegie Hall w stanie upojenia alkoholowego, ale wszystko na to wskazywało. Na samym początku swojego wystąpienia London upił kilka dużych łyków wody ze szklanki ustawionej na mównicy, ale po jakichś dwudziestu minutach zaczął otwarcie popijać z piersiówki, którą trzymał w zanadrzu marynarki, ku rozbawieniu i aprobacie bardziej hałaśliwej części publiczności. Im więcej London pił, tym bardziej zamaszyste robił gesty, tym czerwieńsza stawała się jego twarz, tym donośniejszy był głos. Naturalnie to nie była tajemnica, że Jack London *pije,* że ani trochę nie jest *abstynentem* jak Upton Sinclair. A jednak Upton nie wyobrażał sobie, że picie Londona będzie rzutowało na ten wiec i ten wieczór; Upton w ogóle nie przewidział takiej ewentualności. Nie odważył się rozejrzeć po ożywionej, oczarowanej publiczności, ale nie byłby zdziwiony, gdyby ten i ów również pociągał z flaszki. (W Carnegie Hall wszelka konsumpcja napojów wyskokowych była surowo zakazana! Socjaliści zostali zawczasu o tym uprzedzeni). Upton był także skonsternowany ubiorem Londona. Jakie to było osobliwe – jakie niespodziewane – że Jack London nie miał na sobie zgrzebnego ubrania marynarza, w którym zazwyczaj go fotografowano, ani nawet ubrania robotnika, tylko przerażający strój „dandysa" – garnitur w jodełkę, skrojony na angielską modłę, z kamizelką, białą – jedwabną? – koszulą i zwiewnym jedwabnym krawatem w kropki. I do tego nosił jeszcze eleganckie trzewiki z połyskliwej czarnej skóry. A na grubych palcach połyskliwe sygnety.

Kamizelka opasywała Londona bardzo ściśle, jak flak kiełbasę, i w trakcie przemówienia stawała się coraz bardziej zaplamiona od kropel ściekających z piersiówki. Z kolei włosy Londona robiły się coraz bardziej rozczochrane; nie wyglądały już jak rozwiane przez wiatr i widać było siwe pasma. London coraz bardziej otwarcie popijał ze srebrnej flaszki i łakomie oblizywał wargi – prowokując sprośne komentarze ze strony widowni.

Upton zbeształ się w duchu – *Jestem abstynentem i przez to często ze mnie drwią, że mam poglądy starej panny, a Jack London gani mnie za niewłaściwe podejście do seksu, dlatego jestem ostatnią osobą, która ma prawa coś takiego oceniać.*

Stało się już jasne, że London nie przygotował żadnego przemówienia i że jest wyniośle obojętny wobec tego, iż na widowni siedzi sporo studentów; jego uwagi i coraz bardziej sprośne dowcipy były kierowane do tych, którzy reagowali śmiechem, oklaskami, tupaniem. Stało się też oczywiste, że London zapomniał – jeśli w ogóle o tym wiedział – że jego przemowa jako przewodniczącego miała być jedną z kilku przewidzianych podczas wieczu: minęła dziewiąta, a on dalej mówił, minęła dziewiąta trzydzieści i wciąż mówił, zbliżała się już dziesiąta, a on nie zdradzał nawet śladu zmęczenia. Wśród mówców, którzy mieli wystąpić po nim, był Moses Leithauser, męczennik ostatniego strajku pracowników przemysłu odzieżowego, który na skutek pobicia przez „detektywów" Pinkertona nadal chodził o kulach – przybył na wyraźne zaproszenie Uptona Sinclaira i już się niecierpliwił, a nawet irytował, ale nikt nie mógł nic zrobić, a już z pewnością nie Upton Sinclair, bo publiczność by się wściekła, gdyby ktoś przerwał jej bohaterowi, zwłaszcza że London był chwilami bardzo zabawny:

– Robotnicy z całego świata muszą się nauczyć od waszego skromnego mówcy, że jeśli chcą związać koniec z końcem, to nie powinni obniżać swego standardu życia, tylko jak wasz skromny mówca *podnosić swoje dochody*. No i macie, towarzysze: Rewlucja jusz teraz!

Nawet Upton się śmiał, chcąc nie chcąc. To było bardzo dowcipne – godne Oscara Wilde'a – bo jak się tak nad tym zastanowić, to żartobliwa, parodystyczna maniera Londona i ubiór dandysa przypominały tego głośnego pisarza, który ledwie co się skompromitował i zmarł. A jednak jak bardzo różnił się zniewieściały Wilde od ponadprzeciętnie męskiego Londona!

Upton odczuwał nieprzyjemnie obecność ekscentrycznej kobietki, która siedziała obok niego i oklaskiwała Londona z równym żarem jak pozostali zgromadzeni.

Nie chciał sprawiać wrażenia, że jest purytański, nie chciał być purytański; był pewien, że jak każdy radykalnie myślący socjalista tych pierwszych, ekscytujących lat dwudziestego stulecia pokonał przestarzałe ograniczenia narzucane przez ideologię burżuazyjną, a jednak wbrew sobie żałował, że London tak arogancko naigrawa się z tych burżuazyjnych konwenansów, które akurat pokrywały się z konwenansami proletariatu w kwestiach moralności i przyzwoitości. Źle się stało, że gazety Hearsta tak krzykliwie uczepiły się „niemoralności" i „wolnej miłości", tworząc z nich zarzuty przeciwko ruchowi socjalistycznemu, a do tego jeszcze rozpisywały się o tym, że Jack London wyparł się swej żony Bess za to, że nie urodziła mu syna, i w wywiadach opowiadał o swym przywiązaniu do „uwodzicielki o egzotycznym pochodzeniu i urodzie", znanej po prostu jako Charmian. Upton przeżył wstrząs, bo tydzień wcześniej zobaczył na pierwszej stronie jednej z gazet brukowych zamazaną fotografię uśmiechniętej szeroko panny Charmian w turbanie na głowie – z podpisem „Druga małżonka Jacka Londona". I teraz, kiedy siedział obok niej, bardzo blisko, nie umiał sobie wyobrazić, jakim sposobem ta pękata kobietka mogła być „uwodzicielką", a co dopiero „egzotyczną pięknością".

Zdaniem Uptona Charmian musiała być starsza od swego kochanka o kilka lat, sądząc po wyraźnych bruzdach okalających jej uróżowane usta oraz po tym, że jej małe oczy, wprawdzie roziskrzone, były zapadnięte. Z całą pewnością miała więcej niż czterdzieści lat! (London jeszcze nie ukończył trzydziestu, aczkolwiek wyglądał na co najmniej czterdziestolatka). Niewykluczone, że oświetlenie gazowe w Carnegie Hall działało na niekorzyść tej przypominającej gnoma kobiety – (ekscentrycznie odzianej w turban z jedwabiu w kolorze fiołkowo-czerwonym, spięty skarabeuszem z kamieni, oraz zwiewną suknię podobną w kroju do kimona, uszytą z tkaniny w czarne paski na purpurowym tle) – która siedziała sztywno jak kij połknął, w takiej pozie, jakby to ona sama była na scenie; wiedziała, że jest obserwowana przez wiele osób, dlatego wpatrywała się z ostentacyjnym podziwem w mówcę, unosiła ręce, by mu żarliwie przyklaskiwać, i od czasu do czasu rozglądała się po widowni z łaskawością królowej.

Nie wolno mi oceniać ani jej, ani ich miłości – „wolnej miłości". Zwłaszcza że sam bez wątpienia poniosłem porażkę w tej domenie.

Bo Upton Sinclair stwierdził, że nie ma pojęcia, co to jest *męskość, męstwo, „stanowisko względem seksu"* – a należało coś o tym wiedzieć, i to już wtedy, gdy spędzali z Metą swój miesiąc miodowy w obozie socjalistycznym pod Bayhead. Wyglądało na to, że Upton dorobił się potomka płci męskiej całkiem przypadkowo, bo czuł z tym dzieckiem bardzo słaby związek, i wzajemnie.

Zrozumiał teraz, dlaczego Meta przestała się śmiać z jego żartów – dlaczego miała dla niego tak mało cierpliwości i wydawała się zawsze zanadto zapracowana, zanadto czymś rozkojarzona, by mieć czas, aby go tylko wysłuchać, tak jak to robiła wcześniej, gdy jeszcze nie byli małżeństwem. Już nie wołała, żeby przyszedł do niej do łóżka – nic jej to nie przeszkadzało, do jak późna Upton wysiaduje albo ile godzin przepracował w ciągu dnia.

Pierwotnie Upton wierzył, że małżeństwa można się uczyć z perspektywy racjonalistycznej, jak nauk ścisłych, wydawało mu się, że sam zdobył się na taki wysiłek, tak, zdobył się na wysiłek, ale Meta jakoś nie potrafiła współpracować.

Było coś elektryzującego – prymitywnego – w tym entuzjastycznym spojrzeniu, jakim Charmian wpatrywała się w swojego kochanka, a i London od czasu do czasu przestawał mówić i puszczał oko do ukochanej, uśmiechając się tajemniczo. Bo to była radykalnie wyzwolona para – można rzec heroiczna para – która nie wstydziła się tego, że jej namiętność jest zakazana, stawiając tym samym opór podszytej hipokryzją dezaprobacie burżuazji. Wszyscy wiedzieli, że Charmian – czy też „panna Charmian", bo tak ją nazywał London – nie jest żadną przedstawicielką klasy średniej, tylko odważną rebeliantką, że rola „tej drugiej kobiety" jest dla niej wyzwaniem, do którego należy podejść z entuzjazmem i z „klasą", a co do Jacka Londona – ten ostatnimi czasy zalecał nie tylko socjalistyczną rewolucję, ale także *naturalne namiętności* jako lekarstwo na większość chorób.

Upton został wyrwany z zamyślenia przez nową falę hałasu. Jack London, zaczerwieniony z uniesienia, poderwał widzów z miejsc i kazał im śpiewać *Marsyliankę* – donośną, łamaną francuszczyzną niezrozumiałą dla większości, a jednak budzącą dreszcz swoim brutalnym wigorem –

Aux armes, citoyens!
Formez vos bataillons!
Marchons! Marchons!
Qu'un sang impur
Abreuve nos sillons!

Upton miał nerwy tak wrażliwe, że na samą myśl o tym, że ludzka krew „rosiła" ziemię, zrobiło mu się słabo, a potem jeszcze zemdlił go finał Juggernautu Londona – który chodził po scenie, zataczając się, jakby zaraz miał upaść, i uderzał zaciśniętą w pięść mięsistą dłonią we wnętrze drugiej dłoni, cały czas pokrzykując:

– Rewolucja już teraz! Rewolucja już teraz! *Rewolucja już teraz!*

* * *

Teraz to Upton Sinclair był naprawdę zdziwiony.

Bo zanim burza wściekłych oklasków i tupania po części ucichła, Jack London wkroczył za kulisy, zbywając machnięciami ręki gratulacje i wyciągnięte dłonie towarzyszy socjalistów, i oświadczył Uptonowi, że jest „głodny jak wilk i usycha z pragnienia na piwo, a poza tym znudził się jak wszyscy diabli tymi bezmózgimi baranami z widowni". Jego szeroki uśmiech zniknął bez śladu; oczy były nabiegłe krwią, a cera zrobiła się ziemista. Rozpiął kamizelkę w jodełkę, która wcześniej opinała ciasno jego tors i brzuch, i mocno się pocił. Upton i reszta na próżno namawiali go, by został do końca programu albo żeby przynajmniej posłuchał czczonego przez wszystkich Mosesa Leithausera, który czekał tak cierpliwie, aż London skończy swoje; London nie chciał nawet poznać Leithausera i niegrzecznie roztrącił grupkę dobrze sytuowanych socjalistów, którzy przyjechali z dość daleka, żeby go usłyszeć, i których bardzo ceniono za datki na rzecz sprawy.

– Ja też pokonałem sporą odległość, przyjechałem aż z Kalifornii i muszę się teraz odświeżyć... panno Charmian, proszę tu przyjść! Idziemy do MacDougala, jeśli jacyś towarzysze chcą iść z nami... ale nie próbujcie mnie teraz zatrzymywać – ostrzegł ich ze śmiechem korpulentny pisarz – bo ja chcę mięsa, chcę się *napić* i chcę *mojej kobiety*... o proszę, jest tutaj! Panno Charmian, taksówka czeka, jedziemy!

Upton próbował nakłonić Londona, żeby nie odjeżdżał tak nagle, ale bez skutku. Panna Charmian w połyskliwym turbanie dołączyła do swego kochanka i teraz oceniała z podziwem jego występ – *Magnifique!* – po czym uczepiła się jego ramienia. Oboje wyszli bocznymi drzwiami na ulicę.

Upton oczywiście nie poszedł za nimi. Nie tylko czuł się zobowiązany posłuchać Mosesa Leithausera i kilku innych mówców, ale były jeszcze zobowiązania, od których nie mógł się wymigać po zakończeniu wiecu, bo nie tylko przy Pięćdziesiątej Siódmej wybuchły zamieszki między socjalistami i policjantami, ale także wywiązała się kłótnia między kilkoma organizatorami na temat tego, kto gdzieś źle odłożył paczkę z cennymi kwitami.

Kiedy Upton powrócił na salę, ku swej konsternacji przekonał się, że co najmniej połowa publiczności po chamsku wyszła, naśladując swojego idola Jacka Londona. Ci, którzy zostali, siedzieli w dużym rozproszeniu; wygląd większości świadczył, że to zapewne studenci – schludnie ubrani, w okularach – z których wielu niesamowicie przypominało Uptona Sinclaira.

O dziesiątej dwadzieścia miał wreszcie przemówić Moses Leithauser! Opóźnienie było horrendalne i upokarzające – Upton ledwie potrafił spojrzeć na tego wielce szanowanego związkowca, który czekał w kulisach z kartkami z przemówieniem w ręku; na twarzy miał wyraz zranionej dumy, oburzenia i gniewu. Upton pospiesznie podszedł do mównicy, żeby przedstawić Leithausera i nakłonić pozostałych jeszcze zgromadzonych:

– Podejdźcie bliżej, śmiało! Z przodu jest wiele pustych miejsc.

* * *

Jak późno! Dochodziła północ, gdy Upton Sinclair i garstka godnych zaufania towarzyszy mogli wreszcie opuścić Carnegie Hall, a potem rozstać się w milczeniu wywołanym zmęczeniem. Upton miał się zatrzymać u przyjaciół w skąpo umeblowanym mieszkaniu na Lower East Side.

Oczywiście zaraz tam wrócę, pomyślał Upton.

A jednak mimo zmęczenia nerwy miał napięte do granic; kręciło mu się w głowie i czuł głód, ale nie potrafił przestać myśleć o Juggernaucie Jacka Londona i drugiej części wiecu – parada żarliwych mówców socjalistów wygłosiła swoje przemowy do stopniowo ubywającej widowni, aż wreszcie, na sam koniec, na sali została już tylko mała grupka samotnych osób, z których kilka głęboko spało i bileterzy mieli spore kłopoty z ich obudzeniem.

Wrócę do mieszkania, prześpię się. A jutro pojadę na Staten Island, zabrać moją kobietę i mojego „potomka".

Jakimś sposobem jednak, jak w transie, poszedł na południe – Siódmą Aleją – w kierunku Times Square. Wprawdzie nigdy nie bywał w słynnej restauracji MacDougala ani nawet nie pomyślałby, że zna ten adres, ale pognało go w tamtą stronę, bo czyż Jack London nie zaprosił go, żeby tam wpadł po wiecu? Byłoby to niegrzeczne, gdyby nie przyjął zaproszenia w tych okolicznościach. Bo przecież on, Upton Sinclair, zaprosił Londona, żeby objął stanowisko przewodniczącego Międzykolegialnego Stowarzyszenia Socjalistycznego i żeby przemówił na wiecu inauguracyjnym – prawdopodobnie był najbliższym przyjacielem Londona na Manhattanie, a także najbliższym mu towarzyszem pod względem ideologicznym, nie mówiąc już o podobieństwach pod względem zapału i temperamentu.

„Na pewno byłoby to niegrzeczne. London tak się poświęcił, żeby tu przyjechać…"

Kiedy Upton dotarł do MacDougala, bez trudu znalazł Londona i miss Charmian w zatłoczonym, głośnym i zadymionym wnętrzu – rzucające się w oczy stadło siedziało przy stoliku na samym środku, w otoczeniu hordy admiratorów.

Upton podszedł do nich z wahaniem – potrącali go opuszczający już lokal biesiadnicy – mając wrażenie, że wchodzi w sam środek pieca hutniczego; był zdenerwowany, onieśmielony, a jednak nie mógł się oprzeć. Zauważył, że stół Londona jest cały zastawiony kieliszkami, szampanem, butelkami z piwem, brudnymi talerzami i sztućcami; na półmisku przed Londonem leżały bodajże resztki po kawale mięsa, to znaczy tylko oberżnięta, podobna do kła kość ze szczątkami krwistych chrząstek. Upton zdziwił się, że po tak żywiołowym występie w Carnegie Hall Jack London bynajmniej nie jest przygaszony czy wręcz wyczerpany, tylko wręcz przeciwnie: sławny pisarz siedział rozparty na krześle, w kolejarskiej czapce włożonej na bakier, i zaśmiewał się w głos, w czym nie przeszkadzał mu kikut cygara zaciśnięty w wielkich, wyszczerzonych zębach. Jego szczęki lśniły od tłuszczu, kły wydawały się nadzwyczaj spiczaste. London zdjął elegancką marynarkę w jodełkę i pozostał w rozpiętej kamizelce; koszula z białego jedwabiu była opryskana jedzeniem i napojami, też rozchełstana pod szyją, przez co było widać szeroką, tłustawą, porośniętą siwymi włosami klatkę piersiową.

Upton jeszcze bardziej się zdumiał, gdy London, zauważywszy, że się zbliża z wahaniem, zmrużył oczy, by lepiej widzieć przez kłęby dymu, po czym zareagował błyskawicznie i bardzo serdecznie:
– I oto jest! Przyszedł! Wszyscy czekaliśmy... no na kogo?... na towarzysza Sinclera... nadzieję dwudziestego wieku... autora najwspanialszej powieści od czasu *Chaty wuja Toma*, czyli *Dżungli*! *Dżungla!* Bo tak to się nazywa, prawda? *Przeklęta Dżungla!* Nigdy wcześniej nie padły prawdziwsze słowa, bo ten cholerny kraj to jest *dżungla*... Bo co tam jakiś Wilk czy Śmierć*, te drapieżniki z morskich otchłani... Tu jest kloaka, w tych Stanach Zjednoczonych.

Upton zatrzymał się w odległości kilku stóp od stolika, sparaliżowany nieśmiałością, bo wszyscy siedzący tam obrócili się nagle w jego stronę, a London poderwał się chwiejnie z miejsca, jakby się witał z dawno utraconym przyjacielem czy wręcz towarzyszem. A potem zatoczył się w stronę Uptona, jakby chciał wziąć go w objęcia, ale wpadł na kelnera i jeszcze na mężczyznę w smokingu siedzącego przy jego stoliku.
– Zróbcie przejście, zróbcie przejście, a niech was! To jest *towarzysz Sincler*, zróbcie przejście, dopuśćcie tu tę chudzinę... tego najsłabszego z miotu... tego strachajłę... Bo cisi wejdą pierwsi... czy... jak to idzie?... na końcu?... nieważne, bylebyś wszedł... może lepiej na końcu, byle zadeptali tego pierwszego... przeżyją najsilniejsi... no siadajże!... tu, mój przyjacielu!... siadajże obok Jacka... tu jest mnóstwo miejsca... moja kobieta po mojej lewicy, mój przyjaciel po prawicy... no dobra, wszystkim nam jest pisane, gdzie będziemy albo... wszyscy jesteśmy tam, gdzie nam pisane, a godzina jeszcze młoda.

Upton nie miał wyboru, musiał usiąść obok Londona, bo tamten pociągnął go na krzesło stojące obok niego; twarz mu pałała ze wstydu i jakiegoś dzikiego uniesienia, jakby on też był pijany. Jeszcze bardziej zdumiewające niż powitanie Londona było powitanie miss Charmian – tej zadziornej kobietki, która nie dała się prześcignąć swemu kochankowi, tylko wcisnęła się przed posiwiałą pierś Londona i pocałowała Uptona w policzek! – ciepłymi i mokrymi wargami – łaskocząc go papuzimi piórami, które zdobiły jej dekolt, ku rozbawieniu pozostałych biesiadników.
– Witaj w...! Witaj w... gdziekolwiek to jest! Jeśli jesteś bratem Jacka, to i jesteś bratem miss Charmian. *Siadajże!*

---

* Mowa o braciach Larsenach, bohaterach *Wilka morskiego* (przyp. tłum.).

Potem doszło do zamieszania, bo Upton zaprotestował, że nie chce pić, że przysiągł sobie, że nigdy nie będzie pił w związku z tragicznymi doświadczeniami swego ojca z alkoholem, a tymczasem London usiłował wcisnąć mu cały szereg bardzo mocnych napojów wyskokowych, w tym swoją *libację po występie*, czyli mieszankę szampana, whisky i ciemnego piwa, i z równym uporem usiłował namówić go na niedojedzoną połowę swojego *sandwicza kanibala* – bułkę z ogromnym krwistym befsztykiem ozdobionym cebulą, ogórkami i keczupem, która leżała na talerzu – mimo że na twardej skórce bułki było widać odcisk jego zębów. London wyznał, że sam zjadł już stek, który ważył szesnaście uncji, a także dwa sandwicze kanibala i już tego drugiego nie jest w stanie dokończyć, chociaż jest pyszny.

– Towarzyszu Sincler, wyglądasz na tak niedożywionego i anemicznego, jakby kobiety traktowały cię nadzwyczaj brutalnie, więc najlepiej będzie, jak pożresz tego sandwicza i dzięki temu nabierzesz trochę koloru na twarzy.

– Ale... chyba ci wspominałem, Jack... w którymś ze swoich listów... jestem wegetarianinem...

Wystarczyło, że tylko wypowiedział słowo *wegetarianin*, i wszyscy wybuchnęli śmiechem – nawet panna Charmian, która tak miło powitała Uptona, śmiała się z pogardą. Upton też się śmiał, a raczej próbował się śmiać – w takich sytuacjach potrafił robić dobrą minę do złej gry – jako socjalista nauczył się bowiem odparowywać ciosy i zadawać je, kiedy go wciągano w pułapkę, wyśmiewano, a nawet mu grożono; przepraszającym tonem usiłował wytłumaczyć, że jego układ trawienny nie zniesie tak kalorycznego jedzenia, bo cierpi na zapalenie jelita, a jednak przy stoliku znowu wybuchł śmiech, jakby Upton powiedział teraz coś jeszcze śmieszniejszego.

Po chwili jednak zrobiło się lepiej, bo London, położywszy ramię na barkach Uptona, uraczył wszystkich opowieścią o tym, jakie są jego aktualnie ulubione smakołyki – numerem jeden wcale nie była wołowina, tylko „dwie duże kaczki krzyżówki, koniecznie kaczory, gotowane nie dłużej niż osiem minut, dzięki czemu jest to drób dostatecznie *krwisty*".

Wywołał tym dłuższą dyskusję na temat tego, co kto najbardziej lubi jeść, dzięki czemu Upton miał chwilę oddechu. Udało mu się zamówić u znękanego kelnera butelkę wody mineralnej, którą potem pił jak najbardziej dyskretnie, nie chcąc, by jego żarłoczny sąsiad to zauważył; gdy tak siedział obok Londona niczym w bliskości pieca, czuł się zarówno ogrzany, jak i przegrzany, olśniony i nieufny. Wcześniej liczył naiwnie, że razem z Londonem znajdą chwilę na rozmowę o polityce, literaturze, przyszłości socjalizmu, może nawet o meandrach pożycia małżeńskiego i miłości; naiwnie liczył, że London mógł zarezerwować jakąś prywatną salkę w tej restauracji i że odrzuci zaproszenia wielbicieli chcących ufetować ich oboje z Charmian kolacją i napitkami. Bo Upton zorientował się ze zdziwieniem, że London raczej nie zna nawet dżentelmena w smokingu, który siedział obok niego, zanim pojawił się Upton, i z równym zdumieniem usłyszał, że London nie przybył do Nowego Jorku wyłącznie po to, by wystąpić na wiecu, że był to pierwszy etap jego podróży za Atlantyk – jego powieści o Jukonie stały się bestsellerami w Wielkiej Brytanii, Francji, Niemczech i Rosji i wydawcy z tamtych krajów byli skorzy go ugościć.

– Na to wychodzi, że przyćmiłem starego Twaina… Niemcy szczególnie gardzą Twainem, no wiesz… ten stary dureń nagadał coś niedyplomatycznego o nich… broniąc żydostwa… bo on broni żydostwa… Niemcy mu nigdy tego nie wybaczą. – London zarechotał, jakby w życiu nie słyszał czegoś równie zabawnego. – I teraz zamieszczają w prasie jego karykatury z *żydowskim nosem*.

Ta wulgarna uwaga zainicjowała *rozmowę o Żydach* oraz wymianę *dowcipów o Żydach*, zdaniem Uptona bardzo obraźliwych, a także szokujących – bo czyż socjalizm nie był ruchem całkowicie niesekciarskim, w którym Żydzi skądinąd odgrywali niepoślednią rolę, bo stawali na jego czele i mocno go wspierali? Jack London jako socjalista z pewnością o tym wiedział. Co by pomyślał Moses Leithauser, gdyby usłyszał…

Jeszcze bardziej rozczarowujące było to, że London tak jakby zapomniał o Uptonie. Po tych wszystkich początkowych ceregielach odwrócił się do niego plecami i zwracał się do wszystkich innych przy stoliku, tym samym donośnym, serdecznym głosem, którym przemawiał wcześniej do Uptona; panna Charmian też nie spojrzała na niego po raz drugi. London skończył już swoją miksturę opartą na szampanie i teraz popijał czysty bourbon Kentucky z prostej szklanki.

Rozparty na krześle jak pasza, kilkakrotnie wspierając ciężki podbródek na pulchnym ramieniu panny Charmian i sprawiając, że ta pobudliwa kobieta raz po raz wyrzucała z siebie salwy cichego śmiechu, London zabawiał całe swoje towarzystwo i innych gości w MacDougalu, którzy otoczyli ich półkolem, bełkotliwym, niezbyt spójnym monologiem – swoją „filozofią życia", ostatnimi czasy budzącą ogromne zainteresowanie w całych Stanach Zjednoczonych.

– W wywiadach zawsze mnie pytają… skąd się bierze wytrwałość Jacka Londona, skąd się bierze ta jego zdolność do napisania co najmniej tysiąca słów dziennie, a często nawet dziesięciu tysięcy dziennie, i jak on to robi, że publiczność je mu z ręki… na przykład jak właśnie zrobiłem w Carnegie Hall… przez dobre dwie godziny, ani trochę nie słabnąc… Skąd, w skrócie, ten szczególny geniusz Jacka Londona? No właśnie, skąd? – London zaśmiał się tubalnie, przypominając bestię gotującą się do skoku, i po raz kolejny wcisnął podbródek w ramię panny Charmian, tak mocno, że ta aż pisnęła i rozejrzała się po sali z wyraźnym zachwytem. – Takie pytania – ciągnął London już poważniejszym tonem – docierają do samego serca pierwotnego bytu i nie da się na nie odpowiedzieć, no chyba że kategoriami *spuści-*

zny rasowej. Innymi słowy, ujmując rzecz zwięźle: nadrzędność niektórych ras i spuścizna tych najlepszych elementów spłodzonych przez najlepsze okazy tychże ras.

W tym momencie, wywołując ogromny dyskomfort u Uptona, London z pijackim ożywieniem jął się rozwodzić nad supremacją *rasy nordyckiej* – nad niekwestionowaną wyższością *człowieka-bestii* pochodzącego z wielkich skutych lodem pustkowi obszaru polarnego, który „jak burza pokonał tych chorowitych niewydarzeńców z południowej półkuli". Upton ośmielił się mu przerwać, twierdząc, że takie przekonania to pogwałcenie idei socjalistycznego braterstwa.

– Przecież wszyscy ludzie są równi, nieprawdaż? Ludzie wszystkich ras, kolorów skóry i klas społecznych? *Jednako mężczyźni i kobiety* w socjalistycznej braci? Żadna rasa nie może rościć sobie prawa do wyższości nad innymi, aczkolwiek w tak groźnym momencie historycznym proletariusz jest bez wątpienia kimś wyższym moralnie...

A jednak London tylko niegrzecznie zaciągnął się cygarem, wypuścił kłąb jadowitego dymu, upił kolejny łyk bourbona i pstryknął palcami, by przywołać kelnera i znów zamówić bourbona. To było coś niesłychanego – zachowywał się tak, jakby Upton nie tylko nic nie powiedział, ale nawet nie siedział obok niego na krześle, i po prostu kontynuował swój monolog, jakby nikt mu nie przerwał. Ani panna Charmian, ani nikt inny z siedzących przy stoliku nie zwrócili uwagi na nieokrzesanie jego przyjaciela.

– Bo widzicie, rasy panujące na Ziemi przyszły z Północy. Z wielkich pól lodowych i śnieżnych pustkowi, z tundr Północy. Z prastarych borów, sadyby milczącej tragedii. Tak to właśnie jest: *wrzaskliwa komedia, milcząca tragedia.* Dawno temu zostaliśmy wykuci z żelaza, a jednak w piecu hutniczym duszy jest wiele tego, co wspanialsze od żelaza. Bo widzicie, tam, na bezlitosnej Północy, walka o przetrwanie trwa jak zawsze, jakby to nie był rok 1906, tylko samo zaranie historii, i tych naszych słabowitych, zniewieściałych, cywilizowanych pojęć dobra i zła, sprawiedliwości i niesprawiedliwości, społecznego dobrobytu i społecznych nierówności jeszcze nikt nie wymyślił. London westchnął głośno, zgasił cygaro w resztkach sandwicza z befsztykiem i dał znak kelnerowi, że ma to zabrać.

Z zaskakującą śmiałością jak na kogoś tak cichego z usposobienia i nienawidzącego się kłócić Upton odważył się zgłosić sprzeciw.

– Nie wątpię w to, że Północ jest bezlitosna, tak jak nie wątpię, że bezlitosna jest Sahara i amazoński las deszczowy, ale kwestionuję ich przytaczanie w ludzkiej historii. Czy to nie wiedzie wprost do „społecznego darwinizmu" opracowanego przez naszych wrogów? Pomyśl o tym kryminaliście Rockefellerze, który pogratulował sobie publicznie, że Bóg dał mu jego pieniądze, albo odważył się przyrównać owoce swego zbrodniczego trustu do przepięknej róży o nazwie „Amerykańska piękność".

London również teraz nie odpowiedział Uptonowi. Może był zanadto zajęty szukaniem w kieszeniach jeszcze jednego cygara – (które rozradowana panna Charmian wyciągnęła dla niego z naszywanej cekinami torebki) – albo po prostu nie usłyszał uwag Uptona z powodu hałasu panującego w restauracji. W każdym razie na jego wykrzywionej twarzy nie pojawiła się żadna zmiana i nie zmienił też swego protekcjonalnego tonu, tylko mówił dalej, jakby nikt mu nie przerywał:

– ...*jeszcze nikt nie wymyślił.* I w rzeczy samej to zwykłe żarty. Bo ziemia, gdzie o północy świeci słońce, gdzie wilcza wataha dopada stada karibu, wyławia młode i stare, i brzemienne i potem dopada je, żeby je pożreć, bez cienia żalu, to w takim razie to jakieś głupstwa paplać o takich zniewieściałych pojęciach. Nordycka dusza to dusza mężczyzny od niepamiętnych czasów. Wilk to wiedział i Śmierć to wiedział, bracia drapieżnicy z *Wilka morskiego*, ale wszyscy w głębi duszy to wiemy, wiedzą to nawet skośnoocy, nawet Żydzi i południowcy. Bo to, moi przyjaciele, jest ten kocioł, z którego odlany został Jack London, i byłoby fałszywą skromnością twierdzić, że jest inaczej.

London ułożył kolejarską czapkę na swych gęstych, rozczochranych włosach pod zawadiackim kątem, jakby czekał, aż ktoś ją strąci.

Nikt jednak nie oponował przeciwko jego słowom ani też nikogo oprócz Uptona Sinclaira jego słowa nie zdenerwowały. Wzniesiono wesołe toasty na cześć „nordyckiej duszy" – w szczególności „nordyckiej duszy" Jacka Londona – podczas gdy Upton, zaczerwieniony i wzburzony, nie napił się nawet swej wody mineralnej.

Dochodziła już pierwsza w nocy, a jednak gwar i rozweselenie w Mac-Dougalu ani trochę nie przycichły. Jakież ono było chore i krzykliwe to nocne życie! To było coś w rodzaju *podziemia* życia miejskiego, o którym Upton Sinclair nie miał wcześniej pojęcia, bo przecież żył w klasztornym odosobnieniu pod Princetonem i tylko utrzymywał kontakty z imigrantami-socjalistami z Lower East Side, którzy wstawali wcześnie, by przepracować czternaście godzin, i niemal co wieczór padali nieprzytomni na posłanie zaraz po posiłku. Jack London mamrotał niezmordowanie swój monolog, gdy tymczasem Upton beształ się w duchu – jaki on był głupi, jaki naiwny, sądząc, że Jack London będzie się go tutaj spodziewał wieczorem. Gdyby własna matka go zobaczyła w takim miejscu! Gdyby tak Meta go zobaczyła!

Upton był wręcz bliski płaczu z powodu swej naiwności. Że miał tyle nadziei. Odkąd zaczęli latem z sobą korespondować, Upton nie mógł się już doczekać spotkania ze swym bratem-bohaterem; chciał z nim podyskutować o tylu sprawach – o „anarchistyczno-intelektualnej" *Historii rewolucji francuskiej* C.L. Jamesa, o *Zamiast książki* Benjamina Tuckera, o odkryciach reformatora Williama Traversa Jerome'a w związku z prostytucją w Nowym Jorku wspieraną przez Tammany Hall i o planach na przyszłość w związku z Międzykolegialnym Stowarzyszeniem Socjalistycznym – w jaki sposób mieli przyciągnąć większą rzeszę studentów, a nie tylko samych żydowskich chłopców i nieliczne żydowskie dziewczęta? Jeszcze bardziej naiwnie Upton liczył, że uda mu się obnażyć duszę przed drugim mężczyzną – żonatym mężczyzną – z jego własnego pokolenia; miał nadzieję porozmawiać szczerze o swym trudnym położeniu. Meta niby nie powiedziała, że odchodzi na stałe, ani też nie dawała do zrozumienia, że chce rozwodu, a jednak... w ich relacjach małżeńskich czasami... często... wyrażała swoje niezadowolenie i zniecierpliwienie. A od narodzin małego Davida w ogóle nie lubiła, jak jej dotykał...

I jeszcze była ta sprawa, tajemnicza i nierozwiązana, że Upton widywał Metę w towarzystwie obcych mężczyzn w Princetonie... czego Meta się wypierała.

Jak zareagowałby Jack London, gdyby to jego kobietę widywano z mężczyznami? Upton aż zadygotał.

Zrozumiał, że coś jest bardzo nie tak, kiedy Meta wyraziła jedynie zdawkowe zainteresowanie pogłoską, jakoby prezydent Roosevelt przeczytał *Dżunglę* i zamierzał już niebawem zaprosić jej młodego autora do Waszyngtonu...

Meta, mam nadzieję, że pojedziesz tam ze mną! To będzie historyczna chwila.

Tylko dokąd odeszła Meta? Gdzieś dryfowała, w wysokich trawach za farmerskim domem, pośród drzew i kłębowiska dzikich róż, gdzie Upton, który cierpiał na tajemnicze alergie od pyłków i różnych roślin, nie mógł za nią gonić...

– ...koreańskiego kamerdynera, którego wyszkoliliśmy... to znaczy panna Charmian go wyszkoliła!... żeby nazywał swego pana „Bogiem". Jakie to śmieszne!

Upton czuł, że jego towarzysz i brat budzi w nim coraz większą odrazę – ta mięsista, czerwona twarz, to buńczuczne zadowolenie z siebie – że nie może patrzeć, jak tamten żłopie swój bourbon i zupełnie bezwstydnie, szokująco niszczy koszulę z białego jedwabiu; zastanawiał się, czy London rzeczywiście ma tylko trzydzieści lat. Czy przypadkiem nie sfałszował swej daty urodzenia, tak jak sfałszował tyle innych rzeczy na swój temat, na przykład swoje socjalistyczne przekonania? Oto miał przed sobą zadeklarowanego wojownika socjalistę, który pojawił się na Zachodzie zaledwie kilka lat wcześniej, od razu w chwale: wczesne fotografie autora *Zewu krwi*, które Upton trzymał w tajemnicy w szufladzie ze swoim gabinecie, gdzie Meta ich raczej znaleźć nie mogła, pokazywały marzycielskiego, młodego mężczyznę, niezwykle przystojnego, krzepkiego i męskiego, a jednak z domieszką poetyckiej delikatności, jaka bije od Percy'ego Shelleya na niektórych portretach. Gdzie się podział „gołowąs socjalista"? Czy należało to przypisywać nadmiarowi alkoholu, obfitości jedzenia i pochlebstwom publiczności? Wprawdzie odrobinę – być może – zazdrościł Londonowi tego, że tylu przyszło dla niego do Carnegie Hall, a jednak sam widział, jakie to nęcące zabawiać taką liczną, hałaśliwą publiczność, jak trudno się powstrzymać od wzbudzania salw tubalnego śmiechu, jeśli się to potrafi, i o ileż trudniej trzymać się właściwego toku rozumowania, być retorycznie logicznym, nie zapominać o swoich ideałach, nie zniżać się do poziomu wodewilu i burleski... Upton poczuł nagle paniczny lęk, bo naszła go myśl – myśl absurdalna, prymitywna, przesądna! – że oto wspaniały Jack London padł ofiarą impostora, bo jakimś sposobem ten socjalistyczny heros przeobraził się w zezwierzęconego, pijanego klauna w poplamionym ubraniu i kolejarskiej czapce, stając się farsą swego dawnego „ja"... czyżby to był skrytobójca prawdziwego Jacka Londona, może nawet demon...

Niedorzeczne, no przecież! Tak jak niedorzecznie było wierzyć – jak niektórzy w Princetonie – że pośród nich roi się od demonów. *Nie ma żadnych demonów*, pomyślał wyniośle Upton. *Nie wierzyłem w demony nawet wtedy, gdy jeszcze byłem chrześcijaninem. To są tylko ludzie, ludzkie istoty, jednostki niewiele ode mnie różne, tyle że zachowują się w sposób, który nie bardzo rozumiem.*

A jednak jakże kuszący był ten pomysł, że wrogowie socjalizmu konspirują ze złowrogimi siłami, żeby wypaczyć socjalistycznego bohatera i dokonać sabotażu rewolucji...

W tym momencie biesiadnicy przy stole i półkrąg wielbicieli, który rozrósł się do co najmniej trzydziestu osób płci obojga i w rozmaitych stadiach radosnego upojenia, wybuchli kolejną salwą śmiechu, bo uróżowana i obwieszona klejnotami panna Charmian opowiadała jakieś przezabawne anegdoty o swym nordyckim kochanku. Pewnie ich to zaciekawi – panna Charmian opowiedziała o tym w wywiadzie dla „New York Post" – ale to najprawdziwsza prawda: Jack London miał koreańskiego kamerdynera, który tytułował go Bogiem, i to naprawdę ona go tego nauczyła. I w tym wszystkim czarujące było głównie to, że ten kamerdyner, wredny, ale „diablo przystojny" chłopak o imieniu Manyoungi, bardzo chciał nazywać Jacka Bogiem – „Bo mój pan się zachowuje jak Bóg», tak mawiał ten mały poganin". I tu panna Charmian zaczęła się śmiać. Poza tym na niedawnym przyjęciu w San Francisco organizowanym przez jej Jacka, na którym gościom rozdawano haszysz i opium, a do tego tyle alkoholu, ile tylko byli w stanie pochłonąć, jej Jack był taki niegodziwy, że spłatał swoim gościom psikusa, jednego z tych, z których słynął: upiekł na ruszcie grzechotnika teksaskiego i podał go im z sosem holenderskim, wmawiając, że to niby łosoś pacyficzny, a kiedy już wyjawił im, co zrobił, sporo gości zemdliło i zaczęło wymiotować. – Tu panna Charmian zaniosła się piskliwym chichotem. – Och, Wilk

Morski bywa *okrutny,* ale też *bardzo zabawny.* I Jack nigdy nie robi innym tego, czego by nie zrobił samemu sobie, i to z zadowoleniem – grzechotnik to jego ulubione mięso, czy to z rusztu, czy to surowe.

Słysząc, jak jego pani opowiada o nim tak ciepło, London uśmiechał się szeroko i nasunął czapeczkę na tył głowy, po czym ostentacyjnie uszczypnął miss Charmian w uróżowany policzek, pozostawiając czerwony odcisk w nieco sflaczałym ciele.

Podczas tej swojej kokieteryjnej recytacji panna Charmian rozglądała się po jasno oświetlonym wnętrzu, odnotowując, że inni goście przyglądają się z zazdrością jej i Jackowi Londonowi, że są zafascynowani parą sowizdrzalskich kochanków, jakże krnąbrnych na tle burżujów z ich obyczajami – bo oczywiście natychmiast ich rozpoznawano. I teraz panna Charmian schwyciła masywny nadgarstek kochanka, by mu wskazać, że pewien „szczególnie interesujący" wielbiciel, przystojny młodzieniec przy pobliskim stole, obserwuje ich uważnie od dobrej godziny; i jaki to byłby łaskawy gest, gest, z jakich Jack London słynął, gdyby go zaprosił do ich stolika...

– Bo on tam musi być samotny, zwłaszcza że tu jest tak wesoło – szepnęła do ucha Londona. – I przecież widzisz po jego rysach, że to na pewno Nordyk z pochodzenia.

– Co? Gdzie?

– Tam, Jack! Patrz, on się czerwieni. Jest twoim admiratorem.

Barczysty pisarz podniósł się bez wahania na rozkaz kochanki, bo nic mu nie sprawiało większej przyjemności niż zaspokajanie jej drobniejszych kaprysów, i z ostentacją feudała nakazał młodzieńcowi gestem, żeby do nich dołączył. I ów podszedł do nich, wyraźnie zaambarasowany, protestując, że nie chce być intruzem na ich przyjęciu i że nawet by nie marzył, że zasiądzie przy ich stole...

Jack London zniecierpliwionym tonem powiedział młodzieńcowi, że ma przestać się usprawiedliwiać, bo takie rzeczy robią tylko ci o zajęczych sercach, i kazał mu natychmiast się przedstawić.

Czerwieniący się teraz straszliwie młody człowiek wyjaśnił, że jest „spóźnionym, ale za to gorliwym konwertytą" na sprawę socjalizmu, bo przyciągnęły go do niej dzieła zarówno Jacka Londona, jak i Uptona Sinclaira; bardzo się starał załatwić sobie bilet do Carnegie Hall, ale bez powodzenia, dlatego zaczekał na ulicy i ośmielił się przyjść tutaj ich śladem.

– Ale doprawdy powinienem przeprosić za siebie; zdaję sobie sprawę, że wdarłem się na prywatne przyjęcie, a to jest wyraz zaiste najgorszych manier.

Nawet u MacDougala Jozjasz Slade nie potrafił zapomnieć, że wywodzi się ze Slade'ów z New Jersey.

– Przecież ty masz aż za dobre te maniery, chłopcze! – rzekł Jack London tonem przyjaznym, ale i szyderczym. – Siadajże tu zaraz i przedstaw się.

– Nazywam się… Jozjasz Slade – odparł młodzieniec, niemal smutnym głosem, jakby oni wszyscy mogli znać to nazwisko – ale jestem, jak powiedziałem…

– Jesteś jednym z nas, dokładnie tak, jak to zauważyła Charmian – stwierdził Jack London, brutalnie ściskając dłoń Jozjasza – porządnego, anglosaskiego chowu: naszą schedą jest połowa tej ziemi i połowa morza; jeszcze tylko kopa pokoleń i będziemy rządzili światem. Tak więc siądź i uspokój się. Mam nadzieję, żeś nie abstynent.

Jack London był tak gościnny na swój brutalny sposób, że przegnał jednego z socjalistycznych wyjadaczy od stołu, by zrobić miejsce dla Jozjasza, aczkolwiek Uptonowi wydało się, że młody człowiek jest wstrząśnięty manierami Londona i upojeniem całego towarzystwa, bo po jego minie sądząc, tak jakby żałował, że do nich podszedł.

Upton poczuł wdzięczność wobec Jozjasza, że usiadł obok niego. Z zadowoleniem pomyślał: *Zna mnie przynajmniej z nazwiska. Zalicza się również do moich admiratorów.*

I tak też się zdarzyło, że Jozjasz Slade uścisnął rękę Uptonowi Sinclairowi, dziwując się młodości tamtego i temu, że jest tak szlachetnie powściągliwy, taki odmienny od rubasznego Londona, i starał się mu powiedzieć, jak bardzo jego twórczość wpłynęła na jego własne myślenie. A przede wszystkim *Dżungla*. Bo oprócz tej „pouczającej inteligencji" dzieła i jego mocnych argumentów za socjalizmem był to zdaniem Jozjasza nadzwyczaj barwny i realistyczny portret tych imigrantów amerykańskich, których on nie miał nigdy okazji poznać.

Upton Sinclair był wzruszony do głębi, że jeden z princetońskich Slade'ów przemawia do niego takimi słowami. Podziękował Jozjaszowi i potem zachodził w głowę, co teraz powiedzieć. Nie mógł dać do zrozumienia, że zasadniczo wie, z jakiej rodziny wywodzi się Jozjasz. A jednak tożsamość młodego człowieka fascynowała Uptona, który nigdy by nie uwierzył, że potomek tak znanej, starej rodziny potrafi być równie szczery i otwarty, gotowy tolerować wulgarne pijaństwo na przyjęciu Jacka Londona, które coraz bardziej przyciągało uwagę innych gości restauracji.

– Powiadasz, że pochodzisz z Princetonu? Bo, tak się składa, że… przynajmniej obecnie… i ja tam mieszkam, bo znaczy wynajmuję farmerski dom przy Rosedale Road…

Jozjasz nie powiedział wcale, że pochodzi z Princetonu, a w każdym razie nie pamiętał tego; w tym harmiderze panującym w lokalu trudno było jasno myśleć.

Panna Charmian cały ten czas pochylała się w stronę dwóch młodych mężczyzn, w nadziei, że przyciągnie ich zainteresowanie. Kobieta podobna do gnoma, pomyślał Jozjasz, za mocno uróżowana i upudrowana, a na dodatek wystrojona w nadmierną ilość piór; z początku nie bardzo wiedział, kim ona jest i co może ją łączyć z Londonem. (No przecież to nie jest jego matka!) A ona gapiła się całkiem jawnie na Jozjasza, mimo że jej kochanek akurat prawił kazanie na temat „czystej" rasy i „skundlonej" rasy i jak te dwie należy odróżniać.

Było to wprost niesamowite, że panna Charmian zdawała się patrzeć na Jozjasza, a jednocześnie obok niego, bo dziwnie pląsało jej lewe oko. I równie niesamowite dla Jozjasza było to, że London różni się od swego wizerunku na fotografiach. Był znacznie bardziej zwyczajny, bardziej niechlujnie ubrany, a jego intelekt przywodził na myśl tasak do mięsa. *Niby to jest Jack London, ten autor, ale czy to możliwe?* – pomyślał Jozjasz. To jakiś bufon i oszust, jeszcze jeden demon.

Ileż melancholii budził ten wciąż jeszcze nowy wiek dwudziesty! Tak to wyglądało, jakby zaludniał się demonami, wśród których jedne były zwykłymi bufonami, a inne też niewiele bardziej groźne.

Gdyby Jozjasz był bardziej przezorny, to wymknąłby się stamtąd niepostrzeżenie, obiecując tylko Uptonowi Sinclairowi, że spotka się z nim niebawem, w jakichś spokojniejszych okolicznościach, ale był tak osłabiony, że uległ i zaczął pić, stwierdzając, że mieszanka whisky z piwem – „eliksir Klondike" – to mocny wynalazek.

Pod wpływem impulsu Jozjasz postanowił wyprowadzić się z Princetonu i wynająć w Nowym Jorku skromne mieszkanie na piątym piętrze w kamienicy na zbiegu Jedenastej Alei i Trzydziestej Szóstej Ulicy bez windy, ale za to z widokiem na rzekę; stąd mógł bez trudu wsiąść do terkoczącej kolejki miejskiej i dojechać albo do Lower East Side i Greenwich Village, albo do Carnegie Hall przy Pięćdziesiątej Siódmej. Buszował po księgarniach i odwiedzał Ligę Studentów Sztuki oraz Nowojorską Szkołę Sztuk Pięknych. (Miał niejasną nadzieję, że spotka przypadkiem Wilhelminę Burr, ale nie miał pewności, czy mieszka w Nowym Jorku, czy też wróciła do Princetonu). Zwiedził galerię stowarzyszenia Foto-Secesja prowadzoną przez Alfreda Stieglitza na Piątej Alei pod numerem 291, a także najważniejsze muzea. Jadał w niezwykłych, a przy tym niedrogich restauracjach – niemieckich, polskich, węgierskich, żydowskich, ukraińskich, włoskich i greckich. Wziął udział w kilku mityngach socjalistycznych przy Union Square, ale nie były one ani tak dobrze zorganizowane ani tak ambitne jak wieczór w Carnegie Hall z udziałem Jacka Londona.

Wyjechał z Crosswicks nagle, dzień po śmierci – (w wyniku paraliżu? katatonii? uduszenia?) – swego kuzyna Todda Slade'a, bo nie był już dłużej w stanie żyć pośród takich spustoszeń; wyjechał ze zgiełkiem szyderczych głosów w głowie, naśmiewających się z jego tchórzostwa, że nie oblał benzyną pokoi na plebanii i nie przystawił pochodni, jak na to zasługiwało owo miejsce.

Wyjechał po tym, jak długo stał przy oknie w swoim pokoju i gapił się jak zahipnotyzowany na ogród, jakby starając się obliczyć, czy jeśli rzuci się z pierwszego piętra w dół, to ten dystans mu wystarczy, żeby się zabić, czy też tylko się okaleczy. *Nie zniósłbym losu inwalidy*, pomyślał. *Mój duch stałby się jeszcze bardziej skarlały niż teraz.*

A potem zobaczył smukłą postać na trawniku, w niewielkiej odległości od domu: akurat zrywała anemony i obejrzała się w jego stronę z uśmiechem. To była jego ukochana Annabel, w białej bluzce z paskiem i bufiastymi rękawami, żółtym żakieciku typu bolero i pełnej spódnicy sięgającej kostek; na głowie miała słomkowy kapelusz z szerokim rondem, ozdobiony długą czerwoną wstążką. Przy kapeluszu była woalka i kiedy Annabel uniosła ją powolnym ruchem, Jozjasz zauważył, że skórę ma śmiertelnie bladą, a jej fiołkowe oczy jarzyły się takim światłem, że zdawały się wwiercać w jego duszę nawet z odległości... Wykonała gest sierpem, dając do zrozumienia, że Jozjasz ma zaraz do niej przyjść do ogrodu.

– Annabel? To *ty*?

Jozjasz wychylił się z okna, zamknął oczy i zacisnął mocno szczęki. Musiał się oprzeć kuszeniu demona, bo chociaż każde kolejne uderzenie pulsu kazało mu usłuchać wezwania siostry, to jednak jakiś zakątek duszy uparcie podpowiadał, że nie należy.

– Nie. To *nie jest Annabel.*

Kiedy Jozjasz otworzył oczy, widziadła już tam nie było. I nie zobaczył też żadnych anemonów – w ogrodzie nie było żadnych kwiatów, jakby zdmuchnęła je zawierucha.

W tym momencie zrozumiał, że musi wyjechać z Crosswicks. Zapakował kilka ważnych dla siebie przedmiotów, w tym prywatny dziennik oprawiony w safianową skórę, jakieś pamiątki po Annabel oraz kilkanaście ulubionych książek, a także jedną walizkę z ubraniami. Wbrew protestom rodziców wsiadł do najbliższego pociągu do Nowego Jorku – gdzie, miał nadzieję, czekało go nowe życie.

Mogło tak być, że Klątwa zniszczy mu życie, ale Jozjasz przysiągł, że nie zniszczy go jego własnymi rękoma.

ରଷ

Ponura opowieść o grzechotniku z rusztu mocno zemdliła Uptona; długo nie potrafił się otrząsnąć. Mimo niekłopotliwego towarzystwa Jozjasza Slade'a zaczął się już zastanawiać, jak stąd wyjść, by nie przyciągnąć niepożądanej uwagi ze strony Jacka Londona i panny Charmian.

– Chyba muszę już iść, Jozjaszu! Może w Princetonie uda nam się...
– Niestety, nie mieszkam obecnie w Princetonie. Mieszkam w...
– Przepraszam, co? Gdzie?

Hałas w MacDougalu był ogłuszający. Upton miał wrażenie, że jego gospodarze przestali go zauważać, podobnie jak Jozjasza. Ale kiedy wstał od stolika, London natychmiast obrócił się w jego stronę, patrząc groźnie i szczerząc się w uśmiechu obnażającym „wilcze" kły, i schwycił go za ramię.

– Towarzyszu Sincler! Taki jesteś milczący i blady. Widzę, że nie zjadłeś swojego sandwicza kanibala, stąd ta karnacja jak u trupa. Bierz, chociaż jeden toast. – London wcisnął w wiotkie palce Uptona kieliszek z szampanem i sam uniósł w górę szklankę z whisky. – Upton Sincler. Sól tej ziemi! Upton Sincler: wielka nadzieja rewolucji! Królestwa Niebieskiego! Błogosławieni cisi...! Cierpcie dziatki... et cetera.

Wszyscy przy stole wznieśli toast, z wyjątkiem Uptona, który siedział w milczeniu, uśmiechając się nieswojo, a jednak jako jedyny trwał w uporze; nawet Jozjasz Slade nie potrafił się oprzeć despocie.

– Co? Nie chcesz pić? A to czemu, towarzyszu? Twój młody przyjaciel Nordyk pije, więc czemu ty nie? Boisz się, że demoniczny rum posiądzie twą papierową duszę?

London zaśmiał się obelżywie. Upton znowu próbował wstać i London znowu wcisnął go z powrotem w krzesło.

– Jesteś jednym z nas, choć niezbyt silnym okazem, z mocnego aryjskiego rodu: naszą schedą połowa ziemi i całe morze i za kopę pokoleń obejmiemy *całą ziemię w posiadanie*. Wyparłbyś się swej spuścizny, towarzyszu?

Upton próbował zaprotestować: nie miał pojęcia, o czym mówi London. I godzina była późna, a on następnego ranka miał pracę do wykonania...

– Nie zaprzeczyłbyś, towarzyszu, że są czyste rasy i rasy skundlone, nieprawdaż? Gdyby tak ruch socjalistyczny nie został osłabiony przez niektórych swoich przywódców... powiedzmy to sobie szczerze, towarzyszu: ja tu mówię o Żydach, jak ten... no jak mu tam... Lethauzer... to nasza wojna z kapitalizmem przebiegałaby prędzej. Ale Żyd ma zajęcze serce... walka nie leży w jego naturze... walka na śmierć. Nie zaprzeczysz, towarzyszu? Prawda?

Skonsternowany Upton odparł, że nie. Że jednak *zaprzeczy*.

– Wizja socjalistyczna to *wojna klasowa*, na śmierć i życie! Historia dowodzi, że urodzony mężczyzna... urodzony wojownik... może przyjść na świat bez swojej spuścizny... urodzony w niższej klasie... o tym mówią legendy, bajki... książę zaklęty w żabę... ale jego przeznaczeniem jest wystawić zęby i pazury... kły i pazury!... i skakać do gardła swym prześladowcom i powstać przeciwko tym, którzy go wyzyskują... i wypić ich *sang impur.* – Wypowiedziawszy tę francuską frazę zgodnie z fonetyką angielską, z silnym, nosowym „a", London pchnął Uptona w ramię, chcąc go sprowokować.

– Ale... socjalistyczna wizja to także... braterstwo... – protestował Upton.

– Braterstwo. Jasssne. – London wysyczał to słowo, krzywiąc się.

Kelner przyniósł do stolika półmisek z surowymi ostrygami i London zaczął je gwałtownie pochłaniać; wysysał białą zawartość, połykał i ciskał skorupy na posadzkę. I jedząc, cały czas mówił, potrząsając grubym palcem wskazującym przed twarzą Uptona Sinclaira:

– Ale tak samo jak w naszych więzach krwi nie wszyscy są braćmi, nie wszyscy są też więzią. Jest coś takiego jak naturalna arystokracja... nie ma co gadać ogródkami, towarzyszu. Pewnie bronisz tej szumowiny „Wielkiego Billa" Haywooda? Pewnie Wielki Bill zwany Jednookim to też twój towarzysz?

– Tak, owszem, z pewnością. Bill Haywood to wielki... odważny... przywódca... Skrzyknął imigranckich robotników w New Jersey i...

– Wielki Bill! Jednooki! – rzekł z pogardą London.

Panna Charmian usiłowała udobruchać kochanka, karmiąc go ostrygami, ale London, z każdą chwilą coraz bardziej wzburzony, nie dał się udobruchać.

– Prawda, Wielki Bill zorganizował niewolników przędzalni jedwabiu w Paterson, ale ten strajk ma wynieść go na piedestał... groził właścicielom, którzy go obrazili, i...

– Czekaj! Proszę! Nie powinieneś mówić o strajku... Nie, nie! – Uptona ogarnęło przerażenie: był pewien, że strajk w Paterson, strajk związku zawodowego przemysłu jedwabnego, jest utrzymywany w tajemnicy. Skąd Jack London w ogóle wiedział, że są takie plany? – Z tego, co mi wiadomo, z tym strajkiem nie jest jeszcze takie pewne... Bill Haywood jeszcze nie podjął decyzji.

– Haywood to bezwstydny rozpustnik – powiedział London z szyderczym grymasem. – Megaloman, pijak, gaduła, który jest wniebowzięty, kiedy może wyplatać androny przed piejącą przed nim z zachwytu publiką najgorszego, *skundlonego* sortu. Mówię o tych kundlach imigrantach.

– Bill Haywood to jeden z naszych socjalistycznych bohaterów! To nasz zbawca! Jack, muszę się nie zgodzić...

– „Jack, muszę się nie zgodzić..." – London po chamsku sparodiował słowa Uptona falsetem, wywołując tym śmiech przy stole i uwodzicielską reprymendę ze strony panny Charmian, która poklepała Uptona po ramieniu, tak jak się klepie niegrzecznego szczeniaka. – Czy raczej wołałbyś powiedzieć: „Jack, muszę *się zgodzić*", bo w głębi duszy wiesz, że mam rację. Gdyby tak Wielki Bill został powalony i unieszkodliwiony przez agentów Pinkertona, to nie byłaby to wielka strata.

Ta uwaga była tak grubiańska i ohydna, że Upton wstał, żeby wyjść. Nie mógł tu zostać ani minuty dłużej! I kiedy London próbował go schwycić wyrwał się niezdarnie jak małe dziecko, które wymyka się z objęć dorosłe osoby. Gdyby panna Charmian prędko nie powstrzymała swego kochanka pewnie doszłoby do bójki.

Małe czerwone oczka Londona rozjarzyły się wściekle.

– Nie wyjdziesz ot tak z naszego przyjęcia! Nikt nie odwraca się plecam do gościnności Jacka Londona, tak jak nie odrzuca się gościnności Eskimosa, nawet jeśli taki cuchnący Inuit oferuje ci swoją obrzydliwą wędzoną rybę i własną squaw na dokładkę. Nie po to jechałem tu aż z Kalifornii, żeby mi ucierał nosa jedyny człowiek w ruchu socjalistycznym, którego choć trochę szanuję, aczkolwiek będę brutalnie szczery: spora część *Dżungli* to dzieło bałaganiarskie, nawet jak na dziennikarzynę-demaskatora, zdradzające, że autor jest pismakiem, a ostatnia część to jakieś komiczne plagiaty moich przemówień, moich przemówień z kampanii w Oakland... czyś ty myślał, że nikt nie zauważy?

Uptonowi odjęło mowę. Nie potrafił uwierzyć, że London tak go atakuje – że tak go oskarża na oczach obcych ludzi.

– Jeszcze nie ujawniłem prasie, że tam są te plagiaty – dodał London – bo my, rewolucjoniści, musimy trzymać się razem jak psy w stadzie. Bo z jednej strony jest pies-przewodnik, a z drugiej stado. Pies-przewodnik potrzebuje stada, tak jak stado psa-przewodnika. Takie jest prawo natury.

Na widok szoku i urazy w oczach Uptona London puścił go ze śmiechem, po czym opadł całym ciężarem na oparcie krzesła, balansując nim niebezpiecznie na dwóch nogach. Z ostentacyjną rozkoszą nadal pochłaniał ostrygi, popijając je bourbonem. Jego nabiegłe krwią oczy rzucały filuterne – demoniczne – błyski.

– Mój przyjacielu, błąd waszej filozofii... waszej religii... waszej burżujskiej moralności... czy też socjalistycznej moralności... polega na próbach legitymizowania odruchów. Jednooki nie rozumie tego podstawowego faktu, nie rozumie go Debs, żaden z nich go nie rozumie! Bo pierwotny duch *nigdy nie dostrzega odruchu*. Wolny człowiek *nigdy nie dostrzega odruchu*. Reszta to wszystko kant, humbug, wierszyki dla dzieci, biblijne wersy! Kiedy filozofia nadyma się, by pouczać duszę jednostki, że ona coś MUSI, to dusza jednostki natychmiast rzuca w odpowiedzi, że ona czegoś CHCE i robi dokładnie to, czego chce. To tyle, jeśli chodzi o filozofię i moralność – te czcze wymysły dla eunuchów! Bo człek odważny, wojownik, nordycka dusza, wie tylko, że czegoś CHCE, a nie, że coś MUSI. Pijaka skłania do picia to, że tego CHCE, na oczach tych wszystkich miauczących i zawodzących abstynentów całego świata. Również dlatego męczennik przywdziewa włosiennicę – jeśli włosiennica wymaga, żeby on tego CHCIAŁ. Te niezliczone rzeczy, których ja CHCĘ, tworzą moją skalę wartości, moją prywat-

ną etykę i sam popatrz! Mięso, alkohol i namiętność do wolnej kobiety...
potęga pióra powieściopisarza... potęga głosu, gardła, ust i mściwa wojna
klasowa ruchu socjalistycznego. Jack London osiągnął, co osiągnął, bo to
GO MIAŁO ZACHWYCAĆ. Geniusz Jacka Londona istnieje po to, BY JEGO
SAMEGO ZACHWYCAĆ. Nie jest duchowy, tylko organiczny. Każde włókno
mego jestestwa drży dzięki niemu z rozkoszy. Pierwotne CHCĘ, wspaniałe
CHCĘ, nieuchronne CHCĘ, teraz i zawsze!... A cóż to? Drwicie sobie ze
mnie? Posyłacie sobie jakieś sygnały?

London zauważył, że panna Charmian, mocno wydymając purpurowe
usta i przymykając oczy, wpatruje się z natężeniem w Jozjasza Slade'a, jakby
zaiste wysyłała mu jakiś sekretny sygnał, którego młody człowiek, mocno
zawstydzony, nie zamierzał jednak odebrać.

– Ośmielacie się drwić *ze mnie?*

Panna Charmian zaśmiała się lubieżnie, a Jozjasz potrząsnął przecząco
głową i zaczerwienił się po same korzonki włosów.

– Nie... nie wiem, o czym pan mówi, panie London... – Jozjasz z trudem
przełknął ślinę; nie był w stanie zwrócić się do pisarza po imieniu, nawet
proszalnym tonem. – Ja z nikogo nie drwię...

Niezależnie od tego, czy napastliwy London rzeczywiście poczuł pierwotną zazdrość, czy też od długiego siedzenia w jednym miejscu zrobił się
niespokojny i miał ochotę się bić, znienacka z wilczym szczekiem ruszył
do akcji; pochwycił Jozjasza jak zapaśnik i zaczął krzyczeć, że zaraz będzie
mordował.

– Daje jakieś znaki *mojej kobiecie! Mojej samicy! Na moich oczach!* Karą
za coś takiego jest śmierć.

Próbując zrzucić Jozjasza z krzesła i cisnąć go na podłogę, London stracił
równowagę i upadł, pociągając za sobą i Jozjasza, i Uptona. W trakcie tej
szamotaniny krzesło przewróciło się, rozległ się też brzęk szkła i porcela-
ny; dookoła rozbrzmiały krzyki i wrzaski. Panna Charmian poderwała się
na równe nogi, prędka i zapalczywa jak dzika kocica, która broni swoich
młodych. Upton, z zasady i usposobienia pacyfista, nie miał pojęcia, w jaki
sposób powinien się bronić, a jak atakować, ale na ślepo zamierzył się pięściami na cięższego odeń mężczyznę, z miernym jednak skutkiem, gdy tymczasem Jozjasz, żaden pacyfista, zaatakował Londona potężnymi ciosami
i obrzucił go stekiem przekleństw. Z kolei London, porykujący jak zwierzę,
schwycił butelkę, rozbił ją i przystawił poszarpany koniec do pulsującego
gardła Jozjasza.

– Spróbuj tylko drwić z Jacka Londona! Spróbuj tylko drwić z Wilka
Morskiego! Są zniewagi, za które zapłacić można jedynie krwią.

London ważył co najmniej dwadzieścia pięć funtów więcej niż Jozjasz,
ale był teraz aż nadto podminowany i zdezorientowany; Jozjaszowi udało
się wśliznąć pod jego młócące na oślep ramiona i zasłonić krzesłem – nie-

ożywionym, nieczułym przedmiotem, którego widok zaskoczył Londona, jakby nie miał pojęcia, co to takiego, albo jak się z tym czymś obejść, bo był już pijany jak bela – jego przekrwione oczy przestały widzieć wyraźnie, a pięści nie trafiały w cel. Jozjasz zaczął prosić Londona, żeby go puścił, bo za bardzo szanował socjalistycznego bohatera, żeby coś mu zrobić, ale London nie usłuchał – znowu zamachnął się na niego stłuczoną butelką i tym razem, za sprawą siły wykrzesanej z czystej paniki, Jozjaszowi udało się zdzielić go krzesłem i powalić na plecy, tak że ów z całej siły uderzył czaszką o podłogę, z towarzyszeniem okropnego łupnięcia, które zabrzmiało jak cios zadany młotem.

Czy ja znowu kogoś zabiłem? – pomyślał Jozjasz z dreszczem niezdrowego uniesienia. *Powaliłem kolejnego demona i zamordowałem go?*

Podczas gdy dookoła zapanował istny chaos, panna Charmian rzuciła się całym swym krępym, drobnym ciałem na Jozjasza, drapiąc go pomalowanymi na czerwono paznokciami przypominającymi szpony.

– Bestia! Coś ty zrobił! Niby wyglądasz anielsko, a jednak pokazałeś swe prawdziwe barwy: jesteś diabłem! Wezwijcie policję! On zamordował mojego ukochanego Jacka! Och! Krew! Mojemu ukochanemu krew leje się z czaszki! Morderstwo w biały dzień! Wielki Jack London zamordowany! Pomocy!

Jozjasz próbował odepchnąć rozszalałą kobietę, bo ta, z rozgorzałymi oczyma, obnażyła ostre, drobne zęby i drapała go paznokciami wszędzie, gdzie dała radę go dosięgnąć; z kolei on usiłował rycersko pomóc Londonowi wstać, ale ogłuszony mężczyzna miał za mało sił w nogach. Panna Charmian nie przestawała krzyczeć wniebogłosy i znowu rzuciła się na Jozjasza, gdy ten obrócił się w jej stronę, starając się ją uspokoić – była już na skraju histerii i groziła jej hiperwentylacja, drobna twarz przypominająca pysk mopsa promieniowała nienaturalnym ciepłem. A Jack London rzeczywiście doznał urazu przy upadku; obficie krwawił z rany na głowie, czerwone strumienie spływały mu po mięsistej twarzy, całkiem teraz wypranej z koloru, wręcz śmiertelnie bladej, mokre od spienionej śliny wargi mu obwisły i też zbielały.

– To nie moja wina… – wyjąkał Jozjasz na użytek zdumionej ciżby. – To on mnie pierwszy zaatakował… ja się tylko broniłem… ja nie chciałem… sami na pewno widzieliście, ja nie miałem zamiaru… nic mu…

– Powstrzymajcie go! To morderca! – zapiszczała panna Charmian. – On zabił naszego księcia! Największego geniusza literatury naszych czasów!

– Ale… wszyscy jesteście świadkami…

Jozjasz rozejrzał się w poszukiwaniu Uptona Sinclaira, ale jego przyjaciel siedział na podłodze, tam gdzie upadł, z bardzo bladą twarzą i cały drżał; wokół jego ust lśniła plama wymiocin i miał zabrudzony przód koszuli. Stąd pomocy nie będzie! Jozjasz jął niezdarnie owijać głowę Londona serwetką, żeby zatamować krwawienie, ale bardzo mu się trzęsły dłonie, a ranny mężczyzna wciąż próbował go okładać osłabłymi pięściami i obrzucać wyzwiskami, dlatego Jozjasz upuścił zakrwawioną serwetkę na podłogę i oddalił się od stolika, bardzo już chcąc stamtąd uciec. Pozostali cofali się przed nim, jakby dostrzegli w jego twarzy coś strasznego, coś, z czego on nie zdawał sobie sprawy, dzięki czemu otworzyła się przed nim ścieżka na wskroś zatłoczonego wnętrza; sam nie wiedząc, jak i kiedy, wyszedł chwiejnie na Czterdziestą Drugą Ulicę, na zaskakująco świeże nocne powietrze. Słyszał za sobą okrzyki – *Zatrzymajcie go! Wezwać policję!* – tak jednak niewyraźne jak we śnie.

Jozjasz bez wahania skręcił w uliczkę biegnącą z boku restauracji. Mimo że nigdy wcześniej nie był w tym strasznym miejscu i miał tylko bardzo mętne pojęcie, co właściwie robi, dotarł prędko do kolejnej bocznej uliczki, stamtąd do Czterdziestej Pierwszej Ulicy i potem na poły biegł dalej przez Broadway, prawie pusty o tej porze, na północ, w kierunku. swojej kamienicy na rogu Jedenastej Alei i Trzydziestej Szóstej Ulicy – a w każdym razie sądził, że to ten kierunek.

Ubranie, które włożył tego dnia z nadzieją, że weźmie udział w wiecu – spodnie z beżowej flaneli, ciemnobrązowa marynarka, biała bawełniana koszula – podarło się w wielu miejscach i cuchnęło alkoholem; miał potargane włosy, policzki poranione i zakrwawione, jakby podrapane przez kota, ponadto piekły go uszy – miały go tak piec również następnego ranka. Kiedy kawałek dalej przyjrzał się sobie w czystym świetle odbijającym się w wodach rzeki Hudson, odkrył, że ma oddarty albo odgryziony kawałek lewego ucha: była to maleńka rana zalepiona słonawą plamą z krwi.

– Demony! Wkroczyłem na teren opanowany przez demony i ledwie uszedłem z życiem.

TERRA INCOGNITA I

– Lenora. – Wymówił imię swej niewiernej żony cichym, zimnym i pozornie opanowanym głosem. Trzymał w dłoni inkryminujące listy – czy poprawnym terminem było tu *billets-doux?*

Copplestone pokonał schody, a potem korytarz pierwszego piętra Wheatsheaf, jako kierunek obrawszy pokój Lenory, w którym ta zamknęła się od rana, pod pretekstem pisania pilnych listów w imieniu Stowarzyszenia Kolonialnych Dam Ameryki poszukujących funduszy na restaurację historycznych obiektów stanu New Jersey.

– Lenora.

To z winy jej niedbalstwa jako matki Copplestone stracił swego jedynego dziedzica, a także śliczną córeczkę. Nawet gdyby znalazł w sercu siłę, by wybaczyć żonie cudzołóstwo – (serce Copplestone'a było wielkości orzeszka, i to robaczywego) – *tego* już wybaczyć jej nie mógł.

Ukryta w swoim buduarze, z którego przez okna za ozdobnymi kratami widziała wiosennie rozbuchany ogród, a także kępę wiązów i dębów rosnących nieco dalej, Lenora siedziała zupełnie nieruchomo przy biurku, zaciskając w trzęsącej się dłoni pióro wieczne, odziana w czerń niczym wdowa, choć wdową nie była, tylko zrozpaczoną matką dwójki ukochanych dzieci, które przedwcześnie i w straszliwych okolicznościach opuściły ten padół. Po wyjściu służącej, która przyniosła jej śniadanie na tacy – (pozostało zasadniczo nietknięte, bo Lenora straciła apetyt) – odważyła się zamknąć drzwi na klucz przed swoim mężem i mogła jedynie mieć nadzieję, że on tego nie odkryje i nie wpadnie w gniew.

Wodząc czubkiem pióra po arkuszu sztywnej papeterii ozdobionej złotym wizerunkiem Wheatsheaf w jego oryginalnym stanie z czasów kolonialnych, Lenora pisała list, jakby od tego zależało jej życie: *Całkiem niedawno zauważyłyśmy, że dom Dolly Lambert znajdujący się przy Washington's*

*Crossing domaga się poważnego remontu... Liczymy, że wspomoże nas pan
w dziele odnowienia tego jakże liczącego się...*

Niedaleko stamtąd, w Mora House, Amanda FitzRandolph cicho śpiewała
kołysankę Terence'owi leżącemu w kołysce. Dziecko obudziło się, jak zazwyczaj, około wpół do piątej nad ranem i nie przestawało płakać, kwilić,
miotać się i wierzgać aż do dziewiątej; jego niania była obowiązkowa i nie
narzekała, ale najwyraźniej już opadała z sił, dlatego Amanda, w muślinowej
podomce i czepku ze wstążkami, zajęła się synem tuż po śniadaniu. Na tym
etapie życia Amanda obiecała sobie solennie, że będzie bardzo dobrą matką;
postanowiła na zawsze odrzucić wszelkie pokusy świeckiego, zmysłowego
świata z całym jego *obłąkaniem* i wbrew atrakcjom podsuwanym jej przez
ten świat i nie zważając na postać grafa, poświęcić się w pełni macierzyń-
stwu, a nawet wdowieństwu... Tak więc śpiewała cicho dziecku, które
stopniowo przestawało marudzić: „Moje maleńkie kochanie, tatuś pojechał
na polowanie... po futerko nowe pojechał, dziecinka na niego czeka...".
(Amanda z zaskoczeniem zauważyła – podobnie zresztą jak jej rodzina –
że zdarza jej się nie pamiętać już Edgerstoune'a, męża, z którym spędziła
tyle lat; albo może nawet pamiętała tego człowieka, ale raczej jako jednego
ze swych licznych princetońskich krewnych i znajomych, do których czuła
obowiązkowe, acz letnie przywiązanie. Edgerstoune zmarł zaledwie miesiąc
wcześniej na Bermudach, od owego oparzenia przez jadowitą meduzę; do
wypadku doszło na plaży – jego jedynym świadkiem był graf i Amanda
uważała, że bez niego byłaby tego wszystkiego nie przeżyła, a już z pewnością sama nie umiałaby sobie poradzić z przesłaniem zwłok do domu.
I choć doczesne szczątki Edgerstoune'a spoczęły już na princetońskim
cmentarzu, Amandzie wydawało się, że on wciąż jest na Bermudach i na
tarasie willi Sans Souci drzemie na słońcu z egzemplarzem „Wall Street
Journal" na kolanach).
Dziecko zapadało już w sen, a Amanda po raz kolejny przyglądała się
jego dziwnie ciemnej, niesłychanie „indiańskiej" – („azjatyckiej"?) – karnacji
i rysom twarzy; graf jej doradził, żeby nie myślała za wiele o tych powierz-
chownych cechach, bo liczy się przede wszystkim dusza dziecka. „Tak jak
hipnotyzuje mnie twoja dusza, droga Mandy, a nie uroda fizyczna".
Amanda roześmiała się, przypomniawszy sobie tamte słowa grafa wypowiedziane szeptem, ale zaraz potem zaczerwieniła się i rozejrzała po pokoju
dziecięcym, pragnąc się upewnić, że jest rzeczywiście sama, że nie przygląda jej się nikt ze służby. Po chwili jęła znów śpiewać cicho kołysankę, której
słowa raz po raz musiała powtarzać, bo pamiętała tylko jedną zwrotkę:
„Moje maleńkie kochanie...".

* * *

Niedaleko stamtąd, w Westland, jasnożółtym domu w stylu kolonialnym stojącym w takim oddaleniu od Hodge Road, że ledwie go było widać za parawanem z drzew, pani Groverowa Cleveland, również ubrana w podomkę (kupioną u Wortha), wpatrywała się oczyma pełnymi tępego gniewu w podstarzałego, otyłego człowieka wspartego na poduszkach, który dyszał, kaszlał, pochrząkiwał i mruczał coś do siebie, jednocześnie gryzmoląc notatki, które miały być później przepisane przez stenografistkę. Zgodnie ze swymi najnowszymi urojeniami Grover uważał się za zaangażowanego „w interesy, jak zawsze" i teraz spisywał zalecenia dla pozostałych członków rady powierniczej uniwersytetu w związku z tym, jakie czynności niektórzy z nich powinni podjąć, by zmusić Woodrowa Wilsona do rezygnacji; przygotowywał też poruczenia służbowe dla podwładnych z Towarzystwa Ubezpieczeniowego „Godziwe Życie", do przewodniczenia któremu stoją cego nad grobem Grovera namówili pochlebcy.

Przyglądając mu się, Frances, z domu Folsom, rozmyślała nie o stracie swej córki w Buzzards Bay, nie o stracie ojca tyle lat wcześniej (które to niefortunne zdarzenie sprawiło, że nastoletnia dziewczyna, rozpaczająca z powodu osierocenia, wpadła w ramiona Clevelanda, politycznego totumfackiego swego ojca), tylko o tej konwencji społecznej, przez którą ona, nie będąc jeszcze wdową, nie mogła dotrzymać towarzystwa żadnemu innemu mężczyźnie prócz męża, bo inaczej ryzykowałaby, że zostanie potępiona. A jednak wcale nie miała ochoty dotrzymywać towarzystwa mężowi.

Przystojną, ciemnowłosą kobietę smuciło również to, że jej leciwy mąż robił wszystko tak wolno.

„On będzie umierał całą wieczność! Jest taki *nieobecny duchem*".

Kilkakrotnie przychodził z wizytą graf. Graf był przyjacielem Grovera Clevelanda, wszyscy o tym wiedzieli czy raczej mówili – pani Cleveland z kolei wiedziała, że nie powinna dopuścić, by ktokolwiek z jej princetońskich znajomych odgadł, że to ona, a nie były prezydent, przyciągnęła grafa do Westland.

A jednak tego dnia graf ledwie uścisnął dłoń Frances, z czułością pogładził jej palce i utkwił w niej „przeszywające" spojrzenie, ale *nie wypowiedział ani słowa*.

W samym sercu kampusu uniwersyteckiego skrytego wśród zielonego listowia, w swoim pokoiku na poddaszu w Prospect, Thomas Woodrow Wilson (bo tak ostatnio nazywał siebie w myślach) mozolił się z pewnym wielokrotnie przerabianym wierszem, pierwotnie sonetem ofiarowanym młodej kobiecie, która wiele lat wcześniej odrzuciła jego pierwsze w życiu oświadczyny, później przetworzonym na sonet adresowany do Ellen (która była nim głęboko wzruszona), a teraz przeobrażonym raz jeszcze, w strofy bardziej odważne i współczesne, bardziej wymowne, a skierowane do jego drogiej przyjaciółki pani Peck. Stadko kobiet wielbiących doktora Wilsona, do którego dobiła teraz jeszcze szwagierka-stara panna, chodziło na palcach, starając się mu w żaden sposób nie przeszkadzać, i ani przez chwilę nie podejrzewało, że ich ulubieniec bynajmniej nie mozoli się nad mową inauguracyjną ("Rola chrześcijańskiego dżentelmena w służbie narodowi"), że jego tętno bije histerycznie i że okrutnie nadwyręża swe już i tak napięte nerwy przy wymyślaniu tak odważnych wersów:

Jesteś pieśnią, na którą czekałem
W tobie widok ten uroczy znajduję
Tę grację, wątek brzmień szlachetnych
Kształt, umysł, oblicze, serce
Których mi brakło, a myślałem, że będą
W jakimś źródle pośród myśli moich
Najdroższa Cybello!

Podpisał się pod tym jako "Twój Thomas", bo "Woodrow" wydawało mu się teraz zbyt sztywne, nadęte i pretensjonalne.

TERRA INCOGNITA II

Jeśli nie chcesz smażyć się w piekle razem z innymi Slade'ami, to może jed-
nak udasz się na wyprawę na biegun i uratujesz swą diabelską skórę!

Tak uporczywy był ten głos w dniach tuż po tym, jak Jozjasz Slade rozczarował się Jackiem Londonem, że wreszcie poddał się i zabrał do gromadzenia ekwipunku, by móc tydzień później wyruszyć na wyprawę na biegun południowy, która odbywała się pod auspicjami Królewskiego Szkockiego Towarzystwa Geograficznego przy współpracy z amerykańskim finansistą Winthropem Moodym, krewnym Jozjasza od strony matki.

Jozjasz od dzieciństwa zaczytywał się relacjami z wielkich wypraw do stref polarnych, poczynając od opowieści o pradawnych eskapadach wikingów, po najświeższe zapiski z wypraw Rossa, Parry'ego, Nordenskiölda i Nansena. Wydawało się, że nie dalej jak poprzedniego dnia świat emocjonował się triumfalną podróżą morską Amundsena na statku *Gjøa*, który pokonał Przejście Północno-Zachodnie jako pierwszy w historii i być może jedyny; jesienią 1905 roku ukazały się drukiem dwa tomy *Wyprawy „Discovery"* autorstwa kapitana Roberta Falcona Scotta, ilustrowane rycinami i fotografiami, które oczarowały Jozjasza, podobnie zresztą jak swego czasu Adelajdę Burr. Ogromne góry lodowe i pola śnieżne, od których człowiek ślepł, i jeszcze te góry na biegunie południowym „zadzierające swe wyniosłe łby – jak napisał Scott – na tle bezludnego majestatu". Były to zaiste zdumiewające widoki – równie śmiercionośne, jak widowiskowe, a do tego temperatury sięgające minus pięćdziesięciu stopni i owa czystość krótkich przebłysków słońca, owa hipnotyzująca natura odizolowanej, tajemniczej i potężnej *terra incognita* dla cywilizowanego człowieka. Ujmując to słowami jeszcze jednego wielkiego polarnika Shackletona: „Nie da się zrozumieć tej tęsknoty, tego heroicznego przymusu, by zwalczyć wszystko, co zasługuje na miano *terra incognita*, i postawić stopę na tych miejscach na Ziemi, po których nigdy wcześniej człowiek nie stąpał".

Czytając te słowa, Jozjasz czuł przypływ natchnienia i przepełniającą go tęsknotę, bo on był jednym z tych, którzy naprawdę rozumieli.

Miał wielką chęć napisać do Uptona Sinclaira, którego uważał za bratnią duszę, mimo że młody socjalista był przeraźliwie chudy, a jego skóra miała barwę popiołu; rozczarował Jozjasza podczas tamtej nocnej burdy, bo nie udzielił mu wsparcia. A jednak chętnie by napisał do niego te słowa, które mógł odnotować jedynie w swym oprawionym w safian zeszycie:

Zdaje mi się, że ten świat jest tak unurzany w hipokryzji, kłamstwach i podłości, że nie ma dla niego ratunku. Również socjalizm, obawiam się, jest skażony – demon kryje się nawet w najlepszych intencjach. Tak więc niezależnie od tego, czy uratuję swą skórę czy nie, postąpię najlepiej, jeśli ucieknę z terra cognita.

Trzeci kuzyn matki Jozjasza, Esdra Moody, skontaktował Jozjasza z Winthropem Moodym, który z kolei skontaktował go z kapitanem Erikiem Campbellem Oatesem, młodszym bratem sławnego kapitana Lawrence'a E.G. Oatesa zwanego „Żołnierzem"*, który w owym czasie szukał funduszy na wiosenną wyprawę na biegun południowy i w Nowym Jorku prowadził nabór chętnych do udziału w niej. (Tego typu powiązania wydają się znacznie bardziej skomplikowane, niż w istocie są, jako że niewiele się dzieje w tym świecie – poczynając od wypraw polarnych, a na polityce kończąc – bez udziału podobnych powiązań między krewnymi, przyjaciółmi, znajomymi i członkami klubów!) Jozjasz był tak przekonany, że ekspedycja na biegun uratuje mu życie, jeśli nie duszę, że udał się do kapitana Oatesa, który rezydował w pełnym przepychu apartamencie w hotelu Waldorf--Astoria, i niemal błagał, by go wziął z sobą, mimo że nie mógł się pochwalić żadnym doświadczeniem żeglarza ani podróżnika, pomijając wyprawy w Góry Skaliste albo do Parku Narodowego Yosemite. Powiedział, że może zaoferować „silny grzbiet", „niezłomną wolę" oraz dojmujące pragnienie, by uciec ze strefy umiarkowanej i dotrzeć do *terra incognita.*

Eric Campbell Oates przyjrzał się przystojnemu i bardzo zdrowemu z wyglądu pątnikowi dobrotliwym, acz powątpiewającym okiem. Wiedział

---

* Obawiam się, że nikt już nie pamięta postaci „Żołnierza". Kapitan Oates z Szóstego Pułku Dragonów z Inniskilling był członkiem pechowej ekspedycji na statku *Terra Nova* (1910–1912), dowodzonej przez Roberta Falcona Scotta, zakończonej tragicznie w marcu 1912 roku w wyniku straszliwej śnieżycy na biegunie południowym.
Kapitan Oates miał dwa przydomki: „Żołnierz" i „Tytus"; stosunkowo niewiele wiadomo na temat jego młodszego brata Erica, a zasadniczo nic na temat ekspedycji polarnej, w której uczestniczył Jozjasz Slade, mimo że całymi latami przetrząsałem rozmaite źródła. Dlatego, chcąc nie chcąc, zastanawiam się, czy przypadkiem Jozjasz, wiedziony pragnieniem ucieczki z *terra cognita*, nie dał się uwieść agentom demona, mimo że tak mężnie pragnął się oderwać od przeszłości.

trochę od swego przyjaciela Winthropa Moody'ego o bolesnych zdarze
niach w Princetonie, ale przestał słuchać, gdy tamten jął paplać na temat ja
kiejś „klątwy" – on, kapitan Oates, dostatecznie dobrze znał się na klątwach
i nie potrafił sobie wyobrazić, by coś prawdziwie złego mogło się objawi
w takiej kryształowo czystej enklawie jak Princeton, gdy ją zestawić z miej
scami, które odwiedzał podczas swych podróży, nie wykluczając Konga
Belgijskiego. Powiedział Jozjaszowi, że *terra incognita* to nie tylko termin
oznaczający romantyczną tęsknotę, ale także konkretne miejsce.

– I to bardzo niebezpieczne dla kogoś, kto nigdy wcześniej nie wyjeż
dżał ze strefy umiarkowanej.

– Błagam, niech mi pan da szansę, kapitanie Oates! Zrobię wszystko, o co
pan poprosi, wypełnię każde zadanie, jakkolwiek by było podrzędne. Mog
też wnieść pewien wkład do tej wyprawy, o czym Winthrop Moody zapewn
panu powiedział; niewiele tego jest, ale to zasadniczo całe moje oszczędności

I tym ostatnim przekonał kapitana Oatesa, jak bardzo jest poważny i il
jest wart.

Zdarzenia gnały teraz z zawrotną prędkością, bo zaledwie w kilka dni, poc
koniec maja 1906 roku, tuż przed pierwszą rocznicą uprowadzenia jego sio
stry, Jozjasz Slade zdążył opuścić dom rodzinny, zamieszkać w Nowym Jor
ku, wstąpić do Międzykolegialnego Stowarzyszenia Socjalistycznego, oma
nie zamordować swego bohatera Jacka Londona i wreszcie przyłączyć się do
kapitana Erica Campbella, udającego się na wyprawę na biegun południowy
na statku *Balmoral*. Wypłynął tydzień później, pozostawiając wyjątkowo
osobliwy list pożegnalny do rodziców:

Najdroższa Matko i najdroższy Ojcze!

Opuszczam *terra cognita* na co najmniej 18 miesięcy, jak mi
obiecują, a jeśli los tak sprawi, to i na dłużej. Nie marnujcie na mnie
rodzicielskiej miłości, bo okazałem się jej niewart; nie módlcie się za
mnie, bo płynę tam, gdzie modlitwa nie sięga.

Południowe niebo nie ma historii – tak jest obiecane – ani też
pamięci, umysłu. A to dlatego, że Bóg jeszcze się tam nie narodził,
nigdy żadnego tam nie było. O tym mnie przekonano i w to wierzę.

Czy to Wasz syn Jozjasz pisze te oschłe słowa czy też ten drugi?

Nieważne: wypływamy w stronę *terra incognita* jako jeden.

Uwierzcie, że Was kocham, mimo wszystko. Ale nie módlcie się
za mnie, jak Was niniejszym poprosiłem – na tym polega najczystsza
miłość.

Jozjasz

* * *

Podczas pierwszych kilku dni na morzu złośliwy głos z wnętrza Jozjasza był przyciszony, jakby z powodu trudów morskiej wyprawy, kołysania, potrząsania i ciskania we wszystkie strony, a także wieści pozyskiwanych od załogi, do której stopniowo docierało, że piękny *Balmoral* o wyporności trzystu ton jest znacznie mniej wart, niż twierdzili jego właściciele. Wprawdzie w porcie sprawiał wrażenie pełnego gracji i zachwycał niewyszkolone oko smukłym kadłubem i licznymi żaglami w ciemnych barwach – gratka dla fotografa, który mógł potem opublikować jego wizerunki w „New York Herald Tribune" i w innych gazetach – a jednak prędko się okazało, że to statek mocno postarzały i wysłużony, na którym pływało już wiele załóg, poczynając od tamtej pechowej pod dowództwem kapitana Franklina.

Jozjasz dowiedział się niebawem, że *Balmoral* jest przeciążony w wyniku rozrzutności kapitana Oatesa i Królewskiego Szkockiego Towarzystwa Geograficznego. Mimo skromnej wyporności i proporcji statku, i mimo faktu, że płynął w stronę najbardziej wyludnionych i zdradzieckich wód na Ziemi, *Balmoral* został wyładowany wieloma tonami węgla, paszą dla kucyków, drewnianymi chatami, saniami, kanistrami z benzyną i naftą, ekwipunkiem naukowym, odzieżą, a także skrzyniami wypełnionymi najrozmaitszymi towarami praktycznego zastosowania, poczynając od słodyczy i cynaderek, a kończąc na jagnięcinie w puszkach. Nawet karmy dla psów były setki funtów, a co tu dopiero mówić o samych zdenerwowanych psach (co najmniej trzydzieści pięć husky), a do tego jeszcze był niewielki batalion kucyków (co najmniej dwa tuziny). Nad tymi kucykami Jozjasz ulitował się któregoś razu, bo kochał konie i w stajniach Crosswicks zawsze miał swojego wierzchowca; kiedy te kucyki wpatrywały się w niego z przerażeniem w ślepiach, czuł ich strach i przeczucie okropnego losu, bo przeznaczeniem tych pięknych stworzeń nie było przecież zginąć na rozkołysanym morzu bądź w antarktycznej dziczy ani jako karma dla psów czy też ludzi.

– Postaram się was ochronić – obiecał Jozjasz kucykom, które hałaśliwie przebierały nogami, parskały i podrzucały ogonami, a wtedy on zaczął je gładzić po łbach, żeby je uspokoić. – Nie pozwolę, żeby ktoś was zabił i zjadł, przysięgam!

Było to miarą rosnącej słabości Jozjasza, że nie minął nawet tydzień na oceanie, a on niejednokrotnie zalewał się łzami, odwiedzając kucyki w wilgotnej, cuchnącej ładowni; w rzeczy samej to, że odwiedzał je tak często, było oznaką jego potęgującej się niemocy.

Po iluś dniach wyprawy, upływających z towarzyszeniem albo otępiającej nudy, albo parkosyzmów strachu, w zależności od pogody, stało się jasne, że kapitan Oates dzierżący stery *Balmorala* to nie do końca ten sam kapitan Oates, którego Jozjasz poznał w Waldorfie. Na lądzie niby taki otwarty, prostolinijny i rzeczowy, za to na morzu zaczął się wykazywać nieprzewidywalnymi i małostkowymi wybuchami temperamentu, nie mówiąc

o tym, że pojawiał się na pokładzie nieogolony, a jego kołnierzom i mankietom brakowało świeżości. Jojasza najbardziej zdumiewał ten obyczaj kapitana, że żartował sobie wspólnie z najbardziej niegrzecznymi członkami załogi, stając przy tym plecami do garstki dżentelmenów-odkrywców i „ludzi nauki", których miał na swym pokładzie; gdy Jojasz próbował do niego podejść, odwracał się od niego z pogardliwym grymasem:
– I co, mój chłopcze? Potrzebujesz jakiejś specjalnej posługi? Czekaj tylko, na pewno ktoś ci jej udzieli.
Jojasz czuł się zasmucony i urażony, a tymczasem głos mu tłumaczył: *To dlatego, że kapitan cię kocha. Pożąda cię. Marzy o tym, by cię znęcić do swojej pościeli. I nie postąpiłbyś źle, ulegając. Zamknięty w jego kabinie, mógłbyś udusić to bydlę gołymi rękoma, dla czystej radości.*

Stało się więc tak, że koszmarny „głos" powrócił niczym rzut choroby i wciąż dowodził, że tam jest, wielokrotnie do czegoś nakłaniając Jojasza, czasami zwykłym szeptem, często jednak głuchym pogłosem dźwięczącym w jego czaszce – dotknięty klątwą młody człowiek bał się wręcz, że posłyszy go któryś z towarzyszy wyprawy. Tuż pod równikiem głos powiadomił Jojasza, że jak się człowiek wespnie niczym małpa na sam szczyt masztu, to doznaje *mistycznych wizji*, bo wtedy widzi nie tylko to, co jest za linią horyzontu wytyczoną przez ocean, ale także za górami wokół bieguna – widzi wręcz wszystko do samego nieba, gdzie porazi go twarz Boga, rozgrzana do białości i wrząca z gniewu. *Chwila wysiłku, Jojaszu, i twoja rozwścieczona dusza na zawsze się uspokoi.*
Gdy statek okrążał właśnie Falklandy, za tym skutym lodem wybrzeżem Antarktydy, które nazywają Ziemią Króla Edwarda VII, głos jął namawiać Jojasza, by ten zrzucił z siebie ubranie, zdjął czapkę i wyskoczył za burtę, bo dzięki temu będzie mógł sprawdzić sprężystość fal na tej szerokości geograficznej, jest bowiem takie nigdy nieudokumentowane zjawisko na Morzu Rossa, że tamtejsze czarne fale kotłują się i plują wiciami białej piany jak w cieśninie między Scyllą i Charybdą, a jednak nie ma w nich wody dostatecznie gęstej, by podtrzymała ludzkie ciało.
Człowiek nauki przeprowadziłby eksperyment w takim otoczeniu: w jaki sposób unoszą się na wodzie wielkie morskie ptaki – to znaczy takie, które dorównują ci rozmiarem – że wzbijają się na falach, zanurzają w nich, a jednak nigdy nie toną i potem drwią sobie z ciebie z ptasią odwagą, mówiąc, żeś gorszy od człowieka.
– Jojaszu, nie! Powstrzymajcie go, na litość boską! Trzeba go *ściągnąć* na pokład. Trzeba go *związać*.
Jojasz dowiedział się później, że kilku marynarzy musiało go powstrzymać, żeby nie wyskoczył za burtę; potem zanieśli go do kajuty i tam uśpili,

zmuszając, by wypił sporą porcję brandy z laudanum z zapasów kapitana. Zastanawiał się jednak, czy to nie była tylko taka opowiastka wymyślona ze złośliwości, bo dawno temu nauczył się głuchnąć na podszepty Klątwy.

„Wydaje się, że nigdy nie zaznam spokoju i że nigdy, nawet przez chwię, nie będę żył z takim spokojem, z jakim żyje albatros".

Jedno było oczywiste: słońce, które lśniło nad Antarktydą, miało w sobie takie piękno, że żaden ludzki język nie ująłby tego w słowa, i Jozjasz stwierdził, że jest wielkim szczęściarzem, że dotarł aż tak daleko bez szwanku. Powietrze było tak zimne, że nie dawało się osądzić, czy jest szkodliwe dla płuc i serca, czy też wszczepia w ciało ogromny dreszcz rozkoszy, bo szczypało, kłuło, dźgało, cięło i wysuszało na kość, starając się przeniknąć do wnętrza ludzkiego ciała każdym odsłoniętym porem skóry. *Nie wyrządzam krzywdy! Nie zadaję bólu!* – tak obiecywało to zimno. *Ja tylko ogłuszę twoje zmysły, wtrącę je w najsłodsze zapomnienie.*

– Że też nie opowiedziałeś mi o tym zaczarowanym miejscu, dziadku – powiedział Jozjasz do Winslowa Slade'a, który stanął któregoś razu obok niego, tuż przy burcie statku. – Po co tyle tych kazań z ambony o Bogu, niebiosach i krzyżu, skoro mogłeś powiedzieć prawdę?

Winslow Slade, ubrany w szorstki płaszcz koloru dębowego drewna, w wełnianej czapce na głowie – jego spustoszona, acz szlachetna twarz zwracała się ku temu groźnemu słońcu, jego siwe brwi były gęstsze, niż je Jozjasz zapamiętał, a cienkie, blade zmarszczki okalające usta ruszały się lekko, gdy Winslow odpowiedział coś, ale tak cicho, że Jozjasz nic nie słyszał, bo dookoła świszczał wiatr.

– Co, dziadku? Co ty mówisz?

I tu Winslow Slade przemówił znowu, niemalże bezgłośnie poruszając zbielałymi wargami.

Wybacz mi.

Cudowny, nieogarniony ocean – polarne góry sterczące ku jednolicie niebieskiemu niebu – krople wody przywierające do wszystkich powierzchni *Balmorala* i mieniące się przepięknie po zamarznięciu; setki i tysiące mil, tysiące akrów, tysiące pól pełnych gór lodowych, lodowcowych skał, rozpadlin, połyskujących kopców, stalagmitów przypominających igły, które pulsowały od środka z iście boskim żarem: czyż to wszystko nie było hipnotyzujące? Czyż to wszystko nie zacierało ludzkich zmysłów i wspomnień? Jakże dalekie, jakże mało istotne wydawało się miasteczko Princeton w porównaniu z tym podbrzuszem świata!

Unieś rękę i obnaż nadgarstek. Zaciśnij na nim swoje zęby mięsożercy i gryź, gryź, gryź. Bo z tego możesz czerpać pocieszenie, mój drogi wnuku Jozjasz rozpoznał w tym kłamstwa swego dawnego wroga i nie uległ mu

Srokata klacz toczyła ślepiami w śmiertelnym strachu, kiedy potykając się i głośno parskając, brnęła przez śnieg sięgający jej piersi; z tej paniki upuściła strumień parującej uryny, która zaplamiła śnieg na żółto, a potem w jednej strasznej chwili dopadły ją psy, które wgryzły się w jej jeszcze żywe ciało. *Nie! Przestańcie!* – krzyczał Jozjasz. A jednak umierające z głodu husky chciały jeść. I ludzie też chcieli jeść, bo i oni umierali z głodu i wiedzieli, że są skazani.

Nie będę jadł, przysiągł sobie Jozjasz. *Nie ja.*

Kapitan Oates w owym czasie zdołał już się uporać ze skrupułami dżentelmena i manierami swojej klasy: jadł z zadowoleniem parujące mięso i pochylał się, by wysysać gorącą krew; kiedy się wyprostował, miał czerwone usta. Zaofiarował mu „najbardziej mięsisty z wszystkich organów wewnętrznych, czyli nerki" – Jozjasz miał się delektować.

Nie będę tego jadł. Nie ja.

Jozjasz przebudził się z koszmaru sennego cały rozdygotany, ale wiedział, że to nie były senne majaki, tylko wizja: wiedział, że to wszystko się stanie za kilka miesięcy. Kiedy *Balmoral* dotrze już do miejsca swego przeznaczenia i wszyscy ludzie wysiądą, by badać niezmierzoną białą pustkę – nie unikną tego. Kucyki, wyjące husky i kapitan Eric Campbell Oates z jego zakrwawionym podbródkiem i triumfem w oszalałych oczach. *No chodź tu, mój ty słodki Jozjaszu, mój kochany chłopcze – najbardziej mięsny z kęsków wnętrzności jest dla ciebie.*

Później, kiedy Jozjasz szedł przez rozchybotany górny pokład *Balmorala*, wszystkie psy, które były tam przymocowane łańcuchami – (i bardzo osłabione, bo stale lał się na nie deszcz i deszcz ze śniegiem – biedne zwierzaki) – warczały z głębi gardeł. Pyski miały oblepione strzępami piany, ich ślepia gwałtownie pląsały w oczodołach. Te psy pociągowe były zabójcami, tresowanymi od szczeniaka, że mają zaatakować każdego obcego, który zbliży się do sań ich pana.

Jozjasz zastanawiał się gwoli rozrywki: czy zgodnie z purytańskimi zasadami obowiązującymi w Princetonie *stoi teraz na głowie?* Czy raczej do góry nogami? Bo znajdował się właśnie na południowej półkuli, bardzo daleko od umiarkowanego klimatu północno-wschodnich Stanów Zjednoczonych. Ale nie wyzbył się jeszcze dobrych manier. Pozostały w nim jak instynkty, były takim samym spadkiem po Slade'ach jak jego kości.

Któregoś wieczoru o zmierzchu – albo może był to wyjątkowo świetlisty świt – jakaś nieostrożna kobieta odziana we wspaniałe futro z gronostajów, dopasowany do niego kapelusz oraz obrzeżone futrem wysokie botki, podeszła zbyt blisko psów, jakby chciała je pogłaskać po pięknych łbach, i rezultat był natychmiastowy, bo najbliższy z nich od razu zaatakował i w mgnieniu oka rozszarpał jej obleczoną w gronostaje rękę.

Na widok strumieni krwi tryskających w powietrze Jozjasz natychmiast skoczył w tamtą stronę, bo w swym przygnębieniu zawczasu przewidział, że dojdzie do takiego incydentu – bo przyglądał się tej kobiecie, jak wędrowała przez pokład z wyciągniętą ręką, a teraz jeszcze zorientował się, że ta kobieta, zanadto teraz przerażona, by krzyknąć, to pani Adelajda Burr, której nie widział od lat. Psy szczekały i wyły, rzucając się na leżącą, powstrzymywane jedynie łańcuchami, ale Jozjasz odciągnął ją w bezpieczne miejsce na zalanym krwią pokładzie. Leżała tam, krwawiąc z niezliczonych ran, z twarzą ledwie rozpoznawalną i z odsłoniętym bladym łonem – Jozjasz wołał o pomoc i próbował zatamować krew rękawami swej kurtki, rękawicami i gronostajowym futrem, ale ona od razu zamarzała pod jego stopami i po chwili cały pokład pokrył się krwistym lodem, na którym poślizgnął się i upadł, uderzając się w głowę z taką samą siłą, z jaką uderzył się z jego winy Pearce van Dyck, a także Jack London w MacDougalu.

Nikt nas nie uratuje? Nikogo tu nie ma? Żadnego Boga? Żadnego zbawcy?
Tak szeptała umierająca kobieta, a Jozjasz leżał tylko obok niej, niezdolny odpowiedzieć.

Znaleźli go na otwartym pokładzie, pośród wyjącego wiatru mieszającego się z deszczem ze śniegiem; był zapłakany i zasmucony jak mały chłopiec, który stracił matkę. Łzy przymarzały mu do rzęs i krótkiej, niechlujnej brody, ale po chwili cała jego twarz przestała cokolwiek odczuwać.

– Czy tym razem zwiążemy go drutem, sir? Jakie jest życzenie kapitana?

Kapitan miał swojego ukochanego kota, który wabił się Mungo Park* i był rasy manx; ten kot sypiał w nogach łóżka kapitana, głośno mruczał, kiedy się go głaskało, i okazywał szczególne oddanie – (tak tłumaczył kapitan Oates Jozjaszowi, który leżał w gorączce na łóżku kapitana) – ugniatając łapkami ciało swego pana.

Wspaniałość Mungo Parka polegała na tym, że miał dziewięć żywotów, z których wykorzystał dotąd zaledwie cztery albo pięć.

Kapitan Oates bardzo kochał swego wielkiego, czarnego Mungo Parka, typowo dla swej rasy pozbawionego ogona, ale na statku byli ludzie, którzy tego kota wcale nie kochali, bo kiedy Jozjasz któregoś dnia poczuł się już

---

* Szkocki podróżnik, badacz Afryki (1771–1806) (przyp. tłum.).

na tyle zdrowy, że wyszedł na pokład, zauważył, że to pękate stworzenie wspina się na swoją ulubioną grzędę na olinowaniu, i niedługo potem zobaczył, że jakiś podstępny łobuz sięga go prętem; kot wystraszył się, zasyczał głośno i straciwszy równowagę, wpadł prosto do morza. Rozległ się chór wiwatów. Kapitana Oatesa nie było nigdzie w pobliżu.

Jozjasz wychylił się za burtę, żeby poszukać kota, i nawet zobaczył jakiś tobołek chyboczący się za statkiem, który wyglądał jak kawał zmierzwionego czarnego futra, ale nie miał pojęcia, co robić. Jeden z członków załogi – Murzyn – rzekł z ponurym śmiechem:
– Mungo Park to diabelskie nasienie. Nigdy się nie utopi. Nigdy nie zdechnie. Mungo Parka opłakiwać nie trzeba.

(I co się okazało? Następnego ranka, bardzo wcześnie, Jozjasza obudziło gardłowe mruczenie kota tuż obok jego głowy; poczuł także rytmiczne uciski łapek na piersi. Ach! Jakie piękne były te topazowe ślepia jarzące się zimnym światłem!)

Jozjasz stopniowo poddawał się Królestwu Lodu. Zastanawiał się, dlaczego tak oszczędnie gospodarzył własnym życiem w zieloności – (jak się nazywało to miejsce?) – swego rodzinnego miasteczka i tego starego domu, który nazywał się... Crosswicks? To było gdzieś w stanie New Jersey, miejsce nie większe i nie ważniejsze niż gigantyczna góra lodowa.

Nieważne: Królestwo Lodu było wieczne. Wchodził do niego dniem i nocą.

W (nowszym, poprawionym i uaktualnionym) schemacie tropów były niezliczone równoległe linie, a jednak na oczach Jozjasza te linie rozciągały się, rozdymały i tworzyły krzywe koła – można rzec, *początki stykały się z końcami.*

Księżyc nad Antarktydą zatoczył półokrąg i zawisł nieruchomo na niebie, tak ogromny, że byłby pewnie uderzył Jozjasza w głowę, gdyby ten nie uchylił się ze śmiechem i nie wpełzł na czworakach do mroku ładowni, a potem przycupnął za beczką wypełnioną mąką. I nagle dało się słyszeć wołanie – *Jozjaszu? Jozjaszu? Gdzie ty się ukryłeś?* – a potem słodki śmiech jego małej siostrzyczki Annabel, szukającej go w chatach, w których dawniej mieszkali niewolnicy, służących obecnie za magazyny.

I zaraz potem zaczęło się wydawać, że morze składa się z płytkich kałuż, które iskrzą się i mrugają tajemnym, morskim życiem, i mimo że nigdzie blisko nie było żadnej roślinności, to jednak zewsząd wykwitały jakieś pędy – no chyba że były to węże, które wypełzały z czarnych wód i rozciągały się po wszystkich powierzchniach, a kiedy człowiek akurat nie patrzył, pomykały prędko prosto do ładowni. Jojasz krzyczał, kopał, tupał i jak oszalały próbował odrzucać od siebie węże, bo wpełzały mu także pod nogi, tym bardziej podstępne, że nie dawały się zobaczyć gołym okiem.

W oddali, za roztrzaskaną lodową krą, pojawił się wyprostowany łeb wielkiego węża, który niezmordowanie sunął tak samo jak *Balmoral* na południe, w stronę cieśniny McMurdo.

– To? Nazywają je „morskimi wężami" – wyjaśnił jeden z marynarzy, kiedy Jojasz zadał mu to głupie pytanie. – W tych wodach jest ich bardzo wiele, ale my nie zwracamy na nie uwagi, to i one na nas też nie.

A jednak śladem wielkiego węża wionęła dziwna, balsamiczna bryza, która pachniała anemonami, żonkilami i narcyzami. Jojasz wziął haust powietrza i połknął go. Bo wiedział, że jest uratowany.

Nie nabawię się szkorbutu tak jak inni z załogi. Moje naczynia krwionośne w mózgu nie osłabną i nie będą pękały jedno po drugim, przez co nie będę dostawał głupich halucynacji w samo południe.

Profesor Pearce van Dyck protestował, że jemu wcale nie osłabły naczynia krwionośne w mózgu; był w pełni władz umysłowych aż do samego końca – czyli wtedy, gdy zabił go Jojasz.

Jojasz błagał o wybaczenie, ale Pearce van Dyck był nieustępliwy: nadal oskarżał swoją żonę Johannę o cudzołóstwo i twierdził, że dziecko nie jest jego, bo zostało spłodzone przez demona.

Jojasz czerwienił się, słysząc, jak jego dawny wykładowca mówi tak wulgarnie o własnej żonie, i protestował, twierdząc, że kto jak kto, ale Johanna nie mogła być niewierna, a poza tym przecież dziecko okazało się całkiem normalne – ani specjalnie piękne, ani brzydkie; po prostu ucieleśnienie *ludzkiego dziecka.*

Pearce van Dyck przerwał mu z gorzkim śmiechem, oświadczając, że „paradoks małżeński", po raz pierwszy wykoncypowany w szóstym wieku przez Ojca Kościoła, świętego Grzegorza Wielkiego, tłumaczy jego stanowisko: „akt cielesny" w małżeństwie chrześcijańskim jest czymś *niewinnym*, podczas gdy pragnienie tego aktu jest czymś *moralnie złym.*

Jojasz przycisnął do uszu dłonie odziane w rękawice i próbował argumentować, że chrześcijańskie małżeństwo, jak wszystkie małżeństwa, nie może być *moralnie* złe, ale Pearce van Dyck nie chciał słuchać. Jojasz ustąpił, mówiąc, że bracia i siostry nie mają potrzeby ani też nie odczuwają takich impulsów, żeby się pobierać, a zatem ożenek nie jest żadnym wymogiem i tym sposobem ów „paradoks" zostaje pominięty.

Pearce obstawał przy swoich argumentach, przysuwając się coraz bliżej do Jojasza, który w pewnym momencie zdumiał się, bo twarz jego dawnego wykładowcy zlała się z twarzą kapitana Oatesa, który gładził Jojasza po rozpalonym czole i przyciskał swój chłodny policzek do jego rozgorączkowanego policzka, przytulając go do siebie tak mocno jak brat albo kochanek. A jednocześnie profesor van Dyck wydawał się także obecny, nawet jeśli nie był widzialny, w odległości mniej więcej dziesięciu stóp. I śpiewał ponurym głosem:

Kto przyjmie małe dziecię?
Ja, woda głęboka rzecze
W kolebce pływało będzie swej,
A ja zaczekam, aż zmorzy je sen.

Wprawdzie te delikatne małe kwiatki to były satynowe konwalie naszyte na ślubną suknię, a jednak pachniały jak prawdziwe, sprawiając, że Jozjasz zataczał się od tej woni jak pijak. Nie porzuciłby Perły na pastwę jej brutalnych kompanów. Nie bardzo potrafił wybaczyć swemu dziadkowi tamto tchórzostwo. *Och, pomóż mi, Jozjaszu. Mój drogi bracie. Nie porzucaj mnie na tym lodzie, Jozjaszu!* Jej przestraszony głos niósł się z morską bryzą i sprawiał, że Jozjasz biegał w kółko po pokładzie. Czy to Annabel? Ale gdzie? Tak daleko od domu? Ach! Zaniosło ją do sterburty, gdzie przycupnęła, bosa i drżąca na krze lodowej, z włosami rozwianymi na wietrze, niezbyt dodającymi jej urody. Jej zbolała twarz, biała jak alabaster, obróciła się w stronę Jozjasza z rozpaczliwym błaganiem.

Och, pomóż mi, Jozjaszu. Nie porzucaj mnie tak, jak już to raz zrobiłeś.
Przyjdź mnie ogrzać!

Tym razem nie było w pobliżu nikogo z załogi; Jozjasz wspiął się na burtę i bez wahania zanurkował we wzburzonym morzu.

POSTSCRIPTUM

Mało starannie prowadzona księga pokładowa *Balmorala* zawiera (niedatowaną) notę sporządzoną pokracznym charakterem pisma kapitana Oatesa, że martwe ciało Jozjasza Slade'a, zamarznięte na kość i całe pokryte skorupą z lodu, zostało wydobyte z cieśniny McMurdo i wniesione do ładowni statku. *„Requiescat in pace* – nabazgrał zirytowany kapitan w księdze – i na tym koniec!"

ZAGADKA WHEATSHEAF I

Tamtego ranka, kiedy Copplestone Slade w końcu „przystąpił do działania", jego przestraszona żona Lenora odważyła się zamknąć przed nim drzwi na klucz, bo miała przeczucie, że jej mąż dłużej nie da rady tłumić tego bezrozumnego gniewu wobec niej. Po śmierci dzieci Lenora miała zwyczaj zamykać się po porannej kąpieli w swoich prywatnych pokojach, gdzie pisała listy, czytała Biblię i spożywała skromne śniadanie, dlatego Copplestone wiedział, gdzie jej szukać; słyszała jego podniesiony głos dobiegający z dołu, jakby gromił służących, co mu się zresztą ostatnio często zdarzało, i starała się ocenić, czy wychodzi z domu, czy raczej idzie *do niej*.

Od wielu miesięcy Lenora katowała się pytaniem o to, w jaki sposób zawiodła męża; szukała porady i pocieszenia u Henrietty Slade i u starszych Slade'ów w Crosswicks, bo do własnej rodziny – Biddle'ów z Filadelfii – wolała się nie zwracać, z obawy, że zdradzi zbyt wiele intymnych szczegółów i wywoła skandal. W czasie, gdy wychodziła za niego za mąż, wszyscy jej krewni uważali, że trafiła jej się dobra partia, bo Copplestone był jowialnym, dobrodusznym, skorym do żartów młodzieńcem, mocno się różniącym od swego starszego brata Augustusa, przebiegłego biznesmena, i jeszcze mocniej od swego ojca Winslowa Slade'a. Ponadto Copplestone okazywał dumę z faktu, że jego młoda żona przypomina „kobietę Renoira", że jej przodkiem jest pensylwański patriota lord Stirling, który poległ męczeńską śmiercią jako dowódca Północnego Departamentu Armii Kontynentalnej, i że ma odziedziczyć pewną zgrabną sumkę po rodzicach, bo była ich jedynym pozostającym przy życiu dzieckiem.

Przez wiele lat ich małżeństwo trwało bez żadnych niezwykłości; byli stadłem z West Endu, dlatego często zapraszali gości i często chodzili w goście. Jako historyk mam taki nawyk nieco nazbyt skrupulatnego badania nawet ubocznych tematów, dlatego więc sprawdziłem życiorys Copplestone'a, ale zasadniczo nie ma tu o czym mówić, bo ów człowiek prowadził się mniej lub bardziej należycie jako syn Winslowa Slade'a, a także jako partner rozlicznych firm będących w posiadaniu Slade'ów, zarządzanych przez profesjonałów i nieodmiennie dobrze prosperujących. Faktem jest, że Copplestone w młodym wieku żywił zamiłowanie do teatru – nawet występował w amatorskich przedstawieniach, odgrywając tak ambitne role, jak Tezeusza w *Śnie nocy letniej*, Bertrama we *Wszystko dobre, co się dobrze kończy* i Fryderyka w *Piratach z Penzance*; nieco mniejszą korzyść przynosiło mu równoległe zamiłowanie do grania na wyścigach konnych, bo przez lata stracił w związku z tym całkiem sporo pieniędzy, ale Lenora prawdopodobnie nigdy się o tym nie dowiedziała, bo oboje wiedli dość odrębne żywoty w granitowych murach Wheatsheaf.

Od czasu uprowadzenia Annabel Slade w czerwcu 1905 roku relacje między Copplestone'em i Lenorą pogorszyły się, a śmierć dzieci jeszcze dodatkowo ów stan pogłębiła, bo Copplestone winił o wszystko Lenorę. I jeszcze był o nią irracjonalnie zazdrosny, bo tak jakby wmówił sobie, nie mając na to żadnych dowodów, że Lenora ma romans z tym czy innym mieszkańcem Princetonu, grafa von Gneista wliczając – mimo że na ile byłem to w stanie stwierdzić, Lenora i graf spotkali się zaledwie kilka razy, podczas licznych zgromadzeń towarzystwa.

A jednak Copplestone do tego stopnia zapędził się w swych oskarżeniach wysuwanych przeciwko żonie, że w zasięgu jej słuchu mruczał takie słowa, jak *Dziwka! Ladacznica! Ulicznica! Suka!* i *Kocmołuch!*, nie dbając o to, że inni też to słyszą, nawet zdumiona służba.

– Ja jednak wiem, że w oczach Boga jestem niewinna – mężnie dowodziła Lenora. – Mam się czuć zawstydzona w *jego* oczach?

Tamtego poranka pod koniec maja Lenora siedziała właśnie przy biurku, zabierając się do pisania listu w imieniu Kolonialnych Dam Ameryki z oddziałem w New Jersey, kiedy Copplestone załomotał pięścią w jej drzwi; domagał się głośno, aby je otworzyła.

Lenora była tak zastraszona przez swego męża, że zwlekała zaledwie chwilę, zanim wstała; jak przystało na troskliwą panią domu, zdjęła jeszcze ze stolika tacę z ledwie tkniętym śniadaniem, na której znajdował się talerz z muffinkami jagodowymi, masłem, dżemem, a także herbatą w imbryku i wszystkim, co do jej picia niezbędne, a potem, modląc się bezgłośnie, podeszła otworzyć zamknięte na klucz drzwi. Rozwścieczony małżonek pchnął je gwałtownie i wparował do środka.

– A więc to tak! Co ty tam piszesz? Chcę to zobaczyć.

Lenora, nic nie mówiąc, stanęła obok Copplestone'a, który pochylił się nad biurkiem, żeby przeczytać wedle wszelkich oznak niewinny list w sprawie domu Dolly Lambert w Washington's Crossing w Pensylwanii, ale zazdrosny mężczyzna na ów widok parsknął z pogardą, dając do zrozumienia, że jego zdaniem to absolutnie czytelny wybieg i on nie da się nim zwieść.

Starając się ukryć niepokój, Lenora zaproponowała mu, żeby usiadł i pooddychał głęboko, bo Copplestone rzężił, miał czerwoną twarz i „nadwyrężał już i tak obciążone serce".

Copplestone ugiął się, do pewnego stopnia, bo troska Lenory zawsze go wzruszała, nawet w takich okolicznościach. A jednak gniewnie machnął jej przed twarzą zwitkiem jakichś listów, twierdząc, że ma tutaj dowody na jej niewierność, wystarczające do przeprowadzenia rozwodu.

– To są bezwstydne listy od *Twojego uwielbiającego Cię Tommy'ego*. Lenora nie miała pojęcia, o czym Copplestone mówi, ale wiedziała, że nie powinna go bardziej rozwścieczać. Znowu zaproponowała, żeby usiadł i się uspokoił; mógłby się z nią napić swojego ulubionego earl greya i zjeść muffinkę, którą Lenora upiekła osobiście tego ranka, w nadziei, że...

– *Twój uwielbiający Cię Tommy*, proszę bardzo... i tutaj też, na pięciu albo sześciu listach... *Twój uwielbiający Cię Tommy*. Jakby ten pastorek o końskiej twarzy nie miał aż za wielu dogadzających mu we wszystkim kobiet we własnym domu, to jeszcze ośmiela się potajemnie umawiać z moją żoną! – Copplestone po raz kolejny machnął listami w stronę Lenory, która zauważyła, że są jakby pożółkłe i że wypełniające je pismo jest jej tak jakby znajome, ale nie bardzo potrafiła je zidentyfikować.

– Mój drogi mężu, nic z tego nie rozumiem, ale zapewniam, że jestem niewinna. W życiu nie dostałam listu od... Czy ty mówisz o Woodrowie Wilsonie? Ależ w życiu! Ja go prawie wcale nie znam, ani też jego żony Elaine... tak ona ma na imię? Ellen? Przysięgam, że...

Copplestone burknął coś z obrzydzeniem i uderzył Lenorę w bok głowy, sprawiając, że krzyknęła z zaskoczenia i bólu. Na domiar złego jej siwiejące włosy wyswobodziły się ze spinek i rozsypały nierówno po twarzy, który to widok tak odstręczył Copplestone'a, że wymierzył jeszcze jeden cios i biedna kobieta zaniosła się płaczem.

– Copplestone, przysięgam ci: *jestem niewinna*. Te listy mogą pochodzić od mojego stryjecznego dziadka, Timothy'ego Jeffersona Biddle'a, który zwykł kończyć swe listy jako *Twój uwielbiający Cię stryj Timmy*, o to tu chyba chodzi. Biedny stryjek Timmy nie żyje od piętnastu lat, Copplestone! Podczas ostatnich samotnych lat swego życia pisywał długie, mało jasne listy do swoich bratanic. Jestem pewna, że go poznałeś, Copplestone. Jeśli pozwolisz mi się przyjrzeć tym listom, to na pewno wszystko ci wyjaśnię.

– O tak. Na pewno mi *wyjaśnisz*. Jestem pewien, że masz już jakieś *gotowe wyjaśnienie*. – Copplestone podniósł rękę, jakby chciał ją znowu uderzyć, sprawiając, że biedna kobieta skuliła się trwożliwie. – Kłamstwa! „Jak nudnym, nędznym, lichym i jałowym zda mi się"* całe to nasze pożycie wykute z chaosu. Trzeba dotrwać aż piątego aktu tragedii, by doznać zbawienia.

---

* W. Szekspir, *Hamlet*, przeł. J. Paszkowski, PIW, Warszawa 1958 (przyp. tłum.).
.

Uwagę zadyszanego Copplestone'a musiał na moment przykuć aromat bijący od muffinek Lenory, bo wsadził palec w jedną z nich i posmakował okruchów, nie przestając jednocześnie wykrzykiwać, że Thomas Woodrow Wilson na pewno nie był ani pierwszym, ani ostatnim, który miał z Lenorą romans.

– Jestem gotów sobie wyobrazić, że mój przeklęty brat Gustus wsadził swoją racicę do mojego łóżka, ot tak, gwoli rozrywki i z czystej złośliwości! – Gniew sprawił, że słownictwo Copplestone'a stało się bogatsze niż zazwyczaj, a ponadto wymowa niektórych słów nabrała brytyjskiego akcentu. – Twój własny brat Augustus? Ty nie mówisz tego poważnie... – Ja? Ja nie mówię poważnie? Zamknij się, ladacznico, bo inaczej cię zabiję! „On? Z nią! Jak mąż z żoną! Kto mówi, że z nią leżał – to ohydne"*. Każdy, kto się żeni, kupuje sobie licencję na rogacza. – Copplestone przyłożył dłonie do czoła, naśladując nimi rogi. Jego zielone oczy lśniły. – Tylko czy powinienem sam się teraz zemścić, czy zaczekać, aż niebo mnie wyręczy? Niech ja zobaczę ten list, który tu smarujesz, pewnie jakimś szyfrem. Podobno Adelajda Burr pisała swój dziennik jakimś szyfrem; na policji usiłują złamać go teraz, ale bez powodzenia. No tak. Cały regiment niewiernych kobiet.

Copplestone porwał list pisany w imieniu Kolonialnych Dam, ale nie dopatrzył się w nim żadnego sensu i brakowało mu cierpliwości, by przeczytać go uważnie. Lenora ośmieliła się powiedzieć mu, że obawia się o jego zdrowie, bo zauważyła, że od śmierci Oriany nie sypia po całych nocach i że apetyt mu się chyba pogorszył, bo jada tylko to, co lubi: pieczonego prosiaka, czarny pudding**, grasicę jagnięcą i ciasta pieczone osobiście przez nią.

– Drogi mężu, chciałabym, żebyś posiedział chociaż przez chwilę i się opanował, a potem, jeśli będziesz chciał, wznowisz to przesłuchanie. – Lenora mówiła tonem tak błagalnym, cały czas wpatrując się w niego załzawionymi, ale kochającymi oczami, że Copplestone'owi było bardzo trudno się jej oprzeć. – Masz tu filiżankę earl greya. A tu brązowy cukier i śmietankę. Nalać śmietanki? Jesteś bardzo zmęczony, sam wiesz; bardzo źle przyjąłeś śmierć naszych dzieci, co świadczy o tym, jak je kochałeś... Copplestone, kochanie, to są twoje ulubione muffinki, według przepisu Prudencji Burr. Sam wiesz, że jesteś bardzo głodny, kochanie. Człowiek w twoim wieku, który ma takie obowiązki jak ty, nie powinien pościć. Może posmaruję tę muffinkę...

Mimo swej stanowczości Copplestone rozkrochmalił się pod wpływem słów żony, bo może jednak naprawdę ją kochał albo ciągle jeszcze nie-

* W. Szekspir, *Otello*, przeł. J. Paszkowski, PIW, Warszawa 1958 (przyp. tłum.).
** Rodzaj wędliny, której głównymi składnikami są krew wieprzowa, płatki owsiane i podroby, spożywanej na zimno lub ciepło, podobnej do polskiej kaszanki (przyp. tłum.).

jasno pamiętał pannę Lenorę Biddle z tamtego dawnego kotylionowego balu w Filadelfii, podczas którego wszyscy zauważyli, że Copplestone Slade i panna Biddle patrzą na siebie roziskrzonymi oczami. Brutalnym gestem otarł oczy i wąsy, po czym, owładnięty napadem wilczego głodu, przyjął muffinkę od Lenory i pochłonął ją dwoma czy trzema kęsami.

– No tak. Dobre to. Psiakrew! Copplestone zaśmiał się i wziął do rąk cały talerz, który Lenora podsunęła w jego stronę. Jadł muffinki łapczywie, z kawałami masła, jadł je gwałtownie, z wyraźnym zmysłowym zadowoleniem. Lenora nalała mu jeszcze jedną filiżankę herbaty i tak jak do poprzedniej dodała brązowego cukru i śmietanki; zadyszany mężczyzna to też przyjął trzęsącymi się dłońmi. Wypił chciwie, kończąc filiżankę w niespełna minutę, a potem beknął niegrzecznie i otarł usta skrajem haftowanej serwety, którą nakryty był stolik Lenory.

– Ale to cię nie uratuje, ladacznico – powiedział po chwili przerwy, z podstępnym, okrutnym uśmiechem. – *To cię nie uratuje.*

Okazało się, że Copplestone przygotował nocą dokument, podyktowany mu – tak w każdym razie o nim myślał – przez jakąś wyższą instancję, i chciał, by jego niewierna żona podpisała ów dokument, ozdobiony monogramem Majątku Wheatsheaf i herbem Slade'ów. A potem zamierzał przekupić notariusza zatrudnianego przez rodzinną firmę, by przysiągł, że był świadkiem składania podpisu.

Lenora słuchała, siedząc sztywno i nieruchomo, a Copplestone czytał prędko, surowym głosem:

– „Ja, Lenora Biddle Slade, żona Copplestone'a Slade'a i pani Majątku Wheatsheaf, będąc zdrowa na ciele i umyśle, przyznaję się niniejszym do popełnienia tego odrażającego występku, jakim jest cudzołóstwo, pospołu z niżej wymienionymi osobami: _____, _____, i _____". – Copplestone zapowiedział, że sam wypełni te puste miejsca, kiedy już określi pełen zakres jej występków. – „Poprzez złożenie podpisu pod niniejszym dokumentem, z własnej, nieprzymuszonej woli, w obecności mego męża jako głównego świadka, zrzekam się wszelkich swoich praw jako pani jego domostwa i wyzbywam się wszelkich roszczeń jako jego prawnie poślubiona małżonka i tym samym przekazuję mu wszelkie swoje pełnomocnictwa wobec wszelkich praw i przywilejów i, pod Bogiem jako moim świadkiem, oddaję jemu i tylko jemu pod uznanie, czy odbierze mi życie czy też nie: ów akt ma zostać dokonany w czasie i miejscu do tego stosownym, ale decyzja spoczywa w rękach Copplestone'a Slade'a". Tak więc sama widzisz, Lenoro, wyższa instancja pouczyła mnie, ja tu nie mam nic więcej do powiedzenia. A ty masz się podpisać w tym miejscu, widzisz? Tak?

Copplestone próbował potem zacisnąć drżące palce żony na jej piórze wiecznym, ale tak gwałtownie się z sobą szarpali, że na dokumencie pojawił się kleks, który zdumiał Copplestone'a, bo przygotował ten dokument z wielką pieczołowitością, na arkuszu sztywnego pergaminu, i nie miał ani czasu, ani chęci sporządzać go po raz drugi.

– Podpisz się tutaj, ladacznico, i miejmy to już za sobą!

Rozumiejąc, że jej sytuacja jest beznadziejna i że ten człowiek nie jest jej mężem, tylko jakimś oszalałym stworzeniem, które koniecznie chce ją zniszczyć, Lenora przemknęła nagle obok niego i schwyciła za sznurek srebrnego dzwonka umocowanego na ścianie, by wezwać kogoś ze służby; owładnięta rozpaczą musiała liczyć na to, że służący nie będą się wzdragali przed odpowiedzialnością i przyjdą ją ratować albo chociaż przywołają na pomoc sąsiadów, ale niestety Copplestone był od niej szybszy – niezgrabnie schwycił ją za biodra, po czym rzucił na obity aksamitem szezlong. Iskra oporu, którą objawiła jego żona – a także sam dotyk jej ciała – rozpaliła go tak jakby dodatkowo; poczuł perwersyjny napływ zwierzęcego pożądania i jednoczesny, jeszcze silniejszy napływ obrzydzenia. Zaciskając palce na jej szyi, wymruczał:

– O, co to, to nie, ty ladacznico. Nie zrobisz tego. Wyższa instancja pouczyła mnie, że jesteśmy tylko pionkami w jej dłoni. Przestań walczyć, ladacznico, nie rozwścieczaj mnie więcej.

Ogarnięta szałem Lenora także już odrzuciła wszelkie zahamowania; niczym dzikie zwierzę walczące o życie jęła drapać Copplestone'a po twarzy i dłoniach, starając się go od siebie odegnać chociaż na chwilę, bo dzięki temu mogłaby zacząć krzyczeć o pomoc. Owładnięty furią szaleniec chwycił poduszkę i przycisnął ją do jej twarzy; przyciskał i przyciskał bez końca, dopóki nie stłumił jej krzyku i dopóki jej miotające się ciało stopniowo nie zmartwiało. Copplestone musiał włożyć w to tyle wysiłku, że aż oczy wyszły mu z orbit, a na czole pojawiła się wielka, wybrzuszona tętnica. Szlochając teraz, padł na ciało kobiety i jął ją okładać pięściami, szepcząc:

– Ladacznica! Nierządnica! Czy poniewczasie już wiesz, jak jest? Czy poniewczasie odczuwasz skruchę?

Kiedy Lenora ani nie odpowiedziała, ani się nie poruszyła, Copplestone rzucił poduszkę na podłogę, schwycił podbródek żony i gwałtownie potrząsnął jej głową z boku na bok. Jakie to podobne do tej zdradzieckiej dziwki, że drwiła sobie z niego teraz! A jednak jej oczy tak jakby zapadły się ohydnie w głąb czaszki. I usta obwisły jej koszmarnie. Wydawało się, że *wyciekło z niej całe życie.*

Copplestone parsknął głucho i podniósł się z wysiłkiem; patrzył na ciało żony, wycierając krwawą ślinę z ust i poprawiając rozchełstane ubranie.

– A zatem stało się. „A gdybym przestał cię kochać, świat by się zmienił w chaos".

ZAGADKA WHEATSHEAF II

Kiedy kilkoro bardziej odważnych służących odważyło się wreszcie wejść do buduaru Lenory, dygocząc z obawy przed tym, co mogą tam zastać, zobaczyli coś nieoczekiwanego: ich pani, Lenora Slade, leżała bez czucia na szezlongu, słabo jednak oddychając, a ich pan, Copplestone Slade, leżał na dywanie w różyczki, w rozchełstanym szlafroku, z twarzą wciąż zaczerwienioną i buchającą ciepłem, wykrzywioną piekielnym grymasem – wściekłości, agonii i bezbrzeżnego zdumienia. Podsumowując: Lenora Slade żyła, a Copplestone Slade rozstał się z życiem.

Zanim wezwano pomoc i przybył doktor Boudinot, a tuż po nim Augustus Slade, Lenora zaczęła odzyskiwać świadomość, aczkolwiek nieszczęsna nie miała pojęcia, co zaszło ani też, że została podstępnie napadnięta. Na twarzy, gardle i łonie miała sińce, a jej muślinowa szata była cała porozrywana i zaplamiona. Mimo że mówienie przychodziło jej z ogromnym trudem, apelowała do doktora Boudinota, by najpierw zajął się jej mężem.

– Pani Slade, obawiam się, że na to już za późno. Copplestone nie... nie oddycha.

Korpulentny trup już stygł; poczerwieniała twarz stopniowo traciła gniewną barwę, szkliste oczy lśniły bledszą zielenią. Do ust oblepionych spienioną śliną przywarły okruchy muffinek, podobnie zresztą jak do jedwabnego szlafroka. Doktor Boudinot stwierdził, że nieboszczyk musiał zjeść potężne śniadanie, zanim doznał zapaści; wbrew dowodom nie przyjmował do wiadomości, że Copplestone Slade zaatakował żonę, zanim powalił go udar.

– Zgon musiał być natychmiastowy przy tak rozległym udarze – orzekł doktor Boudinot, wyniosłym tonem tego, który przemawia do wiedzących znacznie mniej niż on na temat ludzkiego ciała. – Znam niestety symptomy! Od dawna ostrzegałem pana Slade'a, że ma nadwagę i wysokie ciśnienie krwi, ostrzegałem, że nie jest już młody, że w tym wieku może już doznać udaru. Jak sami państwo wiecie, Woodrow Wilson miał udar w wieku trzydziestu dziewięciu lat, i choć był dość łagodny, utrzymywano go w tajemnicy, żeby nie zaszkodzić mu w karierze. To tragedia, pani Slade i Augustusie, ale jeśli mogę was choć odrobinę pocieszyć, to wiedzcie, że człowiek dotknięty udarem nie czuje bólu, mimo tego, co maluje się na jego twarzy. Copplestone może sprawiać wrażenie rozzłoszczonego, a jednak przepełnił go wiekuisty pokój.

Sytuacja była haniebna, bo czerwone ślady od palców na szyi Lenory Slade świadczyły o tym, że ktoś ją zaatakował, ale obaj dżentelmeni woleli o nic nie pytać; sama Lenora chciała, by jedna z czarnoskórych posługaczek czym prędzej odprowadziła ją do sypialni, a potem pomogła przy kąpieli i ubieraniu się, tym samym przygotowując ją do zajęcia się pochówkiem męża, tak jak wcześniej musiała się zająć pochówkami swoich dzieci. Bo stało się coś, przed czym Bóg nie uchronił – *jeszcze jeden niewinny członek rodziny został jej zabrany.*

Głęboko wstrząśnięty Augustus Slade, nazywany przez swego irytującego, acz dobrodusznego młodszego brata Gustusem, omiótł spojrzeniem zniszczenia w buduarze Lenory i zauważył pośród uwijających się służących rozbity talerz od Wedgewooda na dywanie, rozbitą filiżankę, rozlaną herbatę, walające się kawałki muffinek i kostki brązowego cukru. A potem jego bystre oko prawnika natrafiło na ciekawie wyglądający dokument z rodzinnym herbem; ukradkiem wsunął go do kieszeni, by mu się później przyjrzeć na osobności. Postanowił, że jeśli ten dokument okaże się związany z sytuacją, to oczywiście w stosownym czasie przekaże go policji.

I tak oto doszło do niewytłumaczonej zamiany losów w Wheatsheaf, której nadałem tytuł „Zagadka Wheatsheaf". A to dlatego, że żaden z historyków nigdy tej sprawy zadowalająco nie naświetlił – ani Hollinger, ani Croft--Crooke, ani A.D.W. Maybrick. I ja też nie.

„JEDYNY ŻYJĄCY SPADKOBIERCA NICOŚCI"

– Jaki ty jesteś niegrzeczny! Łamiesz serce matki.

Odesłała niańkę, żeby doznać macierzyńskiej przyjemności przy kąpaniu swego dziecka i układaniu go do łóżeczka na popołudniową drzemkę, ale teraz niepokoiła się trochę, że jest takie marudne. W rzeczy samej przemawiała do niego ostrym tonem, postukując kłykciami w ceramiczną wanienkę emaliowaną na niebiesko.

Mały Terence, który cały czas mrugał i krzywił się, udawał tylko, że jest posłuszny, bo kiedy Amanda pochyliła się ponownie, żeby delikatnie namydlić go gąbką, zaczął znów energicznie wierzgać i oto na Amandę poleciały bryzgi wody, doszczętnie przemaczając jej fartuszek.

– Och, Terence. Jesteś *bardzo niegrzeczny*.

Terence Wick FitzRandolph miał ledwie kilka miesięcy – (czy na pewno?) – ale rósł bardzo prędko i ważył już prawie dwadzieścia funtów. Kontury jego miękkiego, dziecięcego ciałka zaczęły się wydłużać i robić kanciaste; miniaturowe genitalia, na które jego matka wolała nie patrzeć, a i dotykała ich jak najrzadziej, zdecydowanie stały się większe. I karnacja Terence'a przybrała ledwie widzialnie barwę nieprzynależną do rasy białej.

– Biedny Edgerstoune! Strasznie by się wstydził. Ale to przecież tylko niewinne...

Amanda nie wnikała w szczegóły własnego pochodzenia, bo nie chciała wzbudzać podejrzeń wśród swoich krewnych. A jednak wcale by się nie zdziwiła na wieść, że w poprzednim stuleciu, albo i dwa stulecia wcześniej, doszło do „zmieszania ras". – „To mogła być jakaś indiańska księżniczka. No bo przecież nikt z plebsu".

Rodzina Amandy od strony ojca, wywodząca się od wielce szanowanego Mathersa z kolonii Plymouth, była duża, rozgałęziona i z całą pewnością „heterogeniczna", podczas gdy rodzina od strony matki, Proxmire'owie, pierwotnie z kolonii Rhode Island, częściowo wyemigrowała do zachodniej granicy, po czym powróciła na Wschód i osiedliła się w Wilmingtonie w stanie Delaware.

O rodzinie Edgerstoune'a Amanda wiedziała mniej. A jednak to też by liczebny ród wywodzący się od purytanów, których nauczano, że mają *rosnąć i rozmnażać się*.

Graf przestrzegł Amandę, że macierzyństwo może nie być dla niej, że w intensywnych emocjach związanych z macierzyństwem może się kryć niebezpieczeństwo; „była jeszcze młodą kobietą, a już wdową" i „być może nie w pełni *matką*". Graf wskazał też, że dzieci z natury są bardzo samolubne – że mają tylko ograniczoną świadomość obecności dorosłych w swoim otoczeniu i nie mają dla nich ani szacunku, ani prawdziwych uczuć.

– Wszystko się sprowadza do *apetytu, który trzeba zaspokajać*.

Amanda zaprotestowała, że bardzo kocha małego Terence'a, mimo że to trudne, cierpiące na częste kolki dziecko, i wyznała, że zamierza być bardzo oddaną matką, o czym całe Princeton jeszcze się przekona.

– Trzeba adorować własne dziecko, droga pani FitzRandolph – rzekł na to graf – ale dyscyplinowanie go jest czymś bardziej wymagającym.

To była prawda. Z adorowaniem przychodziło łatwo, z dyscyplinowaniem trudno. I ostatnimi czasy Terence jakby przestał być godzien adoracji – bo jego milutkie, błękitne spojrzenie, pierwotnie przeznaczone wyłącznie dla niej, przeskakiwało teraz z przedmiotu na przedmiot, jakby przyciągał je sam ruch i nowość. I okazało się, że uśmiechy Terence'a, przy którycł robiły mu się dołeczki w policzkach przysparzające Amandzie tyle same zadowolenia co karmienie go, mógł wywołać byle kto – jakiś gość albo irlandzka niania Brigit, która gruchała do niego po iryjsku. (Amanda nie była pewna, czy jej się to podoba: to gruchanie do jej dziecka w obcym przestarzałym języku, o którym w kręgach brytyjskich mówiono, że to język symbolizujący *opór*). A jeszcze bardziej przygnębiające było dla niej to, że Terence często zaczynał hałaśliwie „gadać" w towarzystwie swoich wypchanych zwierzątek, z takim samym skupieniem jak wtedy, gdy „gadał" do swojej matki. I był niegrzeczny, nieodmiennie niegrzeczny podczas kąpieli.

Gdzie ta Brigit? Amanda miała ochotę przywołać i zrugać tę krzepką Irlandkę, której w ogóle nie obchodziło, że dziecko tak marudzi, hałasuje i budzi się za wcześnie. Ona zaś zwracała na tę uwagę, zwłaszcza w takich momentach jak teraz, kiedy uznawała to za niedocieczoną zagadkę, czy ta skrzecząca istota w szarawej wodzie z mydlinami jest rzeczywiście jej dzieckiem.

Pragnęła je kąpać, okazując przy tym czułość, pragnęła je wycierać, pudrować i ubierać w śliczne niemowlęce ubranka, pragnęła je karmić przetartymi śliwkami jego własną srebrną łyżeczką, kołysać na swym łonie, śpiewać mu, całować po całym ciele... Ale Terence jakoś nie chciał współpracować.

Jak powiedział graf, Terence był rozpieszczony; a wraz z upływem czasu będzie się robiło coraz gorzej, ostrzegł też.

Amanda pochyliła się nad wanienką pachnącą zarówno mydlaną wodą, jak i dziecięcym moczem, by zaśpiewać piosenkę nauczoną od grafa, który zaśpiewał ją najpierw po niemiecku, a potem ją dla niej przetłumaczył:

Kto przyjmie małego Terence'a?
Ja, woda głęboka rzecze
W kolebce pływał będzie swej
A ja zaczekam, aż zmorzy go sen.

Ale mały Terence odpowiedział na to diabelskim uśmieszkiem, wierzganiem tłuściutkimi nóżkami i wrzaskiem, od którego Amandzie włosy stanęły dęba, bo bała się, że usłyszy to Brigit albo któraś ze służących i zaraz tam przybiegną.

Około podwieczorku miał wpaść graf, a w każdym razie tak obiecał. A ona będzie miała migrenę, zaczerwienione oczy i w ogóle nie będzie sobą. Jej matka, która też obiecała, że wpadnie, będzie koło niej skakała, czego Amanda nie znosiła.

Nie nadaje się na matkę – czy całe Princeton mówiło tak o Amandzie FitzRandolph?

– Już ja się postaram, żeby mówili inaczej. Sprawię, że *mnie pokochają* i że będą *okazywali mi posłuch.*

Owa deklaracja padła w dniu, w którym Amanda FitzRandolph „zniknęła" z Mora House przy Mercer Street 44 – 29 maja 1906 roku.

– W domu von Gneistów – opowiadał graf Amandzie FitzRandolph podczas jednej z ich przechadzek po szerokiej, białej plaży przy Sans Souci – tradycja głosi, że klątwa jest także błogosławieństwem albo że błogosławieństwo jest również klątwą. Nie posiadam szczegółowej wiedzy na temat owej tradycji, ale wiem, że odróżnia ona von Gneistów od innych rodów.

Melancholijnym, acz rozbawionym tonem graf opowiedział swej uważnej amerykańskiej słuchaczce o dawnych waśniach między Rumunami i Węgrami, o tym, jak „świątobliwi mężowie" byli zarzynani jak zwierzęta przez chłopstwo, i o falach czarnej śmierci wypluwanych przez gniewnego Boga, który karał w ten sposób za pogwałcenie praw natury. Widząc, że pani FitzRandolph pod wpływem jego słów cała drży i zagryza dolną wargę, graf mówił dalej takim głosem, jakby się jej zwierzał:

– Istota „klątwy", zdaje się, polega na tym, że tak jak moje wielkie szczęście wiąże się z faktem, iż istnieję poza udziałem własnej woli i patrzę na świat jako uwolniony od wszelkich żądz, tak też zasadza się na tym mój smutek: że jestem von Gneistem, a więc jestem potępiony, czy też, jeśli sobie życzysz, mam ten przywilej, że mogę postrzegać świat jako coś niewiele lepszego od ekranu, na którym ukazują się zwyczajne obrazy, impresje i możliwości, a któremu brakuje stałej materii i w związku z tym brakuje tych „haczyków i kolców", które chwytają w pułapkę duszę człowieka.

Mówi się, że szlachetna miłość kobiety potrafi uratować przeklętego von Gneista, a jednak dla mnie to takie bolesne, bo miewam żądze, ale *pożądam* rzadko i oczywiście *kocham* jeszcze rzadziej.

Głęboko poruszona Amanda spuściła wzrok, zadowolona, że woalka z cienkiego szyfonu po części skrywa jej twarz, chroniąc ją przed silnymi promieniami bermudzkiego słońca. Wymruczała, że oczywiście to rozumie, choć tak po prawdzie to wcale nie rozumiała.

– Ponadto – ciągnął graf – tak się oto stało, że jestem wiecznym wygnańcem, samotnikiem, który przewędrował wszystkie kontynenty. Jestem zmuszony korzystać z dobroczynności mych amerykańskich przyjaciół, z nadzieją, że kiedyś im się odpłacę, bo von Gneistowie oczywiście nie mają ani grosza i są bliscy wymarcia. Muszę tak wędrować, dopóki klątwa nie zostanie zmazana albo dopóki nie umrę, co pewnie wychodzi na jedno i to samo... Cóż, pani FitzRandolph, nie powinienem obciążać pani młodzieńczego serca takimi melancholijnymi wyznaniami.

– I nigdy pan nie był zakochany, grafie? Czy to właśnie chce mi pan powiedzieć? – Podmuchy morskiego wiatru targały włosami Amandy ukrytymi pod kapeluszem z szerokim rondem i pobudzały jej ducha do mówienia tak śmiało, zwłaszcza że Edgerstoune grał właśnie w golfa z przyjaciółmi w innej części wyspy i nie było go w pobliżu.

– Podobno von Gneist jest wtedy uwolniony od swego „błogosławieństwa", gdy jakaś inna ludzka istota pokocha go całego, bez żadnych zastrzeżeń, bardziej niż świat i niebo – rzekł graf, marszcząc czoło – innymi słowy, nie tylko bardziej od wszystkich żywych istnień, ale także *bardziej od Boga*. I z gotowością, by w razie potrzeby ich poświęcić. Jedna godzina takiej wielkodusznej miłości, jedna minuta, i klątwa zostanie zdjęta z mojej skroni i przywróci mi mą duszę, dzięki czemu i ja będę mógł pokochać w zamian i czuć takie emocje, jak litość, potrzeba, tęsknota, zainteresowanie, które normalnie odczuwają ludzie. Muszę ci wyznać, droga Amando – powiedział graf łamiącym się głosem – że przyciągnęło mnie tutaj to, co obiecuje Ameryka, bo wy tutaj jesteście wszyscy młodzi, macie taką krótką historię i jest to historia prymitywna, pozbawiona kultury. Amerykanie są gotowi pożytkować swoją bezcenną energię z witalnością młodego wieku, jakby taka energia była niespożyta. Stary Świat czuje zawiść wobec takiej niewinności i pożąda jej zarazem; liczy, że można podrabiać trwałe więzy krwi... Zanim pożeglowałem do Liverpoolu, odważyłem się pomyśleć: „Nawet von Gneist może tam szukać zbawienia".

Amanda była już tak przepełniona emocjami, że aż odebrało jej mowę
stała jak wryta, dopóki graf nie ujął jej pod ramię i nie podjęli spaceru
po plaży, zawracając już, a gdy wrócili do Sans Souci, zastali na werandzie
Marka Twaina jak zwykle w nieskazitelnych bielach, otoczonego świtą wielbicieli; na widok romantycznej pary Twain uniósł swoje cygaro, sygnalizując – zrozumienie? aprobatę? bratnie wsparcie?
– *Bienvenue, mes amis! C'est la vie ici – oui?*

Czterdzieści godzin później Edgerstoune FitzRandolph leżał martwy
na białej plaży przy Sans Souci – niebaczna ofiara śmiertelnego oparzenia
w obnażoną piętę prawej stopy.

Tajny dziennik Amandy FitzRandolph, który nazywam Zeszytem w Lilie
Burbońskie, nie tylko nie został opatrzony datami, ale kartki w nim są
poukładane na chybił trafił, dlatego jest – jak już wcześniej nadmieniałem –
straszliwie niewiarygodnym źródłem: historyk może jedynie snuć domysły
co do czasu trwania „romansu" między panią FitzRandolph a grafem Englishem von Gneistem; nie mógł w każdym razie trwać długo, ponieważ
kochankowie zeszli się prawdopodobnie na Bermudach, z dala od rygorów
Princetonu, a zakończył się, czy też osiągnął szczyt w dniu, w którym toczy
się niniejsza narracja, czyli 29 maja 1906 roku.

Wpisy w tym dzienniku są tak halucynacyjne, niepowiązane, drastyczne
niewiarygodne, że autor niniejszej opowieści wolał raczej do nich nie zaglądać, i choć rywalizujący ze mną historycy zapewne zaprotestują i uznają
moje procedury za nieprofesjonalne, wyznam, że *już oddałem ów niesym-
patyczny dokument na pastwę płomieni.*

Wymogi historycznej dokładności muszą podlegać wymogom zwyczajnej przyzwoitości.

W każdym razie graf von Gneist i pani FitzRandolph zostali „parą" mniej
więcej pod koniec kwietnia; z dziennika Amandy wynika, że owo połączenie nastąpiło nie *za dnia,* tylko *nocą,* kiedy leżała w swym łóżku, pogrążona we śnie i całkiem bezradna. (Niektóre fragmenty dziennika zdają
się sugerować, iż graf nawiedzał ją jeszcze przed Bermudami, i to w takich
sytuacjach, gdy Amanda leżała obok swego śpiącego męża, niepomnego
absolutnie na nic, co stawia sprawę w tym bardziej przykrym świetle).
Amanda budziła się w ciemnej sypialni z niepokojących snów i witała ją
widmowa czy też niematerialna męska postać; bywało, że widziała, jak ta
postać przenika przez ściany, jakby składały się one z samej mgły. Całkiem
pozbawiony rycerskości, którą tak u niego podziwiano za dnia, graf chwytał
Amandę za ramiona, unosił i łapczywie przyciskał usta do jej ust, lekcewa-
żąc wysiłki przestraszonej ofiary, by przed nim uciec – całował ją tak długo,
jak chciał, aż wreszcie Amanda traciła dech i osuwała się w omdlenie.

I jakież zdumiewające było przebudzenie, kilka godzin później, w poto kach słonecznego światła, gdy odkrywała, że serce jej sennie kołacze poc żebrami i że jej koronkowa koszula nocna jest cała zmięta i wilgotna.

Po powrocie do Princetonu jako świeżo upieczona wdowa Amanda był; tak zdezorientowana, tak niepewna, czy graf rzeczywiście stawał obok niej czy też tylko jej się śnił, że całymi godzinami nie wstawała z łóżka. Miał zbyt słaby apetyt, by spożywać śniadanie, które jej przynoszono na tacy i czuła się winna, bo wszyscy – służba, przyjaciele, krewni i znajomi z Wes Endu – wierzyli, że ona opłakuje tak Edgerstoune'a.

– Biedna ta nasza pani – (podsłuchała przypadkiem Amanda, jak jedn; ze służących mówiła do drugiej) – wydaje się, że jej dusza umknęła z ciała by być razem *z nim.*

Za dnia, kiedy zazwyczaj towarzyszyły im inne osoby, graf nigdy nie nawiązywał do swego nocnego zachowania. Nikt też by się nie domyślił widząc, jak rozmawia z panią FitzRandolph, że między nimi coś jest, co; potajemnego, a jeszcze mniej, że coś występnego. Bo graf był dżentelme nem o nienagannych manierach, wypielęgnowanym i ubranym bez skazy a Amanda FitzRandolph należała do najbardziej uroczych dam West Endu

A jednak zauważono, że tych dwoje – (nikt nigdy nie nazwałby ich pa rą) – zawsze grywa w parze w brydża i któregoś wieczoru w Drumthwacker Amanda zdumiała zgromadzonych, bo pozwoliła grafowi akompaniowac sobie na fortepianie i słodkim wdowim sopranem zaśpiewała pieśń, które nikt nigdy wcześniej nie słyszał:

Es flüstern und sprechen die Blumen
Und shau'n mitleidig mich an:
„Sei unserer Schwester nicht böse,
Du trauriger, blasser Mann!"

Należy odnotować, że Amanda od dawna była jedną z najbardziej po dziwianych śpiewaczek-amatorek w Princetonie. Przed jej ślubem z Edger stoune'em, w wieku dwudziestu jeden lat – (Edgerstoune miał trzydzieści cztery) – często proszono, by śpiewała swym uroczym, nawet jeśli ma ło pewnym sopranem podczas ślubów, pogrzebów i innych obrządków. Wprawdzie gardła nie miała silnego i przy bardziej wymagających utworach głos ją niekiedy zawodził, niemniej nauczyciele śpiewu ją zachęcali, a poza tym w jej śpiewaniu było sporo ekspresji i występując, wyglądała nad wyraz ponętnie z tymi szeroko rozstawionymi, szarymi oczyma, lekko zadartym nosem, wydatnymi ustami jak pączek róży oraz włosami barwy miodu upię tymi w stylowy kok na modłę Dziewczyny Gibsona.

Na całe szczęście nikt w Princetonie nie wiedział, jak często graf „dobierał się" po nocach do Amandy, z coraz to większym bestialstwem zresztą, nie itując się nad nią i okrutnym śmiechem reagując na jej kwilenie ze smutku bólu – prezentując całkowite przeciwieństwo grafa takiego, jaki był za dnia. „Czy on nie pamięta? Czy to jakaś gra? Tylko jaka jest moja rola i jak mam się zachowywać?" – takie pytania zadawała sobie zdumiona i zawstydzona Amanda, choć pamiętała, że w ostatnim śnie jej ręka oplotła kark grafa jakby z własnej woli.

Którejś nocy, pod koniec wiosny, kiedy powietrze wypełniło się duszącym zapachem dzikiej róży, graf przyszedł po Amandę – „Moja Mandy!" – i wyprowadził ją z sypialni na ciemne ulice West Endu, a potem do dzielnicy Princetonu, której już tak dobrze nie znała; były tam ścieżki i boczne uliczki, a także małe domy przylegające do siebie bokami niczym posłuszni niczego niepodejrzewający uczniowie. Jego palce zwarły się na jej smukłym nadgarstku, przez co nie wyrwałaby mu się, gdyby chciała. Tak to wyglądało, jakby ścigali – sadzili susy, jakby byli nieważcy – swoją ofiarę, którą wcześniej wypatrzył graf: młodziana mniej więcej czternastoletniego, o bardzo ciemnej karnacji przypominającej mahoń; jego błyskający bielą uśmiech wyrażał zaskoczenie, a może to był grymas, i oczy miał wytrzeszczone jak spanikowany kucyk. Było to na dolnym odcinku Witherspoon Street, kilka przecznic za cmentarzem; noc raz po raz rozświetlał księżyc ustępujący miejsca cieniom, a oni jak wielkie koty pomykali śladem chłopca, zupełnie bezszelestnie, aż wreszcie dopadli go i jęli bić dłońmi, pięściami, drapać paznokciami, gdy tymczasem on krzyczał z panicznego strachu. Graf cisnął ciałem chłopca w stronę Mandy, która popchnęła je z powrotem na grafa wyjątkowo zręcznymi ruchami rąk, a potem graf, ze stłumionym okrzykiem, rzucił się na swą ofiarę, zatapiając zęby w mahoniowej krtani, po czym wyciągnął rękę, schwycił dzikie włosy swej kochanki rozwiane na wietrze i przyciągnął ją do siebie, żeby i ona mogła objąć sparaliżowanego młodzieńca i doznać paroksyzmu zaspokojenia żądzy.

– Raczej nie zostawimy chłopaka, by mogli znaleźć go inni, bo wtedy w naszej społeczności wywiąże się jeszcze większa histeria. Ukryjemy go, ale na widoku – rzekł ze śmiechem graf i tak oto oboje zawlekli szczupłe ciało do przepustu, a stamtąd do kanału ściekowego; wepchnęli je do tego kanału, po czym zamaskowali otwór spadłymi liśćmi i gałęziami.

Mandy zdumiewało to, że w takie noce graf nie był dla niej odstręczający, tylko wręcz przeciwnie, że jej usta tak instynktownie i łapczywie wsysały się w niego, z błogością dziecka przy piersi, i że połykanie gorącej krwi, od czego za dnia zapewne by wymiotowała, tak ją zadowalało w nocy.

– To oczywiście tylko sen. Nic tylko sen – uspokajała się Mandy. – Jeszcze chwilka i obudzę się we własnym łóżku.

*   *   *

Rankiem 29 maja w pokoju dziecięcym w Mora House pojawiła się Irlandka Brigit, wcześniej niż się jej spodziewano, i nakryła swoją panią – (czy to możliwe?) – jak mocowała się ze swym maleńkim synkiem włożonym do wanny, próbując przytrzymać mu głowę pod wodą.

– Proszę pani! Nie!

Brigit pospieszyła na pomoc dziecku i w związku z nagłością sytuacji ośmieliła się pociągnąć panią FitzRandolph za ręce, z takim skutkiem, że miotające się niemowlę wyłoniło się z wody z ogłuszającym krzykiem. Amanda obróciła się gwałtownie w stronę niańki, mówiąc, że Terence był niegrzeczny i ona go dyscyplinowała, bo nie czyniła tego w przeszłości, dlatego rezultaty są teraz takie opłakane.

– Pani FitzRandolph, pani przecież tak nie myśli – rzekła przestraszona dziewczyna. – Pani przecież nie chce zrobić krzywdy dziecku. Ja panią proszę...

– Och, posłuchaj tych jego wrzasków! Nie mogę tego ścierpieć.

Przerażona Mandy przycisnęła dłonie do uszu. Cały przód sukni i fartuszek miała mokre; włosy, jeszcze nieupięte w modny kok, zwisały wzdłuż twarzy, mokre i bez życia.

– Terence jest *rozpaskudzony*, Brigit. *Samolubny*. Nie kocha nikogo z nas, ani swojej matki, ani *ciebie*. Rozpieszczałyśmy go bezmyślnie, a teraz jest już niemal za późno.

Brigit próbowała wyciągnąć wierzgające dziecko z wanienki, a Mandy usiłowała wcisnąć je tam z powrotem, krzycząc, że Terence jest niedobry, niedobry – „opętany przez demona!"

Brigit wreszcie odebrała jej dziecko, mimo że rozełkana Mandy biła ją pięściami. Obie, biodrzasta, krzepka, dziewiętnastoletnia dziewczyna i delikatna kobieta o rozgorączkowanych oczach, wdały się w zdumiewającą bójkę, w którą nie uwierzyliby żadni przyjaciele i sąsiedzi FitzRandolphów. Wanienka została przewrócona, wszędzie była woda, Mandy cała mokra i jej włosy przeobraziły się w brzydkie strąki.

– Odsuń się, *Amando*.

Na progu pokoju dziecięcego stał graf English von Gneist, z wyrazem konsternacji na twarzy. Ubrany jak do podróży, w płaszcz z lekkiej czarnej wełenki podbity jasnym jedwabiem i lśniący, czarny cylinder, dzierżąc laskę z gałką z kości słoniowej, wydawał się wyjątkowo nie na miejscu w tej części domu. Miał zmarszczone czoło, ale sprawiał wrażenie wzburzonego i zarazem czułego starszego członka czy też „przyjaciela rodziny", który przyjął na siebie obowiązek przywołania kogoś młodszego do porządku.

– Takie rzeczy są poniżej twojej godności, królowo – rzekł graf do Mandy wyciągając rękę – zostaw więc to dziecko i przyjdź tu do mnie. Bo już czas

I tak Amanda podbiegła z płaczem do kochanka, nie wahając się an chwili, a on rozłożył szeroko ramiona, by móc ją opiekuńczo opatulić swym płaszczem. Na oczach Brigit, która przyciskała Terence'a do piersi, graf złożył cnotliwy pocałunek na czole Amandy, po czym wziął ją na ręce, jakby była jego oblubienicą, obrócił się na pięcie i wyniósł ją triumfalnie z pokoju.

– Proszę pani! Och, proszę pani! – zawołała za nią trwożnie Brigit. – Pani nie wie, co robi! Pani wcale tego nie chce! Nikt jednak nie słuchał słów młodej Irlandki. Mały Terence nie przestawał zanosić się rozdzierającym płaczem, wyrywając się z mocnych rąk swej niani, a tymczasem pani FitzRandolph, w objęciach grafa, w jednej chwili zniknęła z zasięgu wzroku.

I już nigdy więcej nie widziano żadnego z nich w Princetonie.

KUSZENIE WOODROWA WILSONA

Rankiem 30 maja po całym Princetonie rozeszły się szokujące wieści: rektor uniwersytetu, powszechnie szanowany Woodrow Wilson, doznał rozległego wylewu i został zabrany do szpitala; *istnieje domniemanie, że tego nie przeżyje.*

Ze wszystkich stron natychmiast rozległy się posępne pomruki, nawet z ust krytyków doktora Wilsona, że to zbyt straszne, by mogło być prawdziwe! Wszak to oczywiste, że Woodrow Wilson jest człowiekiem wybitnym, kimś, komu los już od młodych lat tak jakby przypisał specjalne znaczenie.

Razem z wieściami o udarze doktora Wilsona rozeszły się wieści o jego prawdopodobnej przyczynie: dokładnie wtedy, gdy już się wydawało, że rektor uniwersytetu wyjdzie zwycięsko ze swej długiej walki z dziekanem Andrew Westem, okrutnym zrządzeniem losu zamiast niego zatriumfował dziekan West.

(Jakim sposobem ten sprytny dziekan dokonał zamachu? Czyżby posiłkował się swą nikczemnością i przebiegłością? A takim to, że wpłynął na leciwego Isaaca Wymana i ten zgodził się nie tylko zapisać uniwersytetowi dwa i pół miliona dolarów, ale też zaznaczył w swym testamencie, że tymi pieniędzmi ma zarządzać sam dziekan Andrew West).

Po zapoznaniu się z tymi porażającymi wieściami, które przekazano mu w formie listu napisanego przez dziekana do spraw wykładowców – a dostarczonego przez Matyldę – (miała spopielałą twarz, bo znała treść listu i wiedziała, co ona będzie oznaczać dla jej ukochanego doktora Wilsona) – Woodrow Wilson wiedział już, po południu 29 maja 1906 roku, że wszystko stracone. Zdruzgotany, z rozdziawionymi ustami siedział bezczynnie za biurkiem, pod portretem zmarszczonego Aarona Burra Seniora, a potem tylko mruknął do Matyldy, że wychodzi z Nassau Hall, po czym oszołomiony przeszedł przez kampus, nie zwracając uwagi na otoczenie. W końcu dotarł do Prospect, gdzie szukał pocieszenia u zdumionej żony, a nawet przez krótką chwilę szlochał w jej ramionach.

– Mój wróg wreszcie zatriumfował – powiedział do Ellen, która usiłowała dodać mu otuchy – i na ile znam tego człowieka, będzie się starał wyrwać mi serce. Moja kadencja rektora dobiegła końca. Muszę ustąpić ze stanowiska. Bóg tylko wie, co mnie będzie czekało, gdy cały świat się dowie o tej porażce! Nie mogę się zwrócić do rady powierniczej, by odrzucili ten datek, tak jak to zrobili z wcześniejszym, bo *to jest dwa i pół miliona dolarów!* I są przeznaczone dla mojego wroga. Jak do tego doszło? Jak ten łajdak tego dokonał? Myślałem... och Ellen!... w swojej próżności naprawdę myślałem... *że Bóg mi sprzyja, że przeprowadzi mnie przez tę walkę. Że Bóg jest po mojej stronie.*

Ellen była tak zrozpaczona, tak całkowicie pochłonięta cierpieniem męa, że z jej ust wyrwało się szeptem:
– Och, drogi mężu: *oni cię zabili!*

Wczesnym rankiem następnego dnia pani Wilson znalazła męża, który po bezsennej nocy padł na podłogę w swoim gabinecie, czy też kryjówce, dokąd – jak później donoszono – rozczarowany udał się, by napisać list z rezygnacją do rady powierniczej; leżał bez czucia, nieruchomy, zesztywniały jak trup, z lewym okiem nabiegłym krwią i twarzą zastygniętą w gniewnym grymasie.

Wszyscy historycy się zgadzają, że główną przyczyną udaru, którego Woodow Wilson doznał 30 maja 1906 roku, był triumf jego nemezis, czyli dziekana Westa, aczkolwiek przyczyny owego triumfu nigdy dokładnie nie nawietlono; nie jest też tak, że sam dziekan wiedział o tym, że nieświadomie tał się zwyczajnym pionkiem w ataku Klątwy na princetońską społeczność. Innymi słowy, triumf Westa był tylko *triumfem Klątwy, która posłużyła się* śmiertelnikiem.

(Nie jestem z tych, którzy wierzą, że Andrew West parał się okultyzmem. Nigdy nie natrafiłem na żadne przekonujące dowody wspierające tę plotkę, którą jak sami się przekonaliśmy, roznosił między innymi sam doktor Wilson).

W związku z tym, że ocalało pięć kontrowersyjnych listów do pani Peck, których autentyczność potwierdziło kilku cenionych naukowców, namiętność Woodrowa Wilsona do tej zagadkowej kobiety nie jest już tajemnicą, niemniej jednak w 1906 roku wiedziało o niej tylko kilku wykładowców oraz jeszcze jedna osoba, a mianowicie najmłodsza córka Wilsona, Eleanor wana Nellie. (Wydaje się, że Nellie znalazła przypadkiem kilka zmiętych brudnopisów inkryminujących listów; zorientowała się, jaka jest ich natura, natychmiast je zniszczyła, by pani Wilson nie dowiedziała się o romansie.

Wstrząśnięta do głębi zdradą ojca, którego przecież czciła, nikomu nie powiedziała wszakże ani słowa). A jednak zło się dokonało, bo listy zostały wysłane, a potem pani Cybella Peck, ta awanturnica, kompletnie obojętna wobec ich zawartości, a także ich wpływu na reputację Wilsona, pozostawiła je beztrosko w swoim pokoju w Peacock Inn, gdzie znalazł je później i schował sprytny właściciel oberży. Te bezcenne dokumenty nie tylko są czymś nadzwyczaj rzadkim pod tym względem, że rzucają wiele mówiące – niektórzy powiedzieliby demaskujące – światło na człowieka, który miał zostać dwudziestym ósmym prezydentem Stanów Zjednoczonych, ale również dlatego, że zawierają ustępy nieobyczajnej natury i są trzymane pod kluczem w Zbiorach Specjalnych Woodrowa Wilsona, dlatego mają do nich dostęp jedynie osoby o wysoce naukowych kwalifikacjach.

Jak więc się zdaje, pani Wilson została miłosiernie oszczędzona wszelka wiedza o zauroczeniu jej męża inną kobietą, a poza tym istnieją dowody na to, że doktor Wilson po wyzdrowieniu z udaru pamiętał o „pani Cybell Peck", ale bardzo mgliście, tak jak się pamięta tylko strzępki i pełne niedomówień obrazy z uwodzicielskich halucynacji snu w malignie... wciąż czarujących i uwodzicielskich, ale nieodmiennie pozostających poza zasięgiem przebudzonego.

Nowe dowody historyczne sugerują, że to Samuel Clemens pod wpływem kaprysu połączył z sobą na Bermudach Wilsona – tego „prezbiteriańskiego klechę" – z piękną panią Peck: ów ceniony na świecie amerykański literat słynął z ekscentrycznego poczucia humoru i często kierował się w swych czynach sprośnością i okrucieństwem, starając się uciec, by użyć tu jego określenia, z Bagiennego Królestwa Nudy.

I tak oto pan Clemens postanowił zasugerować pani Peck, że byłoby zabawnie i na dodatek miałoby to znamiona eksperymentu naukowego gdyby zaprosiła do Sans Souci rektora uniwersytetu i purytanina w jednej osobie i sprawdziła, czy Wilson ulegnie jej sztuczkom, tak jak wielu przed nim, czy to żonatych czy też nie.

– Wcale nie jest to bardziej złośliwe ani też mniej naturalne – mruknął do siebie pan Clemens, zaciągając się cuchnącym hawańskim cygarem – niż akt przedstawienia samca z gatunku pająków zwanych czarną wdową samicy tegoż gatunku. Bo czymże to jest, jak nie przyspieszeniem procesów natury i tym samym skróceniem narracji?

Oczywiście to nie tajemnica, że Sam Clemens był po uszy zakochany w Cybelli Peck. Uległ czarowi tej kobiety kilka lat wcześniej, podczas wakacji na Bermudach, na które udał się z powodów zdrowotnych i chętnie mówił o sobie, że jest „sympatyczną łupiną po jakimś zwierzęciu, który domaga się od świata niewiele i otrzymuje zawsze kapkę za wiele". Jego za uroczenie panią Peck utrzymywało się jak nieustępująca choroba, a jednak wierzył, że jeśli idzie o płeć żeńską, cechuje go godny pozazdroszczenia brak wrażliwości – „znany także pod nazwą impotencji". Zgodnie z osobliwą frazeologią Clemensa wydaje się, że jego namiętność do hawańskich cygar i whisky Old Gran-Dad, stosowanych do zneutralizowania tumultu w sercu, niebawem wzięła górę nad tymże tumultem, sprawiając, iż owe używki stały się większym przedmiotem jego pożądania, niż kiedykolwiek był nim żar uczuć. Pan Clemens ogłosił, że „wiek pozbawił go rogów, a jednak zachował jeszcze swawolne zaciekawienie pisarza-voyeura meandrami sentymentalnych uwiązań innych durniów".

Niżej podpisany historyk z żalem donosi, że w listach wysyłanych z Bermudów do żony Woodrow Wilson znacznie zafałszował swoje relacje z Cybellą Peck! Bo na przykład w liście z 19 kwietnia ledwie ją wspomina, mówiąc tylko, że gościła go na lunchu w Sans Souci; nie jest zupełnie jasne, jak ani dlaczego Woodrow Wilson został na ten lunch zaproszony. W swoim kolejnym liście doktor Wilson pogardliwie nazywa panią Peck *pięknością Botticellego*, ale ani razu nie wspomina, jaki był nią oczarowany ani też jak bardzo nie mógł się przez nią skupić na pracy, którą miał wykonać na Bermudach. W rzeczy samej po tym, jak został doprowadzony przed oblicze tej młodej damy przez tubylczego lokaja odzianego w biel, doktor Wilson wręcz oniemiał z zachwytu niczym młodzieniaszek, bo nigdy przedtem nie miał przed sobą kobiety równie pięknej.

Myśl, która go zaraz potem naszła, była podyktowana mężowskim zawstydzeniem czy też zawstydzeniem z powodu własnej żonki, o ileż mniej atrakcyjnej od olśniewającej Cybelli – *Biedna Ellen! Litościwie nie ma jej tutaj.*

O pani na Sans Souci wiedziano tyle, że jest żoną jakiegoś bogacza albo może dziedziczką jakiejś bardzo bogatej rodziny oraz to, że jest w „nieokreślonym" wieku – raczej nie była młoda, a jednak miała twarz piękną jak u posągu greckiej bogini, nieskazitelną, wyniosłą i przypominającą raczej maskę. Jej oczy miały osobliwą złotawobrązową barwę i okalały je gęste rzęsy, karnacja była mlecznobiała, a uśmiech, skromny i zarazem zmysłowy, ujawniał idealnie kształtne, bieluteńkie zęby, na których widok doktor Wilson się zawstydził, bo jego własne zęby były już bardzo zepsute i przebarwione, ale ponieważ szalenie się bał „ingerencji w dziąsła", miesiącami unikał princetońskiego dentysty, odwołując wizyty, na które umawiała go pani Wilson. Z kolei włosy Cybelli Peck miały niespotykany odcień srebrnoblond, przez co nadawały jej twarzy dziwnie lunarnego, a nie ziemskiego charakteru; te włosy w dniu ich pierwszego spotkania były ułożone w skomplikowaną koronę i pętle z warkoczy, w które Cybella dodatkowo wplotła kamelie, przez co cała ta koafiura przywodziła na myśl wcześniejszą, bardziej romantyczną epokę. Była ubrana w suknię od Wortha z jedwabiu koloru starego złota obrzeżonego jedwabiem barwy kości słoniowej, skrojoną na modłę prostych, greckich szat, co tylko podkreślało elegancję i cenę tego ubioru.

Doktor Wilson ponownie się zawstydził swoją biedną, kochaną Ellen i jej pulchnymi kształtami, na których nawet najbardziej atrakcyjne odzienie leżało nieciekawie.

Kiedy pan Clemens ich sobie przedstawił, pani Peck uśmiechnęła się olśniewająco i wyciągnąwszy dłoń do pocałunku, wykrzyknęła cicho:

– Kogo ja widzę! Woodrow Wilson! Od dawna liczyłam, że poznam cenionego autora *Rządu kongresowego*, i oto spotkał mnie ów zaszczyt.

Było to coś niesłychanego. Woodrow Wilson nie wierzył własnym uszom. Ludzie często wyrażali podziw dla *Historii narodu amerykańskiego* i dla *George'a Washingtona* jego autorstwa, ale że też ta kobieta nie tylko przeczytała, lecz wręcz podziwiała *Rząd kongresowy*, rzecz o wiele trudniejszą w lekturze, było zaiste niezwykłe. Skonsternowany i czerwieniący się jak uczniak, z pewnością niezdolny do ucałowania wyciągniętej ręki tej kobiety, doktor Wilson wyjąkał coś w odpowiedzi i jeszcze bardziej pokraśniał, wdzięczny Samowi Clemensowi, że jest tam obecny. Jakim uprzejmym człowiekiem był Sam Clemens i jakże współczuł Woodrowowi Wilsonowi, gdy zauważył ten błysk paniki w oczach, jak u kogoś, kto topi się w zdradzieckich morskich falach.

Woodrow Wilson miał po mistrzowsku opanowany – (albo tak mu się wydawało) – pełen zestaw sztuczek ułatwiających publiczne wypowiadanie się, pod warunkiem że widownia była chłonna i mało krytyczna, ale zdawał sobie sprawę, że sztuka wyrafinowanej towarzyskiej konwersacji jest dla niego raczej niedosiężna. A jednak pani Peck zachwycała się wszystkim, co miał do powiedzenia, i indagowała go licznymi inteligentnymi pytaniami o Princeton, o Stany Zjednoczone i o przyszłość świata w dwudziestym stuleciu, na które to tematy był w stanie wypowiadać się płynnie.

Pod tym względem ta pierwsza wizyta okazała się znacznym sukcesem i kiedy już gotował się do odejścia, pani Peck odciągnęła go na bok, mówiąc, że chciałaby wkrótce znowu go zobaczyć, bo od dawna nie napotkała dżentelmena o takiej sile charakteru jak u doktora Wilsona – „u którego wigor umysłowy łączy się doskonale z męskością formy".

(Trzeba odnotować, że od tamtego dnia aż do poranka, kiedy doznał niemal śmiertelnego wylewu, Woodrow Wilson nosił w kieszonce na piersi, w absolutnej tajemnicy, samotny płatek kamelii, który wypadł z włosów pani Peck).

Temat relacji Woodrowa Wilsona z kobietami jest tak złożony, niejasny i „kontrowersyjny", że wolałbym go na razie nie wprowadzać, wierzę jednak że przez wzgląd na historyczną akuratność trzeba tu odnotować, że żaden

inny dżentelmen w całej tej kronice, wyjąwszy może bredzącego szaleńca
Horacego Burra, nie był zdolny do takich wybuchów histerii namiętności
jak Thomas Woodrow Wilson – ten sam, którego świat i historia znają jako
kostycznego, nieugiętego purytanina i „kaznodzieję"!

Wydaje się bowiem, że Woodrow Wilson zakochał się w Cybelli Peck
podczas ich pierwszego spotkania – od przysłowiowego „pierwszego wej-
rzenia". Mimo że zasadniczo każdego dnia pobytu na Bermudach pisywał
listy do swej wiernej żony nieodmiennie zaczynające się od słów *Skarbie
mój najdroższy...*, to jednak jego serce zostało zniewolone przez panią na
Sans Souci i potrafił myśleć właściwie tylko o niej, wbrew temu, o czym
świadczyły listy. W rzeczy samej doktor Wilson tak dalece uległ owemu
uczuciu, że już pierwszej nocy poszedł spać bardzo późno, ponieważ pisał
list do swej *umiłowanej Cybelli*, aczkolwiek istnieje domniemanie, że tego
pierwszego listu nigdy nie wysłał.

Wśród zachowanych listów Wilson posuwa się najdalej w drugim
z kolei, może powodowany próżnością, a może naiwnością, bo wyznaje
obiektowi swej namiętności, że „głębokie perturbacje, głębokie zaburzenia
ducha" są dla niego czymś naturalnym; opowiada o nawróceniu, którego
doświadczył w wieku lat szesnastu – do których to zwierzeń natchnęło go
„cudowne" spotkanie z Cybellą Peck. Napisał: „Owo głębokie poruszenie
duszy wywołane zostało przykładem pobożnego i urodziwego młodzieńca
o nazwisku Francis Brooke, studenta Seminarium Teologicznego w Colum-
bus w Karolinie Południowej, gdzie nauczał mój ojciec. Ach, jakżeż biło od
niego wewnętrznym przeświadczeniem! Wiedziałem natychmiast, Cybello,
że w mym sercu rozpoczęła pracę prawdziwa łaska... Bezpośrednimi kon-
sekwencjami nawrócenia było oczywiście to, że zostałem przyjęty na łono
Kościoła jako jego dorosły członek, za to skutki o szerszym zakresie okazały
się takie, że nareszcie pojąłem naturę miłości Jezusa Chrystusa do rodzaju
ludzkiego, a ponadto była jeszcze ta szczególna nadzieja, jaką pokładał
we mnie Bóg, iż *ja, Thomas Woodrow Wilson, wypełnię pewną szczególną
misję, nigdy nie ulegając swym wrogom, bo Bóg będzie mnie przy tej misji
chronił, dopóki jej nie ukończę.*

Następnie Woodrow Wilson na kilku kolejnych stronach rozpisuje się
o swym „radosnym uniesieniu" wynikłym z poznania Cybelli Peck, a także o swej „głębokiej, nieustępującej wdzięczności" za przyjaźń z młodym
Brookiem, tym „magnetycznym chrześcijaninem", który odmienił jego życie, po czym najwyraźniej zrozumiawszy, że powinien już zakończyć te
wylewne wyznania, znowu powraca do swego ogromnego zadowolenia,
że stał się znajomym pani Peck, i kończy wyrazami nadziei, że spotkają się
znowu w najbliższej przyszłości.

* * *

Wiele słów krytyki wytaczano przeciwko Woodrowowi Wilsonowi z powodu jego odczuć wobec kobiet, szczególnie w burzliwych latach siedemdziesiątych naszego wieku, kiedy to wreszcie podniesiono kwestię „praw kobiet", i to w dość bojowniczy i wrogi sposób, ani trochę korzystny dla kogoś z pokolenia i klasy społecznej, z których wywodził się Wilson. (Patrz Hellings, Skirmish, Kozdoi i O'Stryker, którym można przypisać autorstwo najbardziej *radykalnie feministycznego* podejścia do tematu). Na podstawie adoracyjnego tonu jego listów do Cybelli Peck z pewnością nie da się wydedukować, jaki doktor Wilson miał stosunek do kobiet w ogóle, ale wydaje się, że wierzył, podobnie jak większość mężczyzn jego epoki, że „świętą rolą" kobiety jest inspirowanie mężczyzny, tak jak „świętą rolą" mężczyzny jest służenie państwu – z oddaniem, wiarą i lojalnością. Woodrow Wilson, który często wypowiadał taką opinię, był przekonany, że nie głosi jej wyłącznie w swoim imieniu, ale także w imieniu Ameryki i dla dobra Ameryki, i w rzeczy samej nie wątpił, że Ameryka przemawia za jego pośrednictwem, nadając mu głos niemal zbliżony do głosu Wszechmogącego.

Jednocześnie Wilson raczej nie chciał robić z siebie durnia, twierdząc, że kobiety są równe mężczyznom, a nawet i lepsze od nich. W istocie nie sądził, by można je traktować poważnie jako „obywateli republiki".

Pewnego razu przemówił ostro do Wilhelminy Burr, która argumentowała na rzecz prawa wyborczego dla kobiet; zachwycił swoją widownię (którą współtworzyły kobiety) i wzniecił powszechną wesołość, stwierdzając, że o ile jest stanowczo przeciwny przekazaniu kobietom prawa do głosu, o tyle stanowczo się sprzeciwia argumentowaniu przeciwko temu – „Z takiego powodu, że nie wspierają tego żadne logiczne przesłanki".

„Ale w takim razie dlaczego sprzeciwia się pan, doktorze Wilson, prawu wyborczemu kobiet?" – spytała Wilhelmina, z rumieńcem wypełzającym na jej urodziwą twarz, a wtedy Wilson rozbawił wszystkich zebranych, mówiąc: „Powiedziałem pani, panno Burr: «stanowczo się sprzeciwiam» – bez żadnego logicznego powodu prócz takiego, że «stanowczo się sprzeciwiam»".

Później doktor Wilson z większą już powagą wyjaśnił, że po prawdzie to nie jest przeciwny prawu wyborczemu kobiet *per se*, ale obawia się, że miałoby ono szkodliwy skutek w postaci „podwojenia głosów" w większości domostw i tym samym spowodowałoby „bezużyteczne powiększenie już i tak zbyt liczebnego i niedokształconego elektoratu". A na argument feministek, że od czasu uwolnienia niewolników Murzynom płci męskiej pozwolono głosować (przynajmniej teoretycznie w niektórych rejonach kraju), w związku z czym teraz również kobietom należy dać takie prawo doktor Wilson odpowiedział taką oto dowcipną repliką: „Prawość nie rodzi się wtedy, gdy sumuje się dwie złe rzeczy".

Ruch sufrażystek napawał Woodrowa Wilsona, podobnie jak wielu innych mężczyzn jego czasów, zarówno obrzydzeniem, jak i trwogą, bo jemu to się wydawało „anormalne", by kobiety miały się zachowywać „nie po kobiecemu" – wszak nieuchronnie doprowadziłoby to do rozwiązłości obu płci i powszechnego upadku moralności.

Bo czyż to nie jest tak, że kobiety takie jak jego droga żona Ellen zostały wyposażone przez Boga w umiejętność okazywania współczucia i wsparcia, co z kolei wyposaża mężczyzn w siłę niezbędną do zwalczania zła? I co będzie, jeśli ta siła zostanie osłabiona albo wręcz padnie ofiarą sabotażu? „Cała płeć przybierze prymitywne pozy Amazonek – prorokował doktor Wilson – i my mężczyźni zostaniemy tak zastraszeni, że gatunek ludzki wyginie w ciągu jednego pokolenia".

Jeszcze bardziej odstręczająca była możliwość, że jeśli kobietom pozwoli się głosować, to wtedy *zaczną się ubiegać o urzędy polityczne!* Już sama ta myśl była oburzająca!

„Wyobraźcie to sobie: kobieta senatorem! Kobieta prezydentem! Stany Zjednoczone stałyby się pośmiewiskiem całego świata".

Woodrow Wilson nie mógł się też oprzeć, by nie wygłosić paru żartów kosztem sufrażystek i ich krucjaty. Uważał, że zarówno Elizabeth Cady Stanton, jak i Susan B. Anthony to „hałaśliwe megiery, których jad jest skutkiem posiadania brzydkich twarzy". Twierdził też, że konwencja w Seneca Falls z 1848 roku była „miksturą czarownic i źródłem wszelkiego zła". Jedynie pani Julia Ward Howe uniknęła jego krytyki, bo sprawiała wrażenie zgodnej i macierzyńskiej damy, której dzikie pomysły raczej nie mogły nikogo urazić.

Jeśli chodzi o kobiety z najbliższego otoczenia doktora Wilsona, Ellen Wilson i ich trzy córki zapewniały Woodrowa, że nie życzą sobie głosować, bo w pełni ufają mężczyznom w takich kwestiach.

Kolejne pokolenia studentów Uniwersytetu Princeton powtarzały sobie opowieści świadczące o tym, że rektor Wilson za nic się nie godził na to, by kobiece wybiegi wymusiły na nim jakiekolwiek naruszenie jego zasad akademickich i moralnych. Na przykład wiosną 1904 roku pewna wysoko urodzona wdowa z Waszyngtonu umówiła się z nim na rozmowę, podczas której apelowała, by przywrócił prawa studenta jej synowi relegowanemu z uczelni za występek *posiadania utrzymanki* – (w rzeczy samej dokładnie naprzeciwko Old Nassau, w apartamencie położonym nad Bankiem Princetońskim). Odziana w żałobę, bo zaledwie kilka miesięcy wcześniej straciła męża, kobieta wyłożyła swą prośbę Wilsonowi, twierdząc, że jej syn już doznał „wielkiego zawstydzenia" i że cała jego rodzina wstydzi się razem z nim, a ona sama niedługo ma zostać poddana operacji usunięcia tumoru i jest przekonana, że jej szanse na przeżycie będą niewielkie, jeśli ten stan niełaski zostanie utrzymany.

Woodrow Wilson wysłuchał tej prośby uprzejmie i ze współczuciem, a jednak postanowił, że nie zmieni decyzji, bo taką już miał zasadę, że nigdy nie zmieniał decyzji, „jeśli już raz przekręcił klucz". Zapłakanej wdowie powiedział tonem żalu: „Wśród studentów Princetonu, madame, jedynym występkiem zasługującym na miano większego bezeceństwa niż pijaństwo jest nieczystość. Bardzo niefortunnie się stało, że zdrowie pani jest zagrożone w związku z haniebnym zachowaniem pani syna, ale to ani wina uniwersytetu, madame, ani moja. Gdybym był zmuszony wybierać między sprawiedliwym traktowaniem wszystkich na naszym uniwersytecie a pani życiem, madam, to obawiam się, że wybrałbym to pierwsze".

W dzień przed doznaniem udaru Woodrow Wilson miał po raz ostatni spotkać się z Cybellą Peck i dużo rozmyślał: czy wreszcie wykrzesze z siebie siłę, by przemówić z głębi serca do swojej ukochanej, tak jak udawało mu się to czynić w listach do niej; czy uda mu się schwycić ją za rękę i namiętnie przycisnąć do niej usta. Na Bermudach, podczas późnych wieczorków w Sans Souci, dochodziło do różnych przelotnych i mało jasnych intymnych sytuacji... ale wspomnienia o nich zdawały się blednąć niczym sny w świetle dnia.

„To szaleństwo: zakochać się jak jakiś uczniak! I to w tak trudnym okresie życia". Owładnięty rozkosznym nieszczęściem doktor Wilson przyjrzał się sobie w lustrze: pociągła, wydatna szczęka i szkliście roziskrzone oczy. Przeszył go miły dreszcz, kiedy sobie wyobraził, co by pomyślał Andrew West na widok Cybelli Peck i Woodrowa Wilsona razem!

Jako że princetończycy rzadko kiedy zapuszczali się na zalesione tereny w okolicach Błoni Bitewnych na skraju miasteczka, Woodrow Wilson umówił się z panią Peck, która miała przyjechać do Princetonu wyłącznie po to, by się z nim spotkać, że będzie czekał na nią właśnie tam tuż po czwartej. Usprawiedliwił się w Nassau Hall, że ma pilną wizytę u lekarza.

Sądzę, że pani Peck i Woodrow Wilson spotkali się w sekrecie bardzo niewiele razy; niektórzy historycy dowodzą, że nie spotkali się w żadnych „intymnych" okolicznościach, a jednak wydaje się, że doszło przynajmniej do tego jednego *rendez-vous* w owym sielskim otoczeniu.

Cybella Peck wynajęła w Princetonie apartament w Peacock Inn przy Bayard Lane, twierdząc: „Do miasta ściągnęła mnie moc twojego pióra, drogi Woodrowie", ale oczywiście jej kochanek nie chciał się z nią spotkać w bliskości oberży. Woodrow odczuwał napięcie wynikające z ich uczucia silniej niż pani Peck; miał wyrzuty sumienia, które żonaci mężczyźni zazwyczaj odczuwają w takich okolicznościach, ale podobnie jak oni ani trochę nie zamierzał zmieniać tej sytuacji, bo nic go nie wprawiało w większą euforię, nic mu nie dawało większej radości i nadziei. Niemniej jednak romans (najwyraźniej) nie został skonsumowany i w rzeczy samej daleko mu było do tego, więc Woodrow rzadko miał kompensacyjne poczucie triumfu, uniesienia czy też zwykłego zwierzęcego spełnienia.

(Biedna Ellen Wilson! Jak wiele żon niewiernych mężów czuła dość wyraźnie, że w duszy Woodrowa coś drgnęło, a jednak w swej naiwności uważała, że to wszystko z winy jego nieustających potyczek z dziekanem Westem i klubojadalniami przy Prospect, które za nic nie chciały się zakończyć i skądinąd tym bardziej ją przerażały, że miała doświadczenia z pierwszej ręki, jeśli idzie o szaleństwo, bo kiedy była młodą dziewczyną, jej ojciec-pastor stale popadał to w psychotyczny gniew, to w melancholię; popełnił niestety samobójstwo 30 maja 1884 roku – okrutnym zrządzeniem losu dokładnie dwadzieścia dwa lata wcześniej, niż jej mąż doznał udaru).

Tamtego parnego popołudnia 29 maja, kiedy godzina czwarta była coraz bliżej, Woodrowa Wilsona zżerał niepokój, że Cybella Peck nie przyjdzie na skraj Błoni Bitewnych, a potem znowu niepokoił się, że ona jednak przyjdzie, ale za to on będzie „całkowicie nie w sosie".

Zdolny do obnażania serca w listach, Woodrow straszliwie się bał, że straci panowanie nad sobą w obecności drugiej osoby. Bo nikt, nawet Ellen, nie miał pojęcia, do jakich to „perturbacji" dochodzi w jego piersi.

A jednak niepokoił się niepotrzebnie, gdyż Cybella Peck rzeczywiście czekała na skraju drzew, podobna do postaci z obrazu jakiegoś mistrza prerafaelity, była bowiem ubrana w muślinową suknię z falbankami, staroświeckiego kroju, złożoną z wielu warstw tkaniny truskawkowej barwy i subtelnie obrzeżonej ciemniejszą lamówką przemyślnie wpasowaną w szew. Pani Peck powoli otworzyła parasolkę wspartą na ramieniu; na głowie miała słomkowy kapelusz z szerokim rondem i satynową wstęgą dopasowaną kolorem do sukni, a oprócz tego chroniła dłonie rękawiczkami z białej koronki. Bardzo cienka woalka skrywała błysk w oczach. Ów widok tak podziałał na stargane nerwy Woodrowa Wilsona, że wydało mu się, iż widzi drogocenną orchideę magicznym sposobem przeniesioną do lasów Północy, dlatego nie ma się co dziwić, że choć pospieszył ją powitać, to jednak uszło z niego sporo odwagi.

– Ach, droga Cybello! Przyszłaś....

Potajemnie zebrawszy w ogródku żony na tyłach Prospect bukiecik wonnych smagliczek i miniaturowych irysów, Woodrow ofiarował go teraz Cybelli, która przyjęła podarunek z uśmiechem zachwytu i zatknęła go sobie za paskiem sukni.

Pani Peck uprzejmie zapytała doktora Wilsona o jego zdrowie i samopoczucie.

– Drogi Tommy, minęło ledwie kilka tygodni, a ty już całkiem straciłeś złotą opaleniznę z Bermudów!

Doktor Wilson poczuł się zmuszony opowiedzieć, dość szczegółowo, o swoich kryzysach z trawieniem, nerwami, widzeniem, stosem pacierzowym oraz obolałymi dziąsłami, czego pani Peck wysłuchała z taką samą uwagą, z jaką słuchałaby tego Ellen.

– Znajdziemy jakiś sposób, abyś pokonał te kryzysy, drogi Tommy, pod warunkiem że mi zaufasz.

Kochankowie weszli w głąb Błoni Bitewnych, po ścieżce częściowo opromienionej słońcem, częściowo skrytej w cieniu; pani Peck ujęła Woodrowa pod ramię i wywarła na nie rozkoszny nacisk.

Poskarżyła się, ale takim tonem, jakby chciała rozbawić, a nie zasmucić Wilsona, na niechciane atencje ze strony pewnego „namolnego zalotnika", który niedawno „znów zagościł" w jej życiu: był to jeden z najbardziej znanych pisarzy amerykańskich, o którym mówiono, że jest dla Ameryki tym samym, kim Szekspir dla Anglii. Po części właśnie ten problem, wyjaśniła pani Peck, sprowadził ją do Princetonu, na spotkanie z Woodrowem, to znaczy „Tommym" – bo chciała zasięgnąć rady u dżentelmena o takiej inteligencji i wrażliwości jak doktor Wilson. Co ona ma uczynić? W jaką stronę się udać? Bo ten niepożądany zalotnik był wdowcem, i to bardzo samotnym; kochał ją ileś lat wcześniej, bez wzajemności, i ona uznała, że ta namiętność z czasem wygasła, a jednak teraz znowu jej się naprzykrzał deklaracjami miłości, niechcianymi listami i kiepsko komponowanymi poematami – „Bo on nie ma takiego talentu w dziedzinie poezji jak ty, Tommy. To, co on pisze, to prymitywna, męcząca *proza*".

Woodrow Wilson poczuł zazdrość i gniew: wiedział, że ten niechciany zalotnik to na pewno Sam Clemens, jego rywal.

– Jeżeli prosiłaś go, by tego zaniechał, to w takim razie nie jest dżentelmenem, skoro trwa w uporze. Musisz go zdecydowanie odrzucić. Myślę... wierzę... że to nie jest człowiek moralny: to cynik, ateista i pijak.

– Zaiste! Chyba masz rację, Tommy. Tak...

– Mogłabyś się zastanowić, czy nie przenieść się tutaj, do Princetonu, żeby go unikać... mógłbym oczywiście ci pomóc... choćby niebezpośrednio...

Widząc, jaki poruszony jest jej towarzysz, pani Peck zmieniła temat, pytając teraz Wilsona o postępy w pracy administracyjnej i o to, czy jego trudności już niebawem jakoś się rozwiążą. Wywołała tym długi monolog na wszelkie tematy, poczynając od pogardy wobec „oczerniających go" wrogów, a kończąc na tym, z czego skrycie był dumny, czyli na pogłoskach, jakoby jacyś demokratyczni „twórcy królów" z New Jersey rozważali, czy Woodrow Wilson nie nadawałby się przypadkiem na gubernatora stanu.

– Gubernator stanu! To cudowne wieści – rzekła Cybella Peck – o których zresztą co nieco słyszałam, muszę ci wyznać. I chyba twoi wrogowie byliby zdruzgotani, gdyby tak się potoczyły sprawy?

– Gdybym miał zostać wybrany na gubernatora, to owszem, byliby zdruzgotani. Pod warunkiem że nie zdążą mnie wcześniej zdruzgotać.

– A to czemuż?

– Jako rektora uniwersytetu. Tutaj jestem straszliwie *wystawiony na ciosy*

Pogrążona w tej długiej i szczerej rozmowie para wędrowała powoli skrajem parku; obserwator zauważyłby, jak niezgrabną sylwetką cechuje się ten dżentelmen w porównaniu z pełną wdzięku, odzianą w truskawkowe barwy damą, od czasu do czasu jakby zupełnie nieświadomie pochylającą głowę w stronę jego ramienia.

Po chwili Cybella Peck przystanęła i uniosła woalkę, by spojrzeć wprost na Woodrowa Wilsona i ściągnąć na siebie jego pełen podziwu wzrok, po czym dziecinnym głosem przyznała mu się, że w pewnym sensie go oszukała, bo *nie wyjawiła mu szczerze, kim naprawdę jest.*

– „Cybella Peck"? Owszem, do pewnego stopnia. Ale prawdę powiedziawszy, jestem hrabiną Cybellą de Barhegen, która nie urodziła się w Ameryce, tylko była naturalizowana w tym kraju w wieku dwudziestu lat.

– Hrabina? – Woodrow Wilson zamrugał i wytrzeszczył oczy.

– Nie jestem taka jak English von Gneist, który nigdy się nie waha z wyjawieniem swego rodowodu, dlatego nie potrafiłam się przyznać mym amerykańskim przyjaciołom, że jestem tak zwaną czystej krwi arystokratką europejską ze starego rodu Barhegenów, z północnych Niemiec. Jestem hrabiną nie tylko z urodzenia, ale także przez małżeństwo, które w rzeczy samej jest więzią ironiczną i gorzką. – Przeszedłszy do szeptu, ciągnęła: – Najprawdziwsza hrabina, drogi Tommy; taki już mój los. I mężatka, nie do końca z własnej woli. Ale uciekłam ze Starego Świata i nie pragnę niczego więcej, jak tylko rozpocząć tutaj nowe życie... Wyglądasz na zaciekawionego? Zastanawiasz się, kim jest mój mąż? Hańba tego mariażu polega na tym, że rodzina wydała mnie za hrabiego Hugona de Barhegena, sześćdziesięciocioletniego wdowca... i ojca dzieci starszych ode mnie, bo miałam wówczas zaledwie osiemnaście lat. W skrócie mówiąc, drogi Tommy, sprawy tak się potoczyły, że nie zaznałam szczęścia w mym „błogosławionym" małżeńskim stanie i postanowiłam uciec. Ale niestety, nie miałam przyjaciół, własna rodzina wydziedziczyłaby mnie, a moi pasierbowie byli bestiami chcącymi mnie tylko wykorzystać, a jednak była taka noc, kiedy w szczytowym okresie mego nieszczęścia, ukryta przed mężem w odległym skrzydle zamku Barhegen, padłam na kolana i błagałam Boga o litość – tak przemożnie, że w komnacie nagle rozbłysło światło i zmaterializowała się przede mną postać, którą początkowo wzięłam za samego Boga, ale to był tylko archanioł – (Widziałeś ty kiedy archanioła, Tommy? Nie?) – unurzany w niemal oślepiającym blasku, cudownym i zarazem przerażającym, jak sobie pewnie wyobrażasz.

Woodrow Wilson wpatrywał się ze zgrozą w piękną Cybellę – hrabinę Cybellę! Przez całe swoje życie nadzwyczaj pobożnego chrześcijanina, prezbiterianina, dla którego religia miała ogromne znaczenie, nigdy nawet nie widział archanioła, a już na pewno nie został przez niego nawiedzony.

– Tak, drogi Tommy, masz rację, że patrzysz na mnie z taką wrażliwością, z takim współczuciem, ale też litością, ponieważ nie było to dla mnie łatwe doświadczenie, zwłaszcza z racji młodego wieku, jak bowiem piszą wszyscy mistycy, doświadczenie wizjonerskie przeżera duszę; nie wiesz do końca, czy żyjesz, czy umarłeś. Albo też czy widzisz przed sobą Boga czy też demona. Byłam tak skonsternowana i zalękniona, że nie do końca zrozumiałam przesłanie archanioła, ale jego wymowa była mniej więcej taka, że w głębi serca pragnęłam śmierci i dlatego zaszczepiłam w sobie grzech *samobójstwa*, więc gdybym wyraziła takie życzenie, moja przeklęta śmiertelność zostałaby zniesiona przez Boga, a moja duchowa istota zostałaby na zawsze oddana na jego służbę. Innymi słowy, mój drogi przyjacielu, mogłam nie tylko uciec od tej bestii – mojego małżonka, ale także od naturalnych konsekwencji mojego grzechu, pod warunkiem że zgodzę się zająć miejsce w społeczności duchów, których funkcją w wielkim boskim planie jest odgrywanie roli dewi, czyli anielskiego posłańca.

Cybella Peck urwała, by Woodrow Wilson mógł przyswoić te niezwykłe słowa. Na jej twarzy malowało się napięcie, bardzo różne od zwyczajnego wyrazu tej wesołej, towarzyskiej kobiety; jej nacisk na ramię Woodrowa był teraz silniejszy, jakby potrzebowała wsparcia mocy swego towarzysza.

– Dewi? Anielski posłaniec? Czy to może...?

– Tak, Tommy. Tylko ty znasz moją tajemnicę. Sam Clemens dokuczał mi i zadręczał mnie, nazywając aniołem albo swoim aniołem stróżem, ale ten człowiek nie ma pojęcia, co mówi, bo on nie wierzy w nic, ja się jednak obawiam, że jego storturowana dusza będzie torturowana przez całą wieczność – w piekle. Ty, drogi Tommy, jesteś zupełnie inny: tobie mogłam powierzyć swój sekret. Jeśli na Bermudach wydawałam ci się wyrafinowaną przedstawicielką międzynarodowej społeczności, jeśli teraz wydaję ci się potomkinią jakiejś starożytnej rasy z pretensjami do szlachectwa, jeśli w rzeczy samej postrzegasz mnie niekiedy jako chłodną i „sztuczną", to w takim razie muszę ci się zwierzyć, drogi przyjacielu, i tylko tobie, że nie jestem zwykłą śmiertelniczką, tylko agentką wyższej mocy.

Ujawniwszy to, pani Peck wsparła się na ramieniu Woodrowa Wilsona; ułożyła urękawicznioną dłoń na jego nadgarstku, jakby chciała uspokoić jego łomoczące serce, bo było oczywiste, że te rewelacje wstrząsnęły nim i że teraz nie wie, co myśleć.

Cybella Peck cichym głosem powtórzyła część swoich wyznań, bo mogło to umknąć uwadze rozkojarzonego mężczyzny, po czym opowiedziała mu, co działo się z nią po nawiedzeniu przez anioła, które w istocie zdarzyło się wiele lat wcześniej, na długo przed jej „nowym, dziewiczym" życiem w Stanach Zjednoczonych.

– Myślę, że ciągnie mnie do ciebie przez tę twoją skromność. I to właśnie ta skromność nie pozwala ci pojąć do końca, dlaczego właśnie dewi została zaprzężona do porozumienia się z tobą intymnie. Ale zrozum, anioły pojawiają się ludziom, którzy na to zasługują i potrzebują tego w ważnych momentach swego życia, kiedy Bóg pragnie, by jego intencje zostały jasno zrozumiane.

I tu uwodzicielska pani Peck wyliczyła rozmaite epizody z życia ważnych mężów, których nawiedziły anioły, a których życiorysy Woodrow znał znakomicie: Gladstone'a, Napoleona, Aleksandra Wielkiego, generała George'a Washingtona w przeddzień jego genialnego ataku z 26 grudnia 1776 roku na niczego niepodejrzewających heskich najemników pod Trentonem. Wszystkich tych relacji Woodrow wysłuchał z najwyższą powagą. I w końcu przemówił z mimowolnym uśmiechem na bladych wargach:

– To prawda, to prawda, dokładnie tak, jak obiecał ojciec.

– Ojciec...?

– Mój ojciec. Kiedy byłem chłopcem. Anielscy posłańcy, los wybrańca... on chyba wiedział. Tak. – Woodrow ocierał teraz oczy. – On wiedział.

– Czy twój ojciec żyje jeszcze, Tommy?

– Nie! Nie żyje.

– A jednak przygląda się z nieba i tobie, i twojej karierze. Możesz być tego pewien.

– Czasami... mam nadzieję...

– A jednak, drogi Tommy, musisz wiedzieć, że jestem tu dzisiaj z pewnego szczególnego powodu. Dla dewi nic nie jest przypadkowe; wszystko jest częścią szerszego planu. Nie zdajesz sobie sprawy, w jakim niebezpieczeństwie się znalazłeś: dokładnie w tym momencie w Bostonie twój pozbawiony skrupułów rywal z uniwersytetu przekonał pewnego leciwego alumna, by przekazał sporą kwotę na Princeton, z takim zastrzeżeniem, że to on będzie rozporządzał owym datkiem w wysokości dwóch milionów z okładem. Pomyśl, jaka to obraza dla samego uniwersytetu, że jakiś człowiek z zewnątrz, nieważne, że bardzo zamożny absolwent, uzurpuje sobie prawo do dyktowania uczelni, jaką politykę ma prowadzić! Niedługo będzie tak, że ci wyzyskiwacze, jak sławetny Andrew Carnegie, przejmą kontrolę nad najważniejszymi instytucjami edukacyjnymi, bo będą machać wielkimi pieniędzmi przed ich administratorami i wręczać im ogromne łapówki. Skorumpowani politycy, jawni kryminaliści: oni pewnie będą chcieli wznosić sobie pomniki, stając się zagrożeniem dla idealizmu i niewinności młodzieży. A wszystko to będzie skutkiem manipulacji, jakiej dopuścił się Andrew West na starcu z Bostonu, któremu łatwo się przypochlebić jako potomkowi bohatera wojny o niepodległość i który nie potrafi odróżnić pochlebcy od takiego dżentelmena, jakim ty jesteś. (Bo zdaje się złożyłeś wizytę panu Wymanowi w ubiegłym roku? Bez satysfakcjonujących rezultatów?) Wielka szkoda i zarazem tragedia, ale jeszcze nie wszystko stracone, bo przyjechałam tutaj nie tylko ostrzec cię przed nadchodzącą katastrofą, ale też podpowiedzieć ci, co masz przedsięwziąć, aby to wszystko zmienić.

Pani Peck urwała, pozwalając, by Woodrow przetrawił te jeszcze bardziej osłabiające wieści. Oszołomiony Wilson zdołał wykrztusić pytanie:
– Wyman zamierza skapitulować przed Westem i do cna mnie zniszczyć?

Widząc, jaki wstrząśnięty jest Woodrow i że jego blade czoło jest całe zroszone potem, pani Peck wyjęła chusteczkę z kieszeni i otarła jego rozgrzaną skórę.
– Co mam przedsięwziąć, aby to wszystko zmienić? Jak?
– Jako że zostałam wyświęcona przez wyższą moc, Tommy, abym transcendowała te zwyczajne ludzkie pojęcia jak sprawiedliwość, moralność, dobro i zło, tak też jestem wyświęcona do udaremnienia planu dziekana, a nawet, w razie konieczności, do uwolnienia świata od jego niecnych wpływów. To znaczy jeśli ty będziesz sobie tego życzył.

Cybella Peck powiedziała to wszystko cichym głosem, ale Woodrow Wilson słyszał ją wyraźnie.
– Do uwolnienia świata od jego niecnych wpływów... Czy ja sobie tego życzę?
– Wszechmocny martwi się, że jego plan dla ciebie może zostać udaremniony, zanim do końca wyewoluuje. Wszechmocny ma dowody na to, że dziekan może przeskoczyć do obozu diabła i sprowadzić jeszcze większą klęskę na tę znękaną społeczność. – Cybella mówiła to wszystko rzeczowym tonem, patrząc szczerze w zdumione oczy Wilsona. – Ostatnie niepokoje, tak tutaj, jak i w całym kraju, wynikają z braku silnego przywódcy, który rządziłby samodzielnie, nie ulegając dyktatowi innych decydentów, ambony czy też uniwersytetu; na pewno o tym wiesz. Te bestialskie zabójstwa w Princetonie... te tragiczne śmierci... Jeżeli pozwoli się, by Andrew West dokonał swego zamachu, to ten człowiek już nie spocznie, dopóki nie przegna cię z urzędu i sam siebie nie ukoronuje na rektora uniwersytetu. (Grover Cleveland twierdzi, że nie zamierza umierać, dopóki nie zobaczy swego przyjaciela na tym urzędzie!) Wszystko to straszliwie się kłóci z planem Wszechmogącego, aby to Woodrow Wilson zatriumfował w Princetonie i panował tu tak długo jak niektórzy jego wybitni poprzednicy, a potem kontynuował karierę jako członek rządu i skończył jako *mąż stanu*... Dlatego z tą przeszkodą trzeba się natychmiast rozprawić.
– *Mąż stanu?* Kiedy moja pozycja tu w Princetonie jest taka niska...
– Tommy, czeka cię olśniewająca kariera, jeśli nie osłabniesz. Dziś Princeton, jutro Trenton, później jeszcze Waszyngton i któregoś dnia cały świat, zjednoczony jako liga albo jakiś klub, z amerykańskim prezydentem na czele... Drogi przyjacielu, masz szkliste oczy i zachowujesz się jak człowiek wstrząśnięty; gdzie to twoje spojrzenie ostre jak brzytwa, którego tylu się już lękało?

Woodrow przeprosił za to, że reaguje z taką powolnością i że nie do końca pojmuje, co mu się tłumaczy. Wyraził nadzieję, że będzie mu wybaczone, ale poczuł się „nad wyraz dziwacznie", jakby w jego głowie budowało się „wielkie ciśnienie", a poza tym brakowało mu tchu w tym parnym powietrzu.

– Usiądź, Tommy! Tutaj, na trawie. Usiądziemy razem, a Wszechmocny będzie na nas spoglądał.

Usiedli na wysokiej, nieskoszonej trawie na skraju Błoni Bitewnych, z niejakim skrępowaniem, bo Woodrow Wilson był zupełnie nieprzyzwyczajony do takiego zachowania; prawdopodobnie od lat dziecięcych nie siadał na ziemi. Będąca bardzo blisko pani Peck wygładziła fałdy sukni i zatopiwszy się w trawie, rozłożyła parasolkę, by chronić swą nieskazitelną cerę, nie przestając mówić, cicho, ale stanowczo, do wstrząśniętego kochanka:

– Musisz mi tylko wskazać, drogi Tommy, uściskiem dłoni, czy chcesz, by twoja dewi spełniła to życzenie, aby zło ucieleśnione w Andrew Weście zostało natychmiast zniszczone. I wtedy będzie cię czekało triumfalne panowanie tu, w Princetonie, podczas którego nareszcie zabronisz działalności klubom; będziesz porównywany do swych poprzedników, Winslowa Slade'a i Jamesa McCosha. I później zgodnie z planem opracowanym przez mojego Pana będą cię czekały jeszcze wspanialsze honory, które zawiodą cię na takie wyżyny, że twoi wrogowie będą musieli zadzierać karki, by na ciebie popatrzeć. Europę czeka czas wielkich zniszczeń; to będzie czas poświęcenia dla młodych amerykańskich żołnierzy, którzy zostaną tam posłani w celu obrony bezpieczeństwa świata w imię demokracji, a jednak ty zatriumfujesz i któregoś dnia usłyszysz modlitwy adoracyjne w całej rozdartej wojną Europie, a szczególnie we Włoszech – całe rzesze uwielbiających cię Włochów będą skandowały twe imię na wszystkich placach Rzymu – *Viva Vuvro Vijlson! Viva Vuvro Vijlson!*

Woodrow potrząsnął głową, jakby chciał się wybudzić ze snu.

– *Vuvro Vijlson?* – spytał osłabłym głosem. – Dlaczego nie można wymówić mojego nazwiska poprawnie? To jakieś kpiny? Żarty? Nie lubię podróżować zbyt daleko od domu, Cybello; moje nerwy i żołądek tego nie tolerują... Przerażasz mnie, droga Cybello... doprawdy dziwnie się czuję.

– Zaskakujesz mnie, Tommy. Dlaczego *Woodrow Wilson* patrzy na mnie w taki tchórzliwy sposób i okazuje tak mało entuzjazmu dla planu mojego Pana? W jednej chwili możesz się pozbyć Andrew Westa: mój Pan jest w stanie zniszczyć go tak, jak się zadeptuje tłustego żuka; dzięki temu ty zatriumfujesz tutaj u siebie i będziesz mógł władać tutejszą bandą sparaliżowanych starych durniów, tą radą powierniczą, której butów nie masz już siły lizać, dobrze o tym wiesz, i wpędzisz tego tłuściocha Clevelanda do grobu. Twoja Ellen, która niczego nie podejrzewa, będzie zachwycona, twoje córki będą cię ubóstwiać jeszcze bardziej i zapewne objawią się odpowiedni kandydaci na ich mężów, którzy obecnie trzymają się z boku, bo widzą, jak chwiejnie postępuje twoja kariera. A co do tutejszych wykładowców: jak już postawisz nogę na ich karkach, będą twoi na zawsze, bo to są tchórze i nie będą ci nastręczali żadnych trudności, pod warunkiem że im dobrze zapłacisz i będziesz ich od czasu do czasu zapraszał do Prospect. Jak powiedziałam: jeśli już się to stanie, to stanie się na zawsze i wszystko padnie do twoich stóp, doktorze Wilson, *cały świat.*

– ...Ojciec zaiste jakby to przewidział – rzekł Woodrow po części do siebie, po części do pani Peck, głosem, w którym słabo pobrzmiewała nadzieja. – Trzymał dłoń na moim ramieniu i mówił dźwięczącym głosem... *Mój syn będzie niebawem wielkim człowiekiem.* A jednak dziwne to bardzo, Cybello: jakoś nie czuję żadnych innych ambicji prócz tych, które się wiążą z Princetonem. Ja naprawdę nie potrzebuję niczego więcej. Nigdy nie lubiłem Europy, tylko Anglię i Szkocję. Obce akcenty, kaleczenie angielskiego wpływają irytująco na moje nerwy. Niepotrzebne mi tak zwane kultury Francji, Hiszpanii, Włoch, Grecji ani nawet Niemiec; kraje katolickie są godne pogardy, bo podlegają dyrektywom papieża. Nie mam pojęcia, czy Alpy są we Włoszech, w Szwajcarii czy Belgii, i nic mnie to nie obchodzi; podobnie też nie wiem, czy Bagdad jest w Persji, Konstantynopolu czy Meksyku. Wszystko to można zrzucić na stos na brzegach Zuiderzee, jeśli o mnie idzie. – Zaśmiał się niewyraźnie, dając do zrozumienia, że te ostatnie stwierdzenia to żart.

– Tommy! To zupełnie do ciebie niepodobne. Przypomnij sobie, jakie nadzieje żywił twój ojciec i czego sam skrycie pragnąłeś. Szukałeś swego przeznaczenia od dzieciństwa, nieważne, że nie bezpośrednio. A teraz ja, jako dewi, pierwsza taka, która odwiedza Princeton, i być może ostatnia, zostałam wyznaczona przez Wszechmogącego do działania w twoim imieniu. I ty nie poniesiesz żadnych innych konsekwencji jak tylko dobre.

– Żadnych konsekwencji? Nikt się nie dowie?

– Oczywiście, że nikt. Andrew West zniknie: z przyczyn naturalnych.

– Z przyczyn naturalnych?

– Drogi Tommy, gadasz jak papuga! I to bojaźliwa papuga, a nie ten śmiały, wizjonerski mąż stanu, którym jest prawdziwy Woodrow Wilson.

W oddali Old North wybijał piątą: jakże prędko minęła już cała godzina! Woodrow miał zwyczaj jadać kolacje punktualnie o szóstej, jeśli w Prospect nie było gości. Majstrując niezdarnie przy kołnierzyku, który zrobił się nagle straszliwie ciasny, Woodrow zastanawiał się na głos nad tym, co ma teraz robić...

– *Robić?* – Głos Cybelli Peck stał się wyraźnie ostrzejszy i była w nim teraz nuta sarkazmu. – No przecież ty nic nie musisz robić. A czy ty kiedykolwiek coś naprawdę zrobiłeś, mój przyjacielu? Jesteś mówcą, przywódcą... ty mówisz innym, co mają robić. Wystarczy, że udzielisz mi swojej zgody, wystarczy, że tylko ściśniesz moją rękę, a ten arogant West padnie trupem w samym środku swego jutrzejszego śniadania w Merwick: dostanie po prostu bezbolesnego udaru.

Głos Cybelli stopniowo stawał się coraz bardziej zapalczywy, niecierpliwy; nerwowo okręcała parasolkę i wpatrywała się z pogardą i niedowierzaniem w swego towarzysza, który już nie patrzył na nią jak na kobietę zjawiskowej urody.

– Bezbolesnego... to byłoby miłosierne – powiedział Wilson odrętwiałym głosem. – Andrew się obżera, dogadza sobie... Powiadają, że ma niebezpiecznie wysokie ciśnienie krwi. A do tego ten apetyt! Co za szkoda... ale to przecież przedstawiciel diabła, to oczywiste... cóż, będę za nim tęsknił... Hrabino, czuję się strasznie dziwnie, mam nadzieję, że mi wybaczysz.

– Najpierw twoja zgoda, sir – powiedziała Cybella Peck z wymuszonym uśmiechem. – Wybaczenie później. Jeżeli nie chcesz wyrażać swojego życzenia na głos, to wystarczy skinienie głowy albo...

A jednak Woodrow Wilson wciąż trwał w zamyśleniu, gładząc się po szczęce. Cybella Peck była coraz bardziej zniecierpliwiona.

– Świat stoi przede mną otworem, jak przewidział ojciec... pod warunkiem że Andrew padnie trupem. Takie proste! Nic nie poczuje... On i ja jesteśmy w wieku, w którym to się zdarza... w rzeczy samej ja doświadczyłem małego udaru w młodzieńczym wieku trzydziestu dziewięciu lat... wyzdrowiałem z tego... ale powiadasz, że Andrew nie wyzdrowieje?

Cybella wyciągnęła wachlarz, otworzyła go i zaczęła się wachlować energicznie, a Woodrow ciągnął jakby w zadumie:

– Sądzę, że istotnie mógłbym wpłynąć na bieg historii... na los narodów... wola boża przeobrażona w politykę. Ten cennik taryfowy od dawna budził we mnie wstręt, jak i we wszystkich demokratach, myślę, że bez trudu mógłbym stać się lepszy od Teddy'ego i ze wszystkich sił się postarać o wprowadzenie ustaw antytrustowych, rządzić bardziej liberalnie, ograniczyć władzę związków zawodowych. A jednak się zastanawiam, hrabino, czy tu nie zaszło jakieś nieporozumienie... czy nie pomyliłaś mnie z kimś innym...

Pani Peck natychmiast odparła, że to niemożliwe, tonem wyraźnie już ironicznym.

– Jest tylko jeden Thomas Woodrow Wilson, moim zdaniem. Powiadasz, że nas odrzucasz? Ten plan Wszechmogącego, który miał być wprowadzony za *twoim* pośrednictwem?

Woodrow Wilson, który teraz szarpał za wykrochmalony wysoki kołnierzyk, odpowiedział jej z większą mocą, jakby zebrał już siły, ale nadal siedział ze skrępowaniem na ziemi, nie mając pojęcia, jak i gdzie powinien ułożyć swoje długie, chuderlawe kończyny.

– Nawet gdybym pragnął takiego postępu w swoim życiu, hrabino, nie mógłbym się na to zgodzić kosztem czyjegoś życia lub choćby tylko cierpienia... Nie, w żadnych okolicznościach nie mogę życzyć Westowi śmierci.

– I uważasz, że West byłby wobec ciebie równie wspaniałomyślny?

– Ja... ja... nie mogę tak pomyśleć... że byłby mniej wspaniałomyślny...
Bo przecież Jezus nauczał, że winniśmy kochać swoich wrogów i nie robić
innym tego, co oni zrobili nam. – Woodrow mówił wolno, jakby się przedzierał jakąś wyjątkowo trudną drogą. – Ale pierwotny powód, dla którego
muszę odrzucić tę ofertę, jest taki, pani Peck, że *po prostu nie chcę poranić
swego wroga, by mieć z tego jakąś nagrodę, nie mówiąc już o zemście.*
Pani Peck tym razem zareagowała z ledwie skrywaną wściekłością:
– Przypuśćmy, że jest tak, doktorze Wilson, iż jutrzejszego ranka los
dziekana stanie się twym udziałem w tym sensie, że staniesz niżej od niego?
Że mój Pan, zniecierpliwiony waszymi wojenkami i waszymi obopólnymi
apelami do wyższych mocy o wsparcie, stwierdził, że trzeba koniecznie
wyeliminować jednego z was? Czy byłbyś wtedy gotów zmienić zdanie?
Zakłopotany doktor Wilson jął na ślepo manipulować przy swoim pince-
-nez, by je lepiej osadzić na spoconej twarzy, po czym z wysiłkiem utkwił
spojrzenie w Cybelli, z jakąś resztką swojej dawnej „władzy", która niestety
prawie zupełnie wyciekła z jego załzawionych oczu. A jednak głosem drżącym z przekonania powiedział:
– Gdybyś mnie znała, hrabino, tobyś wiedziała, że ja nigdy nie zmie-
niam zdania, skoro już podejmę decyzję. *Klucz został przekręcony w zamku
i wyrzucony.*
Napięcie towarzyszące tej rozmowie było tak ogromne, że Woodrow
Wilson czuł się do cna wyczerpany i bliski utraty przytomności; w rzeczy
samej być może istotnie utracił przytomność na krótką chwilę. Leżąc na
trawie w swym pastorskim ubraniu, białej koszuli i krawacie, otworzył oczy
i zobaczył podrygujące nad nim niebo niczym otchłań, do której lada chwila
mógł wpaść, i zobaczył też słońce, zachodzące słońce, napuchnięte, pulsujące tuż przy jego czole. Mimo że gwałtownie rozchylił kołnierzyk, jakoś
nie mógł oddychać.
– Hrabino? Gdzie...
Kiedy czar prysł, zdezorientowany Woodrow usiadł prosto. Był sam:
jego towarzyszka zniknęła bez słowa pożegnania, pozostawiwszy na trawie
zapomniany, a może odrzucony z niesmakiem bukiecik smagliczek i irysów
z ogródka żony – delikatne kwiatki zdążyły już zżółknąć i zwiędnąć, a liście
tak wyschły, że rozsypały się na proch, kiedy ich dotknął.

POSTSCRIPTUM:
„DRUGA BITWA POD PRINCETONEM"

Dalszy ciąg historii.

Bo rzecz jasna stało się tak, jak prorokowała hrabina de Barhegen: Isaac Chauncy Wyman rzeczywiście zapisał dwa i pół miliona Uniwersytetowi Princeton, zaznaczając, że tymi pieniędzmi ma zarządzać dziekan kolegium dla magistrantów, Andrew West, wykorzystując je do wzniesienia nowego budynku tegoż kolegium zgodnie ze swoim projektem.

Dowiedziawszy się o zapisie, rozradowany West natychmiast udał się pociągiem do Bostonu, by podziękować panu Wymanowi osobiście – (również osiemnaście miesięcy później dziekan udał się do Bostonu, by wziąć udział w pogrzebie pana Wymana i złożyć na jego trumnie gałązkę bluszczu zerwanego z muru Nassau Hall). Z Bostonu West słał triumfalne telegramy do kilku członków rady powierniczej, którzy byli jego zagorzałymi poplecznikami przez te wszystkie lata wojny z Wilsonem –

TE DEUM LAUDAMUS. NON NOBIS DOMINE.

W owym czasie Woodrow Wilson już leżał na podłodze w swojej wieży w Prospect, powalony rozległym wylewem.

I tak się zakończyła, niefortunnie dla doktora Wilsona, druga bitwa pod Princetonem.

REMEDIUM DOKTORA DE SWEINITZA

Po tym, jak Woodrow Wilson doznał udaru 30 maja 1906 roku, członkowie rady powierniczej uniwersytetu wezwali wybitnego filadelfijskiego lekarza, Wilhelma de Sweinitza, aby ten wypowiedział się miarodajnie na temat stanu zdrowia rektora.

W międzyczasie długoletni lekarz doktora Wilsona, doktor Hatch, przy współpracy z doktorem Boudinotem, wszedł w swoisty spór z rodziną Wilsonów, twierdził bowiem, że doktor Wilson winien wyznaczyć osobę pełniącą obowiązki rektora uniwersytetu i poważnie się zastanowić nad rezygnacją z urzędu, dzięki czemu mógłby z czasem powrócić do mniej wymagających czynności wykładowcy. Po dwunastu dniach wielkiej niemocy doktor Wilson zaczął wracać do zdrowia, tyle że prawie całkowicie utracił widzenie w lewym oku, jak się zdawało bezpowrotnie, poza tym uszkodzeniu uległa jakby na stałe jego zdolność do prostowania palców prawej dłoni, a neuropatia lewego ramienia i nogi stała się tak bolesna, że groziło to rychłym paraliżem. Dla lekarzy najbardziej niepokojące były jego zmienne nastroje: od rozpaczy po euforię, od nadmiernej przezorności po pewność we wszystkich kwestiach, od wybuchów sardonicznego śmiechu po nagłe napływy łez rozpaczy. Niemniej jednak chory wkrótce podniósł się z łoża boleści i wprawdzie o lasce, ale chodził, a jego mowa, z początku pełna zawahań i dość niewyraźna, też stopniowo uległa poprawie niczym osłabiony mięsień, który znów nadaje się do użytku.

Woodrow Wilson nie chciał słyszeć o wyznaczaniu osoby „pełniącej obowiązki rektora" – nigdy, póki on żyje!

Doktor de Sweinitz, jak przystało na specjalistę wielkiej renomy, zbadał swego pacjenta nader skrupulatnie i sporządził jego historię medyczną na podstawie drobiazgowych pytań do princetońskich lekarzy Wilsona oraz opisu nawykowych zachowań pacjenta, o które indagował nie tylko samego Wilsona, jego żonę i córki, ale także niektórych jego współpracowników i służbę z Prospect. Doktor de Sweinitz stwierdził, że Woodrow Wilson przeszedł wcześniej aż *czternaście zapaści*, tak umysłowych, jak i fizycznych, po czym nie przebierając w słowach, zdiagnozował *arteriosklerozę* będącą skutkiem przedłużającego się oddziaływania wysokiego ciśnienia na mózg i nerwy.

Pani Wilson jęła błagać filadelfijskiego lekarza, by nie rozgłaszał owej diagnozy publicznie.

– Toż to przecież umieranie po kawałku, czyż nie? A co z karierą Woodrowa?

Doktor de Sweinitz mimo wszystko obstawał przy swoich wnioskach i zasugerował bezkompromisowe remedium.

– Historia medyczna pacjenta jest taka, że muszę mu doradzić, by zrezygnował nie tylko z urzędu rektora, ale wręcz ze świata akademickiego. On musi natychmiast „zamknąć ten sklepik". Ponadto musi wyzbyć się wszelkich pretensji do życia publicznego, a przede wszystkim zrezygnować z nawyku perorowania, czyli tego zdradliwego budowania własnego mitu, polegającego na wplataniu zwyczajnych opinii i mrzonek w mentorskie oracje, często powtarzane i przez to kostniejące, wygłaszane dla rozmaitych audytoriów. Ponadto, pani Wilson – dodał doktor de Sweinitz bardziej surowym tonem – on musi się wyzbyć nawyku czytania książek, bo człowiek temperamentu doktora Wilsona nie jest w stanie przeczytać ani jednej linijki napisanej przez drugiego człowieka, by nie pragnąć z nią toczyć boju, co nieuchronnie prowadzi do wygłaszania takich myśli na głos i tym samym do perorowania. Doktor Wilson zadręcza się *nieustannym myśleniem*, co przypomina koła buksujące w błocie. Od tego właśnie nabawił się wysokiego ciśnienia krwi i w konsekwencji stanu napięcia w nerwach i we wszystkich organach wewnętrznych. – Powiedziawszy to, wybitny lekarz urwał, bo sam doprowadził się do stanu wielkiej nerwowości, co sygnalizowało drżenie jego głosu. – Muszę zatem doradzić, by pani mąż zrezygnował także z myślenia, ponieważ on nie potrafi myśleć bez jednoczesnej chęci pisania i perorowania – jest to patologiczne błędne koło, z którego musimy go wyrwać, bo inaczej jego los zostanie przedwcześnie przypieczętowany.

Kiedy Ellen Wilson otarła łzy, doktor de Sweinitz ulitował się wreszcie nad nią, mówiąc, że jeśli Woodrow Wilson usłucha jego rad i będzie brał wszystkie przepisane leki, to wtedy ona i jej córki mogą oczekiwać, że spędzi z nimi jeszcze kilka lat.

– Nie mniej niż pięć, tak bym szacował, pani Wilson, a może nawet aż siedem. *Ale już nigdy więcej nie może folgować sobie w myśleniu tak jak dotychczas.*

ZDEJMOWANIE KLĄTWY

Historycy są zasadniczo zgodni, że 4 czerwca 1906 to dzień, w którym zdjęto Klątwę szalejącą wśród społeczności Princetonu; *zbieg okoliczności* sprawił, że jest to również data śmierci Winslowa Slade'a, ale nikt nigdy nie próbował połączyć tych dwóch zdarzeń w przekonujący sposób. Najczęściej akceptuje się dość marną tezę Hollingera – jakoby „energie zła" zwyczajnie się wyczerpały, a nieżyjące wnuczęta Winslowa Slade'a tak naprawdę nigdy nie umarły.

Najnowsze dowody, w których istnienie tylko ja jeden jestem wtajemniczony, sugerują jednakże, że sprawy bynajmniej nie wyglądają tak prosto. Wyzwanie dla mnie jako historyka jest tu jednak ogromne: moje zadanie polega na ewokowaniu *jednoczesności* w dwóch bardzo różnych, wręcz antytetycznych wymiarach, a przecież jestem ograniczony narracją linearną podporządkowaną chronologii czasowej. Innymi słowy, czytelnik niebezpodstawnie może oczekiwać, że w dziele historycznym będzie miał do czynienia ze związkami przyczynowo-skutkowymi, z jakimi spotyka się we własnym życiu – jeśli dzieje się X, to potem następuje Y, a z kolei z Y wynika Z. W życiu czas nigdy nie biegnie wstecz, no chyba że w filmach science fiction – bo dla nas wszystkich czas biegnie nieubłaganie w przód. Należy jednak zaznaczyć, że absolutnie nam nie przeszkadza świadomość, że nieskończenie wiele zdarzeń dzieje się równocześnie – większość poza naszą świadomością – i że te zdarzenia mogą się z sobą wiązać na bardzo zawiłe sposoby.

Czytelnik mojej kroniki powinien wiedzieć, że Winslow Slade pożegnał się z życiem na tej samej ambonie pierwszego kościoła prezbiteriańskiego, z której wygłaszał swoje gościnne kazanie, i że jego śmierć była czymś nieoczekiwanym i przerażającym dla wiernych, którzy szanowali tego starszego pana, a nawet kochali, oraz że ta śmierć zbiegła się z triumfem Todda Slade'a w Bagiennym Królestwie – albo nastąpiła kilka chwil później. (W Princetonie było to mniej więcej o dziesiątej dwadzieścia rano czasu wschodniego, ale jeśli idzie o Bagienne Królestwo, to trudno tu mówić o zarejestrowanym czasie, jako że pory roku na tym terenie nie istnieją, dlatego kalendarze i zegary nie mają tam zastosowania).

Jeszcze tego samego dnia, tyle że później, doszło do cudownych wydarzeń w związku ze zmarłymi wnuczętami doktora Slade'a, o czym opowiem w stosownym momencie. Tak więc zaprezentuję najpierw rozdział zatytułowany „Gra przeciągów", a następnie „Śmierć Winslowa Slade'a", i proszę czytelnika, by miał na uwadze fakt, iż odnotowane w nich wydarzenia działy się *jednocześnie*.

GRA PRZECIĄGÓW

To była nowość i zarazem coś wstrząsającego: po tylu stuleciach w Bagiennym Królestwie pojawiło się dziecko.

Ubranie chłopca było tak sfatygowane, a on sam sprawiał wrażenie tak chorego, że z początku uznano, że to jakiś ulicznik, mały żebrak lub kominiarczyk wyrzucony na bruk przez swego mistrza, we wczesnym stadium choroby płucnej. Niemniej jednak hrabina Camilla, przyciągnięta paplaniną podnieconych służących, stwierdziła, że to przyzwoity chłopiec, może nawet dobrze urodzony, i wiedziona kaprysem postanowiła go przyjąć pod swe skrzydła i uratować mu życie. *Bo może któregoś dnia moje życie będzie potrzebowało ratunku i to jest inwestycja na to konto.*

Gdy ktoś ze świty hrabiny zauważył, że panu ich zamku może się nie spodobać, że przyjęli to dziwne dziecko, hrabina odrzekła wyniośle:

– Słyszeliście moje życzenie. Mam nadzieję, że to wystarczy, by okazać mi *posłuszeństwo.*

I tak oto Todd Slade został wpuszczony do spowitego we mgłę zamku w samym sercu Bagiennego Królestwa, który to fakt miał doprowadzić do śmierci wrogów jego rodziny.

– Twoje życie zostało uratowane, Szczurku – rzekła hrabina Camilla dobrotliwie. – I teraz musisz mi się odpłacić. Jakie masz talenty? Potrafisz śpiewać, tańczyć albo może opowiadać różne historie?

Kiedy chłopiec nie odpowiedział od razu, bo znajdował się w stanie odrętwienia pod wpływem przeżytego wstrząsu, niczym ktoś, kogo przegnano przez czas i przestrzeń z gołą głową i bez żadnej ochrony, hrabina dodała:

– Udajesz niemowę, chłopcze? Kusisz, bym zapomniała o swoich dobrych intencjach?

Chłopiec z początku wydawał się niezdolny do udzielenia odpowiedzi. A potem, z takim wyrazem twarzy, jakby musiał zareagować, żeby ratować swe życie, powoli przecząco potrząsnął głową.

– W takim razie nie jesteś niemową? – Hrabina była jednocześnie zirytowana i rozbawiona. – Tylko po prostu nie mówisz, co?

I chłopiec po raz kolejny pokręcił głową na znak, że *nie*.

Ponieważ na Bagiennym Pałacu zalegało ogromne brzemię nudy, nieuchronnego przekleństwa spadającego na ziemie, gdzie nie ma ani pór roku, ani czasu, początkowo liczono tam, że znajda dostarczy jakichś stosownych rozrywek hrabinie Camilli, która nie miała własnego dziecka. Kazała wykąpać Szczurka w swojej marmurowej wannie, w obłokach mydlanych baniek, i nakarmić go obfitością najrozmaitszych słodyczy i alkoholi, aż w końcu zrobił się upiornie blady i zaczął wymiotować – co w Bagiennym Królestwie było nowością i wzbudziło szczególne obrzydzenie u hrabiny, która wydała rozkaz, by natychmiast zabrać od niej Szczurka.

Nie minęło jednak dużo czasu i hrabina kazała, by tego chuderlawego chłopca, jedenasto- dwunastoletniego według ziemskiej miary, ubrano w strój z haftowanego jedwabiu, białą koszulę z żabotem oraz botki z koźlęcej skórki, by dzięki temu mógł jej służyć jako paź.

– Jest tylko dzieckiem, niegroźnym dzieckiem. Jak już mu się pojawią zarost i włosy pod pachami, pan albo go zabije, albo wykastruje, ale mam nadzieję, że to będzie dopiero za jakiś czas. W naszym domostwie od dawna nie dźwięczał śmiech dziecka, który jest *śmiechem nierozmyślnym*. – Tak wypowiedziała się Camilla, której jasnozłote oczy ciskały gromy nawet wtedy, gdy się uśmiechała, i której woli nikt się w murach zamku nie ośmielał sprzeciwić, wyjąwszy jej brata hrabiego.

Bo hrabina i hrabia nie byli żoną i mężem, tylko siostrą i bratem i nie łączyła ich głęboka więź oparta na miłości, tylko bardziej złowieszcza i pierwotna więź *krwi*.

Gdy już go wykąpano, ufryzowano mu włosy, a potem jeszcze zastąpiono jego podarte i brudne ubranie kostiumem godnym pazia, Szczurka obsługiwały osobiste służki hrabiny, a oprócz tego skakały przy nim kobiety wiadomej konduity – całowały go, pieściły i nazywały *anielskim dzieckiem* samej Camilli. A Camilla ujmowała jego twarz w dłonie i spoglądała mu w oczy; wypytywała go o imię, o ojczyznę, o powody, dla których wyruszył samotnie i pieszo przez niebezpieczne ziemie Bagiennego Królestwa. Ale Szczurek jedynie mrugał ze strachu i potrząsał głową w milczeniu, jakby był nie tylko niemy, ale także głuchy i głupi. Prawdę powiedziawszy, chłopiec był niedożywiony i osłabiony, bo pałacowe jedzenie było dlań mało pożywne.

– Jak masz na imię, mój mały paziu? Szepnij mi do ucha.

Hrabina szczypała jego policzki, aż wreszcie pojawił się na nich mętny rumieniec. A jednak chłopiec nie wypowiedział ani słowa i kulił się ze strachu przed tą ognistą kobietą.

– Skąd przyszedłeś, chłopcze, i dokąd zamierzałeś zajść? Bo przecież nie *tu*. Bo tego *tu* nie sposób sobie wyobrazić *tam*, gdziekolwiek był twój dom.

Hrabina wpatrywała się w oczy chłopca, które fascynowały ją, bo były oczami kogoś, kto *jeszcze żyje*. Od bardzo dawna nikogo takiego nie widziała. – Czy wiesz, gdzie się znajdujesz w tej chwili? I kto jest tu panem, a kto panią? I czy ty naprawdę połknąłeś swój język? – Mówiąc to, hrabina ostentacyjnie rozwarła szczęki chłopca, by sprawdzić, czy rzeczywiście nie ma między nimi języka, i nastraszyła Szczurka, pytając, czy chciałby zostać uwolniony od tej „oślizgłej, bezużytecznej rzeczy", którą najwyraźniej posiadał. – Bo jeśli rzeczywiście jesteś niemową, mój chłopcze – rzekła tonem przygany – to niewykluczone, że będziesz musiał się z nią rozstać.

Pan zamku powrócił i stwierdził, że chuderlak o szczurzej twarzy, który jest paziem jego siostry, wygląda mu znajomo, ale nie potrafił sobie przypomnieć, gdzie go widział. Chłopak utknął w ciemnej rozpadlinie jego mózgu jak wspomnienie o niczym niewyróżniającym się posiłku, zjedzonym pospiesznie i nie do końca.

– Nie wątpię, Camillo, że przyjęłaś tego Szczurka, żeby mi dopiec, a nie powodowana miłosierdziem wobec *niego*.

Hrabina, której paź już się troszkę znudził, zaprotestowała, że przecież chłopiec to jej pupil, dlatego więc nie należy ani mu dokuczać, ani go straszyć, a już na pewno nie należy rzucać go na pożarcie padlinożernym ptakom, żeby go zadziobały, dopóki ona i tylko ona nie wyda takiego rozkazu.

Całun z wilgoci i znużenia spowijający Bagienny Pałac był tak ciężki, że całe noce spędzało się na smętnych hulankach i grze w warcaby, ale pewien stary, garbaty sługa poinformował Todda, że to nie jest zwyczajna gra w warcaby, w jaką grywa się w cywilizowanych krajach, tylko jej najbardziej pomysłowa i śmiercionośna odmiana. Bo zwycięzca nie tylko uzyskiwał pewne przywileje, ale także musiał odrąbać głowę przegranemu na oczach całego dworu! Ten ostatni element pan pałacu wprowadził po swym powrocie ze Wschodu przed kilku laty, by jakoś rozruszać atmosferę. I wszyscy teraz szaleli za tą grą, a ponadto nabawili się nienasyconej żądzy krwi – znaczy krwi innych ludzi.

– Kiedy słyszysz bestialski ryk podnoszący się w środku nocy – powiedział szeptem sługa – wiedz, że to reakcja gapiów na kolejną egzekucję. Ten odgłos jest równie okropny jak widok.

Todd miał ochotę dokładniej wypytać mężczyznę, ale uznał, że przezornie będzie nadal udawać niemowę. Z jakiegoś powodu człowiek taką już ma naturę, że przemawia bardziej otwarcie do kogoś, kto uchodzi za niemowę.

Todd Slade desperacko pragnął przeżyć i dlatego nauczył się zachowań charakterystycznych dla niemowy – sygnalizowania palcami, energicznego przewracania oczami, krzywienia się, gwałtownego potakiwania albo potrząsania głową, kiedy ktoś do niego zagadał; tym razem zadygotał i skulił się ze strachem.

– Nigdy, przenigdy nie gódź się grać z kimś tutaj w warcaby, chłopcze – rzekł sługa. – A jak już cię zmuszą, to *nie odrywaj wzroku od planszy*, to twoja jedyna nadzieja. Nawet na chwilę, nawet na mgnienie oka! Doświadczeni gracze nauczyli się niesamowicie oszukiwać, a już przede wszystkim pan. (Pan przyjmuje wyzwania od każdego gracza i mówi, że w razie przegranej godzi się na własną egzekucję, ale pan oczywiście nigdy nie przegrywa). Jak im się nie uda zbić wszystkich twoich pionków zgodnie z regułami gry, to strącają je na posadzkę albo chowają do kieszeni, a wtedy czeka cię już tylko pieniek, na którym odrąbią ci głowę. Nawet pani nie uratuje ci życia, a zresztą i tak nie będzie chciała, bo jest obłąkana na punkcie krwi.

Todd grywał w wiele gier planszowych z Jozjaszem, Annabel i innymi członkami rodziny, w tym również z dziadkiem Slade'em, który nauczył go grać w warcaby – to znaczy w angielski wariant amerykańskich warcabów – i pokazał mu, jak się gra z „powagą, a zarazem z radością w sercu". Winslow Slade lubił nawet zasiadać do takich gier ze swoim małym wnukiem – zdumiewał się i zachwycał, gdy Todd prędko zaczął wygrywać. Wszyscy z West Endu, którzy widzieli, jak chłopiec gra z dorosłymi w warcaby, dziwili się jego umiejętnościom, ale niestety w wieku mniej więcej dziesięciu lat Todd zaczął się szybko nudzić nad planszą, ograniczony zasadami, przez co nawet Annabel nie lubiła z nim grać. Todd przypomniał sobie z konsternacją, jaki bywał rozwydrzony – po utracie piona potrafił wpadać w szał złości i zrzucał wszystkie pozostałe piony na podłogę; czasami oszukiwał, przesuwając ukradkiem któryś z pionów albo podstępnym ruchem palca przemieszczając pion przeciwnika. Teraz wstydził się, że był taki dziecinny i że tak nadwyrężał cierpliwość Annabel.

– Gdybym tylko mógł raz jeszcze przeżyć dzieciństwo – bąknął pod nosem, przycupnąwszy w zawilgoconym zakamarku pałacu. – Robiłbym wszystko inaczej i nie trafiłbym *w to miejsce*.

Odkąd hrabina utraciła zainteresowanie swym paziem, Todd mógł swobodnie błąkać się po pałacu, pod warunkiem że trzymał się z dala od tych jego mieszkańców, których widok dziecka zdawał się obrażać i zabawiali się pijackimi żartami i torturami – na przykład chwytali Todda za kark i zmuszali, by walczył z warczącymi psami o skrawki jedzenia. (Upokorzony, a jednak pragnąc za wszelką cenę przetrwać, Todd godził się na takie poniżenia, z niezłomnym postanowieniem, że będzie stosował się do rady, której udzielał mu dziadek Slade w czasach, gdy Todd ledwie zwracał uwagę na starca: *Jesteś Slade'em, dlatego możesz i będziesz słuchać tego, co zaleca ci twój wewnętrzny głos*).

Sprytny dzieciak wyrozumował sobie również, że jeśli oprawcy ujrzą go złamanego i zapłakanego, to na jakiś czas się tym widokiem zadowolą i dzięki temu zyska jeszcze jeden dzień życia, a może nawet jakieś szanse na zemstę.

Dzięki swej odwadze i sprytowi Szczurek dostał się do wielkiej sali jadalnej, gdzie na kominkach o wysokości sześciu stóp, wypełnionych kośćmi, płonęły niechętne ognie i gdzie podczas długich, bezsennych nocy bawili się mieszkańcy pałacu. (Bo sen zwyczajnej odmiany nie był wprawdzie zakazany, ale uważano go za coś deklasującego i za oznakę słabości). Jedna z kobiet ze świty hrabiny zauważyła – (piękna hrabina wybierała takie, które miały brzydkie twarze i zniekształcone ciała, by wypadać na ich tle nadzwyczaj korzystnie) – że dziecku w takim wieku powinno się oszczędzić równie ponurych widoków jak ścinanie głów, jako że mogłyby one wzbudzić w nim „nienaturalne ciągoty". Usłyszawszy to, hrabina wzruszyła ramionami i zmierzwiła włosy swemu paziowi, mówiąc: „A cóż w tym złego? Nie można być zbyt długo *wrażliwym chłopcem*".

I tak się stało, że Todd Slade bywał niemym świadkiem niekiedy bardzo grubiańskiego zachowania członków dworu i okazjonalnych gości, a także nocnego grania w warcaby – które rozpoczynało się od pijackiego optymizmu i hałaśliwej brawury graczy, a kończyło nieodmiennie panicznym strachem ze strony (niedowierzającego) przegranego oraz egzekucją tak krwawą i często tak okaleczającą ofiarę, że biedny Todd musiał ukrywać twarz w dłoniach.

Nocni zabawowicze byli tak głośni, a ich śmiech był tak natarczywy i wymuszony, że nawet pająki drżały w swych pajęczynach ukrytych tuż pod łukowym sklepieniem wielkiej sali; na usianym kośćmi dziedzińcu padlinożerne ptaki budziły się ze snu i łopotały skrzydłami, nie mogąc się już doczekać krwawej uczty o świcie. Bezpieczne dzieciństwo nie najlepiej przygotowało Todda na brutalność świata – a przynajmniej tego świata; wspominał niczym sen zwyczajową ciszę panującą w Wheatsheaf i to, jak matka i słudzy go rozpieszczali mimo jego złego zachowania; jedynie ojciec nie miał dla niego cierpliwości i Todd teraz zaczął rozumieć, dlaczego tak było.

Todd wzdragał się przed wszystkim, co kazano mu oglądać w Bagiennym Pałacu, a co niby miało go „rozbawić". Na przykład pierwszej egzekucji, którą widział, dokonał na młodzianie o jeszcze gładkim podbródku sam pan pałacu – będąc pijany w sztok i straszliwie wytrzeszczając swe żabie oczy, musiał uderzać w kark nieszczęśnika (bardzo tępym) toporem pięć albo sześć razy, zanim wreszcie wykonał zadanie. Kilka nocy później Todd był jeszcze bardziej zdumiony i zniesmaczony widowiskiem, jakie zaprezentowała jasnowłosa hrabina Camilla! – mimo swej ogłady i skrupulatności lubiła grywać w warcaby z niewyszkolonymi przeciwnikami płci męskiej, którzy dla niej nie stanowili żadnego wyzwania i łatwo ich było pokonać. „Moja damka bije wszystko! Widzicie? *Wszystko!*", dźwięczał podniecony głos hrabiny.

A potem ta piękna, zawsze opanowana kobieta z doskonałą niczym maska twarzą, odziana w aksamity, adamaszki i gronostaje i cała połyskująca klejnotami, stanęła niczym drwal na rozstawionych szeroko nogach, z przerażającą determinacją zamachnęła się toporem i pojedynczym ciosem ścięła głowę swego nieszczęsnego admiratora, czemu towarzyszyły wybuchy śmiechu i wiwaty równie pijackie i infantylne jak wiwaty podczas rozgrywek futbolowych między Uniwersytetami Princeton i Yale, które Todd kilkakrotnie oglądał razem z rodziną.

Skulony Szczurek ukrył się wtedy wśród psów, bo przyjaźnił się z tymi najbardziej tchórzliwymi; byli stworzeniami związanymi jednaką niedolą. I pomyślał: *Czy ja kiedykolwiek ucieknę z tego piekła? A jeśli tak, to dokąd miałbym się udać? Przecież nie znam drogi powrotnej.*

Kiedy uczył się sam alfabetu i składania wyrazów w logiczne sekwencje, miał sposobność przejrzeć kilka bardzo starych, nigdy nieotwieranych ksiąg z biblioteki Copplestone'a; chcąc zszokować ojca, dla żartu wykuł na pamięć fragment z Anaksymandra: *To, co jest początkiem istniejących rzeczy, to z konieczności stanie się ich zgubą. Ponoszą bowiem karę sprawiedliwą za niesprawiedliwość swoją w porządku czasu**. Todd nie zrozumiał wówczas tej maksymy, a jednak czuł jej nieodwołalność.

W jeszcze innej starej, lekceważonej księdze natrafił na cytat z Heraklita, który sprawił, że przeszył go dreszcz, bo było coś niesamowitego i profetycznego w tych słowach:

Czas jest dzieckiem grającym w warcaby, dziecko ma władzę króla.

Todd nie mógł się raczej wtedy domyślić, że pewnego dnia weźmie własne życie w swoje ręce podczas gry w warcaby.

Na wielką korzyść Szczurka należało przypisać fakt, że był chudy i blady, dzięki czemu wydawał się młodszy, niż był w istocie. Każdy dorosły z pałacu, który spojrzał na niego pobieżnie, uznawał, że ma nie więcej niż dziesięć lat i że jest zaniedbany. Chociaż dzieci rodziły się w pałacu, to widywano je tam rzadko, bo nie były w stanie żyć w tej wilgoci i zgniliźnie. Szczurkowi nie przyglądano się jednak zbyt uważnie, bo był mały i nie mówił, a ponadto wciąż uchodził za pazia hrabiny, mimo że ona już tak za nim nie przepadała i pozwoliła, by jego wytworne szatki pobrudziły się i podarły. Kobiety mieszkające w pałacu, przekonane, że jest jeszcze dzieckiem, beztrosko przebierały się, myły i rozmawiały w jego obecności, a Szczurek udawał, że nie zwraca na nie uwagi. Pewna tłustawa wiedźma zażartowała sobie sprośnie: „Szczurek jest tylko dzieckiem, ale jest zarówno za stary, jak i za młody, żeby ssać kobiecą pierś jak należy". Pozostałe kobiety skwitowały to śmiechem, ale silnie zaczerwieniony Todd po prostu skamieniał.

---

* K. Leśniak, *Materialiści greccy w epoce przedsokratejskiej*, Wiedza Powszechna, Warszawa 1972 (przyp. tłum.).

Wszyscy na dworze byli przekonani, że Todd nie potrafi mówić, dlatego tym bardziej się zdumieli, gdy pewnej nocy, kiedy zabawa akurat nie była aż taka hałaśliwa jak zazwyczaj, nieśmiały, mały paź hrabiny przemówił wreszcie cienkim, słabowitym szeptem:
– Czy mogę coś powiedzieć, hrabino?
– Czy *możesz* coś powiedzieć? Co to znaczy? To ty *potrafisz* mówić? – Hrabina nie posiadała się ze zdumienia. – A więc ja cię wyleczyłam, czy tak? Tak to jest? Tak się opiekowałam Szczurkiem, że odzyskał mowę, tak? Wszyscy gratulowali hrabinie cudu, do którego doszło dzięki niej. A Szczurek, ledwie słyszalnym głosem, szepnął jej do ucha:
– Chciałbym zagrać w w-warcaby z panem.
– W warcaby? *Z panem?* – Hrabina zagapiła się na Todda z autentycznym przestrachem. – Oszalałeś? Przegrasz na pewno, a wtedy twoja kochana, maleńka główka zostanie odrąbana i ciśnięta na pożarcie ptaszyskom. Twoja hrabina jeszcze nie jest na to gotowa.

Pan usłyszał jednak niebaczne słowa pazia, których ten tak łatwo odwołać nie mógł. I w ponurej komnacie, która mimo nieustających uciech i mimo ogni płonących na kilku kominkach przypominała mauzoleum, rozległy się okrzyki zaskoczenia i oklaski, bo perspektywa obejrzenia podobnego widowiska w całym tym grzęzawisku nudy była nadzwyczaj podniecająca.

– Mój paź jest za młody, żeby grać w warcaby – zaprotestowała hrabina – a mój brat jest niezwyciężonym mistrzem tej gry, z którym nie da się nawet zremisować, dlatego taka partia może się zakończyć jedynie rzeźnią, a na to zgody nie będzie.

– A właśnie, że będzie – odparł jej na to brat, pogardliwie wykrzywiając usta. – W Bagiennym Królestwie ja mam zgodę na wszystko.

Hrabia był zachwycony, że paź jego siostry rzucił to wyzwanie; bo sam przez całe stulecia doszedł do takiej wprawy w warcabach, że potrafił grać symultanicznie z dwoma albo trzema przeciwnikami i ta gra z nieodmiennie krwawym finałem zaczęła już go nużyć. Dlatego ucieszył się, że tego wieczoru przynajmniej znajdzie jakąś rozrywkę, bo w całej historii Bagiennego Pałacu, datującej się od czasów, kiedy jeszcze nie było czasu, nie znalazło się ani jedno dziecko, które rzuciło wyzwanie dorosłemu, a tym bardziej arystokracie. Ponadto hrabia uważał, że w samym pojęciu „dziecka" jest coś zdradzieckiego, nieokiełznanego, w istocie *nienaturalnego*.

– Bo czyż dziecko nie jest bytem, który ulega stopniowym zmianom, nie całkiem na naszych oczach, a jednak w naszej obecności? – zastanawiał się na głos pan pałacu. – I czyż nie jest dziecko wczesną wersją nas samych albo drwiną z nas, stanowi bowiem obraz naszej skalanej niewinności i naszych zawiedzionych nadziei? I wreszcie coś najbardziej nie do zniesienia: czyż nie jest dziecko *kimś, kto z czasem zajmie nasze miejsce?*

Blada żabia twarz rozbłysła uśmiechem ukazującym nierówne, pożółkłe

zęby, kiedy hrabia trzepnął Szczurka w głowę, demonstrując uczucie, i powiedział, że owszem, jak najbardziej przyjmie wyzwanie Szczurka, i to czym prędzej, bo wieczór jest nadzwyczaj ospały i nudny, bo ten zimowy deszcz nie chce przestać padać, bo jego kompanioni to tchórze, którzy boją się rzucić wyzwanie zarówno jemu, jak i sobie wzajem, bo w pałacu brakuje świeżej krwi, a zatem brakuje też świeżej krwi do nocnych uciech...
– Czy ty cały czas umiałeś mówić, Szczurku? I tylko wiedziony sprytem gryzłeś się w język? – spytał hrabia z udawaną sympatią, a Szczurek, widząc, że hrabina krzywi się znacząco za plecami hrabiego, powoli potrząsnął głową na znak, że *nie*, jednocześnie marszcząc się i wzruszając ramionami, by zasugerować, że mówienie przychodzi mu z trudem, a nawet sprawia ból.

Warcabnicę ułożono na poplamionym marmurowym blacie, na samym środku komnaty, w odległości kilku jardów od największego kominka, na którym płonął ogień dający mało ciepła. Sama w sobie warcabnica była dziełem sztuki, przynajmniej kiedyś – wykonano ją z afrykańskiego drewna zingana, z kwadratami pomalowanymi w pięknych odcieniach czerwieni i czerni, okolonymi abstrakcyjnym złotym wzorem sugerującym motywy orientalne i węże. Piony były nieco większe od tych, którymi Todd grywał w domu, z kości słoniowej o ząbkowanych krawędziach, i podzielone jak zawsze na dwie armie: czerwoną i czarną*.

Niestety w odległości niecałych piętnastu stóp od planszy czekał cuchnący pieniek rzeźnicki, mocno zużyty kawał kłody wyciągniętej z bagna, a oprócz tego śmiercionośny topór z mocnym trzonkiem przez lata wyrobionym na gładź oraz ogromnym dwusiecznym ostrzem nie tylko pokrytym zaschniętą i sczerniałą krwią, ale także oblepionym tysiącami włosów. (Ten odrażający widok działał na korzyść hrabiego, bo wytrącał z równowagi najodważniejszych graczy, gdy tymczasem sam hrabia zachowywał się ze skrajną nonszalancją, udając, że nie widzi topora).

Hrabia podprowadził Szczurka do krzesła i sam zasiadł po drugiej stronie planszy, po czym udając, że jest trzeźwy, powiedział, że warcaby, w które się gra w pałacu, nie wymagają raczej dodatkowych objaśnień, ale na wypadek gdyby Szczurek zapomniał, gra ma pewien nowy element.

– Jeśli twoja armia zatriumfuje nad moją, to będziesz musiał użyć topora – (no popatrz na niego, chłopcze, *popatrz!*) – i ściąć mi głowę. Nie możesz się nade mną litować, bo nie masz takiej władzy: w Bagiennym Królestwie nie ma litości, nawet dla jego panów. Zrozumiano? I czy przy-

---

* Wprawdzie nie da się po tylu latach potwierdzić jego autentyczności, ale istnieją spore podstawy, by domniemywać, że pion będący w moim posiadaniu, który przechowuję w szufladzie biurka, by móc go kontemplować i czerpać zeń inspirację, to ten sam, który Todd Slade przyniósł do domu z Bagiennego Królestwa. Pion jest bardzo zniszczony upływem czasu, ząbkowane brzegi wytarły się, a kolor tak spowiał, że ledwie widać, że kiedyś była to czerń.

rzekasz, że nie zalejesz się łzami, kiedy *będziesz musiał zabić* swego pana i dobroczyńcę, który od tak dawna toleruje twą obecność tutaj, w królestwie? A jeśli stanie się tak, że to twoja armia, te twoje czerwone ludziki, zostanie pokonana – rzekł hrabia z podstępnym uśmiechem – no to wtedy sytuacja będzie odwrotna, ale jest to tak mało prawdopodobne, że lepiej nie marnujmy czasu na spekulacje.

Mimo że żart był kiepski, cała sala zatrzęsła się od złośliwego śmiechu i tylko Szczurek – biedny, przestraszony Todd Slade – siedział nieruchomo jak kamień, ze wzrokiem wbitym w planszę. Najwyraźniej w jego głowie dźwięczała przestroga: *Nie odrywaj wzroku od planszy, nawet na chwilę!*

Hrabiemu przyniesiono kufel piwa o gryzącym zapachu, a Todd dostał miniaturową wersję tego samego, wyraźnie po to, by wywołać śmiech gapiów; podano też rozmaite łakocie oraz krwisty „sandwicz kanibala", który swego czasu zemdlił Annabel. Te delikatesy hrabia pogryzał potem przez całą grę, wycierając lepkie dłonie o swoje aksamitne odzienie, natomiast Todd nie chciał niczego jeść, mimo że tak naprawdę umierał z głodu.

Kiedy dzwon głucho wybił północ, gra się rozpoczęła, przy czym pan pozwolił Szczurkowi wykonać pierwszy ruch, bo to on miał czerwoną armię, i wszyscy próżniacy z dworu, w tym nadąsana hrabina i jej świta, podeszli bliżej do warcabnicy. Todd z pewnym wahaniem wykonał ruch, wysuwając jeden z pionów z pierwszego szeregu, ale nagle ogarnął go strach przed wypuszczeniem go z rąk.

– No dalej, dalej! – rzucił drwiąco hrabia. – Musisz go puścić, na takie sztuczki jest limit czasu, a potem odrąbuje się palce.

Nadeszła kolej na ruch hrabiego. Todd ze strachem podniósł oczy na tę dziwaczną, obwisłą, zielonkawą twarz, w której pod brzydkim zewnętrzem kryło się coś osobliwego – jakby szlachectwo płaza. Czy to właśnie tę osobę pokochała kuzynka Todda Annabel, czy też zahipnotyzowano ją, by uwierzyła, że ją kocha? Czy to właśnie ta osoba doprowadziła Slade'ów do upadku i do zniszczenia Crosswicks?

– Uważaj! – syknęła hrabina do Todda z niejakim obrzydzeniem.

Albowiem w tej jednej krótkiej chwili, gdy Todd gapił się na twarz hrabiego i obracał w głowie swe melancholijne myśli, podstępnemu przeciwnikowi udało się strącić z planszy dwa jego piony...

Pochlebcy otaczający pana zarechotali. Hrabia wykonał swe ruchy tak prędko, że osłupiały Todd z początku nie był w stanie pojąć, jak jego armia utraciła już dwa piony.

Surowy głos znowu go pouczył: *Nie odrywaj wzroku od planszy, to twoja jedyna nadzieja!* Został zawczasu ostrzeżony, a jednak zapomniał o tym jak dureń.

Hrabia naturalnie niczym nie zdradził, że oszukuje, i udał, że nie dostrzega konsternacji na twarzy swego małoletniego przeciwnika.

Przez kilka chwil gra posuwała się do przodu w mniej więcej normalny sposób, tyle że boleśnie wolno ze strony Todda, bo znowu nie chciał za nic wypuszczać z rąk pionów; i przypomniało mu się, jak beztrosko grał w warcaby w Crosswicks, ufając swemu szczęściu i natchnieniu, ku zachwytowi dziadka.

Kiedy hrabia dobrotliwym głosem zapytał, czy Todd życzyłby sobie eszcze jakiegoś napitku, i to bardziej odpowiedniego dla dziecka, chłopiec wiedział, że nie może dać się zwieść i spojrzeć na twarz tamtego, że powinien jedynie potrząsnąć głową i nie odrywać oczu od planszy. *Nie mogę dać się wciągnąć we własną śmierć. Muszę się skupić wyłącznie na warcabach.*

Hrabia dla odmiany przesuwał swe piony prędko i z ostentacyjną obojętnością, przy każdym ruchu zadzierając podbródek, czym najwyraźniej chciał skłonić Todda, by ten uniósł głowę i spojrzał mu w oczy, ale Todd zacisnął szczęki i nie ulegał odruchom.

Skup się! – tak radził mu dziadek. Odniesiesz sukces jedynie dzięki skupieniu.

I tak oto gra toczyła się powoli. O pierwszej niektórzy gapie zaczęli pomrukiwać, że zrobiło się nudnawo i że przy takim tempie nie pójdą spać do białego rana. Hrabina odważyła się dogryźć bratu, zauważając, że nie jest nawet w połowie tak utalentowanym graczem, jak się dotąd chełpił, skoro dziesięcioletnie dziecko potrafi odpierać jego ataki.

– Ruch za ruch i pion za pion – prowokowała hrabina. – Władca dworu i nisko urodzony paź są sobie równi, bo żaden nie posiada iskry geniuszu.

Ta grubiańska uwaga miała rozzłościć hrabiego i zaiste rozzłościła go; ukrył irytację ziewaniem, przeciąganiem się i wzdychaniem, a potem jeszcze dobył z kieszeni kamizelki zniszczony skórkowy mieszek wypełniony jakąś substancją, cuchnącą rumem i torfem. Zanurzył palce w mieszku i przyłożył je najpierw do jednego nozdrza, potem do drugiego; Todd nie mógł go obserwować bezpośrednio, ale te ruchy rozpraszały uwagę i w końcu po raz drugi na moment uniósł wzrok.

Biedny Todd! W tym samym momencie wolna dłoń demona przemknęła po planszy i zręcznie usunęła jeden z jego pionów, wyjątkowo teraz ważny, bo bronił dostępu do tylnego rzędu. I Todd po raz drugi zamrugał z konsternacji i niedowierzania. Jak to możliwe, że ktoś potrafił oszukiwać z taką wprawą? I pozorując taką niewinność?

Po raz kolejny wszyscy ryknęli śmiechem. Nawet hrabina śmiała się z obrzydzeniem, a rozweselony hrabia kichnął, po czym odrażająco wydmuchał nos w chusteczkę i kazał Toddowi wykonać następny ruch.

– Bo godzina już późna jak dla ciebie, chłopcze. Niebawem będzie trzeba kłaść się *do łóżka.*

Todd był już mocno zniechęcony i przestraszony; jego biedna czerwona armia została pozbawiona trzech pionów, podczas gdy czarna armia nie poniosła żadnych strat, dlatego siedział sztywno jak kaleki starzec, garbiąc się nad planszą, z oczyma pełnymi łez. Musiał gwałtownie zamrugać, żeby cokolwiek widzieć, ale nie odważył się wytrzeć twarzy ze strachu, że przeciwnik to wykorzysta.

A hrabia dobrotliwym i zarazem drwiącym głosem tłumaczył, że warcaby, posiadające niewiele z subtelności szachów, należy rozgrywać z dezynwolturą. Czyż nie jest to kwintesencja *dzieciństwa* – gra cechująca się najwyższą prostotą, w której wszystkie elementy są widoczne dla oka i wymagają niewiele myślenia?

– W warcabach można przesunąć piona prędko, bez zastanowienia – powiedział – bo tak naprawdę to niewiele zmieni.

Todd był już taki spięty, że kiedy wreszcie wykonał następny ruch i oderwał palce od piona, ku swemu przerażeniu zobaczył, że się straszliwie pomylił.

Skup się! – pouczał go Winslow Slade.

Nie odrywaj wzroku od planszy! – pouczał go stary sługa.

Hrabia zawahał się, jakby podejrzewał jakąś pułapkę, a potem przeskoczył swoim pionem nie tylko nad pechowym pionem, którego przed chwilą Todd przestawił, ale także nad następnym, po czym zdjął je triumfalnie z planszy.

Grupa pochlebców i próżniaków znów zareagowała oklaskami i pomrukiem komplementów pod adresem pana.

– Tak wyszło za sprawą pomyłki chłopca, a nie umiejętności hrabiego – orzekła hrabina z nadąsaną twarzą.

W tym momencie Todd doznał straszliwego olśnienia – przeraził się, że mógł zapomnieć zasad gry. W Crosswicks, kiedy grywał od niechcenia z Annabel i Jozjaszem, często naruszał zasady, co kuzynom raczej nie przeszkadzało.

– No dalej, Szczurku – rzucił hrabia – moja armia marzy o zabijaniu. I wiesz, że przezorność na nic się nie zda.

Todd próbował sobie przypomnieć: celem gry było zdobywanie „damek" – dzięki temu rosło się w siłę. A zdobywanie damek miało coś wspólnego z tylnym rzędem. Ta myśl przefrunęła przez głowę Todda niczym wirujący motyl, w samą porę, dzięki czemu mógł wykonać swój ruch i był to szczęśliwy ruch, jakby z góry przemyślany.

Hrabia tak pospiesznie wepchnął swego piona między uszczuplone szeregi Todda, z oczywistym planem zdobycia damki przy następnym ruchu, że też popełnił błąd, co obaj zauważyli w jednym momencie. Niemniej jednak hrabia już postawił tego piona i teraz musiał go stracić.

Czy to pułapka? – zastanawiał się Todd. Jego wzrok jak oszalały omiatał warcabnicę.

A jednak to chyba nie pułapka. Wszyscy sykofanci wypełniający ponurą salę wciągnęli wyczekująco oddechy. Todd przesunął samotnego piona na strategiczną pozycję, dzięki której zablokował dwa ważne piony przeciwnika i w następnym ruchu mógł wyrównać swoje straty.

– Ten Szczurek to ma szczęście – mruknął ponuro hrabia jak zbesztane dziecko. Bo teraz był zmuszony wykonać swój ruch i poświęcić piona. – No, óż, widzę, że dzieciak zaraz będzie miał damkę. Ale ja też, i to już niedługo. Pewnie jeszcze przez kolejną godzinę nie pójdziesz do łóżka.

Jakież niewinne wydawały się kiełbaskowate palce hrabiego spoczywające lekko na pozłacanym brzegu planszy; ale Todd wiedział już, jak prędko potrafią się poruszać, i nie odważył się oderwać od nich wzroku. Damka! Zdobył *damkę*. Poczuł dziwny dreszcz uniesienia, mimo że jemu zostało tylko siedem pionów, a przeciwnikowi aż jedenaście.

Nie. Podnoś. WZROKU.

Mijały minuty, które ku zniesmaczeniu wielu zgromadzonych przeobraiły się w pełną godzinę, i kiedy wybiła druga, spoconemu Szczurkowi zostało tylko pięć pionów, wśród których trzy to były damki, gdy tymczasem przeciwnikowi pozostało jeszcze sześć pionów, w tym tylko dwie damki. Hałaśliwy tłum gapiów przycichł już i atmosfera zrobiła się napięta.

– Masz tu jeszcze jeden kufel, bracie – powiedziała hrabina pojednawczym tonem, w którym pobrzmiewała podstępna nuta. – Może to ci przyda natchnienia.

Zirytowany hrabia przyjął od niej kufel, upił spory łyk, po czym zawadiackim gestem wykonał ruch niby mający na celu zajście od tyłu niechronionych pionów Todda, a jednak był to ruch ekscentryczny, tak jakby zapowiadający jakiś fortel.

Todd długo się zastanawiał nad nowym rozstawieniem na warcabnicy, ale nie potrafił doszukać się w nim żadnej logiki. Widział teraz, że ta gra naśladuje wojnę: nie było w niej żadnej logiki. Zaczął przesuwać jedną z damek i zawahał się; zaczął przesuwać samotnego piona i znowu się zawahał. W końcu wytrzeszczył oczy i głośno przełknął ślinę. Czy jego przeciwnik planował jakiś genialny atak, czy raczej hrabia parł na ślepo do przodu, jakby nie widząc, że przeciwnik może zbić jego damkę dwoma lub trzema wprawnymi ruchami?

Od tego wszystkiego strasznie rozbolała go głowa; czuł też, że z tego napięcia drgają mu powieki.

Bardzo tęsknił za swym dawnym życiem, za beztroskim życiem dziecka, kiedy był takim uparciuchem, jakże okrutnym nawet wobec kochającej matki, kiedy był jak ten cierń w sercu ojca; nawet wobec Annabel, którą przecież kochał, bywał niegrzeczny. I nie podziwiał dostatecznie Jozjasza, bo nie doceniał swego wzorowego kuzyna.

Nie kochał dostatecznie dziadka i nigdy mu nie wybaczył jego upokarzającego wyznania na cmentarzu.

Hrabia zaczął zdradzać niejaki lęk, bo poprawiał się na swym podobnym do tronu krześle i ocierał twarz brudną chusteczką.

– Szczurku – powiedział cicho – może ty wcale *nie jesteś dzieckiem.*

– On jest dzieckiem, bracie! Jest tylko dzieckiem. Musisz się przygotować na to, że dziecko pobije cię na oczach świadków. – Hrabina roześmiała się z zachwytem, ukazując pożółkłe zęby, które o dziwo nie ujmowały niczego jej idealnej twarzy, tylko raczej dodawały urody.

Po dłuższym zastanowieniu Todd wykonał ruch i zaraz potem hrabia zrobił swój. Stłamsiwszy dreszcz strachu, czy raczej cichy okrzyk uniesienia, Todd prędko wykorzystał niewłaściwy pomysł przeciwnika i w energicznym marszu z przeskokami przez całą planszę *zbił nie jedną damkę, lecz dwie!* Na taki widok Annabel zaklaskałaby w dłonie. Nawet gdyby Todd pokonał ją.

Wydawało się już, że Szczurek jest bliski wygrania z panem Bagiennego Pałacu. W wielkiej komnacie zapanowała cisza.

– No cóż, bracie, zmierzasz ku nieuniknionemu – stwierdziła hrabina Camilla głosem jednocześnie radosnym i przestraszonym. – Ty i ja z tobą, bo mój los spoczywa w twoich rękach. *Uważaj.*

Hrabia powoli wyciągnął swój brudny mieszek i umieszczając szczyptę cuchnącej tabaki w nozdrzu, sprytnie dmuchnął odrobinę w stronę Todda, z takim skutkiem, że chłopcu zakręciły się w oczach piekące łzy i nie potrafił się powstrzymać od kichnięcia – jeden raz, drugi i trzeci; przebiegły hrabia natychmiast strącił najcenniejszą damkę Todda na posadzkę.

Wszyscy zgromadzeni zareagowali pomrukiem, ale bynajmniej nie pochwały dla grubiańskiego ruchu hrabiego, bo nawet oszust powinien działać z wdziękiem i ukrywać swą nieuczciwość.

Todd natychmiast spostrzegł, jak wygląda sytuacja, i omal się nie rozpłakał z bezsilności i gniewu, bo znowu został oszukany, i to naprawdę niesprawiedliwie. Hrabia był dokładnie taki sam jak on kiedyś – rozbisurmanione dziecko, a właściwie to jeszcze gorsze, bo jego psoty były śmiertelnie niebezpieczne.

Toddowi udało się do pewnego stopnia otrząsnąć i kontynuował tę wyczerpującą partię, i to z taką miną, że nikt by nie powiedział, iż przez utratę damki wpadł w chwilową panikę. Po całym tym epizodzie pan Bagiennego Pałacu i skromny Szczurek grali w warcaby tak czujnie i tak ostrożnie, że pałacowy dzwon wybił trzecią, czwartą i wreszcie piątą, ale na planszy niewiele się zmieniło. *Jakie to dziwne, że dorównuję diabłu* – taka oto cierpka myśl przyszła do głowy Toddowi.

Do tego czasu wszyscy oprócz najtwardszych gapiów zapadli w pijacką drzemkę. Hrabina Camilla i jej dwórki zaczęły zażywać tabakę, żeby nie zasnąć.

– Może ogłosimy remis, bracie? – powiedziała hrabina, ukrywając zaniepokojenie w żartobliwym tonie głosu. – Nie byłoby to aż takie hańbiące, a poza tym stanowiłoby jakąś nowość w Bagiennym Pałacu.

– Nie. Nigdy.

– Ale...

– Powiedziałem *nie*. Ten Szczurek to jakiś diabeł z innego Bagiennego Królestwa, zupełnie ktoś inny, niż się wydaje. Ale ja go pokonam, i to z kretesem. Przyrzekam.

Todd czuł, że głowa mu sama opada i że jego powieki zrobiły się ciężkie. Znienacka usłyszał głos Annabel, cichy, bardzo blisko jego ucha. *Ale kiedy już zostaniesz łabędziem, to będziesz łabędziem.* Wyczuwał też zmęczenie przeciwnika, ale wiedział, że nie wolno mu spojrzeć na hrabiego. *Łabędź pozostanie łabędziem!*

Wreszcie gra się zakończyła, w całkiem nieoczekiwany sposób, o piątej dwadzieścia jeden nad ranem, kiedy na planszy pozostało tylko sześć pionów: trzy damki z czerwonej armii i trzy z czarnej, lękliwie skulone w swoich obozowiskach.

O tej godzinie Todd wiedział tyle tylko, że cała ziemia zmalała dla niego do postaci lśniących kwadratów. Oszołomiony, z pustym wzrokiem, bliski omdlenia z głodu i strachu, pamiętał niewiele oprócz tego, że istnieje warcabnica i warcaby. Liczyły się tylko posunięcia i kontrposunięcia. Wystarczyłyby dwa ruchy – najwyżej trzy – i mógłby wygrać, a jednak należało myśleć, uważać. Jeżeli czerwona damka przesunie się o jedno pole do przodu, to zagnana do kąta czarna damka będzie zmuszona przesunąć się bokiem, tylko co wtedy z tą drugą czarną damką, stojącą na strategicznej pozycji? Wciąż nie było widać końca gry. Warcaby, Todd widział to teraz, były grą, która nie miała końca – *były jego życiem*. Gdyby osłabł albo, chcąc nie chcąc, zemdlał, to czekałaby go śmierć.

Później żaden z gapiów nie umiał powiedzieć, w jaki sposób paź zadał *coup de grâce*, ani też niestety autor niniejszej opowieści nie umie zrekonstruować końcówki tej partii warcabów, mimo że ustawiłem przed sobą niewielką szachownicę, by śledzić przebieg gry. Zgodnie z dowodami zebranymi później przez Todda Slade'a gra skończyła się o świcie, czy też w porze, która w Bagiennym Królestwie uchodziła za świt, kiedy ospałe i mdłe słońce przedostało się do zadymionego wnętrza komnaty i świadkami była zaledwie garstka obserwatorów, w tym hrabina o spopielałej twarzy. Hrabia, niemal równie pozbawiony sił jak jego nieletni przeciwnik i odrobinę nietrzeźwy, nagle wściekł się na bloodhounda pochrapującego u jego stóp; zaklnąwszy, kopnął psa pod żebra, w wyniku czego biedne stworzenie głośno zaskowytało i umknęło do kąta... Ale kiedy hrabia znowu skierował uwagę na planszę, sięgając po jedną ze swoich damek, spostrzegł zdumiony, że ta damka zniknęła i że pozostałe dwie zaraz mogą zostać zbite.

– Co? Jak to? Szczurek *oszukuje*?

– On nie oszukuje, bracie. Ja nic nie widziałam.

– Ale moja damka...

– Ta damka leży u twoich stóp, bracie. Sam ją tam strąciłeś.
Naprawdę tak było? Nie odważył się sprawdzić, z obawy, że „zniknie"
jeszcze jedna damka.

Hrabia przycisnął obie dłonie do czoła. Jego powieki drżały spazmatycz-
nie. Stało się już jasne, że ta partia warcabów dobiegła końca i że Szczurek
pokonał go uczciwie, grając zgodnie z zasadami obowiązującymi w Bagiennym Królestwie, i to wszystko.

Nawet w przypływie triumfu podstępne dziecko wiedziało, że nie może
zadzierać głowy, żeby spojrzeć na napiętą twarz przeciwnika. *Nie daj się
osłabić*, doradzała mu Annabel. *Zachowaj spokój i nie miej litości.*

Hrabina chwiała się i szarpała za roztargane włosy, wyraźnie owładnięta
gniewem i rozpaczą.

– Po wszystkim. Ta gra... nasza gra... Bagienny Pałac... Królestwo. Królowanie jest teraz w rękach dziecka, a nasze długie panowanie dobiegło
końca.

– Królowanie jest w rękach dziecka – powtórzył hrabia jak echo, nie
przestając się wgapiać w ostatnie piony ze swej czarnej armii. Wybałuszone
oczy żałośnie zaszły wilgocią.

I wreszcie bezlitosny Todd Slade przeskoczył dwie osłabione damki
przeciwnika i warcabnica została ostatecznie oczyszczona *z czerni*.

– Przecież wiesz, że musisz. Nie ma odwrotu. – Hrabina osobiście ujęła
w ręce ciężki topór i przemocą wcisnęła go w dłonie chłopca. – Musisz.
Na tym polega zakończenie gry w warcaby, którą rozpocząłeś w tej samej
godzinie, gdy do nas przybyłeś.

I tak oto dochodzimy do krwawego zakończenia: bo kiedy chuderla-
wy Szczurek, zataczając się ze zmęczenia, zgrozy i odrazy wobec czynu,
którego ma dokonać, za czwartym czy piątym uderzeniem topora wreszcie
odrąbuje głowę hrabiego i na zawsze wymazuje szyderczy uśmiech z tej
żabiej twarzy, mroczna komnata i zdumieni świadkowie znikają ...znika Bagienny Pałac... znika Bagienne Królestwo i jego rozległe jałowe ziemie...
i Todd Slade budzi się, czując, jak jego młode serce wali donośnie od prze-
pełniającego go życia, nie wie tylko, czy budzi się w swym dawnym łóżku
w Wheatsheaf czy w jakimś innym miejscu.

W tej cudownej chwili wie jedynie, że Klątwa została zdjęta i że on sam
żyje – znowu żyje.

ŚMIERĆ WINSLOWA SLADE'A

W żadnych annałach wiedzy medycznej, które autor niniejszej kroniki miał okazję przestudiować, w tym najbardziej makabrycznych i nieprawdopodobnych „studiach przypadku" znajdujących się w Muzeum im. Müttera w Filadelfii, nie było opisu śmierci równie szokującej, w rzeczy samej równie „nienaturalnej" jak ta, która stała się udziałem Winslowa Slade'a na oczach wszystkich wiernych zgromadzonych w pierwszym kościele prezbiteriańskim rankiem 4 czerwca 1906 roku.

Owego niedzielnego poranka doktor Slade miał wygłosić gościnnie kazanie zatytułowane „Duch a litera prawa" – z którym, w różnych wersjach, wystąpił kilka razy wcześniej, zarówno na terenie New Jersey, jak i w Filadelfii, zawsze spotykając się z ciepłym przyjęciem wiernych – ale w ostatniej chwili z przyczyn nigdy niewyjaśnionych emerytowany pastor oznajmił, że zamiast tego kazania wygłosi inne, bardziej osobiste, a opatrzone tajemniczym tytułem „Przymierze".

Rzecz jasna większość członków kongregacji – w tym rodzina Winslowa – zauważyła, że to kazanie zbiega się z rocznicą uprowadzenia Annabel z tego samego kościoła; Augustus Slade rozmówił się z ojcem w tej kwestii, ale został zapewniony, że dla Winslowa ów tragiczny incydent stanowi jedynie bodziec do wygłoszenia kazania i że pokaże tym samym wiernym, jaka siła spoczywa w wierze chrześcijańskiej w obliczu smutku.

– To kazanie to sposobność, Augustusie! Nathaniel najwyraźniej to poczuł, skoro mnie zaprosił.

Zauważono, że stojący na ambonie Winslow Slade wydawał się jakby odrobinę poruszony czy też rozkojarzony; schudł i postarzał się przez te ostatnie dwanaście miesięcy, a jednak był bardzo przytomny i przyjemnie się patrzyło na jego siwe włosy, gładko wygoloną twarz i nienaganny ubiór.

– Drodzy moi, ukochani w Chrystusie, wysłuchajcie mnie i miejcie litość...

Już w chwili, gdy doktor Slade zaczął z pamięci wygłaszać kazanie, owładnęły nim jakby konwulsyjne dreszcze – został zaatakowany przez lśniącą marę, gigantycznego, czarnego węża, potwornego stwora o płaskim łbie, spiżowych ślepiach i czarnych łuskach migoczących jak maleńkie diamenty, który pojawił się znikąd i tak zaskoczył doktora Slade'a, że ten nie zdołał uciec, zanim potwór oplótł się wokół niego i wsadził łeb do jego ust, jakby zamierzał zagrzebać się we wnętrzu ciała.

Wszystko to działo się na oczach przerażonych wiernych dotkniętych zbiorowym paraliżem, którzy jakby nie wierzyli własnym oczom, a jednak nie potrafili oderwać wzroku od tego piekielnego widowiska. Wszystko dlatego, że czarny wąż był zarówno „realny" w swym oddziaływaniu na przerażonego człowieka, jak migotał i wydawał się przezroczysty – widać było na wskroś jego cielska ścianę. A ponadto, mimo że przezroczysty, rzucał przedziwny czarny cień, jakby zgodnie z wywodami teozofów był tym *eterycznym ciałem*, które rzuca cień widzialny jedynie dla oświeconego oka.

Brak mi zdolności, by należycie opisać straszliwe przerażenie, które zapanowało w kościele, bo to okropne stworzenie, wedle zeznań części świadków długie na dziesięć do dwunastu stóp, za nic nie odpuszczało, jakby chciało się schować w ciele swej ofiary. Czy ktoś kiedykolwiek słyszał o podobnej napaści na człowieka w takim świętym otoczeniu? Czy doszło do śmierci równie okrutnej i potwornej? Ohydnemu stworowi udało się wcisnąć do ust i gardła ofiary i nieszczęsny doktor Slade, leżący teraz obok ambony, miotał się jak oszalały, osłabłymi dłońmi usiłując wyrwać węża ze swego ciała. A jednak wielki czarny wąż-upiór nie ustępował i Winslow Slade zadławił się śmiertelnie w ciągu kilku minut.

(Przypominam czytelnikowi, że akcja niniejszego rozdziału rozgrywa się jednocześnie z akcją poprzedniego rozdziału o Bagiennym Królestwie: napaść na doktora Slade'a zbiegła się z egzekucją, którą Todd Slade wykonał na hrabim. Nie jestem pewien, czy jedno z tych zdarzeń spowodowało drugie, niemniej jednak mało to prawdopodobne, by były z sobą niepowiązane. Tylko jaki jest dokładny związek między tymi dwoma zdarzeniami, tak rozdzielonymi od siebie w sferze duchowej, a cudownym wskrzeszeniem czwórki zmarłych wnucząt doktora Slade'a? Wobec takich zagadek historyk jest zmuszony rozłożyć bezradnie ręce i ufać, że uda mu się należycie przekazać swoją wiedzę i jej znaczenie, nawet jeśli sam nie jest w stanie niczego w danym przypadku pojąć).

I tak oto Winslow Slade zmarł w tym samym kościele, w którym przez całe lata był pastorem, i to powszechnie kochanym; zmarł w wieku siedemdziesięciu pięciu lat, *na zawał serca* zgodnie z diagnozą, a złośliwe stworzenie, które go zabiło, tak jakby natychmiast zniknęło, może pierzchnęło przez tylne wyjście z budynku, może przez deski podłogi, do piwnic znajdujących się poniżej.

Cała ta sytuacja była tak niezrozumiała, widzowie tak spanikowani, widok umierającego człowieka szamoczącego się z demonem tak niewyobrażalnie okropny – że niewiele osób próbowało potem zaprezentować pełną relację z tego zdarzenia, a jeszcze mniej ją wyjaśnić.

Historyka natomiast dziwi tutaj niewiele, bo w historii często dzieje się tak, że świadkowie zdarzeń po wszystkim nie zgadzają się co do tego, co naprawdę widzieli albo co im się wydaje, że widzieli. Należy także wspomnieć, że kiedy już zbadano ciało doktora Slade'a i poddano je upokarzającej autopsji, nie znaleziono żadnego śladu po napaści fizycznej, ani ze strony węża, ani innego stworzenia. Tak wybitni członkowie kongregacji, jak Francis Pyne, Abraham Sparhawk i Andrew West, którzy siedzieli w pierwszych ławach kościoła, z pewnością zauważyli tego potwornego węża, bo zdjęci paniką pognali w stronę najbliższego wyjścia, a jednak później wypierali się wszystkiego. Andrew West twierdził, że wybiegł z kościoła, zadyszany i przestraszony, by przywołać pomoc dla cierpiącego – bo mu się wydawało, że doktor Slade doznał jakichś konwulsji.

I w miarę upływu dni, a potem tygodni, większość wspólnoty wiernych zaczęła myśleć, że chociaż byli świadkami napaści jak z koszmaru sennego, to jednak musiał to być zbiorowy miraż – powstały z powietrza, z drobin kurzu wirujących w rozedrganym snopie słonecznego światła padającym na ołtarz; nie widzieli absolutnie *nic monstrualnego*. Widzieli tylko miotającego się w konwulsjach umierającego człowieka.

Jest to skandal, a jednak beztroscy historycy pokroju Hollingera i Tite'a zinterpretowali czternastomiesięczne zmagania z Klątwą z Crosswicks jako niezwykły przykład *zbiorowej histerii*, twierdząc, że „wężowy szał" w seminarium w Rocky Hill był wstępnym incydentem. Morderstwa i inne okropności w Princetonie i okolicach były popełniane przez osobników obłąkanych – jednych zatrzymanych przez lokalną policję, innych nie – a nie istoty nadprzyrodzone. Inni komentatorzy, w tym dziennikarze z gazet ukazujących się w New Jersey i Nowym Jorku, potraktowali temat równie niedorzecznie, bo gromadzili jakieś niedowarzone relacje „naocznych świadków" z ataku wielkiego węża na doktora Slade'a; część tych relacji pochodziła od osób, które nawet nie były w kościele tamtego ranka albo nie były członkami kongregacji, albo nawet nie mieszkały w gminie Princeton. I jest jeszcze jeden dodatkowy element całej zagadki, a mianowicie fakt, że po tym, jak już wyniesiono ciało doktora Slade'a, nie znaleziono ani śladu po tekście kazania zatytułowanego „Przymierze", a jedynie rękopis kazania zatytułowanego „Duch a litera prawa", tak więc w owych smutnych, a zarazem niespokojnych dniach zaczęto wątpić, czy to pierwsze kazanie kiedykolwiek istniało, mimo że dwieście osób z okładem widziało leciwego człowieka, który ściskał rękopis w dłoniach, tuż zanim pojawił się czarny wąż, i właśnie zaczął czytać wysokim, drżącym, a jednak stanowczym głosem: „Drodzy moi, ukochani w Chrystusie, wysłuchajcie mnie i miejcie litość...".

To „zaginione" kazanie zostało odkryte wiele lat później pośród prywatnych zapisków spadkobiercy Crosswicks, Augustusa Slade'a, który musiał widocznie zabrać je ukradkiem, kiedy ciało jego ojca wynoszono z kościoła do ambulansu, a potem zamknął je w sejfie, podobnie jak to niecały tydzień wcześniej uczynił z dokumentem „podyktowanym przez Boga", a sporządzonym przez jego brata Copplestone'a. I ów bezcenny rękopis znajduje się obecnie w moim posiadaniu, bo udało mi się go nabyć za przysłowiowe psie grosze na wyprzedaży majątku Crosswicks; trzymam go w mojej zamkniętej na klucz szkatule z lakierowanego mahoniu, do której nikt oprócz mnie nie ma dostępu.

(Patrz Epilog: „Przymierze").

„REWOLUCJA TO GODZINA ŚMIECHU"

Czy te prowokacyjne słowa wypowiedział wielki Francuz Wolter – jak wierzył Upton Sinclair – czy też równie wielki Francuz Wiktor Hugo, o czym zapewniał go nowy przyjaciel i towarzysz Yaeger Ruggles?

– Ustąpię ci, Yaegerze, bo jesteś o wiele lepiej wykształcony niż ja! Rok w Seminarium Teologicznym Princeton i jeszcze posada preceptora u Woodrowa Wilsona: zaiste imponujące referencje.

Yaeger Ruggles niespokojnie wzruszył ramionami.

– Byłoby dobrze tak myśleć, Uptonie – rzekł ponurym tonem.

Uściskali sobie ręce na pożegnanie na Broadwayu, przy Trzydziestej Pierwszej Ulicy, z zamiarem spotkania się na wiecu sufrażystek, który miał się odbyć trzy dni później na Union Square. (Poznali się dwa tygodnie wcześniej na wiecu w Bowery zorganizowanym przez Socjalistyczną Partię Pracy dla okazania wsparcia strajkującym pracownikom nowojorskich przędzalni, podczas którego, po dramatycznym przemówieniu Mateczki Jones, Upton Sinclair wygłosił swoją przemowę, żarliwą i pełną faktów; Yaeger przedstawił mu się później jako „zapalony admirator" *Dżungli*).

Upton odprowadził wzrokiem swego przyjaciela, podziwiając jego godność i nadzwyczaj starannie jak na socjalistę wyprasowane ubranie; z Rugglesem poczuł braterską więź, gdy tylko się poznali, aczkolwiek nie bardzo mu się podobał jego południowy akcent kojarzący się ze szczególnym konserwatyzmem tej części kraju, mocno okopanej przed ruchem robotniczym, a także reformą socjalistyczną w ogólności.

– Wywodzi się z rasy mieszanej, czyż nie? Biedaczysko! Czarni go nie zaakceptują jako człowieka pochodzącego z gwałtu na rasie, a i biali bracia też będą go odganiali. Jedynie my, towarzysze socjaliści, możemy go docenić.

Rankiem 16 czerwca 1906 roku Upton Sinclair wybrał się na dworzec kolejowy Penn, bo zamierzał wsiąść do pociągu jadącego o 2.25 do Englewood, gdzie miał spędzić dwa dni. Usiadł w poczekalni i natychmiast zabrał się do pracy, bo taki miał już charakter, że nigdy nie marnował czasu. „Nie da się zabić czasu bez uszczerbku dla wieczności" – ta maksyma Thoreau była jego ulubioną od dzieciństwa.

Rewolucja to godzina śmiechu: tak brzmiał inspirujący tytuł artykułu, który Upton pisał dla „Everybody's Magazine" na temat nieuchronnej socjalistycznej transformacji Ameryki – artykułu, który tworzył praktycznie w gorączce, bo temat był dla niego taki ważny. *Człowiek nie jest zły z natury rzeczy*, zapisał Upton na kartce w notesie, *niemniej jednak w kapitalizmie niemoralne zachowanie jest systematycznie nagradzane. Usuwając kapitalizm, jednocześnie usuniemy zło. Zostało wykazane przez...*
W tym momencie Upton poderwał wzrok, bo wydało mu się, że ktoś go woła – *UPTON SINCLAIR!* – ledwie słyszalnie w tej kakofonii dźwięków wypełniającej rojny dworzec. Niczym żółw chowający się do skorupy młody autor zgarbił się nad pracą, bo ostatnimi czasy przez to, że zyskał sławę (w kręgach socjalistycznych) albo rozgłos (gdzie indziej) po wydaniu *Dżungli*, zaczął się straszliwie bać, że zostanie rozpoznany w miejscu publicznym, zwłaszcza na dworcu Penn, gdzie miał nadzieję popracować.
Jeszcze raz, jeszcze ciszej – *UPTON SINCLAIR!* – ale słowa stłumiła zapowiedź pociągu do Bostonu, który miał odjechać za pięć minut z peronu dziewiętnastego.
Upton powrócił do pracy, pisząc teraz z chłopięcym zapałem. Tyle trzeba było zrobić! Tyle jeszcze *on sam* musiał zrobić. Miał głowę pełną pomysłów na artykuły, jak ten do „Everybody's Magazine", który jego zdaniem powinien zapoczątkować całą serię podobnych tekstów; poza tym stwierdził, że musi jak najprędzej napisać mocny list do „New York Timesa" w sprawie niekompetentnego wstępniaka, który ukazał się na jego łamach na temat Ustawy o inspekcjach mięsnych zaledwie tydzień wcześniej uchwalonej przez Kongres, oraz utrzymany w podobnym duchu list do prezydenta Roosevelta, którego niedawno odwiedził, bo prezydent zaprosił go na dyskusję o *Dżungli* – i mocno go rozczarował, jeśli nie wręcz zdradził. Jeszcze bardziej naglącym zadaniem było napisanie wyrazistego i spójnego oświadczenia do gazet prezentującego filozofię wspólnoty socjalistyczno--utopijnej – Kolonii „Dom Helikonu" – która miała powstać na zalesionych terenach pod Englewood, w północno-wschodniej części stanu; na samą myśl o tej kolonii umysł Uptona tonął pod zalewem wizji i planów, kogo zaprosić, żeby tam zamieszkał – spośród innych socjalistów jako pierwszy nasuwał mu się jego nowy przyjaciel Yaeger Ruggles, mimo że ten młody człowiek wyraził dotąd jedynie umiarkowanie przyjazne zainteresowanie kolonią. („Socjaliści mieliby *mieszkać razem*?" – spytał Ruggles z niejakim powątpiewaniem, a wtedy Upton zapewnił go: „To są Stany Zjednoczone Ameryki, Yaegerze! Możemy mieszkać, gdzie nam się podoba, jeśli nas na to stać, a już z pewnością możemy mieszkać, z kim chcemy").

Jeszcze coś ważnego do zrobienia? Może coś związanego z Metą i małym Davidem, których nie widział od tygodni?

– Tyle pracy, a tak niewiele czasu – mruknął do siebie Upton, przetrząsając zniszczoną walizkę w poszukiwaniu nowego notesu. – Ale „socjalistyczny król demaskatorów" powinien sprostać swemu wyzwaniu, tak jak prorok Zaratustra sprostał swojemu.

Od tamtego wieczoru u McDougala na Times Square, kiedy Jack London i Jozjasz Slade stoczyli bójkę, a on sam został bezceremonialnie powalony na podłogę, w życiu Uptona zaszło wiele nieoczekiwanych zdarzeń. Upton Sinclair z romantycznie odizolowanej princetońskiej farmy – gdzie on i Meta zamieszkali jako nowożeńcy i gdzie pracował tak wydajnie, bo mógł pisać codziennie, jeśli starczało mu sił – na zawsze się gdzieś ulotnił, bo jego miejsce zajął teraz ten (nadal wstydliwy) *UPTON SINCLAIR* z nagłówków gazet.

Jak zauważono we wstępniaku „New York Evening World" krytycznym tonem: „Od czasu, gdy młody poeta lord Byron obudził się pewnego ranka i stwierdził, że zyskał sławę i rozgłos, nie było nikogo, kto stałby się sławny na całym świecie, i to za sprawą książki – aż do teraz, kiedy pojawił się Upton Sinclair, i pozostaje tylko patrzeć, jak ten młody autor socjalista będzie się prowadził".

Upton natychmiast wysłał do nich list, by zaprotestować, że nie należy go porównywać ze sławetnym kobieciarzem Byronem, tylko z Harriet Beecher Stowe, pisarką, którą wydała amerykańska ziemia, o wiele znakomitszą i szlachetniejszą – „której arcydzieło, *Chata wuja Toma*, zmieniło nasze życie na zawsze".

(„New York Evening World" łaskawie opublikował list Uptona na całe dwie szpalty, za co był im wdzięczny, dziwiąc się jednocześnie. Socjaliści zdążyli się już przyzwyczaić do tego, że traktowano ich z pogardą, że ich odprawiano albo obrzydliwie atakowano we wrogiej prasie: to było coś zaskakującego, gdy prasa współpracowała).

Dżungla w dalszym ciągu pozyskiwała nabywców, a także uwagę polityków i mężów stanu; do jej najbardziej znanych czytelników zaliczał się prezydent Stanów Zjednoczonych, a także Winston Churchill, trzydziesto-dwuletni Anglik, który zasiadał w parlamencie i na ile Upton się orientował, był ceniony w angielskim świecie dziennikarskim. (Churchill napisał nadzwyczaj spostrzegawczą, dwuczęściową recenzję *Dżungli* do pewnego postępowego tygodnika). Fotografowie, reporterzy i pozbawieni skrupułów felietoniści śledzili drogi Uptona; redaktorzy czasopism, którzy wcześniej odrzucali jego najbardziej wartościowe teksty i odprawiali go jako nędznego pismaka, teraz błagali, by pisał dla nich, tak go kusząc finansowymi gratyfikacjami, że młody autor nie umiał im się oprzeć. („Gdybym tylko miał asystenta, jakiegoś sługę na umowie albo niewolnika – żartował Upton w obecności towarzyszy – to przyjmowałbym wszystkie zamówienia, promowałbym naszą sprawę i miałbym z tego nawet jakieś zyski!")

Wprawdzie wyniki sprzedaży *Dżungli* były skromne w porównaniu ze znacznie bardziej chwalonym i rozrywkowym *Wilkiem morskim* Jacka Londona, niemniej powieść nadal pojawiała się na samym szczycie list bestsellerów i tylu poruszonych nią czytelników pisało do Uptona, że miał wielkie trudności ze znalezieniem czasu na odpowiadanie. („Ach, jak ja tęsknię za Metą! Nadawałaby się idealnie do odpisywania na listy w szczery, a jednak dyplomatyczny sposób"). Większość tych listów wyrażała entuzjazm wobec tego, jak Upton zdemaskował kapitalizm, i zawierała mrożące krew w żyłach osobiste relacje z okaleczeń, śmierci i upokorzeń doznawanych w pracy, ale znaczna liczba zawierała też pogróżki, zawoalowane bądź jawne, inne zaś sugerowały obłąkanie; były też takie, w których proponowano mu małżeństwo, wspólny biznes, nową religię, członkostwo w komunie wegetariańskiej i tym podobne. Najbardziej nieprzyjemne były te, w których ktoś żebrał otwarcie, nie wykazując żadnego zainteresowania *Dżunglą* ani braterstwem w socjalizmie.

Niemal nie było dnia, by ktoś nie podważał autentyczności książki, którą z przyczyn prawnych opublikowano jako powieść; pojawiały się wstępniaki i felietony, szczególnie w prasie Hearsta, w których oskarżano Uptona Sinclaira o brak „uczciwości, przyzwoitości i patriotyzmu". Na wszystkie takie artykuły Upton czuł się zmuszony odpowiadać. I jeszcze pojawiły się problemy z administrowaniem Międzykolegialnym Stowarzyszeniem Socjalistycznym oraz z Jackiem Londonem jako jego byłym przewodniczącym; podczas krótkiej kadencji Londona stowarzyszenie mocno się zadłużyło.

Obecnie jednak Upton liczył, że zaoszczędzi dość własnych pieniędzy i może trochę dopożyczy, by wpłacić zaliczkę za Kolonię „Dom Helikonu", z główną siedzibą w dawnej szkole dla chłopców, która zbankrutowała; cena całej posiadłości wynosiła zawrotne trzydzieści cztery tysiące dolarów…

Ostatnie miesiące były pełne takiego napięcia, że Uptonowi odnowiły się wrzody i musiał przejść na wyjątkowo ścisłą dietę złożoną zasadniczo z „białego" pożywienia; czytał codziennie *Kulturę fizyczną, naturalne zdrowie* autorstwa Jeremiasza Pyma oraz M.D., która będąc kobietą, beształa Uptona: „To nie przyniesie nic dobrego rewolucji, jeśli będziesz miał bóle po najprostszym posiłku i nadal będziesz chudł. Potrzebujemy mówców z wigorem, a nie *pokutujących męczenników*".

Sporo kobiet, młodych i nie takich już młodych, błagało Uptona Sinclaira, żeby dla dobra rewolucji lepiej o siebie dbał, i oferowało, że będą go karmić, ubierać, a nawet strzyc mu włosy, które bardzo się domagały wizyty u fryzjera.

(„Gdyby Meta o tym wiedziała, to może przestałaby mnie tak niedoce-
niać! Może byłaby zazdrosna! I nie traktowałaby swego męża z pogardą").

Najbardziej bezpośrednim skutkiem finansowego sukcesu *Dżungli* była
możliwość założenia Kolonii „Dom Helikonu" już w ciągu kilku najbliższych
miesięcy, wbrew obawom Uptona, że to potrwa całe lata. (Naturalnie był
zmuszony utrzymywać Metę i ich dziecko, kiedy sobie o tym przypominał;
w międzyczasie uważał, że oboje żyją zadowoleni u boku rodziców Mety
na Staten Island i wolą, żeby im nie przeszkadzał). Niemniej dopuścił się
już niezręczności, że podał do prasy pospiesznie napisane oświadczenie na
temat kolonii:

> Kolonia „Dom Helikonu" będzie utopijnym przedsięwzięciem w dziedzi-
> nie wspólnotowego życia w samym środku kapitalistycznego państwa:
> demokratycznym z zasady i w praktyce, poświęconym reformie, ekspe-
> rymentowaniu i radykalnym teoriom edukacyjnym, służącym dobru każ-
> dej jednostki obdarzonej wysokim morale, która nie cierpi na zaraźliwą
> chorobę i cieszy się znakomitym zdrowiem umysłowym.

Tym ściągnął sobie na głowę wiele prześmiewczych i krytycznych słów
i teraz obawiał się, że tak szybko się z tym nie upora, jako że gazety wciąż
dworowały sobie z tej „zaraźliwej choroby" i „znakomitego zdrowia umysłowego".

(W rzeczy samej Upton nie mógł przewidzieć, że komiczna wymowa
„zaraźliwej choroby" będzie wielokrotnie wykorzystywana w celu ośmie-
szenia jego idealistycznego przedsięwzięcia i że „każda jednostka" będzie
przytaczana w ramach sugestii, że w kolonii będzie dochodziło do „mieszania się ras", „wolnej miłości" i ateizmu)*.

---

* W tym miejscu pragnę wskazać ze smutkiem, że moja kronika dobiega już końca
i w związku z tym jestem zmuszony skondensować tę jakże ważną informację, że wbrew
jego zapaleńczym intencjom i nieodmiennie najszlachetniejszym ideałom Upton Sinclair
był w prasie brukowej przedstawiany jako człowiek, który założył swoją komunę wyłącznie po to, by stworzyć harem z „niemoralnych socjalistek". Sinclair mężnie i uparcie
oprotestowywał takie kłamstwa i starał się zachować jakąś dozę wrodzonej godności, aż
do czasu, gdy Kolonia „Dom Helikonu" spłonęła doszczętnie rankiem 7 marca 1907 roku
i niepocieszony młody człowiek (który doznał licznych obrażeń w trakcie pożaru) spotkał
się z kolejnymi oszczerstwami opartymi na bezpodstawnych plotkach, jakoby on i jego
towarzysze sami podłożyli ogień, żeby wyłudzić ubezpieczenie i oszukać miejscowych
dostawców, którym byli winni pieniądze. (Fakt jednak był taki, że kilka dni wcześniej
na terenie kolonii kilkunastu osobników w białych szatach z kapturami spaliło krzyż).
Wielkim oparciem dla Uptona w związku z katastrofą okazał się jego nowy przyjaciel
i towarzysz Yaeger Ruggles, aczkolwiek Ruggles za nic nie chciał wracać do New Jersey,
bo też uległ zranieniom w wyniku pożaru i kojarzono z nim niebezpieczne oskarżenie
o „mieszanie się ras", będące swego rodzaju piętnem. Upton Sinclair po dłuższym czasie

„A więc tak wygląda sława – zadumał się Upton na dworcu Penn – ze strony świata zewnętrznego to ciąg nieustających napaści, a w świecie wewnętrznym oznacza bezsenność wywołaną cwałowaniem umysłu, przyspieszonym tętnem i wiecznymi niepokojami w dolnych rejonach brzucha".

Jedną z ważniejszych konsekwencji sławy młodego socjalisty było zaproszenie na kolację w Białym Domu w towarzystwie prezydenta Teddy'ego Roosevelta i jego sławetnego „tenisowego gabinetu" i tak oto młody autor, który jeszcze nie tak dawno pisywał dowcipy do „Jude, Puc, Graham's" i „Life'u" po dolarze za sztukę i bał się, że sprzedaje jak prostytutka swój geniusz, bo wydawał również groszowe powieści pod pseudonimami (Benjamin Frankman, Horatio Linkhorn), teraz nagle miał zasiąść do stołu w otoczeniu wielkopańskiego przepychu, w ośrodku władzy najwyższej w Waszyngtonie.

Meta będzie teraz rozżalona, kiedy jej opowiem o tym wielkim wydarzeniu, pomyślał Upton, kiedy pakował do zniszczonej walizki kilka egzemplarzy swoich wcześniejszych książek, żeby je sprezentować prezydentowi, *bo jestem pewien, że chciałaby mi towarzyszyć jako moja żona.*

A jednak po początkowym podnieceniu, które towarzyszyło mu, gdy wsiadał do pociągu jadącego do wielkiego dworca w Waszyngtonie, pokonywał pieszo krótki dystans do Białego Domu, był wprowadzany do prywatnej jadalni prezydenta, ściskał serdeczną dłoń „Teddy'ego" i był przedstawiany jego zausznikom, młody autor poczuł ukłucie rozczarowania, bo wydawało się, że choć Roosevelt miał układną osobowość i wypowiedział się zdecydowanie, że zależy mu, by *dać popalić tym od konserw*, to jednak jego podejście do niego samego i socjalizmu ogólnie bynajmniej nie okazało się zgodne z nadziejami Uptona.

A lunch, na który Upton czekał z dziecinnym wręcz zapałem, okazał się jednym z najcięższych przejść jego dorosłego życia.

Punktualnie w południe wszyscy zaproszeni zasiedli przy długim stole, prezydent Roosevelt na szczycie, a jego główny doradca przy przeciwległym krańcu; obsługiwali ich jakby niemi murzyńscy kelnerzy odziani w nieskazitelnie białe uniformy, które podkreślały ich dramatycznie ciemną skórę; wszyscy z wyjątkiem Uptona posilali się z przerażającym apetytem, jakby nie jedli nic od wielu dni, Teddy też jadł, a także gadał, gadał i gadał.

wyzdrowiał; mało tego, pożar nie pozbawił go optymizmu i dlatego czekał z utęsknieniem na publikację w 1908 roku swej nowej książki *Stolica* – wypatrywanej przez wszystkich, którzy czytali rękopis i wiedzieli, że dzięki niej socjalistyczne marzenie wreszcie zaowocuje w Stanach Zjednoczonych, to samo marzenie, które po raz pierwszy ukazała w 1906 roku *Dżungla*, ale która nie doprowadziła do jego spełnienia.

– Niech piekło pochłonie senatorów starej gwardii! – stwierdził prezydent, uderzając w stół zaciśniętą pięścią, od czego sztućce zagrzechotały hałaśliwie. – Wiem, co wiem, i mój żołądek nie da się oszukać. To zrobaczywiałe mięso, które nam dali z okazji poświęcenia naszego narodu na Kubie, było skażone i przejrzałe! Zdrada! Ten łajdak Armour powinien zadyndać na szubienicy! Tych właścicieli rzeźni trzeba by powiesić! Wypatroszyć, wytarzać w smole i pierzu, podpalić i powiesić za *zdradę wojenną*. I teraz ten odważny młody człowiek, pan Sinclair, ujawnia fakt, że Armour i jego spółka czerpią zyski z wrzucania szczurzego gówna, krowich płodów i ogonów, oczu, jakichś chrząstek, bebechów, ekskrementów i, Boże zmiłuj, ludzkich palców do takich podstawowych amerykańskich pokarmów jak mielonka na ostro – uwielbiałem ją w dzieciństwie! – przyprawiając to jeszcze plwociną gruźlików! Dopóki Teddy Roosevelt zasiada w Białym Domu, nie będzie przyzwolenia na taką zdradę.

Tyle grymasów towarzyszyło tej przemowie i tyle walnięć w stół, że Upton Sinclair musiał się pilnować, by się nie krzywić, kiedy tak gapił się ze zdumieniem na swego roznamiętnionego gospodarza, który był niezwykle podobny do Jacka Londona i Mateczki Jones: mało uprzejmym, choć czołobitnym określeniem było tu *awanturnictwo*, do czego talent trzeba zapewne wyssać z mlekiem matki. Teddy mówił tak głośno, że Upton miał ochotę zatkać sobie uszy, ale rzecz jasna nie uczynił tego. Dla niego, który nawet w kręgach socjalistycznych uchodził za małomównego i powściągliwego, który zawsze ustępował pola temu, kto mu wszedł w słowo, oglądanie człowieka niemal zapluwającego się w trakcie przemowy było wręcz szokujące – przekonał się, że wielki jak góra „Teddy" z prasy brukowej i powszechnych wyobrażeń to ktoś, ko istnieje naprawdę, nawet jeśli przypomina karykaturę. (Acz żaden karykaturzysta nie oddałby mu sprawiedliwości). Wyglądało na to, że prezydent jest przyzwyczajony do zabawiania swych słuchaczy i siebie popisami serio-komicznego geniuszu: grubiański, porywczy, zębaty, gadatliwy i nieprzebierający w słowach, obdarzony skrzypiącym głosem, który dobywał się z mięsistej twarzy – wyjąwszy treść, nieodróżnialny od parodii „Teddy'ego" wykonywanych przez komików z wodewilu i burleski.

Kiedy prezydent nareszcie przerwał swoją tyradę i pochylił głowę nad talerzem, żeby się najeść, wszystko to, co przedtem powiedział, zostało natychmiast, choć może nieco mało dokładnie powtórzone przez jego wiceprezydenta Charlesa Fairbanksa, jego towarzysza z Partii Republikańskiej Jamesa Garfielda, jego doradcę Francisa Leuppa oraz innych, którzy za wszelką cenę starali się dowieść, że słuchali tego wybuchu uważnie. Sympatyczny pan Charles Fairbanks albo był tak życzliwy, albo posiadał tak chytre poczucie humoru, że rzucił pod adresem Uptona uwagę, iż niemal cała przyjemność płynąca z tego ich posiłku przepadła za sprawą „ohydnych, haniebnych, obrzydliwych" rewelacji zawartych w *Dżungli.* Niemniej wszyscy dżentelmeni pochłaniali krwiste befsztyki z niesłabnącym apetytem, co Upton, który był wegetarianinem, od razu zauważył z obrzydzeniem. *Dlaczego ludzie tak koniecznie chcą jeść zwierzęta? Czyżby zamiast zjadania siebie nawzajem?* – zastanawiał się, popijając wodę z kryształowego kielicha, podczas gdy pozostali przy stole pili ciemne piwo o bardzo ostrym zapachu.

Potem Uptonowi zrobiło się nieprzyjemnie, bo prezydent spytał go inkwizytorskim tonem, dlaczego w ogóle zbadał chicagowskie rzeźnie i „po co do diabła" tak się mordował, spędzając siedem tygodni w tamtejszym hotelu, ale kiedy Upton usiłował wytłumaczyć, że zrobił to przede wszystkim z powodu swej sympatii dla robotników, zwłaszcza tych z zagranicy, a także swego zainteresowania socjalistycznym braterstwem ludzi oraz wegetarianizmem, a nie wąskiego zaciekawienia warunkami sanitarnymi w rzeźniach, znienacka odniósł wrażenie, że spojrzenie skrytych za połyskliwymi okularami oczu „Teddy'ego" stało się dziwnie dalekie, chwilę później zaś prezydent przerwał mu donośnym rechotem, który w innych okolicznościach mógłby ujść za niegrzeczny, oraz silnym uderzeniem pięścią w stół, po czym wspomniał posiłek, który on i jego bracia z Pierwszego Pułku Kawalerii Ochotniczej zwani Bezwzględnymi Jeźdźcami musieli spożyć dokładnie w przeddzień wielkiej bitwy pod wzgórzem San Juan.

– Powiadam: skażone, przejrzałe i jako żywo zrobaczywiałe! – powiedział, jednocześnie nabierając kęs ociekającej sokami wołowiny do ust i przeżuwając go.

W tym momencie Rooseveltowi zebrało się na zabawne wspomnienia związane z jego sławetnymi Bezwzględnymi Jeźdźcami, którzy wzięli udział w takiej liczbie potyczek, która wykraczała poza wyobrażenia Uptona będącego wszak pacyfistą. Prezydent wydawał się szczególnie dumny z faktu, że jego oddział poniósł bardzo wiele ofiar – „Więcej niż przeciętna, sir!" – i że „nieźle dało im w kość" podczas dziesięciu tygodni walk w tej „wspaniałej wojence" z hiszpańskimi łotrami.

– Najwięcej ofiar ponieśliśmy przez tę cholerną „balsamowaną" wołowinę – rzekł ponuro prezydent – a teraz zasiadam w cholernym Białym Domu, więc Armour i Crook niech się lepiej strzegą.

Podczas pożądanej przerwy w rozmowie, kiedy dżentelmeni kosztowali nowego, jeszcze ciemniejszego i bardziej gryzącego piwa, Upton poruszył temat ciężkiej doli „zwyczajnych pracujących mężczyzn i kobiet", co dla niego było istnym horrendum w zestawieniu z ogromnymi zyskami ich kapitalistycznych pracodawców. Prezydent i jego zausznicy podobno czytali *Dżunglę,* dlatego są dobrze poinformowani w kwestii chicagowskich warunków i z pewnością zechcą zaproponować jakieś ustawy, które natychmiast by tu zaradziły, a jednocześnie powinni zrozumieć, że warunki pracy w rzeźniach w całym kraju bynajmniej nie są lepsze, a może nawet gorsze, i że często płacą tam jeszcze mniej. I to okrucieństwo wobec zwierząt – na to nie ma przyzwolenia przyzwoitych ludzi... Upton mówił z coraz większą pasją, aż wreszcie zaczął drżeć mu głos.

– Proszę tylko wziąć pod rozwagę straszliwe warunki pracy w fabrykach będących własnością trustu miedziowego, trustu stalowego, trustu cynowego i wszystkich innych. Jak można się godzić na to, panie prezydencie, że właśnie teraz, kiedy my się posilamy w tym eleganckim pokoju, dzieci nawet sześcio- i siedmioletnie harują w pobliskich fabrykach, zwłaszcza tuż za rzeką, w Marylandzie, a pozbawieni człowieczeństwa właściciele tych fabryk uznają, że mają prawo zwalniać z pracy każdego robotnika, który błaga o to, by pracować dwanaście, a nie czternaście godzin dziennie. I...

Tu Roosevelt wszedł mu w słowo z taką zapalczywością, że aż bryzgnął śliną.

– Proszę tylko nie zapominać, panie Sinclair, o truście stoczniowym – powiedział – o tej obrzydliwej ośmiornicy zdrajców, której przewodniczy ten bezwstydnie nadęty senator Hale z Maine! – Tu prezydent tak się zdenerwował, że odepchnął swój talerz i jął energicznie dłubać sobie w zębach złotą wykałaczką. A potem zadyszanym głosem zawołał: – Panowie! Oddaję w wasze ręce senatora Hale'a z Maine! Z natury najbardziej nikczemnego łajdaka, jakiemu wszechmogący Bóg pozwolił istnieć na tej ziemi! Bo czyż nie jest to występek, że ten człowiek stosuje obstrukcję przeciwko mnie, że kłamie i pomawia mnie o to, że ja niby się go boję? Wyszło na jaw, że ten zdrajca spiskuje z moimi wrogami w Waszyngtonie, chcąc, by trust stoczniowy „pożeglował" radośnie po moim grobie. Ten Hale powinien zawisnąć na szubienicy! *Ich wszystkich trzeba powiesić!*

Mężczyźni przy stole, wyjąwszy zażenowanego gościa, zgodzili się z tym głośno i dyskusja rozlała się na innych zdrajców niczym brudna woda po białym obrusie, który już wtedy był mocno poplamiony: na osoby tak od siebie różne, jak James J. Hill, J.P. Morgan i George F. Baer z jednej strony oraz David Graham Phillips z drugiej. (Phillips, darzony powszechnym szacunkiem kolega Uptona, był autorem odważnego wystąpienia *Zdrada senatu*, które ukazało się później drukiem w „Cosmopolitanie"; jedną z osób, przeciwko którym owo wystąpienie zostało wymierzone, był senator Hale z Maine). Prezydent tak jakby zapomniał o swym honorowym gościu, bo rozpoczął gniewną tyradę przeciwko *plemieniu demaskatorów...**

---

* „Demaskator" (*muckraker*) to termin ukuty przez samego Teddy'ego Roosevelta, który czynił nim aluzję do „człowieka trzymającego w ręku grabie do gnoju (Man with the Muckrake) z *Wędrówki pielgrzyma* Johna Bunyana, który cierpi na „niezdrową obsesję na punkcie brudu".

Przyjaciele Uptona z Nowego Jorku powiedzieli mu, że kiedy dotrze do ucha prezydenta, to będzie mógł poruszyć temat natychmiastowego wprowadzenia ustaw chroniących robotników i gwarantujących płace minimalne, bo byłoby to przykre, gdyby w wyniku jego żmudnej pracy tylko amerykańscy zjadacze mięsa zostali objęci „ochroną". A jednak tak jakby nie był w stanie wtrącić ani słowa w tę rozmowę; to nie wyglądało tak, że Uptonowi Sinclairowi przerywano albo go ignorowano – on po prostu stał się niewidzialny, a zresztą większa część tej zaognionej dyskusji dotyczyła jakichś demokratów albo republikanów, o których nie wiedział nic. Tak więc z niezadowoleniem popijał wodę i rozmyślał z melancholijną ironią, że siedzi przy jednym stole z samym prezydentem, a mimo to jest równie bezsilny jak zawsze. „O ileż lepiej było ukrywać się na wsi pod Princetonem, pomyślał, w mojej starej chatce, gdzie mordowałem się nad *Dżunglą...* podczas gdy Meta szykowała znakomitą kolację i zajmowała się małym Davidem. Ach, czyż nie byliśmy wtedy szczęśliwi!"

Mniej więcej po godzinie ogłoszono koniec lunchu i Roosevelt oznajmił uroczyście:

– Niektórzy spośród nas pracują sir, a nie *bazgrzą.*

Na użytek swoich przyjaciół zaśmiał się jowialnie, mówiąc, że nie mogą spędzać całego dnia na „laniu wody i próżnowaniu, nawet gdyby chcieli". Uścisnął rękę Uptonowi tak energicznie, że młodemu człowiekowi zaszczękały zęby.

– Świetnie, żeś pan wpadł, sir! Przydało się, a jakże! A kiedy się znowu spotkamy, panie Upton, to oby ci cholerni, zdradzieccy rzeźnicy byli już powaleni na kolana jak krowy doprowadzone na rzeź i oby ten łajdak Hale dyndał na szubienicy!

26 maja 1906 roku gazety rozgłosiły wieść, że po licznych kłótniach w Kongresie nareszcie uchwalono ustawę Roosevelta dotyczącą federalnej inspekcji wyrobów mięsnych i niemal wszystkie wstępniaki dotyczące tego kontrowersyjnego tematu mówiły o „triumfie" młodego Uptona Sinclaira, bo czyż to wszystko nie dowodziło, że sprawiedliwość potrafi zwyciężać i że „pióro okazało się cięższe od miecza"?

Tylko towarzysze Uptona rozumieli apatię, z jaką młody autor zapoznał się z tymi wieściami, i jego poczucie, że został zdradzony, o czym raczej nie ważył się mówić reporterom, którzy go oblegali. Niemniej wiedziony natchnieniem Upton wygłosił pewne pojedyncze zdanie, z którego jest przede wszystkim znany, mimo długiej i heroicznej kariery i imponującego dorobku liczącego blisko sto żarliwych w wymowie książek: „Celowałem w serce Ameryki, a trafiłem ją w żołądek".

* * *

A teraz znękany młodzieniec siedzi w hałaśliwej hali dworca kolejowego Penn, zgarbiony nad swoim notesem i ścierpniętą dłonią pisze najszybciej jak potrafi tekst do „Everybody's Magazine". Właśnie uderzyła go myśl, że ta figura retoryczna zapożyczona od Woltera – czy raczej od Hugo, bo Yaeger Ruggles upierał się, że to był Hugo – może się jednak nie nadawać dla jego celów, bo REWOLUCJA TO GODZINA ŚMIECHU jest pojęciem, które mogłoby wykraczać poza rozumienie przeciętnego czytelnika „Everybody's" albo go urazić, a Upton panicznie się boi, że znowu zostanie źle zrozumiany. I ostatnimi czasy jest niewiele powodów do śmiechu, bo czerwone sztandary „Wielkiego Billa" Haywooda, rozwinięte zaledwie poprzedniego dnia w Paterson, z pewnością sygnalizują przemoc.

Upton poczuł się szczególnie urażony, gdy tego ranka natknął się na oskarżenia prezydenta Roosevelta pod adresem „żółtego dziennikarstwa" i „demaskatorów", którym rzekomo zależy na „nakłanianiu do niezgody w Ameryce".

I dlatego Upton skreśla ten tytuł. Ale nie potrafi wymyślić nic w zamian. Słyszy UPTON SINCLAIR! wśród monotonnego pomruku i poszczękiwania dworca, ale zbroi się wewnętrznie do stawienia oporu, bo wie, że przywołuje go jakiś fantom, który także z niego drwi, jego sobowtór, jego przyszłe „ja" w jakimś niewyobrażalnym czasie. Nie odważa się podnieść wzroku, musi mieć oczy spuszczone, wbite w notatnik, musi się skupić, żeby uratować swoje życie, musi za wszelką cenę zapełnić ten długi arkusz, najpierw z jednej, potem z drugiej strony, by dzięki temu nie marnować papieru, a potem wyjmie z walizki jeszcze jeden arkusz i następny. Pochłonięty pracą Upton nie widzi, że wskazówki wielkiego zegara pokazują teraz drugą czterdzieści osiem, co oznacza, że młody autor przeoczył pociąg do Englewood, o czym zorientuje się dopiero za kilka minut.

Nie ma jednak powodów do natychmiastowego alarmu, bo kolejny pociąg do New Jersey przyjedzie za godzinę lub dwie i Upton Sinclair postara się koniecznie do niego wsiąść.

CUD W CROSSWICKS

I tak oto wczesnym popołudniem 4 czerwca Klątwa nareszcie została zdjęta i troje wnucząt doktora Slade'a, pochowanych w rodzinnym grobowcu – Annabel, Oriana i Todd – przebudziło się z kamiennego transu; również na antypodach, na Oceanie Południowym, w ładowni rozkołysanego *Balmorala* Jozjasz wrócił do życia, ku zdumieniu kapitana Oatesa i jego załogi, którzy przysięgliby, że przecież musiał umrzeć w lodowatych wodach oceanu. Cud, tak powiadali – a w rzeczy samej wielokrotny cud. I to bezpośrednio związany z przygodami Todda Slade'a w Bagiennym Królestwie i śmiercią jego dziadka w Princetonie. Historycy próbowali wszakże wytłumaczyć te zjawiska jako „naturalne" – mylnie rozumiejąc pierwotne przyczyny owych zgonów. Że niby te młode osoby pochowane w grobowcu Slade'ów mogły ulec jakiejś rzadkiej odmianie katalepsji albo umiarkowanie łagodnemu szczepowi śpiączki laotańskiej lub też była to jakaś podstępna forma hipnozy, którą zasugerował anonimowy autor *Wampirycznych zbrodni w dawnym Princetonie*.

„Sam fakt, że ci młodzi ludzie obecnie *żyją*, wymusza stwierdzenie, że bynajmniej nie *umarli*" – tak brzmiał werdykt doktora Hirama Hastingsa z wydziału medycyny Harvardu, wezwanego do Princetonu w celu postawienia eksperckiej diagnozy wyjaśniającej dziwaczne koleje losu trojga ludzi z jednej rodziny, którzy w tym samym czasie „wrócili do życia" w rodzinnym grobowcu. (Todd krzyczał z nich najgłośniej, czym przyciągnął uwagę przestraszonego dozorcy cmentarza, który nie wierzył własnym uszom, a potem własnym oczom, i nigdy do końca nie otrząsnął się z szoku).

Głęboko przemyślana konkluzja doktora Hastingsa była taka, że młodzi Slade'owie zapadli w śpiączkę, w której oddychanie, bicie serca i inne oznaki życia pozostawały stłumione; odpowiedzialni lekarze i inni pracownicy medyczni powinni byli wszakże wykryć życie w ich ciałach, a także jakąś aktywność mózgu, poprzez wpuszczenie strumienia światła do ich oczu, bo wówczas mimowolny odruch źrenicy sygnalizowałby, że wciąż żyją. Kiedy mu powiedziano, że wzięci lekarze z Princetonu, czyli doktor Boudinot Senior oraz doktor Boudinot Junior, „dokładnie zbadali" swoich pacjentów, zanim orzekli śmierć i podpisali świadectwa zgonu, ów harwardzki lekarz powiedział z uśmiechem rozbawienia:

– Tak. Ale to jest Princeton. To nie jest Boston, gdzie stosujemy wyższe standardy.

Wydaje się, że Jozjasz Slade wcale nie zamarzł w wodach Oceanu Południowego, tylko jego ciało zareagowało na niską temperaturę w ten sposób, że powróciło jakby do stanu prenatalnego czy też naśladowało hibernację; również u Jozjasza oddychanie, bicie serca i oznaki życia uległy silnemu stłumieniu, a jego „zamarznięte" ciało zostało poddane jedynie pobieżnym oględzinom kapitana Oatesa oraz jego przerażonego lekarza (tak naprawdę człowieka, który wyleciał z Uniwersytetu Columbia i nigdy nie otrzymał dyplomu), ci zaś orzekli zgon Jozjasza, po czym zawinęli ciało w płótno i umieścili w ładowni, gdzie miało spoczywać do czasu, aż pod koniec lata *Balmoral* zawita do nowojorskiego portu, a potem zostać pochowane.

(Jozjasz, mimo że przebudził się w tym samym czasie co pozostali, wrócił do Princetonu dopiero pod koniec sierpnia, bo *Balmoral* kontynuował wyprawę w rejony bieguna południowego).

Jozjasz też nieźle nastraszył towarzyszy ze statku, bo łomotał w drzwi ładowni i głośno krzyczał. Jako że nikt z załogi nie chciał otworzyć tych drzwi, trzeba było wezwać kapitana Oatesa, który podobnie jak dozorca princetońskiego cmentarza już nigdy nie otrząsnął się do końca z szoku, mało tego – najwyraźniej przestał pływać po morzach i zniknął gdzieś wśród górzystych rejonów północnej części stanu Nowy Jork i w anonimowości życia szczura lądowego.

Dobrze się stało, że żadne z młodych ludzi nie pamiętało okoliczności, w jakich „umarło", ani tego, jak leżało w grobie. Wszyscy byli niejasno przekonani, że zapadli w głęboki sen i nie życzyli sobie, by ich budzono. Bo czyż ten ich sen nie „rozplątał trosk zwikłany motek"*, mówiąc słowami Makbeta? Czyż nie wymknęli się z miejsca przepełnionego smutkiem i po przebudzeniu nie znaleźli się tam, gdzie po dawnemu byli szczęśliwi?

Annabel w ogóle nie pamiętała, że urodziła dziecko – aczkolwiek w snach widywała obraz unoszącego się dziecka-zjawy, o zamazanych rysach i tożsamości całkiem jej nieznanej.

Najmłodsza z dzieci, Oriana, wciąż była cicha i małomówna, jak w poprzednim życiu, pomijając rzadkie momenty ożywienia, kiedy to zanosiła się nerwowym śmiechem albo płaczem; nie pamiętała nic ze swego upadku z dachu Wheatsheaf, a jednak opowiadała z rozmarzeniem o locie do nieba, o tym, jak frunęła na swych „białych skrzydełkach" – o tym, jak się cieszyła,

---

* W. Szekspir, *Makbet*, przeł. L. Ulrich, PIW, Warszawa 1958 (przyp. tłum.).

kiedy ją niosło przez powietrze, jakby nie posiadała ciała. Twierdziła, że towarzyszyła jej wielka sokolica ze złotymi oczami – „Jak ja chciałam lecieć tak z nią bez końca! Ale moje skrzydełka były za słabe i ona poleciała dalej beze mnie, a ja musiałam wrócić do domu".

Todd powoli dochodził do zdrowia po swoich przejściach, wychudzony od czasu „śmierci", a potem zdumiał rodzinę pamiątką z Bagiennego Królestwa – pojedynczym, czarnym pionem wyrzeźbionym z drewna, bardzo starym, jak się wydawało, który zaciskał w dłoniach, kiedy ocknął się w ciemnościach grobowca.

W trakcie kilku tygodni Todd stopniowo odzyskiwał pamięć i Annabel go namówiła, żeby jej podyktował swoją historię, aby cały świat mógł poznać jego doświadczenia, która to relacja została tu zamieszczona w całości, w rozdziale zatytułowanym „Gra w warcaby". Todd obrażał się na sugestię, jakoby „zamarzł" na cmentarzu i zapadł w śpiączkę, kiedy odwiedzał grób siostry i kuzynki; uparcie powtarzał, że w ogóle wtedy nie był na cmentarzu, tylko w bibliotece swego dziadka Winslowa Slade'a – mgliście zapamiętał jakieś tajne przejście w kominku i to, że się w nie zagłębił. (Kiedy jednak Todd i Annabel zbadali kominek, okazało się, że wszystkie cegły są na miejscu, że żadna się nie rusza. „To jest całkiem zwyczajny mur z cegieł – stwierdziła Annabel – przez który nikt, nawet wąż, nie mógłby przepełznąć").

Również Annabel stopniowo zdrowiała z traumy swojej „śmierci", powoli upodabniając się do swego dawnego „ja"; nie odzyskała wprawdzie swej młodzieńczej urody, kruchej i przemijającej jak róże w ogrodzie jej matki, ale dorobiła się bardziej myślącego, a nawet lekko ironicznego wyrazu twarzy. Na jej czole pojawiły się ledwie widoczne zmarszczki i zmartwienie na zawsze odcisnęło piętno na jej skórze, a uśmiech już nie był tak spontaniczny jak kiedyś, tylko raczej niepewny i ostrożny. Annabel stała się kimś, kto nie wierzy w szczęście – dopóki nie zostanie mu dowiedzione, że szczęście to coś takiego, co istnieje naprawdę. Z całej czwórki ją amnezja dotknęła najbardziej; nie pamiętała zasadniczo nic z tego długiego epizodu, który opowiedziała rodzinie, zapisanego przez Jojasza w bezcennym Turkusowym Zeszycie; na szczęście nie pamiętała o swej groteskowej ciąży i o tym, co się urodziło. Zaraz po przebudzeniu, kiedy ją przewieziono do Crosswicks, była niezwykle zagubiona i twierdziła, że „nie wolno jej wychodzić za Dabneya Bayarda, że musi natychmiast zerwać zaręczyny – jakby to był nadal rok 1905, jeszcze przed 4 czerwca. Powiedziała swoim rodzicom: „Wiem, że Dabney mnie nie kocha. On kocha tylko nasze nazwisko, kocha majątek Slade'ów. W ogóle nie lubi kobiet, a w każdym razie nie lubi mnie. I ja go nie kocham, nie czuję ani trochę tego, co czuję do was albo do Jozjasza. I pewnie to was rozczaruje i rozgniewa, drodzy rodzice, ale ja chyba wcale nie chcę wychodzić za mąż".

Henrietta i Augustus na pewno nie posiadali się z radości, że ich (naiwnie optymistyczne) modlitwy zostały wysłuchane: odzyskali ukochaną córkę taką, *jaka była dawniej,* czyli niewinną, w jakimś sensie dziewicę, bo trudno było uważać Annabel za potajemną narzeczoną Axsona Maytego, a z kolei jej małżeństwo z porucznikiem Bayardem zostało anulowane i ślady po nim zostały wymazane z wszystkich rejestrów kościelnych.

– Już was nigdy nie zostawię, kochani rodzice – powiedziała wesoło Annabel – a w każdym razie nigdy już nie wyjadę z Princetonu ani w ogóle z New Jersey. Przyrzekam.

Z całej czwórki dotkniętych śmiercią wnucząt doktora Slade'a Jozjasz był najbardziej zaciekawiony własnymi doświadczeniami z „tamtego" świata. Był pewien, że kiedy znajdował się w ładowni statku, nawet na moment nie utracił świadomości, mylnie uznany za zmarłego, z całą pewnością zapadł w głęboki sen i nie okazywał oznak życia. Szczekanie psów blisko jego głowy, rżenie koni, wycie wiatru, skrzypienie statku – wszystko to były urojenia z jego snów, a jednak bardzo prawdziwe. Żywo wspominał swą zrozpaczoną siostrę na krze lodowej pośrodku Oceanu Południowego; pamiętał, jak wołała do niego, i pamiętał, jak pospieszył jej na ratunek, ale poza tym nie pamiętał nic więcej. I choć zmizerniał, bo przecież nie jadł, ten sen go odświeżył i jakimś sposobem wyparł tamte złe głosy. Przebudziwszy się z transu, Jozjasz uwierzył, że znowu jest sobą, tak jak nie był do końca sobą przez cały miniony rok albo i dłużej. I przestały go też nawiedzać obce myśli, które czyniły jego życie torturą.

– Pierwszą rzeczą, jaką zrobiłem po odzyskaniu zdrowia psychicznego – powiedział Jozjasz – było wyplątanie się z tego szaleństwa z wyprawą na biegun opartą na nędznych finansach i słabej załodze; kiedy ci ludzie wyszli na ląd pod przywództwem Oatesa, ja zostałem bezpiecznie na pokładzie *Balmorala* razem z garstką innych. Zajmowałem się wtedy pisaniem dziennika i zaprowadzaniem ładu w myślach. Wielu ludzi tam zginęło, a oprócz nich wszystkie kucyki i połowa psów: Bóg tylko wie, co musieli robić ocalali, by przetrwać te ponure miesiące. A jednak oni wrócili. I potem wszyscy wróciliśmy do cywilizacji, niewiele później, niż przewidywał plan.

Swojej rodzinie, a w szczególności Annabel, Jozjasz przysiągł, że już nigdy nie będzie żeglował do *terra incognita.*

– Tutaj świat też jest niepoznany i wystarczy.

Wprawdzie *Przeklęci* to kronika zdarzeń pierwotnie ograniczonych do lat 1905–1906, sądzę jednak, że chyba trzeba napomknąć, co się działo po napawającym optymizmem lecie 1906 roku, kiedy wszyscy Slade'owie na powrót się zjednoczyli, wyjąwszy nieszczęsnego Copplestone'a. Po upływie roku skutkiem nieoczekiwanego splotu wydarzeń Jozjasz i Annabel dołączyli

do Kolonii „Dom Helikonu" w okolicach Englewood. Jozjasz po raz kolejny
bowiem odszukał Uptona Sinclaira na wiecu Międzykolegialnego Stowarzyszenia Socjalistycznego w Nowym Jorku i ustanowił kontakt z młodym
organizatorem oraz przedstawił go Annabel, a potem również Wilhelminie
Burr, która dołączyła do kolonii nieco później. (Kiedy Annabel i Wilhelmina
wreszcie padły sobie w objęcia, bo nie widziały się od dnia ślubu Annabel,
Wilhelmina zalała się łzami, twierdząc, że nigdy nie uwierzyła w śmierć swej
przyjaciółki; i czuła, że Annabel żyje. „I mam teraz nadzieję, że już nigdy
cię nie stracę z pola widzenia – zarzekała się Wilhelmina – a przynajmniej
z pola oddziaływania mojej miłości"). W kolonii zamieszkał także były seminarzysta, a teraz zagorzały socjalista Yaeger Ruggles, który zaprzyjaźnił
się z nimi wszystkimi i jednocześnie był człowiekiem ważnym dla sprawy,
z głową przepełnioną szczególnie radykalnymi i rewolucyjnymi ideami,
od działalności związkowej przez rolnictwo i fabryki stanowiące własność
robotników po edukację i domy wolne od rasizmu, które to idee niestety
mocno wyprzedzały czas.

Kolonię tworzyło kilka szachulcowych budynków, w tym dom, który
niegdyś służył za dormitorium dla chłopców i który trzeba było wyremonto-
wać, by komuna mogła z niego korzystać; cała posiadłość obejmowała około
dwustu akrów żyznej ziemi, uprawnej i zalesionej, rozciągającej się od Old
Jericho Road od północy aż do Lockwood Gorge na wschodzie. Kolonia
okazała się, z początku przynajmniej, szczęśliwą samotnią dla młodych idealistów, którzy mieli dosyć burżuazyjnego społeczeństwa i pragnęli wykorzystać swoją energię na rzecz takich dyscyplin, jak agronomia, organiczne
rolnictwo, hodowla zwierząt i uprawa roślin w szklarniach. Na przykład Jozjasz, kiedy nie angażował się w działalność socjalistyczną w Nowym Jorku,
zajmował się hodowlą i szkoleniem peruwiańskich koni, bo tak go oczaro-
wało ich piękno i wdzięk. Wilhelmina pozostała przy sztuce, w nadziei, że
stworzy „socjalistyczną estetykę dla kobiet", natomiast Annabel skupiła się na
pisaniu i utrzymywaniu kolonii, na którą, podobnie jak Jozjasz, przekazała
praktycznie wszystkie swoje pieniądze z funduszu powierniczego.

Wprawdzie młodzi „farmerzy" byli nowicjuszami, gdy zaczęli swoją przygodę, ale Upton Sinclair wykazał się przezornością i zaprosił do komuny
bardziej doświadczonych ludzi, by pomagali w pracach poza domem; miał
takie marzenie, że pewnego dnia, i to już niebawem, za rok albo dwa, kolonia rozrośnie się do pięćdziesięciu, stu, dwustu mieszkańców – „I w końcu
zrewolucjonizujemy cały świat!". Upton nakreślił plan pięcioletni, zgodnie
z którym kolonia miała się stać samowystarczalna, a nawet osiągać zyski;
w międzyczasie mieli uzupełniać swe dochody o prywatne zarobki, jak
na przykład on tantiemami z książek, i produkować jak najwięcej własnej
żywności i sprzedawać, co będą mogli. „Ludzie w okolicy się dowiedzą,
zaufają nam".

W początkach zimy 1906 roku – głównie po to, by zadać kłam oszczerstwom krążącym wśród mieszkańców Englewood i okolic – na terenie kolonii odbył się podwójny ślub, którego udzieliła wyświęcona kobieta-pastor z brooklyńskiego kościoła unitariańskiego, łącząc węzłem małżeńskim Jozjasza Slade'a z Wilhelminą Burr oraz Annabel Slade z Yaegerem Rugglesem*.

Autor niniejszej opowieści nie zamierza wybiegać w przyszłość i opowiadać o tym, co czekało tych młodych idealistów, ale pragnie zaznaczyć, że w marcu 1907 roku wszyscy oni uszli z życiem z pożaru, który był wynikiem podpalenia – w każdym razie moja kronika dobiegła końca i „zwyczajne życie" musi potoczyć się dalej. Moją sceną finałową jest wyżej wspomniany podwójny ślub udzielony na terenie kolonii, pośród girland z kwiatów – Upton Sinclair śmiał się jak mały chłopiec, ze łzami w oczach ściskając ręce nowożeńcom i gościom: „Towarzysze! Oto świta nowy dzień! *Rewolucja już teraz!*".

---

* W kolonii prędko stwierdzono, że Annabel potrafi prowadzić księgowość i z przyjemnością sporządza bilanse, do czego Upton Sinclair nie miał ani czasu, ani umiejętności; Annabel stopniowo przekazywano odpowiedzialność za budżet kolonii i dzięki temu często miała sposobność konferowania z Yaegerem Rugglesem, którego ciemne oczy, dziwne włosy opadające na kołnierz, oliwkowa karnacja i „rozmyty wirginijski" akcent oczarowały ją, podobnie jak jasnowłosa Annabel Slade oczarowała byłego seminarzystę już podczas ich pierwszego spotkania. Co ma myśleć historyk? Czy rolą historyka jest sugerowanie dezaprobaty wobec „mieszania się ras"? A może takie radykalne zachowanie Annabel Slade było tylko przepowiednią zamętu w tradycjach, który miał przynieść burzliwy wiek dwudziesty, nie mówiąc już o niedocieczonym dwudziestym pierwszym? Miarą pogodzenia się z losem starszych Slade'ów było to, że nie wtrącali się do matrymonialnych planów tej pary, kiedy usłyszeli, że ich córka, która ledwie co powróciła od zmarłych, po raz drugi „dała się oczarować" pozornie nieodpowiedniemu osobnikowi mówiącemu z wirginijskim akcentem.

EPILOG

PRZYMIERZE

(Winslow Slade)

DRODZY MOI, UKOCHANI W CHRYSTUSIE, WYSŁUCHAJCIE MNIE I MIEJCIE LITOŚĆ. WIEDZCIE, ŻE MÓJ GRZECH JEST TYM WIĘKSZY, ŻE PRZEZ CAŁE ŻYCIE PRZYBIERAŁEM *OBLICZE CNOTLIWEGO.*

WIEDZCIE, ŻE ZŁO PRZEZE MNIE WYRZĄDZONE JEST TYM WIĘKSZE, ŻE PRZEZ CAŁE ŻYCIE *PRZEMAWIAŁEM GŁOSEM SPRAWIEDLIWEGO.*

PRZYJACIELE, SĄSIEDZI, DRODZY CHRZEŚCIJANIE I UKOCHANI KREWNI, JAKŻE NIECNIE WYKORZYSTANI PRZEZE MNIE, OBŁUDNIKA, KTÓRY MIESZKAŁEM POŚRÓD WAS PRZEZ TE PIĘĆ DZIESIĄTKÓW LAT I DŁUŻEJ.

WIEDZCIE, ŻE MOJA WINA Z POWODU KLĄTWY, KTÓRA NA WAS SPADŁA, JEST TYM WIĘKSZA, ŻE NIEUDOLNIE I OBŁUDNIE UDAWAŁEM, GDY WYGŁASZAŁEM SWE POPRZEDNIE WYZNANIE: FAŁSZYWE WYZNANIE OD PIERWSZEJ SYLABY.

WIEDZCIE, ŻE KLĄTWA, KTÓRA ROZSZALAŁA SIĘ WŚRÓD WAS, TO SKUTEK GRZECHU POPEŁNIONEGO PRZEZ WINSLOWA SLADE'A I NIC WIĘCEJ I ŻE NIE BYŁ TO PAKT Z DIABŁEM, TYLKO PAKT Z WSZECHMOGĄCYM BOGIEM, KTÓREGO GNIEWNEJ RĘKI NIE SPOSÓB WYMINĄĆ POPRZEZ MODLITWĘ, CZYNIENIE DOBRA, AKTY POŚWIĘCENIA ANI TEŻ ŻADNE *LUDZKIE PROŚBY.*

WIEDZCIE, ŻE STOJĘ TERAZ PRZED WAMI NARESZCIE ZDEMASKOWANY I OBNAŻONY JAKO *MORDERCA, KRZYWOPRZYSIĘZCA* I *OBŁUDNY ZDRAJCA* TEGO WSZYSTKIEGO, CO JEST WAM DROGIE, I ŻE W TEN SZABATOWY PORANEK W MOIM SIEDEMDZIESIĄTYM SZÓSTYM ROKU ŻYCIA, JUŻ PO SZALEŃSTWACH HORRORU, ZA KTÓRE MNIE JEDYNEGO NALEŻY OBWINIĆ, NINIEJSZYM PRZYZNAJĘ SIĘ DO SWEGO GRZECHU, SWOJEJ ZBRODNI I ZDRADY NASZEJ WSPÓLNOTY, I ROZGRZESZAM WAS Z TEGO GORZKIEGO CZYNU, JAKIM BĘDZIE UKARANIE MNIE, POPRZEZ WYRAŻENIE ZGODY NA SWOJĄ ŚMIERĆ, KTÓRA OBY Z WOLI BOŻEJ NASTĄPIŁA JAK NAJPRĘDZEJ: BO BYĆ MOŻE TRAFIĘ DO NAJDALSZYCH ZAKAMARKÓW PIEKIEŁ, BY TAM JUŻ CIERPIEĆ CAŁĄ WIECZNOŚĆ, O CO MODLIŁA SIĘ MOJA NIESZCZĘSNA OFIARA Z MOJEGO POWODU ZDJĘTA ŚMIERTELNYM PRZERAŻENIEM.

„A OTO STRĄCONY JESTEŚ DO KRAINY UMARŁYCH, NA SAMO DNO PRZEPAŚCI"*.

TO NIE TEN FRANCUZ SELINCOURT UDUSIŁ MŁODĄ KOBIETĘ O IMIENIU PERŁA, LECZ JA, WINSLOW SLADE: JA, KTÓRY STOJĘ PRZED WAMI DZIESIĄTKI LAT PO TYM, JAK DOKONAŁEM TEGO WSTRĘTNEGO CZYNU, ZDEMASKOWANY, OBNAŻONY I ZNANY JUŻ CAŁEMU ŚWIATU JAKO MORDERCA, KRZYWOPRZYSIĘZCA I OBŁUDNY ZDRAJCA; JA I TYLKO JA UCISZYŁEM NA ZAWSZE BIEDNĄ DZIEWCZYNĘ Z PRZĘDZALNI, KTÓRA MIAŁA OKALECZONĄ DŁOŃ, SKÓRĘ JAKBY OSMA-LONĄ I ZATRWOŻONE OCZY, BO ONA WIEDZIAŁA, JAKI JĄ CZEKA LOS Z RĄK OSZALAŁEGO (BIAŁEGO) MŁODZIEŃCA, KTÓRY W DESPERACJI PODYKTOWANEJ TCHÓRZOSTWEM I WSTYDEM ZACISNĄŁ DŁONIE NA JEJ SZYI I NIE PUSZCZAŁ, DOPÓKI NIE ZOSTAŁA ANI DROBINA ŻYCIA W JEJ OSZALAŁYM CIELE I W JEJ ZMĘTNIAŁYCH OCZACH NIE PŁONĄŁ JUŻ ŻADEN PRZEŚMIEWCZY OGNIK. DOPÓKI DZIEWCZYNA NIE LEGŁA BEZ ŻYCIA I POŁAMANA NA WYZIĘBIONEJ ZIEMI PRZEDE MNĄ: I WTEDY WINSLOW SLADE ZOSTAŁ POTĘPIONY NA CAŁĄ WIECZNOŚĆ.

PRAGNĄŁEM JEDYNIE UCISZYĆ JEJ KRZYKI I OSKARŻENIA I TO TEŻ UCZYNIŁEM – O PANIE!

PRAGNĄŁEM JEDYNIE PODPORZĄDKOWAĆ JĄ SWOJEJ WŁADZY, ŻEBY JĄ ZASTRASZYĆ I ZA-WSTYDZIĆ, I TO TEŻ UCZYNIŁEM – O PANIE, OBYŚ TY WIEDZIAŁ, JAK BARDZO!

PRAGNĄŁEM JEDYNIE ZADAĆ JAKĄŚ MAŁĄ, OSTRZEGAWCZĄ RANĘ JEJ ROZGORĄCZKOWANE-MU, WIJĄCEMU SIĘ KOBIECEMU CIAŁU MANIFESTUJĄCEMU OBRZYDLIWĄ NIEPRZYZWOITOŚĆ JEJ PŁCI, CO TEŻ UCZYNIŁEM – O CZYM TY DOBRZE WIESZ, O BEZLITOSNY PANIE.

ALBOWIEM ONA BYŁA SKAŻONA; NIECZYSTA. I NIE ZASŁUGIWAŁA NA ŻYCIE.

ALBOWIEM PRZYWARŁA DO MNIE JAK BŁOTO I BYŁA DLA MNIE PRZERAŻAJĄCA.

ALBOWIEM BYŁA ZMYSŁOWA I PIĘKNA NA SPOSÓB DLA MNIE CAŁKIEM NIEZNANY, CO OGLĄDAŁO SIĘ STRASZNIE I NALEŻY UKARAĆ.

ALBOWIEM ODWAŻYŁA SIĘ OPLEŚĆ MÓJ KARK RĘKOMA I DOTYKAŁA SWYMI MIĘSISTYMI WARGAMI MOJEJ SZYI, MOJEGO LICA, MOICH UST CAŁKIEM BEZWSTYDNIE I ZMUSIŁA, ŻE I JA CAŁOWAŁEM JĄ W ZAMIAN – A TO DLATEGO, ŻE NIE POTRAFIŁEM SIĘ OPRZEĆ.

ALBOWIEM UWIODŁA MNIE I PRZEZ NIĄ ZDRADZIŁEM NARZECZONĄ, KTÓREJ IMIENIA W GO-RĄCZCE TEJ NAMIĘTNOŚCI NIE MOGŁEM SOBIE PRZYPOMNIEĆ.

ALBOWIEM PRZEKLĘŁA MNIE I NATARŁA NA MNIE SWYM CIAŁEM DEMONA I DOTYKAŁA MNIE SWYM GORĄCYM JĘZYKIEM, ŚMIAŁA SIĘ, DROCZYŁA, NĘKAŁA I WZBUDZIŁA WE MNIE TAK PIEKIELNE POŻĄDANIE, ŻE BYŁO ONO NIE DO ZNIESIENIA.

ALBOWIEM TO *ONA I TYLKO ONA, PRZEŻARTA CHOROBĄ, NAKŁONIŁA MNIE DO GRZECHU I DO PRZYJĘCIA KONDYCJI ZWYCZAJNEGO CZŁOWIEKA, I DO ŚMIERTELNOŚCI* I, O STRASZLIWY BOŻE! – NIE WIEM DO CZEGO JESZCZE.

TO NIE BYŁ TEN MŁODY WINSLOW SLADE, KTÓRY W SWEJ NIEWINNOŚCI NIE POSIADAŁ

---

* Iz 14,15; Biblia Warszawska (przyp. tłum.).

NIC Z CIELESNEJ WIEDZY, DOPÓKI NIE NASTAŁ ÓW CZAS, GDY WPEŁZŁ NA TĘ DZIEWCZYNĘ, BO CHCIAŁ ZAGRZEBAĆ SIĘ W JEJ CIELE, NAWET WTEDY, GDY BEZNADZIEJNE ŻYCIE JUŻ Z NIEJ WYCIEKAŁO − TO BYŁA CAŁKIEM INNA ISTOTA − PRAWDZIWY DEMON OCHRZCZONY JAKO SLADE. I JEDYNYM ŚWIADKIEM BYŁ BÓG, I NIE INTERWENIOWAŁ.

WPATRYWAŁ SIĘ WE MNIE SROGIM SPOJRZENIEM, KIEDY JA LEŻAŁEM W RAMIONACH DZIEWCZY-NY, NA JEJ PIERSIACH, BRZUCHU I NA TYM SPOJENIU NÓG, Z KTÓRYCH RAPTOWNIE UCHODZIŁO CIEPŁO I ŻADNA SKRUCHA NIE MOGŁA TEGO ODWRÓCIĆ. I WTEDY NASZŁA MNIE ULOTNA MYŚL, ŻE OBSYPIĘ JĄ LIŚĆMI, ZIEMIĄ, ŻE NAMASZCZĘ JEJ CZOŁO BŁOTEM, ŻE UKRYJĘ JĄ PRZED PANEM W LEŚNYCH OSTĘPACH I NA ZAWSZE PORZUCĘ SWE ŻYCIE POŚRÓD CYWILIZOWANYCH LUDZI. DZIKI GNIEWNY ŚMIECH RUNĄŁ Z NIEBA NICZYM OSZALAŁY GROM I PAN SPYTAŁ MNIE: A CÓŻ TO ZA NIKCZEMNOŚĆ WYRZĄDZIŁEŚ TEJ NIEWIEŚCIE, MÓJ WSPANIAŁY CHŁOPCZE, JAKIEJ-ŻE TO NIEPRZYZWOITOŚCI DOPUŚCIŁEŚ SIĘ W SEKRECIE, JAK WSZYSCY SLADE'OWIE, KTÓRZY DOPUSZCZAJĄ SIĘ WSZYSTKIEGO W SEKRECIE OD CZASÓW, GDY TRZYMALI NIEWOLNIKÓW, AŻ DO TERAZ, DO TEJ WIELKIEJ FORTUNY, KTÓRA JEST BOŻYM BŁOGOSŁAWIEŃSTWEM ZEBRANYM NICZYM PLONY Z UGIĘTYCH I POŁAMANYCH GRZBIETÓW ROBOTNIKÓW FABRYCZNYCH, PRA-COWNIKÓW PRZĘDZALNI, GŁUPICH I LEDWIE COŚ DUKAJĄCYCH IMIGRANTÓW, KTÓRYM BRAK PALCÓW I OCZU, I JESZCZE PRÓBOWAŁEŚ PRZECHYTRZYĆ SWEGO BOGA, PRÓBOWAŁEŚ UKRYĆ SWÓJ GRZECH, JAKBY TO BYŁ ZWYKŁY WYSTĘPEK, MYŚLISZ, ŻE WYSTARCZY, ŻE ZAPNIESZ SPODNIE, MÓJ CHŁOPCZE, I POGNASZ DO LASU, DYSZĄC JAK ZWIERZĘ? MYŚLISZ, ŻE ODEGNASZ OD SIEBIE TĘ NOC, KIEDY KAMIENNE PROMIENIE KSIĘŻYCA USTĄPIĄ SŁOŃCU? MYŚLISZ, MÓJ NIEDOŚWIADCZONY MŁOKOSIE, ŻE DOPUŚCIŁEŚ SIĘ SWEGO CZYNU W TYM POTĘPIONYM MIEJ-SCU SAMOISTNIE, BEZ WIEDZY TWEGO PANA?

OGŁUSZAJĄCY BYŁ JEGO ŚMIECH, BO TO BYŁ BÓG GNIEWU NASZYCH HEBRAJSKICH PRZOD-KÓW, A NIE PAN JEZUS, KTÓRY UMARŁ NA KRZYŻU ZA NASZE GRZECHY, I DLATEGO WOLAŁEM ZAGRZEBAĆ SIĘ W ZIEMI, ŻEBY UCIEC PRZED TYM ŚMIECHEM, A TYMCZASEM WPATRZONA WE MNIE KOBIETA UŚMIECHAŁA SIĘ DO MNIE W UŚCISKU ŚMIERCI I POTEM JESZCZE UJAWNIŁA, ŻE JEST BARDZO MŁODA, MA NIE WIĘCEJ NIŻ SZESNAŚCIE LAT, I NIE CHCIAŁA SIĘ OBUDZIĆ, KIEDY SCHWYCIŁEM JĄ ZA RAMIONA I DŁUGO NIĄ POTRZĄSAŁEM I KRZYCZAŁEM DO NIEJ, ŻEBY WSTA-ŁA, ZANIM BĘDZIE ZA PÓŹNO, ŻE WYNAGRODZĘ JEJ TO I JEJ RODZINIE, ŻE ZADOŚĆUCZYNIĘ ZA MOJĄ ŻĄDZĘ I MOJE OKRUCIEŃSTWO, ALE NIE BYŁO ODPOWIEDZI, BO PRZESTAŁA ODDYCHAĆ, OSMALONA SKÓRA, KTÓRA BYŁA TAKA ODPYCHAJĄCA, BO PRZYCIĄGAŁA, BLADŁA TERAZ, TAK JAK CIEPŁO BLADŁO W CIELE, KTÓRE NIE DAWAŁO SIĘ PRZYWOŁAĆ Z POWROTEM. I BÓG WIDZIAŁ TO WSZYSTKO I JEGO GNIEW BYŁ TYM WIĘKSZY, ŻE POPEŁNIŁEM TAK OBRZYDLIWY GRZECH I PRÓBOWAŁEM UKRYĆ TO PRZED NIM. I PRZEZ TEN GRZECH BYŁ TYM WIĘKSZY.

JEZUS − BLIŹNIAK JUDASZA TOMASZA − PRZEMAWIAŁ GŁOSEM JAK TRĄBA: CZY TY MYŚLISZ, CZŁOWIEKU, ŻE JA MAM PRZYNIEŚĆ POKÓJ ŚWIATU? CZY NIE WIESZ, ŻE JA PRZYNIOSĘ PODZIA-ŁY − OGIEŃ, MIECZ, WOJNĘ, BO DZIECI ZOSTANĄ NASTAWIONE PRZECIWKO OJCOM, MĘŻOWIE PRZECIWKO ŻONOM I W KAŻDYM DOMU BĘDZIE PIĘCIORO: TROJE PRZECIWKO DWOJGU I DWOJE

PRZECIWKO TROJGU, OJCIEC PRZECIWKO SYNOWI I SYN PRZECIWKO OJCU, I CAŁA LUDZKOŚĆ PRZEOBRAZI SIĘ W SAMOTNIKÓW?

JEZUS PRZEMAWIAŁ Z GNIEWEM: DAM WAM TO, CZEGO OKO JESZCZE NIE WIDZIAŁO I CZEGO UCHO JESZCZE NIGDY NIE SŁYSZAŁO, A RĘKA NIE ODWAŻYŁA SIĘ DOTKNĄĆ, TO, CO DOTĄD NIE WNIKNĘŁO W SERCE CZŁOWIEKA.

I JEZUS OBIECAŁ: POSIĄDZIESZ TĘ JEDNĄ MĄDROŚĆ, BĘDZIESZ WIEDZIAŁ TO, CZEGO NIE WIEDZĄ INNI, ALE BĘDZIESZ PRZY NICH SAMOTNY W TEJ WIEDZY.

WIEDZCIE, UKOCHANI MOI, ZEBRANI DZIŚ RAZEM W TYM MIEJSCU KULTU, ŻE TO NIE TEN NIESZCZĘSNY SELINCOURT DOPUŚCIŁ SIĘ OWEJ BRUTALNEJ ZBRODNI TAMTEJ ZIMNEJ WIOSNY, MIMO ŻE ZOSTAŁ ZA NIĄ SKAZANY: ODEBRANO MU ŻYCIE ZA POMOCĄ SZNURA W WIĘZIENIU W TRENTONIE, PODCZAS GDY PRAWDZIWY MORDERCA UKRYŁ SIĘ WŚRÓD BOGACTW I MORALNEJ PRAWOŚCI ZALEDWIE DWADZIEŚCIA MIL DALEJ, W MIASTECZKU PRINCETON; MORDERCA UKRYŁ SIĘ NA OCZACH WSZYSTKICH, A JEDNAK ŻYŁ W ŚMIERTELNYM STRACHU, ŻE INNI ODKRYJĄ, CO ON UCZYNIŁ, ROZGŁOSZĄ TO I OKRYJĄ HAŃBĄ NA CAŁY KRAJ, ZA TO, ŻE DOTKNĄŁ KOBIETY JUŻ TAK ZBEZCZESZCZONEJ I Z RASY WYRZUTKÓW, POTOMKINI TYCH, KTÓRYCH SPROWADZONO W ŁAŃCUCHACH Z AFRYKI, KIEDY ZOSTALI SPRZEDANI PRZEZ SWYCH AFRYKAŃSKICH ZIOMKÓW GONIĄCYCH ZA CZYSTYM ZYSKIEM.

TEN BIAŁY MORDERCA, CENIONY W RODZINIE JAKO NAJBARDZIEJ OBIECUJĄCY Z SYNÓW, OSZUKIWAŁ SAMEGO SIEBIE, MÓWIĄC: JESTEM SLADE'EM, I TO WYŚWIĘCONYM PRZEZ BOGA, NIE JESTEM WINIEN ŻADNEJ ZBRODNI, BO WSZYSTKO, CO DZIEJE SIĘ Z MEJ RĘKI, DZIEJE SIĘ DLATEGO, ŻE TAK ŻYCZYŁ SOBIE BÓG, I NIE MOŻE BYĆ POCZYTYWANE ZA GRZECH.

JAKI TY MASZ ZIMNY ODDECH, WINSLOW – MOJA MŁODA ŻONA ODSUWAŁA SIĘ ODE MNIE W NASZĄ NOC POŚLUBNĄ, BO Z MOICH UST CZUĆ BYŁO CUCHNĄCY POWIEW GROBU, KTÓRY BYŁ MOIM GROBEM. MOJA NIEWINNA ŻONA ORIANA TYLKO SPOJRZAŁA MI W OCZY SCHORZAŁE Z POCZUCIA WINY I JUŻ WIEDZIAŁA, ŻE NOSZĘ W SERCU WSPOMNIENIE OHYDNEJ ZBRODNI, O KTÓREJ NIE CHCIAŁEM POWIEDZIEĆ ANI JEJ, ANI NIKOMU INNEMU.

I TAMTEJ NOCY, WIELE LAT TEMU, SPARALIŻOWANY WE ŚNIE, Z NIESZCZĘŚLIWĄ ŻONĄ U BOKU, Z MOZOŁEM ZAWLOKŁEM TO CIAŁO GŁĘBIEJ W LAS, DO MIEJSCA PEŁNEGO BAGIENNYCH TRAW, PRZEGNIŁYCH DRZEW I WĘŻY WIJĄCYCH SIĘ POD POWIERZCHNIĄ CUCHNĄCEJ WODY, CAŁY DRŻĄC I SKOMLĄC JAK PRZESTRASZONE DZIECKO: O BOŻE, TY WIDZISZ WSZYSTKO I NICZEGO NIE WYBACZASZ! W NADZIEI, ŻE ZAKRYJĘ POŁAMANE STWORZENIE LIŚĆMI I BŁOTEM, KTÓREGO NABRAŁEM W DŁONIE, I SPADŁYMI GAŁĘZIAMI, ŻEBY JEJ NIKT NIGDY NIE ZNALAZŁ, ŻEBY NIKT SIĘ NIE DOWIEDZIAŁ, CO STAŁO SIĘ Z PERŁĄ, KTÓRA WCISKAŁA SIĘ W RAMIONA WIELU MĘŻCZYZN, ŻEBY JĄ WYKORZYSTYWALI, A ONA MIAŁA Z TEGO ZYSK, ALE I JAKIŚ DROBNY GEST MIŁOŚCI ALBO DRWINY Z MIŁOŚCI. BO GDYBY TAK SIĘ STAŁO, GDYBY CIAŁO NIE ZOSTAŁO NIGDY ZNALEZIONE, TO TEN OKRUTNY CZYN NIE WYSZEDŁBY NA JAW – NIEPRAWDAŻ?

A POTEM RZUCIŁEM SIĘ DO UCIECZKI, BOSO, BO ZABRALI MI BUTY.

I ŚCIGAŁ MNIE BÓG ZASTĘPÓW NIEBIESKICH Z GŁOSEM JAK OSZALAŁY PIES GOŃCZY I JEZUS Z GŁOSEM JAK TRĄBA, KTÓRY SZYDZIŁ, KTÓRY NIE BYŁ JAK TEN KOCHAJĄCY JEZUS, BO

TEN MÓWIŁ DO MNIE: UTWORZYMY PRZYMIERZE, JA I TY: BĘDZIE CI DANE PIĘĆDZIESIĄT LAT, PODCZAS KTÓRYCH BĘDZIESZ MÓGŁ CZYNIĆ JAKIEŚ ZNIKOME DOBRO ALBO NADAL ZADAWAĆ KRZYWDĘ, A POTEM ZOSTANIESZ OSACZONY PRZEZ ANIOŁÓW GNIEWU, KTÓRZY DOPADNĄ TAKŻE TYCH, KTÓRYCH KOCHASZ BARDZIEJ NIŻ SIEBIE.

WIEDZ, WINSLOWIE SLADE, ŻE PO KRES TWEGO ŻYCIA NIKOMU Z TYCH, KTÓRZY BĘDĄ MIESZKAĆ PRZY TOBIE, NIE BĘDZIE OSZCZĘDZONE, BO ZOSTAŁEŚ PRZEKLĘTY PRZEZ BOGA, JAKO GODNY BRAT BLIŹNIAK GNIEWNEGO BOGA. ŚWIĘĆ SIĘ IMIĘ TWOJE, WIELEBNY SLADE.

I PO PRAWDZIE, UKOCHANI MOI, NIE POZNAŁEM PRZEDTEM BOGA ANI JEGO JEDYNEGO ZRO-DZONEGO SYNA, JEZUSA Z NAZARETU, ANI TEŻ ŻADNE Z WAS ICH NIE ZNA, CHYBA ŻE POZNALIŚCIE SMAK KRWI.

MOJA RODZINO, KREWNI, PRINCETOŃSCY PRZYJACIELE I SĄSIEDZI, MOI BRACIA W CHRYSTUSIE – O WY, KTÓRYCH OKŁAMYWAŁEM PRZEZ TE WSZYSTKIE LATA, WY, KTÓRYM W SWEJ PRZEBIEGŁOŚCI UKAZYWAŁEM FAŁSZYWIE CNOTLIWE OBLICZE: WIEDZCIE, ŻE MINĘŁY TRZY DNI, ZANIM ODKRYTO CIAŁO DZIEWCZYNY Z PRZĘDZALNI W LESIE ZA COLD SPRING, I POTEM MINĄŁ JESZCZE JEDEN DZIEŃ, ZANIM ZATRZYMANO FRANCUZA SELINCOURTA PODCZAS UCIECZKI – CO STANOWIŁO WIDOMY DOWÓD NA WINĘ TEGO BANDYTY. (JEGO TOWARZYSZA, KTÓRY RÓWNIE OKRUTNIE WYKORZYSTAŁ PERŁĘ, NIGDY NIE ZATRZYMANO). KRÓTKO POTEM PRZYMUSZONO OWEGO CZŁOWIEKA DO PRZYZNANIA SIĘ DO TEGO OHYDNEGO CZYNU, NIE TYLKO DO MORDERSTWA, ALE TAKŻE DO NARUSZENIA NIETYKALNOŚCI CIAŁA DZIEWCZYNY, OCZYWISTEGO NAWET PO UPŁYWIE TRZECH DNI I ZBYT PODŁEGO, BY OPISYWAĆ JE W GAZETOWYCH RELACJACH. BÓG PRZYGLĄDAŁ MI SIĘ, KIEDY ZAMKNĄŁEM SIĘ NA PLEBANII, CHORY I OSŁABIONY GORĄCZKĄ, ZE STOPAMI PEŁNYMI STRUPÓW I SIŃCÓW JAK U KOGOŚ, KTO ZOSTAŁ UKRZYŻOWANY. I PIELĘ-GNOWAŁA MNIE MOJA DROGA MATKA, KTÓRA O NICZYM NIE WIEDZIAŁA. BO KOBIETY ZAWSZE MNIE CHRONIŁY, NIE WIEDZĄC, JAKI W GŁĘBI SERCA JESTEM. DIAGNOZA BRZMIAŁA, ŻE TO ATAK GORĄCZKI MÓZGOWEJ ALBO GRYPY, ALBO... NIE WIEDZIELI CO, ALE BARDZO TO BYŁO POWAŻNE I JEDYNIE BÓG, KTÓRY ZATROSKAŁ SIĘ O MNIE, POZWOLIŁ WINSLOWOWI SLADE'OWI ZACHOWAĆ SWE NIKCZEMNE ŻYCIE.

I TAK TEŻ SIĘ STAŁO, ŻE FRANCUZ SELINCOURT ZOSTAŁ OSĄDZONY I UZNANY ZA WINNE-GO MORDERSTWA PIERWSZEGO STOPNIA, PO CZYM JESIENIĄ 1855 ROKU STAN NEW JERSEY PRZEPROWADZIŁ JEGO EGZEKUCJĘ ZA TĘ ODRAŻAJĄCĄ ZBRODNIĘ: DYNDAŁ NA STRYCZKU TAK DŁUGO, AŻ WRESZCIE ORZECZONO JEGO ZGON. A MŁODY SEMINARZYSTA POWRÓCIŁ DO NA-UKI I SPRAWIAŁ RADOŚĆ RODZICOM SWĄ POBOŻNOŚCIĄ, PILNOŚCIĄ I INTELIGENCJĄ, A TAKŻE SPRAWIAŁ RADOŚĆ BOGU I JEGO SYNOWI, BO NIEBAWEM ZOSTAŁ NALEŻYCIE WYŚWIĘCONY NA PASTORA WIARY PREZBITERIAŃSKIEJ I BÓG ŚMIAŁ SIĘ Z TEJ MASKARADY, MÓWIĄC:

WIEDZ, ŻE JEZUS MIAŁ BLIŹNIAKA, DIDYMOSA JUDASZA TOMASZA APOSTOŁA, I ŻE RÓW-NIEŻ WINSLOW SLADE MA BLIŹNIAKA: JEST NIM BÓG ZASTĘPÓW NIEBIESKICH, Z KTÓRYM ON UKUŁ PRZYMIERZE, KTÓRE MA UKRYWAĆ DZIEŁA ZŁA NA ZIEMI Z UŚMIECHEM POJEDNANIA, I TYM SAMYM MA WSPIERAĆ ZŁO I WSZELKĄ NIKCZEMNOŚĆ NA ZIEMI. I MUSI PAMIĘTAĆ, ŻE WINIEN JEST NAUCZAĆ ODWROTNOŚCI I CAŁY CZAS ZACHOWYWAĆ SIĘ TAK, JAKBY BYŁ WOLNY OD WSZELKIEJ SKAZY GRZECHU.

Albowiem, bracia moi: to nikczemność, niezgoda i zgroza wiodą ludzi do Pana, w ich połamanych duszach, ze strachu przed Jego okrucieństwem i Jego piekłem.

Albowiem szczęście ludzi to klątwa boża, przez co odwracają się od niego i kierują swe spojrzenia na siebie albo na swoje „ja" odbite w lustrze — ku wielkiemu niezadowoleniu Pana.

Albowiem nieszczęście ludu od dawna raduje Pana, od czasu dzieci Izraela aż do teraz, bo dopiero wtedy, gdy padają przed Nim, zabijając swego buntowniczego ducha, i wielbią Go tak, jak On tego chce, Bóg czuje się spełniony i gniew Jego przygasa.

Wiedzcie bowiem, że Bóg jest bogiem zazdrosnym, zgodnie z przestrogami Biblii hebrajskiej, i On też wydaje rozkazy wiatrom, morskim głębinom, mieczowi barbarzyńcy, robactwu wszelkiej odmiany na Jego usługach, dzięki czemu potulność, służalczość, nieokiełznany strach i drżenie stają się udziałem ludzkości, a wtedy On wyniesiony jest w swej chwale.

Cynicy, ateiści i anarchiści pośród was są szczególnymi wrogami Boga, bo Go nie potrzebują, a jednak wymaga się od wierzących, aby walczyli z takimi niewiernymi, którzy ratują ich przed gniewnym Bogiem w swojej niewiedzy. Bo naszym celem jest sianie niezgody pomiędzy narodami i nastawianie ludzi przeciwko ich braciom, bo każde ludzkie plemię wierzy, że Bóg jest jego Bogiem, i nienawidzi wszystkich innych plemion; taki jest los narodów, że nastawiane są jedne przeciwko drugim, że mogą składać hołdy mieczowi i że wrogowie są zastraszani w imię Boże, że ich żyzne ziemie i rzeki mogą być przywłaszczane, ale tylko w imię Boże.

Wiedzcie bowiem, że my, Jego pośrednicy, jesteśmy najbardziej cenieni tam, gdzie głosimy niezgodę, używając przy tym języka miłości, i dajemy Mu zadowolenie, mówiąc o Armagedonie i ostateczności, i pustoszeniu grzesznych miast wybudowanych przez człowieka — im bardziej subtelne nasze maniery, im bardziej dobrotliwe i kochające, tym bardziej cenione przez Pana, bo to my nakłaniamy niewolnika, by wybaczył temu, który go zniewolił, i aby przywdział szaty swojej religii jako własne, my nakłaniamy uciemiężonych, by ze strachu przed piekłem radowali się tym, co do nich należy, jakby tego nie było mało, by stawali się orężem buntu w fałszywym pokoju.

Wszystko to powiedziano mi w przeddzień mego wyświęcenia. Ani razu podczas tych wszystkich lat, które upłynęły od tamtego dnia aż do dziś, nie odszedłem od tej wiary.

Moja pierwsza żona Oriana, która nie była współwinna mężowskiego grzechu, a jednak ucierpiała od jego skutków, kuliła się przede mną ze strachu: Jakie ty masz zimne ręce, mój mężu, jaki zimny oddech, usta, duszę! Chociaż nie czułem do niej prawdziwego pożądania, jak i do żadnej kobiety od tamtej nocy w marcu 1855 roku, kiedy spomiędzy mych lędźwi wypłynęła gorąca i trująca ciecz sprowadzona stamtąd przez dziewczynę o osmalonej skórze i zniekształconej dłoni, to

JEDNAK RODZILI MI SIĘ SYNOWIE, Z CIAŁA MEJ ŻONY, BO ZAWSZE ISTNIAŁO TO POROZUMIE-
NIE MIĘDZY BOGIEM A MNĄ, ŻE ON BĘDZIE MI ZSYŁAŁ SYNÓW, ABY NIE DOPUŚCIĆ, BY RÓD
SLADE'ÓW WYMARŁ. DLATEGO WIĘC DWIE MAŁE CÓRKI ZOSTAŁY DOTKNIĘTE DYFTERYTEM
I ZMARŁY W NIEMOWLĘCTWIE JAKO ZBĘDNE WOBEC BOŻEGO PLANU. ORIANA BYŁA ZROZPA-
CZONA TYMI STRATAMI I NIGDY SIĘ W PEŁNI Z NICH NIE OTRZĄSNĘŁA, PO CZYM SAMA ODESZŁA
NA TAMTEN ŚWIAT Z WINY TRWAŁEJ NIEMOCY, GDY MOI SYNOWIE BYLI KRZEPKIMI CHŁOPCAMI
W WIEKU DZIEWIĘCIU I TRZYNASTU LAT I JUŻ JEJ NIE POTRZEBOWALI.

OPŁAKIWAŁEM JEJ STRATĘ, BO WIEDZIAŁEM, ŻE ZNISZCZYŁEM JEJ ŻYCIE, TAK JAK ZNISZ-
CZYŁEM ŻYCIE DZIEWCZYNY Z PRZĘDZALNI.

A JEDNAK PAN ZESŁAŁ MI JESZCZE JEDNĄ KOBIETĘ, ABYM NIE POPADŁ W ROZPACZ, BO
POŚREDNICY GNIEWNEGO BOGA ŁATWO ULEGAJĄ ROZPACZY I ODBIERAJĄ SOBIE ŻYCIE, PRA-
GNĄC POŁOŻYĆ KRES MASKARADZIE ZE SWEJ PRAWOŚCI I POGNAĆ PROSTO DO PIEKŁA.

TABITHĘ ZNAŁEM DŁUŻEJ NIŻ ORIANĘ; NIE WYSZŁA ZA MĄŻ I WYZNAŁA WINSLOWOWI
SLADE'OWI, ŻE KOCHAŁA GO PRZEZ TE WSZYSTKIE LATA Z NIEWIELKIEGO DYSTANSU. BYŁA
OBOWIĄZKOWĄ I KOCHAJĄCĄ MACOCHĄ DLA MOICH SYNÓW I PRAGNĘŁA MIEĆ WŁASNE DZIECI;
JA TAKIEGO ŻYCZENIA NIE MIAŁEM, A JEDNAK KTÓREJŚ NOCY PERŁA O GORĄCYM CIELE LEGŁA
MIĘDZY NAMI, JEJ USTA SSAŁY MOJE USTA, A ZNIEKSZTAŁCONE KIKUTY JEJ PALCÓW DOTYKAŁY
MNIE LUBIEŻNIE; TO WYWOŁAŁO WE MNIE ŻĄDZĘ I POSIADŁEM MĄ PRZESTRASZONĄ ŻONĘ,
KTÓREJ IMIENIA NIE MOGŁEM SOBIE PRZYPOMNIEĆ W SZALEŃSTWIE TEJ CHWILI, I W TAKI OTO
HANIEBNY SPOSÓB TABITHA STAŁA SIĘ BRZEMIENNA W DRUGIM ROKU NASZEGO ZWIĄZKU. PO-
RÓD BYŁ DŁUGI I WYCZERPUJĄCY, TRWAŁ DWA DNI I DWIE NOCE, Z TAKIM SKUTKIEM, ŻE URO-
DZIŁA SIĘ DZIEWCZYNKA, KTÓRA ZMARŁA PO GODZINIE I NIE ZOSTAŁA NAWET OCHRZCZONA,
A TYMCZASEM TABITHA KRZYCZAŁA WNIEBOGŁOSY, Z BÓLU, PRZYGNĘBIENIA I SZALEŃSTWA;
NIGDY WCZEŚNIEJ NIE SŁYSZAŁEM, BY WYPOWIADAŁA TAKIE SŁOWA, BO PRZEKLINAŁA MNIE
I BŁAGAŁA PANA, BY ROZDARŁ MOJE CIAŁO NA DWOJE, ZMIAŻDŻYŁ KOŚCI I WYDARŁ Z PIERSI
ME OBRZYDŁE SERCE, ABYM CIERPIAŁ TAK, JAK ONA CIERPIAŁA, BO ŚMIERĆ DOPADŁA JĄ PRĘDKO
I POZBAWIŁA WSZELKICH CECH OSOBY ZNANEJ ŚWIATU JAKO TABITHA PAIGE STRACHAN, PO-
ZOSTAWIAJĄC JEDYNIE UMIEJĘTNOŚĆ MOWY, DZIĘKI KTÓREJ MOGŁA PRZEKLINAĆ SWEGO MĘŻA.

TAKIE SZALEŃSTWO PRZY PORODZIE BYŁO CZYMŚ PRZEOKROPNYM DLA WSZYSTKICH,
KTÓRZY TO OGLĄDALI, I DLA TYCH, KTÓRYM TO POTEM OPOWIEDZIANO, BO TABITHA BYŁA
ŁAGODNĄ CHRZEŚCIJANKĄ, NIGDY NIEPODNOSZĄCĄ GŁOSU, A JEDNAK MĄŻ WINOWAJCA ZRO-
ZUMIAŁ, ŻE TABITHA WEJRZAŁA W JEGO SERCE I POZNAŁA GO TAK, JAK NIE POZNAŁ GO NIKT
INNY Z ŻYJĄCYCH.

WIELEBNY WINSLOW SLADE WYGŁOSIŁ NIEZLICZONE KAZANIA WE WŁASNYM KOŚCIELE W PRIN-
CETONIE, W CAŁYM STANIE NEW JERSEY, W FILADELFII, A TAKŻE W NOWYM JORKU, GDZIE
SZLACHETNYM OBYCIEM, ŁATWOŚCIĄ W NAWIĄZYWANIU ZNAJOMOŚCI I CHRZEŚCIJAŃSKĄ POBOŻ-
NOŚCIĄ WYROBIŁ SOBIE DOBRĄ POZYCJĘ WŚRÓD STARSZYCH I NAJBARDZIEJ KONSERWATYWNYCH
CZŁONKÓW KOŚCIOŁA. I CI, KTÓRZY BYLIBY JEGO WROGAMI, DALI SIĘ WKRÓTCE POZYSKAĆ
ZA SPRAWĄ JEGO OGŁADY I WIELKODUSZNOŚCI, BO NIE WIEDZIELI, ŻE TRZEBA ZAJRZEĆ POD
MASKĘ, I TAK OTO DALI SIĘ ROZBROIĆ. A JEDNAK WIELEBNY SLADE CHYTRZE SIAŁ ROZŁAM ZE

SWEJ SPARTAŃSKIEJ PLEBANII, BO BYŁY TO CZASY PROCESÓW O HEREZJE, ZA POMOCĄ KTÓRYCH ZGROMADZENIE OGÓLNE KOŚCIOŁA PRZYWOŁYWAŁO DO PORZĄDKU NAZBYT LIBERALNYCH CZŁONKÓW KLERU.

POTĘPIANO PROTESTANCKICH KAZNODZIEJÓW, KTÓRZY CHĘTNIE NAWIĄZYWALI DO EWANGELII I UDERZALI W ENTUZJASTYCZNY TON.

I RZESZE IMIGRANTÓW Z IRLANDII I EUROPY POŁUDNIOWEJ, SIEDLISK PAPIZMU, ANALFABETYZMU I PRZESĄDÓW — TYCH POTĘPIANO Z AMBONY NAD WYRAZ PRZEMYŚLANYMI SŁOWAMI. I ŻYDÓW — MORDERCÓW JEZUSA I SIEWCÓW ANTYCHRYSTA.

I OKRUTNYCH MURZYNÓW, ZALEDWIE JEDNO POKOLENIE WCZEŚNIEJ UWOLNIONYCH PRZEZ SWYCH BIAŁYCH PANÓW.

I HISTERYCZNE KOBIETY DOMAGAJĄCE SIĘ „PRAW".

I TYCH, KTÓRZY NAUCZALI HERETYCKIEGO EWOLUCJONIZMU, I TYCH, KTÓRZY NAUCZALI ATEISTYCZNEGO SOCJALIZMU.

WSZYSTKICH ICH BÓG SRODZE NIENAWIDZIŁ I ŻYCZYŁ IM KRZYWDY, A WIELEBNY SLADE ZE SWEJ AMBONY POTĘPIAŁ ICH, ŁAGODNIE I PODSTĘPNIE, I MÓWIŁ NIE INACZEJ JAK ZREZYGNOWANYM TONEM O POWAŻNYCH CHOROBACH, KTÓRE SPADAŁY NA TYCH NIESZCZĘSNYCH, GŁÓWNIE NA CZARNYCH POTOMKÓW NASZYCH NIEWOLNIKÓW, JAK PERŁA Z PRZĘDZALNI, BO WIELEBNY NAUCZAŁ „POKOJU, KTÓRY PRZEWYŻSZA WSZELKI UMYSŁ", A NIE ZACIŚNIĘTEJ PIĘŚCI ZWIĄZKÓW ZAWODOWYCH I UNIESIONEGO ŻELAZNEGO MŁOTA. WSZYSTKO TO STAWIAŁO GO NA DOBREJ POZYCJI POŚRÓD UWIELBIAJĄCEJ GO KONGREGACJI I U JEGO PANA W NIEBIESIECH.

TYM SPOSOBEM ÓW DBAJĄCY O POZORY CZŁOWIEK PROSPEROWAŁ: WINSLOW SLADE ZOSTAŁ REKTOREM UNIWERSYTETU PRINCETON I GUBERNATOREM STANU, MIMO ŻE W SWYM WNĘTRZU NIE DOZNAWAŁ RADOŚCI I WIĄDŁ, BO PAN NIE OPUSZCZAŁ GO O ŻADNEJ GODZINIE, BO PRZEOBRAZIŁ GO W CIEŃ I NOCNEGO UPIORA, KTÓRY ZA DNIA NIE POSIADA ŻADNEJ SUBSTANCJI, A JEDNAK PRZEZ INNYCH JEST POSTRZEGANY BŁĘDNIE JAKO ŻYWA ISTOTA.

I CAŁY CZAS MUSIAŁ TO WIEDZIEĆ: PERŁA UMARŁA, ABYŚ TY MÓGŁ ŻYĆ I PROSPEROWAĆ; KAŻDEGO DNIA SPĘDZONEGO W CROSSWICKS CHODZISZ PO JEJ KOŚCIACH ROZPADAJĄCYCH SIĘ POD ZIEMIĄ, A OKRZYKI PTAKÓW Z KROKWI TWEGO WIELKIEGO DOMOSTWA TO OKRZYKI TEJ ZBOLAŁEJ DZIEWCZYNY — ALE I TAK ZOSTANIESZ WTRĄCONY DO PIEKŁA.

NIEOŚWIECENI NIE WIEDZIELI, ŻE NOWY GUBERNATOR WINSLOW SLADE ZOSTAŁ WYBRANY DZIĘKI HANIEBNEMU SFAŁSZOWANIU WYBORÓW W CAŁYM STANIE, A SZCZEGÓLNIE W JEGO STOLICY TRENTONIE. NIE WIEDZIELI, ŻE GUBERNATOR, OGROMNIE SZANOWANY JAKO PASTOR I BYŁY REKTOR WSPANIAŁEGO UNIWERSYTETU, TO TYLKO MARIONETKA PRZYWÓDCÓW PARTII REPUBLIKAŃSKIEJ, KTÓRZY Z KOLEI BYLI TYLKO MARIONETKAMI TRUSTÓW. WYRZUCENI Z PARTII DEMOKRATYCZNEJ, NAJEMNICY STANOWI, BYŁY GUBERNATOR BEDEL I JEGO TOTUMFACCY, STARY SENATOR SMITH Z BURLINGTONU I LUDZIE PRZECIWNI DEMOKRATYCZNEMU GUBERNATOROWI ABBETTOWI I CI, KTÓRZY BYLI ZA NIM, RUFUS BLODGETT I JEGO NAJEMNICY, ROBOTNICY Z MIASTA PASSAIC, PUŁKOWNIK DICKINSON, REPUBLIKAŃSCY MALKONTENCI Z NE-

WARKU, ZWOLENNICY PROHIBICJI, ZWOLENNICY LOKALNYCH OPŁAT LICENCYJNYCH, NIEUSU-
WALNI HANDLARZE ALKOHOLEM, GENERAŁ FISK I JEGO LUDZIE, PRZECIWNICY OPODATKOWANIA
KOLEI, LUDZIE STANDARD OIL, LUDZIE KOLEI BALTIMORE I OHIO I TORÓW WYŚCIGOWYCH
ATLANTIC CITY–CAPE MAY – WŁAŚNIE Z TAKIEJ KOALICJI ZRODZIŁ SIĘ WIELKI, CUCHNĄCY
GULASZ, DO KTÓREGO WRZUCONO MOC SZCZURZEGO ŁAJNA, A TAKŻE ZGNIŁE I PRZEŻARTE
PRZEZ ROBACTWO CIAŁA UNOSZĄCE SIĘ W WODACH DELAWARE. I GUBERNATOR SLADE BYŁ
ZMUSZONY BRAĆ TEN GULASZ DO UST, PRZEŻUWAĆ GO I POŁYKAĆ BEZ SŁOWA PROTESTU.

I TAK SIĘ STAŁO, ŻE TEN UPIÓR ZOSTAŁ WYNIESIONY NA NAJWYŻSZY URZĄD STANOWY
I NIEWAŻNE, CZY JEGO WYGRANA W WYBORACH W 1887 ROKU BYŁA SKUTKIEM FAŁSZERSTWA
CZY TEŻ NIE, TEGO CZŁOWIEKA WYBRANO NA GUBERNATORA NEW JERSEY, CO NIE MOGŁO
NIE PRZYSPORZYĆ ZADOWOLENIA BOGU.

BO DLACZEGO ZACHARIASZ ZOSTAŁ ZAMORDOWANY W ŚWIĄTYNI, JEŚLI NIE DLATEGO, ŻE MIAŁ
STRASZLIWĄ WIZJĘ, ALE KIEDY ZAPRAGNĄŁ OBWIEŚCIĆ TĘ WIZJĘ RZESZOM, BÓG POWSTRZYMAŁ
JEGO USTA I POTEM ODEBRANO MU ŻYCIE.
NIECH BĘDZIE BŁOGOSŁAWIONE IMIĘ BOŻE!

NIEDŁUGO POTEM UZNANO, ŻE GUBERNATOR SIĘ PRZELICZYŁ, GDY POSTANOWIŁ NARZUCIĆ
POKÓJ STRAJKUJĄCYM ROBOTNIKOM MIASTA JERSEY POPRZEZ WPROWADZENIE TAM MILICJI
STANOWEJ, KTÓRA POMASZEROWAŁA NA NICH I STRZELAŁA W TYM KOSZMARNYM PANDEMO-
NIUM, I TAK OTO GUBERNATOR JAKBY BEZWIEDNIE SPRAWIŁ, ŻE PRZEZ WIELE DNI TRWAŁA TAM
RZEŹ, A KIEDY PODOBNE POWSTANIE WYBUCHŁO W PATERSONIE, GUBERNATOR TYM RAZEM
POWSTRZYMAŁ SIĘ OD WEZWANIA WOJSKA, ALE DOSZŁO DO KOLEJNEGO ROZLEWU KRWI, BO
WŁAŚCICIELE FABRYK NATYCHMIAST PRZYSTĄPILI DO DZIAŁANIA I ZATRUDNILI WŁASNĄ, PRY-
WATNĄ MILICJĘ, ABY ZAJĘŁA SIĘ TĄ NIEZWYCZAJNĄ SYTUACJĄ.
TYM SAMYM ZABICI ZOSTALI NIE TYLKO STRAJKUJĄCY, ALE TAKŻE KOBIETY I DZIECI.
TAK WIĘC ZADOWOLONY JESTEM Z MEGO SŁUGI, WINSLOWA SLADE'A.

NIEBAWEM GUBERNATOR USTĄPIŁ Z URZĘDU, Z UCZUCIEM, ŻE PRZEŻERAJĄ GO MDŁOŚCI. BO
NAWET ON, KTÓRY MIESZKAŁ W GRZECHU, NIE BYŁ W STANIE PRZETRAWIĆ CUCHNĄCEGO GU-
LASZU POLITYCZNEGO. ODSZEDŁ Z ŻYCIA PUBLICZNEGO, TWIERDZĄC, ŻE CHCE ZNOWU BYĆ
PASTOREM I WRÓCIĆ DO ŻYCIA KONTEMPLACYJNEGO; POSTANOWIŁ TEŻ, ŻE ZAMKNIE SIĘ NA
PLEBANII I SPRÓBUJE NARESZCIE UŁOŻYĆ SOBIE LUDZKIE STOSUNKI ZE SWYMI WNUCZĘTAMI.
BO MIAŁ TERAZ CZWORO WNUCZĄT, KTÓRE KOCHAŁ NAD ŻYCIE I O WIELE BARDZIEJ NIŻ
KOCHAŁ WŁASNĄ SKAŻONĄ OSOBĘ.
JOZJASZ, ANNABEL, TODD I ORIANA – NIE WIEDZIAŁEM, CZEMU BÓG OBDARZYŁ MNIE
TAKIM BŁOGOSŁAWIEŃSTWEM, ALE WIEDZIAŁEM, ŻE NIE ZASŁUGUJĘ NA NIE.

* * *

WIEDZCIE ZATEM, MOI BRACIA W CHRYSTUSIE, ŻE DZIECI CZŁOWIEKA SĄ NAJBARDZIEJ CENIONE PRZEZ BOGA, KIEDY PŁASZCZĄ SIĘ W ROZPACZY, KIEDY NIE CZERPIĄ POCIESZENIA Z LUDZKIEJ MIŁOŚCI, BO ANI NIE KOCHAJĄ, ANI NIE SĄ KOCHANE, TYLKO ŚMIERTELNIE BOJĄ SIĘ BESTII, KTÓRA STAWIA NA NICH SWE ROZDWOJONE KOPYTO, ABY ROZDEPTAĆ JE NA PROCH.

WIEDZCIE, MOI BRACIA I SIOSTRY, ŻE DZIECI CZŁOWIEKA BUDZĄ NAJWIĘKSZĄ ODRAZĘ W BOGU, GDY PŁAWIĄ SIĘ W PIĘKNIE ZIEMI, KIEDY DZIELĄ SIĘ OWOCAMI I SPLENDORAMI ZIEMI, NIE SKŁADAJĄC ŻADNYCH OFIAR BOGU, I CAŁKOWICIE SIĘ ODEŃ ODWRACAJĄ. JEGO GNIEW GROZI IM NAJBARDZIEJ, GDY DARZĄ JEDYNIE ZIEMSKI RAJ I SIEBIE WZAJEM MIŁOŚCIĄ ŚMIERTELNIKÓW.

TAK WIĘC NARESZCIE NADESZŁA GODZINA, GDY BÓG WEJRZAŁ W ME SERCE I ZOBACZYŁ TAM ZIARNO MIŁOŚCI. I SPOSTRZEGŁ, ŻE OD DAWNA GO OSZUKIWAŁEM, BO Z TCHÓRZOSTWA ODDAWAŁEM MU CZEŚĆ, ALE BYŁBYM SIĘ ZBUNTOWAŁ, GDYBYM MIAŁ ODWAGĘ.

I BÓG NIE MÓGŁ MI WYBACZYĆ, ŻE POKOCHAŁEM SWE WNUCZĘTA BARDZIEJ NIŻ JEGO, BARDZIEJ NAWET NIŻ SWOICH SYNÓW I MOJE DROGIE, ŹLE POTRAKTOWANE ŻONY. JAKŻE GRZMIĄCY BYŁ JEGO GNIEW, KIEDY SIĘ TEGO DOWIEDZIAŁ.

I SPOSTRZEGŁ TEŻ, ŻE MINĘŁO PIĘĆDZIESIĄT LAT I JEGO SŁUGA WINSLOW SLADE TO JUŻ TERAZ STARY CZŁOWIEK SKAZANY NA SAMOTNOŚĆ I MELANCHOLIĘ SKRYWANĄ ZA ZWYCZAJOWYM UŚMIECHEM WYRYTYM NA JEGO TWARZY. I ŻE NIE MA JUŻ SIŁY, BY WYRZĄDZAĆ ZŁO, NAWET GDYBY TEGO CHCIAŁ. I ŻE W JEGO SERCU WYKWITŁO TO SKROMNE PRAGNIENIE, BY POZWOLONO MU NA BŁOGOŚĆ CODZIENNOŚCI, MIŁOŚCI LUDZKIEJ I ZAPOMNIENIA — INNYMI SŁOWY, WYMAZANIA JEGO GRZECHU.

I TAK OTO BÓG ZMĘCZYŁ SIĘ SWYM SŁUGĄ I UZNAŁ, ŻE WINSLOWOWI SLADE'OWI TRZEBA ODEBRAĆ KIELICH. A WÓWCZAS FURIE NIEBIOS, MŚCIWE ARCHANIOŁY, ZOSTAŁY NARESZCIE UWOLNIONE, BO TE GNIEWNE STWORZENIA ŁAKNĘŁY MEJ KRWI PRZEZ TE WSZYSTKIE DZIESIĘCIOLECIA, ALE TRZYMAŁO JE W RYZACH TAMTO DAWNE PRZYMIERZE.

DOSZŁO ZATEM DO TEGO, ŻE ANIOŁOM PAŃSKIM UDZIELONO ZGODY NA POJAWIENIE SIĘ NA ZIEMI, POŚRÓD NAS, MOGŁY ODTĄD SIAĆ TAKIE SPUSTOSZENIA, JAKIE ZECHCĄ, MOGŁY KRZEWIĆ TERROR, ODRAZĘ I ROZPACZ — WY, DRODZY MOI ZIOMKOWIE, MOGLIŚCIE UZNAĆ, ŻE TE ANIOŁY TO DEMONY.

NIE MOGŁO BYĆ DLA MNIE ZASKOCZENIEM, ŻE PIERWSZĄ OFIARĄ BYŁA MOJA UKOCHANA WNUCZKA ANNABEL, A JEDNAK JEJ UPROWADZENIE DOPIEKŁO MI DO ŻYWEGO I UMARŁEM TAMTEGO RANKA, W TYM SAMYM KOŚCIELE, DOKŁADNIE ROK TEMU.

TAK, WINSLOW SLADE UMARŁ TAMTEGO RANKA. ALE TAKIE JEST OKRUCIEŃSTWO PANA, ŻE ŚMIERĆ ANNABEL STAŁA SIĘ ZALEDWIE PIERWSZĄ Z LICZNYCH ŚMIERCI NIEWINNYCH, KTÓRE WTRĄCIŁY NASZĄ SPOŁECZNOŚĆ W ROZPACZ, JAKIEJ JĘZYK NIE JEST W STANIE WYRAZIĆ.

* * *

A TERAZ OPUSZCZAM WAS, MOI DRODZY MIESZKAŃCY TEGO MIASTA. WYZNAJĘ, ŻE JESTEM WINIEN NIE TYLKO TEGO WSTRĘTNEGO GRZECHU I ZBRODNI POPEŁNIONEJ PÓŁ WIEKU TEMU, ALE ŻE JA, WINSLOW SLADE, JESTEM TAKŻE WINIEN WSZYSTKICH PRZEJAWÓW KLĄTWY Z CROSSWICKS, KTÓRE SĄ WAM ZNANE. BO ANIELSKIE DEMONY PRZYBYŁY TU ZA MOJĄ SPRAWĄ I DOTKNĘŁY WAS TAKIMI NIESZCZĘŚCIAMI TAKŻE ZA MOJĄ SPRAWĄ. INNYMI SŁOWY: JA SAM JESTEM KLĄTWĄ Z CROSSWICKS.

INNYMI SŁOWY TO JA JESTEM WINIEN WSZYSTKICH ZBRODNI, CHAOSU, SZERZĄCYCH SIĘ SZKÓD I KOSZMARÓW, KTÓRYCH TE DEMONY DOPUŚCIŁY SIĘ W CIĄGU DWUNASTU MIESIĘCY, I NIE TYLKO — JAKBY TEN PADÓŁ ŁEZ BYŁ JEDYNIE SZALONYM SNEM, KTÓRY MÓGŁBY ZOSTAĆ ROZDARTY, I STRASZLIWYM ŚMIECHEM, I PANICZNYM STRACHEM, I UDRĘKĄ CIERPIĄCEJ LUDZKOŚCI OBDARZONĄ TAKIM SAMYM ZNACZENIEM JAK LOT MOTYLA.

I MIMO ŻE MÓGŁBYM WAS BŁAGAĆ O WYBACZENIE, TAK JAK BŁAGAŁEM ZAMORDOWANĄ PERŁĘ, WYBACZAĆ MI NIE NALEŻY. TAKI JUŻ MÓJ LOS, ŻE POWINIENEM ZOSTAĆ ZDEMASKOWANY, OBNAŻONY I ODRZUCONY PRZEZ WAS NA ZAWSZE.

BO MÓJ GRZECH BYŁ PRZECIWKO LUDZKOŚCI, A NIE BOGU, DLATEGO TYLKO LUDZKOŚĆ MOŻE MI WYBACZYĆ, TA LUDZKOŚĆ, KTÓRA WYBACZAĆ ZA NIC MI NIE POWINNA.

AMEN.

I TAK OTO TĄ STARĄ DŁONIĄ W SZABATOWY PORANEK 4 CZERWCA 1906 ROKU ORZEKAM NINIEJSZYM, ŻE TO JUŻ:

KONIEC

ŹRÓDŁA

Prawdy fikcji kryją się w metaforze, ale tutaj metaforę tworzy historia.
Niniejsza powieść została oparta między innymi na:

Woodrow Wilson: Life and Letters [Woodrow Wilson: Życie i listy], t. I i II, Ray Stannard Baker, 1927.

Woodrow Wilson, The Academic Years [Woodrow Wilson: Akademickie lata], Henry Wilkinson Bragdon, 1967.

My Aunt Louisa and Woodrow Wilson [Moja ciotka Louisa i Woodrow Wilson], Margaret Axson Elliott, 1944.

Woodrow Wilson of Princeton [Woodrow Wilson z Princetonu], McMillan Lewis, 1952.

Woodrow Wilson: A Brief Biography [Woodrow Wilson: Krótka biografia], Arthur S. Link, 1963.

The Priceless Gift: The Love Letters of Woodrow Wilson and Ellen Axson Wilson [Bezcenny dar: Listy miłosne Woodrowa Wilsona i Ellen Axson Wilson], pod red. Eleanor Wilson McAdoo, 1962.

When the Cheering Stopped: The Last Years of Woodrow Wilson [Kiedy ucichły wiwaty: Ostatnie lata Woodrowa Wilsona], Gene Smith, 1964.

Woodrow Wilson: A Medical and Psychological Biography [Woodrow Wilson: Biografia medyczno-psychologiczna], Edwin A. Weinstein, 1981.

Modern Battles of Trenton: Being a History of New Jersey's Politics and Legislation from the Year 1868 to the Year 1894 [Współczesne bitwy pod Trentonem: Historia polityki i ustawodawstwa stanu New Jersey w latach 1868–1894]; William Edgar Sackett, 1895.

Jack London, Richard O'Connor, 1964.

Scott of the Antarctic [Scott z Antarktyki], Elspeth Huxley, 1978.

The Autobiography of Upton Sinclair [Autobiografia Uptona Sinclaira], Upton Sinclair, 1962.

Stories of New Jersey [Opowieści o New Jersey], Frank Stockton, 1961.

The Cross and the Lynching Tree [Krzyż i drzewo do linczowania], James Cone, 2011.

SPIS TREŚCI

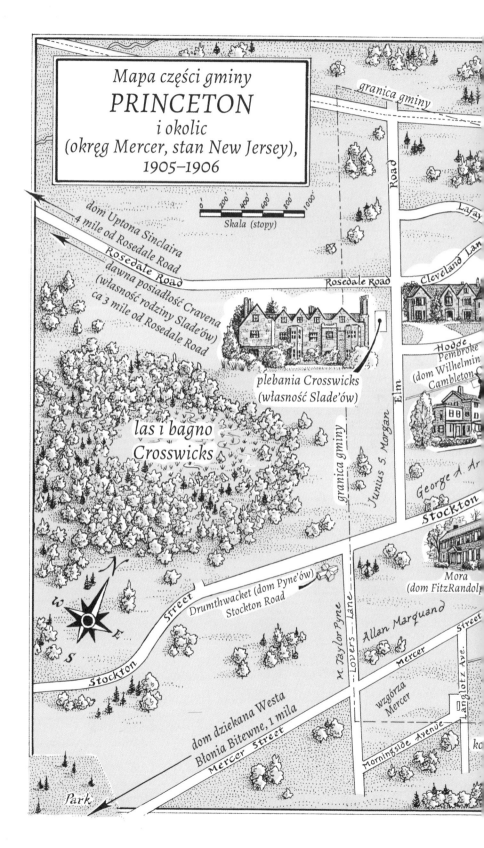

Mapa części gminy
PRINCETON
i okolic
(okręg Mercer, stan New Jersey),
1905–1906

0 200′ 400′ 600′ 200′ 1000′
Skala (stopy)

granica gminy

dom Uptona Sinclaira
— 4 mile od Rosedale Road

Rosedale Road

dawna posiadłość Cravena
(własność rodziny Slade'ów)
ca 3 mile od Rosedale Road

Rosedale Road

Lafay

Cleveland Lan

plebania Crosswicks
(własność Slade'ów)

Hodge
Pembroke
(dom Wilhelmin
Cambleton

las i bagno
Crosswicks

Elm

Junius S. Morgan

granica gminy

George A. Ar

Stockton

Mora
(dom FitzRandol

Street

Drumthwacket (dom Pyne'ów)
Stockton Road

M. Taylor Pyne

Lovers — Lane

Allan Marquand

Mercer

Street

Langlotz Ave.

wzgórza
Mercer

dom dziekana Westa
Błonia Bitewne, 1 mila

Mercer Street

Morningside Avenue

ka

Park